David Grossman

Eine Frau flieht vor einer Nachricht

Roman

Aus dem Hebräischen
von Anne Birkenhauer

Carl Hanser Verlag

Die hebräische Originalausgabe erschien 2008 unter dem Titel
Ischa borachat me-bessora bei Ha-Kibbuz ha-me'uhad in Tel Aviv.

Die Arbeit der Übersetzerin wurde vom Deutschen Übersetzerfonds gefördert.

Pu der Bär von A.A. Milne auf Seite 405 wird zitiert in der
Übersetzung von Harry Rowohlt, © Atrium Verlag 1987.

Moby-Dick von Herman Melville auf Seite 534 wird zitiert in der
Übersetzung von Matthias Jendis, © Carl Hanser Verlag 2001.

Wittgensteins Neffe von Thomas Bernhard auf Seite 543
wird zitiert © Suhrkamp Verlag 1982.

3 4 5   13 12 11 10 09

ISBN 978-3-446-23397-3
© David Grossman 2008
Alle Rechte der deutschen Ausgabe
© Carl Hanser Verlag München 2009
Satz: Satz für Satz. Barbara Reischmann, Leutkirch
Druck und Bindung: Friedrich Pustet, Regensburg
Printed in Germany

für Michal
für Jonathan und Ruthi
für Uri, 1985–2006

Hey, du da, Ruhe!
Wer ist das?
Sei endlich still! Du hast schon alle aufgeweckt!
Aber ich hab sie gehalten
Wen?
Auf dem Stein, da haben wir zusammengesessen
Auf was für einem Stein? Jetzt lass uns schlafen
Plötzlich ist sie mir runtergefallen
Du schreist, du singst
Aber ich hab geschlafen
Geschrien hast du!
Sie hat meine Hand losgelassen und ist gefallen
Hör auf, jetzt schlaf schon
Mach mal Licht
Bist du verrückt?
Ach so, hab ich vergessen
Die bringen uns um, wenn wir Licht machen
Wart mal
Was?
Ich hab gesungen?
Gesungen und geschrien, alles zusammen, sei jetzt still
Was hab ich gesungen?
Was du gesungen hast?!
Als ich geschlafen hab, was hab ich da gesungen?
Woher soll ich das wissen? Geschrien hast du! Und da fragst du noch,
was du gesungen hast?
Aber du hast doch gesagt, ich hätte gesungen
Es war ein Lied ohne … keine Ahnung, Mensch
Und du weißt nicht, welches Lied?

Sag mal, bist du durchgeknallt? Ich leb kaum noch
Und wer bist du?
Zimmer drei
Auch auf Isolation?
Ja, ich muss zurück
Geh nicht … Bist du schon weg? Warte, hallo … Er ist gegangen …
Aber was hab ich da gesungen?

In der nächsten Nacht weckte er sie wieder, schimpfte wieder, dass sie
lauthals sang und das ganze Krankenhaus aufweckte, und sie flehte ihn
an, er solle ihr doch sagen, ob es dasselbe Lied gewesen war wie letzte
Nacht. Das müsse sie unbedingt wissen. Wegen des Traums, den sie
geträumt hatte und den sie damals fast jede Nacht träumte. Alles darin
war weiß, die Straßen, die Häuser und die Bäume, die Katzen und die
Hunde und der über den Abgrund ragende Fels. Auch Ada, ihre rothaarige Freundin, war ganz weiß, ohne einen Tropfen Blut im Gesicht und
im Körper. Doch auch diesmal konnte er nicht sagen, was sie gesungen
hatte. Er zitterte am ganzen Leib, und ihm gegenüber zitterte sie in
ihrem Bett. Wie zwei Kastagnetten sind wir, sagte er, und sie brach,
selbst ganz überrascht, in ein frisches Gelächter aus. Das kitzelte ihn.
Seine ganze Kraft hatte er auf der Reise von seinem Zimmer zu ihrem
Zimmer verbraucht, fünfunddreißig Schritte, ein Schritt, Pause, noch
einer, Pause, hatte sich an der Wand, an Türrahmen, an leeren Essens-
wagen festgehalten. Jetzt sackte er in der Tür zu ihrem Zimmer auf den
klebrigen Linoleumboden zusammen. Eine ganze Weile mussten sie
beide verschnaufen. Er wollte sie noch einmal zum Lachen bringen,
konnte aber nicht mehr reden. Danach war er wohl eingeschlafen.
Sag mal
Was? Wer ist das?
Ich bin's
Ach, du
Sag mal, bin ich allein im Zimmer?
Wie soll ich das wissen?
Man sieht echt nichts. Hallo, ist hier noch jemand?
Das hier, das bin ich
Nein, ist sonst noch jemand hier?

Hier, ich steh jetzt
Was war das?
Ich bin hingefallen
Zitterst du so?
Ja, ich zitter
Wie viel hast du?
Abends hab ich vierzig gehabt
Ich vierzig drei
Ich muss zurück ins Zimmer
Sag mal
Was?
Wann stirbt man?
Bei zweiundvierzig
Das ist nah
Nein, nein, du hast noch Zeit
Das ist wahnsinnig nah
Morgen früh fühlst du dich besser
Geh nicht, ich hab Angst
Hörst du das?
Was?
Diese Stille plötzlich
Hat es vorher nicht gekracht?
Kanonen
Ich schlaf die ganze Zeit, und dann ist es plötzlich schon wieder
Nacht
Sogar wenn ich lieg, fühlt es sich an, als ob ich fall
Immer wenn ich die Augen aufmach, ist es Nacht
Wegen der Verdunklung
Ich glaub, die werden siegen
Wer?
Die Araber
Quatsch
Sie haben schon Tel Aviv erobert
Woher hast du … Wer hat dir das gesagt?
Weiß nicht. Vielleicht hab ich's gehört
Das hast du geträumt

Nein, das hat hier jemand gesagt, vorhin. Ich hab hier Stimmen
gehört
Das kommt vom Fieber, Albträume, hab ich auch
Der Traum, den ich geträumt hab
Ich muss jetzt zurück
Da war ich mit meiner Freundin
Erstmal vom Boden aufstehn
So ein Abgrund, und dort oben so ein Fels
Weißt du vielleicht
Was?
Aus welcher Richtung ich gekommen bin
Ich kenn mich hier nicht aus
Wie lang bist du schon hier?
Keine Ahnung
Ich vier Tage, vielleicht auch schon eine Woche
Warte, und wo ist die Schwester?
Nachts ist sie auf der Inneren Station A
Die ganze Nacht?
Manchmal kommt sie hier vorbei. Eine Araberin
Woher weißt du das?
Man hört's beim Sprechen
Du zitterst
Der Mund, das ganze Gesicht
Sag mal, wo sind denn alle?
Uns nehmen sie nicht mit in den Schutzraum
Warum nicht?
Damit wir keinen anstecken
Dann sind bloß noch wir
Und die Schwester
Ich dachte
Was?
Könntest du mir das vielleicht vorsingen
Fängst du schon wieder damit an?
Nur summen
Dass ich ihr vorsing, dass ich ihr vorsumm, die denkt wohl, ich bin
ein

Wäre es umgekehrt, würd ich's dir vorsingen
Ich geh
Geh nicht
Ich muss zurück
Wohin?
Wohin? Wohin? Mich zu meinen Vätern versammeln und in tiefer
Trauer in die Unterwelt hinabfahren, dahin muss ich
    Wie bitte? Was hast du da gesagt? Warte, vielleicht kenn ich dich ja?
Hey, komm zurück

Auch in der folgenden Nacht kam er schon vor Mitternacht zu ihr, an
die Tür ihres Zimmers; wieder schimpfte er und beschwerte sich, dass
sie im Schlaf sang und ihn und die ganze Welt aufweckte. Auch diesmal fragte sie, ob er sagen könne, welches Lied sie gesungen habe, und
er murrte, er habe die Nase voll, jede Nacht ihretwegen aufzuwachen
und diesen verfluchten Flur langzukriechen, und sie lächelte und
fragte, ob sein Zimmer wirklich so weit weg sei, und erst da merkte er,
dass ihre Stimme nicht von derselben Stelle kam wie am Tag zuvor
oder an dem davor.

Denn jetzt sitze ich, erklärte sie, und er fragte vorsichtig nach, warum
sitzt du denn? und sie, weil ich nicht geschlafen hab, und er, was hast
du dann gemacht? und sie, ich hab dagesessen und auf dich gewartet,
und er, warum hast du dann gesungen? und sie, ich hab überhaupt
nicht gesungen, und er, ach, und sie, echt nicht.

Beide hatten den Eindruck, als sei das Dunkel noch dunkler geworden. Eine neue Hitzewelle, die vielleicht gar nicht mit der Krankheit
zusammenhing, breitete sich in Ora aus, fing bei den Zehen an, stieg
auf und trieb ihr rote Flecken auf Hals und Gesicht. Ein Glück, dass es
dunkel ist, dachte sie und drückte den Kragen ihres weiten Pyjamas an
den Hals. Schließlich räusperte sich der Typ in der Tür schwach und
sagte, also, ich muss zurück, und sie, warum eigentlich? Und er sagte,
er müsse sich dringend teeren und federn, und sie verstand nicht, aber
dann verstand sie doch und lachte aus vollem Hals, komm, du Spinner,
hör auf mit dem Theater, ich hab hier neben mir einen Stuhl für dich
hingestellt.

Er tastete sich am Türrahmen, an metallenen Nachttischchen und

Betten entlang, bis er irgendwo stehen blieb, sich auf ein leeres Bett stützte und laut schnaufte. Hier bin ich, ächzte er, und sie, komm bis zu mir, und er, warte, lass mich erstmal atmen. Das Dunkel machte ihr Mut, und sie sagte mit lauter Stimme, mit der Stimme ihrer Gesundheit, einer Stimme von Meer, Strandball und Wettschwimmen bis zum Stillen Strand, wovor hast du Angst, ich beiße nicht, und er, in Ordnung, in Ordnung, wir haben's vernommen, ich leb ja kaum noch. Die unterschwellige Beschwerde in seiner Stimme berührte sie, und auch, wie mühsam er angeschlurft kam. Wir sind ein bisschen wie ein altes Paar, dachte sie.

Wo bist du überhaupt?

Ans Ende des Zimmers haben sie mich gelegt

Autsch!

Was ist passiert?

So ein Bett hat plötzlich beschlossen … autsch!

Noch eins?

Fuck. Sag mal, vom Gesetz der Gemeinheit …

Was hast du gesagt?

Vom Gesetz der Gemeinheit der Gegenstände hast du schon gehört?

Wann kommst du endlich?

Ihrer beider Zittern hörte nicht auf, wurde manchmal zu einem langen Schüttelfrost, und wenn sie sprachen, war ihre Rede abgehackt und hastig, nicht selten mussten sie abwarten, bis die Muskeln des Gesichts und des Mundes sich ein bisschen erholten, und dann stießen sie die Wörter schnell und mit verkrampften, hohen Stimmen aus, und das Stottern zerbrach die Sätze in ihrem Mund. Wie-alt-bist-du? Sech-zehn, und-du? Sech-zehn und-ein-vier-tel. Ich-hab-Gelb-sucht, sagte sie, und-was-hast-du? Er sagte, ich-glaub-ei-ne-Ei-er-stock-ent-zün-dung.

Stille. Er atmete schwer: Üb-ri-gens, das-war-ein-Witz. Sehr witzig, sagte sie. Er seufzte: Ich hab versucht, sie zum Lachen zu bringen, aber ihr Humor ist wohl zu – sie war gespannt und fragte, mit wem er da rede. Er sagte, mit dem, der mir meine Witze schreibt, ich muss ihn wohl feuern. Wenn du dich nicht sofort hier hinsetzt, drohte sie, fang ich an zu singen. Er mimte einen Schüttelfrost und lachte. Sein Lachen knarzte. Wie ein schreiender Esel, so ein Lachen, das sich selbst ernährt, und sie schluckte sein Lachen heimlich wie eine Medizin, wie eine Belohnung.

Er lachte sehr über ihren kleinen dummen Witz, und fast hätte sie ihm erzählt, dass es ihr in letzter Zeit nicht mehr gelang, die Leute dazu zu bringen, sich vor Lachen zu kringeln, wie früher –»Mit ihrem Humor ist es nicht sehr weit her« – hatte man an der Purimfeier dieses Jahr über sie gesagt, und das war nicht bloß ein Schönheitsfehler, bei ihr war das schon ein schwerwiegender Defekt, eine Behinderung, die sich in Zukunft noch entwickeln und zu Komplikationen führen konnte, und sie spürte auch, dass diese Behinderung mit weiteren Eigenschaften zusammenhing, die bei ihr in den letzten Jahren ebenfalls abgestumpft waren. Die Intuition zum Beispiel. Wie konnte es überhaupt passieren, dass so etwas verschwand, und dann noch so schnell? Oder die Fähigkeit, im richtigen Moment das Richtige zu sagen. Früher hat sie die gehabt, und nun war sie weg. Oder einfach der Scharfsinn. Früher hatte sie Pfeffer, dass es nur so knallte. Oder der Liebessinn, dachte sie plötzlich, vielleicht hatte der auch mit ihrer Verschlechterung zu tun; jemanden wirklich zu lieben, vor Liebe zu brennen, wie die andern Mädchen es nannten, wie im Film. Und sofort spürte sie einen Stich wegen Avner, Avner Feinblatt, das war ihr Freund aus dem Militärinternat, der schon Soldat war. Auf der Treppe zwischen Pawsner- und Josefstraße hatte er ihr gesagt, sie sei seine Seelenfreundin, aber auch da hatte er sie nicht angefasst, nicht ein einziges Mal hatte er sie mit der Hand oder auch nur mit einem Finger berührt, und vielleicht hing auch dieses Nichtberühren damit zusammen. Verborgen im Herzen spürte sie, dass alles irgendwie zusammenhing, aber ihr würden sich die Dinge erst nach und nach offenbaren, jedes Mal würde ihr noch ein kleiner Ausschnitt von dem klar werden, was sie erwartete, und möglicherweise sahen es Leute, die sie von außen beobachteten, bereits eher als sie, und im Grunde könnte sie es selbst längst wissen, nach all den Anzeichen, die so zusammenkamen.

Für einen Augenblick sah sie sich im Alter von fünfzig, hochgewachsen, schlank und welk, eine Blume ohne Duft, läuft mit großen, schnellen Schritten, auf dem gesenkten Kopf ein Sonnenhut, der das Gesicht verdeckt, und der Junge mit dem netten Lachen tastete sich seinen Weg zu ihr, kam näher, entfernte sich wieder – als mache er das mit Absicht, dachte sie staunend, als sei das so ein Spiel von ihm –, und er kicherte, lachte über seine eigene Unbeholfenheit und trieb in kreisenden Bewegungen durchs Zimmer, ab und zu bat er sie, etwas zu sagen, um ihm die Richtung zu geben: Wie ein Leuchtturm, bloß mit Stimme, erklärte er. So ein Oberschlauer, dachte sie, bestimmt ist er auch ein Außenseiter. Bis er endlich ihr Bett erreichte, tastend den Stuhl fand, den sie ihm hingestellt hatte, darauf niedersank und wie ein alter Mann schnaufte. Sie roch den Schweiß seiner Krankheit, pellte sich eine ihrer Decken ab und gab sie ihm, und er hüllte sich darin ein und schwieg. Beide waren erschöpft, kauerten sich zusammen, zitterten und seufzten, ganz auf sich selbst konzentriert.

Trotzdem, sagte sie später, in ihre Decke gewickelt, deine Stimme kenn ich, woher kommst du? Aus Jerusalem, sagte er. Ich aus Haifa, sagte sie mit einem gewissen Nachdruck, mich haben sie im Krankenwagen hergebracht, aus dem Rambam-Krankenhaus, wegen Komplikationen. Hab ich auch, lachte er, seit ich lebe, hab ich Komplikationen. Sie schwiegen, er kratzte sich heftig, den Bauch und die Brust, und fluchte, und sie fluchte ihm hinterher, zum Verrücktwerden, was? Auch sie kratzte sich mit allen zehn Fingern: Manchmal könnt ich mir die Haut abziehen, damit das aufhört. Jedes Mal, wenn sie zu reden anfing, hörte er, wie ihre Lippen sich mit dem Geräusch von weichem Gummi voneinander lösten, und spürte ein Pulsieren in Fingern und Zehen.

Ora sagte: Der Fahrer des Krankenwagens hat gesagt, in so einer Zeit benötigte man die Krankenwagen für Wichtigeres. Sag mal, fragte er, hast du auch gemerkt, dass hier alle sauer auf uns sind, so als täten wir das mit Absicht? Sie sagte, weil wir als Letzte von der Epidemie übriggeblieben sind. Er sagte, wem es bloß ein bisschen besserging, den haben sie gleich entlassen, vor allem die Soldaten, die haben sie postwendend wieder zur Armee geschickt, dass sie rechtzeitig zum Krieg zurück sind. Sie fragte, dann ist wirklich Krieg? Und er: Wo lebst du denn, schon seit mindestens zwei Tagen. Sie fragte überrascht, wann hat er angefangen? Vorgestern, glaub ich, ich hab dir das schon gestern oder vorgestern gesagt, ich weiß nicht genau, mir kommen die Tage durcheinander. Sie dachte nach, überrascht, stimmt, du hast so was gesagt … Spuren merkwürdiger Albträume stiegen in ihr auf. Er murmelte, wie kann es sein, dass du das nicht gehört hast? Die ganze Zeit hört man Sirenen und Kanonen, ich hab auch Hubschrauber landen hören, es gibt bestimmt schon eine Million Verletzte und Tote. Aber was passiert da, im Krieg? fragte sie, und er sagte, keine Ahnung, hier kann man mit keinem reden, sie haben keine Zeit für uns, und sie fragte, und Schwester Vicki, wo ist die? Er zögerte, vielleicht ist sie gegangen, als der Krieg anfing, die will sich bestimmt um echte Verwundete kümmern, und sie fragte, wer kümmert sich dann um uns? Und er, jetzt ist nur noch diese eine da, die kleine dünne Araberin, die dauernd weint, hast du sie gehört? Sie fragte erstaunt, ein Mensch weint da? Ich dachte, da schreit ein Tier, bist du sicher? Er sagte, das ist ein Mensch, der weint, hundertprozentig, und sie sagte, aber wie kommt es, dass ich sie noch nicht gesehen habe? Und er, die ist so eine, die kommt und geht, sie nimmt die Proben und stellt die Medikamente und das Essen aufs Tablett, und jetzt ist nur noch sie hier, Tag und Nacht.

Er sog seine Wangen ein und dachte nach. Witzig, dass sie uns hier bloß eine Araberin hingesetzt haben, findest du nicht? An die Verwundeten lassen sie bestimmt keine Araberin ran. Doch Ora konnte sich nicht beruhigen, warum weint sie? Was hat sie? Und er, woher soll ich das wissen? Und sie, du hast sie nicht gefragt? Und er, sie kommt immer, wenn ich schlafe; seit Krieg ist, hab ich sie nicht gesehn. Ora richtete sich auf, ihr Körper machte sich steif, und in eisiger Ruhe rutschte es ihr heraus: Die haben Tel Aviv erobert, ich sag's dir, Nasser und Hussein waren schon auf der Dizengoff Kaffee trinken. Er erschrak, woher hatte sie denn das? Und sie, das hab ich gestern Nacht gehört, oder heute, ich bin mir fast sicher, vielleicht kam es im Radio, ich hab gehört, dass sie Beer Schewa, Aschkelon und Tel Aviv erobert haben. Und er, nein nein, das kann nicht sein, vielleicht ist das vom Fieber, das kommt bestimmt vom Fieber, wie soll das denn gehn? Du bist durchgeknallt, es kann nicht sein, dass die siegen. Doch doch, und ob das sein kann, sagte sie leise und dachte, was weißt du schon, was sein kann und was nicht.

Sie erwachte aus einem unruhigen Schlaf, und ihr Blick suchte den Jungen, bist du noch da? Wie bitte, ja. Und sie beklagte sich, neun Mädchen waren mit mir im Zimmer, und jetzt bin ich allein, das nervt doch, oder? Dem Jungen gefiel es, dass er auch nach drei gemeinsamen Nächten ihren Namen nicht kannte und sie nicht seinen, er mochte solche kleinen Geheimnisse. In den Hörspielen, die er schrieb und mit einem kleinen Tonbandgerät zu Hause aufnahm, wobei er selbst alle Rollen spielte, Kinder und Erwachsene, Männer und Frauen, Geister und Engel, auch Wildgänse, sprechende Teekessel und wer weiß, was sonst noch alles, die Liste war endlos, in seinen Hörspielen hatte er schon solche oberschlauen Spielchen getrieben, allerlei Geschöpfe, die auftauchten und wieder abtauchten, Gestalten, die aus der Phantasie anderer Gestalten geboren wurden, und in der Zwischenzeit amüsierte er sich beim Raten: Rina? Jael? Vielleicht Liora? Liora würde zu ihr passen, dachte er, so wie ihr Lächeln im Dunkel leuchtet.

Bei ihm in Zimmer drei sei es genauso, erzählte er, alle seien entlassen worden, auch die Soldaten, einige hätten kaum laufen können, aber man hätte sie trotzdem zu ihren Einheiten zurückgeschickt; jetzt sei außer ihm bloß noch einer übrig, kein Soldat, sondern ausgerechnet einer aus seiner Klasse, den man am Tag zuvor mit einundvierzig zwei eingeliefert habe. Bei dem bekomme man das Fieber nicht runter, er träume den ganzen Tag und erzähle sich selber Geschichten aus Tausendundeiner Nacht ... Warte, unterbrach Ora, warst du nicht mal auf einem Training vom Wingate Institut? Bist du nicht zufällig beim Volleyball? Avram stieß einen kurzen angewiderten Schrei aus. Ora fragte, was das war. Ein kurzer angewiderter Schrei, sagte Avram. Ora unterdrückte ihr Lächeln und machte ein ernstes Gesicht: Gibt es im Sport denn nichts, wo du gut drin bist? Avram grübelte einen Moment, vielleicht als Boxsack, schlug er vor. In welcher Jugendbewegung bist du dann? Ora war wirklich sauer, warte, lass mich raten, du klingst mir zu verwöhnt, nicht wie einer von den Sozis, sagte sie kichernd, du bist bestimmt bei den freien Pfadfindern. Ich bin in gar keinem Verein, sagte er lächelnd. In gar keinem? Ora schreckte zurück, was bist du dann? Jetzt sag bitte nicht, dass du in so einem Verein drin bist, sagte Avram und lächelte weiter. Warum nicht, fragte Ora beleidigt. Das würde uns alles kaputtmachen, seufzte er übertrieben, ich hatte schon gedacht, du wärst das perfekte Mädchen. Ich bin bei den echten Idealisten, bei den *Machanot Olim*, provozierte sie, und er reckte den Hals, wölbte die Lippen und stieß zu ihrem Schrecken ein herzzerreißendes Hundejaulen gen Zimmerdecke aus: Das ist ja entsetzlich, was du da sagst, ich kann nur hoffen, dass die Forschung rasch ein Heilmittel gegen dein Leiden findet. Ihr Fuß klopfte schnell. Es war ihr, als tanze er ungeheuer schnell um sie herum, als komme er jeden Moment aus einer anderen unerwarteten Richtung und piesackte sie.

Mein Liebes Tagebuch, seufzte Avram mit betont russischem Akzent: Einst, um eine Mittnacht graulich, da ich trübe sann und traulich, traf ich mit gebrochnem Herzen endlich ein Mädchen, das tatsächlich überzeugt war, mich von irgendwoher zu kennen − Ora schnaubte verächtlich, doch Avram machte einfach weiter −, da erforschten wir alle Möglichkeiten, und nachdem wir alle fürchterlichen Ideen verworfen hatten, kam ich zu dem Schluss, dass wir uns vielleicht überhaupt erst in der Zukunft kennengelernt haben.

Ora stieß einen spitzen Schrei aus, als hätte sie sich gestochen. Was ist passiert, fragte Avram sanft, rührte an ihren Schmerz. Nichts, sagte sie, nur so. Sie starrte ihn heimlich an, versuchte, das Dunkel zu durchdringen und endlich zu sehen, wer er war. Sie schwiegen. Dieses Gespräch ging schon über ihre Kräfte. Seit sie krank geworden waren, hatten sie nicht so lange geredet, und jetzt sanken sie in einen unruhigen Dämmer, zuckten im Schlaf, einer neben dem andern. Avrams Gliedmaßen streckten sich und wurden immer länger, dünn wie Zahnstocher, sein Bauch blähte sich auf und wurde rund und schwer. Er wusste, dass er das Mädchen warnen und ihr sagen musste, wie sich seine Form veränderte und immer vogelähnlicher wurde, damit sie nicht erschrak, doch aus seinem Schnabel kam nur noch ein schwaches Zwitschern. Er war das Junge eines riesigen Vogels und lag hilflos auf dem Rücken. Irgendwie, unter übervogeligen Anstrengungen, flatterte er zurück nach Zimmer drei und landete am Bettrand seines Klassenkameraden, der schlief und zitterte, stöhnte und sich im Schlaf kratzte. Es ist so still hier, murmelte Avram, hast du gemerkt, wie still die Nacht ist? Langes Schweigen. Dann sagte der andere mit heiserer, brüchiger Stimme: Wie im Grab ist es hier, vielleicht sind wir schon tot. Avram dachte eine Weile nach. Hör mal, begann er, als wir noch lebten, haben wir, glaub ich, in derselben Klasse gelernt. Der Junge schwieg, versuchte, ein bisschen den Kopf zu heben, um Avram anzuschauen, schaffte es aber nicht. Kurz darauf brummte er, als ich noch lebte, hab ich grundsätzlich in keiner Klasse irgendwas gelernt. Stimmt, sagte Avram mit einem feinen, anerkennenden Lächeln, als ich noch gelebt hab, war da wirklich einer in meiner Klasse, der grundsätzlich nichts gelernt hat, ein Ilan, ein atomarer Snob, der hat mit keinem geredet.

Was hätte der mit euch auch zu reden gehabt? Hosenscheißer, alles Weicheier, ihr habt ja keine Ahnung vom Leben.

Warum? fragte Avram konzentriert. Was weißt du, was wir nicht wissen?

Ilan stieß einen schnarchenden Seufzer aus, kurz und bitter, und Avram bekam es irgendwie mit der Angst zu tun.

Sie schwiegen, sanken in einen albtraumreichen Schlaf. Irgendwo dort, in Zimmer sieben, lag Ora in ihrem Bett und versuchte zu verstehen, ob ihr diese Dinge wirklich widerfuhren. Sie erinnerte sich, dass sie vor kurzem, es war erst ein paar Tage her, auf dem Rückweg vom Training auf dem Platz des Technions ohnmächtig geworden war. Der Arzt im Rambam-Krankenhaus hatte sie gleich gefragt, ob sie zusammen mit dem Rest der Klasse eines der während des Wartens auf den Krieg errichteten Militärcamps besucht und dort zufällig etwas gegessen oder eine der Feldtoiletten benutzt habe. Mit einem Schlag hatte man sie aus ihrem Zuhause gerissen, sie dann in eine fremde Stadt gebracht, und hier hielt man sie in völliger Isolation, die die Ärzte ihr aufzwangen, und mehr noch Schwester Vicki, eine kurze, breite, halslose Frau. Ungezügelt regierte sie über die Isolierstation und berichtete den von ihr kommandierten halb bewusstlosen Kranken lauthals von den neuesten Entwicklungen, von den arroganten Erklärungen Nassers, möge sein Name ausgelöscht werden, von den bösen Plänen des Zwergs Hussi und von Wellen der Hilfsbereitschaft und Einigkeit, die, wie sie betonte, das ganze Volk ergriffen, das ganze Volk vom Fluss Dan bis nach Eilat! Bei Tagesanbruch stürmte sie auf die Station und sang die neuen Lieder, die jetzt jeden Tag geboren wurden, summte sie energisch vor sich hin, während sie Infusionsschläuche umsteckte und aus den Armen von Patienten mit glasigem Blick das Blut herauspresste. Ora wusste schon nicht mehr, ob diese Dinge wirklich passierten, ob sie wirklich Tag und Nacht auf dem dritten Stock eines heruntergekommenen kleinen Krankenhauses eingeschlossen war, in einer Stadt, die sie so gut wie gar nicht kannte; ob man ihren Eltern und Freunden wirklich verboten hatte, sie in ihrem Zimmer zu besuchen, vielleicht waren sie ja doch da gewesen, während sie schlief, hatten ratlos um ihr Bett gestanden und versucht, sie zum Leben zu erwecken, hatten zu ihr gesprochen, ihren Namen gerufen und sich dann entfernt, vielleicht noch einen Blick zurückgeworfen, schade, ein liebes Mädchen, aber was kann man machen, das Leben geht weiter, man muss nach vorne schauen, und außerdem ist Krieg, da braucht man alle Kräfte.

Ich sterbe bald, murmelte Ilan überrascht.

So ein Stuss, sagte Avram, als er erwachte, in ein, zwei Tagen bist du wieder …

Ich wusste, dass mir das passieren würde, sagte Ilan leise, das war von Anfang an klar.

Nein, nein, sagte Avram erschrocken, was redest du da, so darfst du nicht denken.

Und ich hab noch nie ein Mädchen geküsst.

Das wirst du noch, sagte Avram, keine Angst, das kommt noch.

Als ich noch gelebt hab, sagte Ilan danach, vielleicht eine ganze Stunde später, war mit mir einer in der Klasse, der ging mir grad mal bis an die Eier.

Das war ich, sagte Avram grinsend.

Der konnte nicht einen Moment die Klappe halten.

Das bin ich.

Was der für einen Wind gemacht hat.

Das bin ich, ich, lachte Avram.

Den hab ich mir angeschaut und gedacht, als der klein war, hat sein Vater ihn bestimmt halb totgeschlagen.

Wer hat dir das gesagt? Avram erschrak.

Ich schau mir die Leute an, sagte Ilan und schlief ein.

Völlig außer sich breitete Avram seine Flügel aus und flog die Biegung des Flurs entlang, stieß gegen die Wände, bis er schließlich auf seinem Platz landete, auf seinem Stuhl neben Oras Bett, er schloss die

Augen und fiel in einen unruhigen Schlaf. Ora träumte von Ada. In ihrem Traum war sie mit Ada auf der unendlichen weißen Ebene, wo sie fast jede Nacht spazieren gingen, und sie hielten sich an den Händen und schwiegen. In den Träumen der ersten Zeit hatten sie ununterbrochen geredet. Beide sahen schon von weitem den über den Abgrund ragenden Felsen. Ora wollte Ada in die andere Richtung ziehen, doch Ada war, obwohl kleiner, sehr viel stärker, sie entwickelte plötzlich erschreckende Kräfte, und Ora ließ sich schlaff von ihr ziehen. Ab und zu zeigte Ada auf einen kahlen Strauch oder einen farblosen Baum und erklärte Ora fieberhaft, wann er blühte und welche Früchte er trug, so als sei sie an diesem Ort Oras Touristenführerin. Wenn Ora es wagte, sie von der Seite anzuschauen, sah sie, dass Ada schon keinen Körper mehr besaß. Nur ihre Stimme war noch übrig, schnell, spitz und wach, wie sie es immer gewesen war, und das Gefühl, wie sie sich an der Hand gehalten hatten, das war auch geblieben, und das verzweifelte Klammern der Finger. In Oras Kopf pochte das Blut gewaltig, nicht loslassen, Ada nicht loslassen, bloß nicht lockerlassen, auch nicht für einen Moment …

Nein, flüsterte Ora und schreckte in kalten Schweiß gebadet hoch, wie blöd ich bin.

Sie schaute auf den Platz, auf dem Avram im Dunkel kauerte. Ihre Halsschlagader begann zu pochen.

Was hast du gesagt, fragte er beim Aufwachen, versuchte, sich richtig hinzusetzen. Immer wieder rutschte er vom Stuhl, eine tyrannische Kraft zog ihn hinunter, zwang ihn, sich flach zu legen, den unerträglich schweren Kopf abzustützen.

Ich habe eine Freundin gehabt, die hat ein bisschen gesprochen wie du, murmelte sie. Bist du noch da? Ich bin hier. Ich glaub, ich war eingeschlafen. Wir waren Freundinnen von der ersten Klasse an. Und jetzt nicht mehr? Ora versuchte vergeblich, ihre Hände unter Kontrolle zu bringen, die zitterten wild. Über zwei Jahre hatte sie mit keinem Menschen über Ada geredet. Auch ihren Namen hatte sie nicht mehr ausgesprochen, Avram beugte sich ein bisschen vor, was ist mit dir, fragte er, warum bist du so?

Sag mal …

Was?

Willst du was hören?

Er lachte. Was für eine Frage.

Sie schwieg. Wusste nicht, wie sie anfangen und was sie ihm sagen sollte.

Erzähl einfach.

Aber er kennt sie doch gar nicht, dachte sie.

Wenn du erzählst, dann schon, sagte er.

Sie schluckte und sagte schnell: In der ersten Klasse, am ersten Tag, als ich ins Klassenzimmer kam, war sie das erste Mädchen, das ich sah.

Warum?

Na gut, kicherte Ora, sie war auch rothaarig.

Ah, du auch?

Sie lachte laut. Ihr Lachen war wieder gesund und schallend: Sie staunte, dass man so lange mit ihr zusammensein und mit ihr reden konnte, drei Nächte lang, ohne zu merken, dass sie rothaarig war: Aber ich habe keine Sommersprossen, erklärte sie sofort, Ada hatte welche, auf dem ganzen Gesicht, und auch auf Armen und Beinen. Interessiert dich das überhaupt?

Auch auf den Beinen?

Überall.

Warum redest du nicht weiter?

Ich weiß nicht, es gibt nicht viel zu erzählen.

Erzähl, was es gibt.

Das ist ein bisschen … Sie zögerte einen Augenblick, wusste nicht, ob sie ihm die Geheimnisse des Ordens bereits anvertrauen konnte. Du musst wissen, ein rothaariges Kind schaut immer zuerst, ob noch Rothaarige in der Nähe sind.

Um sich mit ihnen anzufreunden? Nein, wohl eher das Gegenteil, nicht wahr?

Sie lächelte anerkennend im Dunkel. Er war klüger, als sie gedacht hatte. Genau, sagte sie, und auch, um sich nicht neben sie zu stellen und auch sonst nichts.

Avram sagte: Das ist so, wie wenn ich …

Was?

Immer gleich die Zwerge suche.

Wieso?

So ist das eben.

Ah … Du bist klein?

Lass uns wetten, dass ich dir nicht bis zum Knöchel reiche.

Ha!

Im Ernst. Du weißt ja nicht, was für Angebote ich vom Zirkus kriege.

Von wem? Ach komm, es reicht.

Ich seh schon, noch eine Welle von Entlassungen bei meinen Witzeschreibern.

Sag mal.

Was?

Aber sag die Wahrheit.

Also?

Bist du auch gestern einfach so zu mir gekommen?

Was heißt einfach so?

Und vorgestern, als du mich geweckt hast. Hab ich da wirklich gesungen?

Ja. Ich schwöre, vorgestern war das wirklich so.

Du bist schon komisch.

Danke, lachte Avram, ich geb mir Mühe.

Und, sag …

Was?

Warum bist du gestern und heute gekommen?

Weiß ich nicht. Ich bin einfach gekommen.

Das ist keine Antwort.

Er räusperte sich: »Ich wollte dich aufwecken, bevor du anfängst, im Schlaf zu singen, log Avram.«

Was hast du da gesagt?

»Ich wollte dich aufwecken, bevor du im Schlaf nochmal anfängst zu singen, log der heimtückische Avram.«

Ah, du …

Ja.

Du sagst mir auch, was du …

Genau.

Schweigen. Ein heimliches Lächeln. Schnell drehende Räder, hier wie dort.

Und du heißt Avram?

Was soll ich machen. Das war der preiswerteste Name, mehr konnten meine Eltern sich nicht leisten.

Das ist so, wie wenn ich zum Beispiel sagen würde: »Er redet mit mir, als wär er ein Schauspieler im Theater, dachte Ora«?

»Du hast das Prinzip kapiert, lobte er, und zu sich sagte er, oh, du meine Seele, ich glaube, jetzt haben wir sie endlich gefunden …«

»Dann halt mal kurz den Mund, sagte ihm das Genie Ora und versank in Gedanken, die tiefer waren als das Meer.«

»Interessant, worüber sie sich wohl Gedanken macht, die tiefer sind als das Meer, sann Avram im Stillen nach.«

»Sie denkt, dass sie ihn jetzt endlich sehen will, nur für einen Augenblick. Und worüber sinnt er nach?«

»Dass sie besser dran täte, ihn nicht zu sehen, sagte Avram und stieß einen Angstschrei aus.«

»Aber Ora, listig wie ein Fuchs, verriet ihm dann, dass sie außer dem Stuhl heute noch etwas vorbereitet hatte.«

Ritsch, nochmal Ritsch, und ein Tropfen Licht geht im Zimmer auf. Ein dünner, langer weißer Arm, nach vorne ausgestreckt, hält eine Streichholzfackel. Das Licht schwappt über die Wände wie Wasser in einem Krug. Das Zimmer ist groß, viele leere, nackte Betten, zitternde Schatten, eine Wand, ein Türrahmen, und in der Mitte des Lichtkreises: Avram, ein bisschen geschrumpft angesichts der blendenden Flamme.

Sie streicht noch ein Hölzchen an und hält es, ohne es zu merken, etwas tiefer, als achte sie darauf, ihn nicht zu beschämen. Die Flamme offenbart dicke, kräftige Jungenbeine in einem blauen Schlafanzug, auf den Hosenbeinen liegen erstaunlich kleine Hände, die sich nervös umklammern. Die Flamme klettert einen kurzen, stämmigen Körper hoch und entrollt aus dem Dunkel ein großes rundes Gesicht, das trotz der Krankheit einen beinahe peinlichen Lebenshunger, Neugierde und Mut zeigt, mit einer Knollennase, geschwollenen Lidern, darüber ein schwarz zerzauster, wilder Haarschopf.

Am meisten staunt sie darüber, wie er ihr sein Gesicht zur Betrachtung und Beurteilung hinhält, indem er die geschlossenen Augen fest zusammenkneift und angestrengt alle seine Züge in Falten legt. Für einen Moment kommt er ihr vor wie einer, der einen besonders zerbrechlichen Gegenstand in die Luft geworfen hat und ängstlich wartet, dass er zerschellt.

Ora stößt einen schmerzhaften Atemzug aus und leckt sich die angesengten Finger. Nach kurzem Zögern zündet sie noch ein Streichholz an und hält es sich mit einer Art ernster Aufrichtigkeit vor die Stirn, schließt die Augen und führt es vor ihrem Gesicht schnell auf und ab. Ihre Wimpern flattern, ihre Lippen wölben sich ein bisschen vor, wie von selbst. Schatten brechen sich auf ihren hohen, langen Wangenknochen, ihrem etwas vorstehenden provokativen Mund und ihrem Kinn. Etwas Unklares, gleichsam Schlaftrunkenes liegt auf diesem schönen, hellen Gesicht, etwas Ratloses, noch nicht Entwöhntes, und vielleicht ist das auch nur die Krankheit. Aber ihr kurzes Haar steht in Flammen, glänzende Bronze; auch nachdem das Streichholz verloschen ist und das Dunkel sie wieder umgibt, glüht sein Glanz noch in Avrams Augen.

Avram?
Was?
Schläfst du?
Ich? Ich dachte, du.
Glaubst du wirklich, wir werden wieder gesund?
Bestimmt.
Manchmal hab ich nämlich solche Gedanken.
Zum Beispiel?
Weiß nicht.
Nein, nein, das wird wieder, du wirst wieder okay.
Als ich ankam, waren vielleicht hundert Leute auf der Isolierstation. Vielleicht haben wir etwas, was die nicht heilen können.
Du meinst – wir beide?
Wer eben hier noch übrig ist.
Nur wir beide und der da aus meiner Klasse.
Aber warum ausgerechnet wir?
Wir haben die Komplikationen.
Genau. Und warum ausgerechnet wir?
Weiß ich nicht.

Das macht mir Angst.

Wir werden schon wieder gesund, du wirst sehn.

Ich habe null Kraft.

Du wirst wieder stark, bestimmt, ich bin hier, ich lass dich nicht.

Ich schlaf gleich wieder ein ...

Ich bleib hier.

Warum schlaf ich die ganze Zeit ein?

Der Körper ist schwach.

Schlaf du nicht ein, pass auf mich auf.

Dann red mit mir.

Worüber?

Über dich.

Was gibt es von mir zu erzählen?

Wie zwei Schwestern waren sie gewesen. »Die siamesischen Zwillinge« hatte man sie genannt, obwohl sie sich überhaupt nicht ähnlich sahen. Acht Jahre lang, im Alter von sechs bis vierzehn Jahren, von der ersten Klasse bis zum Ende des ersten Trimesters der achten, hatten sie in derselben Bank gesessen und sich auch nach der Schule nicht getrennt, waren immer zusammen, zu Hause bei der einen oder bei der andern, in den *Machanot Olim*, auf Ausflügen und bei Workcamps – hörst du überhaupt zu?

Was? ... Ja, ich hör zu.

Was hab ich gesagt?

Der Kopf ... Die ganze Zeit dreht sich mir der Kopf.

Genug, dann schlaf jetzt.

Nein, sag mal ...

Was?

Etwas hab ich nicht verstanden. Warum seid ihr nicht mehr Freunde?

Warum?

Ja.

Weil sie nicht mehr ...

Nicht mehr was?

Lebt.

Ada?!

Sie hörte, wie er zusammenzuckte, als hätte man ihn geschlagen. Sofort zog sie die Beine an, umschlang die Knie und begann, sich vor und zurück zu wiegen. Ada ist tot. Ada ist schon zwei Jahre tot, sagte sie schnell zu sich, das ist in Ordnung, das ist in Ordnung, alle wissen, dass sie tot ist. Wir haben uns schon daran gewöhnt, sie ist tot. Das Leben geht weiter. Aber sie spürte, dass sie Avram soeben etwas sehr Geheimes und Intimes offenbart hatte, etwas, was nur sie und Ada wirklich wussten.

Danach beruhigte sie sich aus irgendeinem Grund. Hörte auf, sich zu wiegen. Wartete auf etwas und wusste nicht, worauf. Eine dunkle, zähe Stille umgab sie. Langsam atmete sie wieder, vorsichtig, sie hatte ein Gefühl von Dornen in der Lunge und den merkwürdigen Gedanken, dass er sie ihr rausziehen könnte. Vorsichtig, einen nach dem andern.

Hör mal.

Ja.

Manchmal denk ich im Laufe des Tages über das nach, was wir in der Nacht gesprochen haben.

Aber warte, sag mir …

Manchmal erinner ich mich nicht, ob ich dir Sachen gesagt hab oder ob ich nur geträumt hab, ich hätte sie gesagt.

Aber woran ist sie gestorben?

Autounfall. Du musst wissen …

Ein Unfall?

Ihr habt genau denselben Humor.

Wer?

Du und sie. Wirklich genau denselben.

Ach, deshalb …

Was?

Deshalb lachst du nicht über meine Witze?

Avram …

Ja.

Gib mir die Hand.

Was?

Gib mir deine Hand, schnell.

Aber dürfen wir das?

Sei kein Idiot, jetzt mach schon.

Nein, du verstehst nicht, wegen der Isolation.
Wir haben uns doch sowieso schon angesteckt.
Aber vielleicht …
Jetzt gib mir schon deine Hand!

Das war in den Chanukkaferien, sagte sie und hielt seine Hand zwischen ihren beiden Händen und wiegte sie hin und her, als wolle sie ihn gleichzeitig von sich stoßen und festhalten. Ihr Kopf tat weh, wie von einer Zange zusammengedrückt. Was ist mit ihr los, was soll das alles, warum erzählt sie ihm ihre privatesten Dinge, und wie kommt es, dass es ihr so leichtfällt, mit ihm zu reden, dabei kennt sie ihn doch überhaupt nicht, und dieses merkwürdige Gesicht, fast erwachsen, nicht wie von einem Jungen in ihrem Alter, und diese Übertreibungen, wie er »Ada« geschrien hat, als hätte er sie wirklich gekannt, als ginge es ihm wirklich um sie. Übrigens, denkt sie jetzt, vielleicht gilt sie überhaupt noch als die Freundin von Avner Feinblatt. Oder zumindest als seine Seelenfreundin – vor allem jetzt, wie kann sie ihn jetzt betrügen, wo doch Krieg ist, und die Hand eines völlig Fremden halten, von dem sie nichts, aber auch gar nichts weiß.
Aber warte, Avram, davor …
Wovor?
Bevor sie gestorben ist …
Was?
Da hat sie gelebt …

Ada und sie. Alles kommt zurück, sie ist aufgeregt, wie passiert das, so plötzlich, und nach so langer Zeit. Auch diese überraschende Klarheit der Erinnerung: Endlose Diskussionen über Jungen, ob sie eine künstlerische Ader hatten oder nicht, tiefschürfende Gespräche über ihre Eltern – denn fast von Anfang an übersteigt ihre Treue zueinander die gegenüber Familiengeheimnissen. Wie sie zusammen angefangen hatten, Esperanto zu lernen (und nicht weitermachten), um die legendären Briefe von Sohara und Schmulik aus dem Unabhängigkeitskrieg zu übersetzen, denn Ora wollte, dass alle Menschen auf der Welt diese Liebesgeschichte lesen konnten. Und der *Almanach der geschützten Wörter*, den sie hegten und pflegten, als handelte es sich um eine

Sammlung seltener Schmetterlinge, mit Wörtern, die man nur »in ausgewählten Augenblicken und unter Bedingungen vollständigen Vertrauens aussprechen darf«, so stand es auf dem Umschlag des Heftes, in dem sie die Wörter sammelten. Und der Jahresausflug an den See Genezareth, im Bus hatte Ada Bauchschmerzen gehabt und Ora erklärt, sie werde jetzt sterben, und Ora hatte neben ihr gesessen und bitterlich geweint. Und ausgerechnet, als sie wirklich gestorben ist, da hab ich nicht geweint, da konnt ich nicht, alles war mir ausgetrocknet, keine Ahnung, seit sie tot ist, hab ich kein einziges Mal mehr geweint.

Eine kleine Straße und noch eine Gasse hatten zwischen ihren Häusern im Neve-Schaanan-Viertel gelegen. Sie waren zusammen zur Schule und zusammen nach Hause gegangen, und wenn sie bei Oras Haus ankamen, machten sie kehrt, und Ora begleitete Ada nach Hause, immer hin und her, und die Straße haben sie nur Hand in Hand überquert, das hatten sie sich mit sechs Jahren angewöhnt, und so taten sie es auch noch mit vierzehn, Ora erinnerte sich an dieses eine Mal, sie waren neun gewesen und hatten an dem Tag gestritten, sie hatte Adas Hand am Zebrastreifen nicht gehalten, und plötzlich tauchte ein Lastwagen von der Stadtverwaltung auf, fuhr sie an und schleuderte sie in die Luft …

Und wieder sah sie es: Der rote Mantel öffnete sich wie ein Fallschirm. Ora war nur zwei Schritte hinter ihr gewesen, hatte sich sofort umgedreht und war hinter einen Heckenzaun geflohen, hatte sich auf die Erde gehockt, sich beide Ohren zugehalten, fest die Augen zuammengepresst und laut in ihrem Kopf gesummt, um nichts zu hören und zu sehen.

Und ich wusste nicht, dass das bloß die Generalprobe war, sagte sie zu ihm.

Ich bin nicht gut im Retten, sagte sie danach noch, vielleicht zu sich selbst, vielleicht warnte sie ihn auch.

Fast jeden Tag hatten sie zusammen zu Mittag gegessen, bei Ada, dort schmeckte es besser, und man durfte beim Essen reden und auch lachen. Es war eine lachende Familie, drei lachende rundliche Leute, und allein das brachte sie alle vier noch mehr zum Lachen. Nach den Hausaufgaben hielten sie beide Mittagsschlaf, Hand in Hand schliefen

sie in dem kleinen Bett ein und wachten von leckeren Düften auf:
Adas Vater hatte ihnen zum Aufwachen Bratäpfel gemacht. Und im
Sommer, an den Freitagabenden, schlichen sie im Schlafanzug auf Ab-
kürzungswegen, die absichtlich viel länger waren, durch die Höfe und
Gärten der Mietshäuser, kühlten ihre glühenden Gesichter an Laken
und Hemden, die zum Trocknen an den öffentlichen Leinen hingen,
hüllten sich darin ein, tanzten lautlos, zwei kleine Gespenster, schwindlig von der Blüte der Heckenkirschen und Winden. Hand in Hand von
Adas Haus zu Oras Haus und wieder zurück, zwischen kahlen Wiesen,
Gasflaschen und von Mehltau befallenen Rosensträuchern, Teppichen
von Kapuzinerkresse. Sie schauten durch die Blätter des Ficus ängstlich
auf erleuchtete Balkone, auf denen Erwachsene, Männer und Frauen,
deren markante Gesichter ihnen wie die von Statuen, wie von Kaisern
im Exil erschienen, in Unterhemden und mit tiefen Ausschnitten und
faltiger Haut vor großen Ventilatoren saßen, Karten spielten, lauthals
lachten oder kaum hörbar seufzten. Und dann meinten sie plötzlich,
alle beide, sie würden verfolgt, und flohen vor etwas, was über ihnen
schwebte und sich wie ein Lasso um sie zu legen drohte, und rannten
weg, ohne sich umzuschauen.

Als Ada zehn war, stachen sie sich mit einer Nadel in die Finger und
vermischten ihr Blut. Ada sagte, das sei nicht genug, und schob Ora
mit einer heftigen Bewegung ihren Finger in den Mund und nahm
Oras Finger zwischen ihre Lippen. Von einem merkwürdigen Impuls
getrieben, saugte Ora und war überrascht: Wie süß war Adas Blut! Sie
sah Adas Pupillen, die sich verengten und dunkler wurden. Beide zogen im selben Moment ihre Finger zurück, und Ada sagte staunend,
jetzt haben wir für immer dasselbe Blut in unserem Kreislauf, und sie
lächelte merkwürdig fern, beinahe drohend, als sagte sie Ora ohne
Worte: Jetzt hast du keine Chance mehr.

Zettelchen, die in den Stunden hin und her wanderten, schwebten
vor Oras Augen, als hätten sie sie eben erst geschrieben. »Ach, dieser
Geiz der Natur«, hatte Ora gekritzelt, »warum ist Avinoam S. bloß
schön, aber nicht klug?« Und Ada hatte geantwortet: »Welch eine Enttäuschung, meine Liebe, er ist schön wie ein himmlischer Engel, aber
dumm wie der letzte Bengel. Oje, wo finden wir einen Engel, der
beides ist?« »So einen gibt's nicht auf der ganzen Welt«, stellte Ora fest.

»Muss es aber geben«, beharrte Ada, »sonst müssen wir notgedrungen die anrüchige Bigamie wieder einführen.« »Das müssen wir wohl oder übel«, wagte Ora zu schreiben. Für einen Moment ruhten die Zettelchen. Beide stellten sich vor, was das wohl bedeuten würde, fühlten den Kitzel im Bauch und kicherten.

Sie ließen einander an allen Details ihres Lebens teilnehmen, und »an jedem Gedanken, wie erhaben oder schmählich er auch sein mag«. Ada hatte diese Gesetze verabschiedet, Ora hätte noch nicht einmal gewagt, sich so etwas zu wünschen. Und jetzt, gegenüber dem schwer atmenden, schon beinah schnarchenden, in tiefen Schlaf gehüllten Avram – im Dunkel war sein Körper etwas Dunkles, Rundlich-Festes –, schaute Ora ihn lieb an und sagte sich, nach dem, was man im Dunkeln sieht, ist er doch ein ganz süßer Kerl, so ein Teddybär, lustig und ungefährlich – jetzt denkt sie, wäre Ada nicht gewesen, sie hätte gar nicht gewusst, dass so was möglich ist, dass es überhaupt erlaubt ist, dass sich zwei Menschen so nahe sind.

Sie seufzte. Avram seufzte ihr nach, und für einen Augenblick war sie nicht sicher, ob er wirklich schlief.

Sag mal Avram …

Was? Was hast du gesagt?

Stört es dich nicht, dass ich so bin?

Wie, so?

Dass ich nicht rede

Aber du redest doch …

Dann kamen die Chanukkaferien, sagte sie, und ihre Stimme verkrampfte sich. Ich war mit meinen Eltern und meinem Bruder in Naharia, da sind wir jedes Jahr hingefahren, in eine Pension, für die ganze Woche. Und am Morgen nach den Ferien bin ich in die Schule gegangen und hab am Kiosk auf sie gewartet, wo wir uns jeden Morgen getroffen haben, aber sie kam nicht, und es wurde schon spät, da bin ich allein gegangen und hab gesehen, sie ist nicht in der Klasse, und ich hab sie im Schulhof gesucht und auf dem Baum, an allen unseren Orten, aber sie war nicht da, und dann hat es geklingelt, und sie kam nicht, vielleicht ist sie krank, dachte ich, vielleicht kommt sie auch nur zu spät und macht im nächsten Augenblick die Tür auf. Aber dann kam unser Klassenlehrer, und wir sahen, er war ganz durcheinander, und er hat sich so mit der Seite zu uns hingestellt und gesagt, unsere Ada ... und dann ist er in Tränen ausgebrochen, und wir haben nicht verstanden, das Weinen kam ihm so aus der Nase ...

Sie sprach flüsternd und schnell, Avram drückte ihre Hand fest in seinen Händen, er tat ihr weh, und sie zog ihre Hand nicht zurück.

Und dann hat er gesagt, sie sei bei einem Unfall ums Leben gekommen, am Abend zuvor, in Ramat-Gan. Sie hatte dort eine Cousine, sie war auf der Straße gelaufen, dann kam ein Bus, und das war's.

Schnell und heiß trafen ihre Atemstöße auf seine Hand.

Und was hast du gemacht?

Nichts.

Nichts?

Hab dagesessen. Ich weiß nicht mehr.

Avram atmete schwer.

Ich hatte zwei Bücher von ihr im Ranzen, zwei Bände der *Jugend-Enzyklopädie*, die ich ihr nach den Ferien zurückgeben wollte, und die ganze Zeit hab ich mir überlegt, was mach ich jetzt damit.

So hast du es zum ersten Mal gehört, in der Klasse?

Ja.

Das kann nicht sein.

Doch.

Und danach?

Weiß ich nicht mehr.

Und ihre Eltern?

Was?

Was ist mit denen?

Keine Ahnung, was mit denen ist.

Ich denk nur, wenn mir so was passieren würde, so ein Unfall, meine Mutter würde bestimmt verrückt, sie würde daran sterben.

Ora richtete sich auf, zog ihre Hand weg, lehnte sich an die Wand.

Aber, was haben sie dir erzählt?

Wer?

Ihre Eltern.

Über den Unfall?

Ja, und über Ada, sie haben dir doch sicher alle möglichen ...

Nein, sie haben nichts gesagt.

Wie kann das sein?

Ich hab nicht ...

Ich hör dich nicht, komm ein bisschen näher.

Ich hab nicht mit ihnen geredet.

Überhaupt nicht?

Seitdem nicht.

Warte, sind die auch umgekommen?

Die Eltern? Wieso ... Die wohnen bis heut im selben Haus.

Aber du hast doch ... gesagt, du und sie, ihr wärt wie Schwestern gewesen ...

Ich bin da nicht hingegangen ...

Ihr Körper begann sich zu versteifen, nein-nein, sie stieß ein scharfkantiges Lachen aus, kalt und fremd: Ich geh da nicht hin, nein-nein ... Auch meine Mutter hat gesagt, es ist besser, wenn ich da nicht hingeh, um sie nicht noch trauriger zu machen. Ihr Blick wurde immer glasiger: Und so ist es auch ganz gut, glaub mir, so ist es das Beste, man muss nicht über alles reden.

Avram schwieg. Zog die Nase hoch.

Aber in der Schule haben wir einen Aufsatz über sie geschrieben, jedes Kind hat was geschrieben, ich auch, und die Lehrerin hat alles eingesammelt und ein Heft daraus gemacht und gesagt, sie würde es Adas Eltern schicken, ja, und ein Schlafanzug von mir ist sogar noch bei ihr zu Hause, ich weiß noch nicht, was ich da machen soll.

Plötzlich drückte sie sich die Faust fest gegen den Mund: Warum erzähl ich dir das alles überhaupt?

Sag mal, hatte sie wenigstens Geschwister?

Nein.

Sie war ganz allein?

Ja.

Nur sie und du ...

Und?

Schon gut.

Nein, sag ruhig, was du denkst.

Schon gut.

Du verstehst nicht, das ist nicht richtig, was du jetzt … sie haben recht gehabt!

Wer? Von wem redest du?

Meine Eltern. Nicht mein Vater, aber meine Mutter, die kennt sich mit solchen Sachen am besten aus. Die ist von der Schoah. Und auch Adas Eltern wollten bestimmt nicht, dass ich komm, sie haben mich ja auch nie gebeten zu kommen. Sie hätten mich doch fragen können, meinst du nicht?

Aber du kannst ja jetzt zu ihnen gehn.

Nein, nein.

Nach so langer Zeit wollen sie sicher wissen …

Ich hab seitdem mit niemandem über sie gesprochen, und von ihr …

Ora schüttelte den Kopf, zitterte am ganzen Körper und sagte: In der Klasse spricht schon keiner mehr von ihr, nie, zwei Jahre … Plötzlich fing sie an, den Kopf nach hinten an die Wand zu schlagen, ein Schlag, eine Silbe, ein Schlag, eine Silbe: als-hät-te-es-sie-nie-ge-ge-ben.

Genug, sagte Avram, und sie hörte sofort auf. Starrte vor sich ins Dunkel. Jetzt hörten sie es beide: Irgendwo in einem der entfernten Zimmer weinte die Schwester. Es war ein leises, langgezogenes Klagen.

Sag mal, fragte er nach einer Weile, und was haben sie mit ihrem Stuhl in der Klasse gemacht?

Mit ihrem Stuhl?

Ja.

Was meinst du? Der steht da noch.

Leer?

Ja, natürlich leer. Wer würde sich da draufsetzen.

Avram, halt mich fest!

Er schreckte vor ihr zurück und fühlte sich von ihrer Angst angezogen, tastete sich vor, stieß auf Knie, einen dünnen, spitzen Ellbogen, eine winzige Rundung, glühende, trockene Haut. Mundfeuchtigkeit. Als er ihre Schulter berührte, umschlang sie ihn, zitterte, und er drückte sie an sich und lief in diesem einen Augenblick randvoll mit ihrem Leid.

So saßen sie da, ineinander verschlungen. Ora heulte mit offenem

Mund, laufender Nase, verloren wie ein kleines Mädchen. Avram bemerkte ihren Mundgeruch, den Geruch von Krankheit. Ist schon gut, ist schon gut, sagte er und streichelte immer wieder ihren schweißnassen Kopf, ihr Haar, ihr feuchtes Gesicht.

Später, viel später putzte sie sich mit dem Ärmel des Schlafanzugs die Nase: Du bist wahnsinnig gut, weißt du das? Du bist nicht wie die normalen Jungs.

Fangen wir jetzt mit den Beleidigungen an?

Bleib so. Das ist gut so.

Und so?

So auch.

Was meinst du?

Über dich?

Nein, du Depp, über hier.

Ich weiß nicht, nur so.

Nun sag schon …

Trotzdem komisch, dass sie bloß diese Schwester für die Isolierstation haben.

Die Araberin? Wieso, was …

Die könnten ja, was weiß ich.

Was?

Alles Mögliche.

Nein, die würde es nicht wagen.

Es ist, als wären wir ihre Kriegsgefangenen.

Die haben uns alle vergessen.

Nein, sag das nicht, das ist bloß jetzt so, wegen der allgemeinen Lage.

Ich sag's dir, die wollen gar nicht an uns denken.

Wie kommst du darauf, Ora, so ein Stuss.

Stuss? Stuss? Jetzt hör mir mal gut zu, am Tag nachdem ich hier ankam, sind meine Eltern und mein Bruder aus Haifa gekommen, und man hat sie nicht reingelassen, verstehst du? Die haben sie nicht gelassen!

Und was haben sie dann gemacht?

Ich glaub, sie haben mir von weitem zugewinkt, von hinter dem runden Fenster haben sie so Zeichen gemacht, ich hab nichts verstanden, ich war halb tot, und dann sind sie gegangen!

Meine Mutter war gestern da, glaub ich. Genau dasselbe, Luftküsse durchs Fenster ...

Noch nichtmal Briefe von meinen Kumpels hab ich gekriegt, nichts! Als hätten die mich schon vergessen.

Eng beieinander saßen sie auf Oras Bett. Avram streichelte vorsichtig ihren Kopf und dachte, von ihm aus wär es ganz in Ordnung, dass sich keiner an sie erinnert, dass alle sie vergessen haben. Ihn würde es nicht stören, wenn es noch ein paar Tage so weiterginge. Manchmal schlich sich seine Hand von alleine weg und berührte ihren heißen Nacken oder glitt versehentlich über ihre langen, dünnen Oberarme mit den nussförmigen jungenhaften Wölbungen. Mit aller Kraft kämpfte er, weiterhin nur gut zu sein und ihr Gutes zu tun, doch gleichzeitig drängte es ihn gegen seinen Willen, auch ein bisschen Proviant für seine schwierigen Onaniereisen zu sammeln. Oras Kopf neigte sich ein bisschen nach hinten, als wolle sie sich anlehnen. Ein solcher Moment, rechnete Avram sich in seinem Nebel aus, würde ihm bestimmt für ein paar Wochen reichen. Aber nein, mit der nicht, mahnte er sich, mit der machst du das nicht.

Sag mal ...

Was ist? Was hab ich gemacht?

Was erschrickst du denn so ... Ist es dir nicht komisch, dass wir beide so ...

Wie, so?

Du musst wissen, ich war noch nie, noch mit niemandem, ich bin nicht ... Nicht so, jedenfalls.

Ich auch nicht.

Wirklich? Nie?

Avram grübelte einen Moment, blähte ein bisschen die Schultern und die Brust, ging im Flug die verschiedenen Möglichkeiten durch. Dann senkte er den Blick und sagte: Noch nie.

In der nächsten Nacht – sie war mit ihrer Zählung der Tage und Nächte schon ganz durcheinander – kam Avram und schob einen Rollstuhl in ihr Zimmer. Sie wachte in kalten Schweiß gebadet auf. Wieder hatte sie diesen merkwürdigen Albtraum gehabt, als krieche eine metallene Stimme um sie herum und erzähle ihr entsetzliche Dinge, in manchen Momenten war ihr klar gewesen, dass diese Stimme aus einem Transistorradio irgendwo auf der Station kam, vom Flur oder aus einem der leerstehenden Zimmer, und sie erkannte sogar, dass es die Propaganda auf Hebräisch von *Donnerstimme Kairo* war, mit diesem ägyptischen Sprecher und seiner blumigen Rhetorik – ihre Klassenkameraden konnten ihn schon gut nachahmen, mitsamt seinen urigen Hebräischfehlern –, doch dann meinte sie wieder, die Stimme komme aus ihr selbst und erzähle nur ihr, dass die siegreichen arabischen Armeen das zionistische Gebilde, das sie von allen Fronten bestürmten, bereits fast vollständig erobert hatten. Wellen mutiger arabischer Kämpfer überrennen in diesen Stunden Beer Schewa, Aschkelon und Tel Aviv, verkündete die Stimme, und Ora konnte sie nicht zum Schweigen bringen. Die Flugzeuge des zionistischen Feindes fallen wie Fliegen vom Himmel, nachdem ägyptische Himmelsadler sie soeben präzise abgeschossen haben. Ora lag in ihrem Bett, gefangen in der Angst, die ihr diese Worte einflößten, ihre Kehle war trocken, und sie konnte nicht mal um Hilfe rufen. Danach verstummten die Stimmen, auch die Militärmusik entfernte sich und verklang. Da lag sie mit heftig schlagendem Herzen in ihrem Schweiß. Und sie dachte daran, dass Ada das alles schon nicht mehr mitbekam, alles, was Ora hier passierte, das war schon nicht mehr in Adas Zeit. Was heißt, nicht mehr in Adas Zeit? Wie soll man das verstehen, dass sie früher dieselbe Zeit hatten und dass Ada die Zeit ausgegangen war und sie schon lange nicht mehr in der Zeit war, wie konnte das sein?

Dann sah sie einen großen, sich im Dunkel verdichtenden Klumpen, hörte quietschende Räder und einen abgehackt schnarchenden Atem. Avram? flüsterte sie, ein Glück, dass du kommst, hör zu, was mir passiert ist ... Dann spürte sie, dass da zwei atmeten, und sie setzte sich im Bett auf, in dünne Decken gehüllt, und starrte ins Dunkel.

Schau mal, was ich dir mitgebracht hab, flüsterte er.

Den ganzen Tag hatte sie auf ihn gewartet, dass er wiederkäme und wieder bei ihr sitze, dass er mit ihr rede und ihr so zuhöre, als sei ihm jedes Wort unsäglich wichtig, sie hatte sich danach gesehnt, dass er mit seinen hypnotisierenden Fingern ihren Kopf und ihren Nacken streichelte. Zart wie die Finger von einem Mädchen, dachte sie, oder von einem Baby. In den wenigen klaren Momenten zwischen Anfällen von Schüttelfrost und Albträumen versuchte sie, die Nächte mit ihm zu rekonstruieren, und merkte, fast alles hatte sie vergessen, aber ihn nicht. Doch auch an ihn erinnerte sie sich nicht richtig, nicht wie an jemanden, den sie wirklich gesehen und kennengelernt hatte, sogar sein Gesicht fügte sich nicht zu einem Bild zusammen, sondern bewegte und veränderte sich dauernd, manchmal spaltete es sich sogar in verschiedene Gesichtszüge, und was ihr schließlich von ihm übrig blieb, war diese Hitze, wie die eines Flammenwerfers, die er aussandte. Ohne ihn war ihr kalt, ohne ihn war sie richtiggehend dabei, zu erfrieren.

Stundenlang hatte sie dagelegen, schlafend oder wach, und hatte sich seine Hand vorgestellt, die weiter und weiter ihr Gesicht streichelte und an ihrem Nacken spielte. Noch nie hatte jemand sie so berührt, überhaupt hatte man sie nur wenig berührt. Woher kannte er sich so gut aus, wenn er noch nie so mit einem Mädchen war? Und ausgerechnet in dem Moment, als ein Strom der Güte von ihr zu ihm zu fließen begann, und nachdem sie den ganzen Tag auf ihn gewartet hatte, dass sie sich ein bisschen umarmen und reden würden, so wie sie miteinander redeten, kam er und machte einen so plumpen Fehler, wie ihn nur Jungs machen können, wie unter der Achsel zu furzen, wenn sich auf der Leinwand zwei küssen, oder diesen Typ da anzuschleppen …

Der da im Rollstuhl schlief und leicht schnarchte und anscheinend gar nicht wusste, wo er war. Avram hatte ihn ins Zimmer rangiert, war an einen Schrank und an ein Bett gestoßen und quoll über vor Entschuldigungen und Erklärungen: Er wolle ihn nicht die ganze Nacht allein im Zimmer lassen, Ilan habe Albträume, er habe vierzig Fieber, vielleicht sogar mehr, er phantasiere die ganze Zeit, er habe Angst zu sterben, und wenn Avram das Zimmer verlasse und zu Ora gehe, höre Ilan die ganze Zeit Stimmen, dass die Araber siegen, so ganz furchtbare Sachen.

Während er das alles erzählte, parkte er Ilan im Rollstuhl mit dem Gesicht zur Wand und tastete sich den Weg zu ihr. Schon aus der Entfernung spürte er, wie sie ihre Stacheln gegen ihn aufstellte, und mit einem feinen Verstehen, das sie überraschte, kam er nicht auf ihr Bett, sondern setzte sich vorsichtig und ergeben auf den Stuhl daneben und wartete ab.

Sie zog die Beine an, verschränkte die Arme vor der Brust, schwieg zornig und schwor sich im Stillen, bis ans Ende der Tage zu schweigen, doch sofort brach es aus ihr heraus: Ich will nach Hause. Mir reicht's.

Aber das geht nicht, du bist noch krank.

Scheißegal.

Weißt du was, verriet Avram ihr ein Geheimnis, der ist überhaupt in Tel Aviv geboren.

Wer?

Der da, der Ilan.

Schön für ihn.

Und erst vor einem Jahr ist er nach Jerusalem gezogen.

Wie aufregend!

Sein Vater ist der leitende Kommandant eines Camps hier geworden, Oberst oder so. Und willst du was Witziges hören …

Nein.

Avram warf einen vorsichtigen Blick ans Ende des Zimmers, beugte sich vor und flüsterte: Er redet, ohne es zu merken.

Was heißt das?

Im Schlaf mit dem Fieber, da quatscht er einfach drauflos.

Auch sie beugte sich vor und flüsterte: Aber ist das nicht … doch ein bisschen peinlich?

Willst du noch was hören?

Was?

Wir haben uns gestritten.

Wer?

Ich und er.

Wieso?

Nicht nur ich, die ganze Klasse redet nicht mit ihm.

Habt ihr einen Boykott gegen ihn ausgerufen?

Nein, im Gegenteil, er boykottiert uns.

Ein Junge macht echt einen Boykott gegen alle?

Schon ein ganzes Jahr.

Und?

Er redet nicht mit uns.

Wie geht denn das?

So eben, er streikt.

Und hier redet ihr jetzt?

Nicht, wenn er wach ist.

Und wenn er schläft?

Ich hab dir doch gesagt, bei dem Fieber hält er kaum mal einen Moment die Klappe.

Ich weiß nicht. Ist das nicht etwas …

Wenn mir langweilig ist, dann fang ich an, ich zieh es ihm ein bisschen aus der … Und dann antwortet er auch schon.

Im Schlaf?

Na ja, es ist so, als ob er es halb versteht, aber nicht wirklich.

Aber …

Was?

Ich weiß nicht, das ist doch wie Briefe lesen, die nicht für einen bestimmt sind, findest du nicht?

Was soll ich machen? Mir die Ohren zuhalten? Und ehrlich gesagt …

Ja?

Wenn er wach ist, dann hasse ich ihn echt, so wie in der Schule. Aber wenn er schläft …

Was dann?

Weiß nicht.

Also?

Irgendwie ist er dann ein andrer Mensch …

Wie anders? fragte Ora und spürte einen leicht stechenden Neid.

Ich hab noch nie so jemanden getroffen.

Aber das ist nicht fair, was du mit ihm machst, ereiferte sie sich wieder gegen ihn.

Das ist doch fair, denn ich red ja auch mit ihm, wenn er so ist.

Kapier ich nicht.

Wir reden halt.

Aber du hast gesagt, dass er nicht wirklich …

Er redet so ins Blaue, und ich dann eben auch.

Ach so.

Ja.

Und, erzählt er dir Geheimnisse?

Bei ihm ist alles ein Geheimnis.

Wieso?

Ich hab dir doch gesagt, in der Klasse weiß man nichts über ihn.

Er schweigt wirklich die ganze Zeit?

Im Unterricht muss er was sagen, da schweigt er nicht. Wenn er gefragt wird, antwortet er. Er spricht zur Lehrerin wie ein Roboter, damit die Lehrerin sieht, was er von ihr hält. Aber sonst nichts – gar nichts. Verschlossen wie ein Bunker.

Sonderbar, staunte Ora, so was hab ich im Leben noch nicht gehört.

So ist der.

Und er hat keinen, dem er …

Keinen.

Sie versuchte mit dem Blick das Dunkel zu spalten. Es war ihr, als würde die Luft im Zimmer immer dicker. Es zog sie nach dort. Zu ihm.

Also, inzwischen weißt du über ihn Bescheid, sagte Ora.

Nicht sehr angenehm, was?

Und wenn er redet, was sagst du ihm dann?

Dasselbe über mich.

Ach so.

Ja.

Sie nickte zerstreut. Jetzt hatte sie den Eindruck, das Dunkel am Ende des Zimmers fange an zu pulsieren.

Warte, schreckte sie auf, was hast du grad gesagt?

Wann?

Ich hab das noch nicht kapiert. Was genau erzählst du ihm?

Sagen wir, er erzählt etwas über seine Eltern, ja? Über seinen Vater und das Militär und so?

Ja …

Dann erzähl ich ihm von meiner Mutter und meinem Vater, wie er uns verlassen hat und was ich von ihm noch weiß, solches Zeug …

Ach so.

Und du?

Ich erzähl ihm alles, frei von der Leber weg. Dann sind wir quitt.

Ora setzte sich anders hin und legte sich noch eine Decke über. Bei den letzten Sätzen hatte sie so eine leise Anspielung in seiner Stimme wahrgenommen, und in ihren Waden verkrampfte sich etwas.

Gestern zum Beispiel, sagte Avram, als ich von dir zurückkam, gegen Morgen, da hat er auch so im Fieber geredet, er hat von einem Mädchen erzählt, das er auf der Straße gesehen hat, und er hat sich geniert, sie anzusprechen, weil er Angst hatte, sie würde ihn gar nicht beachten … Avram kicherte: Also hab ich ihm auch …

Was hast du ihm auch?

Keine Angst, der kriegt ja doch nichts mit.

Moment, was hast du ihm erzählt?

Was war.

Wo?

Na, was du und ich, was du mir so gesagt hast, von Ada …

Was?

Aber er hat doch geschlafen …

Aber das hab ich dir erzählt! Das ist persönlich. Das sind meine Geheimnisse!

Ja, aber er kriegt doch überhaupt nichts …

Sag mal, bist du total durchgeknallt? Kannst du denn gar nichts für dich behalten? Noch nicht mal zwei Minuten?

Nein.

Nein?!

Das ist die Wahrheit, Avram alberte herum, knackte mit den Fingern, das hab ich dir schon gestern sagen wollen: Erzähl mir keine Geheimnisse. Überhaupt, wenn es was gibt, was niemand erfahren soll, dann sag es mir lieber nicht.

Sie sprang aus dem Bett, hatte die Krankheit vergessen, rannte im Zimmer auf und ab, lief angewidert von ihm weg, und auch von dem andern, der da schlief, den Kopf auf die Brust gesunken, und einen unerträglich starken Pulsschlag verbreitete.

Ora, nein … Warte doch, hör mich an, als ich von dir zurückkam, war ich so …

So was? schrie sie, ihre Schläfen platzten gleich.

Ich, ich hatte keinen Platz … in meinem Körper, so sehr war ich …

Aber ein Geheimnis! Ein Geheimnis! Das ist doch das Grundlegendste, nein?

Ja, aber …

Weißt du, was du bist?

Was bin ich?

Ora kam nahe, fuchtelte mit ausgestrecktem Finger über ihm herum, und er zuckte ein bisschen: Genau das hab ich die ganze Zeit von dir gedacht, das hängt nämlich alles zusammen!

Was, was hängt zusammen?

Dass du in keiner Jugendbewegung bist und keinen Sport machst, und dein Rumphilosophieren dauernd, und dass du keine Kumpel hast, nicht wahr, du hast keine Kumpel!

Aber wie hängt das zusammen?

Hab ich's doch gewusst! Und dass du, dass du so, so ein verdammter Jerusalemer bist!

Aber was hat das miteinander zu tun?

Bitte, tu der Menschheit einen Gefallen!

Sie sprang wieder in ihr Bett, hüllte sich bis über die Ohren in ihre Decken und kochte tief drinnen weiter. Sie schwor sich, nie mehr würde sie ihm etwas über sich erzählen. Sie hatte gedacht, auf ihn könne sie sich verlassen. Hatte geglaubt, er sei nicht wie alle andern, er sei echt. Wie blöd war sie gewesen, wieso hatte sie sich überhaupt so einer elenden Kreatur geöffnet? Menschenskinder, wann geht der endlich! Jetzt verschwinde, hast du mich gehört? Hau ab, ich will schlafen.

Was, das war's?

Und komm nicht mehr zurück! Nie mehr im Leben!

Schon gut, murmelte er, dann … Gute Nacht.

Was gute Nacht?! Und den lässt du mir hier?

Was? Ach, entschuldige, den hab ich vergessen.

Er stand auf, tastete sich seinen Weg, langsam und gebückt.

Warte!

Was jetzt noch?

Sag mir erst, was du ihm erzählt hast.

Wann?

Ich will genau wissen, was du ihm erzählt hast!

Jetzt willst du das wissen?

Wann denn sonst? Wenn der Messias kommt?

Aber was soll ich dir ...

Ich habe ein Recht darauf, das zu erfahren, findest du nicht?

Aber das geht nicht so auf einen Satz. Ich kann nicht ... Hör zu, dazu muss ich mich hinsetzen.

Wieso hinsetzen?

Weil ich nicht die Kraft hab ...

Sie überlegte hin und her: Dann setz dich, aber nur für kurz.

Sie hörte seinen schweren Gang, wie er zurückkam, wie er an eine Bettkante stieß, fluchte, sich weitertastete. Bis er seinen Stuhl fand und sich fallen ließ. Sie hörte, wie schnell Ilan atmete und im Schlaf seufzte. Aus den Seufzern versuchte sie, seine Stimme zu erraten, und aus dem Dunkel seine Gestalt. Sie überlegte sich, was er schon von ihr wusste, was er über sie dachte, so einer, der einen Boykott gegen seine ganze Klasse macht.

Und Avram schwieg.

Also, was ist los, fiel sie über ihn her, bist du eingeschlafen?

Moment, lass mich erst Luft holen.

Irgendwo jaulte die Sirene eines Krankenwagens. Echos von Explosionen in der Ferne. Ora atmete mit gespitztem Mund aus. In ihrem Kopf tobte es. Im Stillen hatte sie schon eingesehen, dass ihre Wut auf Avram übertrieben war, vielleicht sogar gespielt, und in Wirklichkeit hatte es sie sehr angerührt, als er so einfach gesagt hatte, er könne keine Geheimnisse hüten, so als hätte er sich damit abgefunden. Doch sie versuchte, sich vor der unerwarteten, verwirrenden Zuneigung zu schützen, die in ihr aufkam, versuchte sich krampfhaft vorzustellen, was ihre Kumpel zu einem wie ihm sagen, wie sie ihn zum Beispiel im *Ideologischen Gesprächskreis* auseinandernehmen würden, oder was Avner von ihm halten würde. Und für einen Moment blätterte sie im Kopf in den Briefen, die Avner ihr jede Woche aus dem Militärinternat geschickt hatte, und nun vom Militär, in diesen quadratischen Umschlägen vom Militär, mit der Aufschrift »Deine Verschwiegenheit – Unser Erfolgsgeheimnis« und dem dreieckigen Stempel der Militärzensur, und plötzlich hörte sie Ada leise lachen: Was gibt's bei dem überhaupt zu zensieren?

Merkwürdig, dass sie in all den Tagen im Krankenhaus nicht an ihn gedacht hat, und vielleicht war er jetzt irgendwo im Krieg dabei, höchstwahrscheinlich sogar, und sie dachte weder an den Krieg noch an ihn. Nur manchmal, in der Nacht, kamen mit der Militärmusik die blechernen Stimmen, doch solange sie wach war, boykottierte sie den Krieg, ja, genau das tat sie, und Avner boykottierte sie genauso, und im Grunde auch ihre Eltern und die Kumpel aus der Klasse und von den *Machanot Olim*, die jetzt bestimmt nur noch den Krieg im Kopf hatten, noch nicht einmal ein Päckchen haben sie ihr geschickt, man kann's verstehen, jetzt ging eben alles an die Soldaten, aber wie kommt es, dass auch sie hier kaum an sie dachte. Nichts. Eine einzige große Null.

Wie sehr hatte sie sich von all den Menschen, die ihr lieb und teuer waren, entfernt, stellte Ora mit Erschrecken fest. Als wäre ihre ganze Welt jetzt die Krankheit, das Fieber, der Bauch und das Jucken. Und Avram, den sie vor drei oder vier Tagen noch gar nicht kannte. Wie ist das passiert? Wie hat sie alle vergessen können? Wo war sie diese ganze Zeit gewesen, wovon hatte sie geträumt?

Eine neue Kühle bildete sich um die glühende Ora. Avram schlief ihr gegenüber und seufzte etwas, und Ilan schlief jetzt am Ende des Zimmers ganz still, und es war ihr, als hätten sich beide ein bisschen aufgelöst, als ließen sie einen Moment von ihr ab, damit sie endlich das Große und Wichtige begreifen konnte, das ihr widerfuhr. Sie saß aufrecht im Bett, umschlang ihre Knie und spürte, wie man sie langsam aus dem Bild ihres Lebens herausschnitt; dort, wo mal Ora gewesen war, würde ein Loch zurückbleiben.

Sie zitterte. Wo würde sie dann sein, wie würde sie je zu ihnen zurückkehren? Sofort begriff sie, dass diese Fragen im Moment ihre Kräfte überstiegen und sie jetzt besser nur über den Krieg nachdachte. Um zu verstehen, wie Krieg ist, was das genau ist. Sie war noch in keinem gewesen. Beim Sinai-Feldzug war sie noch klein gewesen und hatte überhaupt nichts verstanden. Man hatte ihr erzählt, dass ein ägyptisches Kriegsschiff – den Namen wusste Ora nicht mehr – Haifa beschossen hatte und versenkt worden war. Da begann ihr Körper ohne ihr Zutun, sich nervös vor und zurück zu wiegen. Was passiert im Krieg? Wann weiß man, dass man gesiegt hat und dass es vorbei ist?

Und welche Strafe bekommen die Verlierer? Und die Leute, die am Krieg beteiligt sind – nicht nur die Soldaten, sondern alle, sogar die Kinder –, vielleicht würden die sich jetzt völlig verändern? Aber wie? Sie kicherte beklommen: Konnte es sein, dass sich jetzt bei allen für immer etwas veränderte, außer bei denen, die in Isolation waren?

Avner zum Beispiel. Sie versuchte, ihn aus der Erinnerung hochzuholen, hier war er, das war ihre erste wirkliche Anstrengung, wieder zurückzukehren, sich zu erinnern, was es außerhalb dieses Zimmers gab. Mit zusammengepressten Lippen wiederholte sie, was sie über ihn wusste, als lerne sie für eine Prüfung: Er ist aus Holon, sie haben sich beim Bowling kennengelernt, an seinem freien Nachmittag und Abend vom Militärinternat … Sie atmete schwer, aber sie gab nicht auf. Wieder schloss sie die Augen, sah seinen schütteren Bart mit den witzig abstehenden Spitzen, seine Sandalen und die riesig großen Zehen, doch was zwischen dem Bart und den Sandalen war, konnte sie nicht sehen, und so beschloss sie, sich erst einmal an andere Leute zu erinnern, die ihr näher waren, aber vielleicht doch nicht jetzt.

Erschöpft und ratlos saß sie da. Schade, dass man darüber mit diesem Idioten Avram schon nicht mehr reden kann, der hätte bestimmt etwas Kluges gesagt, dieser Verräter, der Geheimnisse ausplaudert. Eine ganze Einheit von Zensoren wird jeden seiner Briefe kontrollieren müssen. Nur jeden Brief? Jeden Satz aus seinem Mund, jeden Atemzug.

In ihre Gedanken, in den Schlaf, der sie langsam übermannte, schlich sich eine dumpfe, heisere Stimme. Zuerst erkannte sie Avrams Stimme nicht und dachte, vielleicht habe der da, sein durchgeknallter Freund, angefangen, von sich zu erzählen, und sie hörte gespannt zu. Von dem Moment an, als ich dich mit dem Streichholz in der Hand gesehen habe, dachte ich, von mir aus könnte ich dir alles erzählen, was mir durch den Kopf geht, aber dich, dich würde das aufregen, da war ich mir sicher, du bist rothaarig, feurig, ereiferst dich schnell, du hast eine verdammt kurze Zündschnur, das hab ich schon gesehen. Weißt du, wenn es dich aufregt, dann gib mir einen Tritt. Sie tritt mich nicht, vielleicht hat sie sich eine Trittabstinenz auferlegt oder sich einem Orden angeschlossen, der es seinen Mitgliedern verbietet, hilflose Zwerge zu treten? Schau, jetzt lächelt sie, ich seh ihren Mund sogar im Dunkeln. Einen Wahnsinnsmund hat die. Wo war ich stehngeblieben? Ist auch egal, denn wenn ich die Augen zumache, kann ich ihr alles sagen, was mir in den Sinn kommt. Ich kann ihr sogar beschreiben, wie sie aussieht, ganz problemlos, das heißt …

Er wartete, Ora schluckte. Mit einem Schlag brach ihr der Schweiß aus. Sie verbarg ihr Gesicht noch tiefer in der Decke, und nur ihre Augen glänzten im Dunkeln. Auch jetzt tritt sie nicht, stellte Avram fest, dann ist sie wohl damit einverstanden, dass ich ihr sage, zum Beispiel, zum Beispiel … Er zögerte, plötzlich war es zu nah; na dann zeig mal, was du kannst, du Angsthase, du kastrierter – ich kann ihr zum Beispiel sagen, wie schön sie ist, dass ich nie im Leben ein schöneres Mädchen gesehn hab, sogar hier, im Krankenhaus, trotz Krankheit und Fieber. Und von dem Moment an, wo ich sie im Dunkel gesehen hab, noch im Dunkeln, hab ich die ganze Zeit so etwas gespürt, als wär sie Licht, so etwas Klares, Reines … Und als sie sich mir gezeigt hat, mit dem Streichholz, wie sie da die Augen zugemacht hat – Avram atmete tief ein, und Ora zitterte, als hätte er sie gleich mit eingeatmet, und sie hatte den Eindruck, dass der Puls am Ende des Zimmers jetzt wieder langsam und hartnäckig schlug und dass sich da im Dunkeln etwas Kleines bewegte – da hab ich alles auf einmal gesehn, alles hab ich gesehn, ihre helle Stirn, und sie hat ein langes Gesicht, und auch furchtbar lange Finger. Ihre Wimpern haben ein bisschen gezittert, das hab ich gesehn, alles hab ich gesehn, und ihre Lippen … je länger er redete, umso mehr erregte er sich. Es brannte in ihm, und er stand ihm, vor lauter Mut. Oras Herz schlug so stark, dass sie dachte, sie würde gleich ohnmächtig. Wenn ihre Kumpel, egal ob Jungs oder Mädchen, sie so sehen würden, wie sie sich das alles schweigend anhörte, sie würden es nicht glauben: Ist das die zynische Ora? Ora, der sture Esel?

Und damit sie nicht glaubt, ich bin so ein Held, fügte Avram heiser hinzu: Ich habe noch nie so mit einem Mädchen gesprochen. Nur in Gedanken. Obwohl ich es mein Leben lang wollte. Er presste sich die Fäuste gegen die Wangen und konzentrierte sich ganz auf eine glühende Kohle, deren Wärme sich in seinem Innern kringelte. Ich bin auch noch nie so nah mit einem so schönen Mädchen gewesen, das stelle ich nur fürs Protokoll fest, denn sie glaubt bestimmt, das ist wieder einer von diesen süßen Jungs, denen alle Mädchen zu Füßen liegen. Ora reckte das Kinn und schob die Lippen vor, doch ein Lach-grübchen bebte auf ihrer Wange, wieder staunte sie, wie sie es zuließ, dass er sie zum Lachen brachte, und sofort zwang sie sich, ernst zu sein, erinnerte sich, wer sie war, die Jungs mussten schon mindestens Würfel scheißen, um sich eines winzigen Lächelns würdig zu erweisen. Diese himmlische Schönheit, die mir von oben zuteil wurde, plapperte Avram weiter, ist wirklich ein schweres Schicksal, und Ora hoffte, er würde endlich aufhören, über sein Aussehen zu reden. Was für ein sonderbarer Mensch, man kann nie wissen, ob er gerade ernst ist oder einen Witz macht, ob er sehr klug oder total dumm ist, er verändert sich die ganze Zeit, und sie wischte sich mit der Decke den Schweiß von der Stirn und dachte, was wirklich am meisten an ihm nervt, was so unerträglich ist und einen wahnsinnig machen kann, ist, dass er dauernd gleichsam in deiner Seele hockt, du hast keine Ruhe vor ihm. Denn seit dem Moment, wo er sich ihr gegenüber hingesetzt hatte, gestern oder wann das gewesen war, wusste sie immer genau, wann er aufgeregt war, wann es ihm gutging und wann schlecht, und vor allem wusste sie, wann er sie wollte. Sie hatte sich nie vorgestellt, dass man einen fremden Menschen so sehr kennen kann, und jetzt wurde ihre Haut am ganzen Körper warm, und sie schwitzte, denn Avram reagierte natürlich sofort auf ihre Gedanken, und sie versuchte, ihre Gedanken nicht zu denken, einfach an gar nichts zu denken, und auch das kapierte er sofort, dieser Gauner, dieser Taschendieb, dieser Spion Avram, und in ihr kringelte sich plötzlich ein schneller kleiner Aal, wie eine winzige geschmeidige rote Zunge, ganz und gar nicht von ihr, wo kam denn die jetzt her, und Ora sprang erschreckt vom Bett auf: Komm her! Stell dich einen Moment hier hin!

Was ... Was ist los?

Steh schon auf!

Aber was hab ich dir getan?

Halt die Klappe und dreh dich um!

Sie tasteten im Dunkeln, bis sie Rücken an Rücken standen, und sie zitterten vor ihrer eigenen Hitze und vor anderem Glühen, und ihre Körper zuckten einer am Rücken des andern. Ilan seufzte, und Avram dachte, verdammt, dass der mir jetzt bloß nicht aufwacht. Er spürte ihre muskulösen Schenkel an seinen, wie ihr hüpfender Hintern sich an seinem rieb. Doch dann kamen bloß noch Enttäuschungen: Seine Schultern lehnten irgendwo an ihrem Rücken, und sein Kopf ruhte in der Kuhle ihres Nackens. Du bist einen ganzen Kopf größer als ich, stellte er mit erstaunlicher Leichtigkeit fest, erschrak selbst, wie grausam seine Ängste sich bewahrheiteten. Aber wir sind noch in einem Alter, sagte sie sanft, drehte sich um, und nun stand sie vor ihm, trotz des Dunkels sah sie sein Gesicht und seine riesigen, übertriebenen Augen, die sie sehnsüchtig und traurig anschauten, und sie suchte in sich schnell nach Ada, damit die ihr einen Faden ihres Spotts reichte, an dem sie sich festhalten und an dem sie seine Gestalt und seine ganze Person aufribbeln konnte, samt diesem ganzen Ort, samt diesem Typ da, der vom Ende des Zimmers her in ihrem Kopf fieberte, doch ihr Herz zog sich schon zusammen, wie in Erwartung einer schlechten Nachricht.

Sag mal, flüsterte sie erschöpft, kannst du mich sehen? Er murmelte, ja. Wie kommt es, dass wir plötzlich sehen? wunderte sie sich und fürchtete, sie fiebere wieder. Sie wandte ihren Blick ins Zimmer und sah nichts. Weder die leeren Betten noch diesen Typ, und als sie wieder geradeaus schaute, da sah sie Avram und jeden einzelnen Zug seines Gesichts.

Plötzlich lachte er. Sie musterte ihn misstrauisch, was ist so komisch? Dass du mir nicht erlaubst, etwas Schlechtes über mich zu sagen. Er brummte noch ein stilles inneres Lachen, legte den Kopf schief und schaute sie mit einem neuen, provozierenden Blick an, als hätte er sich mit dem Mut, mit dem er sie vorher beschrieben hatte, ein gewisses Recht auf sie erworben. Doch ausgerechnet als er lachte, hatte sich sein Gesichtsausdruck völlig verändert. Er hatte schöne Zähne, weiß und ebenmäßig, und was für Lippen! Die ganze Partie seines Mundes, dachte Ora kraftlos, gehört irgendwie einem anderen. Wenn ihn mal ein Mädchen küsst, wird sie bestimmt die Augen schließen, dachte sie, dann hat sie bloß seinen Mund. Kann einem ein Mund genügen? Ein dummer Gedanke. Ihre Knie wurden ein bisschen weich. Im nächsten Moment würde sie fallen. Diese Krankheit machte sie fix und fertig. Und warum ist ihm sein Äußeres überhaupt so wichtig? dachte sie. Wenn er nicht die ganze Zeit damit rumnerven würde, hätte sie es gar nicht bemerkt. Oder doch? spottete sie nun über sich selbst, hättest du es wirklich nicht bemerkt? Würdest du mit so einem, der dir bis zum

Nabel reicht, überhaupt auf die Straße gehen? Mit ihm hier allein dazusitzen, in einem Zimmer im Krankenhaus um zwei Uhr nachts, ist keine Kunst. Dich wolln wir sehn, wie du mit ihm im Zentrum vom Carmel rumläufst, wie du ihn an den Stillen Strand mitnimmst, oder auf ein Fest mit den Kumpels, du feiges, verlogenes Huhn, du.

Eine neue Welle des Schwindels schüttelte sie, und sie hielt sich am Ärmel seines Pyjamas fest, fiel fast auf ihn drauf. Ihr Gesicht war seinem sehr nah, hätte er versucht, sie zu küssen, sie hätte nicht die Kraft gehabt, den Kopf wegzudrehen. Er wartete, und sie schaute ihn fragend, beinahe flehend an. Er lächelte ihr ermunternd zu, voll Mitgefühl, als versuche er, sie zu beruhigen, ihr die Angst vor sich zu nehmen. Und dann, in einer unglaublich merkwürdigen Geste, hielt er sich die Hände vor den Bauch und drehte sie langsam um, die Handflächen nach oben, und war für einen Moment wie ein Zauberer, der versprach, ihr seinen größten Zauber ohne Tricks und Illusionen vorzuführen. Sie sah: Seine Handflächen waren zwei winzige Boote, die im Dunkeln schwammen. Was ist das? wunderte sie sich, wich einen Schritt zurück, setzte sich auf ihr Bett und starrte ihn an, was ist denn das? dachte sie, es ist, als ob sein Körper leuchtet.

Ich will ihr von ihrer Stimme erzählen, sagte Avram später, als er wieder vor ihr saß, zusammengekauert auf seinem Stuhl und ein bisschen zu ihrem Bett hingebeugt. Denn die Stimme, die ist mir immer das Wichtigste, noch wichtiger als das Aussehen eines Mädchens. Ich kenne keine mit so einer Stimme, eine orangene Stimme, ich schwör's dir, lach nicht, mit ein bisschen Gelb drum herum, wie eine Zitrone, und sie hüpft so. Wenn sie will, kann ich ihr jetzt auf der Stelle etwas sagen, was ich ihr unbedingt mal schreiben würde. – Interessant, sie sagt nicht nein.

Ja, flüsterte Ora.

Avram schluckte und bekam eine Gänsehaut. Mit aller Kraft umschlang er seinen Körper, beugte den Kopf und hielt in einer erstarrten Bewegung den Hals von ihr weggedreht. So sehr er wenigstens den Kopf zu ihr hinwenden wollte, um die Spannung in seinem Hals ein bisschen zu mindern, er konnte es nicht.

Ich glaube, das wird ein Werk für Stimmen, nur für Stimmen, entfuhr es ihm, ich denke schon ein paar Tage daran herum. Seit wir angefangen haben zu reden, und es wird mit vierzehn Sounden beginnen, verstehst du, mit einzelnen Klängen, einem nach dem andern, Stimmen von Menschen. Am meisten mag ich menschliche Stimmen. Es gibt keinen schöneren Klang auf der Welt, nicht wahr?

Ja? Sag, du beschäftigst dich mit … Musik?

Nein, nicht genau mit Musik, es ist eher eine Verbindung von … Nicht so wichtig. Stimmen, was mich jetzt interessiert, in diesen Jahren, sind Stimmen.

Ah, sagte Ora.

Aber warum ausgerechnet vierzehn Sounde, fragte er flüsternd, gleichsam sich selbst, als wäre Ora gar nicht mit ihm im Zimmer, wirklich, warum eigentlich vierzehn, murmelte er vor sich hin. Ich weiß nicht, so fühl ich es. Das Zittern in seinem Körper beruhigte sich, er atmete wieder normal. In dem Moment, wo du von Ada erzählt hast, da wusste ich, das ist es, was ich brauche. Ich hatte so ein richtiges … Nicht wichtig. Beginnen wird es mit mit einem langen Ton, verstehst du? Ein Mensch wird einen langen Ton machen, so ein »ahhh«, sechs Viertel lang, und erst wenn das verklungen ist, beginnt der zweite mit seinem »ahhh«. Ja, jetzt hab ich's auch selbst kapiert! Weißt du, wie das klingen wird?

Nein, ich versteh überhaupt nicht, wovon du …

Wie Schiffe im Nebel, die einander zututen. Hast du das mal gehört?

Nein … Das heißt ja, ich bin doch aus Haifa.

Und traurig wird es sein. Er zog die Luft durch die zusammengebissenen Zähne ein, und sie spürte: Im Nu war er ganz und gar in dieser Traurigkeit versunken, die ganze Welt war jetzt diese Traurigkeit, und plötzlich spürte sie auch selbst, ohne es zu wollen, wie ein bitterer Kummer nach ihr griff und an ihrem Herzen zog.

Du wirst sehn, das wird wie so ein ganz langer Abschied. Seine Hand fuhr in die Luft, zeichnete etwas, eine klare, feine Linie leuchtete im Dunkel und verschwand: Ein Abschied und noch ein Abschied und noch ein Abschied, und es handelt auch von unseren Nächten hier, wie wir hier beide allein waren und miteinander geredet haben, und wie wir auch die ganze Zeit Angst hatten zu sterben: Was meinst du?

Wozu?

Dazu, ich meine, zu meiner Idee.

Sie dachte: Vierzehn Sounde! Ihre Mutter hätte ihn auf der Stelle korrigiert, noch bevor er den Satz zu Ende gesprochen hätte, und hätte ihn für unkultiviert erklärt und verworfen, hätte seiner Stirn einen Stempel aufgedrückt, der das ganze Leben nicht mehr wegging: Ignorant. Und trotz allem hatte Ora auch ein merkwürdiges Gefühl, einen leichten Kitzel in den Eingeweiden, jauchzend und rachsüchtig – dass er es schaffen würde, sogar ihre Mutter durcheinanderzubringen, wenn er sie einmal, natürlich völlig zufällig, treffen würde. Er könnte sie verzaubern, auf der Stelle. Sie würde kapitulieren, trotz der vierzehn Sounde.

Und laut sagte sie: Vielleicht wegen Ada?

Was ist wegen Ada?

Weil sie vierzehn war, hab ich dir doch erzählt, als sie …

Was?

Die Klänge, von denen du gesprochen hast, die vierzehn Klänge.

Ah, warte – einer für jedes Jahr von ihr?

Vielleicht.

Du meinst … Warte! Dass jeder Klang wie …

Genau …

Ein Abschied von einem ihrer Jahre …?

So was in der Art.

Das ist schön. Echt … Daran hab ich nicht gedacht. Einer für jedes Jahr.

Aber du hast es doch erfunden, lachte sie, komisch, dass du darüber staunst.

Nein, du warst es, sagte Avram mit einem Lächeln, du hast mir erst gezeigt, was ich erfunden hab.

Du inspirierst mich, hatte Ada manchmal in ihrem kindlichen Ernst zu ihr gesagt. Und Ora hatte gelacht: Ich? Ich kann dich inspirieren? Ich bin ein Bär mit einem sehr geringen Verstand! Und Ada – sie war damals dreizehn, erinnerte sich Ora, und nur ein Jahr von ihrem Tod entfernt, es ist entsetzlich, sich vorzustellen, dass sie überhaupt nicht an diese Möglichkeit dachte, sie war einfach auf der Welt, machte alles ganz normal, ahnte nichts, und doch war sie in diesem Jahr in sich selbst noch tiefer, noch erwachsener und dichter geworden – Ada hatte damals nach Oras Hand gegriffen und sie beglückt und dankbar hin und her geschwenkt, du, ja du, du tust so, als säßest du still da, aber dann wirfst du plötzlich nur ein Wort ein oder stellst eine kleine Frage, und bumm: Alles ordnet sich in meinem Kopf, plötzlich weiß ich ganz genau, was ich sagen muss. Ach Ora, was tät ich ohne dich, wie könnt ich ohne dich leben?

Sie erinnerte sich: Sie hatten sich tief in die Augen geschaut. Ein Jahr, mein Gott!

Seit sie acht war, hatte Ada Tagebuch geführt und auch ganze Hefte mit Geschichten und flammenden Liebesgedichten an einen ausgedachten Geliebten gefüllt, der pausenlos wechselte. Immer hatte er irgendeine Behinderung, er war blind oder ihm fehlte ein Bein, und am besten war er völlig gelähmt, verständigte sich mit seiner Umwelt nur durch Augenzwinkern, und nur eine Seele auf der Welt, ein kleines Mädchen mit Brille und nicht besonders hübsch, war in der Lage, alle seine Wünsche zu deuten. Auch eine lange Abenteuergeschichte mit vielen verschiedenen Handlungen hatte sie in ihrem letzten Jahr geschrieben, das hatte ein richtiges Buch werden sollen, mit festem Einband.

Stundenlang hatten sie sich zusammen den Kopf über den Titel zerbrochen, und fast jeden Morgen berichtete Ada, wie viele Seiten sie wieder geschrieben hatte, und Ora wurde ganz stolz, als wäre es ihr gemeinsames Kind, das da heranwuchs und prächtig gedieh.

Lebendig, scharf, fast unerträglich war die Erinnerung plötzlich: Ada liest ihr vor, stellt ihr die verschiedenen Figuren samt ihren Stimmen und Bewegungen vor, manchmal auch mit Kostümen und Hüten, sie weint und lacht mit ihnen, ihr von Sommersprossen übersätes Gesicht rötet sich, als züngelten Flammen in ihrem Kopf und schauten durch ihre Augen, und ihr gegenüber sitzt Ora mit untergeschlagenen Beinen, weit aufgerissenen Augen und denkt, wenn ich mit Ada zusammen bin, dann geht's mir gut. Da bin ich wie im Traum, aber nicht allein.

Wenn Ada fertiggelesen hatte, war sie oft erschöpft, verloren und wie wund, aber Ora kam schnell wieder zu sich. Jetzt war sie an der

Reihe: Umarmen, einhüllen, Ada verbinden, sie keinen Augenblick ohne ihre Hand lassen.

Ich frag mich die ganze Zeit, ob sie wohl einen Freund hat, sprach Avram irgendwo dort mit sich selbst, mit dieser heiseren Stimme des Tagträumers. Sie hat zwar gesagt, sie hätte keinen, aber das kann nicht sein, so eine bleibt doch keine Minute allein, die Kumpel in Haifa sind doch nicht blöd. Er hielt inne und wartete auf eine Reaktion. Sie schwieg. Was heißt das, sagte er, will sie mir nicht von ihrem Freund erzählen oder hat sie wirklich keinen? Sie hat keinen, sagte Ora leise. Wie kommt es, dass sie keinen hat? flüsterte Avram. Das weiß sie auch nicht, sagte Ora nach langem Schweigen – ließ sich wider Willen zu seinem Stil verführen und fand, dass es sogar angenehmer war, auf diese Art über sich zu reden – lange hat sie überhaupt keinen Freund gewollt, sagte sie und sprach die Worte, ohne es zu merken, auf den langsamen und gespannten Rhythmus, in dem die Pulsschläge vom Ende des Zimmers her drangen, und später war einfach keiner da, der passte, ich meine, keiner, der ihr wirklich gepasst hätte.

Hat sie noch nie jemanden geliebt? fragte Avram, und Ora antwortete nicht. Im Dunkeln hatte er den Eindruck, dass sie immer mehr in sich selbst versank und ihr langer Hals in einem schmerzhaften Winkel zu ihrer Schulter, zum fernen Teil des Zimmers geneigt, beinahe zerbrach, als fesselte sie eine tyrannische Kraft, wie jene, die seinen eigenen Körper umklammerte. Dann hat sie doch jemanden geliebt, sagte Avram, und Ora schüttelte den Kopf, sie hatte bloß gedacht, sie würde jemanden lieben, aber jetzt wusste sie, das war nichts, das war bloß so, einfach verschwendet. Sie bekam kaum noch Luft, eine Welle der Kränkung schnürte ihr die Kehle zu, bloß so, murmelte sie verzweifelt noch einmal, da war gar nichts.

Und sie spürte, in dem Moment, wo sie anfangen würde, ihm von Avner zu erzählen, würde die Wahrheit in einem gewaltigen, schmerzhaften Strom aus ihr hervorbrechen, die ganze Wahrheit über diese nichtsnutzigen zwei Jahre, doch dann könnte sie es schon nicht mehr zurückdrehen, dann könnte sie nicht mehr wie vorher leben, und sie erschrak darüber, wie sehr sie genau dies wollte, und lächelte und brannte darauf, es ihm zu erzählen.

Wart mal kurz, flüsterte er plötzlich vom Ende des Zimmers, ich komm gleich zurück. Was? Wo bist du, erschrak sie, was haust du plötzlich ab? Nur einen Moment, stieß er hervor, ich bin gleich zurück! Nein, nein, rief Ora entsetzt, was soll das, lass mich jetzt nicht allein, was machst du, wo gehst du hin, Avram?

Mit letzter Kraft riss er sich los, lief hinaus, stützte sich an den Flurwänden, schleppte sich weiter, weg von ihr, und alle paar Meter hielt er an, schüttelte den Kopf und sagte sich, geh zurück, auf der Stelle gehst du zurück, und dennoch zwang er sich und schleppte sich weiter, bis er sein Zimmer erreichte und sich auf sein Bett setzte.

Hinter seinen Pupillen hämmerte es. Er packte mit beiden Händen seinen Kopf, vielleicht schrie er sich sogar selbst mit schmerzverzerrtem Mund an, geh zurück, geh zurück, was hast du gemacht, warum ausgerechnet in diesem Augenblick, warum machst du immer alles kaputt. Er zog seine Decken bis über den Kopf und zog die Beine an die Brust.

In den ersten Augenblicken, nachdem er abgehauen war, fühlte sie sich, als habe er sie mitsamt der Wurzel ausgerissen und sei mit seiner Beute geflohen. Sie rief noch ein paarmal laut hinter ihm her, danach leise, aber er kam nicht zurück. Die Schwester erschien, blieb in der Türöffnung stehen und schimpfte, was sie so schrie. Etwas Bitteres wand sich wie eine Schlange in ihrer Stimme. Ora erschrak und verstummte. Plötzlich kam die Schwester mit schnellen Schritten an ihr Bett, leuchtete ihr mit der Taschenlampe direkt in die Augen und schrie: Schlafen! Schlafen! Nicht mehr aufstehn! Und als die brennende Blendung nachließ, war sie schon aus dem Zimmer. Ora lag erschrocken in ihrem Bett und versuchte, sofort einzuschlafen, unter die Logik und die Gedanken hinabzutauchen, und sagte sich, es sei die Krankheit, die ihr diese Täuschungen vorspiegle, denn es war doch nicht möglich, dass die Schwester ihr etwas so Böses wirklich antat, und auch Avram nicht.

Schlechte Gedanken krochen vom Boden auf ihr Bett, Albträume sprangen sie an und klammerten sich fest. Irgendwo draußen wimmerte die Schwester und schlug mit dem Kopf auf den Boden oder gegen die Wand, *rachat falestin, rachat falestin*, Palästina ist gefallen. Dann war es still, und danach füllte sich die Luft wieder mit den blechernen

Stimmen und der Militärmusik. Ich träume, murmelte Ora, das ist bloß ein Traum. Sie hielt sich die Ohren zu, und in ihrem Kopf hallte die mit arabischem Akzent hebräisch sprechende Stimme und erzählte von den glorreichen Panzern der syrischen Armee, die das zionistische Galiläa und die verbrecherischen zionistischen Kibbuzim plattwalzten, sie seien unterwegs, Haifa zu befreien und die Schande der Vertreibung von 48 zu sühnen, und Ora wusste, dass sie fliehen und sich retten musste, doch sie hatte keine Kraft. Dann herrschte wieder gespannte Stille, Ora schlief fast ein, doch plötzlich war sie hellwach, setzte sich im Bett auf und hielt sich die Streichholzschachtel wie einen Schutzschild vors Gesicht, denn sie meinte, am anderen Ende des Zimmers bewege sich jemand und riefe schwach. Ora, Ora sagte er wie im Schlaf zu ihr, mit einer ihr unbekannten Jungenstimme.

Später, wer weiß, wie viel später, kam Avram zurück und brachte seine eigenen und auch Ilans Decken mit. Er betrat ihr Zimmer, sagte kein Wort zu ihr, wickelte Ilan gut ein und steckte die Zipfel der Decke unter ihm fest. Er setzte sich, hüllte auch sich in eine Decke und wartete, dass Ora etwas sagte.

Sie sagte: Ich will nie mehr mit dir reden, nie mehr im Leben. Du bist doch gestört. Verschwinde aus meinem Leben.

Er schwieg. Sie kochte: Du! Weißt du überhaupt, was für ein Scheißkerl du bist?

Ich?

Du bist so gestört, echt!

Was hab ich getan?

»Was hab ich getan?« Wohin bist du abgehaun?

Ich bin bloß einen Moment in mein Zimmer.

»Ich bin bloß einen Moment in mein Zimmer.« Speedy Gonzales! Lässt mich hier allein und verschwindet für ein paar Stunden.

Stunden, du spinnst ja. Das war höchstens eine halbe Stunde, und du bist hier auch nicht allein.

Halt die Klappe. Es ist besser für dich, wenn du nichts mehr sagst.

Er schwieg. Sie berührte ihre Lippen. Es war, als stünden sie in Flammen.

Nur eins sag mir noch …

Was?

Was hast du gesagt, wie heißt er noch?

Ilan. Warum?

Nur so.

Wieso, Moment mal. Hat er was gesagt? Hat er geredet?

Lass mich in Ruh. Ich will schlafen.

Sag mir nur …

Was denn jetzt noch?

War hier …. Ist hier irgendwas passiert, als ich nicht da war?

Was soll passiert sein? Du bist gegangen, du bist wiedergekommen, was kann denn …

Ich bin gegangen-und-wiedergekommen? Plötzlich ist es »gegangen-und-wiedergekommen«?

Hör auf damit.

Nur einen Moment noch. Hat er geredet? Hat er im Schlaf was gesagt?

Dein Freund?

Er heißt Ilan. Das weißt du sehr gut: I-lan. Hat er mit dir gesprochen?

Weiß nicht. Ich habe nichts gehört.

Aber du bist aufgestanden, nicht wahr?

Lass mich schlafen, wenn ich's doch sag.

Also bist du zu ihm hingegangen.

Wer bist du eigentlich? Einer vom Geheimdienst?

Und, hast du Licht gemacht?

Das geht dich nichts an.

Ich hab's gewusst. Ich hab es gewusst.

Dann hast du's gewusst, Schlauberger, wenn du's gewusst hast, warum bist du dann gegangen, als ich …

Und du hast ihn gesehn.

Ja, ich hab ihn gesehn! Na und?

Na toll.

Avram?

Was?

Ist er wirklich sehr krank?

Ja.

Ich glaub, er ist schlimmer dran als wir beide.

Ja.

Meinst du, er – ich meine, ist er in Gefahr?

Was weiß ich?

Aj, entfuhr es Ora aus tiefstem Herzen, wenn ich doch jetzt für einen ganzen Monat schlafen könnte, für ein Jahr, Mensch!

Ora?

Was …

Nichts.

Jetzt sag schon und nerv nicht …

Aber er ist hübsch, nicht wahr?

Keine Ahnung. Hab nicht geguckt.

Gib's zu, er ist hübsch.

Nicht so ganz mein Geschmack.

Schön wie ein himmlischer Engel.

Ja, ist gut, wir haben's vernommen.

Die Mädchen bei uns sind ganz verrückt nach ihm.

Das ist aber aufregend.

Sogar Mädchen aus der achten Klasse.

Vielleicht hörst du mal auf?

Und, hast du mit ihm gesprochen?

Er hat geschlafen, wenn ich's doch sag! Der hört gar nichts.

Ich meinte, hast du zu ihm gesprochen? Hast du ihm was erzählt?

Lass mich in Ruh, jetzt schalt mal ab.

Dann hast du ihm was erzählt.

Das geht dich nichts an.

Du hast dich zusammen mit ihm hypnotisiert, nicht wahr?

Lass mal locker, ja? Gott im Himmel!

Und sag mir …

Was jetzt noch?

Willst du ihn nochmal sehn?

Nein!

Vielleicht wir beide zusammen …

Lass mich in Ruh, du …

Wo sind die Streichhölzer?

Keine Ahnung.

Hier, auf dem Bett. Neben dir.

Jetzt gib endlich Ruhe.

Was ist das?

Was?

Die Schachtel.

Was ist damit?

Die ist leer.

Quatsch.

Da ist nur noch ein Streichholz drin.

Kann nicht sein.

Die Schachtel war voll …

Warum lachst du? Warum?

Nur so.

Du bist das größte Arschloch, glaub mir. Du spielst mit Gefühlen anderer, genau das.

Ora?

Was?

Hat er die Augen aufgemacht? Hat er dich auch gesehn?

Ich hör dich noch nichtmal. Ich hör gar nichts. Hier: Ta-ta-ta-ta-ta-

Aber hat er dir was gesagt? Hat er zu dir gesprochen?

On a wagon bound for market / There's a calf with a mournful eye.

Sag mir bloß, ob er geredet hat.

High above him there's a swallow / Winging swiftly through the sky.

Warte, ist das nicht das Lied?

Welches Lied?

Das du gesungen hast.

Als du mich geweckt hast?

Das ist es, ich schwör's dir …

Bist du sicher?

Nur dass du es so gebrüllt hast, dass man gar nichts verstehen konnte.

Dieses Lied …

On a wagon bound for market, donna donna donna?

Hab ich gesungen …

Geschrien hast du es, als ob du mit wem streitest …

Ora spürte, sie löste sich von sich selbst und schwebte irgendwo an einem Ort, der kein Ort war, und dort ist Ada, und sie gehen zusammen und singen zusammen dieses Lied, das Ada so mag, und ihre Mutter auch, sie hat es manchmal beim Abwaschen auf Jiddisch gesungen. Das Lied von dem Kälbchen, das zur Schlachtbank geführt wird, und von der Schwalbe über ihm im Himmel, die es verspottet und sich danach aufschwingt und fröhlich und leichten Herzens weiterfliegt.

Avram, sagte Ora plötzlich erschüttert, geh. Geh!

Aber was hab ich denn jetzt getan?

Ich muss schlafen.

Warte einen Moment, was bist du …

Nein, geh. Und zwar sofort.

Moment, dräng nicht so …

Und nimm den da mit!

Aber was ist denn plötzlich passiert?

Geh, Avram. Ich muss jetzt schlafen, schnell!

Sag mir nur noch, was passiert ist.

Ich will …

Was?

Ich muss sie jetzt träumen …

Und später, schon gegen Morgen, stand sie plötzlich in der Tür von Zimmer drei und flüsterte Avrams Namen, und er schreckte aus dem Schlaf: Was machst du hier? Sie sagte, sie könne nicht einschlafen, ihr sei so heiß, als würde man sie in der Pfanne braten. Er setzte sich ans Ende seines Bettes, machte ihr neben sich Platz und schwieg, und sie sagte traurig, ich hab noch nie so jemanden wie dich getroffen, und korrigierte sich, so einen Jungen wie dich. Zusammengesunken saß er da und murmelte, und, hast du von ihr geträumt? Und sie sagte, nein, ich konnte nicht einschlafen. Ich wollte so sehr, dass ich nicht konnte. Er fragte: Aber warum wolltest du, was war so … Sie sagte, ich muss ihr etwas Wichtiges sagen, und er, was, und sie verächtlich, dir werd ich nichts mehr erzählen, und er senkte ergeben den Kopf. Ora kratzte sich am Oberschenkel, bis es weh tat, mit zehn Fingernägeln, und dachte, was hab ich getan, wie hab ich es überhaupt wagen können, ich bin doch total verrückt.

Sag mal, sagte Avram müde und lustlos, willst du ihn nochmal sehn? Und sie, spinnst du eigentlich, oder was? Ich rede über dich, und du zeigst mir die ganze Zeit ihn, du schiebst ihn die ganze Zeit zwischen uns, wieso machst du das? Aus Trotz? Und er: Ehrlich? Keine Ahnung, es ist immer, es rutscht mir einfach so raus. Und ihr entfuhr es: Ich versteh gar nichts mehr, gar nichts versteh ich.

Betrübt und plötzlich sehr krank saßen sie da. Von Minute zu Minute schwoll in ihm das bedrückende Gefühl der schlechten Nachricht: Was hat er falsch gemacht. Was für eine Komplikation, was für ein Verderben hat er verursacht, als er sie vorher mit Ilan allein gelassen hat.

Es gibt da noch was, was ich dir erzählen wollte, sagte er ohne Hoffnung, aber du magst bestimmt schon nicht mehr, oder? Sie fragte vorsichtig nach, wie was zum Beispiel? Doch noch bevor er antwortete, wusste sie, was er sagen würde und mit genau welchen Worten und in welcher Melodie, und ihr Körper zuckte zusammen, und sie verschloss sich ihm gegenüber. Das ist ein Geheimnis. Keiner weiß davon, aber, um die Wahrheit zu sagen, ich schreibe.

Sie schluckte und fragte, was heißt das? Und er, ich schreibe eben so Sachen, für mich, ich schreib die ganze Zeit, jeden Moment, den ich für mich hab, schreibe ich. Dabei wusste sie doch schon, dass er schrieb, er hatte vorher selbst gesagt, er werde etwas für Stimmen schreiben, doch da hatte sie noch gedacht und gehofft, es sei nur Musik, aber jetzt legte es sich eng um ihren Hals, er schrieb die ganze Zeit, diese Worte stürzten sich auf sie, wie sich ein Adler auf seine Beute stürzt, und auch dieser Ton, in dem er das sagte: Ich schreib die ganze Zeit, jeden Moment, den ich für mich hab, schreibe ich.

Aber was, was schreibst du? Sie empfand ihre eigene Stimme als merkwürdig kreischend und grob. Aufsätze? Limericks? Schwänke aus deinem Leben?

Er hörte für einen Moment auf, sich zu kratzen, und starrte sie an. Das, was in den letzten Nächten zwischen ihnen entstanden war, dieses Wunderbare, ihr Geheimnis, erkaltete und löste sich mit einem Mal auf, und vielleicht war es auch gar nichts gewesen, wie immer. Avram, der Phantast, liebeskrank, geil, scharf auf jedes Mädchen, das er sieht, egal wer, Hauptsache Mädchen, er wird sie in seiner Phantasie schon aufblasen, bis sie mindestens Brigitte Bardot ist. Ora spürte sofort: Sein Feuer war aus. Die Seite ihres Körpers, die zu ihm wies, kühlte ab, wurde gefühllos, und sofort rückte sie von ihm weg ans Ende des Bettes, und als sie wegrückte, wollte sie, dass er sie fest an sich drückte, dass er ihre tote Haut wärmte. Es drängte sie, ihm eine zu scheuern, ihn zu schütteln, bis all diese Verschrobenheit und diese Schwere von ihm abfiel, vor allem aber seine Angeberei. Wenn sie wenigstens ein bisschen Kraft hätte. Ein Tritt von ihr, wenn sie ausschlägt, das ist kein sonderliches Vergnügen, da kann er ihre Kumpel fragen, die schon mal was von ihr abgekriegt haben.

Alle möglichen Sachen schreib ich, ließ Avram mit leichtem Hochmut hören. Als ich klein war, hab ich die ganze Zeit Geschichten erfunden, aber jetzt schreib ich andere Sachen. Versteh ich nicht, sagte sie mit zusammengepressten Zähnen, du sitzt einfach so rum und schreibst für dich selbst Sachen auf? Ja, so ungefähr, aber vergiss es. Er wollte, dass sie geht. Dass sie zurückkommt. Dass sie wieder ist wie vorher. Wie stumpfsinnig sie das gesagt hat. »Sitzt einfach so rum und schreibst für dich selbst.« Nein, wirklich, wie konnte sie so stur sein?

Erklär mir nur, drängte sie plötzlich kampflustig, was heißt das, »ich schreibe ganz andere Sachen«? Erklär es mir, damit ich es verstehe. Sie schoss ihre Worte auf einem Strahl der Verachtung, sie machte ihn klein, stauchte ihn zusammen, umzingelte ihn erfolgreich, wie man einen Brand eindämmt.

Aber wieso ausgerechnet Limericks? Avram schüttelte sich angewidert, wie kommst du denn da drauf? Sie sagte: Was hast du gegen Limericks? Limericks, dass du's nur weißt, sind das Lustigste, was es gibt! Ein spitzer Schmerz durchzuckte sie, sie spürte genau, was sie hier jeden Moment mit ihrem Gerede kaputtmachte. Was war mit ihr los, warum nervte er sie plötzlich so wahnsinnig, jedes Wort von ihm regte sie auf wie quietschende Kreide auf der Tafel; sie hatte das Gefühl, als stellte er ihr das Wasser in der Dusche von heiß auf kalt und wieder zurück. Ihr wurde schwindlig: Wie hatte Adas Gesicht geglänzt, wie hatte es geleuchtet, wenn sie ihr von den Gestalten erzählte, die sie erfunden hatte, von neuen Verwicklungen in der Handlung, von denen sie nachts geträumt hatte. Wie schön war sie gewesen, wenn sie sich so begeisterte, und dieser Glanz auf ihrer Stirn erleuchtete dann auch Ora, und die sonnte sich genüsslich in ihm, ohne einen Anflug von Neid hatte sie ihr zugehört, was hätte sie ihr auch zu neiden gehabt, Ada war doch Ada, und sie war sie, und sie war einfach glücklich, in diesen Augenblicken mit ihr zusammen zu sein und zu sehen, wie dieses Wunder jedes Mal neu geschah, dass ein Funke von Wort zu Wort sprang, von einem Gedanken zur nächsten Erfindung, und sich wie ein flinker Drachen in waghalsigen Sprüngen immer höher aus Adas kleinem, fieberndem Kopf aufschwang.

Sie murmelte noch einmal eigensinnig und mit traurigem Gesicht, Limericks sind ein Heidenspaß, du hast echt keine Ahnung, Limericks, das ist *superaffengeil*. Und Avram tat, als bekäme er keine Luft mehr: *superaffengeil?* Sagt man das bei euch in Haifa? *Superaffengeil?* Diese wirklich dümmliche Wortverbindung – sie hatte noch nie bemerkt, wie albern sie war – flatterte wie eine beschämende Kreatur zwischen ihnen, Ora dachte aus irgendeinem Grund an den Schwanz einer Eidechse, den sie abstieß, um ein Raubtier von sich abzulenken; er soll sie schon in Ruhe lassen, dieser Anti, dieser Feinschmecker, der alles hasst, was normale Menschen mögen.

Avram sank immer mehr in sich zusammen, fassungslos über den beißenden Schmerz des Vertrauensbruchs, als wäre das große und einmalige Versprechen gebrochen worden, das er in diesen wunderbaren Nächten bekommen hatte. Ihnen beiden war es gegeben worden. Jetzt sag schon, was du schreibst! Damit wir deine Meisterwerke kennenlernen! kamen die Worte fast jaulend aus ihrem Mund. Jetzt schreib ich nur noch für Stimmen, sagte Avram leise in seine Handflächen hinein, hab ich dir doch erzählt, so ganz kurze Hörspiele. Was heißt das, fragte sie verkrampft. Hörspiele, so wie im Radio, sagte er und bemühte sich, dass sie das Genervtsein in seiner Stimme hörte. Wie in *Vorhang auf*, falls du von der Sendung schon mal gehört hast. Ora schwieg. Seit zwei Jahren hatte sie das Radio montagabends um neun nicht mehr angeschaltet. Davor hatte sie mit Ada regelmäßig das Montagshörspiel gehört, und am nächsten Tag hatten sie darüber gesprochen, besondere Stellen daraus zitiert, es ausgiebigst durchgekaut und überlegt, welcher Mitschüler welcher der Figuren am ähnlichsten war. Doch jetzt zuckte sie bloß mit den Schultern und fragte noch einmal, was heißt das.

Das macht sie bestimmt mit Absicht, ging es ihm durch den Kopf, sie macht mit Absicht diese Stimme, sie fragt mit Absicht wie ein Kratzer auf der Schallplatte, was heißt das, was heißt das. Und er stieß hervor: Radiotheater will ich machen, das interessiert mich am meisten, nur menschliche Stimmen, ein bisschen Musik im Hintergrund, aber die Hauptsache sind die Stimmen, ohne dass man irgendetwas sieht. Alles passiert in der eigenen Vorstellung. Sie zog mit Verachtung die Nase hoch, doch selbst in der Eiszeit, die sich zwischen ihnen ausbreitete, geriet Avram noch ins Schwärmen, wenn er von seiner großen Liebe erzählte: Ich mach nicht so normale Hörspiele wie im Radio. Die machen sich die Sache leicht, nein, bei mir gehen Vorstellung und Realität durcheinander, manchmal nehm ich sogar echte Menschen auf, alle möglichen Leute, draußen auf der Straße, im Laden, was sie mir so erzählen, und verbinde das mit erfundenen Teilen. Doch Ora weigerte sich zuzuhören. Sie stemmte gleichsam die Fersen fest in den steilen Abhang und wiederholte in seinen Atempausen zwanghaft, ich versteh das nicht, erklär mir das, und er verzweifelte immer mehr, verschloss sich immer mehr vor ihr, so wie sie sich vor ihm, und konnte trotzdem nicht aufhören, wo doch das Teuerste, was er besaß, zwischen ihnen flatterte. Was gibt's da zu verstehen, schrie er, ich glaub, es gibt nichts Aufregenderes als die menschliche Stimme, und ich glaub, die Radiokunst ist das Stärkste, was es in der Kunst überhaupt geben kann, und du wirst sehn, die Zukunft gehört dem Radio, nicht dem Kino, und ganz bestimmt nicht diesem Fernsehen der Amerikaner, davon wird in zehn, zwanzig Jahren keiner mehr reden, Ora erinnerte sich, er hatte ihr schon vorher davon erzählt, dass ihn in diesen Jahren vor allem Stimmen interessierten. »In diesen Jahren.« – Daraus sollte sie bestimmt entnehmen, dass er sich in den Jahren davor für andere Dinge interessiert hatte, dieser Snob, als ob er schon jetzt wüsste, dass ihn »in den kommenden Jahren« – hahaha – andere Dinge interessieren würden, dieser Schwanz-Josef. Und sie, wo war sie »in diesen Jahren« gewesen? Worauf hatte sie ihr Leben verschwendet? Sie hatte bloß alle betrogen und mit offenen Augen geschlafen. Das war ihre große Errungenschaft. Spezialistin im Betrügen, Weltmeisterin im Tagschlafen. Sie hatte geschlafen, wenn sie rannte, Hochsprung machte und Volleyball spielte, am tiefsten, wenn sie schwamm, im Wasser tat es viel weniger weh als auf dem Trockenen. Sie hatte geschlafen, wenn sie am Schabbat mit der Mannschaft ins Stadion von Ejn Iron fuhr, und manchmal sogar auf den Platz von Makkabi Tel Aviv, vom Planwagen hatte sie zusammen mit den andern den Passanten zugegrölt, zu den Autofahrern gewagte Handbewegungen gemacht, während die Wagenplane über ihr flatterte und wie ein Segel schlug, und keiner merkte, dass sie schlief, dass sie überhaupt nicht da war, dass sie schon seit zwei Jahren an einem Nichtort war.

Sie schlief auch, wenn sie mit den Mädchen über Liebe, Anfassen und Schmusen redete, oder sie dämmerte zumindest vor sich hin, denn hier war sie trotz allem ein bisschen angespannt, wie war das möglich, niemand merkte, dass Ora keinen blassen Schimmer hatte, wovon sie redete, und dass sie innerlich leer und trocken war. Ihre Mutter sagte, das ganze Rennen und Schwimmen habe ihre Entwicklung angehalten, doch Ora wusste, es war seit Ada, dass ihr Busen angehalten hatte, und manchmal meinte sie sogar, das Wenige, was sie gehabt hatte, bilde sich wieder zurück.

Da ist ein Loch, denkt sie, und ihr wird kalt, sie bekommt eine Gänsehaut. Nicht erst jetzt, es ist schon lange da, wie kommt es, dass ich es nicht gesehn habe. Ein Loch in Oras Umrissen, seit das mit Ada war, genau da, wo ich mal gewesen bin.

Sich vorzustellen, dass sie anderthalb Jahre in tiefem Dämmer neben Avner Feinblatt hergelaufen ist, der nur alle zwei Wochen vom Internat frei bekam und ihr dann lang und breit von Schießübungen, Übungsmärschen erzählte und wie er sich da einen Wolf gelaufen hatte, und er nannte sie Sussman und berührte sie nie, noch nicht mal mit dem kleinen Finger. Pro Woche schickte er ihr einen Brief, rügte sie immer wegen ihres zu kurzen letzten Briefs und verlangte, dass sie ihm längere Briefe schrieb, es gehe doch nicht an, dass alle seine Zimmergenossen von ihren Freundinnen so viel längere Briefe bekamen. Und immer unterschrieb er, in Verbundenheit, dein Avner Feinblatt.

Sie schnappt nach Luft, schreckt auf. Anscheinend war sie wieder mitten im Streit mit Avram eingeschlafen. Worüber haben sie gestritten? Warum streiten sie dauernd? Was an ihm bringt sie so auf? Vielleicht hatten sie sich auch schon versöhnt? Im Dunkeln ahnt sie Avram zusammengekauert am anderen Ende des Bettes. An die Wand gelehnt, schnarcht er schwer. Ist das sein Zimmer oder ihres? Und wo ist Ilan?

Und jetzt denk mal nach, befiehlt sie sich und zieht sich mühsam hoch, bis sie sitzt: Jetzt ist dein Kopf grad offen, jetzt musst du ein bisschen nachdenken.

Eineinhalb Jahre hat sie sich bemüht, Avner spannende Briefe zu schreiben, sich den Kopf zerbrochen, worüber sie ihm schreiben sollte. Was konnte sie ihm schon erzählen. Er bewunderte James Bond, deshalb schnitt sie aus den Zeitungen Fotos von Sean Connery aus und Artikel, in denen er erwähnt wurde, sogar Kreuzworträtsel. Avner hatte auch ein Hobby: Er sammelte Schlüsselanhänger. Bei sich zu Hause in Holon hatte er eine Sammlung von vierhundertdreißig Schlüsselanhängern, und Ora fing sofort an, für ihn zu sammeln, und gab sich große Mühe, den ihnen innewohnenden Zauber zu erspüren, und nachdem er ihr etwas von dem Schlüsselanhänger eines Kameraden aus dem Internat vorgeschwärmt hatte, einer von MARTINI, den man auch als Lupe verwenden konnte, brach sie zu einer langen Suchexpedition und zu Tauschgeschäften auf und besorgte ihm schließlich das ersehnte Stück. Als sie ihm den überreichte, schaute er ihr tief in die Augen, und da öffnete sich gleichsam ein kleines Türchen, und Ora dachte, hier, jetzt, und ihr Kopf neigte sich schon ein bisschen zurück, und ihre Lider klapperten ganz von alleine, doch das kleine Türchen schloss sich im nächsten Moment, und er schaute sie wieder mit seinem guten Blick an und sagte voll ehrlicher Anerkennung: Gut gemacht, Sussman!

Schalom, liebe Ora, schrieb er ihr, nachdem sie ihm den MARTINI geschenkt hatte – sie hatte seinen Brief mit zitternden Fingern geöffnet. Vielleicht würde er diesmal, vielleicht schriftlich – bei mir gibt es nicht viel Neues, aber da ich gestern einen kurzen (sehr kurzen!) Brief von dir erhalten habe, muss ich antworten. Was tut sich so bei dir? Wie überstehst du die heißen Tage? Wir sind bei Feldübungen im Negev, rennen rum, schwitzen zehn Stunden am Tag und müssen danach noch die Waffen putzen. Meine Schrift ist ein bisschen krakelig. Ich bin müde, und das Hirn ist blöde nach so einem Tag, es fällt mir schwer, mich zu konzentrieren, deshalb mach ich es heute kurz. Ich warte wirklich auf einen langen Brief von dir, mindestens drei Seiten!!! P.S.

Würdest du mir vielleicht ein Foto von dir schicken, damit ich nicht vergesse, wie du aussiehst?

Irgendwann wurde ihr klar, dass er eine Freundin hatte, in Aschkelon. Schon sieben Monate, er wunderte sich, dass Ora bis jetzt noch nicht von ihr gehört hatte, er meinte, er redete die ganze Zeit nur von ihr. Warte, was hast du gemacht, während ich erzählt habe? Hast du geschlafen? Macht nichts, und was ich dir noch sagen wollte ...

Ora fragte sich, ob sie jetzt beleidigt sein und ihm eine Szene machen sollte. Aus irgendeinem Grund war sie erleichtert. Sie nahm ihren Mut zusammen und fragte, ob er also im Grunde zwei Freundinnen habe. Sie und diese andere? Er lächelte verlegen und sagte, nein, die aus Aschkelon, die sei seine richtige Freundin. Ora sei eine gute Freundin, eine Seelenfreundin, und seine Nasenspitze lief rot an, als er das sagte. Ora nickte und lief weiter neben ihm her.

Sie traf sich weiter mit ihm und schrieb ihm, bis man sie ins Krankenhaus in Jerusalem brachte, und sie grübelte weiter darüber nach, ob das, was sie für ihn empfand, wohl die große Liebe war, von der alle sprachen, und warum sie bei ihr so matt und lau war und warum er sie noch nicht einmal zufällig berührte, weder auf der Straße noch im Kino, und warum ihr das eigentlich egal war.

Wie war das möglich? fragte sich Ora schockiert, als sie Avram am anderen Ende des Bettes eingerollt tief schlafen sah, wie war es möglich, dass ihr das nichts ausgemacht hat? Wie hatte sie es zugelassen, dass ihr so etwas überhaupt passierte, so ein Avner mit seinen Briefen, und dieser dämliche Schlüsselanhänger, auf den sie Wochen verschwendet hatte. Warum hat sie das mitgemacht? Und auch noch so lange, Gott im Himmel, warum hat sie sich so treten lassen?

Kurz davor, in Tränen auszubrechen, schleuderte sie Avram einen letzten Stuss entgegen, einen letzten bitteren Spritzer eigener Armseligkeit: Was laberst du mich voll mit deinen Plänen und »Stimmen« und diesem ganzen philosophischen Quatsch? Du bist grad mal sechzehn, kapierst du das? Du bist doch eigentlich noch ein Kind! Ein Kind! Und er wachte auf, fuhr sich mit der Hand übers Gesicht und sagte mit einem Trübsinn, der ihr fast das Herz brach, denn sie verstand, er hatte sie schon völlig aufgegeben (und zu Recht, dachte sie, was hatten sie schon gemeinsam): Na und? Auch Ibsen war mal ein Kind, und Ionesco und Jean Cocteau und Tschechow waren auch mal Kind. »Kinder« korrigierte sie ihn sofort, nur darauf lauernd, ihn bei irgendeinem Fehler zu ertappen, ihm gegenüber recht zu haben, und wenn auch nur mit einem Wort, und er sagte, nein, sie waren mal Kind, sie waren alle das gleiche Kind.

In einer scharfen Bewegung drehten sich ihre Köpfe voneinander weg. Jeder von ihnen umarmte sich fest, Ora dachte, als flackerte unter ihr eine Feuerzunge: Was ist das für ein superarroganter Typ, so was hat sie im Leben noch nicht gesehn, der hat die Arroganz eines Erwachsenen. Was hat sie am Anfang an dem so fasziniert, als sie diesen Waschlappen gesehen hat, diesen Verlierer, der keinem gefährlich werden konnte, Modell älterer Teddybär, und was waren ihre Gefühle und Empfindungen für ihn denn wert? Die Mädchen hatten schon recht: Sie hatte null Intuition. Ilan seufzte am Ende des Zimmers im Schlaf und murmelte unverständliche Worte. Sie versuchte, hinzuhören und herauszubekommen, ob er ihren Namen sagte. Ob er rausließ, was ihm vorher mit ihr passiert war, als Avram sich verdrückt hatte. Sie durfte jetzt nicht an ihn denken. Zu viele Dinge stürmten gleichzeitig auf sie ein. Solche Verwicklungen waren nichts für sie. Das passte nicht zu ihr, so eine war sie nicht. Wirklich nicht? kicherte in ihr plötzlich ein Teufelchen, so eine nicht? Nach dem, was du vorhin mit ihm gemacht hast? Schätzchen, bist du naiv.

Er hatte ihr gesagt, er werde sterben. Er wisse, dass es so kommen werde, dass es so kommen müsse. Seit seiner Geburt habe er gewusst, dass er nicht lang leben werde, denn er habe nicht genug Lebenskraft. Das hatte er gesagt, und sie hatte versucht, ihn zu beruhigen, seine merkwürdigen Worte abzutun, doch er hörte sie nicht, vielleicht wusste er ja gar nicht, dass sie neben ihm stand. Ohne Hemmungen beweinte er sein Leben, das mit der Scheidung seiner Eltern zerstört worden war. Sein Vater habe ihn zu sich genommen, in sein Camp, und er müsse jetzt mit diesen Tieren dort zusammenwohnen. Seitdem gehe bei ihm alles schief, klagte er, und die Krankheit sei bloß eine Fortsetzung dieser allgemeinen Scheiße. Er hatte geglüht, die Hälfte von dem, was er sagte, verstand sie nicht, gemurmelte Brocken und Geflüster, deshalb hatte sie auch so nah bei ihm gestanden, eingehüllt in seine Wärme, hatte vorsichtig seine Schulter gestreichelt und ab und zu auch die Schulterblätter und den Rücken, und manchmal, dann schlug ihr das Herz bis zum Hals, strich sie auch kurz über sein volles Haar und dachte sich dabei, dass sie noch nicht einmal wusste, wie er aussah, und vielleicht hatte sie sich sogar verschwommen vorgestellt, er sehe Avram ähnlich, bloß weil die beiden zusammen in ihr Leben getreten waren, und sie sagte ihm auch Sachen, die Avram zu ihr gesagt hatte, als sie Angst gehabt hatte oder elend dran war. Dank Avram, diesem Idioten, wusste sie, was sie sagen musste. Und plötzlich hatte Ilan ihre Hand genommen, sie richtig umfasst und ihr über den Arm gestreichelt, in voller Länge, und sie war erschrocken, hatte die Hand aber nicht zurückgezogen, und er kuschelte seine Wange und die Stirn an sie, drückte sich ihren Arm an die Brust und küsste sie plötzlich, übersäte ihren Arm mit kleinen, trocken glühenden Küssen, küsste ihre Finger, die Innenseite ihrer Hand, sein Kopf vergrub sich richtiggehend in ihrem Körper, und Ora stand stumm da, schaute im Dunkeln über seinen Kopf und dachte staunend: Er küsst mich, und ich weiß nicht einmal, wie er aussieht, und er weiß gar nicht, dass er mich küsst. Plötzlich hatte Ilan vor sich hin gelacht, gelacht und gezittert und gesagt, manchmal schleiche er sich nachts hinaus und schreibe mit Kreide an die Baracken des Camps »Der Sohn vom Basischef ist ein Homo«. Diese Graffiti machten seinen Vater wahnsinnig, und der rannte dann mit einem Eimer Tünche los, übermalte sie und legte sich danach auf die Lauer, um den zu schnappen, der das geschrieben hatte, aber wehe dir, Junge, wenn du das jemandem erzählst, kicherte er und bekam wieder Schüttelfrost, das erzähl ich nur dir, und er erzählte mit heiserer Stimme von der dicken Soldatin, die sein Vater in seinem Büro fickte, so dass das ganze Camp sie hörte, aber sogar das ist besser als das Theater meiner Alten, als die noch zusammen waren, sagte er, wenigstens der Albtraum ist jetzt vorbei, ich werd im Leben nicht heiraten, knurrte er, und seine Stirn glühte an ihrer Brust, dass es weh tat, und sie drückte ihn an sich und dachte, er redet wirklich wie einer, der ein ganzes Jahr lang mit keinem Menschen geredet hat.

Er ächzte, warf seinen Kopf hin und her, und sie versuchte, ihn zu beruhigen, hielt sein Gesicht in den Händen, fragte vorsichtig, warum er keinen Freund habe, keinen, dem er sein Herz ausschütten und dem er vertrauen könne, und Ilan hielt inne, schwieg eine Weile, so als habe er die Frage verstanden und sinne nun ernsthaft darüber nach, doch im nächsten Augenblick erzählte er von einem Laden für Musikinstrumente aus zweiter Hand in der Allenbystraße, ich bin ganz verrückt nach dem Geruch dort, sagte er lachend, vergrub seinen Kopf in Oras Armbeuge und sog ihren Geruch ein; ein süßer Geruch, erklärte er ernst, von dem Kleber, mit dem man die kleinen Polster anklebt, die die Tonlöcher des Saxophons verschließen, und er erzählte, er habe dort vor einem Jahr tatsächlich ein gebrauchtes Selmer-Paris in gutem Zustand gefunden. In Tel Aviv hatte ich eine Band, erzählte er. Freitags haben wir zusammengesessen, die ganze Nacht neue Platten gehört und Coltrane und Charlie Parker kennengelernt, und wir haben Tel Aviver Jazz gemacht.

Seit er nach Jerusalem gezogen sei und sein Vater das Selmer-Paris beschlagnahmt habe, gehe er am liebsten ins Kino. Kino, das sei klasse, das halte ihn am Leben. Jede Woche gehe er mindestens in zwei Filme, allein, natürlich allein, mit niemand anderem amüsiere er sich so gut wie mit sich selbst. Wenn er allein gehe, müsse er danach auch nicht über den Film reden, denn mit Reden würde man doch bloß alles kaputtmachen, oder?

Die Hitze seines Körpers drang in sie ein, überfiel sie wie eine Art ehrfurchtsvolle Lähmung vor dem fiebernden Jungen, der sich an ihren Arm schmiegte. Anscheinend fühlte er ganz ehrlich und aufrichtig, dass er sich hier von seinem Leben verabschiedete, deshalb vertraute er ihr seine größten Geheimnisse an, und sie musste bloß neben ihm stehen, ihm ihre Hand geben und manchmal sanft über seinen Kopf, seinen Nacken oder seinen Rücken streicheln und ihm ein, zwei Worte sagen, damit er spürte, dass er in diesen Momenten nicht allein war. Und sie dachte, sie hätte nichts dagegen, wenn es bis zum Morgen so weiterginge, von mir aus sogar noch einen ganzen Tag, ich will ihm helfen, dachte sie, ich will, ich will. Ihr Körper brannte und juckte vor lauter Wollen, sogar ihre Füße brannten, wie lange hatte sie solche Ströme nicht mehr gespürt, und Ilan tastete und fand ihre andere Hand, legte sich ihre beiden Hände auf die geschlossenen Augen und sagte, er wisse, wie man immer glücklich sein könne.

Glücklich? fragte Ora nach. Ihr blieb fast die Luft weg, und für einen Moment zog sie die Hände zurück, als hätte sie sich verbrannt:

Wie das? Ich habe da eine Methode entwickelt, sagte er, ich teile mich in verschiedene Zonen auf, und wenn es mir an einer Stelle in der Seele schlechtgeht, springe ich einfach zu einer anderen. Sein Atem züngelte um ihr Handgelenk, und sie spürte, wie seine Wimpern ihre Handfläche kitzelten. Sein Gesicht tastete sich zu ihrem Bauch und drückte sich daran. Das darfst du wirklich niemandem erzählen, sagte er leise zu ihrem Bauch, ich verlass mich ganz auf dich, du bist echt in Ordnung, du bist nicht wie die andern Jungs. Ora korrigierte ihn nicht. Sie stand da und schwieg, spürte, wie sich eine kreisende Wärme von ihrem Bauchnabel aus in alle Körperteile verbreitete.

So verteile ich die Risiken, sagte Ilan, zog den Kopf schnell zurück und lachte trocken, etwas gequält: Mich kann keiner verletzen, ich springe einfach weg …

Mitten im Satz überfiel ihn tiefer Schlaf. Seine Finger öffneten sich, ließen los und glitten an ihren Armen hinunter, bis sie in seinen Schoß rutschten, und sein Kopf sank auf die Brust. Ora blieb eine Weile stehen, kniete sich dann vor ihn und hielt seine Hände, bestaunte die Länge und die feinen Finger, und es versetzte ihr einen Stich, dass solche Finger so steif sein konnten und so viel kämpfen mussten. Sie legte die Stirn auf seine Knie, nahm seine Hand, legte sie sich wie streichelnd auf den Kopf und redete leise auf ihn ein, sie redete und redete, und was sie ihm erzählte, hatte sie schon seit Jahren niemandem erzählt, wie war das nur gekommen, das hatte sie doch Avram erzählen wollen, aber Avram, dieser Idiot, diese Seele von einem Verräter, war einfach aufgestanden und abgehaun, und nur Ilan war ihr geblieben.

Nach einer Weile stand sie auf, zündete ein Streichholz an und leuchtete zum ersten Mal Ilans Gesicht an, er hob sein Gesicht mit geschlossenen Augen zum Licht, und in dem hellen Kreis war sein Gesicht ein Tropfen einziger Schönheit, wer hätte das gedacht, wie aus dem Märchen war er hier bei ihr gelandet, ein schlummernder Dornros. Sie riss noch ein Streichholz an, und er murmelte weiter, stritt sich im Traum mit jemandem, schüttelte kräftig den Kopf, und auf seinem Gesicht wechselten Zorn und Abscheu, vielleicht wegen des blendenden Lichts, vielleicht wegen etwas, was er vor seinem inneren Auge sah, und seine dunklen buschigen Augenbrauen zogen sich streng zusammen, und Ora stand selbstvergessen vor ihm und beleuchtete weiter seine reine Stirn, die Form seiner Augen, seine hinreißenden Lippen, die waren heiß und ein bisschen rauh, und sie brannten jetzt noch auf den ihren.

Zeigst du denn jemandem, was du da schreibst? Ja, das war genau der Ton, den sie gesucht hatte: Scharf, verächtlich, kalt und distanziert, so ein Ton, der ihm genau zeigte, was sie von ihm hielt, dieser aufgeblasene Protz, dieser blöde. Nein, murmelte Avram erschreckt, wie kommst du darauf, niemandem. Woher weißt du dann, dass es überhaupt was wert ist? Vielleicht ist es gar nichts wert? Man muss es jemandem zeigen, machte sie genauso weiter, jemandem, der dir sagen kann, ob es gut ist oder bloßes Geschreibsel. Ich weiß wirklich nicht, ob es gut ist, seufzte Avram, ich fühl es nur, so was fühlt man, man fühlt es hier – und er schlug sich plötzlich mit geballter Faust gegen die Brust, stark, zwei-, dreimal, als wolle er sich bestrafen, vielleicht dafür, dass er ihr so vertraut hatte. Und sie schwor sich, jetzt den Mund zu halten. Alles, was sie sagen würde, wäre falsch, lieferte ihm bloß weitere Beweise ihrer Dummheit und Oberflächlichkeit. Hätte sie doch die Kraft, von seinem Bett aufzustehen, in ihr Zimmer zurückzugehen und ihn für immer zu vergessen. Und den da auch. Sie musste schnell gesund werden. Damit sie hier rauskam. Jeder Moment, den sie länger mit diesen beiden Nachtwandlern zusammenblieb, brachte sie aus dem Gleichgewicht. Wie hatte ihr das überhaupt passieren können, dass sie plötzlich mit zweien, Gott im Himmel, mit zweien, die sie nicht kennt, echt überhaupt nicht kenn…

Avram, genug jetzt!

Was?

Komm, vergessen wir das. Ich weiß auch nicht, was ich hab …

Ist auch egal …

Ich hab dich genervt.

Macht nichts.

Aber du, du …

Was ist mit mir?

Warum bist du abgehauen? Warum bist du mir grad in dem Moment abgehauen, wo ich …

Keine Ahnung, ich hab dir doch gesagt, ich weiß es nicht. Plötzlich musste ich einfach …

Avram?
Was?
Vielleicht gehn wir zurück in mein Zimmer?
Wieso?
Das ist besser für uns.
Und was ist mit ihm?
Weiß nicht.
Sollen wir ihn hierlassen?
Ja, komm, komm …
Aber er …
Komm schon.

Halt mich fest, Avram.
Pass auf, dass wir nicht beide fallen.
Geh langsam. Mir dreht sich alles.
Lehn dich bei mir an.
So ist es gut.
Gib mir deine Hand.
Hörst du sie?
Stundenlang macht die das.
Ich hab vorhin von ihr geträumt.
Was?
Ganz furchtbar. Ich hab schreckliche Angst vor ihr gehabt.
Was kann sie schon …
Es war ein echter Albtraum.
Was für ein Weinen …
Hör doch, als ob sie was vor sich hin singt.
Klagelieder.

Und sag mal, meinte sie später, als sie auf ihrem Bett saßen …
Was?
Wenn du schreibst, wenn du diese …
Meine Limericks, die Schwänke aus meinem Leben?

Blödmann! Deine Geschichten!

Also, was willst du wissen?

Erfindest du alles, oder schreibst du auch Sachen, die du erlebt hast?

Manchmal schon. Kommt drauf an.

Und über hier, über das Krankenhaus, willst du auch was schreiben?

Vielleicht, ich weiß nicht. Eigentlich hatte ich schon eine Idee, aber ...

Erzähl!

Wirklich?

Jetzt erzähl schon.

Avram richtete sich mühsam auf, lehnte sich gegen die Wand. Er verstand sie und ihre Umschwünge nicht, und trotzdem konnte er, wie ein Kätzchen einem davonrollenden Wollknäuel, dem »Jetzt erzähl schon!« nicht widerstehen.

Das ist über einen Jungen, der im Krankenhaus liegt, mitten im Krieg, er steigt aufs Dach und hat Streichhölzer ...

So wie ich ...

Ja, aber nicht genau. Denn mitten in der Verdunklung fängt er an, mit den Streichhölzern den feindlichen Flugzeugen Zeichen zu geben.

Ist der verrückt?

Nein, er will, dass sie zu ihm kommen und ihn bombardieren, ihn persönlich.

Aber warum?

Das weiß ich noch nicht. Ich hab nur bis hierher gedacht.

Geht's dem so dreckig?

Ja.

Ora fragte sich, ob Avram wohl aufgrund dessen, was Ilan erzählte, darauf gekommen war. Sie traute sich nicht zu fragen. Stattdessen sagte sie: Das macht mir ein bisschen Angst.

Echt? Red weiter.

Was? Was soll ich sagen?

Erklär das ein bisschen.

Wie denn?

Mit Worten.

Sie versank in Gedanken. Spürte, wie eingerostete Rädchen in ihrem Hirn anfingen, sich zu bewegen. Auch Avram schien sie zu spüren. Er wartete schweigend.

Sie sagte: Ich stell mir das vor. Er steht auf dem Dach. Und er macht ein Streichholz nach dem andern an, nicht wahr?

Ja, sagte er und streckte sich in neuer Erregung.

Und er schaut in den Himmel, in alle Richtungen, wartet darauf, dass sie kommen, die Flugzeuge. Er weiß nicht, aus welcher Richtung sie kommen, nicht wahr?

Stimmt. Ja.

Vielleicht sind das die letzten Augenblicke seines Lebens. Er hat furchtbar Angst, aber er muss weiter auf sie warten. Er ist ein ziemlicher Sturkopf, aber auch mutig, oder?

Ja?

Ich glaub, in diesem Augenblick ist er der einsamste Mensch auf der Welt.

Daran hab ich nicht gedacht, lachte Avram verlegen, aber du hast recht. An seine Einsamkeit hab ich noch gar nicht gedacht.

Wenn er wenigstens einen Freund hätte, würde er das nicht tun, nicht wahr?

Stimmt, er würde nicht …

Jetzt sehe ich mehr.

Was siehst du?

Ich sehe ihn da alleine stehen.

Was noch?

Aber er will es auch so, so ganz allein. Verstehst du?

Nein, erklär mir das.

Das ist so, als … als ob er. Meinst du, er zwingt sich dazu, zu glauben, dass er immer allein sein wird?

Ja?

Ich dachte …

Was?

Vielleicht machst du ihm jemanden in der Welt?

Warum?

Damit er jemanden hat, keine Ahnung, einen Freund, jemand, der bei ihm ist.

Plötzlich lachte sie los: Na ja, es ist deine Geschichte, da bestimmst du, was passiert.

Sie schwiegen. Sie hörte ihn denken. Es klang wie ein schnelles Plätschern. Sie mochte den Klang.

Und sag …

Was?

Ach, ist egal.

Nun frag schon!

Überlegst du dir, auch mal über mich zu schreiben?

Weiß ich nicht.

Ah, in Ordnung. Okay.

Aber vielleicht schon, ich weiß noch nicht. Willst du das denn?

Ich weiß nicht, aber wenn du willst …

Kann schon sein, ich weiß es wirklich nicht. Was ist?

Wenn ich ehrlich bin, jetzt …

Was?

Jetzt hab ich Angst, noch was zu sagen, damit du nicht den Unsinn schreibst, den ich so rede.

Wie was zum Beispiel?

Denk einfach nur dran, wenn ich hier Unsinn geredet habe, dann kam das vom Fieber.

Aber ich schreibe nicht genau das, was war.

Du erfindest bestimmt auch was, das ist ja das Tolle daran, oder? Das Tollste überhaupt …

Ja, klar. Aber …

Dass die Vorstellungen plötzlich wirklich werden, dass die Figuren und die Vorstellungen für dich lebendig werden.

Woher weißt du das?

Und was wirst du über mich erfinden?

Warte, sag bloß, schreibst du auch?

Ich? Ich doch nicht. Nein, ich nicht. Das war jetzt ein guter Witz.

Nein, aber du redest wie eine, die …

Und sag mal, aber ehrlich …

Was?

Hab ich recht, dass du mich in deiner Geschichte Ada nennen wolltest?

Woher weißt du das?

Das weiß ich einfach, sagte sie und umarmte sich fest.

Aber woher, fragte Avram aufgeregt.

Von mir aus kannst du das machen. Nenn mich Ada.

Aber weißt du, was? Nein.

Was nein?

Ich werd dich Ora nennen.

Echt?

Ora, sagte Avram mit Nachdruck, und eine Süße breitete sich in seinem Mund und seinem Körper aus. O-ra.

Puh, sagte er etwas später schnaufend.

Was?

Weiß nicht, furchtbar heiß ist es hier.

Steigt dein Fieber?

Nein, nur dass … Weißt du, ich hab noch nie so über diese Sachen geredet … Mit niemandem auf der Welt.

Erzähl mir noch mehr.

Aber wo bist du? Du bist so weit weggerückt.

Ich bin hier.

Wenn ich von dir und von mir schreiben würde, wenn überhaupt, dann will ich über das schreiben, was uns hier passiert ist, seit ich dich nachts singen gehört habe, und bis jetzt, bis zu diesem Moment, und wie du die ganze Zeit …

Na sag schon, sag es einfach, denk nicht so viel, du denkst zu viel.

Wie du mich die ganze Zeit wie ein Jojo hüpfen lässt, die ganze Zeit rauf und runter.

Na, das sagt ja grad der Richtige!

Hör zu, meine und deine Gedanken bringe ich mit Echo, das gibt ihnen mehr Volumen, mehr Tiefe. Ich hab so eine Echo-Funktion auf dem Tonband. Und was Ilan sagt, das bring ich …

Der ist auch dabei, in der Geschichte?

In dem Hörspiel, ja sicher, das ist doch das Besondere.

Was ist das Besondere?

Hör zu: Was er sagt, bring ich im Hintergrund …

Was sagt er denn? fragte sie erschrocken.

Alles, was er eben sagen wird, im Fieber, aber ohne Worte, bloß so ein Murmeln, man versteht es nicht richtig, oder vielleicht doch ein bisschen, und dann mach ich ein Crossfade von seinem Gemurmel, zusammen mit Jazzstücken. Trompete, denk ich mal. Obwohl, Saxophon ist vielleicht besser, so durch das Mundstück geflüstert.

Jazz?

Ja, warum nicht?

Du magst auch Jazz?

Du auch?

Nein, ich kenn das überhaupt nicht.

Wie wer denn?

Egal, vergiss es. Sie tauchte einen Moment ab. Sag mal, findest du echt, dass das Musik ist? Für mich klingt das bloß wie Krach.

Oj Ora, brach es aus Avram heraus, ich werd dir beibringen, Jazz zu hören, du wirst sehn, wie einem das in die Seele fährt, wie das alles öffnet! Das ist die Musik, die der menschlichen Stimme am nächsten kommt, das spricht richtig zu dir. Jazz streichelt dich, lach nicht, manchmal spüre ich, dass mir ein Gedanke mit einer bestimmten Jazzmelodie kommt, Mensch, das wird der helle Wahnsinn, ein Hörspiel für drei Stimmen …

Vier …

Wieso vier?

Die Schwester mit ihrem Weinen, hast du die vergessen?

Ja, stimmt. Wie hab ich das vergessen können. Aber du, wie du, alle Achtung …

Was?

An alles denkst.

Ich?

Die wird die ganze Zeit im Hintergrund sein. Natürlich. Was meinst du?

Das ist gut, ich glaub, das ist eine gute Idee.

Ja, zwei reden, und einer murmelt bloß im Hintergrund.

Und eine weint.

Und du meinst, das haut hin, so alle zusammen?

Bestimmt.

Glaubst du wirklich?
Das ist großartig, Avram.

Er streckte die Arme nach oben, gähnte lautlos mit weit aufgerissenem Mund, und sie lächelte vor sich hin und ihre Stirn glänzte im Dunkeln. Etwas in ihr hatte zu fließen begonnen, ein stilles, uraltes Wissen: Er war Künstler, das war er, einfach Künstler, und sie wusste, wie das mit Künstlern ist. Da hatte sie Erfahrung. Zwar hatte sie diese Erfahrung schon lange nicht mehr verwendet, aber jetzt kehrte sie zurück und füllte sie ganz aus. Sie wird gesund werden, wird die Krankheit besiegen, das weiß sie plötzlich mit großer Gewissheit, da hat sie jetzt ein ganz klares Gefühl, weibliche Intuition.

Sie schaute nicht in seine Richtung, doch in diesem Moment erkannte sie ihn. Ganz und gar. Sie wusste doch, besser als die meisten Menschen, wie viel Zerbrechlichkeit und Verletzlichkeit in den einfachen, scheinbar beiläufigen Fragen »Was meinst du?« oder »Glaubst du, das haut hin?« oder »Ist das nicht eine echt idiotische Idee, Ora?« mitschwangen.

Sie schloss die Augen, und eine leichte, lustvolle Erschütterung durchzog ihren Körper: Wie hatte sie in einem plötzlichen Impuls den Mut gehabt, sich zu einem fremden Jungen hinunterzubeugen und ihn lange auf den Mund zu küssen. Sie hatte geküsst und geküsst und geküsst. Und jetzt, wo sie endlich den Mut hatte, sich ohne Hemmungen zu erinnern, spürte sie den Kuss, ihren ersten Kuss, wie er in sie drang, sie zum Leben erweckte. Das lebendige Blut aufrührte. Und was wird jetzt, dachte sie, mit wem von beiden soll ich – doch gerade jetzt war ihr Herz leicht und fröhlich. Schon seit Jahren war es nicht mehr so offen und überquellend gewesen. Als sei jemand unbemerkt und heimlich gekommen und habe die Verwicklung in ihr gelöst, und bald würde bestimmt auch sie die Lösung erfahren. Und schön ist er, dachte sie in einem wonnigen Gefühl, wirklich wie ein himmlischer Engel, noch nie hab ich einen so schönen Jungen gesehen, zart und gleichzeitig stark, sogar mit seinem zornigen Gesichtsausdruck, als er die Stirn zusammenzog, hat er nichts von seiner Zartheit verloren, und was bedeutet es, dass wir uns geküsst haben und er bestimmt gar nichts davon weiß. Ich würde sterben, wenn er es doch wüsste.

Wie kommt es, dass ich ausgerechnet den geküsst hab und nicht den anderen?

Ich schwör dir, ich werd das aufschreiben, sagte Avram irgendwo neben ihr. Dünn, jauchzend und überrascht hüpfte ein Kichern aus seinem Mund. Ihr Bein berührte für einen Moment sein Bein. Sie schwiegen, lärmten jeder in sich selbst, spürten, dass sie beide einer großen Gefahr entronnen waren, dem endgültigen, totalen Streit, und sie verstanden nicht, wie das geschehen war, und Ora dachte, sie würde gleich aufstehen und auf dem Bett tanzen, die Beine in die Luft werfen. Soll die Welt doch untergehn.

Um die Wahrheit zu sagen, auch ich schreibe ein bisschen, gestand sie ihm zu ihrer großen Überraschung.

Wirklich?

Nur so, nicht wie du. Das hab ich bloß so gesagt, fuhr sie rasch fort, versuchte, den Mund zu halten, und konnte es nicht, schon wieder versaute sie sich alles, sie dachte aber auch keinen viertel Schritt voraus! Keine richtigen Gedichte, vergiss es, ich hab das bloß so gesagt, Lieder für Ausflüge, Arbeitseinsätze, Quatsch eben, aus der Gattung der Limericks.

Ach so. Er lächelte merkwürdig traurig, zog sich auf eine Art Höflichkeit zurück, die ihr einen Stich versetzte. Vielleicht singst du mir eins vor?

Sie schüttelte energisch den Kopf, bloß nicht, bist du verrückt geworden? Nie im Leben.

Denn obwohl sie ihn noch kaum kannte, wusste sie schon genau, wie sie sich fühlen würde, wenn ihre Verse, die ihr den Namen »die Naomi Schemer unserer Klasse« eingebracht hatten, zusammen mit den ganzen verschrobenen und snobistischen Gedanken in seinem Kopf widerhallen würden. Doch gerade dieser Gedanke weckte in ihr den Drang zu singen. Warum genierte sie sich vor ihm? Wirklich, warum hatte sie die ganze Zeit Angst, was er über sie denken könnte?

Aber du versprichst mir, nicht zu lachen? wollte sie nachdrücklich, ja sogar streng fragen, aber es kam ganz anders raus – sie zierte sich, plötzlich hatte sie diese Allüren, das, was Miri ihr schon seit Jahren beizubringen versuchte, und am merkwürdigsten war, dass sie es nicht unter Kontrolle hatte, als sei sie eine Art Handpuppe, in die jemand anders seine Hand steckt und sie hin und her bewegt, gleich wird sie sich niederwerfen, gleich wird sie stupide lächeln, vielleicht musste sie aufpassen, denn plötzlich spürte sie, dass sie an einem gefährlichen Ort war, im nächsten Moment würde sein Sog sie hineinreißen, und wenn sie wieder rauskäme, würde sie genauso reden wie er, mit seinen Witzen, seinen Geistesblitzen, seinen Phrasen und dieser Show, die er immer abzieht, und sie sagte sich ganz ehrlich, sie wisse einfach nicht, was im nächsten Moment aus ihr rauskommen würde, was für eine Ora sie sein würde, und ehrlich gesagt, das war ein ziemlich gutes Gefühl.

Es ist ein altes Lied, von früher, als ich dreizehn war, warnte sie.

Sing's mir vor.

Versprich mir erst, dass du nicht sagst, es wär debil.

Nein, nein, prustete er mit seinem schnaubenden Lachen, so ein Versprechen, das ist zu viel verlangt.

Musst du immer das letzte Wort haben?

Immer.

Sie hob den Kopf, ignorierte ihn und seine übertriebenen Augen und fragte sich, ob auch Ilan im Zimmer am Ende des Flurs sie hören könne, was er über sie denken würde, doch auch der war ihr im Grunde schon egal, denn wenn er sie wollte, würde er sie nehmen, wie sie war. Sollen beide sie so nehmen, wie sie war.

Sie wandte sich von ihnen beiden ab, in Richtung Fenster, zum aufziehenden Morgen, der hinter dem Riss im Verdunklungspapier rosa schimmerte, und erklärte, das geht mit dem Refrain von *Wir sind die Pioniere, die jeder kennt*, und sie holte tief Luft und stürzte sich kopfüber in die Abgründe der Peinlichkeit:

Wir pflücken die Orangen, das können wir.

Braucht ihr uns? Schon sind wir hier!

Wir turnen durchs ganze Kibbuzrevier,

aber noch viel lieber klauen wir

den Käse aus der Kühlschranktür.

Sie wartete, bis ihre Stimme verhallt war, und drehte sich nicht wieder zu ihm um, sie kam sich idiotisch und lächerlich vor, doch sie hatte bereits etwas Stärke aus dem Lied selbst gewonnen, und von dem herrlichen Arbeitseinsatz im Kibbuz Bejt-HaSchita, bei dem sie und Ada dieses Lied in den vorletzten Sommerferien gedichtet hatten, und erinnerte sich daran, wie Ada ihr an einem Faden vom oberen Bett einen Zettel heruntergelassen hatte: »Ohne dich könnt ich keine halbe Stunde auf der Welt sein.« Aber du bist nicht auf der Welt, Ada, nimm's mir nicht übel, du bist schon nicht mehr hier, also bitte, lass mich gehn, ich will gehn. Schau her, ich gehe jetzt.

Sie drehte schwungvoll den Kopf, fuhr sich mit den Fingern durch die abgeschnittenen orangenen Locken und dachte, vielleicht sollte ich sie ja doch wieder wachsen lassen, nur versuchsweise.

Klingt das doof?

Entsetzlich, sagte Avram, und seine Augen leuchteten im Dunkeln, aber du singst so schön.

Nein. Echt?

Ich werd über uns schreiben, wiederholte er, schwor er sich und wusste nicht, wohin mit sich.

Willst du noch eins?

Aber langsamer. Du verschluckst ja die Hälfte.

Sag bloß, du willst in den tieferen Sinn der Worte dringen? Sie schickte ihm ein gezieltes Lächeln. Das hab ich schon vor langer Zeit gedichtet, sagte sie, wir haben das zusammen geschrieben, Ada und ich. Zur Abschlussfeier auf einem Arbeitseinsatz im Kibbuz Machanajim. Die haben mit uns eine Schnitzeljagd gemacht, und wir haben uns total verlaufen. Frag nicht.

Ich frag nicht, sagte er lächelnd.

Dann frag!

Was hast du Ilan erzählt?

Das wirst du nie im Leben erfahren, sagte sie.

Hast du ihn geküsst?

Was? Sie schreckte zurück, was hast du gesagt?

Was du gehört hast.

Vielleicht hat er ja mich geküsst? Sie zog frech die Augenbrauen hoch, machte einen auf Ursula Andress, bis zum Schluss, ohne sich zu genieren. Und jetzt halt die Klappe und hör zu. Das geht auf »tschingerassa bumm«, kennst du das?

Klar doch, sagte Avram, misstrauisch und bezaubert, und wand sich in dem unerwarteten Vergnügen. Alles war unerwartet – dass er hier so saß, dass es ihnen gelang, im letzten Moment gerettet zu werden, vor einem endgültigen, bitteren Abschied, und dass er wegen eines Mädchens jubelte, das Lieder auf »tschingerassa bumm« sang.

Ora sang und schlug auf dem Schenkel den Takt:

Wir gingen auf die Schnitzeljagd, tschingerassa bumm,

mit neuem Gruppenleiter, tschingerassa bumm,

damit wir nicht verlorengehn, tschingerassa bumm

doch half er uns nicht weiter …

Tschingerassa bumm, brummte Avram leise vor sich hin. Ora warf ihm einen Blick zu, und ein ganz anderes Lächeln, still und zart wie eine Knospe, leuchtete in ihr auf, ihr Gesicht leuchtete, und er dachte, sie ist einfach ein reiner, absolut argloser Mensch, sie kann sich überhaupt nicht verstellen, wie unterschiedlich wir doch sind, und wie sie sich freuen kann, dachte er, vielleicht mit drei Jahren hatte er das so gekonnt wie sie, und was für einen Mut sie hat, solchen Blödsinn zu machen, sich dem Blödsinn und der Freude dermaßen hinzugeben. *Die arglosen unter den Geschöpfen*, hatte er mal irgendwo gelesen, und schmolz ihr entgegen. Ich bin glücklich, erschrak er, ich will sie, will sie für mich, für immer und ewig, und schon sprangen seine Gedanken bis zur Grenze des Möglichen, du Liebeskranker, du Schwärmer, das wird meine Frau, die Liebe meines Lebens …

Zweite Strophe, verkündete Ora:

Der schaute gar nicht auf den Weg …

Tschingerassa bumm, sang Avram mit kräftiger Stimme, und auch er klopfte den Takt auf die Schenkel, und manchmal, ohne es zu merken, auch auf ihre.

Hat nur den Mädchen nachgesehn …

Tschingerassa bumm.

So irrten wir ohn' Weg und Steg …

Tschingerassa bumm

Und um die Mädchen war's geschehn!

Warte, sagte Avram, legte seine Hand auf ihren Arm, still, da kommt jemand.

Ich hör nichts.

Das ist er.

Kommt er zu uns? Aus dem Zimmer?

Das versteh ich nicht. Er lebt doch kaum noch.

Was machen wir jetzt, Avram?

Ich kapier nicht, wie der überhaupt laufen kann.

Vielleicht gehst du ihm entgegen und bringst ihn zurück in euer Zimmer?

Schschsch … Er läuft nicht …

Sondern?

Er kriecht. Hörst du? Er zieht sich mit den Händen …

Hörst du, wie er schnauft …

Er kommt zu uns gekrochen.

Nimm ihn hier weg, bring ihn zurück!

Was ist dabei, Ora, dann ist er eben ein bisschen mit uns zusammen.

Nein, das will ich nicht. Nicht jetzt.

Wart mal kurz. Hallo, Ilan? Komm, es ist hier, noch ein bisschen.

Dann geh eben ich.

Bist du verrückt? Wieso bist du so? Ilan? Ilan?

Ich muss hier weg.

Ilan, ich bin Avram, aus der Klasse, ich bin hier mit Ora. Und jetzt sag du ihm was …

Was soll ich ihm sagen?

Sag ihm was …

Ilan? … Das bin ich, Ora.

Ora?

Ja.

Was, du bist wirklich?

Natürlich, Ilan, das bin ich, komm, komm und bleib ein bisschen bei uns.

Stotternd schlängelte sich die Kolonne aus Zivilfahrzeugen, Jeeps, Militärkrankenwagen, Panzern und riesigen Bulldozern auf Transportern dahin. Der Taxifahrer, mit dem sie fuhren, war still und grimmig, seine Hand lag auf dem Schaltknüppel des Mercedes, sein breiter Nacken bewegte sich nicht, und schon mehrere Minuten hatte er weder sie noch Ofer angeschaut.

Bereits beim Einsteigen hatte Ofer wütend die Luft durch die Lippen gepresst, und sein Blick sagte, das war aber eine tolle Idee, Mama, ausgerechnet ihn für diese Fahrt zu rufen, und erst da begann sie etwas zu begreifen – um sieben Uhr früh hatte sie Sami angerufen, er möge bitte kommen, er solle sich auf eine lange Fahrt einstellen, in die Gegend des Berges Gilboa. Jetzt erinnerte sie sich, dass sie ihm nichts Genaueres gesagt und ihm auch nicht, wie sonst, den Zweck der Fahrt erklärt hatte. Sami hatte gefragt, wann er da sein solle, und sie hatte etwas gezögert und gesagt, um drei, und er sagte, Ora, wir sollten lieber früher weg, auf den Straßen wird die Hölle los sein, das war seine einzige Bemerkung zum Wahnsinn dieses Tages gewesen, und selbst da verstand sie nichts und sagte nur, sie könne auf keinen Fall vor drei. Sie wollte diese Stunden mit Ofer verbringen, Ofer war einverstanden gewesen, und sie hatte gesehen, welche Anstrengung ihn das kostete. Sieben, acht Stunden, mehr waren nicht übrig geblieben von dem einwöchigen Ausflug, den sie für ihn und sich geplant hatte, und jetzt wurde ihr klar, dass sie Sami am Telefon noch nicht einmal gesagt hatte, dass Ofer bei der Fahrt dabei sein würde. Hätte sie das getan, er hätte sie vielleicht gebeten, ihn ausnahmsweise von dieser Fahrt zu entbinden, und ihr einen der jüdischen Fahrer geschickt, die bei ihm arbeiten, mein »jüdischer Sektor«, so nannte er sie. Doch als sie ihn früh am Morgen angerufen hatte, war sie schon völlig durch den Wind gewesen und hatte einfach nicht nachgedacht – mit jedem Moment wuchs nun das drückende Gefühl in ihrer Brust –, dass man für so eine Fahrt, an so einem Tag, besser keinen arabischen Fahrer bestellte.

Auch wenn er ein Araber von hier ist, einer von unseren, hämmert Ilan in ihrem Kopf, als sie versucht, sich vor sich selbst zu rechtfertigen. Auch wenn es Sami ist, der ja schon fast zur Familie gehört und seit mehr als zwanzig Jahren alle chauffiert – das Büro von Ilan, ihrem getrennt lebenden Mann, und die gesamte Familie. Sie stellen sein Haupteinkommen, sein festes monatliches Gehalt, und er ist im Gegenzug verpflichtet, jederzeit, wenn sie ihn brauchen, vierundzwanzig Stunden am Tag parat zu sein. Auf allen Familienfesten bei ihm in Abu Gosh sind sie gewesen, und sie kennen In'am, seine Frau, und nicht selten haben sie ihm schon mit Kontakten und auch mit Geld geholfen, zum Beispiel als seine beiden großen Söhne nach Argentinien auswandern wollten. Sie selbst hat schon Hunderte von Fahrtstunden mit ihm verbracht, aber an so ein Schweigen erinnert sie sich nicht. Bei ihm ist jede Fahrt eine kleine Stand-up-Show, witzig, schlau, politisch schlagfertig schießt er in alle Richtungen, alles hat einen doppelten Boden, er ist wie ein doppelzüngiges Schwert, überhaupt, sie könnte sich gar nicht vorstellen, einen anderen Fahrer zu bestellen, und an Selbstfahren war im kommenden Jahr nicht zu denken – drei Unfälle und sechs Verstöße gegen die Verkehrsordnung im letzten Jahr, das war sogar für ihre Verhältnisse ein bisschen viel, und dieser fiese Richter, der ihr den Führerschein entzogen hatte, behauptete noch, er tue ihr damit bloß einen Gefallen, ihm könne sie ihr Leben verdanken. Dabei hätte es so einfach sein können; wenn sie Ofer jetzt selbst gefahren hätte, wäre sie wenigstens noch eineinhalb Stunden mit ihm allein gewesen und hätte ihn vielleicht sogar rumgekriegt, unterwegs irgendwo zu halten, im Wadi Ara gab es ein paar gute Restaurants, eine Stunde früher oder später, wo brennt's, wohin hast du's so eilig, sag mir, was erwartet dich denn da?

Aber eine Fahrt allein mit ihm würde es in nächster Zeit nicht geben, auch nicht ganz allein, an diese Einschränkung muss sie sich gewöhnen, endlich loslassen, aufhören, jeden Tag neu die Unabhängigkeit zu betrauern, die man ihr entzogen hat, sie sollte sich freuen, dass da zumindest Sami ist, der sie weiterhin chauffiert, auch nach der Trennung von Ilan – Ilan hatte darauf bestanden, sie selbst war damals gar nicht in der

Lage gewesen, an solche Einzelheiten zu denken –, Sami war ausdrücklich Teil ihres Trennungsabkommens, er selbst hatte gesagt, sie teilten ihn unter sich auf wie die Möbel, die Teppiche und das Besteck. Wir Araber, hatte er mit seinem Mund voll riesiger Zähne gesagt, wir haben uns seit dem Teilungsplan von 47 dran gewöhnt, dass ihr uns aufteilt. Die Erinnerung an diesen Sarkasmus ließ sie wieder zusammenzucken, hinzu kam die Scham über ihre heutige Gedankenlosigkeit, dass sie im allgemeinen Durcheinander diesen Teil von ihm völlig übergangen hatte, die Tatsache, dass er Araber ist.

Am Morgen hatte sie Ofer beobachtet, schuldbewusst stand er da, das Telefon in der Hand – in dem Moment hatte ihr jemand sanft, aber entschieden die Führung ihres Lebens aus der Hand genommen. Sie war abgesetzt. Auf die Stufe des Beobachters, des starrenden Zeugen degradiert. Statt Gedanken nur noch ein Aufblitzen von Empfindungen. Mit abgehackten, kantigen Bewegungen war sie von einem Zimmer ins andere gelaufen. Später dann mit ihm ins Einkaufszentrum, um ihm etwas zum Anziehen, Süßigkeiten und CDs zu kaufen – eine neue Edition von Johnny Cash war gerade rausgekommen –, und den ganzen Vormittag war sie benommen neben ihm hergelaufen und hatte wie ein junges Mädchen über alles gekichert, was er sagte. Mit weit aufgerissenen Augen hatte sie ihn verschlungen, sich schamlos für die endlosen Jahre des Hungers gerüstet, die kommen würden, die gewiss noch kommen würden. Als er ihr gesagt hatte, er müsse weg, hatte sie keinen Zweifel mehr gehabt. Dreimal entschuldigte sie sich an diesem Vormittag und suchte eine öffentliche Toilette wegen ihres Durchfalls. Ofer lachte. Was hast du denn? Was hast du gegessen? Sie starrte ihn an, sah den Anflug eines Lächelns und prägte sich ein, wie er den Kopf beim Lachen leicht nach hinten legte.

Die junge Verkäuferin im Kleidergeschäft musterte ihn, als er ein Hemd anprobierte, ihre Wangen röteten sich, und Ora dachte sich, ganz und gar überschwemmt, *mein Freund gleicht einem jungen Hirsch.* Die Verkäuferin in dem Musikgeschäft war eine Klasse unter ihm gewesen, und als sie hörte, wohin er in nur drei Stunden ausrückte, ging sie auf ihn zu, umarmte ihn, drückte sich in all ihrer Größe und Fülle an ihn und drängte ihn sogar, sie gleich anzurufen, wenn er zurück sei. Ora sah, dass ihr Sohn für solche Erregung blind war, und dachte, sein

Herz hinge noch ganz an Talia. Schon ein Jahr war vergangen, seit sie ihn verlassen hatte, und noch immer sah er nur sie. Mit Bedauern stellte sie fest, er ist eine treue Seele, genau wie sie, und weitaus monogamer als sie. Wie viele Jahre wird es dauern, bis er sich von Talia erholt; wenn er noch Jahre hat, dachte sie und wischte den Gedanken energisch aus, kratzte ihn mit beiden Händen aus ihrem Hirn, und dennoch schlich sich bei ihr ein Bild ein. Talia kommt zu ihr, zu einem Trauerbesuch, vielleicht auch, um nachträglich von ihr Vergebung zu erhalten, und sie spürt, wie sie vor Wut rot wird, wie hast du ihn bloß so verletzen können, denkt sie und hat es wohl auch gemurmelt. Denn Ofer hatte sich zu ihr gebeugt, ihre Schultern umfasst und sie sanft gefragt, was sagst du, Mama, und für einen Moment sah sie sein Gesicht nicht, er hatte kein Gesicht, ihre Augen starrten ins Leere, der pure Schrecken. Nichts weiter, kicherte sie, ich hab nur an Talia gedacht, hast du in letzter Zeit mal mit ihr gesprochen? Ofer machte eine Handbewegung, lass gut sein, das ist vorbei.

Pausenlos hatte sie geschaut, wie spät es war. Auf ihrer Uhr, auf seiner Uhr, auf den großen Uhren im Einkaufszentrum, auf den Digitalanzeigen der Fernsehgeräte in den Schaufenstern. Auch die Zeit benahm sich seltsam, mal flog sie ein paar Minuten, dann kroch sie oder blieb völlig stehen. Ohne größere Mühe müsste sie sich, so empfand es Ora, auch zurückdrehen lassen, gar nicht viel, jedes Mal eine Stunde oder eine halbe, das wäre in Ordnung, vielleicht konnte man ja diese großen Dinge – die Zeit, das Schicksal, Gott – mit kleinen, sogar kleinlichen Feilschereien mürbe machen. Sie waren in die Stadt gefahren, in ein Restaurant am Markt, und hatten wahnsinnig viel bestellt, doch beide hatten eigentlich keinen Appetit. Er versuchte, sie aufzumuntern, erzählte Erlebnisse von der Straßensperre bei der Siedlung Tapuach, sieben Monate hat er dort gedient, und erst jetzt erfuhr sie, dass er Tausende von Palästinensern, die diese Straßensperre passierten, mit einem einfachen Metalldetektor kontrolliert hatte, solche Dinger, die man auch an den Eingängen zum Einkaufszentrum benutzt. Mehr hattest du nicht? flüsterte sie, und er lachte, was dachtest du denn, was wir da haben? Sie sagte, nichts hab ich gedacht. Und er fragte, hast du dir nie überlegt, wie man das macht? In seiner Stimme schwang eine kindliche Enttäuschung, und sie sagte, aber du hast nie davon erzählt. Er wandte ihr sein Profil zu, das ausdrückte, und du weißt auch genau, warum nicht, doch bevor sie etwas sagen konnte, streckte er schon seine breite, gebräunte rauhe Hand aus, legte sie auf ihre, und diese einfache und beinahe seltene Berührung verwirrte sie und ließ sie verstummen. Es war, als wolle Ofer im allerletzten Moment nachholen, was er versäumt hatte, und er erzählte eilig von der *Pillbox*, in der er vier Monate lang gegenüber den nördlichen Ausläufern von Jenin gewohnt hatte, wie er jeden Morgen um fünf aufgestanden war, um das Tor im Zaun um die *Pillbox* herum aufzuschließen und zu untersuchen, ob die Palästinenser in der Nacht das Tor vermint hatten. Sie fragte, bist du da einfach so hingegangen, ich meine, allein? Und er sagte, normalerweise hat mich einer aus der *Pillbox* gedeckt, wenn schon jemand wach war. Sie wollte noch mehr fragen, aber ihr Hals war trocken, und Ofer zuckte die Schultern und sagte mit der Stimme eines alten Palästinensers *kullo min Allah*, alles kommt von Gott, und sie flüsterte, das wusste ich nicht, und er lachte ohne Bitterkeit, als habe er sich schon abgefunden, man konnte von ihr eben nicht erwarten, solche Sachen zu wissen. Er erzählte ihr von der Altstadt von Sichem, das sei der interessanteste von allen Märkten, der älteste, da gebe es noch Häuser aus der Römerzeit und Häuser, die wie Brücken über die Gassen gebaut sind, und unter der ganzen Stadt führe ein Bewässerungskanal von Ost nach West, mit Gängen und Kanälen in alle Richtungen, da leben die gesuchten Terroristen, sie wissen, dass wir uns da nicht runtertrauen. Er erzählte begeistert, wie von einem neuen Computerspiel, und sie kämpfte die ganze Zeit gegen ihren Drang, seinen Kopf mit beiden Händen zu packen und ihm in die Augen zu schauen, um seine Seele zu sehen, die ihr schon seit Jahren entwischt – lächelnd, sehr lieb, mit einem Augenzwinkern, als sei es ein lustiges Fangspiel, das sie da beide spielten –, doch sie traute sich nicht, das zu tun. Sie schaffte es auch nicht, ihn einfach, ohne dass ihre Stimme gleich den feuchten Ton einer Beschwerde oder Anschuldigung bekam, zu fragen: Sag mal, Ofer, warum sind wir nicht mehr Freunde, so wie früher, auch wenn ich deine Mutter bin?

Um drei käme Sami und würde Ofer und sie zum Sammelpunkt bringen. Drei Uhr war das Äußerste, was sie hatte denken können, sie hatte keine Kraft mehr gehabt, sich vorzustellen, was danach passieren würde, und das war wieder ein Beweis dafür, dass sie, wie sie schon lange behauptete, nicht die geringste Phantasie besaß. Aber auch das stimmte nicht mehr. Auch das hatte sich geändert, in letzter Zeit überflutet die Phantasie sie geradezu, sie hatte eine richtiggehende Phantasievergiftung. Sami würde ihr die Fahrt erleichtern, vor allem die Rückfahrt, die bestimmt noch viel schwerer sein wird. Sie und er hatten bei gemeinsamen Fahrten schon eine familiäre Routine entwickelt, fast wie ein Paar. Sie hörte ihm gern zu, wenn er von seiner Familie erzählte, von den komplizierten Beziehungen zwischen den Großfamilien in Abu Gosh, von den Intrigen im Stadtrat und auch von der Frau, die er schon mit fünfzehn geliebt hat und die er wohl auch heute noch liebt, obwohl man ihn mit In'am, der Tochter seines Onkels, verheiratet hatte. Mindestens einmal in der Woche traf er sie im Dorf, absolut zufällig, wie er sagte. Sie war Lehrerin und hatte einige Jahre seine Töchter unterrichtet, bis sie Inspektorin für den gesamten arabischen Sektor geworden war. Seinen Erzählungen nach eine starke Frau mit eigenen Ansichten, immer lenkte er das Gespräch in eine Richtung, dass Ora nach ihr fragen konnte, und dann berichtete er beinahe ehrfürchtig: Sie habe noch ein Kind geboren, den ersten Enkel bekommen, einen Preis vom Erziehungsministerium erhalten, oder dass ihr Mann bei einem Arbeitsunfall ums Leben gekommen sei. Mit rührender Genauigkeit fasste er für Ora die zufälligen Gespräche zusammen, die sich im Minimarkt, in der Bäckerei oder bei den seltenen Malen ergeben hatten, wenn er sie mit dem Taxi chauffierte, und Ora nahm an, dass er es nur bei ihr wagte, so über diese Frau zu reden, vielleicht weil er ihr vertraute, dass sie niemals die Frage stellen würde, deren Antwort so offensichtlich war.

Er ist ein schlauer, schnell denkender Mann, bei dem sich Lebenserfahrung mit der Gerissenheit eines guten Kaufmanns paart, was ihm unter anderem einen kleinen Fuhrpark eigener Taxis eingebracht hat: Als er zwölf gewesen war, besaß er eine Ziege, die jedes Jahr zwei Junge warf. Und für ein einjähriges Zicklein in gutem Zustand, so hatte er Ora einmal erklärt, kannst du tausend Schekel bekommen. Wenn das Zicklein bei tausend Schekel angelangt war, hab ich es verkauft und das Geld auf die Seite gelegt, immer alles auf die Seite gelegt, bis ich achttausend Schekel zusammenhatte. Und mit siebzehn hab ich den Führerschein gemacht und mir einen Fiat 127 gekauft, ein altes Modell, aber er fuhr, einem Lehrer von mir hab ich den abgekauft, ich war der einzige Junge im Dorf, der mit dem eigenen Auto zur Schule kam, und nachmittags habe ich privat Fahrten gemacht, hab hier wen abgeholt und da wen hingebracht, Sami, hol mir das, bring mir dies, so nach und nach eben.

Im letzten Jahr, während der großen Umwälzungen in Oras Leben, hatte ein Bekannter einen Job für sie gefunden – Teilzeit und ohne feste Verpflichtungen – für ein neues Museum, das in Nevada entstehen sollte und sich aus irgendeinem Grund für Israel und vor allem für seine »materielle Kultur« interessierte. Ora mochte diese ungewöhnliche Beschäftigung, die ihr da zugefallen war und sie ein wenig von sich selbst ablenkte, und zog es vor, nicht eingehender nach den verborgenen Motiven zu forschen, nicht nachzufragen, was die Initiatoren bewogen hatte, ausgerechnet in der Wüste von Nevada Unsummen für eine Rekonstruktion des Staates Israel auszugeben. Sie gehörte zu dem Team, das für die fünfziger Jahre verantwortlich war, und wusste, dass es in anderen Teams noch einige Dutzend »Sammler« wie sie gab. Noch nie hatte sie einen von ihnen getroffen. Alle zwei, drei Wochen brach sie mit Sami zu diesen willkommenen Erwerbsexkursionen quer durchs Land auf, doch auch mit ihm vermied sie es aufgrund eines feinen Gespürs, über das Museum und dessen Absichten zu reden. Und Sami fragte auch nicht. Sie hätte gern gewusst, was er sich wohl dachte und wie er In'am von diesen Fahrten berichtete. Ganze Tage streiften sie zusammen durchs Land, kauften in einem Kibbuz im Jordantal eine Sammlung der legendären Tischabfallbehälter oder in einem Moschaw im Norden eine antike Melkmaschine oder in einem Viertel in Jerusalem einen sauberen, blank geputzten Eiskasten, der wie neu aussah, und natürlich vergessene winzige Einzelstücke, die zu finden ihr eine geradezu physische Freude bereitete, ein achtel Block *Tasbin*-Seife, eine Tube *Velveta*, eine Packung *Diana*-Tampons, genoppte Gummifingerhüte der *Egged*-Busfahrer, eine Sammlung getrocknete Wildblumen zwischen den Seiten eines Schulheftes, viele Schulbücher und Lesebücher aus diesem Jahrzehnt – man hatte sie unter anderem gebeten, die typische Bibliothek einer Kibbuzfamilie dieser Jahre zu rekonstruieren. Ein ums andere Mal hatte sie gesehen, wie der warme, erdverhaftete Zauber von Sami Jubran alle, denen sie begegneten, in den Bann schlug: Die alten Kibbuzniks waren überzeugt, er sei ein ehemaliger Kibbuznik (und irgendwie haben sie auch recht, flüsterte ihr Sami lachend zu, die Hälfte der Ländereien vom Kibbuz Kirijat Anavim gehört meiner Familie), und in Jerusalem, in einem kleinen Backgammon-Spielklub, stürzten sich ein paar Männer in der festen Überzeugung auf ihn, er habe als kleiner Junge in ihrem Viertel gelebt, und sie meinten sogar, sich daran zu erinnern, wie er auf die Kiefern geklettert war, um die Fußballspiele des *Hapoel* in Katamon zu sehen, ohne zu bezahlen. Eine energische junge Witwe in Tel Aviv mit gerösteter Haut und klingelnden Armreifen sagte zu Ora, bei der sie am nächsten Tag einfach nur so anrief, er komme zweifellos aus dem nahe gelegenen Jemenitenviertel, sei für einen Jemeniten vielleicht etwas dick, aber man sehe doch sofort, dass er so eine richtige Wurzel sei, und sie betonte, er sei wirklich äußerst charmant, so einer sei bestimmt beim *Etzel* gewesen, und übrigens, sagen Sie mal, haben Sie den Eindruck, dass der nette Mann solo ist? Ora beobachtete, wie Leute um seinetwillen bereit waren, sich von geliebten Gegenständen zu trennen, weil sie das Gefühl hatten, dass diese Dinge, die ihre Kinder verachteten und zweifellos nach dem Tod der Alten wegwerfen würden, in gewisser Weise in der Familie blieben, wenn man sie ihm geben würde. Bei jeder Fahrt mit ihm, und dauerte sie auch nur zehn Minuten, kamen sie auf die Politik zu sprechen und diskutierten lebhaft die neuesten Entwicklungen. Und obwohl Ora sich schon vor Jahren, als das mit Avram passiert war, völlig von der »gegenwärtigen Lage« abgeschnitten hatte – ich habe meinen Teil schon bezahlt, pflegte sie mit einem schmalen, alles abschmetternden Lächeln zu sagen –, ließ sie sich doch immer wieder zu diesen Gesprächen mit Sami verleiten; dabei reizten sie nicht seine Rechtfertigungen und Argumente, die hatte sie schon oft von ihm und von anderen gehört. Wer hat überhaupt noch ein unverbrauchtes Argument in dieser endlosen Diskussion, seufzte sie, wenn andere ihr gegenüber einen Standpunkt vertraten, wer ist überhaupt in der Lage, hier noch ein neues, maßgebliches Argument, das noch keiner gehört hat, zu erfinden. Wenn Sami und sie über »die Lage« redeten, wenn sie stichelnd und vorsichtig lächelnd diskutierten, driftete sie übrigens oft enorm nach rechts, viel weiter, als es ihren Absichten und Anschauungen entsprach, während sie gegenüber Ilan und den Söhnen immer, wie die es nannten, zumindest eine weltfremde Linke war. Für sich selbst konnte sie gar nicht genau sagen, was sie war und wo sie stand, und überhaupt, sagte sie dann und zuckte anmutig mit den Schultern, und überhaupt werden wir erst, wenn diese ganze Sache vorbei ist, wissen, wer wirklich recht gehabt hat und wer nicht. Dennoch, wenn Sami in arabeskem Hebräisch die aufgeblasene Selbstgerechtigkeit und das vorauseilende So-gerne-gekränkt-sein-Wollen sowohl der Juden wie auch der Araber auf die Schippe nahm, wenn er die politischen Führer beider Seiten mit einem arabischen Sprichwort aufspießte, das nicht selten in den Tiefen ihrer Erinnerung ein entsprechendes jiddisches Sprichwort ihres Vaters wachrief, dann meldete sich in ihr manchmal ein verborgenes körperliches Wissen, als würde ihr im Laufe des Gesprächs mit ihm plötzlich klar, dass diese ganze große Geschichte schließlich gut ausgehen müsse und auch gut ausgehen werde; sei es, weil es diesem grobschlächtigen, kartoffelförmigen Mann neben ihr gelang, in seiner fleischigen Massivität die Klinge feiner Ironie zu bewahren, und noch mehr, weil es ihm gelang, in all dem er selbst zu bleiben. Und manchmal ging ihr auch noch ein anderer Gedanke durch den Kopf: Vielleicht lernte sie ja gerade von ihm etwas, was sie irgendwann brauchen könnte, wenn oder falls sich die Situation im Land, Gott behüte, umkehren und sie sich an seiner Stelle befinden würde, das war ja immerhin möglich, das lauerte immer hinter der Tür, und vielleicht dachte ja auch er manchmal daran, dass eventuell auch sie ihn etwas lehrte, einfach dadurch, dass sie in all dem sie selbst blieb?

Aus diesen Gründen lag ihr so daran, ihn, so gut sie konnte, zu beobachten und zu lernen, wie er es all die Jahre schaffte, auf der Hut zu sein und nicht zu verbittern, nicht nachtragend zu sein und, soweit sie es sehen konnte, aus seinem Herzen keine Mördergrube zu machen, was Ilan die ganze Zeit behauptete. Vor allem sah sie mit Staunen, und das würde sie zu gern von ihm lernen, dass es ihm gelang, die kleinen und großen Demütigungen, denen er Tag für Tag ausgesetzt war, nicht einem persönlichen Makel zuzuschreiben, denn sie in seiner Situation – Gott behüte – würde ebendies sofort tun, und um ehrlich zu sein, sie tat genau das sehr oft in diesem letzten Jahr, das so beschissen gelaufen war. Irgendwie schaffte er es, in diesem ganzen Chaos ein freier Mensch zu bleiben, was ihr nur selten gelang.

Jetzt schwoll in ihr der Zorn, sie hätte platzen können wegen ihrer sagenhaften Dummheit, dass sie in dieser grundlegenden und schwierigen Sache, ein feinfühliger Mensch zu sein, versagt hatte, ausgerechnet hier und in dieser Situation. Nicht einfach feinfühlig zu sein (»Feinfühlchen« hatte ihre Mutter immer gesagt, und sie hörte dieses Wort bis heute nur in der Stimme ihrer Mutter), weil sie von Natur aus nicht anders konnte, sondern bewusst und vorsätzlich feinfühlig zu sein und wider besseres Wissen aus dieser Feinfühligkeit heraus einen Kopfsprung in den hiesigen Säurekessel zu machen. Sami dagegen war wirklich ein feinfühliger Mann, auch wenn man es ihm auf den ersten Blick bei seiner Größe, seinem Gewicht und den groben Gesichtszügen nicht ansah, das hatte sogar Ilan, wenn auch mit gewissen Vorbehalten und immer mit einer Prise Misstrauen, zugeben müssen: Feinfühlig schon, bis er eine Gelegenheit bekommt, warnte er sie immer, und dann wirst du sehn, mit welchem Feingefühl unser Mohammed das Schwert führt.

Doch all die Jahre, die sie ihn kannte, und je länger sie ihn von der Seite anschaute – das tat sie pausenlos, denn sie konnte sich nicht von der Neugierde des kleinen Mädchens beim Anblick einer angeborenen Behinderung befreien, die sie an ihm in der bloßen Tatsache seiner gespaltenen oder vielleicht doppelten Existenz hier wahrnahm –, war sie sich absolut sicher, er hatte kein einziges Mal versagt, in Sachen Feingefühl hatte er nie versagt.

Einmal hatte er sie und die Kinder zum Flughafen gefahren, um Ilan, der von irgendeiner Reise zurückkam, abzuholen. Polizisten an der Straßensperre bei der Einfahrt nahmen ihn für eine halbe Stunde mit. Ora und die Jungen warteten im Taxi auf ihn. Sie waren noch klein, Adam war sechs, Ofer ungefähr drei, und erst bei dieser Gelegenheit erfuhren sie, dass ihr Sami Araber war. Als er bleich und verschwitzt zurückkam, weigerte er sich zu erzählen, was gewesen war, sagte nur, sie haben mich die ganze Zeit einen verpissten Araber genannt, und ich habe gesagt, vielleicht pisst ihr auf mich, aber ich bin nicht verpisst.

Diesen Satz hatte sie nicht vergessen, sie hatte ihn in letzter Zeit sogar nachdrücklicher wiederholt, wie eine Beschwörungsformel zur Stärkung des Herzens in all den Situationen, in denen jemand in hohem Bogen auf sie pinkelte, etwa die beiden aalglatten Leiter der Praxis, in der sie bis vor kurzem gearbeitet hatte – Glättlinge nannte Avram solche Typen –, und einige befreundete Paare, die sich nach der Trennung von ihr abgewendet hatten und zu Ilan hielten, aber auch ich, dachte sie, wenn ich nur gekonnt hätte, auch ich hätte Ilan gewählt und nicht mich. Auf dieselbe Liste gehörte auch dieser Hurensohn von Richter, der ihr die Bewegungsfreiheit entzogen hatte, und auch ihre Kinder konnte man zu denen zählen, die in hohem Bogen auf sie pinkelten, vor allem Adam, Ofer nicht, fast gar nicht, sie weiß nicht, sie weiß schon gar nichts mehr, und auch Ilan, natürlich, der Meister im Bogenpinkeln, seufzte sie, denn früher, vor etwa dreißig Jahren, hatte er geschworen, es sei seine Lebensaufgabe, auf ihre Mundwinkel achtzugeben, dass sie immer schön nach oben weisen, ha ha, denkt sie und berührt unbewusst das Ende ihrer Oberlippe, die etwas runterhing, denn auch ihr Mund hatte sich zum Schluss zu denen gesellt, die auf sie pinkelten. Bei all ihren gemeinsamen Fahrten mit Sami, bei den unvorhersehbaren kleinen Herausforderungen, den misstrauischen Blicken, mit denen man ihn manchmal beäugte, den beiläufigen, unsäglich schamlosen Bemerkungen von den herzlichsten und aufgeklärtesten Menschen, denen sie begegneten, bei all den Fragen zu ihrer Identität, die der Alltag ihnen aufgab und auf die jeder von ihnen eine andere Antwort hatte, war zwischen ihnen ein stilles gegenseitiges Vertrauen gewachsen, wie man es etwa gegenüber seinem Tanzpartner bei einem komplizierten Tanz empfindet oder bei einem schwierigen akrobatischen Kunststück, wenn man weiß, er wird einen nicht enttäuschen, seine Hand wird im entscheidenden Moment nicht zittern, und auch er wusste, dass sie ihn nie im Leben um etwas bitten würde, um das man ihn unter keinen Umständen bitten darf.

Aber heute hatte sie versagt und auch ihn dazu gebracht zu versagen. Sie hatte es erst gemerkt, als es schon zu spät gewesen war, als er ihr eilig, wie gewohnt, die Wagentür aufmachte und plötzlich Ofer sah, der in Uniform und mit Waffe die Eingangstreppe herunterkam, Ofer, den er von Geburt an kannte, Sami hatte doch sie und Ilan aus dem Krankenhaus abgeholt, als sie ihn nach Hause brachten, Ilan hatte Angst gehabt, an diesem Tag selbst zu fahren, er sagte, seine Hände würden zittern, und auf der Heimfahrt erzählte Sami, bei ihm habe das Leben erst wirklich angefangen, als Jussra, seine älteste Tochter, zur Welt gekommen sei – damals hatte er nur eine, danach bekam er zwei Söhne und dann noch zwei Töchter, fünf demographische Probleme habe ich, erzählte er lachend und strahlend jedem, der ihn fragte –, und bei jener Fahrt hatte Ora bemerkt, wie er den Wagen besonders vorsichtig um die Schlaglöcher lenkte, um Ofer nicht zu erschüttern, der auf ihrem Schoß schlief. Später dann, als die Jungs in der Innenstadt zur Schule gingen, fuhr Sami für die Fahrgemeinschaft, die sie für fünf Kinder aus Zur Hadassa und Ejn Karem organisiert hatte; und jedes Mal, wenn Ilan im Ausland war, sprang er für kleine und größere Fahrten ein, in manchen Jahren war er ein untrennbarer Teil der Familie gewesen, und als Adam schon groß war, aber noch keinen Führerschein hatte, brachte Sami ihn freitagabends von seinen Unternehmungen in der Stadt nach Hause; in späteren Jahren schloss Ofer sich Adam an, beide riefen Sami aus einem Pub in der Stadt an, und er kam um jede Zeit aus Abu Gosh angefahren, behauptete, auch wenn es schon drei Uhr morgens war, nicht geschlafen zu haben, und wartete draußen auf Adam, Ofer und deren Freunde, bis die sich bequemten herauszukommen, er hatte vermutlich auch ihre Geschichten gehört, ihre Erlebnisse vom Wehrdienst – wer weiß, was er da alles mitbekommen hat, erschrickt sie plötzlich, wenn sie angetrunken auch über ihre Erlebnisse an den Straßensperren ihre Witze rissen. Er hatte sie in den verschiedenen Stadtvierteln abgesetzt. Und jetzt setzt er Ofer zu einem Einsatz in Jenin oder Sichem ab, und ausgerechnet dieses kleine Detail hatte sie vergessen ihm zu sagen, als sie ihn morgens anrief. Sami hatte schnell begriffen, und ihr war das Herz in die Hose gerutscht, als sie sah, wie sein Gesicht sich verdunkelte und sein Blick sofort, in einer Mischung aus Zorn und Niederlage, verlosch, auf einen Blick hatte er alles kapiert – sie erinnerte sich, Sami hatte Ofer in Uniform und mit Waffe die Treppe runterkommen sehen und verstanden, dass Ora ihn jetzt darum bat, seinen bescheidenen Beitrag zur Kriegsanstrengung Israels zu leisten.

Wie eine Bö voller Staub legte sich der Ruß des Feuers, das in ihm entflammt und sofort gelöscht worden war, auf seine dunkle Haut. Da stand er und rührte sich nicht, sah aus, als habe man ihn ins Gesicht geschlagen. Als habe sie sich selbst vor ihn hingestellt, ihn fröhlich und freundschaftlich in ihrer entgegenkommenden Art angelächelt und ihn dann mit voller Wucht ins Gesicht geschlagen. Einen blitzartigen Moment lang standen sie alle drei am Pranger: Ofer oben auf der Treppe, die Waffe über der Schulter baumelnd, das Magazin mit Gummis befestigt, sie mit ihrer blöden, dämlichen lila Wildledertasche, die zu elegant und für so eine Fahrt sogar abstoßend war, und Sami, der, ohne sich vom Fleck zu rühren, immer mehr zusammenschrumpfte, als fließe alles aus ihm heraus.

Wie alt ist er in diesen Jahren geworden, dachte sie jetzt; als sie ihn kennenlernte, hatte er fast wie ein Knabe ausgesehn. Nur einundzwanzig Jahre waren vergangen, er ist doch nur drei oder vier Jahre jünger als sie. Hier altert man schnell, die auch, ging es ihr durch den Kopf, auch die altern schnell.

Und weil sie verlegen war, machte sie alles nur noch schlimmer, setzte sich nach hinten, stieg nicht dort ein, wo er ihr die Tür aufhielt – dabei saß sie sonst immer neben ihm, wie könnte es auch anders sein –, und auch Ofer setzte sich nach hinten, und Sami stand mit hängenden Armen, den Kopf leicht zur Seite geneigt, neben seinem Taxi, neben der offenen Tür, und für einen Moment sah er aus wie einer, der sich an etwas zu erinnern versuchte, oder sich einen vergessenen, plötzlich aus dem Irgendwo wiederaufgetauchten Satz vormurmelte, vielleicht einen Vers aus einem Gebet, ein altes Sprichwort, einen Segen zum Abschied von etwas, zu dem man nicht mehr zurückkehren kann; oder einfach wie einer, der in einem ganz privaten Augenblick den Frühlingstag einatmet, der in der gelben, sonnigen Blüte des Goldginsters und der Akazien so unglaublich schön war, und erst nach diesem kurzen Verweilen stieg er ins Auto, setzte sich aufrecht und steif auf seinen Sitz und wartete auf Anweisungen.

Ora sagte, das wird eine etwas lange Fahrt heute, Sami, hab ich dir das am Telefon gesagt? Er bewegte den Kopf nicht, schüttelte ihn nicht und nickte nicht, er schaute sie auch nicht im Rückspiegel an, beugte nur ein bisschen seinen breiten, geduldigen Nacken. Und sie sagte, wir müssen Ofer zu dieser Aktion bringen, du hast bestimmt im Radio davon gehört, dahin, wo sie sich alle einfinden, nicht weit vom Berg Gilboa, komm, fahr los, wir erklären dir alles unterwegs. Sie redete schnell und eintönig. »Zu dieser Aktion«, sagte sie, als berichtete sie ihm von einem Sonderangebot im Heimwerkermarkt, und tatsächlich wäre ihr beinahe »zu dieser blöden Aktion« herausgerutscht, sie hatte sich gerade noch beherrscht, vielleicht weil sie wusste, dass sie damit Ofers Zorn wecken würde, und zu Recht, denn was knüpfte sie an so einem Tag subversive Beziehungen; vielleicht musste man ja wirklich, wie Ofer sie beim Mittagessen im Restaurant hatte überzeugen wollen, vielleicht musste man bei denen ja wirklich ein für alle Mal reinschlagen, auch wenn klar war, dass sie das nicht für immer erledigen würde, und auch in keinster Weise ihren Willen mindern, uns weiterhin zu bekämpfen. Im Gegenteil, hatte er betont, klar, dass so eine Aktion das Gegenteil bewirkt, aber würde es nicht wenigstens unsere Abschreckungskraft bis zu einem gewissen Grad wiederherstellen? Ora zügelte jetzt ihre Zunge, zog das linke Knie mit aller Kraft an sich, umklammerte es mit beiden Händen und saß so da, quälte sich wegen der Plumpheit, die sie gegenüber Sami begangen hatte, und um den Aufruhr in sich zu beruhigen, versuchte sie immer wieder, irgendein Gespräch mit Ofer oder mit Sami anzufangen. Ein ums andere Mal stieß sie gegen ihr Schweigen, beschloss aber, nicht aufzugeben, und so ertappte sie sich zu ihrer großen Überraschung dabei, wie sie Sami eine alte Geschichte erzählte, die ihr plötzlich einfiel, über ihren Vater, der schon sehr jung beinahe erblindet war, mit achtundvierzig, stell dir das vor, am Anfang verlor er wegen eines grünen Stars die Sehkraft seines rechten Auges, und das blüht mir wohl auch mal, sagte sie mit einem verlegenen Lächeln, und auf seinem linken Auge entwickelte sich über die Jahre eine Makuladegeneration, die ihm nur noch ein Blickfeld von der Größe eines Stecknadelkopfes übrigließ, und wenn die Vererbung richtig funktioniert, wird auch mir eines Tages nur noch so viel übrigbleiben. Sie lachte übertrieben laut und fuhr fort, dem Taxifond mit angestrengter Stimme von ihrem Vater zu berichten, der sich über lange Jahre vor einer Operation an seinem noch schwach sehenden Auge gefürchtet hatte. Sami schwieg, Ofer schaute aus dem Fenster, blies die Backen auf und schüttelte den Kopf, als weigerte er sich zu glauben, auf ein wie niedriges Niveau sie sich begab, um sich bei Sami einzuschmeicheln, dass sie ihm, um für ihren groben Fehler zu sühnen, eine so persönliche Geschichte zum Opfer brachte, und sie sah das alles und konnte trotzdem nicht aufhören. Zudem entwickelte auch die Geschichte plötzlich eine eigene Kraft, denn schließlich war Ofer es gewesen, Ofer und niemand anders, dem es mit Geduld und Hartnäckigkeit in zahllosen Gesprächen gelungen war, ihren Vater zu überzeugen, schließlich diese Operation vornehmen zu lassen, und dank Ofer habe ihr Vater vor seinem Tod noch ein paar gute Jährchen gehabt. Während sie erzählte, dachte sie daran, dass Ofer es ist, der die Anekdoten und Erinnerungen ihrer Kindheit in seiner Erinnerung aufbewahrt, ihre Geschichten über die Schule und ihre Freundinnen, über ihre Eltern und die Nachbarn in dem Viertel in Haifa, wo sie aufgewachsen war. Ofer durchlebte diese kleinen Geschichten mit einer Wonne, die sie sich bei einem Jungen seines Alters nicht hätte träumen lassen; er holte sie auch immer in den richtigen Augenblicken hervor, und in einer verborgenen Ecke ihres Herzens spürte sie, dass er auf diese Art ihre Kindheit und Jugend für sie aufbewahrte. Vermutlich deshalb hatte sie sie ihm über all die Jahre anvertraut und fast unmerklich auf Ilan und Adam als Zuhörer für ihre Erinnerungsflocken verzichtet. Sie seufzte und spürte sofort, dies war ein anderes, ein neues Seufzen, es riss sich von einem anderen Ort in ihr los und hatte einen Eisstachel am Ende, und sie erschrak, für den Bruchteil einer Sekunde war sie wieder Mädchen und kämpfte mit Ada, die unbedingt ihre Hand loslassen und vom Rand des Felsens springen wollte, schon seit Jahren war sie nicht mehr mit ihr dort gewesen, wie kam Ada plötzlich zu ihr zurück und hielt sie an der Hand, um sie loszulassen. Und sie plapperte trotz Samis und Ofers Schweigen weiter und war noch deprimierter darüber, dass es den beiden Männern, trotz allem, was sie jetzt voneinander trennte, gelang, sich gegen sie zu verbünden, ja, hier wurde gerade ein Bund geschlossen, verstand Ora endlich, ein Bund auf ihre Kosten, und der würde sich als tiefer und effektiver erweisen als alles, was die beiden trennte und Zwietracht stiftete.

Ein lautes Naseschnäuzen unterbrach ihre Worte mit solcher Gewalt, dass sie verstummte. Ofer war erkältet oder gegen etwas allergisch. In den letzten Jahren hatte bei ihm in den Aprilmonaten eine Allergie angefangen, die sich meist fast bis Ende Mai hinzog. Er putzte sich die Nase mit einem Papiertaschentuch aus dem verzierten kleinen Holzkästchen, das Sami hinten für seine Fahrgäste angebracht hatte. Er zog ein Tuch nach dem anderen heraus, trompetete laut, knüllte es zusammen und stopfte es in den Aschenbecher an seinem Sitz, der schon überquoll. Sein Galil-Sturmgewehr stand zwischen ihm und ihr, und der Lauf wies schon seit einer Weile auf ihre Brust, doch jetzt konnte sie es nicht mehr ertragen und machte ihm ein Zeichen, er solle ihn von dort abwenden. Aber als er die Waffe mit einer kantigen, ärgerlichen Bewegung zwischen die Beine nahm, ritzte die Kimme des Visiers die Innenpolsterung der Wagendecke und riss dort einen Streifen Stoff heraus, und Ofer sagte sofort, tut mir leid, Sami, ich hab hier was eingerissen, und Sami warf einen kurzen Blick auf das runterhängende Stoffröllchen und sagte heiser, nicht so schlimm, und Ora sagte, nein, keine Frage, wir bezahlen die Reparatur, und Sami holte tief Luft und sagte, lass schon, nicht so schlimm, und Ora flüsterte Ofer zu, er solle wenigstens das Schulterstück einklappen, und Ofer protestierte halb flüsternd, das mache man nicht, das werde nur im Panzer eingeklappt, und Ora beugte sich vor und fragte Sami, ob er eine Schere im Wagen habe, dann könnte sie das Röllchen abschneiden, aber er hatte keine, und sie hielt das Röllchen fest, das vor ihrem Gesicht tanzte, sich kringelte und für sie einen Moment lang wie ein entleerter Darm aussah, und sagte, man könne es vielleicht mit Nadel und Faden nähen, wenn du so was hier hast, mach ich das gleich, und Sami sagte, seine Frau würde das schon machen, und fügte hinzu, ohne jede Farbe in der Stimme, passt mir bloß mit der Waffe auf – warum sprach er sie beide zusammen an –, dass sie mir nicht die Sitzbezüge einreißt, die hab ich erst letzte Woche neu draufgemacht. Und Ora sagte mit einem verzerrten Lächeln, das war's jetzt aber auch, Sami, mehr Schaden richten wir nicht an, und sah, wie er die Lider wie Fensterläden vor einem Blick schloss, den sie nicht kannte.

Bei einer belanglosen Fahrt letzte Woche hatte Ora zum ersten Mal die neuen Bezüge gesehen, synthetisches Tigerfell. Sami hatte ihre Gesichtszüge wach verfolgt und sie auch gleich gedeutet: Die gefallen dir nicht, Ora, die findest du nicht schön, oder? Sie sagte, ganz grundsätzlich könne sie sich nicht für Bezüge aus Tierfell begeistern, noch nicht einmal wenn es Imitat sei, und er lachte, nein, für dich ist das bestimmt arabischer Geschmack, stimmt's? Ora horchte auf, da klang ein ihr bisher unbekannter Vorwurf in seiner Stimme, und sie sagte vorsichtig, dass auch er, soweit sie sich erinnere, bisher noch nie so etwas auf die Sitze getan habe. Er sagte, er fände sie aber schön, und seinen Geschmack könne man eben nicht ändern. Ora reagierte nicht. Sie nahm an, dass er einen schweren Tag gehabt hatte, vielleicht hatte ein Fahrgast ihn beleidigt, vielleicht hatten sie ihn an einer Straßensperre wieder angepinkelt. Irgendwie hatten sie sich beide aus dem Trübsinn herausgewunden, der einen Moment lang im Taxi herrschte, doch den ganzen Tag hatte diese Bedrückung in ihr weitergenagt, und erst am Abend, vor dem Fernsehen, kam ihr die Idee, dass sein neuer Geschmack in Sachen Sitzbezüge vielleicht mit der Gruppe von Siedlern zusammenhing, die geplant hatten, bei einer Schule in Ostjerusalem eine Autobombe hochgehen zu lassen. Sie waren vor ein paar Tagen geschnappt worden, und einer von ihnen hatte im Fernsehen beschrieben, wie sie den Wagen außen und innen auf »arabischen Geschmack« getrimmt hatten.

Jetzt wurde das Schweigen im Taxi noch dichter. Ora spürte wieder den Drang zu reden, und sie sprach von ihrem Vater und ihrer Sehnsucht nach ihm, und von ihrer Mutter, die schon nicht mehr zwischen rechts und links unterscheiden könne, und von Ilan und Adam, die sich gerade in Südamerika vergnügten. Sami blieb ausdruckslos, nur seine Augen rasten hin und her, musterten die Kolonne, in der er schon über eine Stunde vorankroch. Einmal, erinnerte sie sich, bei einer ihrer ersten gemeinsamen Fahrten, hatte er ihr gesagt, er zähle jeden Lastwagen, den er auf den Straßen des Landes sehe, egal ob zivil oder vom Militär, und als sie nichts begriff, hatte er ihr erklärt, in Lastwagen würde man ihn, seine Familie und alle Araber von 1948 eines Tages über die Grenze schaffen. Das ist es doch, was eure Transfer-Befürworter versprechen, hatte er gelacht, und Versprechen muss man halten, oder? Und, hör mir gut zu, hatte er hinzugefügt, unsere Idioten werden bei euch noch Schlange stehen, um da einen Job als Fahrer zu kriegen, wenn für sie dabei ein paar Scheine rausspringen.

Ofer putzt sich pausenlos die Nase, mit einem Trompeten, das sie noch nie bei ihm gehört hat, es ist fremd und passt nicht zu seiner natürlichen Weichheit, und er knüllt die Taschentücher zusammen, stopft sie in den Aschenbecher und zieht sich gleich ein neues heraus, und die benutzten fallen auf den Boden, er hebt sie nicht auf, und sie gibt es schon auf, sich dauernd zu bücken und sie in ihre Handtasche zu stecken. Ein Jeep vom Typ Sufa überholt sie rhythmisch hupend und drängt sich direkt vor ihnen wieder in die Kolonne. Hinter ihnen schnaubt der breitgebaute Hummer-Jeep, er klebt ihnen an den Fersen; Sami streicht sich immer wieder über die große runde Glatze, drückt den gewaltigen Rücken in die Holzkugeln seiner Sitzauflage und schreckt jedes Mal nach vorn, wenn Ofers lange Beine sich in seine Rückenlehne bohren. Sein maskuliner, etwas verbrannter Geruch, immer vermischt mit dem eines teuren Rasierwassers, das sie mag, ist in den letzten Augenblicken in den Geruch von saurem Schweiß umgeschlagen, der wird immer stärker und erfüllt plötzlich das ganze Taxi, er ist stärker als die Klimaanlage, und Ora kann kaum noch atmen, traut sich aber nicht, das Fenster aufzumachen, sie sitzt da und atmet durch den Mund.

Große Schweißtropfen bilden sich auf seiner Glatze und rinnen ihm über die Stirn, über die runden Wangen. Sie möchte ihm ein Taschentuch anbieten und wagt es nicht, ihr fallen die kleinen flinken Bewegungen ein, mit denen er die Finger in das Rosenwasser taucht, das man nach dem Essen in dem von ihm so geliebten Restaurant in Madschd El-Krum reicht.

Seine Blicke rasen nervös zwischen dem Jeep vor ihm und dem, der hinter ihm dicht auffährt, hin und her. Er zieht sich mit zwei Fingern den angeklebten Hemdkragen vom Nacken. Er ist der einzige Araber in dieser Kolonne, denkt sie, und auch bei ihr beginnt der Schweiß zu jucken: Er kommt um vor Angst, wie konnte ich ihm das antun? Ein großer Tropfen hängt an seinem Kinn und will nicht fallen. Zäh, wie eine Träne, wie kommt es, dass er nicht fällt, warum wischt er ihn nicht endlich ab, lässt er ihn absichtlich da so hängen? Und Oras Gesicht glüht, wird immer röter, sie atmet schwer, Ofer macht ein Fenster auf und brummt, heiß hier, und Sami sagt, die Klimaanlage ist nicht so stark.

Sie lehnt sich zurück, nimmt die Brille ab. Vor ihren Augen bewegen sich Wellen gelber Blüten. Vermutlich Senf, den ihre schlechten

Augen in Punkte und Farbflecken zerlegen, zerpulvern. Sie schließt die Augen, spürt mit einem Mal den starken Puls der Kolonne durchschlagen, gleichsam aus ihrem eigenen Körper aufsteigen, und deren angespanntes, düsteres Tosen. Sie macht die Augen auf, der dunkle Puls verschwindet, das Licht schlägt wieder zu. Sie legt die Hand vor die Augen. Das Tosen tobt in schwerem, trommelndem Rhythmus, hartnäckig, dumpf, abgrundtief, ein Gemisch aus Reifen- und Kolbengeräuschen, und darunter schlagende Herzen, pumpende Adern, das leise Würgen der Angst. Sie dreht sich um und betrachtet die Schlange von Fahrzeugen, ein geradezu festlicher, ergreifender Anblick, ein riesiger Umzug, auf seine Weise bunt und voller Leben: Eltern, Geschwister und Freundinnen, sogar Großväter und Großmütter bringen ihre Lieben zur Aktion der Saison, denkt sie, es ist Ausverkauf, in jedem Auto sitzt ein junger Mann, die Erstgeborenen gleichen Erstlingsfrüchten, Frühlingskarneval mit Menschenopfern am Schluss. Und was machst du, provoziert sie sich selbst, schau dich mal an, wie schön und gehorsam du deinen Sohn nimmst, deinen beinah einzigen, den du so wahnsinnig liebst, und Ismael macht euch noch privat eine Sonderfahrt.

Als sie auf das Gelände kamen, wo sich alle einfanden, hielt Sami am erstbesten Parkplatz, zog die Handbremse fest an, verschränkte die Arme vor der Brust und verkündete, er werde hier auf sie warten, und bat sie – das hatte er noch nie getan –, sich zu beeilen. Ofer stieg aus dem Taxi, und Sami stand nicht auf. Er zischte etwas, sie konnte es nicht verstehen, vielleicht hat er Ofer Schalom gesagt, hoffte sie, wer weiß, was er da gezischt hat. Sie marschierte hinter Ofer her, blinzelte geblendet. Gewehrläufe, Sonnenbrillen und Autospiegel quälten sie. Sie wusste nicht, wohin er sie führte, und hatte Angst, die Menge von Hunderten junger Männer könnte ihn verschlucken und sie würde ihn nicht mehr wiedersehen. Das heißt – sie korrigierte sich sofort und formulierte es genauer, für das düstere Protokoll, das sie ununterbrochen seit diesem Morgen im Gespräch mit sich selbst schrieb –, bis er wieder nach Hause zurückkäme, würde sie ihn nicht mehr sehen. Die Sonne knallte, die Menge löste sich auf in eine Vielzahl tanzender bunter Punkte. Sie heftete ihren Blick an Ofers Rücken, einen khakifarbenen länglichen Fleck. Sein Gang war steif und etwas überheblich.

Sie sah, wie er seine Schultern breit machte und weit ausschritt. Mit zwölf, erinnert sie sich, hatte er, wenn er ans Telefon ging, seine Stimme verändert und ein angestrengtes, tief klingen wollendes »Hallo« versucht, sich aber im nächsten Moment vergessen und mit seiner Piepstimme weitergesprochen. Um sie herum lärmte die Luft von Rufen, Pfeifen, Megaphondurchsagen und lachenden Stimmen – Schatzi, antworte mir, ich bin's, Schatzi, antworte mir, ich bin's, tönte der Klingelton eines Handys ganz in ihrer Nähe und verfolgte sie geradezu, wohin sie sich auch wandte. In diesem Lärm bekam Ora plötzlich erstaunlich klar das ferne Plappern eines Babys mit, irgendwo hier auf dem Gelände, wo sich alle versammelten, und die Stimme seiner Mutter, die ihm zärtlich antwortete, und sie blieb einen Moment stehen und schaute nach ihr aus, fand sie aber nicht, und stellte sich die Mutter vor, die ihm, vielleicht auf der Motorhaube eines Wagens, die Windeln wechselt, wie sie sich über ihr Kind beugt und seinen nackten Bauch kitzelt, und so stand sie da, ein bisschen nach vorn gebeugt, drückte ihre Wildledertasche an sich und sog das Plätschern der beiden Stimmen ein, bis es verklang.

In allem lag ein großer Fehler, den man nicht mehr gutmachen konnte. Je näher der Moment des Abschieds kam, so schien es ihr, umso lauter wurde das heisere und scharfe Jauchzen der Begleiter und der Begleiteten, als hätten alle gemeinsam eine Droge eingeatmet, die dazu diente, ihren Verstand zu benebeln. Die Luft summte wie beim Aufbruch zur jährlichen Klassenfahrt oder zu einem riesigen Familienausflug. Männer in ihrem Alter, die keinen Reservedienst mehr leisteten, trafen ihre alten Freunde von der Armee, die Väter der jungen Soldaten, stießen Freudenschreie aus, machten Witze, schlugen sich gegenseitig auf die Schultern. Wir haben unseren Beitrag geleistet, sagten zwei kräftige Männer zueinander, jetzt sind sie dran. Fernsehteams stürzten sich auf die Familien, die sich von ihren Lieben verabschiedeten. Ora war durstig, ausgetrocknet. Sie schleppte sich halb rennend hinter Ofers Rücken her. Jedes Mal, wenn ihr Blick auf das Gesicht eines Soldaten fiel, schreckte sie zurück und verstand nicht, warum – sie hatte Angst, sich an das Gesicht zu erinnern: Ofer hatte ihr erzählt, dass sie, wenn sie sich manchmal vor einem Einsatz fotografierten, auf genügend Abstand zwischen den Köpfen achteten, um Platz zu lassen für den roten Kreis, der später in der Zeitung um sie gezogen würde. Scheppernde Lautsprecherdurchsagen lenkten die Soldaten zu den Sammelpunkten der verschiedenen Regimenter, und plötzlich blieb Ofer stehen, sie lief fast in ihn rein, und er drehte sich zu ihr um und fuhr sie an. Was ist in dich gefahren? zischte er ihr leise entgegen. Wenn sie hier plötzlich mittendrin einen Araber entdecken und denken, der will sich hier in die Luft jagen? Hast du dir denn überhaupt nicht überlegt, wie das für ihn ist, wenn er mich hierhinfahren muss? Kapierst du überhaupt, was du ihm da antust?

Sie hatte nicht die Kraft, zu diskutieren oder etwas zu erklären. Sie gab ihm recht, doch hatte sie an nichts anderes mehr denken können. Wie konnte es sein, dass er sie jetzt nicht verstand. Sie hatte einfach nicht nachgedacht, weißer Nebel hatte sich in dem Moment in ihrem Hirn ausgebreitet, als er ihr gesagt hatte, statt jetzt mit ihr zu dem Ausflug nach Galiläa zu fahren, breche er zu irgendeiner arabischen Altstadt oder einer Muquataa auf. Sechs Uhr früh war es gewesen, sie war aufgewacht, weil sie ihn im Zimmer nebenan leise telefonieren hörte, war schnell rübergegangen, hatte seinen schuldbewussten Blick gesehen, war hellhörig geworden und hatte gefragt, haben sie angerufen? Und er antwortete, sie sagen, dass ich kommen muss, und sie, aber wann denn, und er, unverzüglich, und sie startete noch einen Versuch und fragte, kann das nicht ein bisschen warten, dass wir wenigstens für zwei, drei Tage wegfahren, denn sie hatte schon begriffen, von einer ganzen Woche mit ihm konnte sie nur noch träumen, und sie fügte mit einem erbärmlichen Lächeln hinzu, haben wir nicht gesagt, wir schnuppern ein bisschen die Gemeinsamkeit des Familienlebens? Und er hatte gelacht, Mama, das ist kein Spiel, das ist Krieg, und sie hatte sofort gekontert wegen seiner Überheblichkeit – und der seines Vaters und seines Bruders, wegen deren arrogantem Leichtsinn auf den Gebieten, auf denen sie besonders empfindlich reagierte – und gesagt, sie sei noch immer nicht davon überzeugt, dass das männliche Hirn zwischen Krieg und Spiel klar unterscheiden könne, und für einen Moment war sie mit ihrer schnellen Reaktion noch vor dem Morgenkaffee sogar ganz zufrieden, und Ofer zuckte schweigend mit den Schultern und ging in sein Zimmer, um zu packen. Und gerade weil er sie nicht, wie es seine Art war, mit einer schlagfertigen Antwort abgewiesen hatte, kam ihr ein Verdacht, und sie ging ihm hinterher und fragte, aber die haben dich angerufen, um es dir zu sagen, oder? Denn sie erinnerte sich, sie hatte kein Klingeln gehört, und Ofer holte Uniformhemden und graue Strümpfe aus dem Schrank, stopfte sie in den Rucksack und murrte hinter der Tür, ist doch egal, wer wen angerufen hat, es gibt einen Einsatz. Mobilmachung. Das halbe Land ist schon eingezogen. Aber sie ließ nicht locker und lehnte kraftlos am Türpfosten, verschränkte die Arme vor der Brust und verlangte, dass er ihr erzählte, wie es zu diesem Telefongespräch gekommen war, und sie ließ nicht von ihm ab, bis er zugab, dass er in der Frühe dort angerufen hatte, noch vor sechs Uhr hatte er seine Kompanie angerufen und darum gebettelt, eingezogen zu werden, obwohl er heute um neun Uhr null null in der Kleiderkammer der Entlassungsdienststelle hätte erscheinen sollen, um entlassen zu werden und von dort aus mit ihr weiter nach Galiläa zu fahren. Aus dem, was er mit niedergeschlagenen Augen murmelte, wurde ihr mit Entsetzen klar, dass die Armee von sich aus gar nicht auf die Idee gekommen wäre, ihn aufzufordern, seinen Dienst zu verlängern, in deren Augen war er bereits ganz und gar Zivilist, schon längst auf Entlassungsurlaub. Ja, er selbst habe da angerufen, hatte Ofer provoziert, war plötzlich vor ihren Augen entflammt, und seine Stirn hatte sich gerötet, denn er sei nicht bereit, jetzt zu verzichten, drei Jahre lang habe er die Scheiße mit Kettenfett reingeschoben, um genau bei so einer Aktion mitzumachen, drei Jahre lang habe er an diesen Scheißstraßensperren gestanden, Patrouillen gefahren, habe sich in palästinensischen Dörfern und jüdischen Siedlungen von den jeweiligen Kindern mit Steinen beschmeißen lassen, ganz zu schweigen davon, dass er schon ein halbes Jahr keinen Panzer mehr von innen gerochen habe – da soll er jetzt nicht mitmachen dürfen, er, der immer Pech hat und das Beste verpasst, so einen Bombeneinsatz, drei Panzerbrigaden gemeinsam, hatte er geschrien, mit Tränen in den Augen, für einen Moment hätte man denken können, er streite mit ihr darum, dass er spät von einer Klassenparty heimkommen darf – und wie sollte er bitte zu Hause sitzen oder in Galiläa wandern gehen können, wenn alle seine Freunde dort waren. Da war ihr klar geworden, dass er aus eigenem Antrieb die Armee überredet hatte, ihn als Freiwilligen für weitere achtundzwanzig Tage einzuziehen.

Ach so, hatte sie gesagt, als er seine Rede beendet hatte, ein hohles, beinah ersticktes Ach so, und hatte sich gedacht: »Und ich schleppte meinen Kadaver in die Küche.« Das war ein Ausdruck von Ilan, ihrem Ex, mit dem sie ihr Leben geteilt hatte und mit dem sie es in den guten Jahren – denn auch die hatte es gegeben – manchmal auch verdoppelt hatte. Die Fülle des Lebens, hatte der Ilan von damals gesagt und war aus Dankbarkeit ihr gegenüber errötet, in zurückhaltender und verschämter Leidenschaft, die Ora mit ihrer Welle von Liebe zu ihm ausgelöst hatte – immer hatte sie das Gefühl gehabt, er staunte in den Tiefen seiner Seele darüber, dass ihm dies überhaupt zuteil wurde, diese Fülle des Lebens. Sie erinnerte sich, die Kinder waren noch klein gewesen, damals wohnten sie in Zur Hadassa, in dem Haus, das sie Avram abgekauft hatten, und sie hängten gerne nachts zusammen die Wäsche auf, als letzte Hausarbeit am Ende eines langen, erschöpfenden Tages. Zusammen hatten sie den großen Wäschekorb in den Garten getragen, gegenüber den dunklen Feldern und dem Wadi, gegenüber dem arabischen Dorf Chussan. Der große Feigenbaum und die Silbereiche rauschten in der Stille, sie hatten ihr eigenes geheimnisvolles, reiches Leben, und die Wäscheleinen füllten sich mit Dutzenden winziger Kleidungsstücke, wie eine Miniatur-Keilschrift, winzige Söckchen, Hemdchen, Stoffschühchen, Trägerhosen und bunte Oshkosh-Overalls. Ob jemand aus Chussan noch bei Licht ins Wadi gegangen war und sie jetzt beobachtete oder eine Waffe auf sie richtete? hatte Ora sich manchmal gefragt, und etwas in der Mitte ihres Rückens hatte sich dabei gesträubt, und sie hatte sich auch gefragt, ob es so etwas wie eine allgemeine Unverwundbarkeit von Menschen, die Wäsche aufhängen, gab, vor allem solche Wäsche?

Ihre Gedanken sprangen hin und her, sie erinnerte sich, wie Ofer ihr und Ilan seinen neuen Panzer-Overall vorgeführt hatte; da hatten sie das Haus in Zur Hadassa bereits verkauft und waren nach Ejn Karem gezogen. Ofer kam aus seinem Zimmer zu ihnen heraus, ganz eingepackt in den feuerfesten großen Overall, hüpfte in kleinen wackelnden Sprüngen auf sie zu, hob die Arme zu den Seiten und lachte hinreißend süß: »Mama, Papa! Teletubbies!« – Und Ilan, zwanzig Jahre vorher, nachts im Garten, war plötzlich mitten beim Aufhängen der Kinderwäsche zwischen den vollbehängten Wäscheleinen hindurchgekommen und hatte sie umarmt, und sie wankten zusammen, verhedderten sich in der feuchten Wäsche, lachten leise, gurrten ihre Liebe, und Ilan flüsterte ihr ins Ohr, nicht wahr Orinka, nicht wahr, die Fülle des Lebens? Und sie umarmte ihn mit aller Kraft, mit einem salzigen Glück im Hals und spürte, dass sie für einen flüchtigen Moment im Vorüberziehen etwas begriff: das Geheimnis dieser üppigen Jahre und die Wucht ihres Dahinfließens, den Segen in ihrem Körper und in seinem Körper, in ihren beiden kleinen Jungen und in dem Zuhause, das sie sich eingerichtet hatten, und in ihrer Liebe, die sich nach Jahren des Irrens und Zögerns und nach dem Schlag von Avrams Unglück nun endlich aufrichtete und auf eigenen Beinen stand.

Ofer hatte in seinem Zimmer fertig gepackt, und sie stand bewegungslos für einen langen Augenblick in der Küche und dachte, auch hier hatte Ilan sie spielend besiegt: Den Ausflug mit Ofer wird sie nicht machen, noch nicht einmal eine Woche wird sie mit ihm zusammen haben. Ofer merkte wohl, was in ihr vorging, er bekommt das immer mit, dachte sie, auch wenn er es manchmal abstreitet, und er kam und stellte sich hinter sie und sagte, genug, Mama, komm schon … Er sagte das mit solcher Zartheit, mit einer Stimme, die nur er so hinbekam. Doch sie verhärtete ihr Herz und drehte sich nicht zu ihm um; einen ganzen Monat lang hatten sie diesen Ausflug nach Galiläa geplant, als Geschenk zur Entlassung, das sie sich für ihn und natürlich auch für sich ausgedacht hatte, ihr Geschenk zur Entlassung aus seiner Armee. Nach allem, was sie mit ihm in seiner Zeit beim Militär durchgemacht hatte, sollte es vor allem ein Versöhnungsgeschenk für sie beide werden. Zusammen waren sie losgezogen, hatten zwei kleine Zelte gekauft, die sich ganz klein zusammenfalten ließen, professionelle Rucksäcke, Schlafsäcke und Bergsteigerschuhe – die nur für sie selbst, denn Ofer wollte auf seine ausgelatschten Schuhe nicht verzichten. Und sie hatte, wenn zwischendrin etwas Zeit war, Thermounterhemden gekauft, Mützen, Bauchtaschen und Pflaster für die Blasen, Wasserflaschen, wasserfeste Streichhölzer, einen Campingkocher, Trockenobst, Cracker und Konservendosen. Ofer hob ab und zu die Rucksäcke hoch, die in ihrem Zimmer standen und immer größer wurden, schätzte erstaunt ihr Gewicht, sagte, die entwickeln sich ja gut, ich will es nicht beschreien, und er meinte lachend, sie müsse sich dann noch einen galiläischen *Sherpa* besorgen, der ihr das alles trägt. Und sie lachte aus vollem Hals, ging beglückt auf seine prima Laune und seine Freundlichkeit ein, die langsam zurückkehrten und sich ihr wieder zeigten. In den letzten Wochen, je näher sein Entlassungstermin rückte, hatte sie gespürt, wie die Geschmäcker und Gerüche langsam aus ihrem Exil zurückkamen. Sogar die Geräusche wurden wieder präziser, wie nach einer Ohrenspülung. Kleine Überraschungen erwarteten sie da, unmögliche Kreuzungen von Sinneseindrücken: Sie öffnet einen Steuerbescheid von der Stadtverwaltung und meint, sie löse das Gummi von einem frischen Bund duftender Petersilie. Ab und zu sagte sie zu sich mit lauter Stimme, damit sie es glaubte: Eine ganze Woche für uns allein, Ofer und ich in Galiläa. Und vor allem sagte sie in den Raum: Ofer kommt vom Wehrdienst zurück. Ofer kommt da heil raus.

In der letzten Woche hatte sie diese Worte immer wieder zu ihren vier Wänden gesagt und war dabei zunehmend mutiger geworden: Der Albtraum ist vorbei, pflegte sie zu sagen, vorbei sind die Nächte mit Luminal und Rescue-Tropfen, flüsterte sie schon fast provozierend und wusste, sie forderte ihr Schicksal heraus, aber da war Ofer schon zwei Wochen auf Entlassungsurlaub, und eine unmittelbare Gefahr war nicht zu erkennen, der große, ewig wirkende Konflikt, von dem sie sich schon vor Jahren losgesagt hatte, zog irgendwo in der Ferne weiter seine dunklen Kreise, hier ein Anschlag, da eine gezielte Tötung, das waren Hürden, die ihre Seele ohne mit der Wimper zu zucken nahm, fast wie im Vorbeigehen. Vielleicht wagte sie diese Hoffnung, weil sie spürte, dass Ofer selbst anfing, daran zu glauben, dass es vorbei war. Bereits vor einigen Tagen, als er nicht mehr achtzehn Stunden am Tag schlief, hatte sie bei ihm eine Veränderung bemerkt, einen ersten Anflug zivilen Lebens, der sich in sein militärisches Sprechen mischte, und auch seine täglich weicher werdenden Gesichtszüge, sogar die Art, wie er sich zu Hause bewegte, wenn er die Erkenntnis zuließ, dass er da wohl heil rauskam, aus den drei Jahren seines beschissenen Militärdienstes. Mein Junge kommt zurück, berichtete sie vorsichtig dem Kühlschrank und der Spülmaschine, der Computermaus und dem Blumenstrauß, den sie in die Vase stellte, obwohl sie, auch aus der früheren Erfahrung mit Adam, der vor drei Jahren entlassen worden war, nur zu gut wusste, dass die Kinder nach der Armee nicht wirklich zurückkommen, jedenfalls nicht so, wie sie vorher gewesen waren: dass sie in dem Moment, wo er verstaatlicht worden war, das Kind, das er gewesen war, für immer verloren hatte, und auch er selbst hatte es verloren, aber wo steht denn, dass das, was mit Adam passiert war, sich mit Ofer wiederholen muss, sagte sie sich, die beiden sind so unterschiedlich, Hauptsache, Ofer kommt aus dem Panzerkorps raus, Hauptsache, er verlässt seinen Panzer − in jeder Hinsicht, jetzt wurde sie sogar poetisch. Eine solche Süße hatte sie gestern noch zu spüren gewagt, als sie aus seiner schlafenden Hand die Fernbedienung des Fernsehers genommen, ihn mit einer leichten Decke zugedeckt, sich hingesetzt und seinen Schlaf beobachtet hatte: seine wie vom Hauch eines ironischen Lächelns leicht geöffneten vollen Lippen, als wüsste er, dass sie ihn anschaute. Die gewölbte Stirn über seinen Augen verlieh ihm auch im Schlaf einen ernsten und etwas steifen Ausdruck, und sein großes, offenes Gesicht, zusammen mit dem sonnengebräunten, bis auf die Stoppeln rasierten Schädel, wirkte auf sie mehr denn je stark und fürs Leben bereit. Ein Mann, staunte sie, ein fertiger Mann. Alles an ihm wirkte möglich und offen und nach vorn drängend, es war, als werfe die Zukunft ihr Licht auf dieses Gesicht, von innen und von außen. Doch dann plötzlich dieser Einsatz, völlig überflüssig für mich, seufzte Ora, als sie am Morgen darauf in der Küche stand und sich einen besonders giftigen Kaffee kochte. Hätte sie gekonnt, sie wäre zurück ins Bett und hätte geschlafen, bis alles vorbei sein würde. Wie lang konnte so ein Einsatz schon dauern, eine Woche? zwei Wochen? ein ganzes Leben? Aber selbst um ins Bett zurückzugehen, fehlte ihr die Kraft, plötzlich konnte sie nicht mal mehr einen Schritt tun, mit jedem weiteren Moment wurde alles endgültig, unausweichlich, ihr Körper wusste es schon, ihr Bauch, ihre Därme wurden flau.

Um halb acht abends steht sie in der Küche und kocht. In T-Shirt und Jeans und zu allem Überfluss auch mit der geblümten Küchenschürze, dem Wahrzeichen der echten Hausfrau, schwitzend und enthusiastisch: die Köchin. Töpfe und Pfannen tanzen, brodeln auf dem Herd, Dämpfe kringeln sich unter der Decke, verdicken sich zu einer Duftwolke, und plötzlich weiß Ora, alles wird gut ausgehen.

Entsprechend dem Gegner, der ihr gegenübersteht, führt sie ihre siegreiche Kombination ins Feld: Hühnerbruststreifen mit Gemüse auf chinesische Art von Ariela, persischer Reis mit Rosinen und Pinienkernen von Arielas Schwiegermutter, süße Auberginen mit Knoblauchraspeln und Tomatensaft, ein Rezept ihrer Mutter, das sie verfeinert hat, eine Pilzquiche, eine Zwiebelquiche, hätte sie in diesem Haus einen normalen Backofen, sie könnte mindestens noch eine Quiche schaffen, aber auch so wird Ofer sich die Finger lecken. Sie läuft unerwartet jubelnd zwischen Backofen und Herd hin und her, es ist das erste Mal, seit Ilan gegangen ist, seit sie ihr Haus in Ejn Karem abgeschlossen und sich auf getrennte angemietete Häuser verteilt haben, dass sie sich in einer Küche wieder wohl und zu Hause fühlt und mit dem Gedanken an Küche allgemein und mit dieser alten, nicht mehr sauber zu kriegenden Küche im Besonderen wieder etwas anfangen kann, mit dieser Küche, die sich ihr jetzt gleichsam zögernd nähert und feuchte Nasen von Rührlöffeln und Schöpflöffeln an sie drückt. Auf dem Tisch hinter ihr stehen bereits mit Klarsichtfolie abgedeckte Schüsseln mit Auberginensalat, Krautsalat und einem einfachen großen Salat aus frischem Gemüse – auch Apfel- und Mangostückchen hat sie hineingeschmuggelt, mal sehn, ob er sie entdeckt – und noch eine Schüssel mit ihrer privaten Version von Taboulé, wofür Ofer sterben würde, das heißt, den er wahnsinnig mochte, korrigiert sie sofort fürs Protokoll.

Dann kommt der Moment, wo alles auf den Weg gebracht ist, leise vor sich hin köchelt, im Ofen gart, in der Pfanne gluckst, jetzt brauchen die Gerichte sie nicht mehr, aber sie muss noch weiterkochen, Ofer wird schließlich eines Tages zurückkommen, und dann möchte er frisches Essen, und ihre Finger bewegen sich rastlos in der Luft. Wo war ich gleich? Sie schnappt sich ein Messer und einige Gemüse, die den ersten Salatangriff überlebt haben, macht sich über sie her und summt schnell *Mit rasselnden Ketten / rollen die Panzer / hinaus durch das große Tor* – und hält sich die Hand vor den Mund, aus welcher Rumpelkammer war ihr denn ausgerechnet dieses Lied jetzt zugefallen, und vielleicht sollte sie jetzt auch das Steak schon vorbereiten, das er so mochte, in Rotwein, für den Fall, dass sie ihn bereits heute Abend gehn ließen. Ob die, die mit der Nachricht kommen, überlegt sie, jetzt in irgendeinem Büro des Standortkommandanten von Jerusalem ihre

Instruktionen erhalten oder die alten auffrischen, aber was gibt es da aufzufrischen. Wann hätten sie überhaupt Zeit gehabt, etwas zu vergessen, wann gab es hier einen Tag ohne eine Benachrichtigung an irgendeine Familie. Ein merkwürdiger Gedanke, dass man zusammen mit den Soldaten, die auf den Einsatz gehen, auch die Soldaten vom Standortkommando einzog, alles ist so genau orchestriert – ein hohes, unnatürliches Kichern entfährt ihr –, und plötzlich schaut Ada sie wieder an, ihre Augen sind jetzt sehr groß, als betrachte sie sie ununterbrochen, um zu sehen, wie sie sich benimmt, und Ora merkt, dass sie schon eine Weile auf den unteren, den halb durchsichtigen Teil der Eingangstür starrt, da ist ein Problem, das gelöst werden muss, doch was das Problem ist, ist ihr nicht klar, und sie eilt zu den Töpfen auf dem Feuer, rührt um, würzt großzügig, er mag es scharf, sie hält ihr Gesicht in die Dämpfe, in den dicken Atem der Töpfe, nur probieren tut sie nicht, sie hat heut Abend keinen Appetit, wenn sie nur einen Krümel in den Mund steckt, müsste sie spucken, und für einen Augenblick betrachtet sie ihre Hand, die wild über dem Topf kreist, Paprika regnen lässt. Es gibt Bewegungen, wenn sie die machte, klingelte sofort das Telefon. Diese merkwürdige Gesetzmäßigkeit hat sie schon vor einer Weile entdeckt: Wenn sie zum Beispiel würzt oder nach dem Spülen einen Topf oder eine Pfanne abtrocknet, dann klingelt fast immer das Telefon. Etwas an dieser Kreisbewegung scheint es aufzuwecken. Und interessanterweise auch, wenn sie Wasser für die Blumen in den schmalen Glaskrug füllt. Aber nur in diesen! Sie lächelt liebevoll über die Spleens ihres Telefons und schüttet den Topf Reis mit Rosinen und Pinienkernen in den Mülleimer, wäscht den Topf gründlich und trocknet ihn lange mit den verführerischen Bewegungen ab, doch nichts passiert. Das Telefon ist tot (nein, es schweigt). Ofer ist dort sicher vollauf beschäftigt. Es werden noch ein paar Stunden vergehen, bis da überhaupt irgendetwas losgeht, und vielleicht rücken sie auch erst morgen oder übermorgen aus. *Und als sein Panzer getroffen –* summt sie – *von zwei Raketen schon brennt / da steht er in loderndem Feuer,* und bricht sofort ab. Es wär schon gut, denkt sie, wenn sie für morgen eine Beschäftigung finden könnte. Dummerweise hat sie gerade am nächsten Tag nicht viel zu tun. Morgen hätte sie mit ihrem Sohn in Galiläa über Stock und Stein wandern sollen, aber es war etwas dazwischengekommen. Vielleicht sollte sie doch in der neuen Praxis anrufen und vorschlagen, sofort anzufangen, auch auf freiwilliger Basis, sogar Büroarbeiten würde sie übernehmen. Dann sollen sie es eben als Eingewöhnungsphase deklarieren. Aber sie hatten ihr schon zweimal deutlich erklärt, dass man sie vor Mitte Mai nicht brauche: Die festangestellte Physiotherapeutin habe nicht vor, ihr Kind früher zur Welt zu bringen. Ein neuer Mensch kommt auf die Welt, denkt Ora und schluckt bitter. Es war dumm von ihr gewesen, bis Mai keine Pläne zu machen, alles hatte sie in die Planung des Ausflugs mit Ofer gesteckt und sonst an gar nichts mehr gedacht, so ein Unsinn, aber sie hatte das Gefühl gehabt, dort in Galiläa werde der Wendepunkt kommen, dort werde ihrer beider wirkliche und umfassende Gesundung beginnen. Ach, sie und ihre Gefühle.

Sie schüttet die Auberginen in Tomatensoße in den Mülleimer, kratzt die Pfanne aus, trocknet sie hingebungsvoll ab und schielt zu dem treulosen Telefon hinüber. Was jetzt? Wo war ich noch? Die Tür. Der untere Teil der Tür. Vier kurze Gitterstangen und eine matte, halb durchsichtige Glasscheibe. Aus dem Drucker des Computers nimmt sie drei A4-Blätter und klebt sie auf das Glas. So wird sie nicht einmal ihre Militärstiefel sehen. Was jetzt? Der Kühlschrank ist fast leer. In der Speisekammer findet sie ein paar Kartoffeln und Zwiebeln. Vielleicht noch eine kleine schnelle Suppe? Morgen früh wird sie einkaufen, damit der Kühlschrank wieder voll ist. Mittendrin können sie kommen, wenn sie gerade mittendrin ist, denkt sie, zum Beispiel beim Auspacken, wenn sie die Einkäufe in den Kühlschrank räumt. Oder wenn sie Fernsehen guckt, wenn sie schläft, wenn sie auf dem Klo ist oder das Gemüse für die Suppe putzt.

Ihr Atem stockt einen Augenblick, und sofort springt sie auf, schaltet das Radio an, wie man ein Fenster aufreißt. *Stimme der Musik*, sie hört kurz hin, mittelalterliche Musik, nein, sie braucht Reden, menschliche Stimmen. Bei einer lokalen Radiostation interviewt ein junger Reporter eine ältere Frau mit deutlich orientalischem Jerusalemer Akzent, und Ora hört auf, das Gemüse zu quälen, lehnt sich an die gesprungene marmorne Arbeitsplatte, wischt sich mit dem Handrücken den Schweiß von der Stirn und lauscht der Frau, die von ihrem ältesten Sohn erzählt. Der hat diese Woche an einem Gefecht im Gazastreifen teilgenommen. Sieben Soldaten sind da ums Leben gekommen, sagt sie, alles Freunde von ihm, aus seinem Regiment; gestern hat man ihn für ein paar Stunden nach Hause entlassen, und heute früh ist er schon wieder zurück zum Militär.

Und wie er zu Hause war, da haben Sie ihn auch schön gestillt? fragt der Reporter, und Ora ist bestürzt. Ob ich ihn gestillt hab? fragt auch die Frau überrascht, und der Reporter lacht: Nein, ich hab gefragt, ob Sie ihn auch schön verwöhnt haben. Natürlich, lacht die Frau leise, ich dachte, Sie hätten gefragt … Natürlich hab ich ihn verwöhnt. Erzählen Sie uns, wie Sie ihn verwöhnen, bohrt der Reporter weiter, und die Mutter erzählt mit einer Offenherzigkeit, die Ora ganz und gar in Bann schlägt: Wie es sich gehört, hab ich ihn verwöhnt, ich habe gekocht, habe ihm ein gutes Bad eingelassen und ihm das dickste Handtuch hingelegt, das wir haben, und sein Lieblingsshampoo hab ich ihm extra gekauft. Aber hören Sie, sagt sie, wieder ernst, ich habe noch zwei Söhne, Zwillinge, die sind denselben Weg gegangen, den ihr großer Bruder ihnen gezeigt hat, und die sind mit ihm zusammen im Regiment *Zabar*, meine drei sind alle im selben Regiment, und ich möchte hier übers Radio unsere Armee um etwas bitten, kann ich das? Natürlich können Sie das, sagt der Reporter schnell, und Ora hört sein leises Kichern, was genau möchten Sie der Armee denn sagen? Was soll ich Ihnen sagen, seufzt die Frau, und Ora fühlt sich ihr sehr nah, die beiden Kleinen, die haben in ihrer Grundausbildung so eine Verzichtserklärung unterschrieben, dass sie zusammen in derselben Einheit dienen dürfen, in der Rekrutenzeit war das schön und gut, ich sag auch nichts, aber jetzt müssen sie Grenzdienst machen, und jeder weiß, die Grenze der Givati-Brigade ist Gaza, und was Gaza bedeutet, brauch ich Ihnen nicht zu erklären. Deshalb bitte ich die Armee sehr darum, dass sie sich das noch mal überlegt und dabei auch ein bisschen an mich denkt, entschuldigen Sie, wenn ich …

Und wenn sie mitten in der Kartoffel kommen? denkt Ora, starrt auf die große Kartoffel, die halb geschält in ihrer Hand liegt, oder mitten in der Zwiebel? Mit jedem Moment wird es ihr klarer: Jede Bewegung, die sie macht, ist vielleicht die letzte vor dem Klopfen an der Tür. Wieder ruft sie sich in Erinnerung, dass Ofer garantiert noch immer am Fuße des Gilboa ist und es keinen Grund gibt, jetzt schon in

Panik zu geraten, aber die Gedanken kriechen weiter, winden sich um ihre schälenden Hände, und für einen Moment erscheint ihr das Klopfen an der Tür unausweichlich, sie spürt den unerträglichen Reiz des Unglückstriebes, der in jeder menschlichen Situation schlummert, und da vertauschen sich bei ihr Ursache und Wirkung, und die stumpfen, langsamen Bewegungen ihrer Hände um die Kartoffel erscheinen ihr wie das zwingende Vorspiel zum Klopfen an der Tür, geradezu wie der Befehl, der das Klopfen auslöst.

Sie hier, Ofer irgendwo dort, und alles, was in dem gewaltigen Raum zwischen ihr und ihm passiert – all das enträtselt sich ihr in diesem unendlich langen Augenblick, offenbart sich wie in einem Blitz der Erkenntnis als dichtes, kompliziertes Gewebe. Ihr Stehen hier am Küchentisch, allein die Tatsache, dass sie völlig doof diese Kartoffel weiterschält – wie bleich werden plötzlich ihre Finger mit dem Messer –, und all ihre gewöhnlichen häuslichen Bewegungen und auch all die arglosen, scheinbar zufälligen kleinen Bröckchen der Wirklichkeit, die sich in diesem Moment um sie herum ereignet, sie alle sind nichts anderes als zwingende Schritte eines geheimnisvollen komplizierten Tanzes, eines langsamen, ernsthaften Tanzes, an dem sich in diesem Augenblick, ohne es zu wissen, auch Ofer und seine Freunde beteiligen, während sie sich auf ihren Einsatz vorbereiten, und auch die höheren Offiziere, die die Karte zukünftiger Kämpfe studieren, und die Panzerkolonnen, die sie am Rande des Geländes gesehen hatte, wo sie sich alle einfanden, und Dutzende kleinerer, zwischen den Panzern hin und her fahrender Fahrzeuge, und die Menschen in den Dörfern und Städten dort bei denen, die die Soldaten und die Panzer hinter geschlossenen Fensterläden beobachten werden, wie sie durch ihre Straßen und Gassen fahren, und der blitzschnelle Jugendliche, der Ofer mit einem Stein, einer Gewehrpatrone oder einer Rakete morgen oder übermorgen treffen kann, vielleicht schon heute Nacht – merkwürdig, bloß die Bewegung dieses Jugendlichen stört die Langsamkeit und den Ernst dieser ganzen Choreographie. Und auch die Überbringer der Nachricht, deren Kenntnis des Prozedere, wie man so eine Botschaft überbringt, vielleicht in ebendiesem Augenblick im Büro des Standortkommandanten Jerusalem aufgefrischt wird, und im Grunde auch Sami, der um diese Zeit bestimmt zu Hause in seinem Dorf sitzt und seiner Frau In'am die Ereignisse des Tages erzählt – sie alle sind Teil dieses gewaltigen, allumfassenden Vorgangs; auch die Ermordeten des letzten Anschlags sind, ohne es zu wissen, Teil davon, die Ermordeten, deretwegen die Soldaten jetzt zu diesem neuen Einsatz ausrücken, um ihren Tod zu rächen, und sogar diese Kartoffel, die plötzlich in ihrer Hand schwer wird wie Eisen, sie kann sie nicht mehr weiterschälen, die Finger gehorchen ihr nicht, auch die Kartoffel kann ein Glied darin sein, winzig, aber unerlässlich und nicht austauschbar, in diesem finsteren, wohlbedachten und feierlichen Vorgang, der Tausende von Menschen, Soldaten und Zivilisten, Fahrzeuge und Waffen, Feldküchen, Feldverpflegung, Waffenkammern, Kisten mit Ausrüstung, Landkarten, Ferngläser, Taschenlampen, Formulare, Schlafsäcke, Verbandsmaterial, Nachtsichtgeräte und Signalmunition, Krankentragen, Hubschrauber, Wasserflaschen, Computer, Antennen, Feldtelefone und große schwarze, undurchsichtige Plastiksäcke bewegt. All das, spürt Ora plötzlich, samt den sichtbaren und verborgenen Fäden, an denen es zusammenhängt; die werden wie ein riesiges feinmaschiges Fischernetz mit einer ausladenden Bewegung über sie ausgeworfen und breiten sich langsam über den ganzen nächtlichen Himmel aus, und Ora schmeißt mit aller Gewalt die Kartoffel weg, die rollt auf dem Boden weiter und bleibt zwischen Kühlschrank und Wand mit ihrem bleichen Schein liegen, und Ora stützt sich mit beiden Händen auf den Tisch und starrt sie an.

Um neun Uhr abends geht sie schon die Wände hoch, sie meint, völlig überrascht, im Fernsehen sich selbst und Ofer zu sehen, wie sie sich am Treffpunkt seiner Kompanie zum Abschied umarmen, und sie erinnert sich, ja, man hatte dort gefilmt, und sie bangt, denn das war nur einen Augenblick nachdem Ofer sie wegen Sami so angefahren hatte, aber er hatte gleich aufgehört, hatte ihr sich rötendes Gesicht gesehen und in seiner stürmischen Wut die Arme um sie gelegt, sie an seine breite Brust gedrückt und einfühlsam gesagt, Mama, Mama, wo lebst du denn? ... Sie springt auf, schmeißt fast den Stuhl um und drückt ihr Gesicht an die Scheibe, an ihn ...
Der sie dort mit leicht herrischer Überheblichkeit umarmt und sie zur Kamera dreht (wie sehr hatte seine Bewegung sie überrascht, bei-

nah wäre sie gestolpert, und sie hielt sich kichernd an ihm fest, alles ist aufgezeichnet, die idiotische lila Tasche), um dem Kameramann seine besorgte Mutter zu präsentieren. Wenn sie jetzt zurückdachte – war das nicht ein ziemlicher Vertrauensbruch gewesen, wie er sie plötzlich umgedreht und der Kamera ausgesetzt hatte? Ihre Hand war hochgefahren, um zu prüfen, ob ihr Haar nicht zu durcheinander war, und dann verzog sich ihr Mund sofort zu diesem verlogenen, sich klein machenden Lächeln, diesem Ausdruck von:»Was, ausgerechnet mich?«; doch der Vertrauensbruch glühte bereits seit gestern Abend zwischen ihnen, seit er beschlossen hatte, sich freiwillig zu diesem Einsatz zu melden und es ihr verheimlicht hatte, und als er, ohne groß zu zögern, wie sie glaubte, auf ihren gemeinsamen Ausflug verzichtet hatte. Doch ein noch größerer Vertrauensbruch, ja eine unerträgliche Fremdheit lag in seiner Fähigkeit, so sehr ein In-den-Krieg-ziehender-Soldat zu sein, und darin, dass er seine Rolle, hochmütig, jubelnd und kriegsbegeistert zu sein, dermaßen gut erfüllte und damit auch ihr ihre Rolle, verknittert und grau zu sein, aufzwang, und dennoch stolz zu strahlen, eine Soldatenmutter, und dazu noch so absolut blöde, angesichts der Schachzüge der Männer gegenüber dem Tod anmutig und unwissend zu zwinkern. Schau, jetzt lächelt er in die Kamera, und ihr Mund – im Fernsehen wie zu Hause – imitiert, ohne es zu merken, sein strahlendes Lächeln, und hier sind die drei kleinen bezaubernden Falten um seine Augen, und sie wehrt den Gedanken ab, wann man dieses Bild von ihm wieder senden wird, sie sieht schon auf dem Bildschirm einen roten Kreis um seinen Kopf, ganz eindeutig und wirklich, doch da schiebt sich ein schwarzer Balken zwischen ihn und sie. Was sagt ein Sohn seiner Mutter in so einem Moment? fragt der Reporter ganz und gar hemdsärmelig. Dass sie mir das Bier kalt stellt, bis ich zurückkomm, lacht der Sohn, und rundherum herzlicher Applaus. Einen Moment noch! stoppt Ofer den Jubel, hebt den Zeigefinger, zieht die Aufmerksamkeit des Reporters, des Kameramanns und aller, die um sie herumstehen, ohne die geringste Anstrengung auf sich – das war auch so eine Bewegung von Ilan, regt Ora sich jetzt auf, von einem, der weiß, dass immer Ruhe herrschen wird, wenn er so den Finger hebt –, ich hab ihr noch was zu sagen, sagt ihr Sohn da im Fernsehen, lächelt vielsagend, legt seine Lippen an ihr Ohr, sein unverdecktes Auge schaut in die Kamera und funkelt voller Vitalität und Schalk, sie erinnert sich an diese Berührung, an seinen warmen Atem auf ihrer Wange, und sieht, wie die Kamera sich gleich da reindrängen will, zwischen den Mund und das Ohr, sieht auch den aufmerksam lauschenden Gesichtsausdruck, den sie aufgesetzt hat, und wie sich ihre Armseligkeit und ihr Betteln jetzt vor aller Augen offenbart, während sie selbst die Liebe und Nähe des Sohnes zu seiner Mutter zur Schau stellt, auf dass alle sehen, vor allem Ilan – kriegt er wohl da auf seinen Galapagosinseln das zweite Programm rein? –, was für eine natürliche und sanfte Vertrautheit zwischen ihr und Ofer herrscht, und hier hat die Regie dann endlich einen Schnitt gemacht, und der Reporter witzelt bereits mit einem anderen Soldaten und dessen Freundin, die ihn zusammen mit seiner Mutter umarmt, beide in nabelfreien Hemdchen, und Ora sticht es gleich zweimal. Schwerfällig sinkt sie auf die Sesselkante, fasst nach der Haut ihres Halses, bewegt sie zwischen Daumen und Zeigefinger, ein Glück, dass man nicht gesehen hat, wie ihr Gesicht sich verzerrte, wie sie erschrak, als sie hörte, was er ihr ins Ohr flüsterte, und diese Erinnerung reißt ihr den Nacken zurück, warum hat er mir das sagen müssen, wann hat er sich diesen Satz überhaupt ausgedacht, woher hatte er diese Idee.

Sofort steht sie auf. Jetzt bloß nicht sitzen. Dem schon nach ihr suchenden Lichtstrahl, dem riesigen, langsam sich herabsenkenden Fischernetz bloß kein ruhendes Ziel bieten. Sie horcht zur Tür hin. Nichts. Aus dem Fenster sieht sie einen Ausschnitt Straße mit Gehweg. Sie schaut genau, noch steht kein fremdes, unbekanntes Auto dort, auch keines mit einer Militärnummer, und sie hört kein nervöses Bellen der Nachbarhunde, keine Delegation der Engel des Bösen, dazu ist es sowieso noch zu früh. Nicht für die, widerspricht sie sich sofort, die kommen auch um fünf Uhr früh, gerade dann, da erwischen sie dich halb schlafend, schlaff, schutzlos und viel zu schwach, um sie, noch bevor sie die ihnen aufgetragene entscheidende Zeile aufsagen können, die Treppe runterzustoßen. Aber jetzt ist es trotzdem noch zu früh, und sie hat ehrlich gesagt auch nicht das Gefühl, dass in den wenigen Stunden seit ihrem Abschied schon etwas passiert sein kann, sie massiert sich den Nacken, lockert ihn, beruhig dich, er ist noch mit seinen Freunden am Gilboa, da gibt es Prozeduren, Papierkram, Anleitungen, allerlei komplizierte Modalitäten. Vor allem müssen sie zunächst ihre Gerüche gut miteinander vermischen, gemeinsam die Stärke des Blitzes in den Augen, den Puls am Hals aufeinander abstimmen. Sie kann regelrecht spüren, wie Ofer sich von seinen Freunden auf den neuesten Stand bringen lässt, über das genaue Ausmaß ihrer Aggressivität, wie dick die Kampfmischung ist, die in ihnen fließt, über ihre gut unterdrückte Angst. Das Entscheidende empfängt und gibt er während einer flüchtigen Umarmung weiter, drückt eine halbe Brust an eine halbe Brust, klopft dreimal auf den Rücken, Pulsschläge der Identität, Lochkarten gleich. Ohne es zu merken, zieht es sie zur Tür seines Zimmers, in dem ab heute alles erstarren wird, und sie sieht, das Zimmer ist schneller gewesen als sie, es trägt bereits den starren Ausdruck eines verlassenen Ortes, die Gegenstände wirken verwaist, seine Sandalen mit den offenen Riemen, der Stuhl am Computertisch, die Geschichtsbücher aus der Schule, die am Bett standen, denn er mochte Geschichte, er mag, natürlich, er mag Geschichte und wird auch weiterhin Geschichte mögen, und alle Bücher von Paul Auster auf dem Regal, und die Dungeons-and-Dragons-Bücher, die ihn als Kind so faszinierten, und das Bild der Fußballer von Makkabi Haifa, zu deren Fans er gehörte, als er zwölf war, die er auch mit einundzwanzig noch nicht abhängen wollte.

Vielleicht solltest du nicht in seinem Zimmer rumrennen, nicht die Weben seiner Bewegungen zerreißen, die hier noch ausgespannt sind, nicht den flüchtigen Rest Kindheitsdunst verjagen, der manchmal noch aus einem Kissen aufsteigt, aus dem bereits flaumlosen gelben Tennisball, von der Spielzeugfigur des Kommandosoldaten mit den unendlich vielen winzigen Teilen seiner Kampfausrüstung. Den hatten Ilan und sie ihm und Adam von ihren Auslandsreisen mitgebracht, aus Spielzeuggeschäften, die sie, nachdem die Söhne größer geworden waren, nicht mehr aufsuchten, in die sie aber in ein paar Jahren für die Enkel wieder zurückkehren wollten. Klein und bescheiden waren ihre Träume gewesen, und dann so schnell so schwierig und beinah unerreichbar geworden. Ilan war gegangen, um die Luft des Singlelebens zu atmen. Adam war gleich mitgegangen. Und Ofer war jetzt dort. Sie verlässt rückwärts das Zimmer, achtet darauf, seinen Sachen nicht den Rücken zuzukehren, bleibt stehen und schaut von draußen in sein Zimmer, mit der Sehnsucht des Verbannten: Da liegt ein zerknittertes Manchester-United-Shirt, eine weggeworfene Socke vom Militär, ein Brief schaut aus einem Umschlag hervor, eine alte Zeitung, eine Fußballzeitschrift, ein Foto von ihm und Talia an irgendeinem Wasserfall im Norden des Landes, die kleinen Hanteln von drei und fünf Kilo liegen auf dem Teppich, ein umgekehrtes Buch. Was ist der letzte Satz, den er gelesen hat? Was der letzte Anblick, den er sehen wird? Eine enge Gasse, ein Steinblock, den jemand auf ihn wirft, das vermummte Gesicht eines jungen Mannes, vor Wut und Hass brennende Augen, und von dort aus – wie schnell sind ihre Gedanken plötzlich – ein Sprung, und sie ist im Büro des Hauptquartiers, eine Soldatin geht an den Schubladenschrank, in dem die Personalakten liegen. So war es zumindest in ihrer Zeit, in der Vor- und Frühgeschichte, heute macht man das alles am Computer – Antippen, ein Flimmern des Bildschirms, Name des Soldaten, Angaben zur Benachrichtigung im Unglücksfall. Hat er ihnen die Aufspaltung der elterlichen Adressen schon mitgeteilt?

Das Telefon klingelt. Zerreißend. Er jubelt, hast du uns im Fernsehen gesehen? Freunde haben angerufen, dass sie's gesehen haben. Sag mal, flüstert sie, ihr seid noch nicht aufgebrochen, oder? Ausgerückt?! Hast du 'ne Ahnung! Bis morgen Abend rückt hier keiner aus. Sie hört kaum Wörter. Lauscht nur seiner fremden, schon eingedickten Stimme, dem Echo eines weiteren Vertrauensbruchs von dem einen und einzigen ihrer Männer, der ihr immer treu gewesen war; seit gestern, vielleicht seit er die Wonnen des Vertrauensbruchs, der Untreue ihr gegenüber, zum ersten Mal geschmeckt hatte, so schien es ihr, machte er weiter, suchte diesen Geschmack immer wieder, wie ein Tierjunges, das zum ersten Mal Blut geschmeckt hat. Moment mal, Mama, wart mal kurz – und er ruft lachend jemandem zu, der neben ihm steht, was macht ihr da für ein Theater drum, wir gehn da mal kurz rein, blasen ein paar Magazine leer, und schon sind wir wieder weg –, sag mal, er ist wieder bei ihr, redet schnell und sprunghaft, fällt ihr dann überraschend in die Flanke – und das scheint ihm eine gewisse Freude zu machen –, kannst du mir morgen die *Sopranos* aufnehmen? Auf dem Fernseher liegt eine leere Kassette, du weißt noch, wie man das Video bedient, ja? Während er redet, eilt sie los, in den Schubladen mit den Kassetten nachschauen, wo ist der verkrumpelte Zettel, den sie sich mal von ihm hat diktieren lassen, du drückst auf den Knopf links außen, dann auf den Knopf mit dem Apfel drauf …

Aber was machst du bis dahin? fragt sie, trauert um seine kostbaren Stunden, die man dort verschwendet, er hätte sie zu Hause verbringen können, mit ihr zusammen, aber was hätte sie ihm schon zu bieten gehabt mit ihrem Trauergesicht, und sie denkt, schon bald wird auch er sich irgendwo ein Zimmer nehmen wollen oder wie Adam zu Ilan ziehen. Warum nicht, mit Ilan ist es geil, die drei Pubertierenden werden zusammen die Nächte durchmachen, und kein nervender Erwachsener wird sie stören. Inzwischen erzählt Ofer ihr etwas, und sie kann die Wörter nicht auseinanderhalten. Sie schließt die Augen, sie wird eine Ausrede finden und noch heute Abend Talia anrufen, Talia muss mit ihm reden, bevor er nach dort aufbricht – und er versucht den Lärm um sich herum zu überschreien, Leute, Klappe mal, ich red mit meiner Mutter! Und sofort lautes Johlen der Anerkennung, das Heulen brünstiger Schakale, die seiner super Mutter viele Grüße ausrichten, und sie soll doch bitte schnell ihre selbstgemachten Schokohörnchen abschicken, und Ofer geht an einen ruhigeren Platz. Das sind die Wilden, erklärt er ihr, alles Ladeschützen. Sie hört seinen Atem beim Gehen, auch zu Hause telefoniert er im Gehen, Adam auch, das haben sie von Ilan – meine Gene sind ja wie Butter, sagt sie sich im Stillen –, manchmal telefonierten die Jungs und Ilan alle drei gleichzeitig, jeder an seinem Handy, und gingen dabei alle energisch im großen Wohnzimmer auf und ab, jeder schnitt die Achsen der anderen, aber sie stießen nie zusammen.

Jetzt ist es plötzlich ruhig, vielleicht hat er sich hinter einen der Panzer geflüchtet, und gerade diese Ruhe weckt in ihr aus irgendeinem Grunde Unruhe, und anscheinend auch in ihm, vielleicht spürt er auch, dass er ihr plötzlich allein gegenübersteht, ohne dass die ganze israelische Verteidigungsarmee ihn beschützt, und er erzählt ihr eilig, 110 % der Einberufenen seien erschienen, alle wollen unbedingt ausrücken, können es nicht mehr erwarten, bei denen reinzuhaun, er macht weiter, mimt ihr gegenüber jetzt den Heerführer, der Adjutant sagt, so eine Gestellung hätte er noch nicht erlebt – dann können sie auf dich ja verzichten, denkt sie, doch es gelingt ihr, den Mund zu halten –, das Problem ist jetzt, dass es nicht genug Keramikwesten für alle gibt, und ein Teil der Besatzungen hat noch gar keine Panzer, denn die Hälfte der Tieflader steht im Stau bei Afula. Der, der ihm diesen Wörterkies in den Mund gestopft hat, ist wohl derselbe, der ihr jetzt rät zu fragen, ob er wisse, wann das alles vorbei sein wird. Ofer lässt ihre Frage einen Moment nachklingen, bis sie das Ausmaß ihrer Sinnlosigkeit und Dummheit selbst begreift. Auch das ist eine von Ilans kleinen Taktiken gegen sie, denkt sie, Kinder kriegen so etwas mit und benutzen es später, ohne zu kapieren, was für eine Generationen überdauernde Waffe sie da einsetzen. Ofer kehrt wenigstens immer wieder schnell um, doch sie fragt sich schon, wann es auch damit vorbei sein wird, wann wird der Moment kommen, wo auch er sie mit einer von Ilans langen Nadeln stechen wird und nicht umkehren, um die Verwundete wegzutragen.

Also wirklich, Mama, seine Stimme ist warm und heilt wie seine Umarmungen, wir hören nicht eher auf, als bis wir den Sumpf des Terrors trockengelegt haben – jetzt fängt er an zu lächeln, ahmt den hochmütigen Tonfall des Ministerpräsidenten nach –, bis wir die Terrorbanden vernichtet, den Schlangenkopf zertreten und ihre Nester ausgeräuchert haben …

Sie drängt sich schnell dazwischen, nutzt die Pause, in der er lacht, und sagt, Oferiko, hör mal, kann sein, dass ich doch für ein paar Tage in den Norden fahre, und er, wart mal, der Empfang hier ist beschissen, warte, was hast du gesagt? Ich glaub, ich fahr in den Norden, und er, was, nach Galiläa? Und sie, ja, und er, allein? Ja, allein. Aber warum denn allein, hast du denn niemanden, der … Sofort merkt er, dass das keine glückliche Formulierung war: Kannst du nicht mit einer Freundin oder so fahren? Und sie schluckt seinen so eklatanten Fehler in Sachen Takt runter, ich habe niemanden, der, sagt sie, und ich habe gerade keine Lust, mit einer Freundin oder so zu fahren, und zu Hause will ich jetzt auch nicht sein. Seine Stimme legt sich in Falten, Moment mal, Mama, das hab ich jetzt nicht kapiert: Du fährst wirklich alleine? Da fliegt ihr plötzlich der Korken aus der Gurgel, mit wem, meinst du, soll ich denn fahren? Mein Partner hat sich ja im letzten Moment aus dem Staub gemacht, hat beschlossen, sich freiwillig zur

Hebräischen Legion zu melden. Er unterbricht sie ungeduldig, dann fährst du an unsere Orte, die wir gemeinsam sehen wollten? Sie geht heldenhaft über das geraubte »gemeinsam« hinweg, ich weiß nicht, das kam mir grad erst, in diesem Moment, jetzt, wo ich mit dir rede.

Er lacht spöttisch auf: Wenigstens hast du schon einen komplett gepackten Rucksack, und sie korrigiert ihn, zwei sogar, und er, aber ich versteh das nicht, und sie, was gibt's da zu verstehen, ich halt es hier jetzt nicht länger aus. Ich krieg hier keine Luft.

Irgendwo hinter ihm wird ein großer Motor angelassen. Jemand schreit, treibt zur Eile. Sie hört seine Gedanken. Er braucht sie jetzt zu Hause, darum geht es ihm, und er hat völlig recht, und sie gibt schon beinahe nach, wird gleich verzichten, doch im selben Moment ist sie alarmiert und weiß, diesmal hat sie keine Wahl.

Zähes Schweigen. Ora kämpft mit sich selbst, um sich von ihm abwenden zu können. Im Nu entfaltet sich in ihr die Landkarte der Erinnerung mit all den kleinen Schuldkreuzchen: Drei war er gewesen, da hatte er die schwierige Zahnoperation. Als der Anästhesist ihm die Maske auf Mund und Nase drückte, hieß man sie den Operationssaal verlassen. Seine entsetzten Augen flehten sie an, doch sie wandte sich ab und ging. Vier war er gewesen, da hatte sie ihn im Kindergarten – mit allen zehn Fingern an den Maschendrahtzaun geklammert und ihr hinterherbrüllend – zurückgelassen; bis zum Abend hatte sein Schreien sie verfolgt. Es hat nicht wenige solcher Szenen des kleinen Verlassens, der Flucht, des Augenverschließens, des verborgenen Antlitzes gegeben, und diese Szene heute ist zweifellos die schwerste, doch jeder Moment, den sie länger zu Hause bleibt, ist für sie gefährlich und auch für ihn, das weiß sie. Aber er kann es nicht verstehen. Sinnlos zu hoffen, dass er es verstehn wird. Er ist zu jung. Seine Bedürfnisse sind schlicht: Er braucht es, dass sie zu Hause auf ihn wartet, ohne etwas im Haus oder an sich selbst zu verändern, am besten soll sie sich in all diesen Tagen nicht von der Stelle bewegen – wie war er vor ihr zurückgeschreckt und hatte wütend getobt, erinnert sie sich, als er fünf war und sie sich die Locken hatte glätten lassen! – Und wenn er auf Urlaub kommt, wird er sie umarmen, sie aus ihrer Starre auftauen und sie benutzen können, sie mit kleinen Bruchstücken des Entsetzens beeindrucken, die er mit gespielter Schnoddrigkeit hier und da fallenlassen wird, mit Geheimnissen, die er ihr gar nicht erzählen darf. Ora hört seinen Atem. Sie atmet mit ihm. Beide spüren die unerträgliche Spannung in den Sehnen, den Sehnen ihres Sichabwendens.

Also für wie lang, denkst du, wirst du ausrücken, fragt er in einem Ton, in dem sich Ärger, Angst und ein Hauch der Niederlage mischen, und sie fleht, Ofer, sprich nicht so, du weißt genau, wie sehr ich diesen Ausflug mit dir machen wollte, du weißt, wie lange ich darauf gewartet habe. Und er, Mama, ich bin nicht schuld an der Mobilmachung, und sie, heldenhaft genug, ihn nicht daran zu erinnern, dass er sich freiwillig gemeldet hat, sagt, ich beschuldige dich ja auch nicht, und du wirst sehn, wir werden unseren Ausflug noch machen, wenn du dort fertig bist, das versprech ich dir, darauf verzichte ich nicht, aber jetzt muss ich hier raus, ich kann hier nicht alleine bleiben. Und er, natürlich, nein, natürlich, ich sag ja nicht, aber – er zögert – du übernachtest nicht irgendwo draußen im Gelände, alleine, meine ich? Und sie lacht, nein, bist du verrückt geworden, alleine übernachte ich nicht »im Gelände«. Und dein Handy nimmst du mit? Weiß nicht, das hab ich mir noch nicht überlegt. Sag mal, Mama, was ich dich fragen wollte, weiß Papa eigentlich, dass du …? Einen Augenblick steht sie in Flammen, wieso Papa?! Was geht das Papa überhaupt an? Erzählt der mir denn, wo er gerade unterwegs ist? Und Ofer zuckt zurück, schon gut, Mama, was hab ich denn Schlimmes gesagt.

Ein großer Seufzer entweicht ihm, ohne dass er es merkt, der Seufzer eines kleinen Kindes, dessen Eltern plötzlich durchdrehen und beschlossen haben, sich zu trennen, und Ora hört es und spürt seinen Kampfgeist schwinden und erschrickt, was mach ich denn da, ich kann ihn doch nicht so verwirrt und deprimiert in die Schlacht schicken. Doch sofort schießt ihr Säure den Hals hoch, woher hat sie diese Formulierungen plötzlich, »in die Schlacht schicken«, sie gehört nicht zu jenen Müttern, die ihre Söhne in die Schlacht schicken, was hat sie mit denen zu schaffen, und sie gehört auch nicht den heroischen Dynastien prächtiger Kibbuzim an, sei es Deganja, Bejt Alfa, Negba, Bejt HaSchita oder Kfar Giladi, und trotzdem wird ihr jetzt mit Entsetzen klar: Genau das tut sie, sie hat ihn zum Brigadentreffpunkt gebracht, hat dort gestanden, ihn dort, um ihn nicht vor seinen Freunden zu blamieren, angemessen und beherrscht umarmt, sie hat anderen Eltern, die genau dieselben Bewegungen machten, stolz und lächelnd hilflos zugenickt und dabei mit den Schultern gezuckt, wo haben wir alle diese Choreographie gelernt, und wie kommt es, dass ich das alles mitmache, dass ich denen, die ihn dorthin schicken, so gehorche. Außerdem hatte sich das Gift der Worte, die Ofer ihr einen Augenblick zuvor, als man sie fürs Fernsehen fotografierte, ins Ohr geflüstert hatte, da schon in ihr ausgebreitet. Seine letzte Bitte. Ihr Mund hatte sich in einem entsetzlichen Schmerz aufgerissen, nicht nur wegen der Worte, die er ihr sagte, sondern auch, weil er es in so einer geordneten, wohlformulierten Sachlichkeit tat, völlig klar, als habe er es vorbereitet und Wort für Wort auswendig gelernt, und gleich nachdem er es gesagt hatte, hatte er sie umarmt, diesmal jedoch, um sie vor der Kamera zu verstecken, denn sie hatte ihm doch schon einmal Schande gemacht, bei der Schlussfeier nach dem letzten Ausbildungsabschnitt, da hatte sie auf dem Appellplatz in Latrun gesessen und bitterlich geweint, als die ganze Parade vor der riesigen Mauer mit den Tausenden Namen der Gefallenen vorbeizog, laut hatte sie geweint, und die Eltern, die Offiziere und die Soldaten hatten sich nach ihr umgedreht, und der Chef der Panzertruppen hatte sich hinuntergebeugt und etwas zum Divisionskommandeur gesagt. Doch dieses Mal hatte sich Ofer, schon geübt, sofort auf sie geworfen, so wie man eine Decke auf ein Feuer wirft, hatte sie mit seinem Arm fast erstickt und über ihren Kopf hinweg bestimmt peinlich berührt nach allen Seiten geblickt, genug, Mama, mach mir hier keine Schande, Mensch.

Gut, seufzte er jetzt, worum geht's denn, Mama?

Er gab sich jetzt schon ganz und gar geschlagen, und sie merkte es, es gab ihr einen Stich, und sie, um nichts geht's, worum soll es auch gehn, und er, ehrlich gesagt, merkwürdig, dass du so bist, und sie, was ist merkwürdig, was ist merkwürdig? Einen Ausflug nach Galiläa zu machen ist merkwürdig, und in die Altstadt von Sichem reinzugehn, das erscheint dir normal? Und er, aber wenn ich nach Hause komm, bist du wieder zurück? Und sie, ich weiß noch nicht, und er, was heißt, ich weiß noch nicht? Er fragt unsicher, du hast doch nicht etwa vor, da irgendwie zu verschwinden oder so was, jetzt ist es wieder seine Stimme, die sie kennt, besorgt, beinahe väterlich zielt sie genau auf ihren allertiefsten Hunger, und sie, keine Sorge, Oferke, ich mach da keinen Unsinn, aber ich werd einfach ein paar Tage nicht hier sein, ich kann nicht hier allein sitzen und warten, und er, warten worauf? Das kann sie natürlich nicht sagen, und da kapiert er endlich. Danach ein langes Schweigen, während dessen Ora mit einer Klarheit, die nicht mehr anzufechten ist, beschließt: genau achtundzwanzig Tage, bis sein Mobilmachungsbescheid abgelaufen ist.

Und was, wenn das hier alles in zwei Tagen fertig ist und ich nach Hause komm, fragt er, erneut ärgerlich, oder wenn ich, sagen wir mal, verwundet werde oder so, wo findet man dich dann? Sie schweigt. Man wird mich nicht finden, denkt sie, genau darum geht es ja, und da kommt ihr noch ein Gedanke: Wenn man sie nicht findet, wenn es unmöglich ist, sie zu finden, dann wird er nicht verwundet werden. Sie versteht sich selber nicht. Sie versucht es. Logisch ist das nicht, spürt sie, aber was ist hier schon logisch? Und zur Beerdigung? erkundigt Ofer sich freundlich, ändert seine Taktik, ahmt, ohne es zu merken, Ilan nach, bei dem der Tod und seine Ableitungen manchmal die Kommas und Punkte in seinen Sätzen waren. Solchen Bemerkungen gegenüber war sie niemals immun gewesen, und jetzt noch weniger. Es scheint, als erschüttere sein Witz, wenn man das noch einen Witz nennen kann, sie beide, denn sie hört, wie er nur mit Mühe schluckt.

Wieso bin ich überhaupt bereit, mit denen allen zu kollaborieren? Der umherirrende Grübelgedanke vom Nachmittag kehrt zurück, statt dass ich die Treue gegenüber …

Mama, das ist kein Spaß, seine Stimme meldet sich wieder, vielleicht nimmst du doch ein Handy mit, damit man dich erreichen kann. Nein, nein, nein, sagt sie erschreckt − es scheint ihr, als verstehe sie ihren Plan jetzt jeden Moment besser −, bloß nicht. Er ist bestürzt, auch kein Handy? Nein. Warum nicht? Stell es ab, nur für Nachrichten, nur für SMS − mit SMS kommt sie sogar ganz gut zurecht, diese Fertigkeit hat sie in letzter Zeit dank ihres neuen Bekannten erworben, der, wer weiß, vielleicht auch ihr Liebhaber ist, dieser Typ, mit dem sie nur auf diese Art kommunizieren kann − sie überlegt einen Moment, schüttelt den Kopf, nein, auch das nicht. Und sie wird weitergerissen von dem umherirrenden Grübelgedanken, sag mal, weißt du, was die Abkürzung SMS bedeutet? Ofer starrt sie durchs Handy an: Was hast du gefragt? Und sie, kann sein, dass es »Save my Soul« bedeutet? Und

Ofer seufzt, ich hab echt keine Ahnung, Mama, und sie versucht, sich schnell von ihrem Staunen zu erholen, und sagt, nein, ich nehme das Handy nicht mit, ich will nicht, dass man mich findet. Auch ich nicht? fragt er mit einer dünnen, plötzlich von keiner Rinde mehr geschützten Stimme, und Ora sagt traurig, nein, auch du nicht, niemand, und die dumpfe Ahnung, die vorher in ihr aufgestiegen ist, wird immer klarer: Die ganze Zeit, die er dort sein wird, darf man sie nicht finden, darauf kommt es an, das sind die Regeln, alles oder nichts, wie bei einem Kinderschwur, wie bei einer wahnsinnigen Wette um das Leben selbst, und vielleicht wird sie ihre Absicht ja bald schon ganz verstehen, aber noch ist alles verschwommen und ertastet sich seinen Weg. Aber wenn mir wirklich was passiert? schreit er nun, protestiert gegen die unbegreifliche, schockierende Störung der bestehenden Ordnung. Nein, nein, antwortet sie fieberhaft, verschließt sich eilig vor ihm, dir wird nichts passieren, ich sag dir, das weiß ich, aber ich muss einfach ein bisschen verschwinden, versteh das doch, aber weißt du, was? Ich erwarte nicht von dir, dass du das verstehst, stell dir einfach vor, ich wär ins Ausland gefahren, eine Auslandsreise, wie dein Vater zum Beispiel – doch wenigstens das konnte sie unterdrücken. Jetzt? Ausgerechnet jetzt fährst du ins Ausland? In so einer Zeit? Wo Krieg ist? Er bettelt schon fast, sie stöhnt vor Schmerz.

Da reißt sie mit Gewalt ihren Blick von diesem Mund. Es ist zu seinem Guten, es ist nur zu seinem Guten, dass sie ihn jetzt verlässt. Er wird es nicht verstehen. Ich muss jetzt los, sie wiederholt die Worte immer wieder mit Nachdruck, sie beschwört sich selbst, ihr Gesicht ist verkrampft, sie verleugnet ihn, aber sie tut es für ihn, er wird das nicht verstehen, auch sie versteht es nicht ganz, aber plötzlich ist es in ihr so stark wie ein Instinkt.

Und wie kommt es, dass ich denen, die ihn dorthin ausrücken lassen – endlich bekommt sie etwas aus dem Nebel, der schon Stunden durch ihr Hirn weht, zu fassen –, dass ich denen mehr die Treue halte als meinem eigenen Muttersein?

Hör mir mal zu, Ofer, und schrei mich nicht an. Jetzt hörst du mir zu! unterbricht sie ihn scharf; etwas in ihrer Stimme scheint ihn zu alarmieren, verbreitet eine unbekannte kühle Autorität: Streit jetzt nicht mit mir. Ich muss hier für eine Weile weg. Ich werd es dir erklären, aber nicht jetzt. Ich tu das für dich. Für mich? schreit er, wieso denn bitte für mich? Ja, für dich, spuckt sie ihm beinahe vor die Füße, wenn du größer bist, wirst du das verstehen, aber sie weiß, im Grunde ist es genau umgekehrt, wenn du kleiner bist, wirst du das verstehen, wenn du wieder ein kleines Kind sein wirst, wenn du die Schatten der Nacht und deine Albträume mit lächerlichen Gelübden und einem unglaublichen Pakt beschwören wirst, dann vielleicht wirst du es verstehen.

Jetzt ist es entschieden, sie muss dem gehorchen, das ihr sagt, sie soll aufstehen und das Haus verlassen, sofort, ohne einen Moment länger zu verweilen, sie darf nicht hierbleiben, und auf merkwürdige und verwirrende Weise ist genau dies anscheinend ihr Mutterinstinkt, von dem sie dachte, nachdem man ihn in letzter Zeit so oft in Frage gestellt hatte, er sei in ihr schon ganz abgestumpft.

Versprich, dass du gut auf dich aufpasst, sagt sie sanft, versucht vor ihm die absolut harte Stelle zu verbergen, die plötzlich hinter ihren Pupillen entstanden ist, und mach keinen Unfug, hörst du? Sei vorsichtig, Ofer, tu dort keinem was an und pass auf, dass dir keiner was antut, und glaub mir, ich tu das für dich. Was tust du für mich? Er ist erschöpft von ihrer Spinnerei, so etwas kennt er bei ihr nicht, sie hatte doch sonst keinen Spleen, da kommt ihm plötzlich eine kleine Erleuchtung: Ist das eine Art Eid, den du da ablegst? Ora freut sich, dass er etwas versteht, dass er schon ganz nah dran ist, denn wer könnte sie verstehen, wenn nicht er. Ja, so kann man es nennen, einen Eid, ja, und vergiss nicht, wir treffen uns, wenn deine Sache da vorbei ist, deine Mobilmachung. Er seufzt, dann mach das halt, und sie spürt, wie schnell er einen Schritt von der Stelle zurückweicht, an der sie sich soeben begegnet waren – es gibt sie also noch immer, diese Augenblicke, hier und da, sehr selten, wo sein Inneres ganz offen vor ihr liegt, und wer weiß, denkt sie, vielleicht sind ihm gerade wegen dieser Augenblicke die arabischen Altstädte und die *Muquataa* lieber als eine Woche mit ihr in Galiläa. Sie nimmt an, dass nicht der Eid selbst ihm Angst macht, sondern die Tatsache, dass sie – ausgerechnet sie! – plötzlich mit allerlei schwarzer Magie durchknallt. Ofer hat seine Stimme wieder unter Kontrolle, er entfernt sich noch einen weiteren kleinen Schritt von ihr, okay, Mama, fasst er zusammen, jetzt ist er der Ältere, der beim Anblick des einfältigen jungen Mädchens, das sie ist, mit den Schultern zuckt: Wenn es das ist, was du jetzt brauchst, prima, dann mach es doch, ich steh hinter dir. Hey, ich muss los. Adieu, Oferiko, ich hab dich lieb, und du, Mama, mach da keinen Unsinn, versprochen? Du weißt, ich mach keinen … Nein, versprich es mir, lächelt er, wieder diese Wärme in seiner Stimme, bei der sie sofort schmilzt, ich versprech es dir, mach dir keine Sorgen, Lieber, ich werd okay sein. Ich auch. Versprich es. Versprochen. Ich hab dich lieb, Oferke. Also dann. Pass gut auf dich auf, Oferke. Du auch, und mach dir keine Sorgen, wird schon gutgehn, bye.

Bye, Ofer, mein Schatz …

Da steht sie, den Hörer in der Hand, fix und fertig und verschwitzt, und denkt mit völliger Klarheit, vielleicht war dies das letzte Mal, dass ich seine Stimme gehört habe. Sie hat Angst, zu vergessen, und denkt auch, wer weiß, wie oft du dieses belanglose Gespräch mit seinen nichtssagenden Sätzen im Kopf rekonstruieren wirst, ich habe ihm gesagt, pass gut auf dich auf, und er hat gesagt, mach dir keine Sorgen, wird schon gutgehn. Vielleicht ist der Einsatz ja auch in zwei, drei Tagen vorbei, dann wird dieses Gespräch wie hundert ähnliche in Vergessenheit geraten, aber nie zuvor hat sie so ein klares Gefühl gehabt; seit dem Morgen stechen Kältesplitter in ihren Bauch, schmerzen bei jeder Bewegung. Noch einen Augenblick saugt sie den Rest seiner Stimme aus der Leitung, erinnert sich, wie sie, als er ein Kind war, gemeinsam ihre Abschiedsküsse zu einer langen und komplizierten Zeremonie entwickelten – aber warte, war das mit ihm oder mit Adam? Die Zeremonie begann mit festen Umarmungen und heftigen Küssen, die dann immer feiner wurden, nur noch Andeutungen, und schließlich mit einem Schmetterlingsflügelschlag an seiner Wange, an ihrer Wange, auf seiner Stirn, auf ihrer Stirn, auf seinem Mund, ihren Lippen, seiner und ihrer Nasenspitze endeten, bis nur noch ein feiner Nachhall leichter Berührung übrig blieb, der Hauch von etwas Vorüberwehendem, beinahe unwirklich.

Das Telefon klingelt wieder, eine zögernde heisere Männerstimme prüft, ob das Ora ist, sie schnappt nach Luft, setzt sich und lauscht seinem schweren Atem. Er sagt, ich bin's, und sie sagt, ich weiß, dass du es bist. Ein leises Pfeifen begleitet seinen Atem, sie meint, auch sein Herz schlagen zu hören. Sie denkt, bestimmt hat er ihn im Fernsehen gesehen, und es schießt ihr durch den Kopf: Jetzt weiß er also, wie Ofer aussieht.

Sag mal, fragt er, jetzt ist es vorbei, nicht wahr? Sie kommt durcheinander, was ist vorbei, sie fürchtet sich vor dem Schatten dieses Wortes, und er flüstert, sein Militärdienst? Als wir vor seiner Einberufung gesprochen haben, hast du gesagt, heute würde er fertig sein, nein?

Und siehe da, im allgemeinen Durcheinander hatte sie auch das vergessen. Ihn. Erfolgreich hatte sie auch seinen Anteil an den Verwicklungen weggewischt, er, der heute noch größeren Schutzes bedurfte als sie.

Hör mal, fängt sie an, wieder rutscht ihr das »Hör mal« verkrampft und lehrerinnenhaft heraus, und die Spannung, die sich in ihm gerade aufbaut, überträgt sich auf sie wie Strom, sie muss sich sehr konzentrieren, um die richtigen Worte zu wählen, sie darf jetzt keinen Fehler machen. Ofer hätte wirklich heute entlassen werden sollen – sie spricht langsam und vorsichtig, hört, wie in den hintersten Winkeln seiner Seele die Ängste alarmiert werden, sie sieht ihn geradezu vor sich, wie er sich mit der Bewegung eines geschlagenen Kindes die Hände schützend über den Kopf hält –, aber du weißt bestimmt, dass Notstand ist, das war in den Nachrichten, sie machen da jetzt diesen Einsatz, und dazu haben sie auch Ofer gerufen, gerade eben haben sie ihn im Fernsehen gezeigt. Beim Reden erinnert sie sich, dass er gar keinen Fernseher hat, und begreift endlich, was für einen Schlag sie ihm in dem Moment versetzt hat. Das Gegenteil von dem, was er zu hören erwartet hatte.

Avram, sagt sie, ich erklär dir alles, und du wirst sehn, es ist nicht schlimm, das ist nicht das Ende der Welt. Und sie wiederholt noch einmal, dass sie Ofer zu diesem Einsatz gerufen haben, und er hört ihr zu oder auch nicht, und als sie fertig ist, sagt er dumpf, aber das ist nicht gut, und sie seufzt, du hast recht, das ist nicht gut.

Nein, ich meine das ernst, das ist nicht gut, das ist keine gute Zeit. Das Telefon in Oras Hand ist nass, ihr Arm schmerzt von der Anstrengung des Festhaltens, als läge das ganze Gewicht dieses Mannes auf ihm. Aber was ist mit dir, flüstert sie, Urzeiten haben wir uns nicht mehr gesprochen. Und er, aber du hast gesagt, er würde heute entlassen, du hast das gesagt! Du hast recht, heute ist wirklich der Termin seiner Entlassung. Warum entlassen sie ihn dann nicht! schreit er sie an, du hast gesagt, heute wär sein Termin! So hast du gesagt!

Wie der Stoß aus einem Flammenwerfer fährt es ihr aus dem Hörer entgegen. Sie hält das Telefon etwas weiter weg. Sie möchte mit ihm zusammen schreien, heute hätte er entlassen werden müssen!

Beide schweigen. Einen Moment meint sie, er habe sich etwas beruhigt, und sie flüstert, aber was ist mit dir, sag doch. Drei Jahre warst du verschwunden. Er hört sie nicht, sagt nur immer wieder zu sich selbst: Das ist nicht gut, das ist das Schlimmste, wenn sie ihm im letzten Moment noch was dranhängen. Ora, deren Talismane und innerlich verwendete Beschwörungsformeln auf die Minute genau für drei Jahre eingestellt waren, geht in diesem Moment die Kraft aus, und auch deren Kräfte lassen jetzt nach; hinter Avrams Worten spürt sie ein Wissen, das noch gewaltiger ist als das ihre.

Wie lang wird er dort sein? fragt er, und sie erklärt ihm, das wisse man nicht. Er war schon im Entlassungsurlaub, und plötzlich hat das Militär angerufen – sie schluckt etwas hinunter – und gebeten, dass er kommt. Aber für wie lange? fragt er. Mobilmachung, sagt sie, das können ein paar Wochen sein. Wochen?! bricht es wieder aus ihm heraus, und Ora sagt eilig, das sind etwa achtundzwanzig Tage, aber höchstwahrscheinlich wird es viel kürzer …

Beide sind erschöpft. Sie rutscht vom Sessel auf den Boden, sitzt da, die langen Beine untergeschlagen, den Kopf gesenkt, das Haar fällt ihr ein bisschen über die Wangen, und ihr Körper imitiert, ohne es zu merken, die Art, wie sie als junges Mädchen dasaß. Die Haltung der Siebzehnjährigen, als sie mit ihm telefonierte, und mit neunzehn, und mit zweiundzwanzig, stundenlange tiefschürfende Gespräche von Seele zu Seele. Damals hat er noch eine Seele gehabt, kommentiert Ilan aus der Ferne.

Ein leises Geräusch kommt durch die Leitung, ein Nebel aus Zeit und Erinnerung. Ihr Finger verfolgt die Schlingen des Musters auf dem Teppich. Man müsste mal erforschen, denkt sie mit saurem Hals, warum diese Bewegung des Fingers im Teppichflausch immer gleich Erinnerungen und Sehnsucht weckt. Den Ring am nächsten Finger kann sie noch immer nicht abziehen, vielleicht wird sie es nie können: Das Metall krallt sich ins Fleisch, weigert sich abzugehen. Und wenn er leicht abginge, hättest du ihn dann abgezogen? Ihre Lippen schoben sich ein bisschen nach vorn. Wo ist er jetzt? In Ecuador? In Peru? Spaziert mit Adam auf den Galapagosinseln zwischen Schildkröten herum und kommt gar nicht auf die Idee, dass hier beinahe Krieg ist? Dass sie heute Ofer allein hat zu diesem Einsatz bringen müssen.

Ora, meldet er sich wieder, mühsam, als habe er sich aus einem Brunnen hochgezogen, ich kann jetzt nicht allein sein.

In einer schnellen Bewegung steht sie vom Teppich auf. Willst du, dass ich ... Warte, was genau möchtest du?

Ich weiß nicht.

Ihr schwindelt, sie lehnt sich an die Wand: Gibt es jemanden, der zu dir kommen und bei dir sein kann?

Lange Sekunden Stille. Nein, im Moment nicht.

Keinen Freund? Jemanden von der Arbeit?

Oder eine Freundin, denkt sie, diese junge Frau, die er mal hatte, dieses junge Ding, was ist denn mit der.

Ich arbeite schon zwei Monate nicht mehr.

Was ist passiert?

Das Restaurant wird renoviert. Sie haben uns in Urlaub geschickt.

Im Restaurant? Du arbeitest im Restaurant? Und was ist mit dem Pub?

Welchem Pub?

Wo du gearbeitet hast ...

Ach da, da bin ich schon zwei Jahre nicht mehr. Sie haben mir gekündigt.

Auch ich habe ihm nichts erzählt, denkt sie. Dass sie mir auf der Arbeit gekündigt haben und die Familie auch.

Ich hab keine Kraft mehr, sagt Avram leise, ich sag dir, die hat genau bis heute gereicht.

Hör mal, sie spricht beherrscht, ruhig und mit Bedacht, ich wollte morgen in den Norden fahren, da kann ich kurz bei dir vorbeikommen ...

Sein Atem geht wieder schneller, pfeift. Merkwürdig, dass er sie nicht sofort abschmettert. Sie steht am Fenster. Die Stirn an der Scheibe.

Die Straße sieht normal aus. Kein unbekanntes Auto. Die Hunde der Nachbarn bellen nicht.

Ora, ich hab nicht verstanden, was du gesagt hast.

Macht nichts, bloß eine dumme Idee. Sie zwingt sich, vom Fenster wegzugehn, lacht über die kleine Illusion, die da in ihr erwacht war.

Willst du kommen?

Ja? Sie ist überrascht.

Hast du gesagt, dass du das willst?

Im Grunde ja.

Aber wann?

Wann du willst. Morgen. Jetzt. Lieber jetzt. Ehrlich gesagt, ich hab ein bisschen Angst, hier allein zu sein.

Und du wolltest kommen?

Nur für ein paar Minuten. Ich bin sowieso auf dem Weg nach …

Aber du darfst nichts erwarten. Hier, das ist ein Loch.

Sie schluckt, ihr Herz beginnt zu rasen: Das macht mir keine Angst.

Ich lebe in einem Loch.

Das macht mir nichts.

Oder vielleicht gehn wir ein bisschen spazieren. Was meinst du?

Wie du willst.

Ich warte unten auf dich, und dann gehn wir ein bisschen spazieren, gut?

Draußen?

Es gibt in der Nähe einen Pub.

Ich komm, und dann entscheiden wir.

Hast du meine Adresse?

Ja.

Aber ich kann dir nichts anbieten. Das Haus ist leer.

Ich brauche nichts.

Ich bin schon fast einen Monat allein.

Ja?

Ich glaub, der kleine Laden hat auch zugemacht.

Ich brauch nichts zu essen.

Während sie mit ihm redet, rennt sie durch die Wohnung, als würde sie von einer Wand zur anderen geworfen. Sie muss organisieren, fertig packen, Briefe hinterlassen. Sie wird aufbrechen. Sie wird fliehen. Und ihn nimmt sie mit.

Wir können … Da ist so ein Kiosk …

Avram, ich krieg sowieso keinen Krümel runter. Ich will nur dich sehen.

Mich?

Ja.

Und danach fährst du wieder nach Hause?

Ja. Das heißt, nein, vielleicht fahr ich weiter nach Galiläa.

Nach Galiläa?

Das ist jetzt nicht wichtig.

Wie lange brauchst du?

Bis ich komm oder bis ich geh?

Er schweigt. Vielleicht hat er ihren kleinen Witz nicht verstanden.

Ich brauche ungefähr eine Stunde, um hier alles abzuschließen und nach Tel Aviv zu kommen. Ein Taxi, erinnert sie sich, und ihr Mut sinkt, ich muss wieder ein Taxi nehmen. Wie wollte ich überhaupt nach Galiläa kommen? Sie kneift die Augen zu. Sie empfängt das tastende Zeichen eines fernen Kopfschmerzes. Ilan hatte recht, ein Fünfjahresplan hielt bei ihr, wenn's hoch kam, fünf Minuten.

Ich sag dir, das ist ein Loch hier.

Ich komme.

Sie legte auf, bevor er es sich anders überlegte. Bullernd rannte sie hin und her, schrieb einen Brief an Ofer, begann ihn im Sitzen und merkte plötzlich, dass sie stand, ganz und gar gekrümmt dastand und ihm noch einmal erklärte, was sie kaum selbst verstand, sie bat ihn um Verzeihung und versprach ihm wieder, sie würden, wenn er von dort zurück sei, ihren Ausflug zusammen machen, und er solle bitte nicht nach ihr suchen, in einem Monat sei sie wieder zurück. Mutterehrenwort. Sie legte den Brief in einem zugeklebten Umschlag auf den Tisch, hinterließ einen Zettel mit Anweisungen für Bronja, die Haushaltshilfe, sie schrieb in einfachem Hebräisch und in großen Buchstaben, sie sei überraschend in Urlaub gefahren, und bat sie, die Post aus dem Kasten zu holen und sich um Ofer zu kümmern, falls er auf Urlaub komme – Wäsche waschen, bügeln, kochen –, und hinterließ ihr einen Scheck für den kommenden Monat mit einer größeren

Summe als sonst. Danach verschickte sie einige kurze E-Mails, machte ein paar Anrufe, vor allem bei ihren Freundinnen. Sie erzählte, ohne richtig zu lügen, aber auch ohne die ganze Wahrheit zu sagen, vor allem jedoch ohne zu erwähnen, dass Ofer heute freiwillig zurück zur Armee gegangen war. Fragen, Erstaunen und Warnungen schmetterte sie geradezu grob ab: Alle wussten natürlich von dem geplanten Ausflug mit Ofer, dem sie, gemeinsam mit ihr, erwartungsvoll entgegengeblickt hatten. Sie verstanden, dass irgendwas nicht klappte und dass sich im letzten Augenblick eine andere, nicht weniger faszinierende und nicht weniger gewagte Idee ergeben hatte, eine Versuchung, der man kaum widerstehen konnte. Sie fanden, Ora klinge merkwürdig, ein bisschen durcheinander, so als hätte sie etwas genommen. Sie entschuldigte sich immer wieder für ihre Geheimnistuerei, es sei eben noch ein Geheimnis, sagte sie lächelnd und hinterließ eine ganze Schar besorgter Freundinnen, die sich sofort gegenseitig anriefen, die Sache von allen Seiten beleuchteten und versuchten herauszubekommen, was mit Ora los war; sie hatte bei ihnen plötzlich auch einige pikante Vermutungen über wilde Abenteuer ausgelöst, allem Anschein nach im Ausland, und bei einigen, da sie sich in ihrer neuen Situation so frei benahm wie ein Vogel, auch ein bisschen Neid geweckt.

Danach rief sie diesen Typ an, zu Hause rief sie ihn an, obwohl es Familienzeit war, trotz seines ausdrücklichen Verbotes, und fragte ihn noch nicht einmal, ob er sprechen könne, ignorierte sein wütendes und erschrecktes Schnauben, teilte ihm mit, sie werde einen ganzen Monat nicht da sein, und wenn sie zurück sei, könne man ja weitersehen; dann legte sie auf und genoss noch einen Moment sein halb ersticktes Flüstern. Danach sprach sie eine Nachricht auf ihren Anrufbeantworter, Schalom, hier ist Ora, ich bin vermutlich bis Ende April unterwegs, bitte keine Nachrichten hinterlassen, Schalom und auf Wiedersehen. Sie fand, ihre Stimme klang angespannt und zu ernst, nicht wie von einer Frau, die zu einem geheimnisvollen und vielversprechenden Urlaub aufbricht, deshalb versuchte sie es ein zweites Mal, jetzt mit dem Jauchzen einer Skifahrerin oder Bungee-Springerin in der Stimme, und hoffte, Ilan würde diese Nachricht hören, wenn er endlich von der Lage hier erfahren und anrufen würde, um zu wissen, was mit Ofer sei, eifersüchtig würde er werden und staunen, was für ein tolles Leben sie jetzt führte, aber dann dachte sie, es könnte auch sein, dass Ofer anruft, und so eine Stimme würde ihm einen Stich versetzen, und so nahm sie sich ein drittes Mal auf, in einem offiziellen Ton mit möglichst wenigen Nuancen, doch ihre ungeschützte, immer etwas staunende Stimme ließ sie im Stich, und sie spielte die Aufnahme ab, hörte das Zittern der Anstrengung und wusste, Ilan wie auch Ofer und wohl jeder, der anrief, würde ihre Anspannung sofort bemerken, und sie ärgerte sich über sich selbst und darüber, was sie in diesem Moment beschäftigte, und wählte automatisch Samis Nummer.

Nachdem sie sich am Brigadentreffpunkt von Ofer verabschiedet hatte, war sie ins Taxi gestiegen, hatte sich neben Sami gesetzt und sich sofort für ihre empörende Dummheit entschuldigt, ihn für diese Fahrt bestellt zu haben. Mit schlichten Worten beschrieb sie ihm, in was für einer Situation sie sich morgens, als sie ihn angerufen hatte, befunden habe, und im Grunde den ganzen Tag über. Sami fuhr, und sie redete, bis sie all ihren Kummer abgeladen hatte. Er schwieg, wandte ihr den Kopf nicht zu. Sie war von seinem Schweigen etwas überrascht und sagte, am liebsten würde ich jetzt laut schreien, dass wir beide, du und ich, überhaupt in so eine Situation geraten sind. Und er drückte, ohne mit der Wimper zu zucken, auf den Knopf, ließ ihr Fenster runter und sagte, hier, schrei. Für einen Moment war sie verlegen, aber dann streckte sie den Kopf hinaus und schrie, bis ihr schwindlig wurde, lehnte sich dann zurück und fing an, erleichtert zu lachen. Danach schaute sie ihn an, ihre Augen tränten vom Wind, und ihr Hals rötete sich. Und du, willst du nicht auch schreien? fragte sie, und er sagte, glaub mir, es ist besser, wenn nicht.

Den Rest der Fahrt hatte er vorgebeugt dagesessen, sich aufs Fahren konzentriert und geschwiegen, und sie beschloss, ihn nicht noch weiter zu nerven, und war so müde, dass sie, ohne es zu merken, einschlief und wie ein Baby neben ihm schlummerte, bis sie vor ihrem Haus ankamen. Seitdem war sie das Gespräch schon mehrere Male durchgegangen, wenn man es ein Gespräch nennen konnte, denn er hatte doch kaum etwas gesagt, gestand sie sich schließlich ein, hatte einfach dagesessen und geschwiegen, und trotzdem, sagte sie sich, habe sie richtig gehandelt, obgleich er geschwiegen habe, im Grunde habe sie doch auch für ihn gesprochen, habe bei diesem kleinen Zwischenfall getreu auch seine Seite vertreten und sich selbst nichts durchgehen lassen, und als Sami zum Schluss den Wagen vor ihrem Haus angehalten hatte, da hatte sie, ohne ihn anzuschauen, gesagt, jetzt, nach diesem Tag, stehe sie in seiner Schuld, sie schulde ihm einen großen Gefallen, etwas jenseits aller Abrechnungen, und in ihrem aufgeregten Vogelherzen dachte sie an eine gute Tat, etwas in der Größenordnung der *Gerechten der Völker.* Er hatte ihr mit ernstem Gesicht zugehört, den Mund etwas offen, die Lippen in einer unmerklichen Bewegung, als übe er seine Worte ein, und nachdem sie sich verabschiedet hatten und sie langsam die Treppen hochgegangen war, hatte sie den Eindruck gehabt, trotz allem, was geschehen war, und trotz seines merkwürdigen Schweigens auf dem Rückweg habe sich doch gerade an diesem Tag ihre Freundschaft vertieft, so als seien sie beide von einem gewaltigen, wirklicheren Feuer zusammengeschmiedet worden, von der Feuerprobe der Wirklichkeit.

Aber als sie ihn jetzt anrief, noch bevor sie ihm erklären konnte, es handle sich um eine sehr dringende Fahrt nach Tel Aviv, antwortete Sami mit einer Kälte, die sie niederschmetterte, er fühle sich nicht gut; es sei ihm in den Rücken gefahren, nachdem er von der Fahrt zurückgekommen sei, er müsse sich ein paar Stunden hinlegen. Ora spürte die Lüge in seiner Stimme, und ihr wurde flau. Etwas, was sie seit dem Abschied von ihm mit aller Kraft von sich weggeschoben hatte und was sie seitdem mit Spott und Zweifeln peinigte, nahm jetzt vor ihr Gestalt an und schleuderte ihr ihre eigene Naivität und Dummheit ins Gesicht. Sie wollte sagen, sie könne das verstehen, sie werde einen anderen Fahrer anrufen, aber sie hörte sich, wie sie versuchte, ihn zu überreden, er möge trotzdem kommen. Er sagte, Frau Ora, ich muss mich ausruhen, ich hatte einen schweren Tag; zwei große Fahrten an einem Tag, das kann ich nicht. Von dem »Frau Ora« fühlte sie sich zutiefst beleidigt und hängte fast ein, tat es aber nicht, denn sie spürte, sie würde keine Ruhe haben, bis sie mit ihm wirklich geklärt hätte, was heute passiert war.

Geduldig und ohne die Fassung zu verlieren sagte sie, auch sie habe, wie er ja wohl wisse, einen schweren Tag hinter sich, doch Sami unterbrach sie und schlug vor, ihr einen seiner Fahrer zu schicken. Da fing sie sich endlich wieder, erinnerte sich, dass auch sie so etwas wie Selbstachtung besaß, wenn auch nicht sehr viel, aber ein bisschen war doch noch übrig, und sie sagte mit unnötigem Hochmut, danke, ich komme schon zurecht. Er erschrak wohl über die Kälte in ihrer Stimme und bat sie inständig, es nicht persönlich zu nehmen. Einen Moment schwieg er zögernd, und gerade angesichts seiner unterwürfigen Stimme knickte sie wieder ein und sagte, aber was soll ich machen, Sami, ich nehme dich immer persönlich. Er seufzte. Sie schwieg und wartete. Sie hörte jemanden, einen Mann, der in Samis Haus laut und sehr aufgeregt redete. Sami wandte sich an ihn, hieß ihn müde schweigen, und gerade wegen der Müdigkeit in seiner Stimme, und vielleicht wegen des Anflugs von Verzweiflung, der diese Müdigkeit begleitete, war es ihr plötzlich sehr wichtig, ihn wiederzusehen, und zwar sofort: Sie hatte das Gefühl, wenn sie nur die Chance bekäme, noch ein bisschen mit ihm zusammen zu sein, und sei es nur ein paar Minuten, dann könnte sie wirklich alles heil machen, was durcheinandergekommen und schiefgegangen war. Anscheinend war die Versöhnung keine richtige Versöhnung gewesen, dachte sie, aber jetzt werde ich mit ihm über ganz andere Sachen reden, Dinge, über die wir nie geredet haben, über die Wurzeln meines Fehlers heute, über die Ängste und den Hass, den wir beide mit der Muttermilch eingesogen haben. Vielleicht haben wir ja noch gar nicht angefangen, miteinander zu reden, kam es ihr plötzlich in den Sinn, sonderbar, vielleicht haben wir die vielen Stunden, die wir zusammen gefahren sind und so viel erzählt, diskutiert, uns ein bisschen provoziert und gelacht haben, vielleicht haben wir da doch noch nicht wirklich angefangen, miteinander zu reden.

Das Geschrei in Samis Haus wurde lauter. Drei oder vier Leute diskutierten heftig miteinander, auch eine Frau schrie, vielleicht In'am, Samis Frau, doch diese Stimme kannte Ora nicht, und sie fragte sich auch, ob das irgendwie mit ihr zu tun habe, mit dem, was ihr an diesem Tag passiert war, ob möglicherweise – ein verrückter Gedanke, aber an so einem Tag und in diesem Land war so ziemlich alles möglich – einer aus dem Dorf Sami denunziert hatte, er habe einen Soldaten chauffiert.

Einen Moment bitte, sagte Sami zu ihr und wandte sich in schnellem, spitzem Arabisch an einen jungen Mann. Er schrie mit einer Gewalt, die Ora nie in ihm vermutet hätte, doch der junge Mann regte sich nicht auf und antwortete in anklagendem, verächtlichem Ton, er spuckte ihm bloß ein paar Worte hin, und für Ora klang es, als spritze er Gift. Sie hörte das Weinen eines kleinen Kindes, viel jünger als das kleinste von seinen, danach ein Krachen, vielleicht hatte jemand gegen den Tisch getreten oder sogar einen Stuhl geworfen. Mit jedem Moment wurde sie sicherer, dass dies mit ihrer gemeinsamen Fahrt zu tun hatte, und sie wollte das Gespräch beenden, aus seinem Leben verschwinden, nicht noch mehr Schaden anrichten. Er warf den Hörer auf den Tisch, und sie hörte, wie seine Schritte sich entfernten, und wieder legte sie fast auf, doch dann lauschte sie weiter wie hypnotisiert – da hatte sich im Gewebe von Samis Privatleben ein Spalt aufgetan, ein seltenes Guckloch, und alles zog sie dorthin, schau, so sind sie, wenn sie unter sich sind, dachte sie, ohne uns, wenn es denn wirklich »ohne uns« ist, wenn sie überhaupt so etwas wie ein »ohne uns« haben.

Da hörte sie einen wilden, bitteren Schrei, sie konnte nicht ausmachen, ob von Sami oder von dem anderen Mann, danach Geräusche, zwei heftige Schläge, als applaudiere jemand, oder wie Ohrfeigen, und dann eine Stille, aus der das dünne und verzweifelte Weinen des Kindes drang.

Ora stützte sich ermattet auf den Küchentisch. Warum nur habe ich ihn noch mal anrufen müssen, dachte sie, was war das für eine Dummheit, was hab ich mir bloß dabei gedacht? Dass er mich, nachdem er mich zum Gilboa und zurück gefahren hat, auch noch nach Tel Aviv chauffieren kann? Fehler über Fehler, was ich auch tu.

Da war seine Stimme wieder, erschrocken und brüchig an ihrem Ohr. Jetzt sprach er hastig und flüsterte fast. Er wollte ihr genaues Ziel in Tel Aviv wissen. Ob es ihr etwas ausmache, wenn sie auf dem Hinweg bei einer Adresse vorbeifahren würden, im Süden der Stadt, und da etwas abgeben. Sie kam durcheinander: Sie war drauf und dran gewesen, alles abzusagen, lass es, Sami, dieser Tag heute läuft für uns beide nicht gut, es ist besser, wenn wir ein bisschen auf Abstand gehen. Doch sie spürte, dass er sie wohl sehr brauchte, und in seiner Bedürftigkeit bot sich jetzt die Chance, etwas gutzumachen, und sie schwor sich, mit ihm bloß bis nach Tel Aviv zu fahren und von dort nach Galiläa ein anderes Taxi zu nehmen, koste es, was es wolle. Und er fragte erschrocken, ist das in Ordnung, Ora? Kann ich kommen? Bist du schon fertig? Sie hörte, wie der Streit hinter ihm wieder aufflammte, im Grunde war es wohl schon kein Streit mehr: Der andere Mann dort schrie, aber vielleicht schrie er nur noch vor sich hin, und eine Frau klagte, es klang wie ein verzweifeltes Gebet – Ora dachte, vielleicht ist es doch In'am –, sie stieß ein langes Jaulen der Niederlage aus, und für einen Moment mischte sich dahinein ein fernes Klagelied, das Ora schon einmal gehört hatte. Jahrzehnte hatte sie nicht mehr an das Weinen der arabischen Krankenschwester gedacht, die mit ihr, Avram und Ilan auf der Isolierstation des kleinen Jerusalemer Krankenhauses gewesen war.

Ora fragte Sami, ob sie sich lange im Süden von Tel Aviv aufhalten würden. Sami sagte, fünf Minuten, und als er ihr Zögern spürte, drängte er sie ausdrücklich, was sonst nicht seine Art war, bitte, tu mir den Gefallen. Sie erinnerte sich an das Versprechen, das sie ihm vor etwa vier Stunden gegeben hatte. Welch aufgeblasene Feierlichkeit pochte jetzt in ihr, Ora als eine der sechsunddreißig Gerechten unter den Völkern, jetzt mach mal halblang. Ist in Ordnung, sagte sie.

Danach trug sie ihren gepackten Rucksack auf den Gehweg hinunter, und wie in einem Reflex kehrte sie noch mal ins Haus zurück und schnallte sich jetzt Ofers Rucksack auf, der ebenso fertig gepackt gewartet hatte, bis er verschmäht worden war, und die ganze Zeit verschloss sie die Ohren vor dem unaufhörlich klingelnden Telefon, denn sie fürchtete, es könnte Avram sein, der sich vor seiner eigenen Courage fürchtete und anrief, um seine Seele zu retten und sie zu bitten, doch nicht zu kommen, und vielleicht wollte auch Sami einen Rückzieher machen. Wie eine Fliehende rannte sie die Treppen hinunter, die Treppen, auf denen vielleicht schon morgen, vielleicht in einer Woche, vielleicht auch überhaupt nie, aber sie wusste, dass es doch passieren würde, daran hatte sie keinen Zweifel, die Überbringer der Nachricht stehen würden. Sie kamen in der Regel zu dritt, hieß es. Schweigend würden sie diese Stufen hochkommen. Unmöglich. Und trotzdem, über diese Treppe würden sie kommen, über diese Stufe hier und diese Stufe dort, auch über die etwas zerbrochene, und auf dem Weg würden sie sich noch einmal vergegenwärtigen, was sie ihr zu überbringen hatten. Wie viele Nächte hatte sie schon darauf gewartet, seit Adam eingezogen worden war, die ganze Zeit, während er seinen Dienst in den besetzten Gebieten tat, und danach die drei Jahre von Ofers Wehrdienst, wie oft war sie beim Klingeln an der Haustür aufgestanden und hatte sich gesagt, das war's, jetzt ist alles vorbei, aber nun wird ihnen diese Tür verschlossen bleiben, auch morgen, übermorgen, auch nächste, auch übernächste Woche, diese Nachricht wird nicht überbracht werden, denn zum Überbringen einer Botschaft braucht es immer zwei, dachte Ora, einen, der sie überbringt, und einen, der sie entgegennimmt, und deshalb kann sie nicht überbracht werden. Dieser Gedankengang zeichnete sich in ihr immer leuchtender ab, blitzte nadelspitz in zorniger Fröhlichkeit auf, während das

Haus schon abgeschlossen hinter ihr liegt und das Telefon drinnen pausenlos klingelt und sie selbst auf dem Weg draußen auf und ab geht und Sami erwartet.

Je länger sie darüber nachdenkt, umso ergriffener ist sie von dieser sonderbaren Idee, die wie eine aufglühende Inspiration aus heiterem Himmel über sie gekommen war – passt so gar nicht zu mir, kichert sie verwundert, das wäre viel eher ein Gedanke von Avram, sogar von Ilan, aber doch nicht von mir –, und dann hegt sie keinen Zweifel mehr daran, das, was sie tun wird, ist richtig, dies ist der richtige Protest, und sie lässt sich das Wort genüsslich auf der Zunge zergehen, beißt ein bisschen hinein: Protest, mein Protest, es ist ein angenehmes Gefühl, diese zappelnde kleine Beute zwischen den Zähnen zu halten, ihren Protest und diese neue Muskulosität in ihrem müden Körper. Der lächerliche, armselige Protest, das weiß sie, wird in zwei, drei Stunden verflogen sein und bloß einen schalen Geschmack zurücklassen, aber was kann sie denn sonst tun? Dasitzen und reglos abwarten, dass sie kommen und ihre Nachricht auf sie abschießen? Ich bleibe nicht hier, wiederholt sie, versucht sich selbst Mut zuzusprechen, ich nehme das von ihnen nicht entgegen, und sie hört überrascht ihr eigenes röchelndes Lachen, das ist es, es ist entschieden, sie weigert sich, sie wird die erste Annahmeverweigerin sein. Sie streckt sich, dehnt die Glieder, die Lungen füllen sich mit der erfrischend scharfen Abendluft. Einen Aufschub wird sie erreichen, für sich und vor allem für Ofer. Auf mehr als das kann sie jetzt nicht hoffen, eine kleine Verzögerung aufgrund ihres Protests. Warme Wellen durchfluten ihren Kopf, und sie läuft schnell auf und ab, immer um die Rucksäcke herum. Zweifellos muss es in ihrem Plan einen grundlegenden Fehler geben, einen himmelschreienden Denkfehler, und der wird sich auch gleich erweisen und alles widerlegen, er wird sich über sie lustig machen und sie mit ihren beiden Rucksäcken wieder nach Hause schicken, doch bis dahin ist sie plötzlich frei von sich selbst, frei von der großen Ängstlichkeit, die ihr im letzten Jahr anhaftete, und wieder sagt sie sich halblaut vor, was sie machen will, wiederholt es und kommt zu der erstaunlichen Einsicht, dass sie allem Anschein nach sogar recht hat oder zumindest nicht völlig falschliegt, denn wenn sie von zu Hause flieht, dann wird dieser Deal wenigstens für eine gewisse Zeit aufgeschoben, dieser Deal, den Armee, Regierung und Staat ihr womöglich schon sehr bald aufzwingen wollen, vielleicht schon diese Nacht, dieser einseitige Deal, der festlegt, dass sie, Ora, bereit ist, von ihnen die Nachricht vom Tod ihres Sohnes entgegenzunehmen, und ihnen damit hilft, die komplizierte und bedrückende Tatsache seines Todes zu einem geordneten, von beiden Seiten akzeptierten Abschluss zu bringen; in gewisser Weise gäbe sie ihnen damit die tiefe und endgültige Bestätigung für diesen Tod und würde so auch ein bisschen zur Komplizin bei diesem Verbrechen.

Bei diesen Worten geht ihr plötzlich die Kraft aus, sie sinkt auf den Boden, setzt sich auf den Gehweg zwischen die beiden Rucksäcke, die jetzt wie ein Elternpaar nahe an sie ranrücken und sie beschützen. Zwei aufgeblähte Rucksäcke, die sie umarmt, zu sich heranzieht und denen sie im Stillen erklärt, dass sie im Moment vielleicht etwas verrückt ist, aber im Ringkampf mit den Überbringern der Nachricht müsse sie bis zum Ende gehen, durchhalten, um Ofers willen, damit sie nachher nicht das Gefühl haben wird, sie hätte sich ohne auch nur zu zucken ergeben, und deshalb wird sie nicht da sein, wenn sie kommen, um es ihr zu sagen, sie wird einfach nicht hier sein, und dann wird das Paket an den Absender zurückgesandt, die Räder der Maschine werden für einen Moment stillstehen, sich vielleicht sogar etwas zurückdrehen müssen, ein oder zwei Zentimeter, mehr nicht. Dabei war völlig klar, dass die Nachricht gleich danach noch einmal losgeschickt würde, da machte sie sich nichts vor, die werden nicht aufgeben. Die dürfen diesen Kampf nicht verlieren, summte ein Metallfaden in ihrem Hirn, denn eine Niederlage, und sei es gegenüber einer einzigen Frau, würde den Zusammenbruch des gesamten Systems bedeuten, wo kämen wir denn hin, wenn auch andere Familien diesen Gedanken übernehmen und sich weigern würden, vom Militär die Nachricht vom Tod ihrer Lieben entgegenzunehmen? Deshalb hat sie gegen die keine Chance, das weiß sie, überhaupt keine Chance, aber wenigstens ein paar Tage wird sie kämpfen, nicht lange, nur achtundzwanzig Tage, nicht einmal einen ganzen Monat, das war möglich, das stand in ihrer Kraft: Und im Grunde war nur das möglich, im Grunde stand nur das in ihrer Kraft.

Wieder saß sie in Samis Taxi, wieder auf der Rückbank, und neben ihr saß ein Kind, sechs oder vielleicht sieben Jahre alt, auch Sami kannte sein genaues Alter nicht, ein dünner arabischer Junge, der vor Fieber glühte. Der Sohn von einem bei uns, sagte Sami, um weitere Fragen abzublocken. Von einem bei uns, mehr sagte er nicht, als sie wieder fragte. Man hatte Sami gebeten, ihn nach Tel Aviv zu bringen, zu einem Ort im Süden der Stadt, zu seiner Familie. Zu Samis Familie oder zu der des Jungen? Auch das blieb unklar, und Ora beschloss, nicht mit weiteren Fragen zu nerven. Sami sah mitgenommen und erschrocken aus, eine seiner Wangen war angeschwollen, als hätte er Zahnschmerzen. Er fragte sie noch nicht einmal, warum sie zu so später Stunde zwei Rucksäcke durch die Gegend fuhr. Ohne den Glanz der Neugier in den Augen wirkte er leblos, beinah wie ein anderer Mensch, und sie verstand sofort, es hatte keinen Sinn, die Sache mit der Fahrt zum Gilboa noch einmal aufzuwärmen. Im Dunkel des Taxis erkannte sie die Sachen, die der Junge trug: Die Jeans hatte früher mal ihr Adam getragen, mit dem Bugs-Bunny-Flicken auf den Knien, und ein uraltes T-Shirt von Ofer mit dem Wahlslogan von Schimon Peres. Die Sachen waren ihm zu groß, Ora hatte den Eindruck, er trug sie heute zum ersten Mal. Sie beugte sich vor und fragte, was ihm denn fehle. Sami sagte, der Junge sei krank. Sie fragte nach seinem Namen, und Sami sagte kurz, Rami, nenn ihn Rami. Sie fragte Ra'ami oder Rami? Wieder fertigte er sie kurz ab: Rami.

Hätte er mich nicht für diese Fahrt gebraucht, er wäre nicht gekommen. Jetzt lässt er seine Wut auf die, die bei ihm zu Hause randaliert haben, an mir aus. Für einen Moment tröstete sie sich damit, dass sie Ilan bei nächster Gelegenheit erzählen würde, wie Sami sie behandelt habe. Den möcht ich sehn, wie er bei Ilan den Helden markiert. Sie wusste, Ilan würde ihn um ihretwillen zusammenstauchen, ihm vielleicht sogar kündigen, um ihr zu beweisen, wie sehr er sich ihr noch immer verpflichtet fühlte und sie beschützte, da richtete sie sich ruckartig auf und zuckte mit den Schultern, warum holte sie sich denn Verstärkung bei Ilan? Das war doch eine Sache zwischen Sami und ihr. Ilans offiziellen ritterlichen Schutz brauchte sie nicht. Nein, danke.

Ihr Körper sackte wieder in sich zusammen, und für einen Augenblick zitterte ihr Gesicht und sie konnte es nicht stoppen, denn ihr

Verlassensein durchfuhr sie, nicht die Einsamkeit und die Kränkung, sondern die Trennung selbst, die schiere Trennung, der Phantomschmerz des leeren, von Ilan geräumten Platzes an ihrer Seite. Im Dunkeln sah sie ihr Spiegelbild im Fenster des fahrenden Wagens und spürte in unbekannter Schärfe die Traurigkeit ihrer Haut, die schon so lange nicht mehr wirklich geliebt, und ihr Gesicht, das schon so lange von niemandem mehr mit jener Liebe betrachtet worden war, die Schicht um Schicht im Laufe der Jahre wächst. Diesen Typ, Eran, der ihr den Job für das Museum zur Verewigung Israels in Nevada besorgt hatte, der siebzehn Jahre jünger war als sie, ein meteorähnlich aufgestiegenes Computergenie, überquellend von Start-ups – der Avram von damals hätte ihn *Raubebald-Eilebeute* genannt –, sie wusste noch nicht einmal, was er für sie selbst bedeutete, war er ein Bekannter? eine Affäre? ein Fick? Und was war sie für ihn? »Liebhaberin« war zweifellos ein zu großes Wort für das, was zwischen ihnen war, lachte sie ihn im Stillen aus, und auch sich selbst lachte sie aus, er war zumindest der Beweis dafür, dass ihr Körper auch nach Ilan noch jene Elementarteilchen produzieren konnte, die einen anderen Menschen, einen Mann anzogen. So versank sie in Gedanken, und die ganze Zeit fuhren sie in einer langen Schlange in einem Stau, der unnatürlich leise durch das Wadi von Schaar HaGai vorankroch und in der Gegend des Flughafens noch dichter wurde. Heute sind überall Straßensperren, warf Sami plötzlich in den Raum. Etwas in seiner Stimme gab ihr wohl ein Zeichen, verriet eine verborgene Absicht. Sie wartete, dass er noch etwas sagte. Er schwieg.

Der Junge war eingeschlafen, seine Stirn glänzte vor Schweiß, und sein Kopf schaukelte leicht auf dem dünnen Hals. Sie bemerkte, dass Sami ihm eine abgewetzte Decke untergelegt hatte, damit sein Schweiß die neuen Bezüge nicht verschmutzte. Die rechte Hand, dünn und zerbrechlich, fuhr ab und zu hoch und zitterte verkrampft vor seinem Gesicht, und Ora streckte sofort den Arm aus und zog ihn zu sich. Er erstarrte, schlug die Augen auf, trüb und beinahe blind erschienen sie ihr, und starrte sie an, ohne etwas zu verstehen. Ora bewegte sich nicht, hoffte, er würde sie nicht wegstoßen. Er atmete unglaublich schnell, seine schmale Brust hob und senkte sich; und danach, als sei ihm die Kraft zu verstehen oder sich zu wehren ausgegangen, fielen ihm die Augen zu und er schmiegte sich locker an ihren Körper, und seine Wärme übertrug sich durch die Kleider hindurch auf sie. Nach ein paar Minuten wagte sie es, ihn etwas fester zu umarmen, sie spürte, wie seine kükenhaften Schulterblätter sich bei ihrer Berührung anspannten, wartete noch mal ein bisschen ab und lehnte dann auch seinen Kopf vorsichtig an ihre Schulter, erst danach atmete sie wieder.

Sami reckte sich und schaute sie im Rückspiegel an. Seine Augen waren ausdruckslos, und sie hatte das merkwürdige Gefühl, dass er sie musterte und ihr Aussehen mit einem Bild in seiner Vorstellung verglich. Ihr wurde unbehaglich unter seinem Blick, schon löste sie sich beinah von dem Jungen, doch sie wollte ihn nicht aufwecken, und im Grunde fühlte sie sich doch gut, wie er sich so an sie schmiegte, trotz der enormen Hitze, die er verbreitete, und dem Schweiß, der sich zwischen seinem Gesicht und ihrer Schulter sammelte; und vielleicht gerade wegen dieser Wärme und Feuchtigkeit, einer Art vergessenem Kindheitseindruck, der sich ihr noch einmal aufdrückte. Sie schielte zu ihm hinüber: Jemand hatte ihm lieblos die Haare geschnitten, und zwischen den kurzen Haarstoppeln sah sie eine lange sichelförmige Narbe, die nicht gut verheilt war. Sein Gesicht sah bitter und starrsinnig aus. Wie ein kleiner, vergrämter alter Mann wirkte er auf sie, und sie freute sich, dass seine Finger lang und fein und besonders hübsch waren. Er legte sie im Schlaf auf ihre Hand, und nach ein paar Minuten drehte er sie um und offenbarte ihr seine weiche, säuglingshafte Innenhand.

Ofer. Ora zuckte zusammen. Fast eine Stunde lang hatte sie nicht an ihn gedacht.

Nicht Ofers Hände von heute, nicht die große, breite Hand mit den hervortretenden Adern auf dem Handrücken und der schwarzen Linie von Waffenöl unter den abgekauten Fingernägeln, das auch drei Monate nach der Entlassung – so ihre Erfahrung mit Adam – noch zu sehen sein würde, genauso wie die Schwielen auf allen Fingergelenken, die verheilten Schnittwunden, Narben und die Hautschichten, die weggekratzt, verbrannt, geritzt, geschnitten, eingerissen, genäht worden waren, die nachgewachsen, abgeschält, eingeschmiert und verbunden worden waren, bis sich schließlich diese braune, etwas wächserne Haut gebildet hatte. Diese militärische Hand, die trotz allem in ihren Bewegungen so ausdrucksvoll war, in der Großzügigkeit ihrer

Berührung, wenn sich die Finger aneinanderschmiegten, in der unbewussten kindlichen Bewegung, mit der manchmal sein Daumen über die Kuppen der anderen Finger fuhr, als zähle er sie ab, oder bei dem beiläufigen Abbeißen der Nagelhaut des kleinen Fingers ... Nein, Mama, da hast du nicht recht, hatte er ihr dabei einmal gesagt, sie erinnerte sich nicht mehr, worum es damals ging, ihr fiel einfach das Bruchstück dieses Bildes ein, wie er sich die Haut um den Nagel des kleinen Fingers abbiss, dabei die Stirn in Falten legte und sagte, da hast du wirklich nicht recht, Mama.

Jetzt in Samis Taxi, mit dem Kind, das sich mit erstaunlichem Vertrauen an sie schmiegt und in ihr Blättchen eines völlig unbegründeten Stolzes aufkeimen lässt, erhält sie beinah eine Bestätigung für etwas, an dessen Existenz sie selbst schon zu zweifeln begonnen hatte – du bist keine richtige Mutter, hatte Adam ihr vor nicht allzu langer Zeit, noch bevor er ausgezogen war, erklärt. So einfach und mit fast ausdrucksloser Stimme hatte er sie zerschmettert, mit einer pseudowissenschaftlichen, objektiven Feststellung für null und nichtig erklärt, und plötzlich schwebt das Lasso einer fernen Erinnerung über ihr, legt sich sanft um ihren Hals, und sie sieht diese winzige Faust von Ofer direkt nach seiner Geburt vor sich: Man hatte ihn auf ihre Brust gelegt, und sie versuchte, aus Ofers riesigen blauen Augen, die sie mit seltener Ruhe anschauten, Kraft zu schöpfen. Vom Moment seiner Geburt an sucht er Augen, vom Moment seiner Geburt an zieht sie aus ihm Kraft, und nun sieht sie seine kleine Faust vor sich – Fäustleinchen, hätte Avram gesagt, wenn er in diesen Augenblicken bei ihr gewesen wäre; noch jetzt konnte sie sich nur schwer damit abfinden, dass er nicht mit ihr und Ofer dort gewesen war. Wie kam es, dass er da nicht mit ihnen zusammen gewesen war – beim Anblick dieser tiefen Falte unterhalb der Handwurzel und der dunklen Röte der winzigen Hand, die bis vor wenigen Minuten noch ein inneres Organ gewesen war und noch immer so aussah, sich dann langsam öffnete und Ora ein schneckenhausähnliches, rätselhaftes Inneres offenbarte – was hast du mir von dort mitgebracht, mein Kind, aus dem dunklen tiefen All –, mit dem Gewirr eingezeichneter Linien, mit der spinnwebenhaften, leicht fettigen weißlichen Schicht, die sie überzog, mit Fingernägeln wie durchsichtige Granatapfelkernchen, mit den Fingerchen, die sich wieder fest um ihren Finger schlossen: So bist du mir nun angetraut mit der Weisheit Tausender von Jahren und vergangener Zeitalter.

Der Junge röchelte, seine Zunge suchte auf den Lippen. Ora fragte Sami, ob er Wasser im Auto habe. Im Handschuhfach lag noch von der vorigen Fahrt ihre Wasserflasche. Sie führte sie an die Lippen des Jungen, der trank ein bisschen und übergab sich fast. Vielleicht mochte er den Geschmack nicht. Sie goss sich ein wenig Wasser in die flache Hand und strich vorsichtig über seine Stirn, seine Wangen, seine trockenen Lippen. Sami musterte sie wieder mit diesem angespannten Gesicht. Es war der Blick eines Regisseurs, blitzte es in ihr auf, der eine Szene prüft, die er selbst gestellt hat. Der Junge bekam eine Gänsehaut und grub sich tiefer in ihren Körper. Plötzlich schlug er die Augen auf und schaute sie an, ohne sie zu sehen, nur sein Mund öffnete sich zu ihr mit einem merkwürdigen traumhaften Lächeln, und für einen Moment war er anmutig und kindlich, und sie beugte sich wieder nach vorne und fragte Sami, nun schon eindringlicher flüsternd, nach seinem Namen. Sami holte tief Luft, lieber nicht, Ora. Sag mir, wie er heißt, wiederholte sie, ihre Lippen wurden weiß vor Wut. Jasdi heißt er, Jasdi. Der Junge hörte seinen Namen, erzitterte im Schlaf und stieß einige arabische Wortfetzen hervor. Seine Beine zuckten wild, als wäre er im Traum auf der Flucht, würde rennen. Ora sagte, er braucht dringend einen Arzt, und Sami erwiderte, seine Familie, da bei Tel Aviv, die haben einen Arzt, den besten Fachmann für seine Krankheit. Ora fragte, was er denn hat, Sami sagte, etwas im Bauch, er ist schon so geboren, nicht in Ordnung im Bauch, irgendwas mit der Verdauung. Er isst nur drei oder vier Sachen, alles andre kommt gleich wieder raus. Danach, als habe man ihn zu dem Geständnis gezwungen, sagte er, er ist auch hier nicht in Ordnung. Wo? Und die Seite ihres Körpers, die den Jungen berührte, verspannte sich. Im Kopf, sagte Sami, zurückgeblieben. Vor drei Jahren ungefähr ist er so geworden. So auf einmal? fragte Ora, so was passiert doch nicht plötzlich. Bei ihm ist es aber plötzlich gekommen, sagte Sami und presste die Lippen zusammen.

Sie drehte den Kopf zum Fenster, sah ihr Spiegelbild mit dem an sie geschmiegten Kind. Plötzlich fuhren sie sehr langsam, ein Schild kündigte eine Straßensperre in dreihundert Metern an. Sami bewegte die

Lippen schnell, als streite er in Gedanken mit jemandem. Einen Moment hob er die Stimme, womit hab ich das verdient, warum sind alle gegen mich, *jechrabbethum,* soll ihr Haus einstürzen, sie glauben alle, ich wär – seine Stimme ging in ein unverständliches Gemurmel über. Ora beugte sich nach vorn. Erzähl mir, was mit ihm los ist, verlangte sie leise, nichts ist mit ihm los, sagte Sami. Was ist das für eine Geschichte mit diesem Kind? wollte sie wissen. Es gibt keine Geschichte, schrie er nun, schlug mit der Hand aufs Steuer, und der Junge umklammerte sie und hielt den Atem an. Nicht alles muss immer eine Geschichte haben, Ora! Sie spürte das Sticheln und die Verachtung, mit der er ihren Namen aussprach. Sie hatte auch den Eindruck, dass er beim Sprechen mehr und mehr seinen israelischen Akzent ablegte und sich ein anderer, rauherer, fremder Klang in seine Stimme schlich. Ihr, fauchte er sie durch den Rückspiegel an, ihr sucht immer überall eine Geschichte! Für eine Sendung im Fernsehen oder für einen Film auf euren Festivals, stimmt es etwa nicht? Nein? Hab ich nicht recht?

Ora schreckte zurück, als hätte er sie geohrfeigt. »Ihr« hatte er sie genannt, »eure Festivals« gesagt und gegen sie den Akzent der Palästinenser aus der Westbank eingesetzt, über die er sich sonst nur lustig machte. Er provozierte sie mit seinem angelernten, demonstrativ arabischen Verhalten. Und der, der Junge da, fuhr er fort, ist bloß ein krankes Kind, einfach bloß krank, er ist behindert, mit dem kannst du keinen Film machen! Über den gibt's auch keine Geschichte! Wir bringen ihn wo hin, zu einem Doktor, und dann fahren wir weiter, wo du hinmusst, ich fahr dich da hin, und das war's dann und fertig! Ora spannte die Lippen an, mit einem Mal brannten sie rot: Gerade das »ihr«, in das er sie hineingepresst hatte, verlieh ihr unerwartete Kräfte«, als stünde sie jetzt nicht ihm allein gegenüber, sondern ihnen allen: Ich will wissen, von wem der Junge ist, sagte sie langsam, als buchstabiere sie die Worte einzeln. Und zwar jetzt, noch vor der Straßensperre will ich das wissen. Er schwieg. Sie hatte den Eindruck, dass ihre herrische Stimme ihn wieder zur Vernunft brachte und ihn auch an zwei, drei Dinge erinnerte, an die sie ihn niemals hatte ausdrücklich erinnern wollen oder müssen. Langes Schweigen. Sie spürte ihren Willen und seinen, wie jeder sich aufblähte und sich gegen den anderen sträubte. Danach stieß Sami einen langen Atemhauch aus und sagte: Der ist von einem, den ich kenn. Der ist in Ordnung, über den haben sie bei euch, bei der Sicherheit, nichts, mach dir keine Sorgen. Alles in Ordnung.

Seine Schultern entspannten sich. Er fuhr sich mit der Hand über die Glatze, ließ sie auf der Stirn ruhen und bewegte staunend den Kopf: Ora, ich weiß nicht, was ich hab, ich bin total geschafft, einfach fix und fertig. Ihr habt mich heut total verrückt gemacht. Ihr alle. Es reicht, ich brauch jetzt Ruhe, bloß Ruhe, *ya rabb,* Gott im Himmel.

Sie lehnte den Kopf zurück. Sie dachte, alle drehen durch. Dann darf er auch. Durch die halbgeschlossenen Augen sah sie, wie er nervös zu den Leuten schaute, die links und rechts von ihm in den Autos saßen. Drei Fahrspuren verengten sich zu zweien und danach zu einer. Etwas weiter vorn sah man schon das blaue Blinken auf den Dächern einiger Fahrzeuge. Ein Polizeijeep parkte quer am Straßenrand. Ohne die Lippen zu bewegen, fragte Ora, wenn sie mich fragen, was sag ich dann?

Wenn sie fragen, sag, dass es dein Kind ist, aber sie werden nicht fragen. Er starrte auf die Straße, um nicht im Spiegel ihrem Blick zu begegnen. Ora nickte still vor sich hin. Das ist also meine Aufgabe hier, dachte sie, deshalb auch diese Klamotten, diese Jeans und Schimon Peres. Sie legte den Arm um den Jungen, zog ihn an sich, und sein Kopf sank auf ihre Brust. Sie sagte ihm leise seinen Namen ins Ohr, und er öffnete die Augen und schaute sie an. Sie lächelte, seine Lider fielen wieder zu, und im nächsten Augenblick lächelte er sie an wie im Traum. Schalt die Heizung an, sagte sie zu Sami, er zittert.

Sami stellte die Heizung hoch. Sie kochte, aber der Junge zitterte etwas weniger. Sie tupfte ihm mit einem Taschentuch den Schweiß ab und strich über sein Haar. Das Fieber ging ihr unter die Haut und erinnerte sie: Vor etwa einem Jahr war ein alter Araber in einem Kühlraum in Hebron vergessen worden. Er hatte dort fast achtundvierzig Stunden verbracht. Er ist nicht gestorben, hat sich vielleicht sogar wieder gefangen und ist wieder er selbst. Doch seit diesem Tag war ihr Leben immer mehr zerbrochen. Die blauen Lichter blinkten schon überall. Sechs oder sieben Streifenwagen standen hier. Polizisten, Polizeioffiziere und auch Offiziere von der Armee liefen am Straßenrand hin und her, und Ora war schweißgebadet. Ihre Finger kramten aus dem Ausschnitt ihrer Bluse eine dünne Silberkette mit einem Emaille-

Anhänger, auf dem die Worte *Ich habe den Ewigen immer vor Augen* standen, und sanft, beinahe heimlich, brachte sie den Anhänger an die Brust des Jungen und ließ ihn dort einen Moment. Ihre Freundin Ariela hatte ihr den vor Jahren gegeben, jeder braucht eine kleine Kapelle, hatte sie gesagt, als Ora lachte und das Geschenk ablehnte, ihn sich dann schließlich doch umhängte – jedes Mal wenn Ilan ins Ausland flog, als ihr Vater krank wurde und ins Krankenhaus kam und in ähnlichen anderen Situationen, wo er, falls er nichts half, so doch auch nicht schaden konnte –, das ist so ein Aberglaube an Gott, erklärte sie, wenn jemand darüber staunte. Auch die ganze Zeit, als Adam beim Wehrdienst war, hatte sie ihn getragen, und danach bei Ofer, und um sich in alle Richtungen abzusichern und den kleinen Moslem nicht ohne sein Wissen zum Juden zu machen, sagte sie bei sich: Ich habe Allah immer vor Augen.

Die Polizeiwagen versperrten ihre Spur, Stacheldrahtrollen lagen zickzackförmig über die Straße gezogen. Die Polizisten waren nervös. Sie leuchteten mit einer enorm starken Stablampe in die Autos vor ihnen, schauten lange in die Gesichter der Leute und schrien sich ununterbrochen irgendetwas zu. Ein paar Offiziere standen am Straßenrand, redeten alle mit ihren Handys. Das ist mehr als sonst, dachte Ora, normalerweise sind sie nicht so im Stress. Nur ein Auto war noch vor ihnen, und Ora beugte sich vor und fragte eindringlich, Sami, ich will jetzt wissen, wer der Junge ist.

Sami starrte vor sich hin, seufzte. Einfach bloß ein Kind, wirklich, sagte er, der Sohn von einem Anstreicher, der bei mir arbeitet, aus den besetzten Gebieten, was soll ich machen, einer, der sich hier »illegal aufhält«, wie man so sagt. Ja, ein Illegaler. Seit gestern Abend ist er so. Er war die ganze Nacht krank und morgens auch, er spuckt immerzu und hat auch Blut … auf dem Klo, meine ich. Und ihr habt euch nicht drum gekümmert, fragte Ora. Doch, natürlich, wir haben die Krankenschwester gerufen, eine von unseren, aus dem Dorf, und die hat gesagt, für seine Krankheit muss er schnell ins Krankenhaus, aber wie soll ich ihn ins Krankenhaus bringen, wenn er doch illegal ist? Seine Stimme verlosch, wieder stritt er murmelnd mit sich selbst, vielleicht rekonstruierte er ein Gespräch oder einen Streit, und schlug mit der Faust aufs Steuer. Beruhige dich, sagte Ora scharf, richtete sich auf und brachte mit der freien Hand ihre wirren Haare ein bisschen in Ordnung, jetzt beruhige dich, das klappt schon. Und lächeln musst du.

Ein junger Polizist, fast selbst noch ein Kind, kam zu ihnen und wurde unsichtbar, als der Strahl der Lampe sie traf. Sie blinzelte vor Schmerz, so ein Licht quälte ihre ohnehin elende Netzhaut. Sie schickte ein allgemeines breites Lächeln in Richtung des Lichts. Der Polizist machte mit der anderen Hand schnelle Kreisbewegungen, und Sami ließ die Scheibe herunter. Alles in Ordnung? fragte der Polizist mit russischem Akzent, schob seine Hand mit der Lampe in den Wagen und musterte die Gesichter der anderen, und Sami sagte, mit der angenehm festen Stimme eines Alteingesessenen, Guten Abend, alles prima, gelobt sei Gott. Der Polizist fragte: Wo kommen Sie gerade her? Aus Bejt Zajit, sagte Ora lächelnd. Wo ist Bejt Zajit, fragte der Polizist, und Ora sagte, kurz vor Jerusalem. Auch ohne Sami anzuschauen, spürte sie, wie das Staunen über die Unwissenheit des Polizisten wie ein Funke zwischen ihr und ihm hin und her hüpfte.

Kurz vor Jerusalem, wiederholte der Polizist, vielleicht um noch etwas länger ableuchten und suchen zu können. Und wohin geht die Fahrt? fragte er. Nach Tel Aviv, antwortete Ora lächelnd, ein Familienbesuch, fügte sie ungefragt hinzu. Kofferraum, sagte der Polizist und zog sich aus dem Innern des Wagens zurück. Er ging zum Kofferraum, und sie hörten, wie er da die Sachen umdrehte und die beiden Rucksäcke hochhob. Ora sah, wie Samis Schultern sich verkrampften, da kam ihr der Gedanke, wer weiß, was er dahinten sonst noch transportiert. Ein Feuerwerk von Gedanken explodierte in ihrem Hirn, ein verrückt gewordener Kinofilm lief dort ab. Ihre Augen musterten spionierend und schnell Samis Körper, sammelten alle Informationen, werteten sie aus, wogen ab und verwarfen den Gedanken. Es war ein ganz unpersönlicher Mechanismus, der da in ihr ablief, ein ausgefeiltes System von erworbenen Reflexen. Sie hatte kaum Zeit zu verstehen, was sie tat. Es war der Bruchteil einer Sekunde, mehr nicht. Sie hatte die ganze Welt einmal umkreist und war wieder an ihren Platz zurückgekehrt, und auf ihrem Gesicht rührte sich nichts.

Sami hatte vielleicht bemerkt, was in ihr vorging, vielleicht auch nicht. Man sah es ihm nicht an. Auch er, dachte sie, hat damit Erfahrung. Starr wie ein Koloss saß er da, nur ein Finger trommelte auf der

Gangschaltung. Das Gesicht des Polizisten, spitz, fuchsartig, mit angelegten Ohren, das Gesicht eines Kindes, viel zu früh vom Leben gemeißelt, erschien wieder, diesmal im Rahmen ihres Fensters. Wem gehören die zwei Rucksäcke? Mir, ich fahre morgen nach Galiläa. Auf einen Ausflug. Wieder lächelte sie breit. Der Polizist betrachtete sie und den Jungen lange, drehte sich halb nach hinten, wollte sich wohl mit jemandem beraten. Einer seiner Finger lag locker auf dem runtergekurbelten Fenster neben ihr. Ora schaute ihn an. Wie so ein dünner Finger anhalten, verhindern, ein Schicksal besiegeln kann. Was für zarte Finger die Willkür doch manchmal hat. Der Polizist rief einen der Offiziere, doch der telefonierte gerade. Tief im Innern wusste Ora, dass gerade sie hier Verdacht erregte. Etwas in ihr zeigte dem Polizisten: Hier gab es Schuld. Er wandte sich wieder an sie. Sie dachte, wenn er mich noch einen Moment so anschaut, brech ich zusammen.

Der Junge wachte auf und blinzelte verstört ins Licht der Stablampe. Ora lächelte noch breiter und umfasste fest seine Schultern. Der Junge bewegte seine Arme wie Ästchen langsam im Lichtstrahl, er wirkte einen Moment wie ein Embryo im Fruchtwasser. Erst dann erkannte er das Gesicht und die Uniform hinter dem Lichtkreis, und seine Augen weiteten sich, Ora spürte, wie eine starke, wilde Bewegung ihn durchfuhr, und drückte ihn noch fester an sich. Der Polizist beugte sich herunter und musterte ihn. Ein bitterer, verwahrloster Gesichtszug lag auf dem Gesicht des Polizisten, ebenso wie auf dem des Jungen. Der Lichtstrahl neigte sich auf den Körper des Jungen, beleuchtete die Worte »Meine Hoffnung auf Frieden: Schimon Peres«. Leicht spöttisch verzog der Polizist den Mund. Plötzlich überkam Ora eine große Müdigkeit, als gäbe sie es jetzt auf, verstehen zu wollen, was hier geschah. Nur Jasdis wie wahnsinnig gegen ihren Arm klopfendes Herz hielt sie aufrecht. Wie kommt es, dass er weiß, dass er jetzt nicht reden darf, fragte sie sich. Er schwieg. Wie das Kücken des Steinhuhns, das erstarrt und sich tarnt, wenn seine Mutter einen Warnruf abgibt.

Und wie kommt es, dass ich so eine gute Steinhuhnmutter sein kann, dachte sie, ein ganz richtiges Mutterhuhn.

Ein Auto hinter ihnen hupte, und dahinter noch eines. Der Polizist zog sich an der Nase. Irgendetwas störte ihn, irgendetwas passte nicht zusammen. Er wollte gerade noch eine Frage stellen, doch Sami kam ihm mit einer Art Jongleurakt zuvor, indem er herzlich lachte, mit einer Kopfbewegung nach hinten zu Ora wies und zu dem Polizisten sagte, keine Sorge, mein Junge, die ist eine von uns.

Noch ein kurzes, überdrüssiges Zucken der Lippen, noch eine leichte Bewegung der Lampe, und sie durften weiterfahren. Dreißig oder vierzig Sekunden hatte die ganze Kontrolle gedauert. Ora war schweißgetränkt, der Junge auch.

Ein Illegaler? fragte sie später, als sie ihre Stimme wiedergefunden hatte und Sami in Richtung Stadtautobahn Tel Aviv beschleunigte. Du beschäftigst Arbeiter aus den Gebieten?

Alle haben Arbeiter aus den Gebieten, sagte er und biss sich auf die Lippe, die sind am billigsten. Glaubst du, ich hab das Geld, einen Anstreicher aus Abu Gosh zu bezahlen?

Sie setzten sich entspannter hin. Auch der Junge. Ora wischte ihm und sich den Schweiß ab. Immer wieder schweifte ihr Blick zur Seite: Sie hatte den Eindruck, der Finger des Polizisten liege noch immer auf ihrem Fenster und zeige auf sie. Sie dachte, noch mal würde sie so eine Situation an einer Straßensperre nicht überleben.

Und was sollte das, dass du ihm gesagt hast, ich sei »eine von uns«? fragte sie später.

Sami lächelte und leckte sich die Unterlippe. Ora kannte diese Geste: Er genoss seinen Geistesblitz, noch bevor er ihn aussprach. Sie lächelte vor sich hin, massierte sich den Hals, streckte die Zehen. Einen Moment fühlte es sich an, wie wenn man nach einem großen Familienstreit gemeinsam aufräumt. »Eine von uns«, sagte Sami, das heißt, »obwohl du aussiehst wie eine Linke.«

Der Junge entspannte sich ein bisschen, schlief nicht mehr so unruhig. Ora legte seinen Kopf auf ihre Beine. Sie lehnte sich zurück und atmete langsam. Vielleicht der erste ruhige Moment an diesem Tag.

Und weil Sami für sie auch immer eine Art ferne Dependance von Ilan und in letzter Zeit auch ein Bindeglied zu ihm war, erwachte in ihr die Sehnsucht nach einem Zuhause; nicht nach dem Haus, das sie nach der Trennung in Bejt Zajit gemietet hatte, auch nicht nach dem Haus in Zur Hadassa, das sie zusammen mit Ilan von Avram gekauft hatte. Schmerzvoll war ihre Sehnsucht nach ihrem letzten Haus zusammen mit Ilan in Ejn Karem, einem geräumigen zweistöckigen alten Haus zwischen buschigen Zypressen mit dicken, kühlen Wänden, großen Bogenfenstern, breiten Fensterbänken und bemalten Bodenfliesen, von denen einige locker waren. Das Haus hatte Ora zum ersten Mal als Studentin gesehen, leer und verschlossen stand es da, und sie hatte sich auf den ersten Blick verliebt und sich, ermutigt von Avram, hingesetzt und ihm einen Liebesbrief geschrieben: »Mein liebes dunkles und einsames Haus«, und ihm dann von sich erzählt und ihm erklärt, wie gut sie im Grunde zusammenpassen würden, und hatte ihm versprochen, es fröhlich zu machen. Sie hatte auch ein Foto von sich beigelegt, im orangefarbenen Trainingsanzug, mit langen kupfernen Locken, rückhaltlos lachend an ein Fahrrad gelehnt, und sie hatte den Brief an seine Adresse geschickt und einen Zettel für die Hausbesitzer angeklebt, falls sie es jemals verkaufen wollten – und so war es gekommen.

Seitdem hatten Ilan und sie sich etabliert und waren im Laufe der vielen Jahre sogar wohlhabend geworden – Ilans Büro gedieh prächtig; seine gewagte Rechnung von vor etwa zwanzig Jahren, das Büro, in dem er angestellt war, zu verlassen und sich ganz auf das leicht esoterische Gebiet des Urheberrechts zu spezialisieren, war erstaunlich gut aufgegangen. Ab Mitte der achtziger Jahre war die Zahl der zu schützenden Ideen, Patente und Erfindungen enorm angewachsen, Wissen, schnelles Handeln in Bezug auf die Gesetzgebung und das Ausnutzen von Gesetzeslücken in den verschiedenen Ländern der Welt waren gefragt, neue Computeranwendungen, Erfindungen auf dem Gebiet der Kommunikation und Datenverschlüsselung, der Medizin und der Gentechnologie, jede Menge von Konventionen und Abkommen der Welthandelsorganisation: Ilan war den andern dort eine Nasenlänge voraus gewesen – und obwohl sie es sich leisten konnten zu renovieren, zu verschönern, anzubauen und ihr Haus in jedem Stil, den sie nur mochten, zu gestalten, hatte Ilan sie das Haus nach ihren Vorstellungen großziehen und domestizieren lassen. Sie erlaubte dem Haus, in seinem eigenen Tempo zu leben, es selbst zu sein, zu seinem eigenen Behagen die verschiedensten Stile in sich aufzunehmen. Einige Jahre hatte in der Küche ein riesiger Kühlschrank mit Glastür gestanden, hässlich anzusehen, aber sehr nützlich, den sie beim Räumungsverkauf eines Händlers für Supermarkteinrichtungen erstanden hatte; die Stühle für die Essecke hatte sie dem Café Tmol Shilshom günstig abgekauft, nachdem Adam einmal beiläufig bemerkt hatte, er fände sie so bequem; das dunkle Gästezimmer war ein einziger Lagerplatz voll dicker Teppiche und riesiger Kissen mit leichten Bambusmöbeln und drei Wänden voller Bücherregale; und den riesigen Esstisch, der ganze Stolz der Gastgeberin, an dem fünfzehn Leute Platz fanden und essen konnten, ohne mit den Ellbogen aneinanderzustoßen, hatte Ofer ihr zu ihrem achtundvierzigsten Geburtstag geschmiedet und getischlert, er war rund – dass er rund sein müsse, hatte Ofer beschlossen, dann würde nie jemand an der Ecke sitzen, hatte er ihr erklärt. Das Haus wiederum hatte mit feinem Gespür Oras Stimmungen registriert und war darauf eingegangen, hatte vorsichtig und zögernd seine alte Dunkelheit abgelegt, die starren Glieder gestreckt, und als es merkte, dass Ora ihm erlaubte, hier und da eine heimliche Schmuddelecke oder einen angenehm dämmrigen Winkel und sogar Stellen gesunder Verwahrlosung zu entwickeln, begann es gemütlich auszufransen, bis es in bestimmten Lichtkonstellationen schon beinahe glücklich wirkte. Ora spürte, dass auch Ilan sich in diesem Haus und in dem studentischen Durcheinander, das sie in ihm verbreitete, wohl fühlte, dass er ihren Geschmack – sprich ihre vielen Geschmäcker auf einem Haufen – durchaus mochte. Auch als sich das Verhältnis zwischen ihnen eintrübte und ihr Zusammensein sich in angsterregender Geschwindigkeit entleerte, glaubte sie weiter, seine Sympathie für das Haus, das sie eingerichtet hatte, sei ein Zeichen dafür, dass noch ein gesunder Sinn in ihm pulsierte, trotz allem, was er sich in letzter Zeit angewöhnt hatte, trotz seiner Ungeduld, seiner Unzufriedenheit und seinem Rumkritisieren an allem, was sie tat und sagte, und im Grunde an allem, was sie war. Sie glaubte, hinter der Fassade seines Sichabwendens, hinter der höflichen Sorge um sie und dem Anschein der Fairness, den er ihr gegenüber wahrte, und obwohl er im Kleinen wie im Großen ihre Liebe und ihre Freundschaft leugnete und ihr bei der Trennung »Mit dir bin ich fertig« entgegengeschleudert hatte, wisse er trotzdem noch immer, dass er keine bessere Frau, Freundin, Geliebte und Gefährtin als sie habe, und auch jetzt, wo sie beide schon auf die fünfzig zugingen und er sich buchstäblich bis ans andere Ende der Welt von ihr entfernt hatte, wisse er im Innersten seines Herzens doch, dass sie nur gemeinsam das tragen konnten, was ihnen, als sie jung, beinah noch Kinder gewesen waren, passiert war.

Wie hatte Ilans Gesicht geleuchtet, erinnerte sie sich – es war während des Militärdienstes im Sinai gewesen, sie waren neunzehneinhalb, Ilan träumte noch immer davon, Filme und Musik zu machen, und Avram war damals noch Avram –, als er ihr erzählte, wie sehr es ihn immer wieder packe, wenn er im Buch der Könige lese, was die große Sunamiterin sagte, als sie ihrem Mann vorschlug, dem Propheten Elisa einen Ort in ihrem Haus einzurichten, wo er sich, wenn er in der Gegend unterwegs war, ausruhen konnte: Lass uns ihm eine kleine Kammer oben machen, hatte Ilan ihr aus der kleinen Militärbibel vorgelesen, und Bett, Tisch, Stuhl und Leuchter hineinstellen, damit er dort einkehren kann, wenn er zu uns kommt. Sie hatten auf seinem schmalen Bett in seinem Zimmer im Camp gelegen. Avram hatte wohl freigehabt und war zu Hause. Sein leeres Bett stand ihnen gegenüber, und an der Wand darüber war in seiner Handschrift mit Kohle geschrieben: *Es ist nicht gut, dass der Mensch sei.* Das »allein« hatte er weggelassen. Ihr Kopf lag in Ilans Achselhöhle. Er las ihr weiter vor, bis zum Ende des Kapitels, und strich mit seinen Musikerfingern durch ihr Haar.

Langsam stellte sich heraus, dass es sich nicht um den Süden Tel Avivs, sondern um Jaffa handelte, und nicht um ein Krankenhaus, sondern um das Gebäude einer Grundschule, die Sami erst nach langem Suchen und Umherirren fand. Jasdi hatte sich auf der Autobahn etwas erholt. Er saß nun aufrecht, schaute aus dem Fenster, fasziniert vom Anblick der Straßen. Ab und zu wandte er den Blick zu Ora, als könne er nicht glauben, dass es all das wirklich gab. Hinter Samis Rücken entspann sich zwischen ihnen ein Spiel: Er schaut sie an, sie lächelt, er schaut wieder aus dem Fenster und wirft ihr im nächsten Moment über die Schulter noch einen heimlichen Blick zu. Als sie die Küstenpromenade entlangfuhren, sagte Sami zu ihm, *schuf al-bachr*, schau, Junge, und der Junge reckte den Kopf und die Schultern, doch das Meer hinter den Straßenlaternen lag im Dunkel, und er konnte nur ein paar schäumende Furchen sehen. Der Junge murmelte *bachr, bachr,*

Junge, Junge, er öffnete die Hand, und seine Finger spreizten sich. Ora fragte ihn, hast du noch nie das Meer gesehen? Er antwortete nicht. Wahrscheinlich hatte er sie nicht verstanden. Sami lachte, wo soll er das Meer denn sehen? Auf der Promenade von Dehaische? Eine Brise brachte den Geruch des Meeres zu ihnen, Jasdis Nasenlöcher weiteten sich, rochen, schmeckten. Auf seinem Gesicht lag ein merkwürdiger, beinah gequälter Ausdruck, als könne er das Glück nicht fassen. Danach überwältigte ihn die Krankheit wieder. Er legte sich hin, seine Hände und sein Kopf zuckten, er sah aus wie einer, der Dingen ausweicht, die nach ihm geworfen werden. Immer wieder wischte Ora ihm mit einem Papiertaschentuch den Schweiß ab, und als die ausgingen, benutzte sie einen Lappen, der unter dem Sitz vor ihr lag. Auch eine Plastiktüte fand sie dort, darin waren seine Anziehsachen, die Unterhose, ein paar Socken, ein T-Shirt mit Ninja-Schildkröten, das früher Ofer gehört hatte und an Samis Kinder weitergewandert war, auch ein Schraubenzieher mit auswechselbaren Spitzen und ein fester durchsichtiger Ball, in dem ein winziger Dinosaurier funkelte. Jasdi hatte Durst, seine Zunge bewegte sich ruhelos in seinem Mund. Die Wasserflasche war leer, aber Sami hatte Angst, an einem Kiosk zu halten und Wasser zu kaufen. Ein Araber an einem Kiosk an so einem Tag, das ist keine gute Idee, erklärte er trocken. Danach begann Jasdi, vielleicht wegen Samis nervöser Fahrweise, vielleicht auch wegen der gewundenen Gassen Jaffas, zu spucken.

Ora spürte die Anfälle zuerst in seinem Körper, unter den Rippen, die sich krampfartig hoben und senkten, und sie sagte Sami, er solle anhalten, und Sami schimpfte, hier könne man nicht halten. Auf dem Gehweg gegenüber stand ein Streifenwagen. Doch als er das nächste krampfhafte Röcheln von hinten hörte, gab er Gas, überfuhr rote Ampeln, suchte wohl ein dunkles Eckchen, einen abgelegenen Platz, und schrie auf Arabisch zu Jasdi, er solle sich noch zusammenreißen, er solle an sich halten, und er drohte ihm und verfluchte ihn und seinen Vater und den Vater seines Vaters. Ein Strahl Erbrochenes schoss aus dem Mund des Jungen. Sami schrie noch, nicht auf die Polster, dreh seinen Kopf zum Boden, doch Jasdis Kopf wurde in alle Richtungen geworfen, wie ein Luftballon, aus dem die Luft hinausschnurrt, und

Ora war über und über vollgespritzt, ihre Beine, die Hose, die Schuhe, das Haar. Samis rechte Hand schoss nach hinten, tastete, berührte und zuckte angewidert zurück. Gib mir seine Hand, *naschi*, Frau, schrie er mit dünner Stimme, leg mir seine Hand hierhin! Sie gehorchte mechanisch der Panik in seiner Stimme – irgendwo hoffte sie, er kenne vielleicht einen palästinensischen Schamanentrick zur sofortigen Heilung –, nahm Jasdis schlaffe Hand und legte sie auf die Plastiklehne aus Holzimitat zwischen den beiden vorderen Sitzen, und Sami schlug, ohne auch nur hinzusehen, einmal fest drauf, wie ein Schmiedehammer. Ora schrie, als hätte sie selbst den Schlag abgekriegt, und streckte die Hand aus, um Jasdis Hand wegzuziehen, und Sami schlug noch einmal zu, ohne es zu merken, auf ihren Arm.

Ein paar Minuten später erreichten sie die Schule. Sie hielten vor dem verschlossenen Tor, und ein bärtiger junger Mann, der wohl dahinter gewartet hatte, trat hervor, schaute sich in alle Richtungen um und gab Sami ein Zeichen, außen am Zaun entlangzugehen. So gingen sie, zwischen sich den Zaun. An einer dunklen Ecke des Zauns schob der junge Mann einen Balken weg und kam zu Sami heraus, beide unterhielten sich eilig flüsternd und blickten sich immer wieder um. Ora stieg aus dem Wagen und atmete die feuchte Nachtluft ein. Ihr linker Oberarm brannte, sie wusste, der Schmerz würde bald noch schlimmer werden. Im Licht der Straßenlaterne sah sie die Flecken des Erbrochenen auf sich, schüttelte sich vorsichtig, und ihre Glieder wichen angeekelt vor ihren Kleidern zurück. Der Bärtige legte die Hand auf Samis Schulter und begleitete ihn zum Auto. Sie schauten auf Jasdi, der drinnen lag, und Sami musterte mit traurigem Blick seine Sitzbezüge. Beide beachteten Ora nicht. Der Jüngere ließ mit dem Handy irgendein Tonzeichen los, da kamen drei Jugendliche aus der dunklen Schule angelaufen. Keiner sprach ein Wort. Die drei zogen Jasdi aus dem Wagen und trugen ihn schnell durch ein Nebentor hinein. Einer hielt ihn an den Schultern, die anderen an den Beinen. Ora dachte sich, das ist nicht das erste Mal, dass sie jemanden so tragen. Jasdis Kopf und seine Arme baumelten herunter, er hatte die Augen geschlossen, und aus irgendeinem Grund hatte sie den Eindruck, dass dies auch für ihn nicht das erste Mal war.

Als sie ihnen folgen wollte, wandte sich der bärtige junge Mann sofort zu ihr und schaute danach zu Sami. Sami ging auf sie zu und sagte: Vielleicht ist es besser, wenn du hierbleibst. Ora warf ihm einen Blick zu, der ihn erstarren ließ. Er gab sich geschlagen, ging wieder zu dem Bärtigen und flüsterte ihm etwas zu. Vermutlich sagte er ihm, das gehe schon in Ordnung, vielleicht sagte er sogar, die ist eine von uns.

In dem dunklen Schulhaus herrschte absolute Stille; nur der Mond und die Laternen leuchteten von draußen herein. Sami und der Bärtige verschwanden in einem der Zimmer. Ora blieb stehen und wartete. Als ihre Augen sich ein bisschen gewöhnt hatten, sah sie, dass sie in einer nicht sehr großen Eingangshalle stand, von der mehrere Flure abgingen. Hier und da erkannte sie kahle Blumentöpfe, an den Wänden halb abgerissene Aufrufe, ruhig zu sein und auf Ordnung und Sauberkeit zu achten. Sie roch Kinderschweiß und den fernen Gestank von Umkleideräumen, aber viel stärker war der Gestank des Erbrochenen auf ihren Kleidern. Wie sollte sie jetzt Sami und Jasdi finden, fragte sie sich, hatte aber Angst, sie zu rufen. Vorsichtig ging sie mit kleinen Schritten durchs Dunkel, bis sie einen der dünnen runden Pfeiler in der Mitte des Raums erreichte und stehen blieb. Ihr Blick schweifte über die Wände rundherum. Sie sah Fotos mit Gesichtern, die sie nicht erkennen konnte, vielleicht Herzl und Ben-Gurion, vielleicht auch der Ministerpräsident und der Generalstabschef. In der Ecke ihr gegenüber ein kleines Denkmal aus aufeinandergehäuften Steinen mit einem großen Foto, vielleicht von Jitzchak Rabin, und an der Wand darüber schwarze Metallbuchstaben. Ora ging langsam um die Säule herum, ließ aber eine Hand darauf liegen. Diese Kreisbewegung weckte in ihr das süße Schwindelgefühl mit dem leichten Prickeln glühender Asche in den Fingerspitzen, das sie als kleines Mädchen so gemocht hatte.

Als hätte sie sie aus der Kreisbewegung herausgeschält, erschienen ihr gegenüber Schemen von Männern, Frauen und Kindern, schweigend, dem Schicksal ergeben, in Lumpen gekleidet und mit der Asche des Flüchtlingsdaseins bestreut. Sie standen in einiger Entfernung an den Wänden und betrachteten sie. Ora erstarrte. Sie kommen zurück, dachte sie entsetzt. Einen irreführenden Augenblick lang meinte sie, sie seien wirklich da, durch ihre Kreisbewegung sei der Albtraum, der immer wieder irgendwo aufflackerte, wahr geworden. Eine junge Frau löste sich aus dem Bild, kam auf sie zu und sagte in gebrochenem Hebräisch, Sami habe gesagt, sie könne ihre Kleider in der Toilette waschen.

Ora folgte ihr. In den Fluren rumorten Schatten, und sie hörte rennende Schritte. Verschwommene Gestalten huschten vor ihren Augen vorbei. Nur selten war ein Wort zu hören. Die Frau zeigte ihr wortlos die Mädchentoilette. Ora ging hinein, hatte verstanden, dass sie kein Licht machen durfte, dass der ganze Ort im Dunkeln bleiben musste. In einer Kabine, deren Tür ausgehängt war, setzte sie sich auf eine niedrige Kloschüssel und pinkelte. Danach wusch sie sich im Waschbecken Gesicht und Haare, kratzte, so gut es ging, das Erbrochene von den Kleidern und ließ sich kaltes Wasser über den schmerzenden Arm laufen. Als sie fertig war, stützte sie sich mit durchgedrückten Armen auf die im fahlen Licht der Straßenlaternen glänzende Nirostafläche, schloss die Augen und gab sich ihrer großen Müdigkeit hin, doch mit der Entspannung kam auch der schmerzhafte Stich des Schreckens wieder, als wäre sie beim Wacheschieben eingeschlafen.

Was habe ich getan.

Ich habe Ofer zum Krieg gebracht.

Ich selber habe ihn zum Krieg gebracht.

Und wenn ihm was passiert?

Und wenn ich ihn heute das letzte Mal berührt habe?

Wie ich zuletzt, als ich ihn küsste, seine Wange an der zarten Stelle, wo er keine Bartstoppeln hat, berührt habe.

Ich habe ihn dorthin gebracht.

Ich habe ihn nicht aufgehalten. Hab es noch nicht einmal versucht.

Ich habe ein Taxi bestellt, und wir sind gefahren.

Zweieinhalb Stunden waren wir unterwegs, und ich habe noch nicht mal den Versuch gemacht.

Ich habe ihn dort zurückgelassen.

Ich habe ihn denen überlassen.

Mit eigenen Händen. Ich selbst!

Plötzlich stockte ihr Atem. Sie hatte Angst, sich zu bewegen, war wie gelähmt. Es war die Ahnung eines scharfen, greifbaren Wissens.

Pass gut auf dich auf, sagte sie zu ihm, ohne die Lippen zu bewegen, und schau dich auch immer um.

Da begann ihr Körper, sich von alleine zu bewegen. Eine feine, kaum spürbare Bewegung. Die Schultern, das Becken, ein Hüftschwung. Sie hatte sich nicht mehr unter Kontrolle, spürte nur, dass ihre Glieder Ofer vormachten, wie er sich bewegen musste, um den Gefahren und Fallen dort zu entgehen. Diese merkwürdigen ungesteuerten Bewegungen dauerten ein paar Sekunden, dann beruhigte sich ihr Körper, kehrte unter ihren Befehl zurück, und Ora atmete tief ein und wusste, alles war in Ordnung. Bis jetzt zumindest. Aj, seufzte sie zu ihrem kleinen Bauch, der sie verschwommen aus dem niedrigen Spiegel anschaute.

Manchmal hab ich den Eindruck, dass ich mich fast an jeden Augenblick mit ihm erinnere, seit seiner Geburt, sagte sie zu ihrem Bauch im Spiegel, und manchmal sehe ich, dass mir ganze Zeitabschnitte mit ihm verloren gegangen sind. Meine Freundin Ariela hatte eine Frühgeburt im sechsten Monat, sagte Ora zu einer älteren, beleibten Frau mit geblümtem Kopftuch, die in die Toilette gekommen war und still an der Seite stand, Ora mit guten Augen anschaute und anscheinend abwartete, bis sie sich beruhigte.

Man hat ihr eine Spritze gegeben, erzählte Ora leise weiter, die sollte den Embryo noch im Bauch umbringen. Der war nicht in Ordnung, mongoloid, und sie und ihr Mann waren zu dem Schluss gekommen, dass sie nicht in der Lage seien, so ein Kind großzuziehen. Aber das Kind kam lebendig zur Welt. Verstehen Sie das? Verstehen Sie mich? Die Frau nickte, und Ora sprach weiter: Sie haben sich wohl in der Dosierung vertan, und meine Freundin bat darum, das Kind zu halten, solange es noch lebte. Sie saß auf dem Bett, ihr Mann war rausgegangen, der hat das nicht ausgehalten. Ora warf der Frau einen Blick zu und meinte, ein Aufflackern von Verständnis und Mitgefühl zu erkennen. Eine Viertelstunde hat es in ihren Armen noch gelebt, sie hat die ganze Zeit mit ihm geredet, es war ein Junge, sie hat ihn umarmt und überall geküsst, jeden Finger und jeden Fingernagel hat sie geküsst, und sie erzählt immer, er habe schon wie ein ganz gesundes Kind ausgesehen, nur eben winzig klein und durchsichtig, und er habe sich ein bisschen bewegt und verschiedene Gesichter gezogen, richtig wie ein Baby, auch die Hände und den Mund habe er bewegt, aber keinen Laut von sich gegeben, erzählte Ora der Frau, die mit verschränkten Armen abwartete. Ganz langsam ist er dann einfach ausgegangen, sagte sie, verloschen, wie eine Kerze, in völliger Stille, ohne großes Theater, hat ein bisschen gezuckt und sich eingerollt, und das war's. Daran erinnert sich meine Freundin mehr als an ihre drei Geburten vor und nach ihm, und sie sagt immer, in der kurzen Zeit, die sie mit ihm hatte, habe sie versucht, ihm so viel Leben wie möglich und ihre ganze Liebe zu geben, obwohl sie es im Grunde gewesen war, die ihn getötet hat oder zumindest an der Entscheidung, ihn zu töten, beteiligt gewesen war, sagte Ora, fuhr sich mit den Händen fest über den Kopf, über die Schläfen, drückte ihre Wangen zusammen, und für einen Moment öffnete sich ihr Mund kreisrund zu einem stummen Schrei.

Die Frau senkte den Kopf und schwieg. Jetzt bemerkte Ora, sie war sehr alt, ihr Gesicht war von tiefen Falten zerfurcht und mit Tätowierungen übersät.

Was kann ich da klagen, sagte Ora später mit brüchiger Stimme, ich habe meinen Sohn einundzwanzig Jahre lang gehalten, *wachad wa-aaschrin sana*, erklärte sie der Frau in zögerndem Arabisch, das sie noch von der Schule konnte, nur sind die so schnell vorbeigegangen, ich hab das Gefühl, ich habe fast gar nichts mit ihm geschafft, erst jetzt, nachdem er mit der Armee fertig ist, hätten wir wirklich anfangen können, und hier brach ihre Stimme, doch sie fing sich gleich wieder, kommen Sie, gehn wir hier raus, und bringen Sie mich bitte zu Sami.

Es war nicht leicht, Sami zu finden. Die alte Frau kannte ihn nicht, und es sah aus, als habe sie auch überhaupt nicht verstanden, was Ora wollte. Doch führte sie sie bereitwillig von einem Zimmer zum nächsten und zeigte hinein, und Ora schaute in die dunklen Klassenzimmer; in einigen hielten sich Leute auf, nicht viele, hier drei, dort fünf, Kinder und Erwachsene, die um einen Schultisch saßen und sich flüsternd unterhielten, oder sie hockten auf dem Boden und wärmten sich auf einem kleinen Gaskocher ein Essen, oder sie schliefen in Kleidern auf Tischen und zusammengerückten Stühlen. In einem Zimmer sah sie jemanden auf einer langen Bank liegen und Leute, die sich lautlos an ihm zu schaffen machten. Sie ging weiter durch die Klassenzimmer. Anderswo kniete ein Mann auf dem Boden und verband einem Erwachsenen, der vor ihm auf dem Stuhl saß, das Bein. Eine junge Frau säuberte eine Wunde auf dem freien Oberkörper eines Mannes mit verzerrtem Gesicht. Aus anderen Zimmern hörte sie unterdrücktes Stöhnen und beruhigendes Murmeln. Scharfer Jodgeruch stand in der Luft. Und was passiert am Morgen? fragte Ora, als sie auf den Flur hinaustrat.

Am Morgen, wiederholte die alte Frau auf Hebräisch und fuhr mit einem breiten Lächeln auf Arabisch fort: Am Morgen *kulhum mafisch!* Am Morgen sind alle längst wieder weg! Mit den Händen machte sie die Bewegung einer zerplatzenden Blase.

In einem Zimmer fanden sie Sami und Jasdi. Auch hier gab es nur das Licht der Laternen von draußen, und es herrschte völlige Stille. Ora blieb in der Tür stehen und betrachtete die kleinen Stühle, die umgekehrt auf den Tischen standen. Auf einem großen bunten Karton sah sie unter der Überschrift »Brücken bauen« eine aufgemalte Brücke und darunter viele Vierecke von Konflikten, die friedlich gelöst werden müssen. Aschkenasim und Sephardim, Linke und Rechte, Religiöse und Säkulare – Sami und der Bärtige standen ein paar Schritte weiter neben der Tafel und unterhielten sich leise mit einem kleinen stämmigen älteren Mann mit silbergrauem Haar. Sami nickte ihr mit verschlossenem Gesicht kaum merkbar zu, er ignorierte sie fast. Sie schaute ihn an. Etwas in der Art, wie er dastand, an seinen die Luft zerschneidenden Handbewegungen, war für sie neu an ihm, völlig fremd. Drei kleine Kinder zwischen zwei und drei Jahren entdeckten Ora und rannten aufgeregt um sie herum, zogen sie ohne Hemmungen an der Hose und an den Händen. Sie gaben kaum einen Laut von sich, bemerkte Ora staunend, auch sie waren bereits erfahrene Küken des Steinhuhns. Sie folgte ihnen in eine Ecke des Klassenzimmers ans Fenster. Ein paar Frauen saßen dicht zusammengedrängt um eine Person herum. Ora schaute zwischen den Köpfen der Frauen hindurch: Auf dem Boden saß mit ausgestreckten Beinen eine große Frau, barfuß, an die Wand gelehnt, und stillte Jasdi. Sein Mund schloss sich um ihre Brustwarze, und seine Beine baumelten von ihren Hüften. Jetzt trug er andere Kleidung, ein braun-weiß kariertes Hemd und eine schwarze Stoffhose. Das erste Mal sah Ora sein Gesicht entspannt. Die stillende Frau schaute ihn konzentriert an. Sie hatte ein kräftiges, wildes Gesicht, knochige, etwas männliche Wangen, und ihre Brust war groß und weiß. Die Frauen waren wie hypnotisiert. Ora stand auf Zehenspitzen, es zog sie weiter in den Kreis hinein, hatte doch auch sie einen Anteil an Jasdi, vielleicht wollte sie auch bloß noch einmal seine Hand berühren und sich von ihm verabschieden. Doch als sie sich zu ihm hindurchschieben wollte, schlossen sich die anderen Frauen vor ihr zusammen wie ein Leib, und Ora zog sich zurück und stellte sich beschämt wieder hinter sie.

Jemand berührte ihre Schulter. Es war Sami. Bleich und erschöpft sagte er, komm, wir sind hier fertig.

Und was ist mit ihm? fragte sie und deutete mit dem Kopf auf Jasdi.

Das geht schon in Ordnung. Sein Onkel kommt ihn hier abholen. Der nimmt ihn mit.

Und wer ist das, fragte sie und wies auf die stillende Frau.

Eine Frau. Der Arzt hat gesagt, sie solle ihn stillen. Diese Milch spuckt sein Körper nicht aus.

Gibt es hier denn einen Arzt?

Sami zeigte mit einer Bewegung der Augenbrauen auf den silberhaarigen kleinen Mann.

Was macht ein Arzt hier? Was ist das hier überhaupt?

Sami zögerte. Diese Leute, die kommen aus der ganzen Stadt für die Nacht hierher.

Warum?

Nachts ist das hier das Krankenhaus der Illegalen.

Ein Krankenhaus?

Für die Illegalen aus den besetzten Gebieten, die sich bei der Arbeit verletzt haben oder die Schläge abgekriegt haben, sagte er, und Ora dachte: Als gäbe es eine feste Anzahl von Schlägen.

Komm, wir gehn.

Aber warum hier? fragte sie.

Doch Sami war schon aus dem Zimmer und ließ sie mit dem Nachhall ihrer Frage zurück. Sie folgte ihm durch den Flur; es fiel ihr schwer, Abschied zu nehmen, nicht nur von Jasdi, sondern von diesem Ort. Von diesem im Verborgenen Gutes tuenden Gewimmel hier.

Aber auch von Jasdi, warum sollte sie es abstreiten, und von dem, was er in ihr geweckt hatte, als er sich so an sie schmiegte, als sie ihm das Erbrochene abwischte, als sie mit ihm das Blickspiel spielte, als sie ihn in ihrem Schoß tröstete, nachdem Sami ihn und sie geschlagen hatte. Sie spürte, dass diese kleinen Handlungen in ihr etwas Altes, ihr sehr Kostbares aufgeweckt hatten, das anscheinend keiner mehr brauchte und das auch sie selbst schon fast vergessen hatte.

Beinahe wollte sie umkehren, wollte sich noch einmal hineinschleichen, noch einmal die große Frau, die Jasdi stillte, anschauen, noch einmal diesen Ausdruck höchster Konzentration auf ihrem Gesicht sehen, und das leichte Zittern, das ab und zu über ihre Stirn huschte. Wie sanft sie ihm gezeigt hatte, beim Trinken nicht zu beißen, dachte Ora, mit was für einer natürlichen Mütterlichkeit, und er war doch gar nicht ihr eigener Sohn.

In der Eingangshalle waren jetzt Frauen und Kinder dabei, den Boden zu wischen, und sie erinnerte sich an etwas, was Sami ihr vor vielen Jahren einmal gesagt hatte: Niemals werde ich die Juden verstehen: Den ganzen Tag über kontrolliert ihr uns überall, haltet uns an, durchsucht uns bis auf die Unterhosen, und in der Nacht, da überlasst ihr uns plötzlich die Schlüssel zu euren Restaurants, zu euren Tankstellen, Bäckereien und Supermärkten.

Noch eine Frage, sagte sie, während sie ihm nacheilte, und die Nachbarn, die merken nichts?

Er zuckte mit den Schultern. Nach ein, zwei Wochen merken sie bestimmt etwas.

Und dann?

Dann? Dann geht man woandershin. Das ist immer so.

Sie standen draußen, Ora schaute zurück und fragte sich, ob man bei Flüchtlingen um politisches Asyl ersuchen kann, denn sie ihrerseits war bereit, sich im nächsten Monat hier zu verstecken. Die Illegale unter den Illegalen zu sein. Hier könnte sie wenigstens jemandem nutzen.

Ofer, dachte sie, Ofer, wo bist du? Was passiert gerade mit dir?

Woher willst du wissen, dass er dort nicht grade dem kleinen Bruder dieser Frau oder dem Sohn von diesem Arzt begegnet?

Als sie das Auto erreichten, sprangen drei fröhliche kleine Mädchen mit Lumpen, einem kleinen Eimer und Bürsten heraus. Sie blieben an der Seite stehen, kicherten und beobachteten Ora insgeheim. Sami besah sich noch einmal den Hintersitz und seufzte. Ora setzte sich neben ihn.

Sami ließ den Wagen nicht an. Er spielte mit seinem schweren Schlüsselbund. Ora wartete. Er drehte sich, hinter dem Steuer eingezwängt, ganz zu ihr. Selbst wenn du mir verzeihst, weil ich dich geschlagen habe, ich kann mir das nicht verzeihen. Ich könnte mir dafür die Hand abhacken.

Fahr los, sagte sie müde, ich werde erwartet.

Moment noch, sagte Sami, ich bitte dich sehr.

Was willst du?

Ihrer beider Augen rannten voreinander hin und her, wie angekettete Hunde auf beiden Seiten eines Zauns. Nette, vertraute, sogar geliebte Gesichter waren auf einmal völlig fremd. So fremd, dass du dir gar nicht die Mühe machen willst, sie zu deuten, dachte sie, und sie dir anzueignen.

Sami schaute einen Moment weg, schluckte und sagte: Dass bloß der Herr Ilan nichts davon erfährt.

Der Gestank des Erbrochenen stand noch immer im Wagen, und Ora dachte sich, wie doch alles zusammenpasst. Auch der »Herr«, den er Ilans Namen plötzlich vorangestellt hat. Herr Ilan und Frau Ora. Sie hielt einen Moment inne. Tatsächlich hatte sie auf so eine Bitte schon gewartet und mit sich selbst auch bereits den Preis ausgehandelt, den sie im Gegenzug verlangen würde. Ilan wäre stolz auf mich, dachte sie bitter und sagte, jetzt fahr los.

Aber ... Aber was meinst du ...

Fahr schon, befahl sie und staunte über ein Beben, das ihm gegenüber noch nie in ihr aufgekommen war; es war die Süße der Herrschaft und der Macht. Eine kleines, angenehmes Aufflackern von Willkür: Fahr erst mal, dann sehen wir schon.

Das erste Tageslicht beginnt zu schimmern, sie liegen am Rand eines Feldes, so weit das Auge reicht, entrollen sich die verschiedensten Grüntöne. Sie erwachen aus einem leichten Schlaf, letzte Traumweben ziehen vorüber, auf der Welt nur er und sie, sonst keiner; der Duft des ersten Schöpfungstages steigt von der Erde auf, die Luft summt von winzigen Geschöpfen, noch ist das Laken der Morgendämmerung straff ausgespannt, durchsichtig und feucht vom Tau. In ihrer beider Augen steigt ein leises Lächeln auf. Es ist das Lächeln noch vor der Angst. Noch bevor sie sie selbst sind.

Dann stellte Avrams Blick scharf: Ora saß ihm gegenüber, an einen riesigen Rucksack gelehnt, und hinter ihr ein Feld, ein Hain, ein Berg. Mit überraschender Schnelligkeit kam er auf die Beine. Was ist das hier? Natur, sagte Ora, zuckte mit den Schultern und brummte, irgendwo in Galiläa, was weiß ich. Galiläa?! Sein Gesicht rundete sich zu einem endlosen Staunen. Wo bin ich? flüsterte er, und Ora sagte, da, wo der Typ uns in der Nacht rausgeschmissen hat.

Avram fuhr sich mit der Hand übers Gesicht, rieb, rubbelte, drückte fest, warf seinen großen Kopf hin und her: Wer hat uns rausgeschmissen? Der Taxifahrer? Der Araber?

Ja, der Araber. Sie streckte ihm die Hand entgegen, wollte, dass er ihr beim Aufstehen half, doch er schien ihre Geste nicht zu verstehen.

Ihr habt euch angeschrien, erinnerte er sich. Ich habe geschlafen, du hast auch geschrien, nicht wahr?

Vergiss es, das ist jetzt nicht wichtig. Sie stand seufzend auf, begegnete feindlichen Gelenken und schadenfrohen Gliedern. Ihr habt ja recht, dachte sie, und ging ihr Sündenregister Punkt für Punkt durch: Sie hatte Avram auf ihrem armen Rücken ganze vier Stockwerke hinuntergeschleppt, dann der Albtraum der nächtlichen Taxifahrt und das mondsüchtige Herumirren auf diesem Feld, da war sie ein paarmal gestolpert und gefallen, und schließlich das Zusammenbrechen hier am Rand des Feldes und das Schlafen auf der Erde, wenn man das Schlaf nennen konnte.

Das ist nichts mehr für mein Alter, dachte sie.

Diese Tablette, die haut einen um, murmelte Avram, dieses Prodormin. Ich bin daran nicht gewöhnt. Ich habe gar nichts machen können.

Du hast genug gemacht, seufzte sie im Stillen, und laut sagte sie, wenn du wüsstest, was für einen Tag ich mit dem duchgemacht habe.

Aber warum hat er uns ausgerechnet hierher gefahren? fragte Avram noch einmal verzweifelt, als verstehe er erst allmählich, was man ihm angetan hatte, und was jetzt? Was machen wir jetzt, Ora? Mit jeder Minute sammelten sich mehr Ängste in ihm; sie fanden schon keinen Platz mehr in seinem Körper.

Ora klopfte sich auf den Hintern, schüttelte Erde und trockene Blätter ab. Ein Kaffee würde jetzt helfen, dachte sie und murmelte Kaffee, Kaffee, um die Gedanken zum Schweigen zu bringen, die wie verrückt in ihr herumgackerten, was mach ich jetzt mit ihm, was habe ich mir dabei gedacht, als ich ihn hierher mitgeschleppt habe?

Jetzt gehen wir, beschloss sie, und wagte es nicht, ihn anzuschauen.

Warum gehen? Wohin? Ora! Wohin sollen wir denn gehen?

Ich schlage vor, sagte sie und traute ihren Ohren kaum, wir nehmen die Rucksäcke und laufen ein bisschen. Komm, wir gehn. Mal sehen, wo wir überhaupt sind.

Avram starrte sie ausdruckslos an. Ich muss bei mir zu Hause sein, sagte er langsam, als erkläre er einem Schwachsinnigen die einfachsten Tatsachen des Lebens.

Ora schnallte sich den Rucksack auf den Rücken, geriet ein bisschen ins Wanken und wartete. Avram rührte sich nicht. Die Ärmel seines Hemdes bebten. Das ist deiner, sagte Ora und zeigte auf den anderen Rucksack. Der blaue. Wieso meiner? fragte er und schreckte zurück, als wäre der Rucksack ein hinterlistiges Tier, das ihn gleich anfallen würde. Der gehört mir nicht, murmelte er, den kenn ich gar nicht.

Das ist deiner, wiederholte sie, komm, lass uns losgehn. Reden können wir unterwegs. Nein, beharrte Avram, sein schütterer Bart sträubte sich etwas, ich geh hier nicht weg. Erst erklärst du mir, was … Unterwegs, unterbrach ihn Ora und marschierte los, mit verkrampften Schultern, als führe sie ein unerfahrener Puppenspieler an Fäden, ich erzähl dir unterwegs, hier können wir nicht bleiben. Warum nicht, beharrte Avram. Das darf ich nicht, sagte sie ganz schlicht, und als sie das sagte, wusste sie, sie hatte recht, dies war das Gesetz, nach dem sie angetreten war: Nicht zu lange am selben Ort zu verweilen, kein ruhendes Ziel zu bieten – weder Menschen noch Gedanken.

Entsetzt sah er, wie sie sich in Richtung Weg entfernte. Sie wird gleich umkehren, dachte er, sie kommt schon wieder. Sie wird mich nicht so zurücklassen. Das traut sie sich nicht. Ora blieb nicht stehen und schaute sich auch nicht um. Sein Mund zitterte von der gewaltigen Wut und der Kränkung. Plötzlich stampfte er auf, stieß einen kurzen, bitteren Schrei aus, vielleicht ihren Namen, vielleicht Arschloch und fuck-you und was-glaubst-du-eigentlich und du-spinnst-ja, und Mama-warte-doch, alles in einem Atemzug. Ora zuckte zusammen, ging aber weiter. Kraftlos hob Avram den Rucksack, nahm ihn auf die linke Schulter, kickte mit dem Fuß gegen die Erde und begann, ihr hinterherzugehen.

Der Weg führte durch Felder und Plantagen. Pappeln schimmerten silbern, an den Wegrändern richtete sich der Senf duftend in gelben Büscheln auf. Schön ist es hier, dachte sie beim Gehen. Sie hatte keine Ahnung, wo sie war und wohin sie ging. Hinter sich hörte sie seine Schritte, seinen stammelnden Gang, und schaute sich um: Verloren und erschreckt tastete er sich durch den weiten Raum. Er bewegt sich im Licht wie ich mich im Dunkeln, dachte sie und erinnerte sich, wie sie ihn am Abend gesehen hatte, einen langsamen, gebeugten Schatten in der Tiefe seiner dunklen Wohnung.

Dass er dort wohl kein Licht anmachte, hatte sie begriffen, als er ihr nach minutenlangem Klopfen und Gegen-die-Tür-Treten endlich öffnete. Die Klingel war aus der Halterung gerissen. Im Treppenhaus funktionierte keine einzige Glühbirne. Vier Stockwerke hatte sie sich an löchrigen Wänden und einem speckigen Steingeländer durch verschiedene Wolken von Gestank nach oben getastet. Als er ihr schließlich aufmachte – ihre neue Brille, die er noch nicht kannte, hatte sie plötzlich abgenommen –, wirkte er im Dunkeln wie ein Koloss von gewaltiger Breite, so dass sie einen Moment zweifelte, ob er es war, und zögernd seinen Namen sagte, und er schwieg, und sie sagte, hier bin ich, suchte noch mehr Wörter, um den Abgrund zu füllen, der sich in ihrem Magen auftat. Die Dunkelheit in der Wohnung hinter ihm und das Gefühl, dass er von dort wie ein Bär aus seiner Höhle aufgetaucht war, machten ihr Angst. Sie nahm ihren Mut zusammen, streckte die Hand in seine Wohnung, tastete die Wand entlang und fand den Schalter. Trübes gelbes Licht überflutete sie beide, und schon tauschten ihre Blicke erbarmungslose Informationen aus.

Sie hatte sich insgesamt besser gehalten. Ihr sehr kurz geschnittenes gelocktes Haar war fast ganz silbern, doch ihr Gesichtsausdruck, noch immer offen und arglos, strebte ihm entgegen, das spürte er sogar im Zustand seiner Dumpfheit, und ihre großen braunen Augen drangen auch heute noch mit einer ernsten Frage in ihn. Dennoch, sah er, etwas in ihr war vertrocknet und abgestumpft; ein paar mehr haarfeine Linien um die Lippen, wie Vogelspuren im Sand, und in der Art, wie sie dastand, spürte er, in ihr war etwas verloschen: ihr halsstarriger Wagemut und dieses Fohlenhafte, das sie immer an sich gehabt hatte. Auch der gerne lachende, großzügige Mund, Oras großer Mund, schien ihm jetzt skeptisch und spannungslos.

Er hatte in diesen drei Jahren fast alle Haare verloren, sah Ora, sein Gesicht mit dem Einwochenbart war aufgequollen und wie verschlossen. Seine blauen Augen, bei deren Anblick sie früher einen trockenen Mund bekommen hatte, wirkten trüb, gleichsam geschrumpft und ins Gesicht eingesunken. Noch immer bewegte er sich nicht, versperrte mit seinem Körper und den dicken, etwas abstehenden Pinguinarmen die Tür. In einem verwaschenen, an den Nähten aufplatzenden T-Shirt stand er vor ihr, brummte etwas und biss sich mit so ärgerlicher Nervosität auf die Lippen, dass sie ihn ausdrücklich fragen musste: Lässt du mich nicht rein? Da wich er zurück, schlurfte barfuß in die Wohnung und schimpfte dabei vor sich hin. Sie schloss die Tür und trat in einen Geruch, der eine Sphäre für sich bildete. Als hätte man ihr eine dicke Decke mit vielen Falten übergeworfen. Ein Geruch von Kofferinhalt, verschlossenen Schubladen, ungelüftetem Bettzeug, unter dem Bett liegenden Socken und Staubflusen.

Hier waren sie – die schwere Anrichte mit dem abgeblätterten Furnier, der ausgefranste, durchgetretene Teppich, die schockierend roten Sessel, deren Polsterstoff schon vor fünfunddreißig Jahren durchgesessen und eingerissen war –, die Möbel seiner Mutter, sein einziger Besitz, mit dem er noch immer von einer Wohnung in die nächste umzog. Wo bist du so lange geblieben, schimpfte er, du hast gesagt, eine Stunde.

Sofort knallte sie ihm ihren Vorschlag hin, schleuderte ihn mit lauter, angespannter Stimme Avram entgegen, provozierend und gleichzeitig verlegen, wie eine, die genau wusste, wie abwegig der Vorschlag war, die erstmal Land gewinnen musste, einen Pflock einschlagen. Danach könne man dann weitersehen. Doch er schien sie überhaupt nicht zu hören. Er schaute sie auch nicht an. Mit stockenden Bewegungen wiegte er den auf die Brust gesunkenen Kopf. Warte, sagte sie, sag noch nicht nein, denk einen Moment nach. Er hob den Kopf zu ihr, alle seine Bewegungen waren sehr langsam. Im Licht der nackten Glühbirne sah sie wieder, was ihm die letzten Jahre angetan hatten.

Es tut mir aufrichtig leid, sagte er schwerfällig, aber ich kann jetzt nicht. Vielleicht ein andermal.

Wäre es nicht so traurig gewesen, sie hätte schallend gelacht. Es tut mir aufrichtig leid, sagte er zu ihr, wie ein Bettler in der Gosse, der, wenn er aus einer Blechbüchse Tee trinkt, den kleinen Finger abspreizt.

Avram. Ich …

Ora, nein.

Auch so kurze Sätze waren ihm wohl zu schwer. Und vielleicht war es auch der Geschmack ihres Namens in seinem Mund. Auf einen Schlag wurden seine Augen rot; es sah aus, als tauche er noch tiefer in seinen Körper. Hör mich an, schimpfte Ora mit neuem Nachdruck, den sie während des Gesprächs mit Sami erworben hatte, ich kann dich zu nichts zwingen, aber hör mich erst bis zu Ende an, dann kannst du entscheiden: Ich bin einfach geflohen, verstehst du? Ich bin nicht in der Lage, dazusitzen und zu warten, bis sie kommen.

Bis wer kommt?

Sie, sagte Ora, schaute ihm kurz in die Augen und sah, dass er verstand.

Aber hier kannst du nicht schlafen, murmelte er zornig, ich hab kein zweites Bett.

Ich will hier auch nicht schlafen, ich fahr weiter. Ich bin gekommen, um dich mitzunehmen.

Er nickte lange, lächelte sogar ein bisschen, mit der Höflichkeit eines Touristen in einem Land, dessen Regeln er nicht kennt. Sie sah, er begriff überhaupt nicht, was sie gesagt hatte.

Wo ist Ilan, fragte er.

Ich fahre für ein paar Tage in den Norden, komm doch mit.

Ich kenne die gar nicht, was ist mit der los. Wie kann sie überhaupt …

Zu ihrem Erstaunen sagte er das, was er dachte, laut. Früher, vor vielen Jahren, war das ein geschickter Trick von ihm gewesen: »Ora begehrt mich nicht mehr, grübelte Avram betrübt und wollte nur noch sterben«, hatte er ihr manchmal gesagt, dann lächelnd geleugnet, es gesagt zu haben, und sie noch bezichtigt, in seine geheimsten Gedanken einzudringen. Aber das hier war etwas anderes. Beunruhigend. So ein inneres, ganz persönliches Reden, das unkontrolliert aus ihm aufstieg. Seine Augen suchten den Sessel, und er ging hin und sank hinein, lehnte den Kopf so weit zurück, dass sein Hals, rot, dick und mit Bartbüscheln, sichtbar wurde. Wo ist Ilan, fragte er wieder, beinahe flehend. Unten steht ein Taxi, das wartet auf mich, sagte Ora, ich möchte, dass du mitkommst. Wohin? Ich weiß nicht, lass uns in den Norden fahren, Hauptsache, weg von hier. Einer seiner Finger bewegte sich schlaff, als dirigiere er in seinem Innern eine Melodie: Und was wirst du da machen? Ich weiß nicht, keine Ahnung. Ich habe ein Zelt, einen Rucksack und Essen für die ersten Tage. Auch für dich hab ich alles dabei, alles schon gepackt. Schlafsack auch. Komm.

Für mich? Sein über die Sessellehne zurückgebeugter Kopf tauchte wieder auf. Rot wie ein Mond. Die ist doch verrückt, murmelte er zu sich, völlig durch den Wind. Und Ora war schockiert, dass er bis zu den Wurzeln seiner Gedanken offen vor ihr lag, und sie verhärtete ihr Herz. Ich geh erst nach Hause, wenn diese ganze Sache dort vorbei ist, sagte sie, komm mit. Er ächzte. Was denkt die sich, als könnte ich plötzlich – er wies mit einer schwachen Handbewegung auf die ganze

Wohnung, auf sich selbst, zeigte ihr gewissermaßen sein Beweismaterial und die mildernden Umstände.

Hilf mir, sagte Ora leise.

Er schwieg. Er sagte zum Beispiel nicht, dass sie ihn ja nicht suchen würden, dass sie keinen Grund hätten, auch ihn zu suchen, was hatten sie mit ihm zu schaffen. Er sagte auch nicht, das sei allein ihr Problem. Und dieses Schweigen, dieser Rest von Fairness, den sie in ihm zu erkennen meinte, war ein Hoffnungsschimmer.

Aber vielleicht kommen sie ja gar nicht, versuchte er es, selbst unsicher.

Avram, sagte sie leise, beinahe warnend.

Er holte tief Luft: Vielleicht wird ihm nichts passieren.

Sie beugte sich direkt in sein Gesicht, schaute ihm tief in die Augen, und ein dunkles Aufblitzen sprang zwischen ihnen beiden hin und her, der Bund ihres bitteren Wissens um die schlechtestmögliche aller Welten.

Gib mir zwei Tage, sagte sie, weißt du, was? Gib mir einen Tag, mehr nicht, vierundzwanzig Stunden, das versprech ich dir, morgen Abend bring ich dich hierher zurück. Sie glaubte, was sie sagte, dachte, sie müsse vor allem die ersten vierundzwanzig Stunden überstehen, danach, wer weiß, vielleicht ist dann ja schon alles vorbei, und sie und Avram können jeder in sein Leben zurückkehren, oder vielleicht würde sie nach so einer Nacht und so einem Tag ja selbst aus ihrer Einbildung erwachen, sich wieder fangen, nach Hause fahren und tun, was alle tun: dasitzen und warten, dass sie kommen.

Also, was sagst du?

Er antwortete nicht, und sie seufzte, hilf mir, Avram, nur die ersten Stunden zu überstehen. Er schüttelte heftig den Kopf, seine Augenbrauen verkrampften sich, sein Gesicht wurde ernst und konzentriert. Er dachte daran, was sie für ihn getan hatte, was sie für ihn gewesen war. Was für ein Scheißkerl bin ich, dachte er, noch nichtmal einen Tag kann ich ihr geben. Sie hörte ihn. Zeit schinden muss ich, dachte er mühsam, in ein paar Minuten bin ich schon nicht mehr … Ora hockte sich vor ihn, legte ihre Hände auf die Armlehnen neben seinen Körper. Das wurde ihm unerträglich. Er drehte den Kopf zur Seite. Die ist hysterisch, dachte er wütend, und irgendetwas stimmt auch nicht mit ihrem Mund. Ora nickte, ihr kamen die Tränen. Sie soll gehen, dachte Avram laut, rutschte ruhelos auf seinem Platz hin und her, sie soll schon gehn und mich alleine lassen. Warum ist sie überhaupt plötzlich hier?

Etwas rumorte in einer Ecke ihres Gehirns. Was hatte er gemeint, dass er in ein paar Minuten schon nicht mehr … Avram zog ein schiefes Lächeln, seine schweren, geschwollenen Lider öffneten sich nur noch mit Mühe und ließen rote Sicheln erkennen: Ich habe schon eine Tablette genommen. In einer Minute schlafe ich wie ein Toter. Bis zum Morgen werd ich nicht – Aber du wusstest doch, dass ich komme! Wenn du früher gekommen wärst … Seine Stimme dickte schon ein: Warum bist du nicht früher gekommen? Warum warst du nicht da? Sie eilte in das kleine Badezimmer. Auch die Birne über dem Spiegel war durchgebrannt. Sie bewegte die Finger wirr über dem Waschbecken, als wolle sie Lichtschnüre aus dem Wohnzimmer zu sich ziehen. Rost hatte sich an den Wasserhähnen festgesetzt, im Abfluss des Waschbeckens und um die Schrauben, mit denen die Regalbretter an den rosafarbenen Kacheln befestigt waren. Zu ihrer Überraschung lagen nur wenige Medikamente auf den Regalbrettern. Sie kam durcheinander: Sie erinnerte sich an die Medikamentenvorräte, die er früher hatte, von denen er ihr bei ihren seltenen Treffen, bevor Ofer eingezogen wurde, auch detailliert erzählt hatte: Prodormin, Zolpidem, Zolpiclon, Ximovan, hatte er geschimpft, Namen wie die Klänge auf einem Kinderxylophon. Jetzt lagen hier nur noch Schachteln von Antihistaminika, wohl gegen seine Frühlingsallergien, ein paar Valium und einzelne Still-Nox, vor allem aber pflanzliche Schlafmittel. Das ist gut, dachte sie, er hat sich wohl irgendwie entgiftet, wenigstens eine gute Sache. Sie stopfte die Tabletten in eine Plastiktüte, die sie im Kasten mit der schmutzigen Wäsche gefunden hatte, ging hinaus und noch einmal zurück: Auf einem gesonderten Regalbrett an der Seite lagen ein riesiger silberner Ohrring, wie der Sporn eines Reiters, ein Deodorant mit Vanillegeruch, eine Haarbürste mit einem Knäuel kurzer violetter Haare.

Danach schaute sie in die Speisekammer, sah Pappkartons voll leerer Bierflaschen. Sie nahm an, dass er mit dem Flaschenpfand einen Teil seines Geldes verdiente. Als sie zu ihm zurückkam, fand sie ihn schon in tiefem Schlaf, die Arme und Beine von sich gestreckt, der Mund offen. Sie stützte die Hände in die Hüften. Was tun? Erst jetzt bemerkte sie die großen Bilder, die mit Kohle an die Wände gezeichnet waren: Götter oder prophetenähnliche Gestalten, eine Frau stillt einen Kranich, dessen menschliche Augen mit langen Wimpern geschmückt sind, Babys wie schwebende Lämmchen, deren feines Haar sich wie ein Schein um ihre Köpfe legt. Einer der Propheten trug Avrams Züge. Die stillende Frau war im Grunde ein junges Mädchen mit einem zarten, lieben Gesicht und einer Mohawk-Frisur. An einer Wand stand ein improvisierter Arbeitstisch – eine Holztür auf Böcken –, darauf aufgehäuft kleinere und größere Schrottteile, Werkzeuge, Tuben mit Kleber, Scheren, Schrauben, rostige Konservendosen, alte Wasserhähne, Uhren in unterschiedlichem Zerlegungszustand, Bündel alter Schlüssel, haufenweise abgegriffene Bücher. Sie schlug ein altes Fotoalbum auf, das voller Stockflecken und an den Rändern zerrissen war, Geruch von Moder schlug ihr entgegen. Es war leer. Bis auf die Klebeeckchen zum Befestigen der Fotos und schräg geschriebene Bildunterschriften in einer unbekannten Handschrift: Papa und ich, Odessa, Winter 36; Oma, Mama und Avigail (im Bauch) 1949; und jetzt ratet mal, wer dieses Jahr die Estherkönigin war?

Avram stöhnte, schlug die Augen auf und sah sie vor sich. Du bist da, murmelte er, spürte, wie sich ihre Fingernägel in seine Handgelenke bohrten, und versuchte zu verstehen, wie das alles zusammenhing. Er schüttelte den Kopf, morgen, komm morgen, es wird schon alles gut werden. Ihr Gesicht kam ihm wieder sehr nah. Er begann zu schwitzen. Sie schrie ihm ins Ohr: Kneif jetzt nicht. Die Stimme zerfiel für ihn in leere Silben und Klänge. Sie sah, wie sich die Zunge in seinem Mund bewegte, und beugte sich wieder über ihn. Dann komm eben schlafend mit, sagte sie, komm bewusstlos, aber komm, lass mich mit dem allen nicht allein. Er schnaufte bereits mit offenem Mund, aber was ist mit Ilan, warum geht Ilan nicht mit ihr mit …

Später, er wusste nicht, ob eine Minute oder eine ganze Stunde vergangen war, öffnete er wieder mühsam die Augen, aber sie war nicht mehr da. Einen Moment dachte er, sie sei gegangen, sie habe ihm das erlassen, und es reute ihn, dass er sie nicht gebeten hatte, ihm ins Bett zu helfen. Morgen würde ihm der ganze Rücken weh tun.

Doch dann hörte er voller Schrecken, dass sie in seinem Schlafzimmer zugange war. Er versuchte aufzustehen, wollte sie von dort verjagen, aber seine Arme und Beine waren wie Wasserschläuche. Er hörte, wie sie dort nach dem Lichtschalter tastete, aber da gab es keine Glühbirne. Ich hab vergessen sie zu wechseln, murmelte er, das mach ich morgen. Danach hörte er wieder Schritte. Sie kommt raus, dachte er erleichtert. Dann hielten die Schritte an, es folgte eine lange Stille. Er erstarrte in seinem Sessel, er wusste, was sie jetzt anschaute. Komm da raus, brummte er stimmlos. Sie räusperte sich trocken und ging das Licht im Flur anmachen, um besser sehen zu können. Hätte er gekonnt, er wäre aufgestanden und hätte die Wohnung verlassen.

Avram, Avram, Avram, wieder ihre Stimme und ihr Atem in seinem Gesicht, du kannst hier nicht alleine bleiben, flüsterte sie, und in ihrer Stimme schwang schon etwas Neues, sogar er bemerkte das. Nicht die Panik von vorher, sondern ein Wissen, das ihn noch mehr beunruhigte. Wir müssen zusammen fliehen, du hast keine Wahl, wie blöd ich war, du hast ja gar keine andere Wahl. Und er wusste, sie hatte recht, doch schlangen sich schon warme Fäden um seine Waden, er spürte, sie kamen höher, umwanden mit einer Art präziser mütterlicher Hingabe bereits seine Knie und Hüften und spannen ihn gut und weich ein, so dass er die Nacht in dem Kokon verbringen könnte. Ein paar Jahre schon hatte er kein Prodormin mehr genommen, Neta hatte es ihm verboten, und die Wirkung war jetzt gewaltig: Seine Beine lösten sich auf. Noch einen Augenblick, dann würde eine weitere mühevolle Schicht des Wachseins enden, und er wäre sich selbst für fünf, sechs Stunden los. Jetzt hast du Socken und Schuhe an, sagte Ora und richtete sich auf, komm, gib mir die Hand und versuch aufzustehen. Er atmete langsam und schwer, seine Augen waren geschlossen, sein Gesicht war angestrengt. Wenn er sich bloß einen Moment konzentrieren könnte, wenn sie bloß einen Moment die Klappe halten würde. Er doch schon fast dort, es ist eine Sache von Sekunden, aber auch sie scheint das zu wissen, denn sie lässt nicht locker, bleibt ihm auf den Fersen, wie kommt es, dass man sie da überhaupt reinlässt, immer wieder ruft sie ihn beim Namen, rüttelt ihn an den Schultern, was die für eine Kraft hat, sie war immer schon stark, schlank und stark, hatte ihn beim Armdrücken untergekriegt, denk nicht nach, erinnre dich nicht, denn jenseits ihres Schreiens spürt er jetzt endlich den leichten Nebel des Schwindels, der sich für ihn bildet, dort auf ihn wartet, eine zähe Stille, eine Kuhle genau in der Form seines Körpers, weich wie eine Handfläche, und eine Wolke wird das Ganze zudecken.

Ora stand vor dem schlafenden Mann im Sessel. Drei Jahre hab ich ihn nicht gesehen, dachte sie, und jetzt habe ich ihn noch nicht mal umarmt. Wie er so dalag, mit auf die Brust gesunkenem Kinn, richteten sich die Bartbüschel um seinen Mund auf und gaben ihm das Aussehen eines betrunkenen Trolls, bei dem man nur schwer entscheiden konnte, ob er gutherzig oder verbittert und grausam war. Schau mal, wie merkwürdig, mit diesen Worten hatte er sich einmal nackt vor sie hingestellt, als sie einundzwanzig waren: Plötzlich merke ich, dass ich ein gutes und ein schlechtes Auge habe. Genug jetzt, sagte sie zu der Ruine seines Körpers, du musst mitkommen. Nicht nur meinetwegen, sondern auch deinetwegen, stimmt's? Du verstehst das doch, oder? Er schnarchte leicht, und sein Gesicht entspannte sich. Als sie eben in seinem Schlafzimmer gewesen war, hatte sie bemerkt, dass die Wand über seinem Bett mit schwarzem Bleistift merkwürdig bekritzelt war. Erst dachte sie, eine kindliche Zeichnung von Eisenbahnschienen oder ein unendlich langer Zaun, der in Schlangenlinien über die ganze Breite der Wand hin und her führt, Zeile für Zeile, von der Decke bis hinunter auf die Höhe des Bettes, die Zaunlatten in der Mitte durch kurze schiefe Stäbe miteinander verbunden. Dann hatte sie den Kopf zur Seite geneigt und genauer hingeschaut: Diese Striche sahen auch aus wie die langen Zähne eines Kamms oder Rechens oder irgendeines Urtiers. Schließlich entdeckte sie hier und da verstreut kleine Ziffern und begriff, dass es Daten waren. Direkt am Kopfkissen stand das Datum des Tages, der mit diesem Abend zu Ende ging, und daneben ein kleines Ausrufezeichen. Ora stand da, ihr Blick glitt noch einmal von einem Strich zum nächsten, sie konnte nicht davon ablassen, bis sie geprüft hatte, dass wirklich jeder dieser zahllosen senkrechten Striche von einem kleinen waagerechten durchgestrichen war.

Ein Schlag kaltes Wasser schwappte ihm ins Gesicht, und erschreckt riss er die Augen auf. Steh auf, sagte sie und stellte das Glas ab. Seine Schläfen begannen zu pochen. Er leckte sich das Wasser von den Lippen, hob die Hand, um sein Gesicht vor ihrem Blick zu schützen. Es machte ihm Angst, von ihr so angeschaut zu werden. Unter ihrem Blick wurde er zu einem Gegenstand, zu einem Koloss, dessen Größe und Gewicht sie abschätzt, dessen Schwerpunkt sie berechnet, und sie überlegt, wie sie ihn am besten vom Sessel weg an einen anderen Ort bringen kann, den er sich noch nicht einmal vorzustellen wagte. Sie stellte sich mit den Spitzen ihrer Schuhe vor seine Schuhe, legte sich seine baumelnden Arme über die Schultern, ging in die Knie und zog ihn zu sich herauf; als er mit seinem ganzen Gewicht auf ihr landete, stöhnte sie, überrascht vom Schmerz. Jetzt ist der Rücken hin, stellte sie fest. Mit dem Fuß tastete sie nach hinten, dachte, sie werde im nächsten Moment mit ihm zusammen fallen. Komm, knarzte sie, wir gehn. Er schnarchte leicht an ihrem Nacken. Ein Arm hing über ihrem gebeugten Nacken. Schlaf mir nicht ein, krächzte sie halb erstickt, bleib wach! Sie tastete sich voran, ohne etwas zu sehen, schlenkerte ihn vor und zurück wie in einem betrunkenen Tanz. Dann zog sie ihn wie einen riesigen Stöpsel durch die Türöffnung, zog auch an der Tür und ließ sie zufallen. Im dunklen Treppenhaus ertastete sie mit dem Absatz den Rand der ersten Stufe. Wieder murmelte er, sie solle ihn doch in Ruhe lassen, und machte allerlei Bemerkungen über den Zustand ihrer Zurechnungsfähigkeit. Dann schwieg er, schnarchte wieder, ein Speichelfaden rann ihren Arm hinunter. Zwischen den Zähnen hielt sie den Plastikbeutel mit seinen Schlaftabletten und seiner Zahnbürste, die sie von einem Regalbrett genommen hatte, und sie bereute es schon, nicht auch ein paar Kleidungsstücke eingepackt zu haben. Trotz des Plastikbeutels redete sie mit zusammengebissenen Zähnen ununterbrochen auf ihn ein, kämpfte darum, wenigstens einen Teil von ihm aufzuwecken und ein Stück weit aus dem dunkeln Schlund herauszuziehen, in dem er zu versinken drohte. Sie atmete ein und aus wie eine Hündin, ihre Beine zitterten; dabei versuchte sie noch, es richtig zu machen, und sagte sich im Stillen wie bei einer besonders komplizierten Therapie vor, der Quadriceps arbeitet in Verlängerung, der große Gesäßmuskel zieht sich zusammen, Zwillingsmuskel und Achillessehne strecken sich; wenn du es so machst, hast du alles unter Kontrolle – doch nichts funktionierte, er war zu schwer, er zerdrückte sie unter sich, und ihr Körper geriet aus den Fugen. Zum Schluss gab sie es auf und versuchte nur noch, ihn, so gut sie konnte, zu bremsen, da-

mit sie nicht zusammen hinunterpolterten, und dabei begann sie –
auch darüber hatte sie keine Kontrolle –, Worte hervorzustoßen, die
ihr schon seit Jahren nicht mehr über die Lippen gekommen waren,
und sie erinnerte ihn an allerlei Vergessenes – von ihm, von ihr und
von Ilan – und erzählte ihm eine ganze Lebensgeschichte, abgehackt
über vierundsechzig Stufen bis zur Haustür. Von dort aus schleifte sie
ihn über einen Weg aus gesprungenen Bodenplatten, überall Müll und
zerbrochene Flaschen, bis zu Samis Wagen, der sie durch die Frontscheibe mit ausdruckslosen Augen anschaute und ihr nicht entgegenkam.

Jetzt blieb sie stehen und wartete auf ihn, und er kam und hielt ein,
zwei Schritte hinter ihr inne. Sie zeigte mit der Hand auf die Weite der
Ebene, die in frischgewaschenem Grün leuchtete, über und über von
Morgenperlchen glitzerte, und auf die fernen Berge, die beinahe vio-
lett waren. Es schien ihr, als sei die Luft voll Summen, nicht nur von
Insekten, es war, als summe die Luft selbst vor lauter ausbrechender
Lebensfreude.

Der Berg Hermon, sagte sie und zeigte auf ein sehr helles Licht im
Norden. Und schau mal da, siehst du, was da entlangführt? Und er
zischte, komm, tu mir den Gefallen, und ging los und nun vor ihr her,
nur auf die Erde starrend. Aber da ist ein Fluss, den gehen wir entlang,
sagte sich Ora im Stillen und lachte seinem sich entfernenden Rücken
nach: Du und ich an einem Fluss, hättest du das gedacht?

Denn über Jahre hatte sie versucht, ihn aus der Wohnung heraus-
zulocken, ihn an Stellen zu bringen, die seine Seele erhellen, ihn mit
ihrer Schönheit überfluten würden, doch höchstens einmal im halben
Jahr war es ihr gelungen, ihn zu einem belanglosen Treffen in ein Café,
das er auswählte, abzuschleppen. Es musste ein Ort seiner Wahl sein,
und sie stritt nicht mit ihm, obwohl er immer sehr laute, vulgäre Orte
wählte, mit Massenabfertigung – das war auch so ein Wort vom alten
Avram –, als gefalle es ihm, sie dort leiden zu sehen, ja, als führe er ihr
mit Hilfe dieser Orte zum soundsovielten Male vor Augen, wie weit er
von ihr entfernt war und wie weit von sich selbst, von dem Avram, der
er früher gewesen war. Doch jetzt, völlig überraschend: sie beide und
Fluss und Bäume bei Tageslicht.

Auf seinem Rücken wirkte der Rucksack geschrumpft und kleiner als ihrer, wie ein Kind, das sich an den Rücken seines Vaters klammert. Sie blieb noch einen Moment stehen und betrachtete ihn mit Ofers Rucksack auf dem Rücken. Ihre Augen weiteten sich und leuchteten. Sie spürte, wie die ersten Sonnenstrahlen nach und nach ihre geschundenen Flügel glätteten.

Aus der duftenden, sich erwärmenden Erde, aus den saftigen Fladen der Kühe, die vor ihnen hier entlanggezogen waren, dampfte es. Längliche Pfützen auf dem Weg, Reste des letzten Regens, antworteten dem Morgenhimmel verhalten, Frösche sprangen einer nach dem andern in den Fluss, als sie an ihnen vorbeigingen, so weit das Auge reichte, kein einziger Mensch.

Kurz darauf stießen sie auf einen Stacheldrahtzaun, der den Weg versperrte, Avram wartete dort auf sie und sagte, das war's dann wohl, was? Ora hörte in seiner Stimme die Erleichterung, dass dieser Ausflug relativ schnell und ohne Verluste beendet war. Für einen Augenblick sank ihr Mut. Was machte dieser Zaun mitten auf dem Weg? Wer hatte ihn da aufgestellt? Und schon versammelten sich ihre *Moiren*, um ihr Schicksal zu spinnen, sie umtanzten sie spottend und lästerten, hier zeigt sich deine Unbedarftheit in technischen Dingen, deine Schwäche beim Gebrauch von Geräten, dein Analphabetismus bei Bedienungsanleitungen, und während Ora sich routiniert in ihren armseligen Selbstbezichtigungen erging, erkannte sie einen Verschluss in den Drahtmaschen nahe am Boden, und sie holte ihre Brille aus dem Etui, setzte sie auf und ignorierte Avrams erstaunten Blick, sie entdeckte, dass ein Teil des Zauns ein schmales Tor war, und suchte, wo es sich aufmachen ließ, entdeckte einen gewundenen rostigen Draht, den sie zunächst nicht öffnen konnte, doch sie wusste, diesmal würde sie, anders als sonst, das Problem lösen.

Avram stand neben ihr und machte keinen Finger krumm, vielleicht hoffte er, sie werde das Tor nicht aufbekommen, vielleicht hatte ihn auch seine Fähigkeit, zu verstehen, was vorging, bereits verlassen, aber als sie ihn um Hilfe bat, kam er sofort. Nachdem sie ihm erklärt hatte, was ihrer Meinung nach zu tun sei – man müsse mit zwei großen Steinen so lange von beiden Seiten auf den Draht schlagen, bis er immer dünner und irgendwann brechen würde –, und nachdem er den Knoten eingehend betrachtet und begriffen hatte, zog er mit einer einfachen Bewegung eine Schlaufe über den Zaunpfosten, ein breites Stück des Drahtzauns sank vor ihnen zu Boden, und sie gingen durch.

Wir müssen hinter uns zumachen, sagte sie, und er nickte. Würdest du bitte zumachen? Er ging hin und schloss das Tor, und sie machte sich eine innere Notiz, dass man ihn immer aktivieren, ihn anwerfen müsse; als habe er auf seinen eigenen Willen verzichtet und den weiteren Verlauf der Dinge in ihre Hand gegeben. Na wunderbar, dachte sie in der Stimme ihrer Mutter, da führt der Blinde den Lahmen durch die Welt. Als sie ein Stück gegangen waren, kam ihr noch etwas in den Sinn, und sie fragte ihn, ob er wisse, wozu dieser Zaun überhaupt da sei, er schüttelte den Kopf, und sie erklärte ihm die Sache mit den Kühen und den Weidegebieten, und da sie nur wenig darüber wusste, redete sie viel, sie konnte nicht ahnen, auf was für einen Boden ihre Worte bei ihm fielen, warum er ihr so ernst und konzentriert zuhörte, und hörte er ihr überhaupt zu, oder verschluckte er sich am Klang ihrer Stimme?

Doch ein paar Minuten nachdem sie den Zaun hinter sich geschlossen hatten, spürte sie, dass er unruhig wurde und sich immer wieder umschaute, das Schreien der Krähen schreckte ihn auf, und als sie einen Moment nicht auf ihn geachtet hatte, merkte sie, dass er nicht weitergegangen, sondern irgendwo hinter ihr wie angewurzelt stehengeblieben war und auf die Erde schaute. Sie ging zu ihm zurück und sah zu seinen Füßen den Kadaver eines kleinen Singvogels, den sie nicht identifizieren konnte, mit schwarzen Federn, weißem Bauch und braunen Glasaugen. Ameisen, weiße Würmer und Fliegen machten sich schon über ihn her. Zweimal rief sie ihn beim Namen, bevor er sich losmachen konnte und wieder hinter ihr herlief. Wie lang kann ich ihn noch mitschleppen, fragte sie sich, bevor er lostobt oder einfach zerbricht? Was tu ich ihm da an? Was hab ich Sami angetan? Was ist mit mir los? Ich mach es allen nur schwer.

Plötzlich beschrieb der Weg eine scharfe Biegung und führte direkt in den Fluss. Ora trat nahe ans Ufer und sah, dass der Weg sich auf der anderen Seite gewunden und unbekümmert fortsetzte. Bei der Vorbereitung auf den Ausflug hatten sie und Ofer gelesen, dass man in den Frühlingsmonaten »ab und zu auch ein bisschen nasse Füße bekomme«, doch der Fluss hier floss heftig, einen anderen Weg gab es nicht, und denselben Weg zurückgehen konnte sie nicht – auch das war eines ihrer neuen Gesetze, eine List gegen die Verfolger, die ihr nachjagten, sie durfte nicht denselben Weg zurückgehen. Avram kam zu ihr, schaute in das schillernde grüne Wasser, starrte es an wie ein riesiges Rätsel, das geheimnisvolle Andeutungen flüsterte, und seine dicken Arme hingen schlaff an ihm herunter. Seine Hilflosigkeit brachte sie plötzlich auf, und über sich selbst war sie wütend, dass sie nicht vorher herausgefunden hatte, was man an so einem Ort macht, aber vorher hatte sie noch Ofer gehabt, Ofer hatte ihr den Weg zeigen und für sie auch Brücken über das Wasser bauen sollen, und jetzt war sie hier allein mit Avram. Allein.

Sie trat noch näher ans Ufer und gab acht, nicht auszurutschen. Ein großer, blätterloser Baum stand im Wasser, und sie beugte sich zu ihm vor, so weit sie konnte, und versuchte, einen seiner Äste abzubrechen. Avram rührte sich nicht. Hypnotisiert schaute er in die Strömung und zuckte zusammen, als der trockene Ast brach und Ora mit ihm fast ins Wasser fiel. Wütend rammte sie den Ast in den Grund des Flusses, zog ihn dann heraus, hielt ihn an ihren Körper, um die Wassertiefe abzulesen. Die Feuchtigkeit reichte ihr bis zur Hüfte. Setz dich, sagte sie zu Avram, und zieh Schuhe und Socken aus.

Sie selbst setzte sich auf den Weg, zog sich die Schuhe aus, stopfte die Socken in die Seitentaschen des Rucksacks, band, nachdem sie sie durch die Schlaufen am oberen Teil gefädelt hatte, die Schnürsenkel zusammen, krempelte die Hosen bis unters Knie hoch, und als sie für einen Moment den Blick hob, stand Avram oberhalb von ihr und schaute ihre Füße so an, wie er Flüsse anschaute.

Hey, sagte sie sanft, etwas überrascht, und schwenkte ihre rosigen Finger in seine Richtung, juhu!

Sofort wandte er den Blick ab, setzte sich hin, zog sich Schuhe und Socken aus, krempelte die Hosen bis zum Knie herauf, so dass seine bleichen, dicken Beine sichtbar wurden, sie waren etwas krumm und überraschend kräftig, sie erinnerte sich gut: Reiterbeine, und ein bisschen auch, wie er mal gesagt hatte, die Beine eines Zwergs, den man in die Länge gezogen hatte …

Hey, brummte er ihr leicht tadelnd zu, juhu.

Ora wandte den Blick ab und lachte gerührt, weil der alte Avram aus seiner Dumpfheit aufflackerte, und vielleicht auch, weil sie plötzlich seinen Körper sah.

Sie saßen beide da und schauten ins Wasser. Eine durchsichtig-violette Libelle flog wie ein Irrlicht vorbei. Früher, dachte Ora, bin ich in seinem Körper zu Hause gewesen. Danach war ich über Jahre die Hausmutter seines Körpers, habe ihn gewaschen, saubergemacht, abgetrocknet, ihm die Haare geschnitten, ihn rasiert, verbunden, gefüttert und was sonst noch alles.

Sie zeigte ihm, wie man die Schuhe an den Rucksack band, neben die von Ofer, und schlug ihm vor, die Hosentaschen zu leeren, damit seine Sachen nicht nass würden, Papiere, Ausweise, was auch immer, und er zuckte mit den Schultern, was für Ausweise, was für Geld. Noch nichtmal ein Personalausweis? fragte Ora nach, und Avram murrte, was soll ich mit dem?

Sie stieg, den Ast in der Hand, vor ihm ins Wasser und stieß wegen der Kälte und der starken Strömung einen kleinen Schrei aus. Was würde sie machen, wenn es Avram plötzlich fortreißen würde, überlegte sie für einen Moment, vielleicht darf er sich in seinem Zustand gar nicht in so eine Strömung begeben, und sie beschloss sofort, auf eigene Verantwortung und ohne Gegenstimmen, dass das in Ordnung sei, sie habe ja keine andere Wahl. Sie setzte einen Fuß vor den anderen, kämpfte gegen die Strömung, die ihr schon bis zum Nabel ging und so gewaltig war, dass sie Angst hatte, die Füße vom Grund zu heben. Aber Avram wird okay sein, beschloss sie wieder, erschrocken, er wird in dieses Wasser reingehen, und ihm wird nichts passieren. Sicher? Ja. Warum? Weil es so ist. Weil sie in der letzten Stunde, eigentlich während der letzten vierundzwanzig Stunden, in sich so eine gleichermaßen entschiedene wie verzweifelte aber beständige Entschlossenheit spürte, die sie ein ums andere Mal die Leute und die Handlungen um sich herum beschwören ließ, dass sie genau so handelten und sich genau so ereigneten, wie sie es brauchte; da gab es gar keinen Platz zum Verhandeln oder Nachgeben, Ora forderte blinden Gehorsam gegenüber den Gesetzen, die pausenlos in ihr verabschiedet wurden, und gegenüber den neuen Verordnungen wegen des Notstands, der über sie gekommen war. Eines der Gesetze, wenn nicht überhaupt das wichtigste, lautete, immer in Bewegung zu sein, und jetzt musste sie ohnehin weiter, denn das kalte Wasser war schon dabei, den ganzen Fischteil ihres Körpers erstarren zu lassen. Ihre Füße tasteten sich zwischen Steinen und Sedimenten voran, Algen glitten um ihre Knöchel. Ab und zu streichelten ihre Zehen einen kleinen glatten Stein, prüften ihn, formulierten Vermutungen, zogen Schlüsse, und ein urzeitliches Gefühl des Fischseins zappelte in ihrer Wirbelsäule. Ein langer dünner Ast, der dicht unter der Wasseroberfläche schwamm, drehte sich plötzlich mit einer schnalzenden Bewegung und glitt weiter. Wasserspritzer sammelten sich auf ihren Brillengläsern, sie hatte es schon aufgegeben, sie zu putzen. Ab und zu beugte sie sich vor, tauchte ihren geschwollenen linken Arm ins Wasser und genoss es, wie der Schmerz nachließ. Hinter ihr stieg Avram ins Wasser, sie hörte ein überraschtes Aufstöhnen vor Schmerz, als das kalte Wasser ihn umschloss. Sie ging weiter und stand bereits mitten im Flussbett. Das Wasser teilte sich vor ihrem Körper, umspülte ihre Hüften. Sanftes Sonnenlicht erwärmte ihr Gesicht, und eine Weite voll blauer und grüner Lichtchen tanzte in ihren Augen und in den Tropfen auf der Brille, es tat ihr gut, so in einer durchsichtigen Blase des Augenblicks zu verweilen.

Ans andere Ufer kletterte sie durch tiefen, zähen Schlamm, der an ihren Füßen klebte und sie mit schmatzenden Lippen einsog, Wolken von Mücken erhoben sich aus den Kuhlen, die ihre Füße hinterließen. Noch ein, zwei Schritte, und sie war auf dem Trockenen, sie sank auf den Boden, lehnte sich mit dem Rucksack an den Felsen und spürte eine neue Leichtigkeit in sich, denn vorher, im Wasser, als die Strömung durch sie hindurchfloss, hatte sie das Gefühl gehabt, der Stein würde von der Öffnung eines Brunnens gewälzt, von dem sie schon gedachte hatte, er sei längst versiegt, und erst dann dachte sie an Avram. Angewurzelt stand er mitten im Flussbett, die Augen halb geschlossenen, das Gesicht angstverzerrt.

Sofort stieg sie wieder hinunter, durch den satten, dunklen Schlamm, trat in die Vertiefungen, die ihre Füße hinterlassen hatten, und streckte Avram ihren Ast entgegen. Er zog den Kopf zwischen seine runden Schultern und weigerte sich, auch nur einen Schritt zu tun. Über das Rauschen des Wassers hinweg rief sie ihm zu, er könne da nicht stehenbleiben, wer weiß, was da drunter war, und dem Klang ihres Befehls gehorchte er sofort, tat einen Schritt, griff nach dem Ast und ging dann langsam voran, während sie mit kleinen Schritten rückwärts ging, bis sie sich auf einen großen Stein setzte, die Füße gegen einen anderen stemmte und ihn mit all ihrer Kraft aus der Strömung zog, komm, lachte sie, setz dich zum Trocknen hier hin. Doch er blieb stehen, wie in den Schlamm gepflanzt, verloren, vielleicht einfach vor Kälte erstarrt, und sein Körper durchlebte vor ihren Augen noch einmal die Zeit im Krankenhaus Tel Haschomer mit dem katatonischen Starren und der steinernen Reglosigkeit. Dass er nur nicht wieder da reingerät, dachte sie von Entsetzen gepackt und lief schnell zu ihm hin; denn sie fürchtete, das, was sie ihm antat, würde ihn wieder erschüttern. Doch wie sich zeigte, ging es ihm besser, immerhin war er schon eine halbe Stunde hinter ihr hergegangen, war nicht zerbröselt, vielleicht hatte er im Laufe der Jahre ja doch ein bisschen Kraft gesammelt, vielleicht sogar ein bisschen Existenzfestigkeit – eine Wortschöpfung von ihm, meinte sie zumindest, ein Stück Avram von früher. Sie musste schon nicht mehr jedes seiner Gelenke beugen und ihn bewegen, Knöchel, Knie und Hüftgelenk, damals war sie die Bildhauerin eines einzigen Körpers gewesen, war mit ihm zu den Anwendungen und zur Physiotherapie gegangen, hatte ihn zum Training und ins Schwimmbad begleitet, hatte am Rand gesessen, genau beobachtet und auswendig gelernt, für sich in einem Heft aufgeschrieben und skizziert, was sie sah, hatte ihn gezwungen, heimlich auch mit ihr, zwischen den professionellen Behandlungen, zu arbeiten, in seinen schlaflosen Nächten – neun Monate hatte es gebraucht, bis sein Körper die Stellungen lernte, die sie für ihn entworfen hatte. Meine Choreografin, so hatte er sie einmal murrend einem der Ärzte auf der Station vorgestellt und ihr damit verraten, dass noch immer ein bisschen von Avram existierte, nur eben in seiner Schale. Jetzt stieß er den Atem aus und begann, seine Bewegungen aufzutauen, er streckte die Arme nach hinten, Schulter, Gelenk, Ellbogen, Handgelenk – alles funktioniert, bemerkte Ora, ausladende diagonale Bewegungen der großen Muskeln –, er schaute auf den Fluss und glaubte nicht, dass er ihn tatsächlich durchquert hatte, er lächelte Ora verlegen an, ein Viertel seines alten Charmes flackerte auf. Oj, stöhnte sie mit einem schmerzvollen Stich im Herzen, mein alter verpasster Geliebter, und schickte ein gemessenes Lächeln zurück, sie nahm sich in Acht, ihn nicht zu überschwemmen, das war noch eine Weisheit, die sie in ihrem langen Leben unter dem Männervolk gelernt hatte, die Klugheit, nicht zu überschwemmen.

Sie zeigte ihm, wohin er sich setzen konnte, wie er die Füße stellen sollte, damit sie schneller trockneten, und holte aus der Seitentasche ihres Rucksacks ein paar Cracker, Schmelzkäse und zwei Äpfel und streckte sie ihm hin, er kaute langsam und bedächtig, schaute sich mit seinem misstrauisch prüfenden Blick um und blieb immer wieder an ihren langen schmalen Füßen hängen, die nach dem Kälteschock ganz rosa waren, und wandte sofort den Blick ab.

Dann richtete er den Kopf langsam zwischen den Schultern auf, spreizte die Ellbogen etwas vom Körper ab, alles in vorsichtigen Bewegungen, wie ein riesiges Dinosaurierküken, das aus dem Ei schlüpft, und schaute grübelnd auf das andere Ufer. Ora meinte, jetzt, nachdem er den Fluss durchquert hatte, glaubte er wirklich, dass er, was gewesen war, hinter sich gelassen hatte und dass nun etwas völlig Neues käme.

Noch bevor er erschrecken konnte, sprach sie ihn an, lenkte ihn ab, zeigte ihm, wie er die dicken Schlammkrusten, die an seinen Beinen schon trockneten, abschälen konnte, und sie klopfte sich leicht auf die Beine, um die Blutzirkulation anzuregen. Danach zog sie sich Socken und Schuhe wieder an und band die Schleifen so, wie Ofer es ihr beigebracht hatte – sie mochte das Gefühl, dass er sie bei diesem Halten und Festziehen auch aus der Ferne hielt, und überlegte, ob sie versuchen sollte, Avram davon zu erzählen, wie Ofer, als er ihr die Sache mit den doppelten Schlaufen beibrachte, gesagt hatte, er sei überzeugt, dass kein zukünftiger Apparat den Menschen bei der simplen Tätigkeit des Schuhezubindens ersetzen könne. Egal, was man alles erfinden wird, dies wird immer bleiben, und so werden wir uns jeden Morgen daran erinnern, dass wir menschlich sind. Ihr Herz war damals weit geworden und schier übergelaufen, vielleicht weil er so ungezwungen »menschlich« sagen konnte, mit so einer Menschlichkeit. Da hatte sie den Ausspruch von Nahum Gutman zitiert, der in dem Buch *Der Weg der Orangenschalen* erzählte, jeden Morgen, wenn er sich die Schuhe zubinde, pfeife er aufgeregt, »denn ich freue mich auf den neuen Tag, der beginnt«, und natürlich erinnerten sie sich beide dann an Opa Mosche, ihren Vater, der siebzehn Jahre lang dasselbe Paar Schuhe getragen hatte, die sich nicht abnutzten, weil er in ihnen, wie er immer erklärte, »so leichtfüßig ging«. Ora hatte sich damals nicht beherrschen können und Ofer erzählt – sie meinte, ihm diese Geschichte schon einmal erzählt zu haben –, dass sie, als er etwa eineinhalb Jahre alt war und sie ihm seine ersten Schuhe anzog, aus Versehen den rechten und den linken Schuh verwechselt hatte. Allein der Gedanke, sagte sie, dass du einen halben Tag mit den verkehrten Schuhen rumgelaufen bist, bloß weil ich beschlossen hatte, dass es so richtig herum war. Entsetzlich, wie Eltern bestimmen können … Aber warte, ihre Mundwinkel sanken, hab ich dir das nicht schon erzählt? Lass uns nachschauen, wie oft, hatte Ofer da gesagt und auf seinem Handy die Taschenrechnerfunktion betätigt; solche Gespräche mit großem Kichern und gegenseitigen Sticheleien hatten sie unzählige Male geführt. Eine etwas verlegene Wärme war zwischen ihnen hin und her geflossen, mit Blicken bis tief in die Seele. Doch in den letzten Jahren waren sie seltener geworden, wie alles zwischen ihnen, so empfand sie es zumindest, als seien er und Adam, seit sie größer wurden, immer mehr in Ilans Besitz übergegangen, in Ilans Bereich, und manchmal hatte sie den Eindruck, man habe sie in ein anderes Magnetfeld verpflanzt, in dem andere Gesetze und Empfindlichkeiten und vor allem Unempfindlichkeiten herrschten, wobei sie völlig die Orientierung verlor, ein Gewirr von Drähten, von Stolperfallen, um die sie bei jedem Schritt lächerlich herum balancierte. Aber das, was zwischen ihr und ihm da war, das gab es trotzdem noch, versuchte sie sich immer wieder einzureden, es musste irgendwo weiterexistieren, es war jetzt, wo er beim Militär war, vor allem während er dort diente, bloß ein bisschen unter der Oberfläche, aber mit seiner Entlassung würde es zurückkommen und dann vielleicht sogar stärker werden. Und sie seufzte laut auf und fragte sich, wie es dazu gekommen war, dass es in den letzten Jahren ihre Spezialität geworden war, in Menschen Lebenszeichen aufzuspüren.

Avram verfolgte ernst Oras Bewegungen mit den Schnürsenkeln, machte sie nach und verhedderte sich, und sie setzte sich neben ihn und zeigte es ihm an ihren Schuhen, nach dem Motto, erst zuschauen, dann nachmachen, und sie merkte, dass der Fluss ihm den scharfen Uringeruch von gestern abgewaschen hatte und man bereits neben ihm sitzen konnte, ohne von dem Gestank umzufallen. Er selbst sagte plötzlich, ich habe gestern in die Hose gemacht, nicht wahr? Und sie, frag nicht. Und er, wo ist mir das passiert? Und sie, lass gut sein. Und er, ich kann mich an nichts erinnern. Und sie, besser so. Er prüfte ihr Gesicht und beschloss nachzugeben, und sie fragte sich, ob sie ihm wohl je von dieser Nacht mit Sami erzählen würde.

Erst als sie Avram auf dem Rücken bis an die Wagentür geschleppt hatte, war Sami widerwillig und wütend ausgestiegen. Zusammen gelang es ihnen, den schlafenden Avram auf den Hintersitz zu bugsieren, und erst da wurde ihr bewusst, dass Sami bis zu diesem Moment gar keine Ahnung gehabt hatte, dass sie einen Mann abholten. Schon ein paar Monate hatte er auf seine feine, höfliche Art darauf gelauert, von ihr zu hören, ob sie schon einen Neuen habe. Nicht wirklich einen Neuen, dachte sie, eher einen sehr alten. Das ist Avram aus zweiter Hand, womöglich sogar aus dritter Hand. Schweißnass und schnaufend hatte sie dagestanden, ihre Bluse war verknittert, die Beine zitterten.

Fahr, hatte sie gesagt, nachdem sie sich neben Sami gesetzt hatte.

Wohin?

Sie dachte einen Moment nach, schaute ihn nicht an und sagte, bis dahin, wo das Land zu Ende ist.

Und er zischte, für mich ist es schon lange zu Ende.

Sie waren losgefahren, ab und zu hatte sie gespürt, wie Sami ihr von der Seite einen Blick zuwarf, verwundert, feindlich, vielleicht auch etwas erschreckt, und sie hatte ihn nicht angeschaut, nicht gewusst, was er in ihr sah, aber gespürt, dass es in ihr schon etwas Neues gab. Sie fuhren, ließen Ramat HaScharon, Herzlia, Netanja und Hadera hinter sich, nahmen die Straße durchs Wadi Ara, fuhren an Gan Schmuel und Ejn Schemer vorbei, an Kafr Kara, Arara und Umm El-Fachem, überquerten die Kreuzung Megiddo und die Kreuzung HaSargel, verloren in Afula die Richtung und irrten lange durch das Städtchen, das sich mit seiner neuen Verkehrsführung wie eine Großstadt aufspielte, sie wurden von einem Kreisverkehr zum nächsten geworfen, bis sie sich wie der Ball beim Auftritt eines Seehundes vorkamen, und schließlich fanden sie den Weg aus der Stadt hinaus, fuhren an Kfar Tabor und Kfar Schibli vorbei, dann auf der 65 Richtung Norden bis zur Golani-Kreuzung, von da aus weiter nach Norden, an Buejna und Eilabun vorbei, bis zur Kedarim-Kreuzung, die auch Nachal-Amud-Kreuzung heißt, und Ora dachte, wie viele Jahre war ich schon nicht mehr im Nachal Amud wandern, wenn ich mit Ofer hier wäre, würde ich ihn vielleicht überzeugen, dass wir da hineingehen, aber was soll ich mit Avram hier, und an der Kreuzung fuhren sie auf die 85, weiter bis zur Kreuzung Amiad. Ora war inzwischen, ohne dass sie es gemerkt hatte, die Wut auf Sami vergangen, so war es immer, sie erhitzte sich schnell und kühlte auch schnell wieder ab oder vergaß sogar für einen Augenblick, dass sie wütend war, und sie sagte, es gibt hier ein kleines Restaurant, *Ein schöner Platz zum Kaffee*, an guten Tagen sieht man von hier den See Genezareth, und jeden Tag die schöne Besitzerin – sie lächelte ihn versöhnlich an, doch Sami reagierte nicht, weigerte sich auch, auf den Apfel oder die Schokoladenstücke, die sie ihm reichte, zu reagieren. Sie streckte sich, lockerte sich hier und da ein bisschen, da fiel ihr ein, dass sie ihm am Nachmittag noch nicht einmal die Geschichte von der Augenkrankheit ihres Vaters zu Ende erzählt hatte, und von der Operation, die er zum Schluss hatte machen lassen, um das Auge, das noch sah, zu retten, ja, das war doch erst wenige Stunden her. Plötzlich störte es sie, dass die Geschichte so in der Luft hing, obwohl sie genau wusste, dass es von da, wo sie sich jetzt befanden, wohl keinen Weg mehr zurück zu dem Ton gab, in dem man das Ende erzählen konnte, aber gut, dass sie sich an die Geschichte erinnerte, dachte sie, setzte sich bequemer hin und schloss die Augen, denn dank dieser Geschichte konnte sie mit Ofer sein, nur ihm war es zu verdanken gewesen, dass ihr Vater in die Operation eingewilligt hatte. Ofer hatte darauf bestanden, in der Nacht nach der Operation bei ihrem Vater im Krankenhaus zu bleiben, und hatte ihn dann auch zusammen mit ihr nach Hause gefahren, und er war so sanft gefahren, dass sie ganz glücklich war. Sie erinnerte sich, wie Ofer ihren Vater vorsichtig vom Auto zum Haus geführt, wie er ihn auf dem schmalen Weg durch die Siedlung gestützt hatte, da hatte ihr Vater plötzlich staunend auf die Wiese und die Pflanzen im Garten gezeigt; nach fünfzehn Jahren fast völliger Blindheit waren in seinem Gehirn die Farben durcheinandergekommen, und oft hatte er Schatten für echte Gegenstände gehalten. Ofer begriff auf Anhieb, was da geschah, und übersetzte für ihn, was er sah, benannte die verschiedenen Farben, erinnerte ihn vorsichtig an

Blau, Gelb, Grün, Lila, und ihr Vater zeigte mit seiner schmalen Hand auf dies oder das und lernte mit Ofer die Farben. Ora war hinter ihnen gegangen, hatte Ofer gelauscht und sich gesagt, er würde mal ein wunderbarer Vater sein. Und so hatte er ihren Vater die Treppe zur Wohnung hinaufgeführt, immer einen Arm um seine Schultern, und geschickt jedes Hindernis aus dem Weg gekickt. Als sie in die Wohnung kamen, war ihre Mutter wie zufällig in der Speisekammer verschwunden, was Ofer registrierte und sofort begriff, und er führte ihren Vater weiter, Hand in Hand, so dass er das erste Mal die Fotos der Enkel auf der Anrichte sah, danach führte er ihn durch die Zimmer, zeigte ihm die Möbel, die in den Jahren seiner Blindheit angeschafft worden waren, und ihre Mutter versteckte sich noch immer. Da hatte Ofer eine Idee, er nahm ihren Vater mit in die Küche, sie stellten sich vor den geöffneten Kühlschrank, und ihr Vater staunte – wie bunt ist das Gemüse und das Obst! Zu meiner Zeit war das nicht so! Von jeder neuen Sache, die er sah, erzählte er Ofer begeistert, als wolle er ihm dieses erstmalige Sehen zum Geschenk machen, und in dieser ganzen Zeit hielt sich ihre Mutter in den anderen Zimmern versteckt, und ihr Vater fragte auch nicht nach ihr. Ofer erwähnte sie nicht, bis sie endlich in dem kleinen Fenster, das die Speisekammer und das Badezimmer miteinander verband, erschien und ihr Gesicht seinem Blick darbot, da stand Ofer mit ihrem Vater, strich ihm immer wieder sanft über den Rücken und machte der Oma ein heimliches Zeichen, sie solle lächeln.

Sami hatte das Radio eingeschaltet, auf dem Militärsender sprach in einer Sonder-Nachrichtensendung der Ministerpräsident. Die israelische Regierung sei fest entschlossen, den Todeskult ihrer Feinde zu zerschlagen, sagte er, und in solchen Momenten dürften auch wir im Kampf gegen einen Feind, der keinerlei moralische Bedenken kenne, zum Schutz unserer Kinder …

Sofort hatte er auf einen arabischen Sender umgestellt, wo der Sprecher, untermalt von Militärmusik, ein flammendes Manifest verlas. Ora hatte geschluckt. Sie würde nichts sagen. Er hatte das Recht, den Sender zu hören, den er hören wollte. Diese Art, sich abzureagieren, musste sie ihm heute lassen. Avram lag hinten wie ein Stein und schnarchte mit offenem Mund. Ora schloss die Augen und zwang sich zu Mäßigung und Toleranz, sie versuchte mit aller Kraft, sich schwebende Kreise in sanften Farben vorzustellen, aus denen aber im nächsten Moment ganze Kolonnen dunkler bewaffneter Männer ausschlüpften und mit funkelnden Augen und einer blutrünstigen Melodie auf den Lippen, die in ihrem ganzen Körper pochte, auf sie zumarschierten. Wie kann es sein, dass er nicht versteht, was ich durchmache, dachte sie, wie ist er in der Lage, sich nicht mal einen Moment zu überlegen, wie es mir jetzt geht, wo Ofer dort ist. Sie saß unbewegt da, feuerte sich zu den Klängen der provokativen Melodie an und schaute noch einmal auf diesen ganzen Tag zurück, und plötzlich konnte sie nicht mehr begreifen, wie es hatte geschehen können, dass sie sich seit dem Nachmittag mit diesem nervenden und empörenden Mann dermaßen verstrickt hatte; er hing wie ein Gewicht an ihrem Hals, hatte sie mit unglaublicher Frechheit auch noch in seine persönlichen Probleme mit Jasdi und seinen illegalen Arbeitern hineingezogen und weckte in ihr seitdem Bedrückung und Schuldgefühle, während sie doch nichts anderes als ihren wirklich bescheidenen Plan hatte verwirklichen und zu diesem Zweck auf eine saubere und faire Art und Weise seine Dienste in Anspruch nehmen wollen, doch letztlich hatte er sich ihres Tagesablaufs bemächtigt und alles verdorben!

Mach bitte das Radio aus, sagte sie beherrscht.

Er reagierte nicht. Sie konnte es nicht glauben. Er ignorierte sogar ihre ausdrückliche Bitte. Die Männer tobten in rhythmischem Geschrei und kehligem Schnaufen, und ihre Halsschlagader begann schmerzhaft zu pochen.

Ich hab dich gebeten, den Kasten abzustellen.

Er fuhr mit versteinertem Gesicht weiter. Seine dicken Arme waren bis zum Steuer durchgestreckt, nur in seinem Mundwinkel bebte ein kleiner Muskel. Sie presste fest die Augen zusammen, versuchte, sich zu beruhigen, ihr Handeln zu steuern …

Sie wusste, denn auch jetzt noch erinnerte sie sich in einem Winkel ihres Gehirns, wenn sie nur ganz aufrichtig mit ihm reden, wenn sie ihn nur mit einem Wort, mit einem Lächeln an sie beide erinnern würde, an die kleine persönliche Kultur, die sie sich im Laufe der Jahre mitten in dem Geschrei und Getrommel geschaffen hatten, dann …

Mach das aus! schrie sie mit aller Kraft und schlug sich mit beiden Händen auf die Oberschenkel.

Er fuhr erschreckt hoch, schluckte und schaltete das Radio nicht aus. Seine Finger zitterten, sie sah es und gab einen Augenblick schon fast nach, seine Schwäche schockierte sie, weckte Mitleid und ein undeutliches Schuldgefühl. Sie spürte, sie ahnte, dass seine natürliche orientalische Weichheit dieser Spannung nicht standhalten und schließlich ihrer westlichen Entschiedenheit und der – ebenfalls westlichen – Brutalität, die plötzlich in ihr erwachte, weichen würde. Außerdem war da immer seine Angst vor Ilan, seine Abhängigkeit von ihm. Ora leckte sich die glühenden Lippen. Ihre Kehle pulsierte und brannte trocken, und der Gedanke, dass sie ihn zum Schluss besiegen, dass sie ihm ihren Willen aufzwingen werde, war für sie nicht weniger schwer zu ertragen als der Wunsch, ihn in die Knie zu zwingen. Könnte sie doch bloß hier anhalten, in diesem Augenblick, und alles, was heute passiert war, rückwirkend löschen. Du wirst einfach verrückt, dachte sie, was hat er dir getan, dass du ihn so quälst, was hat er dir getan, sag schon, was, außer dass er existiert.

Das stimmt alles, ereiferte sich die Ora auf der Gegenseite, aber es machte sie verrückt zu sehen, dass er ihr noch nichtmal ein Haarbreit nachgeben konnte, auch nicht aus einer allgemeinen menschlichen Höflichkeit heraus! Das kennen die in ihrer Kultur eben nicht, dachte sie, wurde von einer weiteren Welle mitgerissen, die mit ihrem Scheißehrgefühl, mit ihrem dauernden Beleidigtsein, ihrer Rache und ihren endlosen Abrechnungen, wo sie jedes kleine Fitzelchen draufsetzen, das ihnen irgendwer mal vor Urzeiten gesagt hat, und die ganze Welt schuldet immer bloß ihnen etwas, und an allem sind immer die anderen schuld …

Die Musik wurde ständig lauter, die brausenden Wellen schlugen ihr schon bis zum Hals, und im Innern stampften die Stimmen der Männer. Etwas brach auf in Ora, all ihre Nöte und Schmerzen, und vielleicht auch die Kränkung darüber, dass ihre Freundschaft sie dermaßen enttäuschte und ihnen nun in den eigenen Händen hochging wie eine Granate. Sie wurde mit einem Schlag rot, ein brennender Schleier wickelte sich um ihren Hals, und sie spürte, sie könnte ihn umbringen. Ihre Hand machte sich selbständig, schlug auf den Radioknopf, und das Radio verstummte.

Aufgeplustert und bebend schauten sie sich flüchtig von der Seite an.

Sami, seufzte Ora, siehst du, was aus uns geworden ist.

Sie fuhren schweigend weiter. Erschrocken über sich selbst. Links von ihnen lag Rosch Pina in tiefem Schlaf, danach kamen Chazor Ha-Gelilit, Ajelet HaSchachar, das Naturschutzgebiet im Hulatal, Jessod HaMaala, Kirijat Schmona, das auf der ganzen Strecke mit gelben Ampeln blinzelte, danach fuhren sie auf die 99 über HaGoschrim, Dafna und Sche'ar Jaschuv. Ab und zu, wenn sie auf eine Kreuzung zufuhren, wurde er etwas langsamer und wandte ihr fragend nur die Wange zu: Bis wohin willst du denn noch? Und sie reckte zur Antwort das Kinn, weiter, noch weiter, bis dahin, wo das Land zu Ende ist.

Irgendwo, schon hinter dem Kibbuz Dan, hörten sie von hinten ein Stöhnen. Avram wachte ächzend auf. Ora drehte sich zu ihm um. Er lag auf dem Sitz. Er schlug die Augen auf und schaute sie mit dem Blick eines Findelkinds und einem gutherzigen, völlig absurden Lächeln an. Ich muss pinkeln, sagte er langsam mit einer eingedickten Stimme. Ah, sagte sie, wir halten gleich an. Ich muss aber jetzt, sagte er. Halt an, rief sie erschreckt zu Sami, halt an, sobald du kannst. Er bremste und fuhr auf den Seitenstreifen. Sie saß da und starrte nach vorn. Sami schaute sie an. Sie bewegte sich nicht. Ora? fragte Avram flehend von hinter, und sie schrak bei dem Gedanken auf, er könne im nächsten Moment draußen am Auto stehen und sich an sie lehnen. So, wie er schaute, würde sie ihm auch noch die Hose aufmachen und ihn ihm halten müssen.

Sie schaute zu Sami, bittend, verzweifelt, mit einem Ausdruck der Selbsterniedrigung, und traf seinen Blick. Für einen langen bitteren Moment war sie in ihm gefangen und irrte dann sofort durch ein unendliches Labyrinth, von Josef Trumpeldor, dem Massaker an den Juden von Hebron, vom großen arabischen Aufstand bis zu Avrams Schwanz. Sie stieg aus dem Auto und ging zur hinteren Tür. Avram stöhnte und setzte sich mühsam auf. Das ist diese Tablette, entschuldigte er sich.

Gib mir die Hand, sagte sie, stemmte ihre Fersen in die Erde und bereitete ihren Rücken auf die nächste Strapaze vor.

Ihre Hand blieb ausgestreckt in der Luft hängen. Er nickte mit geschlossenen Augen, verzerrte kurz das Gesicht, lächelte dann erleichtert, und sie sah, wie ein dunkler Flecken auf seiner Hose und auf den neuen getigerten Polsterbezügen langsam immer größer wurde.

Ein paar Minuten später hatten sie sich beide draußen wiedergefunden, nicht weit von ihnen auch die Rucksäcke, und Sami war wie ein Wilder davongerast, hatte geschrien und sein bitteres Leid in den Nebel der Nacht gebrüllt. Er fuhr wahnsinnige Schlangenlinien auf dem Mittelstreifen, verfluchte Juden und Araber, alle beide, vor allem aber sich selbst und sein Schicksal, schlug sich auf den Kopf und auf die Brust und hämmerte auf das Steuer des Mercedes.

Sie aßen getrocknete Pflaumen, Ora steckte die Kerne in den Flussschlamm und hoffte, hier würden eines Tages, sagen wir, zwei Bäume mit ineinander verschlungenen Stämmen wachsen. Danach verließen sie den angenehmen Platz, schnallten sich die Rucksäcke auf, seiner war blau, ihrer orange, und alles, was Avram tat, brauchte unendlich lange, sie hatte den Eindruck, dass jede Bewegung bei ihm durch alle Gelenke seines Körpers ging. Doch als er schließlich aufrecht dastand und auf den Fluss schaute, lief ein frühlingshafter Schein über seine Stirn, als habe ihm eine in die Luft geworfene Münze aus der Ferne den Glanz ihres Goldes zugeblitzt, und für einen Moment amüsierte sie der Gedanke: Was, wenn Ofer jetzt bei uns wäre? Dieser Gedanke war so abwegig – sie hatte ihm über die Jahre nur winzige Informationsbröckchen über Ofer zustecken können, und überhaupt hatte er ihr die ganze Zeit verboten, von Ofer zu erzählen oder auch nur seinen Namen zu erwähnen –, doch nun sah sie die beiden für einen Moment hier, Ofer mit Avram, wie sie einer dem andern über den Fluss halfen, und ihre Augen leuchteten zu ihm hinüber.

Komm, lass uns gehn.

Hundert Schritte weiter, mehr waren es nicht, jenseits eines kleinen Hügels, führte der Weg sie wieder hinab in den Fluss.

Avram stand da, als hätte er kapituliert: Diese Möglichkeit ging über seine Kraft. Auch über meine, dachte Ora, setzte sich wütend auf die Erde, zog sich Schuhe und Socken aus, band die Schuhe fest, rollte die Hosen hoch und stieg wild entschlossen ins eisige Wasser der Schneeschmelze. Einen spitzen Schrei wegen der Kälte konnte sie nicht unterdrücken. Avram stand noch wie angewurzelt am Ufer, er war verwirrt, was ihn von hier weiterzog und was ihn hielt, denn trotz der Verzweiflung war schließlich das Ufer, auf welches Ora jetzt zuwatete, doch das, auf dem sie ihren Weg begonnen hatten, dort, so schien es ihm, gab es zumindest eine gewisse Stabilität, vielleicht weil es die Seite des Zuhauses war. Und er setzte sich hin, zog die Socken aus, rollte sie auf, band die Schuhe an den Rucksack und schaute dabei fast gar nicht auf Ofers Schuhe, die ebenfalls dort angebunden waren, und er stieg ins kalte Wasser, den Mund verschlossen, und durchschritt es diesmal mit wütenden und mutigen Bewegungen, er schlug große Wellen um sich herum, trat ans Ufer und setzte sich neben Ora, trocknete sich die Füße ab, indem er mit den Händen auf sie klatschte, zog Socken und Schuhe wieder an, und Ora hatte den Eindruck, er sei erleichtert, nicht nur, weil er sich wieder auf dem vertrauteren der beiden Ufer befand, sondern auch, weil er gesehen hatte, dass man den Fluss überqueren und wieder zurückkehren konnte, und genau das taten sie immer wieder – drei- oder viermal, sie zählten es schon nicht mehr –, am ersten Morgen ihrer Wanderung, die sie noch Ausflug nannten, wenn sie ihr überhaupt einen Namen gaben, wenn sie an diesem Tag überhaupt mehr als das Nötigste miteinander sprachen, komm, gib mir die Hand, pass hier auf, verflucht, diese Kühe. Und der Weg und der Fluss schlangen sich ineinander und vereinigten sich, und beim dritten Mal zogen sie die Schuhe schon nicht mehr aus, sie wateten einfach durch Wasser und Schlamm und gingen mit den nassen Schuhen an Land, und dann schmatzten die Schuhe so lange, bis das ganze Wasser wieder draußen war. Schließlich trennte sich der Weg vom Fluss, führte nun gemächlicher auf festem Boden weiter, ein normaler Weg durch Felder, mit länglichen Pfützen, von bleichen Zyklamen gesäumt. Avram schaute sich schon nicht mehr jeden Moment um, fragte auch nicht mehr, ob Ora den Rückweg finden würde, er hatte wohl verstanden, dass sie gar nicht vorhatte, irgendwohin zurückzukehren, und auch, dass er ihr ausgeliefert war. Er lief in sich gekehrt vor ihr her und reduzierte ergeben seine Lebensfunktionen – auf das Maß einer Pflanze, einer Flechte oder Spore. So tut es ihm wohl weniger weh, nahm Ora an. Was quäle ich ihn, fragte sie sich immer wieder, wenn sie ihn so schlaff und kraftlos wandern sah, als arbeite er eine Strafe ab, die ihm überhaupt nicht einsichtig war. Er ist schon kein Teil mehr von mir und von meinem Leben, dachte sie, im Grunde schon seit Jahren nicht mehr, und das versetzte ihr noch nicht einmal einen Stich, ließ sie nur staunen, wie ist es möglich, dass es mir keinen Sich versetzt, wenn der, von dem ich mal dachte, er sei Fleisch von meinem Fleisch, er sei der Urgrund meiner Seele, so getrennt von mir ist. Und was mach ich jetzt mit ihm, was für eine Wahnsinnsidee, mir ausgerechnet da, wo ich alle Kraft dazu brauche, ein Kind zu retten – noch ein anderes Kind aufzuladen.

Ofer, murmelte sie. Ich vergesse, an ihn zu denken.

Plötzlich drehte Avram sich um und kam ihr in seinem gebrechlichen Gang entgegen: Jetzt erklär mir, was du eigentlich willst. Ich hab keine Kraft für diese Spielchen.

Das hab ich dir doch gesagt.

Ich versteh es nicht.

Ich fliehe.

Wovor?

Sie schaute ihm in die Augen und sagte nichts.

Er schluckte. Und wo ist Ilan?

Ilan und ich haben uns vor einem Jahr getrennt, genau gesagt vor neun Monaten.

Er wankte ein bisschen, als hätte sie ihn geschlagen.

So ist es, sagte sie.

Ihr habt euch getrennt? Von wem?

Wieso von wem? Von uns. Einer vom andern.

Warum?

Menschen trennen sich. Das kommt vor. Lass uns weitergehen.

Er stand da, hob schwerfällig die Hand, ein begriffsstutziger Schüler. Unter seinen Bartstoppeln sah sie seinen gequälten Gesichtsausdruck. Früher hatten Ilan und sie sich manchmal lustig gemacht und gesagt, wenn sie sich je trennen würden, müssten sie um seinetwillen so tun, als wären sie weiterhin ein Paar.

Weswegen hättet ihr euch denn bitte trennen können, knurrte er. Erklär mir, was ist plötzlich in euch gefahren? Ihr habt die ganzen Jahre durchgehalten, und plötzlich hat es euch gereicht?

Er schimpft mich aus, staunte Ora, ausgerechnet er kommt mir noch mit Vorwürfen.

Von wem ging das aus? Avram hob den Kopf, plötzlich mutig, das war Ilan, nicht wahr? Hat er eine andere?

Ora blieb fast die Luft weg: Beruhige dich, das haben wir beide zusammen beschlossen. Vielleicht ist es besser so, sagte sie so leise, dass er es kaum hören konnte. Aber plötzlich kochte sie über: Was drängst du dich auf einmal in unser Leben, was weißt du überhaupt von uns? Wo bist du drei Jahre lang gewesen? Wo bist du dreißig Jahre lang gewesen?

Entschuldige, sagte er erschrocken und duckte sich, ich ... Wo ich gewesen bin? Seine Stirn legte sich in Falten, als wisse er es wirklich nicht.

So siehts aus, sagte Ora, glättete sofort ihre Stimme, bereute ihren Ausbruch.

Und du, Ora?

Was ist mit mir?

Bist du allein?

Ich ... Ich bin ohne ihn, ja. Aber ich bin nicht allein. Sie achtete darauf, ihm direkt in die Augen zu schauen: Ich fühl mich nicht allein. Aus dem Lächeln, das sie versuchte, wurde nichts. Avram rang nervös die Hände. Sie spürte, dass sein Körper zu alarmiert war, um dieser Nachricht standzuhalten. Ora und Ilan hatten sich getrennt. Ilan war allein. Ora war allein. Ora war ohne Ilan.

Aber warum? Warum denn?! Er flammte wieder auf, schrie es ihr ins Gesicht. Es fehlte nur noch, dass er mit dem Fuß aufstampfte.

Du schreist. Schrei mich nicht an.

Aber wie ... Ihr wart doch immer ... Er ließ den Rucksack von der Schulter rutschen und sah mit einem elenden Hundeblick zu ihr hoch: Nein, erklär es mir von Anfang an, was ist passiert?

Was passiert ist? Auch sie stellte den Rucksack ab. Viele Sachen sind passiert, seit Ofer eingezogen wurde. Seit du beschlossen hast, was weiß ich, warum, dass du vor mir verschwinden musst.

Seine Hände zerdrückten sich fast. Seine Augen rasten hin und her.

Unser Leben hat sich verändert, sagte Ora sanft. Ich habe mich verändert. Und Ilan sich auch. Überhaupt, die ganze Familie. Ich weiß nicht, wo ich anfangen soll zu erzählen.

Und wo ist er jetzt?

Unterwegs, nach Südamerika, hat sich Urlaub vom Büro und von allem genommen. Keine Ahnung, für wie lange. In letzter Zeit sind wir nicht wirklich in Kontakt. Sie zögerte. Sie hatte nicht erzählt, dass Adam mit ihm gefahren war, dass sie im Grunde auch von ihrem erstgeborenen Sohn getrennt war. Von ihm, von Adam, vielleicht sogar richtig geschieden. Lass mir ein bisschen Zeit, Avram, sagte sie, mein Leben ist jetzt sehr durcheinander, es fällt mir nicht leicht, darüber zu reden.

Schon gut, wir müssen nicht reden.

Er stand erschrocken und ganz und gar aufgewühlt da, wie ein Ameisenhaufen, in den ein grober Fuß hineingetreten hat. Früher, dachte sie, hatten solche Komplikationen der Handlung, plötzliche unvorhergesehene Konstellationen ihn gepackt, seinen Körper und seine Seele erregt, ihn »auferleben« lassen, das war auch so ein Wort von ihm, oj, seufzte sie im Stillen zu ihm hinüber, all das »Unendlichstmöglichste«, erinnerst du dich? Erinnerst du dich? Das hast du erfunden, das hast du uns zum Gesetz gegeben, und dass gerade zum Trotz der Tiger neben dem Böcklein liegen soll und schauen, was passiert, vielleicht würde es in der Geschichte des Universums ja einmal auch eine Überraschung geben. Vielleicht würden dieser spezielle Tiger und ebendieses Böcklein es ja zusammen schaffen, zum Trotz, dieses eine Mal – sie erinnerte sich nicht mehr, welchen Ausdruck er damals verwendet hatte. Über sich hinauswachsen? Erlöst werden? Ach, Avrams Wörter. Er hatte ein ganzes Lexikon voll gehabt, Lexikon, Sprichwörtersammlung und Konversationsfloskeln, mit sechzehn, mit neunzehn und mit zweiundzwanzig Jahren, und seitdem Stille, zappenduster.

Sie gingen weiter. Langsam, nebeneinander, gebeugt unter ihrer Last. Ora spürte, wie er die Neuigkeit in sich aufnahm, gleich einem Gewebe, das eine Lösung aufsaugt und dabei seine Eigenschaften verändert: Wie sich in ihm langsam die Einsicht formulierte, dass er in fünfunddreißig Jahren das erste Mal mit ihr allein war, wirklich allein, ohne Ilan, und sogar ohne Ilans Schatten.

Aber war es denn wirklich so, stichelte sie gegen sich selbst, sie konnte sich nicht entscheiden. Schon seit Monaten fiel es ihr schwer, irgendetwas zu entscheiden: Einen Moment dachte sie so, im nächsten anders. Und die Kinder? stieß Avram hervor, und Ora hielt einen Schritt inne – sogar ihre Namen war er nicht bereit auszusprechen –

die Kinder, betonte sie, die sind schon groß; unabhängig sind die Kinder. Die entscheiden selbst, wo und mit wem sie leben. Er warf ihr einen Blick von der Seite zu, und einen Moment lang war gleichsam die Augenhaut des Vogels zurückgeschoben, und seine Augen tauchten in ihre ein, er schaute und erkannte sie in ihren Tiefen, in ihrer Kränkung. Dann kehrte die Haut zurück und verdunkelte den Blick. In ihrer Trauer und ihrem Schmerz spürte Ora aufgewühlt: Noch gab es jemanden da drinnen bei ihm.

Bis zum Abend liefen sie so weiter, sie gingen ein bisschen und machten Pause, mieden Straßen und Menschen, aßen ab und zu von den Sachen, die Ora in ihrem Rucksack hatte, pflückten eine am Baum vergessene Grapefruit oder Orange, lasen Pekan- und Walnüsse vom Boden auf, füllten die immer wieder leeren Flaschen mit Fluss- oder Quellwasser, Avram trank ununterbrochen, Ora fast gar nicht. Sie liefen mal hierhin, mal dorthin, und sie fragte sich, ob ihm klar war, dass sie sich mit Absicht durcheinanderbrachten, um den Rückweg nicht zu finden.

Sie redeten kaum. Ora versuchte einige Male, etwas zu sagen, über die Trennung, über Ilan, über sich selbst, doch dann hob er immer beinahe flehend die Hand, er habe keine Kraft dafür, vielleicht später. Am Abend oder morgen. Besser morgen.

Avram wurde schwächer, und auch sie war eine solche Anstrengung nicht gewohnt. Er bekam oberhalb der Ferse erste Blasen und scheuerte sich zwischen den Beinen wund. Sie bot ihm Pflaster und Talkum an, doch er lehnte ab. Nachmittags schliefen sie eine Stunde im Schatten eines ausladenden Johannisbrotbaums, danach liefen sie noch ein bisschen, ruhten sich wieder aus, schliefen ein. Oras Gedanken wurden immer schwerfälliger. Vielleicht liegt es an Avram, nahm sie an: So wie er sie früher aufgeweckt und ihr Innerstes nach außen gekehrt hatte, so brachte er sie jetzt zum Verlöschen und machte sie stumpf. Gegen Abend, als sie am Rand eines Hains von Pekanbäumen auf einem Polster trockener Blätter und Nussschalen lagen, schaute sie in den Himmel, der war leer – abgesehen von zwei Hubschraubern, die schon seit ein paar Stunden sehr hoch über ihnen standen, die ganze Zeit an derselben Stelle knatterten und vermutlich beobachteten, was hinter der Grenze passierte –, und sie dachte, es würde ihr eigentlich nichts ausmachen, immer weiter so dahinzukriechen, sogar einen ganzen Monat so rumzubringen, bis sie blöde wurde, aber was war mit Avram? Vielleicht machte es ja auch ihm nichts aus, dachte sie. Womöglich tut es ihm gut, so zu streunen, keine Ahnung, was in ihm vorgeht, wie sein Leben jetzt ist und mit wem er es teilt. Und mir geht es so wirklich nicht schlecht, der Schmerz ist schwächer, stellte sie staunend fest, und sogar Ofer war in den letzten Stunden in ihr etwas ruhiger geworden. Vielleicht hatte Avram ja recht und man musste wirklich nicht über alles reden, eigentlich über gar nichts. Was gab es überhaupt noch zu sagen. Höchstens würde sie ihm, im richtigen Moment, ein wenig von Ofer erzählen, ganz vorsichtig, vielleicht würde er sich hier nicht so sehr sträuben, bloß ein paar Kleinigkeiten, die leichten, fröhlichen Dinge von Ofer, damit er zumindest in groben Zügen, in Schlagzeilen erfährt, wer Ofer ist; damit er wenigstens jetzt den Menschen ein bisschen kennenlernt, den er in die Welt gesetzt hat.

In einem kleinen Wäldchen schlugen sie zwischen Pistazien und Eichen ihre Zelte auf. Ofer hatte mit ihr zu Hause das Zeltaufbauen geübt, und zu ihrer Überraschung schaffte sie es jetzt fast problemlos. Zuerst stellte sie ihres auf, danach half sie Avram, und die Zelte sprangen sie nicht plötzlich an, wickelten sich nicht hinterlistig um sie herum, saugten sie auch nicht wie fleischfressende Pflanzen in sich hinein, wie Ofer es ihr prophezeit hatte, schließlich standen sie da, die zwei kleinen kugeligen Zelte, ihres orangefarben, seines blau, drei, vier Meter voneinander entfernt, zwei Blasen, wie kleine Raumschiffkapseln, abgeschottet – nicht nur gegen Regen, sondern auch gegeneinander –, und beide hatten winzige, von einer überdimensionalen Vorhaut aus Nylon bedeckte Fenster.

Auch jetzt öffnete Avram Ofers Rucksack nicht, noch nicht einmal die Außentaschen. Er brauche nichts zum Wechseln, sagte er, seine Sachen habe ohnehin der Fluss heute mehrmals an seinem Leib gewaschen, er könne so, wie er ist, auf der Erde schlafen, er brauche noch nicht einmal eine Matte, lange werde er ohnehin nicht schlafen, denn Ora hatte, wie sich herausstellte, nicht die Schlaftabletten eingesteckt, die er normalerweise nahm, aus der Schublade des Schränkchens an seinem Bett, sondern die pflanzlichen, die sie im Badezimmer gefunden hatte, und die waren nicht von ihm. Von wem sind die denn, fragte Ora, fast ohne die Lippen zu bewegen, ach die, Avram tat die Frage ab, die wirken bei mir sowieso nicht, und Ora dachte an die Frau, die das Deodorant mit Vanillegeruch benutzte, violette Haare hatte und bereits seit einem Monat – hatte er das nicht am Telefon gesagt – nicht mehr bei ihm wohnte.

Um sieben Uhr abends, als sie die Stille zwischen sich nicht mehr ertragen konnten, zog sich jeder in sein Zelt zurück, und sie lagen lange wach, dämmerten manchmal für eine Weile ein, auch Avram war von den Anstrengungen des Tages erschlagen, es gelang ihm fast, einzuschlafen, dank der lächerlichen Pillen, die Ora in seinem Medikamentenschrank gefunden hatte, doch letztendlich war er stärker als die Pillen.

Sie wälzten sich hin und her, seufzten, husteten. Zu heftig rumorte in ihnen die Wirklichkeit. Dass sie im Freien lagen, unbequem auf dem von Steinen und Kuhlen zerfurchten Antlitz der Erde, und auch beunruhigend neu, dieses spannungsreiche verborgene Beben wie der Rücken eines großen Tieres, und das irritierende Blinzeln der Sterne, und die ganze Zeit die warm-kühlen, feuchten Wellen Luft, wie der sanfte Atem aus einem verborgenen Mund.

Das Schreien der Nachtvögel, das Rascheln von allen Seiten, das Sirren der Mücken, dauernd das Gefühl, dass etwas an der Wange oder am Bein entlangkroch, das Geräusch leiser Tritte im nahen Gebüsch, das Heulen der Schakale, einmal auch der Schrei eines kleinen Tieres, das zerrissen wurde. Ora war wohl trotz allem eingeschlafen, denn gegen Morgen weckten sie drei Leute in Militäruniform, die auf dem kleinen Absatz vor ihrer Haustür standen und einen Schritt zur Seite machten, damit der Ranghöhere unter ihnen hervortreten und an die Tür klopfen konnte, der Arzt tastete in seiner Tasche nach der Beruhigungsspritze, und die junge Offizierin spannte die Muskeln an, um Ora, falls sie ohnmächtig würde, aufzufangen.

Ora sah sie alle drei, wie sie sich aufrichten, sich räuspern, und der mit dem höheren Dienstgrad hebt den Arm und zögert. Wie hypnotisiert schaute sie auf diese geschlossene Faust und hatte den Gedanken, dieser Moment würde ein ganzes Leben dauern. Dann klopft er an die

Tür, dreimal stark, und schaut auf die Spitzen seiner Schuhe; bis die Tür geöffnet würde, bewegt er die Nachricht, die er überbringen soll, in seinem Mund. Um soundsoviel Uhr an dem und dem Ort ist Ihr Sohn Ofer bei einem Einsatz …

Gegenüber, auf der anderen Straßenseite, werden nach und nach die Fenster zugeschlagen, Vorhänge vorgezogen und nur am Rand wieder ein wenig zurückgeschoben, um doch einen kleinen Blick zu ermöglichen, aber ihre Tür wird geschlossen bleiben. Endlich gelang es Ora, die Beine zu bewegen, und sie versuchte, sich im Schlafsack aufzusetzen. Schweißgebadet, die Augen geschlossen, die Hände steif, hatte sie den Eindruck, sie könne sie nicht bewegen – und der ranghöhere Offizier klopft erneut dreimal, und weil es ihm widerstrebt, klopft er zu hart, für einen Moment scheint es so, als wolle er die Tür aufbrechen und mit der Nachricht eindringen, doch die Tür bleibt geschlossen, keiner macht auf, um sie entgegenzunehmen, und er schaut verlegen auf das Formular in seiner Hand, um soundsoviel Uhr an dem und dem Ort ist Ihr Sohn Ofer bei einem Einsatz. Die Offizierin geht zurück zu dem Steinmäuerchen, um die Hausnummer zu überprüfen, es ist das richtige Haus, und der Arzt versucht, durch die Fenster hineinzuschauen, ob irgendwo Licht brennt, aber es brennt kein Licht. Noch ein schwächeres, diesmal zweimaliges Klopfen, und die Tür bleibt zu, und der Offizier stemmt sich für einen Augenblick mit seinem ganzen Gewicht gegen die Tür, als wolle er sie tatsächlich eindrücken und die Nachricht um jeden Preis hineinwerfen; er schaut seine Kollegen verwirrt an, denn ihnen wird jetzt immer klarer, dass hier mit der Zeremonie etwas schiefgeht, dass ihr professioneller und sachlicher Wille, ihr logischer Wille, diese Nachricht zu überbringen, sie loszuwerden, sie rauszukotzen, sie vor allem so schnell wie möglich demjenigen zukommen zu lassen, dem sie per Gesetz und per Schicksal zusteht, zu erklären, um soundsoviel Uhr an dem und dem Ort ist Ihr Sohn Ofer bei einem Einsatz – dass dieser erklärte Wille hier auf eine völlig unerwartete andere und ebenso starke Kraft trifft, nämlich auf Oras absolute Weigerung, diese Nachricht entgegenzunehmen oder auf irgendeine andere Art und Weise mitzuspielen und zuzugeben, dass sie die Empfängerin dieser Botschaft ist.

Jetzt beteiligen sich auch die beiden anderen an dem Versuch, die

Tür einzudrücken; mit rhythmischem Stöhnen und verhaltenen Anfeuerungen werfen sie immer wieder ihre Körper dagegen, und Ora kauert irgendwo dort an den Rändern ihres Traums. Ihr Kopf wird hin und her geworfen, sie will schreien, kriegt aber keinen Ton heraus, und sie weiß, nie würden sie es wagen, etwas so Außergewöhnliches zu tun, wenn sie nicht die Verweigerung spürten, die von der anderen Seite der Türe ausstrahlt. Gerade dies macht sie so wahnsinnig, und die arme Tür wackelt und knarrt zwischen Willen und Weigerung, zwischen ihrer erwachsenen, militärischen Logik und Oras kindischer Sturheit, und Ora verheddert sich in den Falten ihres Schlafsacks, bis sie plötzlich erstarrt, die Augen aufschlägt und durch die kleine Luke in ihrem Zelt nach draußen sieht: Es wird hell. Sie fährt sich mit der Hand durch die Haare, nass sind die, wie vom eigenen Schweiß gewaschen, und sie liegt da und sagt sich, gleich wird das Herz zu rasen aufhören, und dann muss sie hier raus.

Doch sosehr sie es will, sie schafft es nicht aufzustehen, der Schlafsack hat sich um sie geschlungen, hat sie wie eine riesige feuchte Binde fest umwickelt, und ihr Körper ist zu schlaff, um sich von diesem lebendigen Totentuch, das sie umschließt, zu befreien. Vielleicht sollte sie einfach noch ein bisschen liegenbleiben, ruhiger werden, Kräfte sammeln, die Augen schließen, an etwas Erfreuliches denken, doch sie bemerkt sofort, im Team der Überbringer der Nachricht beginnt ein leises Murren, denn ihnen ist völlig klar, dass sie diese Nachricht überbringen müssen, wenn nicht jetzt, dann in ein oder zwei Stunden, in ein oder zwei Tagen. Aber dann müssen sie noch einmal den ganzen Weg bis hierher machen und sich noch einmal auf diesen schweren Augenblick vorbereiten, keiner denkt ja an die Überbringer der Nachricht, an den enormen seelischen Druck, der auf ihnen lastet; immer tun einem nur die Empfänger Leid. Vielleicht sind die Überbringer sogar wütend, denn bei allem Schmerz und aller Sympathie hat sich bei ihnen zweifellos bereits eine Spannung, um nicht zu sagen Aufregung aufgebaut, die geradezu etwas Feierliches hat, auf diesen Moment der Nachrichtenübergabe hin, der, auch wenn sie ihn schon Dutzende Male erlebt haben, nie zur Routine wird und es auch nicht werden kann, genauso wenig, wie das Vollstrecken einer Todesstrafe zur Routine werden kann.

Mit einem halb erstickten Schrei riss Ora sich aus dem verfluchten Schlafsack, rannte aus dem Zelt und blieb draußen aufgewühlt stehen. Erst einige Augenblicke später bemerkte sie Avram, der nicht weit von ihr an einen Baum gelehnt auf der Erde saß und sie anschaute.

Sie kochten Kaffee und tranken ihn schweigend, er in seinen Schlafsack, sie in einen dünnen Mantel gewickelt. Er sagte, du hast geschrien, und sie sagte, ich hatte einen Albtraum. Er fragte nicht weiter. Sie tastete sich vor, hast du gehört, was ich geschrien habe? Da stand er auf und begann plötzlich, ihr etwas über die Sterne zu erklären. Wo die Venus war, wo die beiden Wagen, und wie der Große Wagen in Richtung Polarstern stand. Sie hörte ihm zu, teils gekränkt, teils überrascht von seiner neuen Begeisterung, von seiner Stimme, in der sich ein paar Knoten gelöst hatten. Siehst du, er zeigte nach oben, da ist Saturn, manchmal kann ich ihn im Sommer von meinem Bett aus sehen, mit den Ringen, und das hier ist Sirius, der leuchtet am hellsten ...

Er redete und redete, und Ora erinnerte sich an eine Zeile von S. Yizhar, die Ada und sie besonders gemocht hatten: »Es ist unmöglich, jemandem einen Stern zu zeigen, ohne die andere Hand auf seine Schulter zu legen«, doch es war möglich.

Sie packten ihr kleines Zeltlager zusammen und gingen los. Ora ließ den Ort, an dem der Albtraum sie heimgesucht hatte, gern hinter sich. Der Sonnenaufgang, der sich am Himmel andeutete – wie zwischen zwei sich langsam öffnenden Handflächen stieg das Licht auf –, belebte sie ein bisschen. Jetzt sind wir schon ganze vierundzwanzig Stunden unterwegs, dachte sie, und wir sind noch immer zusammen. Doch nach einer Weile wurden ihre Beine sehr schwer und ein undeutlicher Schmerz zog durch ihren Körper.

Sie dachte, es sei die Müdigkeit, hatte sie doch in den letzten zwei Tagen kaum geschlafen, oder vielleicht ein kleiner Sonnenstich – gestern hatte sie keinen Hut getragen und auch nicht genug getrunken –, und sie hoffte, dass nicht ausgerechnet jetzt bei ihr eine Frühjahrsgrippe ausbrach. Aber es fühlte sich nicht an wie Grippe und auch nicht wie Sonnenstich, es war ein anderer, ein unbekannter Schmerz, der da hartnäckig in ihr fraß, und ab und zu dachte sie sogar, eine Fressbakterie.

Bei einer Ruine, von der nur ein Teil noch stand und der Rest zu einem Haufen behauener Steine zerfallen war, ruhten sie sich aus, Ora schloss die Augen und versuchte, sich mit tiefen Atemzügen, mit dem Massieren von Schläfen, Brustbein und Bauch zu beruhigen, doch es half nichts. Der Schmerz und die Beklemmung wurden nur noch stärker, ihr Puls schlug heftig im ganzen Körper, und da kam ihr in den Sinn, dass es Ofer war, der ihr weh tat.

Sie spürte ihn im Bauch, unter dem Herzen, eine ruhelose dunkle Stelle füllte sich dort mit der Empfindung Ofer. Er regte und bewegte sich in ihr, drehte sich um, und sie stöhnte überrascht, erschrak über seine Gewalt, über seine Verzweiflung, und erinnerte sich an den klaustrophobischen Anfall, den er etwa mit sieben Jahren im Aufzug zu Ilans Büro bekommen hatte: Der Aufzug war zwischen zwei Stockwerken steckengeblieben, sie beide waren allein, und als Ofer begriff, dass sie feststeckten, begann er laut zu schreien, man solle ihm die Tür aufmachen, er müsse raus, er wolle nicht sterben. Sie hatte versucht, ihn zu beruhigen, ihn zu umarmen, doch er entwand sich ihr und warf sich gegen die Wände und gegen die Tür, trommelte dagegen und brüllte, bis seine Stimme sich überschlug, und zum Schluss traktierte er sogar sie mit Schlägen und Tritten. In all den Jahren danach konnte Ora nie vergessen, wie sich seine Gesichtszüge in diesen Augenblicken verändert hatten, und auch nicht ihre stechende Enttäuschung, als sie, und dies nicht zum ersten Mal, begriff, wie dünn und zerbrechlich bei ihm die lebensprühende, fröhliche Oberfläche war, bei ihm, dem helleren und klareren ihrer beiden Kinder. So hatte sie doch immer in Gedanken von ihm gesprochen – das hellere und klarere ihrer beiden Kinder –, und sie erinnerte sich, wie Ilan ihr später halb im Spaß gesagt hatte, dass er dann wenigstens nie zur Panzertruppe gehen, sich nie freiwillig in so einen engen Panzer setzen würde, doch diese Prophezeiung hatte sich, wie viele andere, als falsch erwiesen, er war zu den Panzern gegangen, er war da reingeklettert, ohne Problem. Nicht er, sondern sie hatte einen Erstickungsanfall bekommen und wäre fast ohnmächtig geworden, als sie in Nebi Mussa nach einer von seinem Regiment für die Eltern veranstalteten Vorführung der Einheit in Bewegung und beim Schießen auf sein Bitten selbst in einen Panzer geklettert war. Und jetzt spürte sie ihn, Ofer, genau so, wie sie ihn damals im Aufzug gespürt hatte. Sein Entsetzen. Rasend vor Angst. Er merkte wohl, dass sich etwas immer enger um ihn zuzog und ihn gefangen nahm, dass er nicht rauskonnte und keine Luft kriegte, und Ora sprang auf und stand nun über Avram. Komm, sagte sie, lass uns gehen, und Avram verstand es nicht, wir haben uns doch gerade erst hingesetzt, aber er fragte nichts. Gut, dass er nichts fragte, was hätte sie ihm schon sagen können.

Sie ging schnell, spürte nicht das Gewicht des Rucksacks, vergaß auch Avram immer wieder, der sie rufen musste, sie solle langsamer gehen, auf ihn warten, aber es fiel ihr schwer, seine Langsamkeit war unerträglich. Den ganzen Morgen war sie nicht bereit, auch nur einmal anzuhalten, und wenn er protestierte und sich mitten auf den Weg oder unter einen Baum legte, lief sie trotzdem weiter und zog Kreise um ihn, um sich im dauernden Laufen, unter der heißen Sonne immer mehr zu betäuben, auch trank sie absichtlich nichts. Doch Ofer ließ nicht von ihr ab, er bohrte hartnäckig in ihr, in schmerzhaften rhythmischen Krämpfen, und gegen Mittag hörte sie ihn plötzlich auch, nicht wirklich reden, aber die Melodie seiner Stimme hörte sie hinter allen Geräuschen des Tals, hinter dem Summen und Zwitschern, dem Zirpen der Grillen, dem Geräusch ihres eigenen Atems und dem Röcheln Avrams hinter ihr, hinter dem Surren der riesigen Wassersprenger auf den Feldern, den Motoren der fernen Traktoren und der Leichtflugzeuge, die ab und zu über ihnen kreisten. Seine Stimme schien ihr merkwürdig klar, als sei er wirklich hier, als gehe er neben ihr her und unterhalte sich mit ihr ohne Worte. Er hatte keine Worte, nur seine Stimme. Er spielte auf seiner Stimme wie auf einem Instrument, und manchmal bemerkte sie auch das erschütternde leichte Stottern, das er manchmal beim S hatte, besonders wenn er aufgeregt war. Was sollte sie tun? War es richtig, ihm zu antworten, einfach anzufangen, zu ihm zu reden, oder sollte sie ihn möglichst ignorieren? Denn seit sie die Tür ihres Hauses in Bejt Zajit hinter sich geschlossen hatte, quälte sie auch eine umgekehrte, ihr sehr bekannte Angst: Die Angst, was ihr in den Sinn kommen, was sie in Gedanken sehen würde, wenn sie an ihn denkt, was ihrem Kopf entweichen und sich gerade dann um Ofers Hände und auf seine Augen legen würde, wenn er unbedingt wach und im vollen Besitz all seiner Kräfte sein musste.

Sogleich spürte sie, dass er seine Taktik änderte, denn er sagte einfach nur »Mama«, ein ums andere Mal, hundertmal Mama, Mama, in unterschiedlichem Tonfall, unterschiedlichem Alter, er quengelte, er jauchzte ihr zu, er vertraute ihr etwas an, zog an ihrem Kleid, Mama, Mama, er ärgerte sich über sie, versuchte sich einzuschmeicheln, weinte, flirtete mit ihr, staunte, schmiegte sich an sie, zog sie auf, lachte mit ihr, öffnete aufs Neue an jedem Morgen seiner Kindheit die Augen zu ihr: Mama?

Oder wie er als Säugling wach und winzig in ihrem Schoß gelegen hatte, die schmalen Hüften in Windeln gepackt, und sie mit dem Blick anschaute, den er damals schon hatte, so ruhig und erwachsen, dass er sie verlegen machte, immer mit einem leichten Anflug von Ironie, den hatte er beinahe von Geburt an, vielleicht lag es an der Form seiner Augen, die sich in so einem steilen Winkel zweifelnd einander zuneigten – zuneigen.

Sie stolperte, streckte die Arme nach vorn und sah aus, als bahne sie sich den Weg durch einen unsichtbaren Schwarm von Wespen. Etwas Unheilvolles lag in der Lebendigkeit, in der Art und Weise, in der er in ihr lebendig wurde, in der Willkür, mit der es ihn in ihr schüttelte, und sie fragte sich kraftlos, warum ist er so, warum zerrt er so an mir, und ihr ganzes Inneres pulsiert, atmet seinen Namen wie ein Blasebalg. Keine Sehnsucht liegt darin, nichts Süßes. Er zerreißt sie von innen, tobt, schlägt mit Fäusten gegen die Wände ihres Körpers. Er fordert sie ganz für sich, ohne Grenzen, verlangt, dass sie sich von sich selbst freimacht und sich bis zur Selbstaufgabe ihm widmet, dass sie an ihn denkt, ununterbrochen, von ihm redet und jedem, den sie trifft, von ihm erzählt, sogar den Bäumen, den Steinen und den Dornen. Dass sie seinen Namen immer wieder sagt, laut und im Stillen, dass sie ihn nicht für einen Moment, nicht für eine Sekunde vergisst, dass sie ihn nicht zurücklässt, denn er braucht sie jetzt, um zu leben, das weiß sie plötzlich, das spürte sie, wenn er zubiss, wie kam es, dass sie das nicht gleich begriffen hat, er braucht sie jetzt, um nicht zu sterben. Sie stand da, legte eine Hand auf ihre schmerzende Hüfte und hauchte fassungslos: Wirklich so? Genau so, wie er mich damals gebraucht hat, um auf die Welt zu kommen?

Was hast du, keuchte Avram, als er sie endlich einholte, was hat dich denn gestochen? Sie senkte den Kopf und sagte leise, Avram, ich kann so nicht weitermachen. Und er, was heißt so. Und sie, dass du nicht wenigstens bereit bist … Dass ich dir nicht wenigstens den Namen sagen kann. Da löste sich bei ihr ein Knoten, hör zu, sagte sie, dieses Schweigen, das bringt mich um und ihn auch, also entscheide dich. Was soll ich entscheiden, fragte er. Ob du wirklich mit mir hier bist. Sofort schaute er an ihr vorbei. Ora schwieg und wartete. Seit Ofer geboren war, hatte sie mit Avram so gut wie nicht über ihn geredet. Jedes Mal, wenn sie sich bei ihren seltenen Treffen nicht beherrschen konnte und versuchte, von Ofer zu erzählen oder auch nur seinen Namen zu erwähnen, machte er so eine schnelle Handbewegung, als verscheuche er eine lästige Fliege. Immer hatte sie Avram von Ofer abschirmen müssen, das war seine Bedingung. Nur so war er zu diesen erbärmlichen Treffen überhaupt bereit gewesen, als gäbe es keinen Ofer und als hätte es ihn nie gegeben. Ora hatte die Zähne zusammengebissen, sich eingeredet, sie habe die Kränkung und die Wut inzwischen fast überwunden, habe sich mit seiner Weigerung und damit, dass er Ofer wegstieß, abgefunden, sich im Laufe der vielen Jahre an diese ihr von ihm aufgezwungene Spaltung gewöhnt, denn diese Spaltung brachte auch eine gewisse Erleichterung mit sich, klare Grenzen, eine absolute Trennung der Instanzen, hier Avram und sie, dort alle andern. In den letzten Jahren hatte sie mit einem Anflug von Scham bemerkt, dass der Gedanke an eine andere Möglichkeit sie mehr belastete als die Fortführung der bestehenden Konstellation. Und doch war sie bei jeder seiner abwehrenden Gesten wieder zutiefst verletzt und musste sich erneut in Erinnerung rufen, dass sein labiles Gleichgewicht wohl auf der hermetischen Abwehr Ofers beruhte, auf der Abwehr der Tatsache Ofer, der Abwehr dessen, was seiner Meinung nach zweifellos der größte Fehler seines Lebens war. Und auch das löste in ihr immer wieder eine Welle frischer Wut aus. Der Gedanke, Ofer könnte der größte Fehler im Leben von jemandem sein, und noch schlimmer, Ofer könnte der größte Fehler in Avrams Leben sein. Andererseits gab es − und genau das brachte sie in den letzten Tagen so durcheinander und beinah um den Verstand − diese schwarzen Striche an der Wand über Avrams Bett, die Tabelle der Verzweiflung von Ofers Militärzeit, drei Jahre, mehr als tausend Striche, ein Tag ein Strich. Anscheinend hatte er jeden Abend mit einem waagerechten Strich den vergangenen Tag durchgestrichen. Wie ließ sich das miteinander vereinbaren, dachte sie, der größte Fehler seines Lebens und diese Verzweiflungstabelle? Wem von beiden sollte sie glauben?

Hör zu, Avram, ich hab mir überlegt ...

Ora, nicht jetzt.

Wann dann? Wann denn dann?

In einer scharfen Bewegung drehte er sich von ihr weg und begann, schnell zu gehen, und sie hasste ihn und verachtete ihn und er tat ihr leid. Sie dachte, sie war wirklich verrückt gewesen zu glauben, er könne ihr helfen und ihr in ihrer Not beistehen, diese ganze Idee war doch von Grund auf krank, dachte sie, und ihm gegenüber sogar sadistisch – ihm so eine Tour zuzumuten und zu erwarten, nach einundzwanzig Jahren der Leugnung und der Trennung, würde er auf einmal etwas von Ofer hören wollen –, und sie schwor sich, ihn am nächsten Morgen in den ersten Bus nach Tel Aviv zu setzen und bis dahin kein weiteres Wort über Ofer zu sagen.

Am Abend wurde der Schmerz von Ofer dermaßen heftig, dass sie sich in ihr Zelt verkroch und leise zu weinen begann. Im Verborgenen, damit Avram es nicht hörte. Die Schmerzen kamen immer häufiger, packten sie beinah jede Minute und wurden so durchgehend und gellend, dass sie dachte, wenn das so weitergeht, müsse sie sich irgendwie in eine Notaufnahme bringen lassen. Aber was sollte sie denen erklären? Die würden sie noch überreden, sofort nach Hause zu fahren und zu warten, dass sie kamen.

Avram hörte sie in seinem Zelt und beschloss, diese Nacht keine Schlaftablette zu nehmen, auch nicht die von Neta, seiner Freundin, die ihn nur für eine Weile benebelten, denn vielleicht würde Ora ihn in der Nacht brauchen. Aber wie könnte er ihr helfen? Er lag wach und schweigend da, die Arme fest über der Brust gekreuzt, die Hände in den Achselhöhlen. Stundenlang konnte er so liegen, ohne sich zu bewegen. Er hörte, wie sie vor sich hin wimmerte, ein anhaltendes, eintöniges Weinen. In Ägypten, im Abassija-Gefängnis, war einer gewesen, ein aus Cochin stammender indischer Jude aus Bat Jam, klein und dünn, der hatte jede Nacht stundenlang so geweint, auch wenn sie ihn nicht gefoltert haben. Die Kameraden sind fast durchgedreht seinetwegen, sogar die ägyptischen Gefängniswärter sind an ihm verrückt geworden, aber der Cochini hat nicht aufgehört. Einmal, als Avram und er zusammen im Flur standen und warteten, dass man sie zum Verhör abholte, war es Avram gelungen, ihn durch den Sack, den jeder von ihnen über dem Kopf hatte, zum Sprechen zu bewegen, und der Cochini sagte, er weine aus Eifersucht auf seine Freundin, er spüre, dass sie ihm nicht treu sei, sie habe schon immer seinen größeren Bruder mehr geliebt als ihn, und die Vorstellung, was sie jetzt mache, verbrenne ihn bei lebendigem Leib. Da hatte Avram eine merkwürdige Ehrfurcht und Achtung gegenüber diesem schmächtigen kleinen Kerl empfunden, der in der Lage war, sich in der Hölle der Kriegsgefangenschaft so ganz seinem persönlichen Schmerz hinzugeben, der überhaupt nichts mit den Ägyptern und den Folterungen zu tun hatte.

Er stand auf und ging leise aus dem Zelt und entfernte sich so weit, dass er Ora kaum noch hörte, setzte sich unter einen Pistazienbaum und versuchte, sich zu konzentrieren. Tagsüber, mit Ora in der Nähe, war er überhaupt nicht in der Lage nachzudenken. Jetzt verfasste er die Anklageschrift über seine Erbärmlichkeit und Angst. Alle zehn Finger drückte er sich ins Gesicht, in die Stirn, in die Wangen, und brummte halblaut, jetzt hilf ihr doch, du Scheißkerl, du treuloser, und er wusste, er würde nicht helfen, und sein Mund verzerrte sich vor Abscheu.

Wie die anderen Male, wenn er ehrlich über sich nachgedacht hatte, konnte er einfach nicht verstehen, warum er überhaupt noch am Leben war, das heißt, was das Leben dazu veranlasste, sich so an ihn zu klammern und ihn noch aufzusparen. Was an ihm rechtfertigte eine so andauernde Anstrengung von Seiten des Lebens, eine solche Hartnäckigkeit, oder war es einfach Rachgier?

Er schloss die Augen und versuchte, in seiner Vorstellung die Gestalt eines jungen Mannes hochkommen zu lassen. Irgendein Junge. In letzter Zeit, je näher das Datum von Ofers Entlassung kam, suchte er sich ab und zu in dem Restaurant, in dem er arbeitete, oder irgendwo auf der Straße einen Jungen im passenden Alter und beobachtete ihn heimlich, lief ihm auch mal ein, zwei Straßen lang hinterher und versuchte, mit seiner Hilfe sich Ofer vorzustellen. Solche Phantasien erlaubte er sich immer öfter. Annahmen über Ofer, Schattenbilder.

Die zähe nächtliche Stille hüllte alles um ihn ein. Sanfte Windböen strichen lautlos über ihn hinweg. Ab und zu schrie ein großer Vogel, wohl ganz in der Nähe. Auch Ora spürte in ihrem Zelt etwas. Sie verstummte und lauschte, und es war, als wehe etwas über ihre Haut. Tausende von Kranichen flogen im Nachthimmel gen Norden, doch sie beide sahen sie nicht und wussten es nicht. Lange dauerte das weit ausgespannte unsichtbare Geräusch, wie ein Rauschen der Wellen am Muschelstrand.

Avram lehnte mit geschlossenen Augen am Pistazienbaum und sah den Rücken Ofers in Gestalt des jungen Ilan vorbeischleichen – ausgerechnet Ilan tauchte vor ihm auf, er ging einen halben Schritt vor ihm, führte ihn auf den Wegen des so verhassten Militärcamps, in dem er mit seinem Vater wohnen musste, zeigte ihm mit einer Augenbewegung die übertünchten Graffiti an den Wänden der Steinhäuser. Danach versuchte Avram, sich eine männliche Version von Ora in ihrer Jugend vorzustellen, doch er sah nur immer wieder sie selbst, hochgewachsen, hellhäutig, mit den wippenden roten Locken im Nacken, und fragte sich einen Augenblick, ob Ofer wohl so rothaarig war wie sie, so wie sie mal gewesen war, jetzt war nicht mal mehr ein Anflug von Rot in ihrem Haar zu finden, und es wunderte ihn, dass er bis jetzt noch nie diese naheliegende Möglichkeit bedacht hatte, dass Ofer rothaarig war, und noch mehr wunderte es ihn, dass er es wagte, ihn sich so vorzustellen, und dann sah er, für einen blitzartigen Moment, eine Projektion von Ofer, der ihm selbst – Avram mit einundzwanzig – ähnelte, und mit siebzehn und mit vierzehn – mit einem Augenzwinkern sprang er zwischen seinen verschiedenen Altersstufen hin und her – für sie, dachte er fiebernd, mit einer Hingabe wie ein Betender, nur für sie – und er sah das Aufflackern eines rotwangigen runden Gesichtes, immer hellwach, immer glühend, er spürte das Sprunghafte, Leichtfüßige, Kleinwüchsige, das er schon Jahre nicht mehr gespürt hatte, es war, als wehen von dem wuscheligen Kopf Funken eines nie erlöschenden Feuers, als werde von dort der Blitz eines begehrenden Augenzwinkerns zu ihm geschickt, aber sofort abgewehrt, aus dem Bild ausgelöscht, wie von einem erbarmungslosen Türsteher aus seinem Selbst hinausbefördert, und er saß schwer atmend und schweißgebadet da, sein Herz schlug noch eine Weile wild, aufgewühlt, wie als Junge, wenn er sich verbotenen Phantasien hingab.

Er lauschte: absolute Stille. Vielleicht war sie endlich eingeschlafen, für eine Weile von ihrem Schmerz erlöst. Er versuchte zu verstehen, was genau zwischen Ilan und ihr passiert war. Sie hatte nicht ausdrücklich gesagt, dass die Trennung von Ilan ausgegangen sei, hatte dies sogar abgestritten. Vielleicht hatte ja sie sich in jemanden verliebt? Hat sie einen anderen Mann? Aber warum war sie dann hier allein, warum hat sie dann ausgerechnet ihn mitgenommen?

Sie hatte auch gesagt, die Kinder, die Söhne, seien schon groß, sie bestimmten selbst, bei wem sie leben wollten, doch er hatte das Zittern ihres Mundes gesehen und gewusst, dass sie ihm etwas vorlog. Doch worin? Familien sind für mich höhere Mathematik, sagte er manchmal zu Neta, zu viele Unbekannte, zu viele Klammern und Potenzreihen, und überhaupt, diese ganzen Komplikationen, murrte er, wenn sie das Thema aufbrachte, und dass man die ganze Zeit mit allen anderen Angehörigen in Beziehung stehen muss, jeden Moment, Tag und Nacht, sogar in den Träumen. Das ist, wie einem ständigen Stromschlag ausgesetzt zu sein, redete er dann auf sie ein, während sie dabei immer traurig wurde und sich verkrampfte, das ist wie ein nicht endender Gewittersturm. Willst du das?

Und schon dreizehn Jahre wird er nicht müde, Neta zu sagen, dass sie ihre Jugend, ihre Zukunft und Schönheit auf ihn verschwende, dass er sie nur aufhalte und hindere, ihr das Leben verstelle. Siebzehn Jahre liegen zwischen ihnen. Mein junges Mädchen, nennt er sie, manchmal liebevoll und manchmal traurig. Als du zehn warst, erinnert er sie mit merkwürdiger Genugtuung, da war ich schon fünf Jahre tot. Und sie sagt, dann beleben wir die Toten eben und rebellieren gegen die Zeit.

Ich will ein volles Leben mit dir, beharrt sie, und er weicht ihr immer wieder aus, redet sich auf den Altersunterschied heraus: Du bist viel erwachsener als ich, sagt er. Sie möchte auch Kinder, und er lacht entsetzt, reicht dir das eine nicht? Brauchst du Kinder in der Mehrzahl? Und ihre schmalen Augen, wie die von Geistern, leuchten auf: Dann ein Kind, in Ordnung, so wie Ibsen und Ionesco und Jean Cocteau dasselbe Kind waren.

In letzter Zeit hatte er sie wohl überzeugen können, denn schon seit ein paar Wochen war sie nicht mehr gekommen und hatte auch nicht angerufen. Wo ist sie? fragte er sich halblaut und stand auf.

Ab und zu, wenn sie mit ihren merkwürdigen Jobs ein bisschen Geld verdient hat, fährt sie plötzlich weg. Avram spürt schon vor ihr, wenn es kommt: Dann beginnt in ihrer Iris so ein Hunger zu kreisen, da werden im Schatten mürrisch Verhandlungen geführt, und anscheinend unterliegt sie und muss deshalb fahren. Immer wählt sie Länder, deren Name allein ihn schon in Schrecken versetzt, Georgien, Mongolei, Tadschikistan, sie ruft ihn aus Marrakesch oder Monrovia an, bei ihm ist es schon Nacht, bei ihr noch Tag – dann bist du jetzt, erklärt er ihr, zu allem Überfluss noch drei Stunden jünger als ich –, und sie erzählt ihm mit sonderbarer, fast mondsüchtiger Leichtigkeit Erlebnisse, bei denen sich ihm alle Haare aufstellen.

Er begann, den Baum zu umkreisen. Er versuchte nachzurechnen, herauszubekommen, wann genau er das letzte Mal von ihr gehört hatte, und meinte, es sei mindestens drei Wochen her. Vielleicht noch länger? War sie wirklich schon einen ganzen Monat verschwunden? Und wenn sie sich etwas angetan hat? dachte er, blieb stehen und erstarrte und erinnerte sich, wie sie mit der Leiter am Geländer des flachen Daches in ihrer Wohnung in Jaffa getanzt hatte, und er wusste, dass diese Möglichkeit, die für Neta existierte, schon seit ein paar Tagen in seinem Kopf gehämmert hatte und dass die Angst um sie zusammen mit dem Vertrauen zu ihr in seine Welt gekommen war, jetzt erkannte er endlich, wie sehr die nervenaufreibende Erwartung des Tages, an dem Ofer entlassen würde, das bisschen ihm noch verbliebenen Verstand verwirrt hatte, so dass er sogar Neta vergessen hatte.

Sein Kreisen um den Baum wurde schneller, und er rechnete noch einmal nach: Das Restaurant war schon einen Monat wegen Renovierung geschlossen, etwa seitdem kam sie nicht mehr. Seitdem hab ich sie nicht gesehen, nicht von ihr gehört und sie auch nicht gesucht. Und was habe ich die ganze Zeit gemacht? Er erinnerte sich an lange Spaziergänge am Strand. Straßenbänke. Bettler. Fischer. Wellen der Sehnsucht nach ihr, die er mit Gewalt unterdrückte, indem er den Kopf gegen die Wand schlug. Alkohol in Mengen, an die er nicht gewöhnt war. Schlechte Trips, Schlaftabletten in doppelter Dosierung, ab acht Uhr abends. Schlimme Kopfschmerzen am Morgen. Tagelang dieselbe Schallplatte, Miles Davis, Mantovani, Django Reinhard. Stundenlanges Wühlen in den Müllhaufen von Jaffa, um Schrott zu finden,

Werkzeuge, verrostete Motoren, alte Schlüssel. Er hatte auch ein paar Tage gearbeitet und nicht schlecht verdient; zweimal die Woche stellte er in der Bibliothek eines Colleges in Rischon LeZion die Bücher zurück, und manchmal verdingte er sich auch als Versuchsperson für Firmen, die Medikamente oder Kosmetik herstellten: In der Gegenwart von Wissenschaftlern und netten, höflichen Laboranten, die ihn vermaßen, wogen, jedes Detail aufschrieben und ihm irgendwelche Formulare zum Unterschreiben vorlegten und ihm zum Schluss einen Gutschein für einen Kaffee und ein Croissant gaben, schluckte er Pillen in Leuchtfarben und schmierte sich mit Cremes ein, die vielleicht irgendwann auf den Markt kommen würden oder auch nicht. In seinen Berichten erfand er körperliche und seelische Nebenwirkungen, an die die Entwickler der Medikamente nie gedacht hätten.

Letzte Woche, als der Tag der Entlassung näher rückte, war er schon nicht mehr aus dem Haus gegangen. Er redete nicht mehr mit Leuten, nahm das Telefon nicht mehr ab, aß nicht mehr. Er hatte das Gefühl, er müsse den Platz, den er auf der Welt einnahm, jetzt möglichst einschränken. Er stand kaum noch aus seinem Sessel auf. Saß da, wartete, und er verminderte sich. Und wenn er aufstand und durch die Wohnung ging, gab er sich Mühe, keine schnellen Bewegungen zu machen. Damit der dünne Faden, an dem Ofer jetzt hing und von ihm abhing, nicht reiße, nicht erschüttert werde. Im Laufe des letzten Tages, als er der Meinung war, Ofer sei bereits entlassen, hatte er reglos neben dem Telefon gesessen und gewartet, dass Ora anrief und ihm sagte, jetzt ist es dort vorbei. Aber sie hatte nicht angerufen, und er erstarrte immer mehr und wusste, dass etwas passiert war. Nichts Gutes. Die Stunden vergingen, es wurde schon Abend, er dachte, wenn sie nicht jetzt sofort anrief, würde er sich nicht mehr bewegen können. Mit letzter Willenskraft hatte er sie angerufen und gehört, was passiert war, und dann hatte er gespürt, wie er zu Stein wurde.

Aber wo bin ich den ganzen Monat gewesen, brummte er und war entsetzt, seine Stimme zu hören.

Er drehte sich um und lief schnell zu Ora, rannte fast, genau in dem Moment, als sie ihn rief.

Sie saß in ihren Mantel gehüllt da. Wann bist du aufgestanden, Avram? Ich weiß nicht, schon vor einer Weile. Und wo bist du hingegangen? Nirgends, ich bin bloß ein bisschen rumgelaufen. Hab ich dich gestört mit meinem Weinen? Nein, das ist okay, wein ruhig, weine. Das Auge der Morgendämmerung öffnete sich langsam. Sie schwiegen. Schauten zu, wie das Schwarz der Nacht herausgesaugt wurde und verschwand. Hör mal, sagte sie, und lass mich jetzt bitte ausreden. Ich kann so nicht weitermachen. Was heißt so? Dass du schweigst. Aber ich red doch ziemlich viel, lachte er angestrengt. Pass auf, dass du nicht heiser wirst, sagte sie trocken, ich halt es einfach nicht aus, dass du mich nicht über ihn reden lässt.

Avram machte eine Bewegung wie, fängst du schon wieder damit an, und sie atmete langsam ein und sagte dann, ich weiß, dass es für dich schwer ist mit mir, aber so werd auch ich verrückt. Das ist schlimmer, als wenn ich alleine gegangen wäre, denn allein könnte ich wenigstens laut mit mir über ihn reden, und jetzt tu ich deinetwegen noch nicht mal das. Und ich dachte, was hab ich gedacht – sie hielt inne, betrachtete ihre Fingerspitzen, ja, sie hatte keine andere Wahl –, wenn wir gleich an eine Straße kommen, dann trampen wir nach Kirijat Schmona und setzen dich in einen Bus nach Tel Aviv, und ich bleibe hier und mach noch ein bisschen weiter. Was meinst du? Kannst du alleine nach Hause fahren?

Ich kann alles. Jetzt mach aus mir keinen Behinderten.

Das hab ich nicht gesagt.

Ich bin nicht behindert.

Ich weiß.

Es gibt nichts, was ich nicht machen kann, sagte er wütend. Es gibt nur Sachen, die ich nicht will.

Mir mit Ofer zu helfen, dachte sie.

Und wie kommst du hier zurecht?

Keine Sorge, ich komm schon zurecht. Ich werd ein bisschen laufen, viel muss es gar nicht sein. Es reicht schon, wenn ich auf einem Feld rumlauf, hin und her, so wie gestern oder vorgestern, du hast es ja gesehen. Wichtig ist nicht, wo ich bin, sondern wo ich nicht bin, verstehst du das?

Er lächelte spöttisch, ob ich das versteh?

Es wäre für uns beide das Beste, sagte sie zweifelnd und traurig. Er antwortete nicht, und deshalb machte sie weiter. Du denkst vielleicht, ich könnte das stoppen, von ihm zu reden, meine ich, aber das kann ich nicht. Ich bin jetzt nicht in der Lage, mich zu beherrschen, ich muss ihm Kraft geben, er braucht mich, das spüre ich. Ich mach dir auch keine Vorwürfe.

Avram senkte den Kopf sehr tief. Beweg dich jetzt nicht, dachte er, lass sie ausreden, stör sie jetzt nicht.

Und das ist nicht nur wegen deiner Erinnerung, sagte sie, und er öffnete fragend ein Auge; ich meine, dass du dich an alles erinnerst und bei mir das Hirn in der letzten Zeit wie ein Sieb geworden ist, nicht deshalb wollte ich, dass du mitkommst.

Sein Kopf war schon auf die Brust gesunken. Sein ganzer Körper nach innen gerollt.

Ich wollte, dass du mitkommst, damit ich mit dir über ihn reden kann, sagte sie, ich wollte dir einfach von ihm erzählen, dass, falls ihm was passiert …

Avram verschränkte die Arme und presste sie an die Brust. Beweg dich nicht. Hau nicht ab. Lass sie reden.

Und glaub mir, ich hab mir das alles nicht vorher überlegt, sie lachte verlegen, mit verstopfter Nase – du kennst mich, ich habe das nicht geplant, als du mich angerufen hast, hab ich vorher nicht an dich gedacht, und ehrlich gesagt, an dem Tag, vorgestern, warst du mir völlig aus dem Kopf, mit dem ganzen Chaos, aber als du dann anriefst, als ich dich hörte, ich weiß nicht, da hab ich plötzlich gespürt, dass ich genau jetzt mit dir zusammen sein muss, verstehst du? Mit dir und mit niemand anderem.

Je länger sie redete, umso aufrechter wurde sie, und ihr Blick wurde klarer, als finge sie endlich an, eine Geheimschrift, die man ihr übergeben hatte, zu entziffern: Ich hatte das Gefühl, wir müssten beide, zusammen, wie soll ich dir das sagen, Avram …

Mit aller Kraft mühte sie sich, dass ihre Stimme fest und klar blieb und nicht zitterte. Noch nicht einmal bebte. Sie dachte an die allergischen Reaktionen von Ilan und den Söhnen, wenn sie sie überschwemmte.

Im Grunde sind wir sein Vater und seine Mutter, sagte sie leise, und

wenn wir, zusammen, ich meine, wenn wir nicht das machen, was
Eltern …

Da hielt sie inne. In den letzten Sekunden hatte er schon seine Arme
nach oben und zu den Seiten ausgestreckt und zappelte wie von Ameisen gebissen. Sie betrachtete ihn und nickte mehrere Male langsam.

Gut, seufzte sie, wollte aufstehen, was kann ich noch … Ich bin echt
ein Idiot, wie konnt ich überhaupt glauben, dass du …

Nein, sagte er eilig, legte ihr die Hand auf den Arm und zog sie sofort zurück: Ich hab mir gedacht … Was meinst du, vielleicht bleiben
wir noch einen Tag, nur einen Tag, was ist schon dabei, und dann sehn
wir.

Was sehn wir dann?

Ich weiß nicht. Schau her, ich, wie soll ich sagen, ich leide nicht so
schlimm. Es ist nicht so, wie du sagst, er schluckte mühsam, das ist nur,
wenn du mich damit bedrängst. Mit ihm.

Mit Ofer, sag wenigstens das.

Er schwieg.

Noch nicht mal das?

Er ließ die Arme sinken.

Wie in Gedanken versunken nahm Ora die Brille ab, klappte sie
zusammen und steckte sie in die Rucksacktasche. Dann strich sie sich
mit beiden Händen fest über die Schläfen und verharrte einen Augenblick so, als lausche sie einer fernen Stimme.

Und plötzlich stürzte sie sich auf die Erde und begann zu graben; mit
beiden Händen riss sie Erdstückchen und Steine heraus, zerriss Wurzeln. Avram sprang überraschend schnell von seinem Platz auf und
stellte sich vor sie voller Anspannung. Sie schien ihn nicht zu bemerken.
Sie stand auf, fing an, mit dem Absatz fest in die Erde zu stoßen. Erdstückchen spritzten weg, einige trafen ihn. Er rührte sich nicht. Sein
Mund war verschlossen, sein Blick konzentriert und ernst. Sie kniete
sich hin, zog einen spitzen Stein aus dem Boden und schlug mit ihm in
die Erde. Sie hämmerte schnell, die Unterlippe zwischen den Zähnen
eingeklemmt. Sofort rötete sich die dünne Gesichtshaut. Avram beugte
sich hinunter, kniete sich mit einem Bein ihr gegenüber hin und ließ sie
nicht aus den Augen. Seine Hand lag mit ausgestreckten Fingern auf der
Erde, wie bei einem, der sich auf den Start vorbereitet.

Das Loch wurde tiefer und breiter. Die weiße Hand mit dem Stein sauste ununterbrochen hoch und runter. Avram neigte den Kopf erstaunt zur Seite und sah ein bisschen aus wie ein Hund. Ora hielt inne. Stützte sich auf die Ellbogen. Starrte auf die gestampfte, zerkrümelte Erde, als verstehe sie nicht, was sie da sah, und machte sich dann wieder mit dem Stein über sie her. Sie stöhnte vor Anstrengung und Wut. Ihr Nacken wurde rot und schwitzte, die dünne Bluse klebte an ihrer Haut.

Ora, flüsterte Avram vorsichtig, was machst du da?

Sie hörte auf zu graben und suchte einen anderen, größeren Stein. Mit dem Unterarm schob sie sich eine kurze Haarsträhne aus der Stirn und wischte sich den Schweiß ab. Das Loch, das sie gegraben hatte, war klein, etwa so groß wie ein Ei. Sie richtete sich kniend auf, packte den Stein mit beiden Händen und schlug weiter. Mit jedem Schlag flog ihr Kopf nach vorne, und jedes Mal entwich ihrem Mund ein Stöhnen. Die Haut an ihren Händen riss schon ein. Avram schaute entsetzt, konnte den Blick nicht von ihren aufgeschürften Händen wenden. Sie schien nicht schwächer zu werden. Im Gegenteil, sie schlug immer schneller, schlug und stöhnte, warf im nächsten Moment auch diesen Stein fort und grub mit den Händen weiter. Mit den Fingern pulte sie kleinere und größere Steine aus der Erde und warf sie weg; zwischen ihren Beinen, über ihren Kopf hinweg flog die feuchte Erde nach hinten. Avrams Gesicht wurde lang vor Anspannung, seine Augen traten fast aus ihren Höhlen. Sie bemerkte ihn nicht. Als habe sie vergessen, dass er da war. Staub klebte an ihrer Stirn, an den Wangen. Ihre schönen hellen Augenbrauen bekamen Bögen von Erde, und um den Mund bildeten sich klebrige Mulden. Mit ausgestreckten Fingern maß sie, was sie gegraben hatte. Sie säuberte das Loch ein bisschen, glättete nun seinen Boden mit zarten, sanften Bewegungen, als drücke sie Teig in eine Form. Ora, nein, flüsterte Avram in seine Hand, und obwohl er plötzlich wusste, was sie tun würde, zuckte er erschreckt zusammen: Mit drei schnellen Bewegungen hatte Ora sich hingelegt und drückte ihr Gesicht in die aufgerissene Erde.

Sie redete. Er verstand die Worte nicht. Ihre Hände lagen links und rechts von ihrem Kopf wie die Beine einer Heuschrecke. Das kurze Haar, mit Staub und Erde befleckt, bebte in ihrem Nacken. Er hörte ihre Stimme wie ein dumpfes, zerbrochenes Klagelied, wie ein Mensch, der seine Beschwerden vor einem Richter ausbreitet, doch der Richter war grausam und sein Herz war aus Stein, dachte er, ein Angsthase von einem Richter. Genau wie ich. Ab und zu hob sie den Kopf, holte mit aufgerissenem Mund Luft, ohne ihn anzuschauen, ohne etwas zu sehen, und steckte das Gesicht sofort wieder in die Erde. Angezogen von ihrem Schweiß kamen die Morgenfliegen. Ihre Beine in der schmutzigen Wanderhose zuckten ab und zu und verkrampften sich, ihr ganzer Körper war angespannt wie in Fesseln, und Avram begann, auf der Erde hin und her zu rennen.

Unter ihnen lag das Hulatal, sonnenüberflutet, und wurde immer gelber. Die Fischteiche glitzerten, die Pfirsichhaine blühten rosa. Ora lag mit dem Gesicht auf dem Boden und erzählte dem Bauch der Erde eine Geschichte, sie schmeckte die Erdschollen und wusste, süß würden sie ihr nie schmecken, auch wenn das oft auf Beerdigungen gesagt wurde. Schal und staubig würden sie sein. Ihre Zähne zermalmten Staub, Staub ließ ihre Zunge am Gaumen kleben, wurde zu Schlamm. Die Nase rann, die Augen tränten, sie verschluckte sich an dem Staub, ein ums andere Mal schlug sie den Kopf auf die Erde, und wie ein Nagel rammte sich der Gedanke in ihrem Hirn fest, dass sie es wissen musste. Sie musste wissen, wie das ist. Hatte sie doch, als er ein Baby war, alles, was sie für ihn zubereitete, zuerst selbst probiert, um zu sehen, ob es nicht zu heiß oder zu salzig für ihn war; Avram, über ihr, atmete schwer, zitterte heftig und biss sich, ohne es zu merken, in die verkrampften Fingergelenke. Er wollte Ora packen und da rausziehen, wagte aber nicht, sie anzufassen. Er erkannte den Geschmack von Staub in den Augen, das Ersticken in der Nase, das Brennen heruntergeworfener Salven Erde – einer der beiden, der Dunkle mit dem Bart, hatte einen Spaten, und der andere nahm die vorher aus dem Loch herausgeschaufelte Erde mit den Händen von dem Haufen. Avram selbst hatte das Loch ausgehoben, mit Blasen an den Händen. Er hatte sie gebeten, sich seine Socken um die Hände wickeln zu dürfen. Sie hatten gelacht und es nicht erlaubt. Er hatte schon über eine Stunde gegraben und trotzdem nicht geglaubt, dass sie es ernst meinten. Schon dreimal hatten sie ihn gezwungen, sich sein Grab zu schaufeln, und hatten im letzten Moment gelacht und ihn zurück in die Strafzelle gebracht. Und dieses Mal, selbst als sie ihm die Hände auf dem Rücken fesselten, ihm die Beine zusammenbanden, ihn hineinstießen und ihm befahlen, still zu liegen und sich nicht zu bewegen, hatte er sich geweigert zu glauben, vielleicht, weil die beiden nur einfache Soldaten waren, Fellachen, und diesmal hatten sie noch nicht einmal den *djabet* dabei, den Offizier, und Avram hoffte noch immer, dass sie es nicht wagen würden, so etwas auf eigene Verantwortung zu machen. Er glaubte es auch noch nicht, als sie händeweise die lockere Erde auf ihn warfen, zuerst seine Beine bedeckten, langsam und mit merkwürdiger Sorgfalt, dann seine Hüften, den Bauch und die Brust, und Avram verdrehte seinen Körper und seinen Kopf nach hinten und suchte mit den Augen den *djabet*, dass er ihnen befehle, damit aufzuhören, und erst als die erste Handvoll Erde ihn ins Gesicht traf, auf die Stirn und die Lider – bis heute erinnert er sich daran; ein Erdbrocken zerbirst mitten auf seinem Gesicht, das Brennen in den Augen, Erdkörnchen rieseln hinter seine Ohren –, erst da begriff er, dass es diesmal vielleicht kein Spiel war, keine weitere Stufe der Folter, sondern dass sie es tatsächlich machen, dass sie ihn lebendig begraben, und ein Ring kalten Entsetzens schließt sich um sein Herz, spritzt ihm lähmendes Gift in den Körper, es ist aus und du bist aus, noch einen Moment, dann bist du nicht mehr da, dann wirst du nicht mehr sein; Blut spritzt aus den Augen, aus der Nase, der Körper zappelt unter den Erdschichten, schwer, schwer ist die Erde, wer hätte gedacht, wie schwer auf der Brust, und der Mund verschließt sich vor dem Staub und reißt auf, Erde zu atmen, und der Rachen ist Erde, und die Lungen sind Erde, und die Zehen strecken sich, um zu atmen, und die Augen treten aus den Höhlen, und plötzlich in alledem, wie ein langsam kriechender durchsichtiger Wurm, der Wurm eines traurigen kleinen Gedankens darüber, dass völlig fremde Menschen in einem fremden Land ihm Erde auf sein Gesicht schütten, auf sein Gesicht, ihn lebendig begraben, ihm Staub in die Augen und in den Mund werfen und ihn töten, das ist nicht in Ordnung, will er schreien, das ist ein Fehler, ihr kennt mich doch nicht einmal, und er knurrt und kämpft, die Augen aufzumachen, um noch einen letzten Blick zu erhaschen, Licht, Himmel, eine Betonwand, sogar das grausame, höhnische Gesicht, aber immerhin das Gesicht eines Menschen – hier an der Seite über seinem Kopf fotografiert ihn jemand, da steht ein Mann über einer Kamera, es ist der *djabet*, der kleine, schmale ägyptische Offizier mit einer großen schwarzen Kamera, eifrig fotografiert er Avrams Tod, vielleicht macht er sich ein Bild zum Andenken, um es nachher zu Hause der Frau und den Kindern zu zeigen, und in diesem Moment ließ Avram sein Leben los, in diesem Moment ließ er es wirklich los. Er hatte es nicht losgelassen, als er allein in der Festung zurückgeblieben war, drei Tage und drei Nächte, und auch nicht, als der ägyptische Soldat ihn aus seinem Versteck herauszog, und auch nicht, als die Soldaten ihn auf den Lastwagen hoben und fast totschlugen, mit Fäusten und Tritten und Gewehrkolben, und nicht, als ägyptische Bauern unterwegs den Lastwagen überfielen und ihn lynchen wollten, und nicht in den vielen Tagen und Nächten der Verhöre und der Folter, als sie ihn hungern und dursten und nicht schlafen ließen, ihn zwangen, stundenlang in der Sonne zu stehen, ihn ganze Tage in den Stehbunker sperrten und ihm einen nach dem andern die Fingernägel und die Zehennägel ausrissen, ihn unter die Decke hängten und seine Füße mit Gummiknüppeln schlugen und seine Hoden und seine Brustwarzen und seine Zunge an Strom anschlossen und ihn vergewaltigten – all diese Male hatte er immer noch etwas gehabt, an das er sich hatte klammern können, eine halbe Kartoffel, die ihm ein barmherziger Gefängniswärter in die Suppe schmuggelte, oder das Zwitschern eines Vogels, das er jeden Tag hörte, vermutlich im Morgengrauen, oder das er sich einbildete, oder die fröhlichen Stimmen zweier kleiner Kinder, vielleicht die des Gefängniskommandanten, die einmal ihren Vater besuchen kamen und einen ganzen Morgen in einem der Gefängnishöfe geplappert und gespielt hatten. Und mehr noch, er hatte das Hörspiel, das er während seines Militärdienstes im Sinai geschrieben hatte, bis der Krieg anfing, ein Hörspiel mit verschlungener Handlung und vielen Personen. Zu einer Nebenhandlung vor allem kehrte er immer wieder zurück, mit der er sich, bis er in Gefangenschaft geriet, nicht weiter beschäftigt hatte, die ihm hier aber das Leben rettete. Es war die Geschichte von zwei Findelkindern, die ein ausgesetztes Kind finden; und zu seiner großen Überraschung stellte Avram fest, dass gerade seine erfundenen Figuren in der Gefangenschaft nicht verblassten, anders als die wirklichen Menschen, anders sogar als Ora und Ilan – vielleicht weil der Gedanke an die Lebenden so unerträglich war und im vollen Sinne des Wortes den Rest seines Lebenswillens zermalmte, während die Gedanken an seine Geschichte ihm immer noch ein bisschen Blut in die Adern pumpten.

Aber dort, in dem hässlichen Hof, neben der Betonmauer des Gefängnisses mit dem ausgerollten Stacheldraht oben drauf, und jetzt, mit dem schmalen Offizier, der noch einen halben Schritt näher kam und sich regelrecht über Avram beugte, um den letzten Moment zu fotografieren, bevor er ganz von Erde bedeckt und von ihr verschluckt würde, wollte Avram nicht mehr leben, in einer Welt, in der es möglich war, dass ein Mensch dastand und einen anderen fotografierte, wie der lebendig begraben wurde – und Avram ließ sein Leben los und starb.

Wie ein Verrückter lief er neben Oras Körper auf und ab, stöhnte, schrie und raufte sich mit beiden Händen das Gesicht und den Bart, und währenddessen flüsterte in ihm eine Stimme, siehst du, schau sie dir an, bis in die Erde hinein kann sie, und sie hat keine Angst.

Ora dagegen beruhigte sich nun etwas, als habe sie gelernt, im Bauch der Erde zu atmen. Ihr Kopf schlug nicht mehr, ihre Hände auch nicht. Ruhig lag sie da und erzählte der Erde, was ihr so einfiel, Unsinn, Kleinigkeiten, was man einer Freundin oder einer guten Nachbarin erzählt. Schon als er klein war, vielleicht ein Jahr alt oder noch jünger, hab ich mich bemüht, dass alles, was ich ihm zu essen gab, schön und ästhetisch aussah, denn ich wollte, dass es ihn ansprach. Beim Kochen für ihn habe ich nicht nur an den Geschmack gedacht, sondern auch an die Farben, an die Farbkombination, damit auch seine Augen ihre Freude hätten. Dann verstummte sie. Was mache ich, dachte sie, ich erzähle der Erde von ihm, warum erzähle ich ihr von ihm, und sie bekam Angst, vielleicht bereite ich sie auf ihn vor, damit sie weiß, wie sie sich um ihn kümmern muss. Eine große Schwäche übermannte sie, einer Ohnmacht nahe stöhnte sie ins Innere der Erde und war für einen Moment ein winziges armes Tierjunges, das sich an einen opulenten warmen Bauch drückt. Und sie meinte, die Erde würde ihr gegenüber etwas weicher, denn plötzlich schien ihr Geruch süßer zu sein, als gebe sie Ora einen Atemzug aus ihren Tiefen zurück. Und Ora atmete ihn ein und erzählte ihr, wie gern er mit den Händen das Püree und das Hühnerfleisch geformt hatte, Männchen und

Tiere hatte er daraus gemacht und sich danach natürlich geweigert, sie noch zu essen; man kann doch nicht, hatte er mit seinem süßen Lachen gesagt, einen kleinen Hund oder ein Lamm essen, oder gar einen Menschen.

Plötzlich griffen Hände nach ihr, umfassten ihre Hüfte, schüttelten sie und zogen sie weg. Avram. Sie in seinen Armen. Gut, dass er gekommen ist, sie wusste, noch einen Moment, und die Erde hätte sie verschluckt, etwas, was keinen Namen hatte, zog sie nach dort, und sie war bereit gewesen, sich in Staub aufzulösen, gut, dass er gekommen ist, was er für eine Kraft hat, mit einer Bewegung hatte er sie aus dem Bauch der Erde gezogen und war mit ihr auf den Schultern weit von dem Loch weggerannt.

Langsam beruhigte er sich. Stand da, verwirrt, ließ sie an seinem Körper herabgleiten, bis sie ihm gegenüber stand, von Angesicht zu Angesicht, dann sank sie erschöpft auf den Boden. Sie saß mit untergeschlagenen Beinen und staubbedecktem Gesicht da. Er brachte ihr eine Flasche Wasser und setzte sich ihr gegenüber, sie nahm den Mund voll Wasser und spuckte kleine Klümpchen Staub- und Erdbrei aus und hustete und tränte, immer wieder machte sie sich den Mund feucht und spuckte. Ich weiß nicht, was mir passiert ist, murmelte sie, das ist ganz plötzlich in mich gefahren.

Erst dann konnte sie ihn anschauen. Avram? Avram, hab ich dich erschreckt?

Sie goss sich Wasser in die Hand und fuhr damit über seine Stirn, und er zuckte nicht zurück. Dann fuhr sie mit der feuchten Hand über ihre Stirn und spürte die Schnitte.

Genug, es ist ja schon vorbei, plapperte sie, wir sind okay, alles wird wieder gut.

Ab und zu prüfte sie seine Augen und meinte, in ihnen einen entwischenden Schatten zu sehen, der ins Dunkel, in ein Dickicht floh, und sie verstand es nicht und konnte es auch nicht verstehen. Er hatte ihr nie von dort erzählt. Noch lange strich sie ihm über die Stirn, beruhigte ihn, gab ihm Weichheit und das Versprechen, es werde wieder gut, und er saß da und empfing, nahm auf und rührte sich nicht, nur seine Daumen rannten schnell über die Fingerkuppen. Komm, es reicht, sagte sie, quäl dich nicht länger. Und sie sagte wieder, bald kommen wir an eine Straße, wir setzen dich in einen Bus, und dann fährst du nach Hause, ich hätte dich gar nicht mit hierher nehmen sollen.

Gerade die Weichheit, mit der sie das sagte, so empfand es Avram, der merkte, dass seinem Herzen das Blut ausging, gerade die Weichheit und das Mitleid sagten ihm, siehst du, jetzt passiert das, wovor du dich so viele Jahre gefürchtet hast: Ora verzichtet auf dich. Ora gibt dich auf. Ora findet sich mit deinem Scheitern ab. Er stieß einen giftigen, bitteren Lacher aus.

Was ist passiert, Avram?

Ora, sagte er, entfernte sein Gesicht von ihrem und sprach mit müder, kehliger Stimme, als sei auch sein Mund voller Erde: Weißt du noch, was ich dir gesagt habe, als ich zurückgekommen bin?

Sofort nickte sie entschieden. Sag das nicht. Noch nicht einmal denken darfst du das! Sie griff nach seiner Hand und hielt sie in ihren geschundenen Händen. Sie staunte, dass sie ihn in den letzten Augenblicken immer wieder so unbefangen hatte berühren können und dass er sich nicht wehrte, dass er sie an den Hüften gepackt und von der Erde aufgehoben hatte und mit ihr auf dem Rücken in immer größeren Kreisen um das Loch gelaufen war. Erstaunlich, dass ihre Körper sich wie Fleisch und Blut benahmen. Sag jetzt nichts, bat sie, ich hab jetzt keine Kraft mehr.

Als er aus der Gefangenschaft zurückkam, hatte sie es geschafft, mit in den Krankenwagen zu steigen, der ihn vom Flughafen ins Krankenhaus brachte. Er dämmerte auf der Trage vor sich hin, seine offenen Wunden eiterten. Plötzlich hatte er die Augen aufgeschlagen, und seine Pupillen stellten bei ihrem Anblick scharf. Er erkannte sie. Er gab ihr mit den Augen ein Zeichen, sie solle sich zu ihm herunterbeugen. Mit letzter Kraft flüsterte er ihr zu, schade, dass sie mich nicht umgebracht haben.

Unweit der nächsten Wegbiegung hörten sie Gesang. Da sang ein Mann sehr laut, und andere schleppten ihre Stimmen ohne jede Anmut und ziemlich falsch hinter seiner her. Vielleicht schlagen wir uns in die Büsche, bis die vorbei sind, brummte Avram. Erst vor ein paar Minuten waren sie beide aus einem Schlaf erwacht, der sie in ihrer

Erschöpfung am helllichten Tag direkt am Wegrand überfallen hatte – aber die Leute waren schon zu sehen. Avram wollte aufstehn, Ora legte ihm die Hand aufs Knie, hau nicht ab, die werden einfach weitergehen, wir schauen sie nicht an, dann werden sie auch uns nicht anschauen. Er saß mit dem Rücken zum Weg und schaute auf die Erde.

An der Spitze der kleinen Truppe schritt ein junger Mann, groß, sehnig, bärtig, mit schwarzen Haarsträhnen im Gesicht und einer großen bunten Kippa auf dem Kopf. Er tanzte, warf euphorisch Arme und Beine in die Luft, sang und jubelte, und hinter ihm folgten, Hand in Hand, etwa zehn Männer und Frauen; krumm und blöde starrend, stimmten sie in seine Lieder ein oder brummten irgendeine andere kraftlose Melodie, schwangen ab und zu ein müdes Bein, torkelten und schubsten sich gegenseitig. Mit aufgerissenen Augen starrten sie das am Wegrand sitzende Paar an, und der Mann, der an der Spitze ging, zog mit seiner Truppe einen Kreis um die beiden, während er weiter sang und hüpfte, und wenn er die Arme in die Luft warf, folgten ihm mit perplexem Zucken die Arme der anderen, und der ganze Kreis löste sich auf, bis sich alle wieder an den Händen fassten, und der Mann lächelte übers ganze Gesicht und beugte sich beim Tanzen und Singen zu Ora und fragte leise und völlig sachlich, ob alles in Ordnung sei, und Ora schüttelte den Kopf, nichts war in Ordnung, und er betrachtete ihr geschundenes, schmutziges Gesicht, schaute dann zu Avram, und eine Falte zwischen seinen Augen wurde tiefer, dann blickte er um sich, als suche er etwas – Ora spürte, er wusste genau, was er suchte –, und er entdeckte das Loch in der Erde, und Ora presste, ohne es zu merken, die Schenkel zusammen.

Gleich darauf tanzte er wieder ekstatisch vor ihnen, eine große Not hat euch befallen, meine Brüder, sang er, und Ora antwortete kurz, das kann man wohl sagen. Der Mann fragte nach, eine Not von Menschenhand oder eine vom Himmel, und fügte leise hinzu, oder gar von der Erde? Ora sagte, an den Himmel glaub ich nicht wirklich, und der Mann lächelte und fragte, und an den Menschen glaubst du? Ora ließ sich ein bisschen von seinem Blick verführen und sagte, von Tag zu Tag weniger, und der Mann richtete sich auf und hieß den müde gewordenen Kreis weitertanzen, und Ora legte, zum Schutz vor der Sonne und um die vor ihr tanzenden Schatten in Menschen zu verwandeln, die Hand über die Augen und sah, dass einer von ihnen ein verkürztes Bein hatte und ein anderer den Kopf in einem merkwürdigen Winkel zum Himmel richtete, vielleicht war er blind, und eine Frau war so bucklig, dass ihr Oberkörper fast bis zur Erde zusammengeklappt war, und eine andere, mit offenem, seiberndem Mund, hielt einen ausgemergelten Albinojungen an der Hand, der mit leeren Augen lachte. Der Kreis drehte sich nur mühsam um die eigene Achse, und der junge energische Mann beugte sich wieder zu ihnen hinunter und sagte lächelnd, Freunde, vielleicht kommt ihr für eine Stunde mit mir. Ora schaute zu Avram, der mit gesenktem Kopf dasaß und scheinbar nichts sah und nichts hörte, und sagte zu dem Mann, nein, danke, und der Mann sagte, was könnt ihr dabei verlieren, bloß eine Stunde, mehr nicht, und Ora sagte, Avram? Der zuckte mit den Schultern, als wolle er sagen, entscheide du, und Ora wandte sich scharf an den jungen Mann, aber red mit mir nicht über die Nachrichten, hörst du? Kein Wort davon! Der Mann war überrascht, schien das erste Mal aus dem Gleichgewicht zu geraten und war schon drauf und dran, eine besonders schlaue Antwort zu geben, doch dann schaute er noch einmal in ihre Augen und schwieg.

Und auch ohne zu missionieren, fügte Ora hinzu. Der Mann lachte, ich werd's versuchen, aber beschwer dich nicht, wenn du mit einem Lächeln hier weggehst, und Ora sagte, über ein Lächeln werd ich mich nicht beschweren.

Er streckte Avram die Hand entgegen, doch Avram nahm sie nicht, sondern stand allein auf, und der junge Mann half Ora, während er sie weiter umtanzte, den Rucksack aufzusetzen und verkündete, er heiße Akiba, sei aber nicht der berühmte Rabbi Akiba, und platzierte Avram in der Mitte der kleinen Schlange und Ora am Ende und führte seine verwirrte Herde weiter.

Avram griff nach der Hand der buckligen Alten und nahm mit der andern die des Albino-Jungen, und Ora hielt die Hand einer glatzköpfigen Frau, an deren Beinen sich dicke blaue Adern hochschlängelten. Ununterbrochen fragte sie Ora, was es denn zum Mittagessen gebe, und forderte von Ora ihren großen Kochtopf zurück. So zogen sie weiter, erklommen einen kleinen Hügel, und Avram drehte sich immer wieder zu Ora um, suchte sie mit den Augen, und sie schickte ihm einen schulterzuckenden Blick, du kannst mich umbringen, keine Ahnung, was das soll, und Akiba drehte sich um und blickte sie beide aufmunternd an und sang lauthals eine schrille Melodie. So gingen sie weiter, mal bergauf, mal bergab, Ora und Avram versanken in sich selbst, sie waren blind für die überquellende Schönheit um sie herum, gelbe Teppiche von Wolfsmilch, violette Orchideen und Pistazienbäume in ihrer roten Blüte, sie rochen auch nicht den betörenden Duft, den die Hitze des Tages den Blüten des Dornginsters entlockte, doch Ora wusste, dass es gut und heilsam für sie war, so geführt zu werden, an der Hand, ohne sich zu sorgen, wohin sie den Fuß beim nächsten Schritt setzen sollte, und Avram ging und dachte, ihn würde es nicht stören, sich den ganzen Tag so mitziehen zu lassen, wenn er nur nicht mitansehen müsste, wie Ora seinetwegen litt, vielleicht würde er ihr ja später, wenn sie wieder allein waren, sagen, er sei bereit, sich ein bisschen von Ofer erzählen zu lassen, wenn es unbedingt sein müsse, doch er würde sie bitten, nicht direkt von ihm zu erzählen, nicht von ihm selbst, und sie solle vorsichtig von ihm reden, und langsam, damit er sich nach und nach an diese Qual gewöhnen könne.

Ora hob den Kopf, eine merkwürdige Freude begann in ihr aufzubrechen, vielleicht weil sie in die Erde hineingesprochen hatte, deren Geschmack sie noch auf der Zunge fühlte, vielleicht weil sich auch zu Hause nach solchen Ausbrüchen, wenn ihr das Wasser bis zum Halse gestanden hatte und ihre Männer es mal wieder übertrieben hatten, immer so eine körperliche Süße in ihr ausbreitete. Ilan und die Jungs schauten sie dann schockiert mit einer merkwürdigen Ehrfurcht an, brannten darauf, sich zu versöhnen, aber sie schwebte noch minutenlang in einer Wolke von Genugtuung und tiefem Wohlgefühl. Vielleicht freute sie sich auch wegen der Leute in diesem Reigen, die in ihr trotz ihrer Fremdheit, ihres Elends und ihrer Gebrechlichkeit eine somnabule Gelassenheit auslösten. Von Staub sind wir genommen, das spürte sie plötzlich mit dem ganzen Körper, aus Lehm geformt, und da konnte sie richtig das Platschen hören, als man sie irgendwann, im Dämmer der Zeiten, aus Erdbrei gebildet und ihre Rundungen gemacht hatte, schade nur, dass der Busen etwas danebengegangen ist, dass sie da so gespart haben, und die Schenkel waren zu dick, ihrer Meinung nach ohne jede Proportion, ganz zu schweigen vom Hintern, der sich im letzten Jahr durch Frustessen äußerst präsent gemacht hatte. Nachdem sie ihren Körper genug schlechtgeredet hatte, der übrigens schön anzusehen und sehr attraktiv war, und dies auch in den Augen Akibas, dessen blitzende Blicke ihr nicht entgingen, lächelte Ora, als sie daran dachte, wie man wohl Ilan getöpfert hatte: dünn, stark, hochgewachsen, von oben bis unten angespannt wie ein Bogen, und sie sehnte sich nach ihm, hier und jetzt, ohne nachzudenken, ohne zu erinnern oder nachzutragen, spürte nur, wie sein Fleisch in ihrem Fleisch bohrte, plötzlich brannte ein Stachel in ihr. Und Adam, wie hat man Adam geformt? Sie fing sich schnell wieder, wie fein und genau hatte man an seinem Gesicht gearbeitet, an den schweren Augen, den verschiedenen Ausdrücken des Mundes, und ihre Hände fuhren sehnsüchtig über seinen schmächtigen Körper mit dem leicht gebeugten Rücken, der gleichsam mit verdrehtem Hals von unten herauf protestierte, provozierte, ja, und diese Schatten auf seinen eingefallenen Wangen, der hervorstehende Kehlkopf, der ihn wie einen Talmudgelehrten aussehen ließ. Auch an ihre Ada dachte sie, machte ihr wie immer Platz und stellte sich vor, wie sie aussehen würde, wenn sie heute da wäre, manchmal sah sie Ebenbilder von ihr auf der Straße. Sie hatte auch eine Patientin gehabt, die wie Ada aussah, eine Frau mit Bandscheibenvorfall, die sie über ein Jahr lang behandelt und bei der sie wahre Wunder gewirkt hatte. Erst dann wagte sie es, an Ofer zu denken, kräftig, stämmig, groß ragte er aus dem Lehm, nicht sofort, nicht in den ersten Lebensjahren, da war er klein und dünn gewesen, bloß ein Paar riesige Augen, hervorstehende Rippen und Streichholzarme und -beine, aber danach, als er heranwuchs, wie schön erwuchs er da aus dem Lehm, mit seinem kräftigen Hals, den breiten Schultern, so fein und mit so viel Liebe zum Detail waren seine großen, kräftigen Glieder gearbeitet, und dann die überraschend schmalen Mädchenknöchel. Sie lächelte vor sich hin und warf Avram einen Blick zu, ließ ihn über seinen Körper gleiten, prüfte, verglich – ähnlich, nicht ähnlich –, und ein wonniger Jubel durchflutete ihren Bauch. Übrigens fügte Avram sich gar nicht schlecht in diese Truppe hier ein, es schien ihr, als empfinde auch er in den letzten Minuten eine unerwartete Erleichterung, denn ein Lächeln breitete sich auf seinem Gesicht aus, das erste überhaupt, ein beinahe erhebendes Lächeln, dachte Ora erstaunt, doch dann durchlief eine plötzliche Erschütterung das lahmende Häuflein, Hände wurden energisch zurückgezogen und lösten sich voneinander, und Ora erschrak, denn Avrams Mund riss auf, sein Lächeln wurde immer breiter, zerbarst, seine Augen blitzten, er fuchtelte wild mit den Armen, verfiel in diese Pferdesprünge, und dann kam das Aufseufzen aus der Tiefe …

Im nächsten Moment hielt er inne, zog den Kopf wieder zwischen die Schultern, schlurfte weiter, und es schien, als würde er mit jedem Schritt grauer. Akiba warf Ora einen fragenden Blick zu, und sie gab ihm ein Zeichen, weiterzugehen, und zwang auch sich selbst, weiterzugehen. Was sie gesehen hatte, schockierte sie: den Zipfel des Geheimnisses, das sich ihr aus Avrams Innerem offenbart hatte, als habe er sich für einen Augenblick erlaubt, hier eine andere, eine erlösende Möglichkeit zu versuchen. Wie er sich verzerrt hat, dachte sie, wie ein Kind, das mit den Bruchstücken seiner selbst spielt.

Nach einer ganzen Weile erreichten sie einen kleinen Moschaw, der sich mit seinen Hainen hinter einem Hügel versteckte. Zwei Reihen Häuser, an fast allen klebten Balkons, aufgesetzte Stockwerke und Anbauten, dann Hühnerställe und Silos mit Mischfutter, dazwischen Höfe mit aufgestapelten Kisten, Eisenrohren, alten Kühlschränken und allen Arten von Schrott – Avrams Augen erwachten, spähten interessiert, erwogen Möglichkeiten –, Betonbunker, die wie Nasen aus der Erde ragten und mit Farben und Kreide bekritzelt waren, hier und da auch ein verrosteter Traktor oder ein auf Mauersteinen aufgebockter Lieferwagen ohne Räder. Unter den zusammengewürfelten Häusern war ab und zu ein funkelnagelneues, erhob sich ein Steinschlösschen mit Türmchen und Giebeln, und ein Schild verkündete, hier im Hof gebe es Gästezimmer zum Verwöhnen in der verzaubernden Atmosphäre Galiläas mit Whirlpool und Shiatsu. Nach und nach kamen Kinder und Erwachsene aus den Häusern und riefen, Akiba kommt, Akiba kommt, und Akibas Gesicht strahlte. Immer wieder blieb er stehen, übergab einer Frau oder einem Kind ein Mitglied seines Häufleins, und an jedem Haus bat man ihn, doch wenigstens für einen Moment hereinzukommen, etwas zu trinken und zu probieren, auch sei das Mittagessen gleich fertig, doch er lehnte ab, kurz sei der Tag und die Arbeit noch groß. So zog er durch die Hauptstraße des Moschaws, eine andere gab es nicht, bis er all seine Schäfchen verteilt hatte und nur noch mit Avram und Ora übrigblieb. Die beiden holte keiner ab, aber einige Kinder und Jugendliche schlossen sich ihnen an und fragten sie, wer sie seien und woher sie kämen, ob sie Touristen oder Juden seien, und sie einigten sich darauf, dass es sich wohl um Juden handle, obgleich aschkenasische, und sie wunderten sich über ihre Rucksäcke und die Schlafsäcke und über Oras verkratztes und schmutziges Gesicht. Verbitterte Hunde mit gelbem Fell und verhärmter Seele rannten ihnen hinterher und verbellten sie. Die beiden sehnten sich danach, auf ihren Weg und in ihre Einsamkeit zurückzukehren. Ora konnte in sich das Sprechen über Ofer nicht anhalten, doch Akiba war noch nicht bereit, von ihnen abzulassen, er fragte, wobei er weiter redete und tanzte, womit er ihnen helfen könnte, und erklärte ihnen, während er einem alten Mann einen Gruß zuwinkte und ein Kind im Vorbeigehen segnete, für ihn sei, was er hier mache, eine gute Tat und auch sein Einkommen. Man habe in der Kommunalverwaltung diese besondere Stelle für ihn geschaffen, *Erfreuer der Niedergeschlagenen*, so stehe es tatsächlich auf seiner Gehaltsabrechnung, und das mache er jeden Tag, sechs Tage die Woche, und obwohl man ihm dieses Jahr das Gehalt um die Hälfte kürze, arbeite er doch voll weiter, hänge jeden Tag sogar noch zwei Stunden dran, denn in heiligen Dingen füge man nur hinzu und ziehe niemals ab. Und überhaupt kenne er Avram aus seinem Pub in der HaJarkon-Straße, doch hätten sie da beide noch keine Bärte gehabt, Akiba habe noch Aviv geheißen, und Avram habe manchmal laut hinter der Bar *Otshi tshornye* und Paul Robson gesungen, und er habe damals eine ganz interessante Theorie über die Erinnerung, die alten Gegenständen innewohne, gehabt; wenn man alle möglichen Schrottteile zusammenfüge, könne man sie dazu bringen, ihre Erinnerungen freizulassen, war es nicht etwa so? Ganz recht, brummte Avram und warf Ora einen ausweichenden Blick zu, Ora horchte auf, und Akiba lief schell und erzählte, er habe sich vor fünf Jahren bekehrt, vorher habe er in Jerusalem Philosophie studiert, war Doktorand, Schopenhauer sei für ihn fast ein Gott gewesen, die Liebe seines Lebens, das heißt, der Hass seines Lebens, lachte er aus seinen grünen Augen, kennt ihr Schopenhauer? Von wegen Gott-verbirgtsein-Angesicht! Von wegen schwärzer-als-schwarz! Und ihr, was ist mit euch, Freunde, welche Traurigkeit hat euch angesprungen? Lass gut sein, lachte Ora, uns munterst du nicht mit einem Segen oder einem Tänzchen auf, wir sind ein vertrackter Fall. Da blieb Akiba mitten auf der Straße stehen und wandte sich ihr ganz zu: sein Gesicht mit den lebendigen Augen, den hohen, starken Wangenknochen, und sie dachte, was für eine Verschwendung, und er sagte zu ihr, sei nicht hochmütig, auch hier ist alles vertrackt, was denkst du, hier passieren Dinge, die den stärksten Glauben zerbrechen können. Du kannst hier Geschichten hören, die nur der menschenfeindlichste Schriftsteller hätte schreiben können, vielleicht Bukowski an einem besonders schlechten Tag, oder Burroughs in der Krise. Und als gläubiger Mensch, fuhr er, ganz ohne zu scherzen, fort, wie packst du so was weg? Was meinst du? Sie schwieg. Seine Lippen zitterten für einen kurzen Augenblick vor Wut oder vor gebrochenem Herzen, worüber sie staunte. Früher, sagte er leise, als ich wie du war, vielleicht sogar noch zynischer, ein richtiger Schopenhauerfreak, verstehst du, früher habe ich bei solchen Sachen gesagt, Gott schmeißt sich weg vor Lachen.

Ora verzog den Mund und antwortete nicht. Sie sagte sich, halt den Mund und hör zu, ein bisschen Erbauung wird dir nicht schaden, oder hast du solche Kraftreserven, dass du auf eine kleine Ermutigung verzichten kannst? Einen Moment lang zögerte sie, ob sie wie zufällig ihren Anhänger aus der Bluse ziehen sollte, damit er sah, dass auch in ihr ein jüdisches Herz schlug, mein Gott, wie armselig du doch bist, lästerte sie, bettelst du jetzt um Almosen oder erregt dich dieser Akiba einfach ein bisschen, trotz der Schaufäden, die unter dem Hemd raushängen, trotz seines Gehüpfes und der frommen Sprüche?

Akiba wischte sich die Wut vom Gesicht, mit beiden Händen wischte er sie weg, lächelte sie an und sagte, jetzt, liebe Freunde, gehen wir zu Ja'isch und Jakut und erfreuen sie ein bisschen, und vielleicht muntern ja auch sie uns ein wenig auf.

Noch bevor sie deren Haus erreichten, lief ihnen bereits eine rundliche kleine Frau lachend entgegen, wischte sich die Hände an der Schürze ab und rief, *wai wai*, wie haben wir euch schon erwartet, wir sind ja fast vergangen, Schalom Akiba, Schalom der Herr, Schalom die Dame, es ist mir eine Freude, bitte, tretet alle ein, was ist Ihnen denn passiert, gute Frau, sind Sie gestürzt, Gott behüte? Sie küsste Akibas Hand, und er legte ihr die Hand auf den Kopf und segnete sie mit geschlossenen Augen. Im Haus herrschte, obwohl es Mittag war, Dunkel; zwei Jugendliche waren dabei, einen Tisch mit einem Stuhl drauf heranzuziehen, um eine durchgebrannte Glühbirne auszuwechseln, und großer Jubel erhob sich, Akiba hat uns Licht gebracht! Akiba hat uns Licht gebracht! Als die Hausbewohner Ora und Avram sahen, verstummten sie und schauten Akiba an, damit er ihnen zeige, wie sie sich zu verhalten haben, und Akiba warf die Arme in die Luft und sang: *Siehe, wie gut und wie lieblich es ist, wenn Brüder einträchtig beieinander wohnen*, und sofort wurde Avram umständlich und mit Ehrerbietung in einem Sessel platziert, und eine breit gebaute Frau führte Ora ins Badezimmer. Dort wusch sie sich lange das Gesicht und die Haare, Rinnsale von Schlamm flossen von ihrem Kopf, und die Frau stand dabei und blickte sie mit guten Augen an, reichte ihr dann Handtuch und Watte, bestrich ihre Wunden und Risse vorsichtig mit gelbem Jod und sagte, es sei gut, wenn es brennt, da würden die Bakterien verbrennen, und schließlich führte sie Ora gewaschen und versöhnt zurück ins Zimmer zu den Gästen.

Indessen tauchte aus dem Getümmel der Küche ein versilbertes Tablett auf, darauf Sonnenblumenkerne, Mandeln und Erdnüsse, Pistazien und Datteln, und ein weiteres Tablett, kupfern und rund, mit Teegläsern in fein gearbeiteten Silberhaltern, und die Frau des Hauses drängte Ora und Avram, sie sollten doch bitte zugreifen, gleich sei auch das Mittagessen fertig. Ora bemerkte mit Entsetzen einen muskulösen jungen Mann, ohne Beine, der in unglaublicher Geschwindigkeit auf den Händen zwischen den Zimmern hin und her flitzte, und Akiba erklärte: In dieser Familie sind die drei Söhne taubstumm geboren – die Wege Gottes sind unerforschlich –, aber die Mädchen sind gottlob in Ordnung, nur die Jungen, das ist vererbt, und der hier, Rachamim, ist der kleinste, der hat schon als Kind entschieden, dass die Behinderung ihn an nichts hindern soll, er hat auf dem Gymnasium in Kirijat Schmona gelernt und ein Einser-Abitur hingelegt, er war Buchhalter in einer Metallfabrik, bis er eines Tages genug davon hatte und die große weite Welt sehen wollte. Akiba wandte sich an Rachamim, nun mit betonteren Lippenbewegungen, und sagte, na Rachamim, ein richtiger Jetseter bist du uns geworden, was? Am liebsten jedes Wochenende nach Monaco? Rachamim lächelte, zeigte mit einer Hand auf die fehlenden Beine und machte eine herzerfrischende und zugleich entsetzliche Bewegung des Abtrennens, und Akiba erzählte, vor zwei Jahren habe Rachamim in Buenos Aires in einem Steinbruch gearbeitet, da sei eine große Maschine umgestürzt und habe ihn erdrückt.

Aber sogar das habe ihn nicht stoppen können, sagte Akiba, beugte sich zu ihm und packte ihn an den Schultern: Auch so geht er seit einer Woche wieder arbeiten, hier im Moschaw im Eierlager, als Nachtwächter, und wenn Gott will, sagte Akiba und starrte Ora mit einem Blick an, der sein breites Lächeln widerlegte – dann werden wir ihn nächstes Jahr mit einem anständigen jüdischen Mädchen verheiraten.

Auch hier bedrängte man sie, doch zum Mittagessen zu bleiben, und diesmal lehnte Akiba nicht sofort ab. Er zögerte, schloss die Augen und ging mit sich zu Rate, wobei er ausladende Handbewegungen machte: *Findest du Honig, so iss davon nur, soviel du bedarfst, dass du nicht zu satt werdest und speiest ihn aus,* und alle versammelten sich um ihn und riefen, iss hier, iss hier, und seine Stirn legte sich in Falten und sein Mund machte gefräßige Bewegungen: *Halte deinen Fuß zurück vom Haus deines Nächsten, er könnte dich satt bekommen und dir gram werden,* und sie brüllten, nein, nein, er wird dich satt bekommen, aber dir nicht gram werden, bis seine Augen langsam zu leuchten begannen und er seine Rechte hob und auf eine Melodie der Frau des Hauses zurief: *Eile und menge drei Maß feinstes Mehl, knete und backe Kuchen …* Die Gesellschaft der Frauen verzog sich wieder in die Küche, und Ora schaute Akiba fragend an, sah seinen Blick und dachte sich, dass er die Einladung diesmal angenommen hatte, weil diese Familie etwas weniger arm war.

Akiba ging allein in die Küche, um nachzuschauen, dass sie es dort nicht übertrieben, und Ora und Avram blieben mit einigen Familienmitgliedern, vor allem jungen Mädchen und Kindern, im Zimmer, und es wurde still, bis ein Junge seinen ganzen Mut zusammennahm und fragte, woher sie denn kämen, und Ora erzählte, sie sei aus Jerusalem und Avram aus Tel Aviv, aber ursprünglich sei auch er aus der hochgebauten Stadt Jerusalem, als Kind habe er sogar in dem schönen Viertel Nachlaot nahe am Markt gewohnt. Doch sie ließen sich von ihrem folkloristischen Jerusalem nicht beeindrucken, und ein junges Mädchen, hager, bleich und eingehüllt in ein langes Kleid, erschrak und fragte, dann seid ihr gar nicht verheiratet? Die anderen kicherten und hießen die freche Fragerin schweigen, doch Ora sagte ruhig, wir sind schon über dreißig Jahre Freunde. Ein Junge mit dünnen Schläfenlocken hinter den Ohren und länglichen schwarzen Lammaugen, der dem Jungen auf einer der Zeichnungen an der Wand in Avrams Wohnung erstaunlich ähnlich sah, sprang auf und provozierte, warum habt ihr dann nicht geheiratet? Und Ora sagte, das hat nicht geklappt, und sie riss sich zusammen, nicht zu sagen, wir waren wohl nicht dafür bestimmt, zusammenzuleben. Ein anderes Mädchen kicherte und fragte hinter vorgehaltener Hand, dann hast du einen anderen geheiratet? Ora nickte, ein erregtes Getuschel schäumte im Zimmer auf, alle Augen schauten in Richtung Küche, hofften auf Hilfe von Akiba, der bestimmt wusste, wie man sich in so einer Situation verhielt, und Ora sagte, aber ich lebe schon nicht mehr mit ihm, und das Mädchen fragte, dann hat er dich fortgeschickt? Ora beherrschte sich, überging die schlichte Kränkung, die wie ein Faustschlag in ihrer Magengrube gelandet war, sagte ja und fügte ungefragt hinzu, ich bin jetzt allein, und der hier, der Avram, ist mein guter Freund, wir wandern zusammen durchs Land; und etwas leicht Schleimiges, das sie vorher in die Versuchung gebracht hatte, ihnen von der »hochgebauten Stadt« und vom »Viertel beim Markt« zu erzählen, zwang sie nun, hinzuzufügen, »in unserm schönen Land«.

Das dünne, bleiche Mädchen fragte mit scharfem Blick nach, und der Mann, hat der eine Frau? Ora schaute ihn an, auch sie wartete auf eine Antwort, aber Avram saß vorgebeugt da, betrachtete seine Finger, und Ora dachte an den Ohrring in Form eines Reitersporns und an die violetten Haare in der Bürste auf dem Brett in seinem Badezimmer und fragte sich, was aus dem jungen Mädchen geworden war, das er vor Jahren ab und zu erwähnt hatte, sie war viel jünger als er, wenn sie sich recht erinnerte, und sie hätte gern gewusst, ob die noch irgendwie existierte, vielleicht kam diese schreckliche Verwahrlosung seiner Wohnung auch daher, dass sie schon einen ganzen Monat nicht mehr dagewesen ist, diese junge Frau. Und als Avram länger schwieg, sprang sie ein und antwortete in seinem Namen, nein, er ist jetzt allein, und

Avram nickte kaum spürbar, und ein Schatten der Sorge legte sich auf sein Gesicht.

Noch mehr Männer und Frauen kamen ins Haus, deckten den Tisch, brachten Stühle, der schmale Junge mit den Lammaugen hüpfte herum und fragte, aber was hat er, warum ist er so, ist er krank? Und Ora sagte, nein, er ist traurig. Alle schauten auf Avram und nickten verständnisvoll, als habe sich auf einmal vor ihren Augen sein Rätsel gelöst und als sei er begreiflich und verständlich geworden, vielleicht wird der fröhlich, wenn er ein bisschen was isst, schlug ein kleiner Junge vor, der bisher schweigend auf den Knien seiner Schwester geschaukelt hatte, und Ora lächelte, ja, vielleicht, das werden wir ja gleich sehen. Ein kleines Mädchen, dünn wie ein Faden und von etwas sonderbarem Aussehen, trat vor und berührte mit der Hand die Kratzer in Oras Gesicht und sagte mit einem wie von einem feinen Schleier bedeckten Staunen, du bist schön wie im Fernsehen. Das misstrauische Mädchen, das gefragt hatte, ob Avram eine Frau habe, bestand darauf zu erfahren, warum er traurig sei, da nahm Ora ihren Mut zusammen und sagte, sein Sohn ist beim Militär, bei diesem Einsatz, der gerade läuft, und ein Gemurmel der Anerkennung und des Verständnisses breitete sich im Zimmer aus, Segenswünsche purzelten aus den Mündern, für diesen Soldaten im Besonderen und für alle Soldaten unserer Armee, dazu Beschwörungsformeln und Verwünschungen gegen die Araber, so viel haben wir ihnen schon nachgegeben, und immer noch reicht es ihnen nicht, die wollen uns ja doch nur umbringen, Esau hasst Jakob, und Ora schlug mit einem breiten Lächeln vor, lasst uns heute nicht über Politik reden, und das hartnäckige Mädchen zog überrascht die Augenbrauen zusammen, ist das denn Politik? Das ist die Wahrheit! Das ist schon seit der Bibel so! Und Ora sagte, in Ordnung, aber wir wollen heute nicht über das reden, was in den Nachrichten kommt, und über das Zimmer legte sich ein unangenehmes Schweigen, doch in diesem Augenblick kam zum Glück Akiba aus der Küche zurück und verkündete, gleich gebe es Essen, und bis dahin lasst uns ein bisschen fröhlich sein, denn wer isst, ohne sich am Ewigen, gelobt sei Er, zu freuen, der ist wie einer, der seinen Tisch besudelt.

Schon warf er wieder Arme und Beine in die Luft, begann zu singen und durch das Zimmer zu tanzen und über dem Kopf in die riesigen

Hände zu klatschen, und er zog unsanft einen Jungen nach dem anderen mit in den Kreis und pflückte vom Schoß eines jungen Mädchens ein vielleicht acht oder neun Monate altes Baby, nackt, dunkelhäutig und pummelig, nur mit einer kleinen Windel bekleidet, und schwang es in die Luft, ein mutiges Baby, es erschrak nicht, lachte aus vollem Hals, und sein Lachen steckte alle an, sogar Avram lächelte, was Akiba bemerkte, und so tanzte er in einer anmutigen Kreisbewegung auf ihn zu und legte das Baby in seinen Schoß.

In der jubelnden Menge spürte Ora den Frostfaden, der sich im Nu um Avram wand. Sein Körper erstarrte, versteinerte. Seine Hände hielten die Umrisse des Babys, ohne es wirklich zu berühren. Von ihrem Platz aus konnte Ora fühlen, wie seine Glieder sich zurückzogen, sich tief unter der Haut verkrochen, weit weg vom Körper des Babys …

Das ganz gefesselt von dem Jubel um es herum und von Akibas wildem Tanz, nicht die Not dessen bemerkte, in dessen Schoß man es gelegt hatte. Sein rundlicher brauner Körper schaukelte fröhlich zum Takt des Gesangs und des Klatschens, seine Händchen flogen von allein in die Luft, und einen Moment sah es aus, als dirigiere dieser Kleine das ganze Durcheinander, und sein Mund, ein winziges perfektes rotes Herz, öffnete sich zu einem lichten Lachen und verbreitete unglaubliche Süße. Ora rührte sich nicht. Avram starrte vor sich hin, er schien nichts zu sehen. Sein schwerer Kopf mit dem zottigen Bart war hinter der Freundlichkeit des Babys plötzlich dunkel und fremd. Ein beinah unerträglicher Anblick. Ora nahm an, dass er das erste Mal seit der Gefangenschaft ein Baby in den Armen hielt, und dann kam ihr der Gedanke, dass es vielleicht überhaupt das erste Mal in seinem Leben war. Wenn ich doch bloß Ofer als Baby einmal zu ihm gebracht hätte, dachte sie, einfach unangekündigt zu ihm gefahren wäre und ihm Ofer in den Arm gelegt hätte, ganz natürlich, in völligem Vertrauen auf ihn, wie Akiba.

Ausgerechnet jetzt, als sie das Bild so konkret und lebendig vor Augen hatte, gelang es Ora nicht, sich vorzustellen, wie Avram Ofer als Baby im Arm hält, und sie dachte sich, wie er sie dazu gebracht hatte, auch in sich selbst die Trennlinie zwischen ihm und Ofer zu ziehen.

Das Baby hatte anscheinend eine erstaunlich freundliche Natur, und während es vor Akiba hampelte, streckte es eine Hand zur Seite aus und ergriff fest Avrams Hand, die neben seiner Hüfte lag, und wollte sie sich ans Gesicht heben, und als sie ihm zu schwer war, verzog es zornig sein Gesicht und nahm seine zweite Hand zur Hilfe und zog Avrams Hand mit großer Anstrengung zu sich hoch und bewegte sie vor dem jauchzenden Akiba wie einen Taktstock in verschiedene Richtungen. Ora dachte, das Baby merkt gar nicht, dass es die Hand eines Menschen hält, mehr noch, es merkt gar nicht, dass es auf einem lebendigen Menschen sitzt. Diese besorgniserregende Unklarheit wuchs noch, als es die Finger der Hand bemerkte und sie interessiert untersuchte und mit ihnen zu spielen begann, aber noch immer den Kopf nicht drehte. um zu sehen, wem die Hand gehörte und auf wessen Schoß es saß. Es beugte und streckte die Finger der fremden Hand und schüttelte die ganze Hand hin und her, als sei sie ein weiches Spielzeug in Form einer Menschenhand oder ein Handschuh, ab und zu lächelte es den tanzenden Akiba und die jungen Mädchen und Frauen an, die aus der Küche kamen, und nachdem es die feinen Finger ausführlich untersucht, über die Fingernägel und einen frischen Kratzer, den es entdeckte, gestaunt hatte − Ora erinnerte sich, wie Avram sich mit endlosem Hand-zur-Faust-Ballen gequält hatte, damit seine Hände etwas sehniger wurden − drehte das Baby Avrams Hand um und betastete mit dem Finger die weiche Handfläche.

Alle waren jetzt damit beschäftigt, den Tisch zu decken, und niemand außer ihr bemerkte, was das Baby tat. Es drückte seine Lippen in das Innere von Avrams Hand, blökte ein sanftes und angenehmes Baba-ba und genoss mit seinem ganzen Sein den Klang und das Kitzeln, das es wohl in den Lippen spürte. Auch in Oras Hals und Mund schwebte ein anregendes Summen, ihre Lippen spürten es auch, und in ihr murmelte es stimmlos ba-ba-ba.

Mit beiden Händen hielt das Baby die Handfläche, umhüllte mit ihr seine Wangen und sein Kinn und gab sich ganz diesen Berührungen hin − Ora erinnerte sich an Avrams überraschend dünne Haut, an seine zarte Haut am ganzen Körper −, und die dunklen Perlenaugen des Babys konzentrierten sich auf irgendetwas hinten im Zimmer und es staunte mit allen seinen Sinnen über seine eigene Stimme, die in der

Muschel, die es sich geschaffen hatte, widerhallte. In dem Durcheinander um sich herum lauschte es nur seiner eigenen Stimme, die von außen und von innen kam, als lausche es das erste Mal einer Geschichte, die es sich selbst erzählte. Ora konnte den Blick nicht abwenden und sah, wie es in dem weichen Nest, das es sich gebaut hatte, versank, als spüre es, dass Avram ein guter Ort war, um eine Geschichte zu erzählen. Avram rührte sich nicht, atmete kaum, um es nicht zu stören, erst nach einer Weile bewegte er sich – eine Art Räuspern des ganzen Körpers – und setzte sich etwas in seinem Sessel auf, und Ora sah, dass seine Schultern weicher wurden und sich öffneten und seine Unterlippe etwas zitterte, Bewegungen, die nur sie wahrnahm, weil sie wusste, wann sie sie erwarten konnte. Wie sehr hatte sie früher diese Spiegelungen seiner erwachenden inneren Stürme gemocht, denn jedes Gefühl, das ihn durchlief, hinterließ an ihm ein Zeichen, etwa wenn er wie ein junges Mädchen errötet war, und sie fragte sich, ob sie ihm zur Hilfe eilen und ihm das Baby abnehmen sollte, doch dazu war sie nicht in der Lage. Aus dem Augenwinkel sah sie, dass jetzt auch Akiba mitbekam, was sich da abspielte, und dass er während seines Tanzens in die Küche und zurück die ganze Zeit diese Szene beobachtete, er sah nicht aus, als sorge er sich um das Baby, und ihr Herz sagte ihr, dass sie seiner Gelassenheit trauen konnte.

Sie lehnte sich auf ihrem Stuhl zurück und erlaubte sich, in Avram zu versinken, der endlich sein Gesicht zu ihr hob und ihr einen langen, vollen Blick zuwarf, den Blick eines lebendigen Menschen, und da spürte Ora tatsächlich den Atem des Babys in ihrer Handfläche und wie es, ohne sie zu berühren, auch auf ihr einen Abdruck seiner warmen Lebendigkeit hinterließ, und ihre Hand schloss sich über diesem geheimnisvoll brennenden Fleck, über dem Kuss eines kleinen Menschenwesens in Windeln. Avram schien zu fühlen, was in ihr vorging, und zeigte es ihr mit einem ganz leichten Nicken des Erkennens, und sie antwortete mit einer ähnlichen Bewegung; das erste Mal, seit sie aufgebrochen war, und im Gegensatz zu der Verzweiflung, die vor nur zwei, drei Stunden, als sie ihr Gesicht in der Erde vergrub, an ihr gefressen hatte, zog in ihr der Gedanke auf, dass es vielleicht gut werden würde, dass sie und Avram zusammen vielleicht doch das Richtige taten. Gerade in diesem Moment fing das Baby zu weinen an, plötzlich schlug seine Stimmung um, vielleicht hatte Avram es ein bisschen gedrückt, als er sich in ihre Augen vertiefte und ihren Gedanken gelesen und vielleicht auch bestätigt hatte, und das Baby breitete seine dicken Ärmchen aus und schrie aus voller Lunge mit einem Gesicht, das vor Empörung purpurrot entflammte, und Ora sprang zu Avram, er reichte ihr das Baby, sie nahm es aus seinen Händen, und dabei stieß Avram ein paar schnelle Worte in ihrer Richtung aus, sie verstand nicht genau, was er sagte, vielleicht weil das Baby weinte oder wegen der leichten Erschütterung, die sie durchlief, als sie die Stelle berührte, an der der Kinderkörper auf Avram gelegen hatte – und es schien ihr, als habe er gesagt, aber fang aus der Ferne an.

Sie lächelte verlegen, verstand nicht, wovon er sprach, womit anfangen? Und warum aus der Ferne? Die Mutter des Babys kam mit gerötetem Gesicht aus der Küche gelaufen und entschuldigte sich, dass sie das Baby bei Avram vergessen hatte, wir haben Sie zur Gepäckaufbewahrung gemacht, noch ein bisschen, und er hätte Sie Papa genannt, und sie lachte, dass der Kleine es bereits auf den nächsten Schoß geschafft hatte, der setzt immer alle in Bewegung, er gibt auch keinen Moment Ruhe, beschwerte sie sich liebevoll, hast du Hunger, Männlein, fragte sie, und Ora bemerkte, wie Avram abwesend nickte, sich aber sofort wieder fing und den Blick von der Mutter wandte, die sich nicht weit von ihm hingesetzt hatte und sich das Baby flink unter die Kleider schob, wo sein Kopf verschwand.

Ora dachte an Ofer, und er tat ihr nicht weh, der furchtbare Schmerz von gestern war vorüber. Akiba ging mit einer großen Schüssel singend durchs Zimmer und schaute sie aus dem Augenwinkel an, als verstehe er jetzt, warum er sie hierher mitgenommen hatte. Ihren Blick zog es zu dem Baby, dessen kleine Faust sich entspannte und wieder zusammenzog, was von eifrigem Trinken zeugte, und sie wusste, wo immer Ofer auch war, in diesem Moment war er geschützt und sicher, und sie wiederholte im Kopf immer wieder, was Avram ihr zugeflüstert hatte, und plötzlich verstand sie es.

Aus der Ferne anfangen?

Er nickte einmal und wandte den Blick sofort wieder ab.

Sie setzte sich auf, betastete ihre Finger, erregt und plötzlich auch etwas verängstigt.

Er saß ihr gegenüber. Das Zimmer um sie herum lärmte, und nur sie beide hielten die Köpfe gesenkt, ihre Körper waren schwer und entspannt. Einen langen Augenblick schwebten sie beide irgendwo, in einer Zeit, die keine war.

Bleiben wir zum Essen? fragte Ora etwas später, ohne Stimme, nur mit den Lippen.

Wie du willst, flüsterte Avram, und sein Kehlkopf hüpfte im Gedanken an die Speisen.

Ich weiß nicht, wir sind hier so unangemeldet eingefallen ...

Natürlich esst ihr hier, lachte die Frau des Hauses, die – Pech gehabt – gut von den Lippen lesen konnte, was haben Sie denn gedacht, dass wir Sie so gehen lassen? Es ist uns eine Ehre, wenn Sie bei uns essen. Alle Freunde von Akiba sind unsere Gäste.

Aber fang aus der Ferne an, hatte er gebeten, gewarnt, doch sie weiß nicht, von wie fern. Braucht er die örtliche oder die zeitliche Entfernung? Und überhaupt, was ist für ihn dort, wo er sich gerade befindet, fern? Sie geht hinter ihm, sieht die schiefgelaufenen Absätze seiner nicht zum Wandern geeigneten alten Allstar-Schuhe und fragt ihn nicht, wie lange er sich noch weigern will, Ofers robuste Wanderschuhe anzuziehen, die am Rucksack auf seinem Rücken baumeln. Vielleicht sind sie ihm ja zu groß, denkt sie, vielleicht fürchtet er das. Noch immer hat er kleine Hände und Füße – Löffelchen nannte er sie, meine Handlöffelchen und meine Fußlöffelchen –, er war ihretwegen immer verlegen gewesen und hatte sich gerade deshalb Caligula genannt, kleiner Stiefel, und sie erinnerte sich, wie erstaunt er später war, dass ihre Brüste genau in seine Hände passten. Heute vielleicht nicht mehr, zwei Kinder hatten an ihnen gesaugt, und auch die Münder vieler Männer – so viele waren es ja gar nicht, komm, lass uns mal zählen, aber was gibt es da zu zählen, du weißt es ganz genau, schon hundertmal hast du gezählt. Aber etwas in ihr, eine gemeine, fiese Kreatur, beginnt schon, an den Fingern abzuzählen, während sie weiterläuft, Ilan eins, Avram zwei, zusammen mit diesem Eran drei, warte, vier sind es mit Motti, den sie ein paarmal in Zur Hadassa mit nach Hause genommen hat, das war schon Jahre her, er hat in der Dusche laut geschmettert – vier Männer also. Im Durchschnitt pro Jahrzehnt weniger als einer, keine große Errungenschaft, einige Mädchen haben das schon mit sechzehn – aber lass das jetzt!

Die Luft flirrt und summt. Fliegen, Bienen, Mücken, Grillen, Schmetterlinge und Käfer schweben, kriechen, krabbeln von allen Blättern. In jedem Teilchen der Welt steckt so viel Leben, denkt Ora, und dieser Überfluss erscheint ihr plötzlich bedrohlich, denn was stört es diese überquellende, verschwenderische Natur, wenn das Leben einer Fliege, eines Blattes oder eines Menschen in ebendiesem Moment zu Ende geht? Aus dem Schmerz dieses Gedankens beginnt sie zu reden.

Mit ruhiger, tonloser Stimme erzählt sie, Ofer hat bis vor einer Weile eine Freundin gehabt, seine erste, aber die hat ihn verlassen, und davon erholt er sich nicht.

Ich hab sie wirklich gemocht, sagt sie, man kann sagen, ich hab sie ein bisschen adoptiert, und sie mich auch; wir sind uns sehr nahe gekommen, sie lacht verlegen, das war wohl mein Fehler, es ist nicht gut, zu den Freundinnen der Söhne so eine enge Beziehung zu haben – na, denkt sie, war das nun eine nützliche Information für ihn? –, alle haben mich gewarnt, aber in Talia, sie hieß Talia, hab ich mich einfach auf den ersten Blick verliebt. Übrigens war sie gar nicht so wahnsinnig schön; in meinen Augen allerdings schon. Sie hatte – sie hat, ich muss aufhören, in der Vergangenheit von ihr zu denken, es gibt sie ja noch, sie lebt doch noch; warum rede ich dann …

Für einige Sekunden ist nur das Geräusch ihrer Schritte zu hören, das Knirschen unter den Füßen auf dem Weg und das Summen. Ich rede zu ihm, wundert sich Ora, ich erzähl ihm solche Sachen und weiß noch nicht mal, ob das jetzt Aus-der-Ferne-Anfangen ist, aber es ist das Fernste von Ofer, wozu ich im Moment in der Lage bin, und Avram haut nicht ab.

Sie hatte ein Gesicht, diese Talia, wie soll ich dir das beschreiben – Beschreibungen, denkt sie zu ihm hin, waren immer deine Sache –, ein Gesicht voller Kraft und Charakter, so eine starke Nase und volle Lippen, wie ich es mag, und einen großen, weiblichen Busen hatte sie, und vor allem wunderschöne Finger. Ora lacht und bewegt vor den Augen ihre Finger, auch die waren bis vor kurzem schön, doch dann wurden sie dick und in den Gelenken knotig und verloren etwas von ihrer Schönheit.

Hinter dem kleinen Foto in ihrem Geldbeutel, auf dem Ofer und Adam sich umarmen – aufgenommen am Morgen von Adams Einberufung, beide mit langem Haar, Adams dunkel und glatt, Ofers noch ganz golden und an den Enden gelockt –, bewahrt sie heimlich ein Foto von Talia auf. Sie bringt es nicht übers Herz, sie dort rauszuschmeißen, hat aber immer auch Angst, Ofer könnte es zufällig entdecken und wütend werden. Manchmal holt sie es aus dem Versteck und betrachtet Talia, versucht sich vorzustellen, was für Kinder aus der Verbindung von Ofer und ihr hätten hervorgehen können. Manchmal schiebt sie das Bild auch in die leere durchsichtige Plastikklappe, in der bis vor einem halben Jahr ein Foto von Ilan steckte, und lässt dann den Blick von den Jungen zu Talia und zurück schweifen, stellt sich Talia als ihre Tochter vor und staunt: Das scheint durchaus möglich und ganz natürlich.

Ein ganz nüchternes Mädchen, fährt sie fort, sogar fast ein bisschen bitter, wie alte Menschen, du könntest sie gern haben – sie lächelt seinen Rücken an –, und denk nicht, dass sie, wie soll ich sagen, sie war nicht gerade ein einfacher Mensch. Aber du glaubst ja wohl auch nicht, dass Ofer sich eine einfache Freundin gesucht hätte, oder?

Sie hat den Eindruck, sein Nacken zwischen den Schulterblättern wird noch breiter.

Sie steigen hinunter zum Flussbett eines Wadis, der felsige Abhang erscheint ihr gefährlich. Als sie den Abstieg beginnen und sie sieht, wie Avram stolpert und sich an einem Felsvorsprung festhält, murmelt sie, hoffentlich ist das bloß ein kleiner Abweg, und achtet sofort auf das Echo ihrer Worte in seinem Kopf, sie fragt sich, ob dort wohl noch jemand mit jener näselnden Stimme wohnt, bei der alle lachen mussten, und mit verschmitztem Trolllächeln sagt, »Avram hingegen mag gerade diese kleine Abwege sehr«, doch sie hört in ihm keine Stimme, bemerkt auch keinen Anflug eines Lächelns, kein Funken blitzt in seinen Augen auf, und vielleicht gibt es dort wirklich nichts mehr, denkt sie, nichts und niemanden. Jetzt sieh das doch endlich ein und finde dich damit ab.

Schon sind sie auf einem Abhang glatter Felsen, die sie nach unten ziehen, in die Tiefe einer Felsspalte, und auch das war ein Wort, das ihn früher gekitzelt und zu einer Bemerkung gereizt hätte, Lidspalte, Schamspalte, Pospalte, all diese Spalten, die er mit Wonne im Munde führte, es reicht, bricht sie ab, lass ihn in Ruh, er wohnt da wirklich nicht mehr. Andererseits hört er ihr ja schon ein paar Minuten zu, während sie von Ofer spricht, und schmettert sie nicht ab wie sonst. Also öffnet er ihr vielleicht doch ein Törchen, einen kleinen Spalt.

Spalten waren für sie in letzter Zeit ein vertrautes Nistgebiet, sie war geradezu ein Spaltentierchen geworden, und nach zwei pubertierenden, gut gepanzerten Jungen und jetzt mit Eran, der ihr höchstens eineinhalb Stunden pro Woche zugestand, da war sie dem gewachsen.

Sofort hat sie sich bei uns wie zu Hause gefühlt, erzählt Ora beim Abstieg weiter und unterdrückt einen leichten Seufzer, denn etwas hatte sich verändert, als Talia dazugekommen war und immer öfter mit ihnen am Esstisch saß, bei ihnen übernachtete und sogar zusammen mit ihnen auf Urlaub ins Ausland fuhr (plötzlich musste ich nicht mehr allein zur Toilette gehen, erinnert sie sich), aber wie soll sie ihm das erzählen, wie soll sie einem wie ihm (bei der Wohnung, in der er lebte, in dieser Dunkelheit und Einsamkeit) diese kleine Verschiebung im Gleichgewicht zwischen den Männern und den Frauen in der Familie erklären, und wie ihr Gefühl, dass bei ihnen vielleicht zum ersten Mal die Weiblichkeit einen Platz und ein Gewicht bekommen hatte. Wie erzählt man so etwas? Was davon kann er in seiner Situation verstehen? Interessiert es ihn überhaupt? Ehrlich gesagt ist sie auch noch nicht bereit, ihm gegenüber, gegenüber einem fast Fremden, zuzugeben, wie sehr es sie erstaunt und auch ein bisschen geschmerzt hatte, dass diese Talia ohne jede Anstrengung etwas bekam, was sie selbst nie auch nur versucht hatte, von ihren drei Männern zu fordern. Denn sie hatte beinah von Anfang an auf die volle Anerkennung der drei, dass sie eine Frau war, verzichtet, und auf ihr Recht, sich als Frau in einem Haus von drei Männern selbst und anders zu bestimmen, auch auf die Einsicht, dass die Tatsache ihres Frauseins nicht bloß eine weitere anstrengende, lästige Laune von ihr war und auch kein lächerlicher Protest gegen das Authentische, wie alle drei es sie nicht selten spüren ließen. Ora läuft schneller, ihre Lippen bewegen sich, ein leichter Kopfschmerz beginnt in ihr zu summen wie in der Gymnasialzeit vor einem Blatt voller Gleichungen. Was Talia – weiß Gott, wie – mit den ganz kleinen Bewegungen ihres Wesens ausgerichtet hatte! Ora grinst vor sich hin, ärgert sich ein bisschen, sogar der selige Nikotin, der Hund, sogar bei dem vollzog sich ein peinlicher Wandel, wenn Talia bloß in seine Nähe kam.

Es hat mir wahnsinnig weh getan, als sie gegangen ist, erzählt sie weiter, dabei habe ich gemerkt, wie es sich anbahnte, vor allen anderen habe ich es gemerkt, denn plötzlich kam Talia nicht mehr jeden freien Moment zu uns, sondern wich mir aus, plötzlich hatte sie keine Zeit mehr, mit mir morgens einen Kaffee zu trinken oder einfach ein bisschen auf dem Balkon zu quatschen. Dann kam sie mit der Idee, nicht zur Armee zu gehen und stattdessen ein Jahr nach London zu fahren, da Sonnenbrillen zu verkaufen, ein bisschen Geld zu verdienen, Kunst zu studieren und ein paar Erfahrungen zu machen. Als sie »Erfahrungen machen« sagte, hab ich Ilan sofort gewarnt, die brütet etwas aus, und Ilan sagte, wie kommst du denn darauf, die phantasiert bloß, sie liebt ihn doch, und ein Mädchen mit einem so eigenen Kopf, wo würde die noch einen wie ihn finden. Aber ich war beunruhigt und meinte herauszuhören, dass Ofer in ihren Plänen plötzlich nicht mehr vorkam oder dass sie seiner ein bisschen müde war, was weiß ich – im Stillen sagt Ora sich, sie war mit Ofer durch –, aber Ofer fiel aus allen Wolken, als es dann passierte, er war total schockiert, und ich habe den Eindruck, er hat es noch nicht überwunden.

Ora zieht die Lippen ein, alles hast du gesehen, Frau Adlerauge, sie richtet ihren Stachel nach innen und dreht ihn schmerzhaft in der Wunde, bloß bei Ilan hast du die Zeichen nicht gesehen. Und mit einem sonderbaren Genuss fügt sie hinzu: Er war mit dir durch.

Wie fröhlich sie früher gewesen ist, denkt Avram und wirft einen Blick auf ihr Gesicht, immer hat sie gelacht. Er erinnert sich, wie er sie bei ihrem Grundwehrdienst im Ausbildungscamp besucht hat, er war am Rande des Appellplatzes entlanggelaufen und konnte plötzlich angesichts Hunderter von Mädchen nicht mehr stolz und aufrecht gehen – die sagenumwobene Stadt der Frauen, die in seinen Phantasien von einem Soundtrack immerwährenden feuchten Stöhnens und von verschleierten, sehnsüchtigen Blicken begleitet war. Hier aber gärte ein wespenhaftes Gekicher, von allen Seiten verächtliche Kleopatrablicke, da rannte ihm plötzlich aus der Ferne eine große, unbeholfene Soldatin mit etwas seitlich ausgestellten Füßen entgegen, in einem Sack von Uniform, mit verbeulter Schirmmütze, einer Flut hüpfender roter Locken, Kirschmund, die Arme ausgebreitet, und schrie glücklich quer durch das ganze Lager: »So viel Avram!«

Dass sie mich so verletzt hat, spricht Ora einen Satz weiter, dessen Anfang Avram verpasst hat – wie hatte sie ihm dort im Camp entgegengejubelt, wie kam es, dass sie sich vor den andern seiner nicht schämte? –, Talia hat mich noch nicht einmal angerufen, um es mir zu erklären, um sich zu verabschieden, gar nichts. Von heut auf morgen war sie verschwunden. Und ehrlich gesagt quält mich außer der Kränkung auch der Gedanke, warum sie ihn wohl verlassen hat. Denn in der Zeit, die sie bei uns war, hatte ich gemerkt, dass ich auf ihr Urteil bauen und ihren Beobachtungen vertrauen kann, und ich versuchte zu verstehen, ob sie wegen etwas an Ofer gegangen ist, das ich vielleicht selbst nicht sehe.

Seine Verschlossenheit vielleicht, murmelt sie und meint ebendiese Böe leichten Zorns, manchmal nur abweisend, manchmal aber auch spöttisch, die in letzter Zeit von ihm ausgeht und sich besonders gegen alles und jeden richtet, der nicht direkt mit dem Militär zu tun hat. Verschlossen war er schon vor der Armee gewesen, sehr sogar, betont sie für Avram, aber gerade mit Talia hat er sich ein bisschen geöffnet, auch uns gegenüber, mit ihr ist er richtig aufgeblüht.

Ich rede, staunt sie wieder, und er stoppt mich nicht. Wie ist das möglich?

Es gibt da einen Menschen, der heißt Ofer, denkt Avram angestrengt, als kämpfe er mit sich, das Schildchen mit dem Namen Ofer auf die undeutliche, immer wieder entgleitende Skizze seiner Seele zu kleben, die sich in ihm, während Ora redet, ununterbrochen windet – und Ora erzählt mir jetzt eine Geschichte über ihn. Ich höre Oras Geschichte über Ofer. Ich muss nur zuhören. Mehr nicht. Sie wird die Geschichte erzählen, und danach wird es vorbei sein. So eine Geschichte dauert keine Ewigkeit. Ich kann inzwischen an alles Mögliche denken. Sie wird weiterreden. Es ist bloß eine Geschichte. Ein Wort und noch ein Wort.

Ora ist unruhig, versucht zu entscheiden, was sie Avram als Nächstes von Ofer erzählen soll, wieso hat sie ihm plötzlich die Geschichte, wie Talia ihn verlassen hat, zugemutet, warum hat sie damit angefangen, warum hat sie Ofer ausgerechnet in seiner Schwäche präsentiert? Sie muss ihn in erfreulichere Gefilde führen, vielleicht erzählt sie ihm von seiner Geburt, alle hören gern von Geburten, Geburten sind im Konsens, andererseits – sie wirft ihm einen Blick von der Seite zu, was interessieren ihn Geburten, eine Geburt würde ihn bloß abstoßen, und im Grunde war es auch für sie noch zu früh, so nackt und aufgerissen vor ihm zu liegen, und mit Sicherheit würde sie ihm nicht erzählen, was vor der Geburt gewesen war, an jenem frühen Morgen, den sie aus dem Buch ihres Lebens gelöscht hatte. Jedes Mal, wenn sie daran dachte, konnte sie es nicht glauben; ein Wahnsinn war damals in sie und Ilan gefahren, und über Jahre war diese Erinnerung mit Angst und auch mit bitteren Schuldgefühlen besetzt. Wie hatte sie sich dazu verführen lassen, wie konnte es sein, dass sie damals Ofer in ihrem Bauch nicht geschützt hatte, wie war es möglich, dass der Instinkt, der bei jeder normalen, natürlichen Mutter existieren sollte, gerade da versagte. Wer weiß, ob Ofer nicht dadurch einen Schaden davongetragen hat, vielleicht liegt dort der Grund für das leichte Asthma, das er als Kind hatte? Vielleicht kam daher auch der klaustrophobische Anfall im Aufzug? Bei diesen Erinnerungen zuckt sie zusammen, aber wie zum Trotz kehren die Bilder zurück, das fremde Feuer in Ilans Augen, die Umarmung, die sie beide zusammenzwang, das Stöhnen, das aus ihnen herausbrach, und ihr Bauch, der bebte und gestoßen wurde, zwei Tiere ohne Haut kämpften und vereinigten sich. Komm. Wir setzen uns mal hin, mir ist ein bisschen schwindlig. Sie lehnt den Kopf an die Felswand, trinkt in schnellen Zügen und reicht ihm die Wasserflasche weiter, was soll sie ihm jetzt erzählen, welchen Köder wird sie ihm jetzt hinwerfen? Etwas Bestechendes, etwas Leichtes, Lustiges braucht sie, jetzt sofort, etwas, das ihn zum Lachen bringt und ihn mit Liebe und Wärme für Ofer erfüllt. Da, sie hat etwas, sie muss nur noch ein bisschen Kräfte sammeln, wie Ofer mit drei Jahren darauf bestand, in seinem Cowboykostüm, das aus einundzwanzig Kleidungsstücken und Ausrüstungsteilen bestand, in den Kindergarten zu gehen. Einmal hatten sie alle gezählt, und ein ganzes Jahr lang hatte er ihnen verboten, auch nur ein Teil davon wegzuwerfen. Ihre Augen werden klarer, das Chaos in ihrem Kopf beruhigt sich, genau solche Dinge muss sie ihm erzählen, süße Erlebnisse, Anekdoten aus Ofers Leben, nichts Schwereres oder Schwierigeres als das: zum Beispiel heiter die Morgenstunden jenes Jahres beschreiben, wie Ilan und sie mit Waffentasche und Munitionsgürtel um Ofer herumrennen, wie Ilan auf der Suche nach dem Sheriffstern oder dem roten Halstuch unters Bett kriecht, wie sie gemeinsam jeden Morgen neu mit aller Sorgfalt um das zerbrechliche Gerüst des winzigen Ofer die Figur eines mutigen Kämpfers errichten.

Aber das würde ihn nicht wirklich interessieren, widerspricht sie sich sofort, diese Einzelheiten, Tausende Momente und Dinge, die man tut, wenn man ein Kind großzieht, dafür wird er keine Geduld haben, denn letztlich ist das vor allem für Männer ziemlich langweilig und ermüdend, das weiß sie, und im Grunde für jeden, der das Kind, um das es geht, nicht kennt, obwohl es natürlich ein paar, wie soll man sagen, besonders bedeutsame Geschichten gibt, die Avram vielleicht für Ofer gewinnen könnten …

Aber warum, verdammt noch mal, muss ich ihn überhaupt für Ofer gewinnen? protestiert sie, und der Kopfschmerz, der sich schon etwas zurückgezogen hatte, stürzt sich wieder auf sie, krallt sich an die bekannte Stelle hinter dem linken Ohr. Muss ich Ofer denn vermarkten? Ihn zu Ofer verführen?

Wie ist es möglich, seufzt Ora im Stillen, springt mit einem Satz auf und läuft los, rennt beinahe, wie kann man ein ganzes Leben erzählen, dazu reicht ein Leben nicht aus, und womit fängt man an, vor allem sie, die nicht in der Lage ist, auch nur eine kleine Geschichte von Anfang bis Ende zu erzählen, ohne abzuschweifen und die Pointe zu verpatzen, sie soll wissen, wie man richtig von Ofer erzählt? Und vielleicht wird ihr auch klarwerden, dass sie gar nicht so viel von ihm zu erzählen weiß.

Das heißt – es gibt natürlich unendlich viel von ihm zu erzählen, und trotzdem erschrickt sie plötzlich bei dem Gedanken, sie würde, wenn sie zwei oder drei oder fünf oder sogar zehn Stunden am Stück von ihm erzählte, vielleicht tatsächlich die wichtigsten Dinge erzählt haben. Sie würde zusammenfassen, konzentrieren. Aber wie konnte das schon alles sein, was sie von ihm zu erzählen hätte, wo sie doch noch vor einem Moment gedacht hatte, ein ganzes Leben reiche dazu nicht aus. Vielleicht zog genau diese Angst ihr das Hirn zusammen. Und mit derselben Grausamkeit gegenüber sich selbst, die sie sich in letzter Zeit angewöhnt hat, antwortet sie sich, dies sei vielleicht gerade die Antwort auf das bedrückende, schon eine Weile in ihr nagende Gefühl: Sie kennt ihn, ihren Sohn Ofer, nicht wirklich.

Der Puls in ihrem Hals schlägt schmerzhaft. So schnell ist die gerade erst aufgeflammte winzige Freude gewelkt. Wirklich, wovon soll sie ihm erzählen? Von Ofer in der Schule? Von seiner Kindergartenzeit? Vom Militär? Von dem Einsatz in Hebron? Doch was würden Avram diese kleinen dummen Geschichten bringen, wie kann man überhaupt einen ganzen Menschen beschreiben und bloß mit Worten zum Leben erwecken? Mein Gott, bloß mit Worten?

Verärgert gräbt sie in ihren Tiefen, als würde Avram, wenn sie noch einen Moment länger schweigt, denken, sie habe wirklich nichts zu erzählen. Doch alles, was sie bei ihrem Bohren zutage fördert, erscheint ihr banal und nebensächlich, nur lauter nette Anekdoten – wie Ofer allein bei Har Adar eine verschüttete kleine Quelle ausgrub, indem er das Austrittsloch freilegte, so dass sie wieder fließen konnte, und dort einen Obstgarten anlegte; oder sollte sie ihm von dem herrlichen Bett erzählen, das er eigenhändig für sie und Ilan gebaut hatte? Und sind eine Quelle oder ein Bett wirklich so spannend? Geschichten, die auf Hunderte von jungen Männern passen, die nicht weniger klug und süß und hinreißend sind als Ofer. Da zieht in ihr der Gedanke auf, Ofer besitze zweifellos viele gute und besondere Eigenarten, aber vielleicht nicht einen einzigartigen, außergewöhnlichen Zug, durch den er die anderen überragt. Ora wehrt sich mit aller Kraft gegen diesen abscheulichen Gedanken, der ihr so fremd ist. Wieso ist das wichtig? Wie ist sie überhaupt auf so einen Gedanken gekommen? Aber hier, warte, zum Beispiel der Film, den er im Kinokurs in der zehnten Klasse als Hausarbeit gemacht hat, der war wirklich etwas Besonderes, Avram würde die Idee bestimmt mögen, und sie schaut kurz zu ihm rüber, sieht den zwischen die hängenden Schultern eingezogenen Kopf und denkt, vielleicht auch nicht.

Dieser Film hatte etwas Beunruhigendes gehabt. Noch heute, fünf Jahre später, rumort er in ihr. Elf Minuten, mit ihrer Heimvideokamera gedreht. Die Beschreibung eines normalen Tages im Leben eines normalen Jugendlichen, Familie, Schule, Freunde, Freundin, Basketball, Unternehmungen – und keine einzige Gestalt aus Fleisch und Blut, nur die Schatten der Gestalten; laufende Schatten, einzeln oder zu zweit oder sogar in einer Gruppe: Schatten sitzen im Unterricht, Schatten essen zu Mittag, küssen sich, schmusen, trommeln, trinken Bier. Und wie bei den anderen Malen, als sie Ofer gefragt hatte, was für eine Idee denn dahinter stecke oder welche Absicht er gehabt habe, als er den Film machte (auch bei den leeren Gipshüllen von sich selbst, die er für jene sonderbar bedrückende Installation gegossen und in der Abschlussausstellung seiner Klassenstufe gezeigt hatte, oder bei dem Zyklus bedrohlicher Fotografien seines Gesichts mit dem Adlerschnabel, den er sich auf allen Bildern mit einem Kohlestift angemalt hatte) – immer hatte er nur mit den Schultern gezuckt und gesagt, keine Ahnung, ich dachte mir eben, dass ich so was gern mal machen würde. Oder: Ich wollte einfach jemanden fotografieren, und außer mir war grad keiner da. Und wenn sie weiterfragte – Ilan erklärte ihr später, sie habe ihn mal wieder überschwemmt –, hatte er ihre Frage ungeduldig abgeschmettert: Muss es denn für alles eine Erklärung geben? Kann denn nichts einfach so passieren? Muss man jede Kleinigkeit bis auf die Knochen analysieren?

Dabei hatte Ora die Aufnahmen für den Film über drei Wochen begleitet, sie war die Fahrerin, die Maskenbildnerin, verantwortlich für die Bewirtung, das Mädchen für alles, und nicht selten hatte sie auch die Rolle des wütenden Schäferhunds gespielt, der pausenlos hin und her rannte, um die widerspenstigen Schauspieler, Freunde aus seiner Klasse, zusammenzutreiben, die immer wieder die Proben und den Aufnahmetermin schwänzten, und wenn sie sich dann endlich herbeibemüht hatten, dann diskutierten sie frech und arrogant mit Ofer, was Ora verrückt machte. Sobald ein Streit ausbrach, machte sie sich aus dem Staub. Damals war er noch kleiner als die meisten seiner Mitschüler, empfindlich, stand etwas abseits, und Ora konnte es nicht ertragen, wie er ihnen mit hängendem Kopf gegenüberstand und seine Unterlippe zu zittern begann. Doch sie sah auch: Er ließ sich von seinem Vorhaben nicht abbringen, er igelte sich ein, verkroch sich, sein Gesicht verzerrte sich unkontrolliert vor Verletzlichkeit und Kränkung, doch er gab keinen Millimeter nach.

Auch sie hatte in dem Film mitgespielt. Die Rolle einer nervenden, schnüffelnden Lehrerin hatte er ihr zugedacht, und Ilan fuhr irgendwo im Hintergrund auf dem Motorrad vorbei, winkte und verschwand – am Schluss gab es eine hübsche Zeile im Abspann: »Danke auch an Mama und Papa, die ihren Schatten beisteuerten.« Und jetzt fragt sie sich, ob Avram denken würde, dass es, sagen wir, in diesem Film etwas

Besonderes gab, einen Glanz, etwas Einmaliges – alles typische Avram-Worte, die sich in ihr automatisch in seiner Melodie meldeten, wenn er mit ihr und Ilan zum Beispiel aus einer Theater- oder Filmvorstellung gekommen war, die ihn sehr bewegte. Da hatte er mit der Zunge das Wort befühlt, das ihn in diesem Moment am meisten erbeben ließ: »großartig« – und heiser, erregt, ehrfürchtig und begleitet von einer herrschaftlichen, ausladenden Handbewegung »groooßartig!« geflüstert. Wie alt war er damals gewesen? Vielleicht zwanzig, oder einundzwanzig? So alt wie Ofer heute, kaum zu glauben, und noch schwerer zu glauben, wie hochmütig und anmaßend er gewesen war. Wie hatte sie ihn überhaupt ertragen, mit diesem blöden Bärtchen, das er sich damals wachsen ließ …

Und schon verstrickt sie sich in einen erbitterten Streit mit sich selbst, denn sie begreift, dass sie irgendwo in ihren hintersten Winkeln sehr unter Druck ist: Was wird Avram von Ofer halten? Wird er enttäuscht sein, wenn er von ihm erfährt … Aber was für ein Recht hat er überhaupt, enttäuscht zu sein, ihre Wut schäumt, was hat er in den einundzwanzig Jahren in ihn investiert? Sie läuft schneller, überholt ihn, geht vor ihm her und massiert sich dabei den Schädel, der sich jeden Augenblick mehr aufzublähen scheint, schwer wird und gleichsam ihren ganzen Körper nach hinten zieht. Und sie wird immer wütender, weil sie sich endlich eingesteht, wie wichtig es ihr ist, dass Avram Ofer liebt, ja, liebt, dass er sich auf der Stelle und rückhaltlos in ihn verliebt, sich wider Willen in ihn verliebt, so wie er sich damals in sie verliebt hat, an der überhaupt nichts Großartiges war. Als er sich in sie verliebt hatte, war sie doch ein kranker Mensch gewesen, kraftlos, vollgepumpt mit Medikamenten, dämmerte Tag und Nacht vor sich hin, und Avram befand sich in genau demselben Zustand, also in der optimalen Verfassung, sich in mich zu verlieben, denkt sie und wird vor Erschöpfung etwas langsamer. Vielleicht war es ja wirklich so, wie er selbst Jahre später lachend gesagt hatte: *Nur so konnten sich das Id der Jiddene und das Id des Jidd begegnen.* Plötzlich ist es, als gehe ihr die Kraft aus, und sie bleibt stehen, atmet schwer und mit Schmerzen und presst sich die Finger zwischen die Augenbrauen. Diese Gedanken, woher kommen all diese Gedanken, und wer braucht sie jetzt?

Avram sieht sie schwanken, springt zu ihr, und einen Moment bevor sie fällt, fängt er sie auf. Wie stark er ist, staunt sie wieder, ihre Knie knicken ein, und er legt sie mit einer unglaublich sanften Bewegung auf die Erde, nimmt ihr schnell den Rucksack ab und lehnt ihren Kopf daran, kickt einen spitzen Stein unter ihrem Rücken weg und nimmt ihr auch die Brille ab, gießt sich Wasser aus der Flasche in die Hand und massiert behutsam ihr Gesicht. Mit geschlossenen Augen liegt sie da, ihre Brust hebt und senkt sich schwer, kalter Schweiß bricht ihr aus. Da siehst du, wie das Hirn arbeitet, murmelt sie. Sprich jetzt nicht, sagt er, und sie hört auf ihn. Seine Fürsorge tut ihr gut, seine Hand auf ihrem Gesicht, der stille Befehl in seiner Stimme.

Ich hab mich erinnert – sagt sie später, ihr Arm hängt schlaff und hält sein Handgelenk –, hast du mir nicht mal von einem Hörspiel oder einer Geschichte erzählt, über eine Frau, die von ihrem Geliebten verlassen wird, und man hört nur, wie sie am Telefon mit ihm redet, und ihn hört man nicht? Cocteau, sagt Avram sofort, lächelt, *Die menschliche Stimme* heißt das. Ja, Cocteau, wie gut du dich erinnerst … Sie spürt das Wasser auf ihrem Gesicht trocknen. Sie sieht einen von Sträuchern bewachsenen Bergrücken und ein Stück sehr blauen Himmel. Scharfer Salbeigeruch weht ihr in die Nase. Seine Hand ist so weich wie damals, denkt sie, wie kommt es, dass ihm die Zartheit und die Weichheit geblieben sind? Sie schließt die Augen und fragt sich, ob man ihn wohl aus diesem kleinen Überbleibsel wieder aufbauen kann. Du warst damals in deiner französischen Phase, sagt sie lächelnd, und in deiner Hörspielphase. Weißt du noch? Du hattest eine ganze Theorie über die menschliche Stimme und warst überzeugt, dass das Radio das Fernsehen besiegen würde, du hattest dir zu Hause ein kleines Aufnahmestudio eingerichtet. Avram lächelt: nicht zu Hause, im Schuppen im Hof. Ein richtiges Studio hatte ich da. Ganze Tage und Nächte hab ich da gesessen und aufgenommen und geschnitten, geklebt und gemixt.

Nachdem Ilan mich das erste Mal verlassen hat, flüstert Ora, nach Adams Geburt, da haben wir manchmal miteinander telefoniert, und ich glaube, da hab ich mich wie diese Frau aus der Geschichte von deinem Cocteau angehört, so erbärmlich, alles vergebend, voller Verständnis für seine Probleme, seine Probleme mit mir, dieser Scheißkerl … Avram nimmt seine Hand von ihrer Stirn. Sie öffnet die Augen und sieht ein Zögern auf seinem Gesicht, das sich dann vor ihr verschließt.

Gleich nach Adams Geburt hat er mich verlassen, sagt sie, wusstest du das nicht?

Das hast du nicht erzählt.

Du weißt wirklich gar nichts, seufzt sie, du bist völlig ahnungslos in meinem Leben.

Avram steht auf und schaut in die Ferne. Ein Falke zieht seine Kreise hoch über seinem Kopf am Himmel.

Furchtbar, wie fremd du bist, murmelt sie. Was mach ich überhaupt hier mit dir? Sie stößt ein kurzes, bitteres Lachen aus. Wenn ich nicht solche Angst hätte, nach Hause zu gehen, würde ich in diesem Moment umkehren.

Vielleicht weil er über ihr steht, erinnert sie sich: Ofer war ein Jahr alt gewesen. Sie hatte in ihrem Zimmer auf dem Bett gelegen und ihn auf ihren Händen und Füßen durch die Luft bewegt. Flugzeug hatten sie gespielt, und er lachte, er strampelte, und der helle Schein seiner feinen Haare hob und senkte sich mit seinen Bewegungen. Das Sonnenlicht vom Fenster her, schien durch seine Ohren, sie leuchteten in einem durchsichtigen Orange. Sie standen sehr vom Kopf ab, wie heute noch. Sie hatte ihn ein bisschen im Licht bewegt und in ihnen das Geflecht feiner Fasern, weicher Windungen und kleiner Knubbelchen entdeckt. Plötzlich war sie still und konzentriert gewesen, als würde sich ihr gleich ein Geheimnis offenbaren, das nicht in Worte zu fassen war. Ihr Gesicht hatte sich wohl verändert, denn Ofer hörte auf zu lachen und betrachtete sie ernst, seine Lippen wurden schmal und spitzten sich zu dem weisen, vielleicht sogar etwas ironischen Ausdruck eines alten Mannes. Sie dachte, wie wundervoll und präzise alle seine Glieder waren. Eine große Süße erfüllte sie. Sie drehte ihn langsam auf ihren Füßen, bewegte ihn hin und her und fing in einem seiner Ohren den ganzen Sonnenball.

Die Wunde war etwa fausttief gewesen, unaufhörlich quoll aus ihr zäher Eiter. Sie befand sich nah an der Wirbelsäule, und über Monate gelang es den Ärzten nicht, sie zu heilen. Dieses Hervorquellen hatte etwas Erschreckendes und Hypnotisierendes, eine Art Hohn des Körpers über die unermüdliche Fülle, die immer aus Avram hervorquoll. Über viele Monate, fast ein Jahr lang, war die Wunde Mittelpunkt des Interesses und der Sorge von Ora, Ilan und vielen Ärzten gewesen. Man hatte das Wort »Wunde« so oft gesagt, dass es manchmal so wirkte, als löse sich Avram immer mehr auf; die Wunde wurde zur Hauptsache seines Wesens, während sein Körper nur noch als Untergrund diente, aus dem die Wunde die Flüssigkeiten zog, die sie zum Leben brauchte.

Zum soundsovielten Mal hatte Ilan an diesem Tag den Gazebausch in den Eiter getaucht, ihn vorsichtig im Krater des Fleisches gedreht, damit er sich vollsog, und ihn in den Abfalleimer geworfen. Ora hockte auf dem Stuhl an Avrams Bett, beobachtete Ilans Hand und dachte, wie richtig seine Bewegungen waren, wie er es schaffte, in der Wunde zu graben, ohne weh zu tun. Als Avram eingeschlafen war, schlug sie ihm vor, ein bisschen an der frischen Luft spazieren zu gehen. Sie drehten ihre Runde auf den Wegen zwischen den kleinen Häuschen und unterhielten sich, wie meistens, über Avrams Zustand, die nächste anstehende Operation und über seine finanziellen Schwierigkeiten mit dem Sicherheitsministerium. Sie setzten sich auf eine Bank neben dem Röntgeninstitut, ein bisschen voneinander entfernt; Ora sprach von Avrams gestörtem Gleichgewichtssinn, für den die Ärzte noch keine Ursache gefunden hatten, und Ilan murmelte, man muss auch nach dem eingewachsenen Fußnagel schauen, der kann ihn später wahnsinnig machen, und ich glaube auch, dass sein Durchfall mit diesem Novalgin zusammenhängt – und sie dachte, Schluss jetzt, es reicht, drehte sich zu Ilan, überwand einen Abgrund und küsste ihn auf den Mund. Wie viel Zeit war vergangen, seit sie sich berührt hatten! Ilan erstarrte zuerst und zog sie dann zögernd an sich. Einen Moment bewegten sie sich vorsichtig, als wären ihre Körper von einer Schicht Glassplitter überzogen, und beide waren überrascht, mit welcher Intensität ihre Körper Feuer fingen, als hätten sie nur darauf gewartet, dass man sie um Trost bitten würde. Am Abend dieses Tages fuhren sie nach Zur Hadassa in Avrams leeres Haus, in dem sie seit seiner Rückkehr aus der Gefangenschaft wohnten und das sie zu einer Art Einsatzzentrale für alle mit seiner Behandlung zusammenhängenden Angelegenheiten hergerichtet hatten. Dort, in seinem Jugendzimmer – an der Tür stand »Eintritt nur für Verrückte, kostet den Verstand«, eine Warnung, die er mit fünfzehn geschrieben hatte –, hatten sie auf einer eilig auf den Boden gezerrten Matratze Adam gezeugt.

Sie weiß nicht, woran Avram sich noch erinnert aus der Zeit im Krankenhaus, als er operiert wurde, in der Reha war und auch immer wieder von Vertretern der Sicherheitsdienste verhört wurde, die nicht von ihm abließen und ihn mit ihren Verdächtigungen quälten, ob er nicht doch in der Gefangenschaft Informationen preisgegeben hatte.

Alles war ihm gleichgültig, er war völlig willenlos, und trotzdem brauchte er sie und Ilan auch in den Tiefen seiner Abwesenheit wie ein Baby, und nicht nur wegen der vielen medizinischen und bürokratischen Komplikationen, die sich aus seiner Situation ergaben und um die sich niemand anders kümmern konnte: Seine leere, ausgehöhlte Existenz sog ununterbrochen an ihnen, so hatte sie es damals empfunden, er saugte alle Vitalität aus ihnen heraus. Ohne etwas zu tun, machte er sie zu leeren Hüllen, so wie er selbst eine war.

Adams Geburt, sagt sie – sie sitzen nebeneinander in einem felsigen Versteck über dem Tal, um sie herum ein gelbes Meer von Akazien und Dornginster, deren Blüte die Bienen um den Verstand bringt. Die mit Flechten überzogenen Felsen glänzen in der Sonne rot und leuchtend violett, und Ora ist klar, dass sie mit ihm leichter über Adam reden kann, sogar von Adams Geburt kann sie ihm erzählen und scheinbar aus der Ferne anfangen – mit ihm hatte ich eine schwere Geburt, schwer und lang. Ich war drei Tage im Hadassa-Krankenhaus, andere Frauen kamen, gebaren und gingen wieder, aber ich lag da wie ein Stein. Ilan und ich lachten: Selbst Frauen, die unfruchtbar waren, gebaren in diesen Tagen, und nur ich lag noch da und wartete. Jeder auszubildende Arzt hatte mich schon untersucht, in mich reingeschaut, mich gemessen. In regelmäßigen Abständen fanden um mich herum Ärztekonsilien statt, und die ganze Zeit stritten sie sich über meinen Kopf hinweg, ob man »sie« an den Wehentropf hängen sollte oder nicht, wie »sie« auf dies oder das reagieren würde ...

Sie rieten mir herumzulaufen, spazieren zu gehen, Bewegung würde die Geburt beschleunigen, und Ilan und ich zogen zwei-, dreimal am Tag zusammen los. Ich im Morgenrock von Hadassa und mit Walfischbauch, so gingen wir Arm in Arm und redeten kaum. Das war angenehm. Wir fühlten uns zusammen gut, dachte ich zumindest.

Aus der Ferne anfangen, lächelt sie im Stillen und erinnert sich, wie Avram in der ersten Nacht, als sie sich kennenlernten, beide fast noch Kinder, im Dunkeln in großen Kreisen durch ihr Zimmer auf der Isolierstation gesegelt war, ihr mal näher kam, sich dann wieder entfernte, als übe er Routen der Annäherung und des Rückzugs.

Nach der Geburt hat Ilan uns aus dem Krankenhaus abgeholt und uns im *Mini* nach Hause gebracht, erinnerst du dich an den, meine Eltern hatten ihn mir gekauft, als ich mit dem Studium anfing. Da warst du schon in der Reha, und ich habe dich manchmal in Tel Aviv herumgefahren.

Sie wirft ihm einen Blick von der Seite zu und wartet, doch selbst wenn er sich erinnert, lässt er sich nichts anmerken, als hätten diese endlosen seltsamen Fahrten, die er damals brauchte – »um zu glauben«, wie er kurz angebunden erklärt hatte –, nie stattgefunden. Stundenlange Fahrten, immer im Kreis, Straßen, Gassen, Plätze, Menschen, Menschen. Und hinter seinen zusammengezogenen Augenbrauen Sorge und Zweifel. Die Stadt überschlug sich geradezu, Avram zu überzeugen, dass sie da war, dass sie wirklich existierte.

Wir haben Adam in einen gut gepolsterten Babysitz gelegt, und Ilan fuhr sehr vorsichtig. Die ganze Rückfahrt hat er geschwiegen. Aber ich redete ununterbrochen, ich war wie auf Wolken, ich weiß noch, wie glücklich ich war, und stolz und sicher, dass ab jetzt alles mit uns richtig laufen würde, und er schwieg. Am Anfang dachte ich noch, er konzentriere sich auf die Straße.

Du musst verstehen, ich hatte das Gefühl, dass sich in dem Moment, in dem Adam zur Welt kam, die ganze Welt verändert hatte. Alles sah vielleicht noch gleich aus, aber ich wusste, dass alles schon anders war, lach nicht – zu jedem Ding und zu jedem Menschen auf der Welt war eine neue Dimension hinzugekommen.

Ich habe nicht gelacht, denkt Avram und lässt den Kopf nach hinten fallen. Mit aller Kraft versucht er, sich die drei in dem kleinen Auto vorzustellen. Er versucht auch, sich zu erinnern, wo er damals gewesen ist, als Ora und Ilan Adam bekamen. Lach nicht, hat sie zu ihm gesagt. Nichts liegt ihm in diesem Moment ferner, als zu lachen.

Ich erinnere mich, ich habe auf die Straße geschaut und gedacht, ihr dummen Leute, seid ihr denn blind, seht ihr denn nicht, dass ab jetzt alles anders sein wird. Doch Ilan konnte ich das nicht sagen, ich spürte schon sein Schweigen, und dann verstummte auch ich. Plötzlich kriegten wir beide kein Wort mehr heraus. Auch als ich wollte, konnte ich nicht, ich fühlte mich abgewürgt, als packte mich einer an der Gurgel, und das warst du.

Er wirft ihr einen Blick zu, zieht eine Augenbraue hoch.

Du warst mit uns im Auto, wir haben dich gespürt, als säßest du da hinten neben Adams Kindersitz, sagt sie und zieht die Beine an den Bauch, und das war nicht zu ertragen. Es war unerträglich im Auto, meine Freude zerplatzte wie ein Ballon und legte sich wie ein Film auf mein Gesicht. Ich erinnere mich, Ilan seufzte laut, und ich fragte, was ist, und er schwieg und schwieg, und zum Schluss sagte er, er habe sich nicht vorgestellt, dass es so schwer sein würde.

Und ich dachte mir, so hab ich mir diese Fahrt auch nicht vorgestellt, die Heimfahrt mit meinem ersten Kind mit Pauken, Zimbeln und Posaunen.

Weißt du, sagt sie nach einem Augenblick des erstaunten Innehaltens, daran habe ich Jahre nicht mehr gedacht.

Avram schweigt.

Weiter?

Nehmen wir mal an, diese Kopfbewegung ist ein »Ja«, denkt sie.

Je näher sie dem Haus in Zur Hadassa kamen, umso angespannter und nervöser wurde Ilan. Plötzlich erschien ihr sein Kinn aus einem bestimmten Winkel schwach und ausweichend. Sie sah, seine Finger hinterließen feuchte Flecken auf dem Steuer. Ilan, der fast nie schwitzte. Er parkte den Wagen gegenüber dem rostigen Gartentor, holte Adam heraus, reichte ihn ihr und schaute ihr nicht in die Augen. Ora fragte ihn, ob er ihn das erste Mal nicht selbst hineintragen wolle, doch er stammelte, du, du, und presste ihn ihr richtiggehend in den Arm.

Sie erinnert sich an die paar Schritte auf dem kurzen gepflasterten Gartenweg, an das kleine schiefe Haus, die mit Rauhputz verputzte Fassade und die Mörtelspritzer, es war ein einfaches Häuschen, das Avrams Mutter von einem kinderlosen Onkel geerbt und in dem sie mit Avram gelebt hatte, seit er zehn war. Sie erinnert sich an den Anblick des verwahrlosten Gartens, in dem in den Jahren, in denen sie und Ilan sich beide ausschließlich um Avram gekümmert hatten, Unkraut und hohe Dornen wucherten. Sie erinnert sich sogar an ihren Plan, sobald sie sich etwas erholt hätte, mit dem Baby hinauszugehen und es ihrem geliebten Feigenbaum und der Silbereiche vorzustellen. Auch an ihren komischen Entengang erinnert sie sich, wie sie watschelte, um ihre frischen Nähte nicht zu belasten. Sie redet leise. Avram hört ihr zu. Sie sieht, dass er ihr zuhört, aber irgendwie hat sie das Gefühl, sie erzähle das jetzt vor allem sich selbst.

Ilan war vor ihr schnell die drei schiefen Stufen hochgegangen und hatte die Tür aufgemacht, war zur Seite getreten und hatte sie mit Adam eintreten lassen. Etwas schmerzhaft Kühles lag in dieser Höflichkeit. Sie war darauf bedacht, das Haus mit dem rechten Fuß zu betreten, sagte laut »Willkommen, Adam« – und wie jedes Mal, seit er geboren war, spürte sie ein verborgenes Streicheln von Ada in sich – und trug ihn in das Zimmer, das sie für ihn bestimmt hatten. Da stand schon das Bett, fertig bezogen. Obwohl Adam schlief, drehte sie ihn im Zimmer in alle Richtungen, zeigte seinen durchsichtigen Lidern den Kleiderschrank, den Wickeltisch, die Spielzeugkiste und das Bücherregal.

Da entdeckte sie an der Tür einen Zettel: *Schalom Babylein,* stand da, *Willkommen! Im Folgenden findest Du einige Anweisungen der Hotelleitung.*

Sie legte ihn in sein Bettchen, winzig und verloren sah er da aus, deckte ihn mit einer dünnen Decke zu und betrachtete ihn. Etwas stach in ihrem Rücken und machte sie unruhig. Auf dem Zettel an der Tür schienen viele Wörter zu stehen, zu viele Wörter. Sie beugte sich zu Adam, streichelte seinen warmen Kopf, seufzte, ging zurück zur Tür und las:

Die Hotelleitung erwartet von Dir, dass Du die Ruhe der anderen Bewohner respektierst.

Merke Dir: Die Gastwirtin gehört allein dem Besitzer des Hotels, Deine Nutzung ihres Körpers beschränkt sich auf den oberen Teil!

Die Hotelleitung erwartet von ihren Gästen, das Hotel bei Erreichen des achtzehnten Lebensjahres zu verlassen!

Und so ging es immer weiter.

Sie verschränkte die Arme vor der Brust.

Plötzlich hatte sie keine Kraft mehr für Ilan und seine Witze. Sie riss den Zettel ab und zerknüllte ihn energisch.

Hat dich das geärgert, fragte Ilan, der plötzlich eintrat, zerknirscht, ich dachte einfach ... Ist auch egal. War wohl daneben. Willst du was trinken?

Ich will schlafen.

Und er?

Adam? Was ist mit ihm?

Lassen wir ihn einfach allein hier liegen?

Ich weiß nicht ... Meinst du, wir sollten ihn in unser Zimmer mitnehmen?

Ich weiß nicht. Wenn wir schlafen und er hier allein aufwacht ...

Sie schauten sich verlegen an.

Ora versuchte, auf ihren Willen zu hören, und hörte nichts. Sie hatte keinen Willen, keine Meinung und keine Ahnung. Da kam sie durcheinander: Irgendwie hatte sie gehofft, mit der Geburt würde sie schon alles Nötige wissen, das Baby würde ihr endlich dieses natürliche und unerschütterliche Wissen geben, und sie begriff, wie sehr sie während der Schwangerschaft genau darauf gewartet hatte, fast ebenso wie auf das Kind selbst – auf das eindeutige Wissen um das Richtige, das zu tun war, denn das war ihr in den Jahren seit Avrams Unglück völlig abhanden gekommen.

Komm, sagte sie zu Ilan, wir lassen ihn hier.

Wieder spürte sie den Schmerz des Getrenntwerdens, wie jedes Mal, wenn sie sich im Krankenhaus von ihm hatte entfernen müssen. Ja, sagte sie, er muss nicht mit uns im Zimmer schlafen. Und wenn er weint? fragte Ilan zögernd. Wenn er weint, hören wir ihn, sagte sie, keine Sorge, ich werde ihn hören.

Sie gingen in ihr Zimmer und schliefen zwei ganze Stunden, und Ora erwachte, ein bis zwei Sekunden bevor Adam zu zwitschern begann, und spürte schon das Ziehen in der Brust, sie weckte Ilan und bat ihn, Adam zu holen. Sie legte die Kissen im Bett zurecht, lehnte sich bequem an, und Ilan kam mit Adam auf dem Arm aus dem andern Zimmer und strahlte.

Sie stillte Adam, staunte wieder, wie klein sein Kopf an ihrer Brust war, er saugte kräftig, energisch, fast ohne sie anzuschauen, und unbekannte Flammen der Wonne und des Schmerzes durchzogen sie und gruben ihr Leib und Seele um. Ilan stand daneben und betrachtete die beiden wie hypnotisiert, und sein Gesicht verlor jegliche Körperlichkeit. Ab und zu fragte er, ob sie so bequem sitze, ob sie Durst habe, ob sie spüre, wie die Milch einschieße. Sie nahm das Kind von der einen Brust und legte es auf der anderen Seite an, trocknete mit einem Läppchen die Brustwarze, und Ilan schaute auf ihre Brust, die damals, so schien es ihr, gewaltig war, mondförmig und von einem Netz bläulicher Adern durchzogen, und in seinen Augen entdeckte sie eine Art neuer Ehrfurcht; plötzlich wirkte er wieder wie ein Junge, und sie fragte, willst du ihn nicht fotografieren? Er zwinkerte, als erwache er aus einem Traum, nein, ich mag jetzt nicht. Das Licht ist nicht gut.

Woran hast du gedacht? fragte sie.

An nichts. An niemanden.

Sie sah, wie sich gleichsam eine dunkle Spinne auf seinem Gesicht breitmachte.

Vielleicht fotografierst du ihn später, sagte sie schwach.

Ja, natürlich, später.

Auch später hat er kaum fotografiert. Manchmal brachte er den Fotoapparat, nahm den Linsendeckel ab, stellte alles ein – aber dann schien ihm irgendwie die Beleuchtung nicht gut, passte der Winkel nicht, vielleicht später, wenn Adam richtig wach ist.

Avram räuspert sich leicht, als wolle er sie in ihrer Gedankenverlorenheit daran erinnern, dass er noch da war. Sie lächelt ihn verblüfft an: Ich hab mich mitreißen lassen, plötzlich hab ich mich an alle möglichen … Sollen wir weitergehen? Nein, das ist hier ganz okay, sagt er und stützt sich auf seine Ellbogen, obwohl sein ganzer Körper brodelt und nichts wie weg will. Sie sitzen da, schauen über das üppige Tal, das sich zu ihren Füßen erstreckt. Hinter Avram, im Schatten seines Körpers, ein stilles Gewimmel. In einer vertrockneten Fenchelstaude krabbeln Ameisen, nagen an den verholzten Teilen und finden noch geronnenen Pflanzensaft. Der winzige blütenbesetzte Stengel einer Orchidee ragt lila und schmetterlingszart auf, während sich einer seiner in der Erde versteckten Wurzelknollen leert und der andere sich füllt. Ein bisschen weiter, im Schatten von Avrams rechter Schulter, schickt eine kleine weiße Taubnessel, ganz vertieft in ihre komplizierten Funktionen, Geruchssignale an die Insekten, die sich zwischen ihr und anderen entscheiden müssen, und lässt sich indessen, für den Fall, dass jene sie enttäuschen, auch fruchtbare Kelche zur Selbstbestäubung wachsen.

Eines Nachts erzählt Ora, als Adam etwa einen Monat alt war, wachte er auf und hatte Hunger, Ilan stand auf und brachte ihn mir, aber als ich ihn stillte, ist er nicht im Zimmer geblieben. Das war merkwürdig. Ich rief ihn, er war im Wohnzimmer, sagte, er komme gleich. Ich verstand nicht, was er da im Dunkeln machte, ich hörte keine Geräusche oder Bewegungen. Ich hatte das Gefühl, er stehe am Fenster und schaue hinaus, und ich wurde unruhig.

Szenen und Bilder, an die sie schon seit Jahren nicht mehr gedacht hat, erstehen vor ihren Augen. Lebendig, scharf, und klar wie noch nie. Plötzlich begreift sie, dass sie vielleicht genauso große Angst vor dem Erzählen hat wie er vorm Zuhören.

Nachdem ich Adam gestillt hatte, brachte ich ihn zurück in sein Bett. Da sah ich, dass Ilan mitten im Wohnzimmer stand, er stand einfach da, als habe er vergessen, wohin er gehen wollte. Ich sah ihn von hinten und wusste gleich, da stimmt was nicht.

Sein Gesicht sah furchtbar aus. Er schaute mich an, als hätte er Angst vor mir oder als wollte er mich schlagen. Vielleicht auch beides. Er sagte, er könne nicht mehr, er halte es nicht mehr aus, dass du …

Sie schluckt: Willst du das wirklich hören?

Avram brummt etwas, zieht sich hoch, so dass er anders sitzt, und legt den Kopf auf die Arme. Sie wartet. Sein Rücken atmet. Er steht nicht auf. Er geht nicht weg.

Ilan sagte, die Gedanken an dich machten ihn fertig. Er komme sich vor wie ein Mörder – ich habe gemordet und auch noch geerbt, hat er gesagt –, er könne Adam nicht anschauen, ohne dabei dich zu sehen und an dich zu denken, auf dem Posten, in Gefangenschaft oder im Krankenhaus.

Sie sieht Avrams Rücken, wie er sich verkrampft.

Sie hatte ihn gefragt, was meinst du, was sollen wir tun? Und Ilan hatte nicht geantwortet. Das Haus war geheizt, trotzdem fror sie. Barfuß im Morgenmantel stand sie da, zitterte und die Milch tropfte. Wieder fragte sie ihn, was er vorschlage, und Ilan sagte, er habe keine Ahnung, aber so könne er nicht weitermachen. Er bekomme Angst vor sich selbst.

Vorher, als ich ihn dir gebracht habe – sagte er und brach ab.

Wir sind nicht daran schuld, murmelte sie das Mantra jener Jahre, wir haben nicht gewollt, dass das passiert, wir haben das nicht bestellt. Es ist einfach passiert, Ilan, da ist uns einfach etwas ganz Entsetzliches passiert.

Ich weiß.

Und wenn er nicht dort gewesen wäre, in dem Posten, dann wärst eben du dort gewesen.

Aber das ist es ja grade, sagte er mit verzerrtem Gesicht.

Du oder er, eine andere Möglichkeit hat es wohl nicht gegeben, sagte sie und ging zu ihm, um ihn zu umarmen. Lass das, Ora, er hob die Hand, damit sie sich ihm nicht näherte. Das haben wir alles schon gehört, das haben wir alles schon gesagt, wir haben geredet, ich bin nicht schuld und du bist nicht schuld, und Avram ist garantiert nicht schuld, keiner wollte, dass es so kommt, und trotzdem ist es passiert, und wenn ich nicht so eine Null wäre, hätte ich mir damals das Leben genommen. Sie schwieg. Jedes Wort, das er sagte, hatte sie schon unzählige Male vorher gedacht, in seiner Stimme und in ihrer Stimme. Sie fand nicht die Kraft, ihm zu sagen: Red keinen Stuss.

Jetzt erzählt sie Avram, friert in der zunehmenden Hitze des Tages, und vor lauter Spannung bebt ihre Stimme ein bisschen. Sie sieht sein Gesicht nicht. Er versteckt es hinter den Armen, die seine Knie umklammern. Sie hat den Eindruck, er hört ihr aus den Tiefen seines Körpers zu, wie ein Tier in seiner Höhle.

Und dass wir auch noch hier wohnen, sagte Ilan.

Nur bis er zurückkommt, murmelte sie. Wir hüten nur sein Haus.

Das sag ich ihm auch die ganze Zeit, wenn ich bei ihm bin, flüsterte Ilan, und ich weiß nicht, ob er überhaupt kapiert, dass wir hier schon richtig wohnen.

Aber in dem Moment, wo er zurückkommt, sind wir draußen.

Ilan zog sich schmerzhaft spöttisch an der Lippe: Und jetzt soll unser Kind hier aufwachsen.

Ora hatte das Gefühl, ihr Körper würde, wenn Ilan sie nicht sofort in den Arm nahm, zu Boden fallen und in tausend Stücke springen.

Ich seh keinen Weg, wie wir da rauskommen, sagte Ilan, keine Chance, dass wir das je hinkriegen – dann wurde er laut und schrie richtig –, und ich hab gedacht, wir würden hier leben, noch ein Kind bekommen und vielleicht noch eins, wir haben doch mal von vier Kindern gesprochen, eins wollten wir adoptieren, erinnerst du dich? Um der Menschheit etwas Gutes zurückzugeben, haben wir das nicht so gesagt? Und jedes Mal, wenn wir uns in die Augen schauen, werden wir ihn sehen, immer, unser ganzes Leben lang und sein ganzes Leben lang, zwanzig, dreißig, fünfzig Jahre wird er da in seinem Dunkel sitzen, begreifst du das nicht? Ilan packte seinen Kopf mit beiden Händen, seine Stimme tobte, und Ora fürchtete sich plötzlich vor ihm. Hier wird ein Kind heranwachsen, eine ganze neue Welt, brüllte Ilan, und dort sitzt ein lebender Toter. Und das Kind hätte seines sein können, und auch du hättest seine Frau sein können, wenn nur ...

Und dann wärst wahrscheinlich du der lebende Tote gewesen, sagte sie.

Weißt du, was?

Sie wusste.

Ist das schwer für dich? fragt Ora Avram mit erstickter Stimme.

Ich höre zu, sagt er kurz. Seine Kiefer zerhacken die Wörter in kurze Silben.

Denn wenn dir das zu schwer ist ...

Ora, sagt er, hebt den Kopf zu ihr, und sein Gesicht ist wie von grober Hand zerdrückt: Endlich höre ich von draußen das, was ich all die Jahre bloß in meinem Kopf gehört habe.

Sie möchte ihn anfassen, möchte ihn erden. Sie traut sich nicht. Weißt du, sagt sie, merkwürdig, aber für mich ist es genauso.

Sie hatte schon keine Kraft mehr gehabt und war aufs Sofa gesunken. Ilan kam, stellte sich vor sie und sagte, er müsse gehn.

Wohin?

Weiß ich nicht, hier kann ich nicht bleiben.

Jetzt?

Er war plötzlich sehr groß, erzählt sie Avram, plötzlich streckte er sich immer weiter nach oben, es sah aus, als stellten sich an seinem ganzen Körper die Haare auf, und seine Augen glänzten. Sie fragte, du willst gehn und mich mit ihm alleinlassen? Und er sagte, ich tu hier nicht gut, ich vergifte die Luft, ich hasse mich hier. Ich hasse sogar dich. Wenn ich dich so strotzend sehe, kann ich dich einfach nicht ertragen. Und Adam kann ich nicht lieben, fügte er später hinzu, ich schaff es nicht, ihn zu lieben. Da ist eine Glaswand zwischen uns. Ich fühl ihn nicht, ich riech ihn nicht. Lass mich gehn.

Sie schwieg.

Vielleicht, wenn ich ein paar Tage in Ruhe nachdenke, vielleicht kann ich dann zurückkommen. Jetzt muss ich allein sein, Ora, gib mir eine Woche allein.

Und wie soll ich hier zurechtkommen? Wie stellst du dir das vor?

Ich werd dir helfen, du brauchst dich um nichts zu kümmern, ich ruf dich jeden Tag an. Ich such dir eine Hilfe, eine Kinderfrau, einen Babysitter, du kannst völlig frei sein, kannst zurück an die Uni, Arbeit suchen, was du willst, nur lass mich jetzt gehn, es ist nicht gut, wenn ich länger hier bleibe, nicht mal zehn Minuten.

Aber wann hast du dir das alles überlegt, murmelte Ora dumpf, wir waren doch die ganze Zeit zusammen.

Ilan sprach schnell, organisierte im Handumdrehen eine strahlende Zukunft für sie. Ich habe richtig zusehen können, erzählt sie Avram, wie bei ihm dieser Mechanismus ausgelöst wurde, kennst du das? Diese Zahnräder in den Augen. Sie hatte Ilan angeschaut und dachte, so klug er auch ist, verstehen tut er nichts, und dass sie mit ihm einen großen Fehler gemacht hatte; und sie versuchte sich vorzustellen, was ihre Eltern sagen würden, wie deren Welt zusammenbrechen würde.

Und ich dachte, sagt sie zu Avram, wie sie mich immer vor dir gewarnt und *ihn* vergöttert haben, vor allem meine Mutter, die wohl all die Jahre nicht verstanden hat, was einer wie er überhaupt an mir findet.

Avram lächelte im Versteck hinter seinen Armen, »Hochstapler« hatte ihre Mutter ihn genannt, und Ora hatte es ihm übersetzt: einer mit Löchern in den Taschen, der sich für Rothschild hält.

Ich habe auf dem Sofa gelegen und mir überlegt, wie ich jetzt allein mit Adam zurechtkommen soll. Du musst dir das vorstellen: Ich konnte mich kaum bewegen, nur mit Not aus dem Haus gehen, die Augen offen halten. Und ich dachte, das kann alles nicht sein, das ist nur ein

Albtraum, gleich wache ich auf. Und die ganze Zeit hab ich auch gedacht, dass ich Ilan im Grunde gut versteh, und was ich darum geben würde, auch fliehen zu können, vor mir selbst, vor Adam und besonders vor dir. Vor all diesen Komplikationen. Und ich dachte, armer Adam, er schläft da ganz ruhig und hat keine Ahnung, dass sein Leben schon im Arsch ist.

Ich lag da, sagt Ora, mit dem offenen Morgenmantel, so wie ich bin, mir war alles egal. Ich hörte, wie Ilan sich schnell im Schlafzimmer bewegte. Du kennst das ja, wie er sich bewegt, wenn er pragmatisch vorgeht – beide lächeln sich an, ein Blitzen in den Augen, ein winziger Faden der Verbindung –, ich hörte ihn Schränke, Türen und Schubladen aufmachen. Er packte, und ich lag da und dachte, wie wir unser ganzes Leben lang für einen Moment bezahlen werden, für einen idiotischen Zufall, für gar nichts.

Beide, Avram und sie, wenden die Blicke voneinander ab.

Nimm eine Mütze, hatten Ilan und Avram ihr durchs Militärtelefon aus dem Camp im Sinai zugegrölt, und tu zwei Zettelchen rein, zwei gleiche. Nein, nein, lachten sie beide, du brauchst nicht zu wissen, was du da auslost, dieses Lachen klang ihr noch immer in den Ohren, seitdem haben sie nie mehr so gelacht. Zweiundzwanzig waren sie gewesen, im letzten Monat ihres Dienstes beim stehenden Heer, sie studierte schon in Jerusalem, im ersten Jahr, damals noch Sozialpädagogik, eine ganze Welt hatte sich ihr da aufgetan, und sie meinte, ein Riesenglück zu haben, so früh schon ihre Bestimmung zu kennen – nein, nein, beharrte Ilan am Telefon, es ist besser, wenn du nicht weißt, was du auslost, so bist du objektiver. Na gut, sie ließen sich ein bisschen von ihrem Drängen erweichen, du darfst raten, aber nur im Stillen, und bitte schnell; los, Ora, die warten schon auf uns, draußen steht der Command Car (und da begriff sie: Command Car? Einer von ihnen darf nach Hause? Aber wer? Und sofort rannte sie los, holte eine Schirmmütze, ihre alte vom Militär, nahm ein Blatt Papier, riss es entzwei, in zwei gleiche Teile, und in ihr brodelte der Aufruhr: Wen von ihnen wollte sie bei sich haben?). Zwei gleiche Zettelchen wiederholte Ilan ungeduldig, einen mit meinem Namen, den andern mit dem von Wampe. Avram stieß einen verhaltenen Schrei in Ilans Rücken aus und rief: Auf den einen schreibst du »Ilan« und auf den anderen »Gott«, oder, wenn ich's mir überlege, schreib einfach »Zebaoth«. Jetzt ist's aber gut, unterbrach ihn Ilan, Schluss mit dem Gequatsche, und jetzt zieh einen raus. Hast du gezogen? Was hast du gezogen? Bist du dir sicher? Ora wiegt in der Hand einen kleinen, kantigen Stein und säubert ihn langsam und gründlich von allem Staub. Avram kauert ihr gegenüber, die Hände verschränkt, seine Handgelenke werden weiß. Weiter? Was? Ja, okay. Dann stand er vor mir. Ich konnte noch nichtmal aufstehen, eine solche Schwäche hatte mich überfallen. Ich war ein Haufen Trümmer. Hatte keine Kraft, mich zuzudecken. Er schaute mich nicht an. Ich spürte, er ekelte sich vor mir. Ich ekelte mich auch vor mir selbst. Jetzt spricht sie mit verkrampfter Stimme, als müsse sie alles bis ins letzte Detail berichten: Und er sagte, er werde diese Nacht ein bisschen draußen rumlaufen, sich in ein Café setzen, das nachts offen hat, und morgen früh werde er anrufen. Ich fragte ihn, ob er sich nicht von Adam verabschieden wolle. Er sagte, besser nicht. Ich dachte, ich muss aufstehen und kämpfen, wenn nicht für mich, so doch für Adam, denn wenn ich jetzt nichts unternehme, gibt's schon bald nichts mehr zu ändern, denn bei Ilan wachsen solche Entscheidungen in Blitzgeschwindigkeit, du kennst ihn ja, binnen weniger Sekunden hat er eine neue Realität geschaffen, eine prächtige Siedlung mit roten Ziegeldächern und Kopfsteinpflaster, die keiner mehr räumen kann.

Und schau, wie ich mich geirrt habe, murmelt sie staunend. Für einen Augenblick rudern Ilan und Adam vor ihrem inneren Auge in einem Holzbötchen mit gut abgestimmten Bewegungen durch die Wildnis eines Dschungels einen grünen Fluss hinauf: Siehst du, wie zum Schluss alles ganz anders wurde, als ich gedacht hatte. Alles kam genau umgekehrt.

Morgens rief er an, er hatte sich in irgendeinem Hotel ein Zimmer genommen und sagte, er werde sich eine kleine Wohnung mieten. Nicht weit von euch – hat er gesagt. Verstehst du? »Von euch«! Binnen weniger Stunden war er schon nicht mehr einer von uns. Geschweige denn von mir.

Er mietete sich eine Wohnung in Talpiot, so weit weg wie möglich, am anderen Ende der Stadt. Zweimal am Tag rief er an, morgens und abends, ganz fair, immer verantwortungsbewusst, du kennst ihn ja, so hat er mich ganz sanft umgebracht. Und ich, blöd, wie ich war, hab am Telefon geheult, er soll doch zurückkommen, ich hab mich vor ihm so erniedrigt und hab ihn mit diesem Geheul bestimmt noch mehr abgestoßen, aber ich hatte nicht die Kraft, die Heldin zu spielen, ich war körperlich und seelisch völlig fertig. Keine Ahnung, woher ich überhaupt Milch zum Stillen hatte und wie es mir gelang, mich um Adam zu kümmern. Meine Mutter kam gleich, voll guter Absichten, aber nach etwa zwei Tagen begriff ich, was da ablief, was sie mir antat und wie sie sofort anfing, Adam mit anderen Kindern zu vergleichen, und dabei kam er natürlich nicht gut weg, und ich bat meinen Vater, zu kommen und sie wieder mitzunehmen, ich sagte noch nicht einmal, warum, und das Schlimmste war, dass er es auch so verstand.

Die Freundinnen kamen sofort, Notstandsrekrutierung, sie haben geholfen, gekocht und saubergemacht, alles natürlich sehr vorsichtig und mit Takt, aber plötzlich war um mich herum wieder diese Klebrigkeit der Mädchen, wie mit vierzehn, alle wissen genau, was gut für mich ist und was ich wirklich brauche, und machen mir klar, dass ich immer, abgesehen von Ada, viel besser mit Jungen als mit Mädchen ausgekommen bin.

Vor allem ihre giftigen Spitzen gegen Ilan konnte ich nicht ertragen, denn ich sag dir, trotz allem hab ich ihn verstanden, und ich wusste auch, dass nur ich wirklich verstehen konnte, was mit ihm los war. Dass auf der ganzen Welt nur wir beide das verstehen können, und vielleicht noch du, wenn du damals überhaupt irgendetwas verstehen konntest.

Avram nickt vor sich hin.

Sie streckt sich und massiert ihren steifen Nacken, nicht leicht, das alles.

Ja, sagt er, und massiert sich ebenfalls den Nacken.

Sie prüft, ob sie Ofer so lange alleinlassen kann. Sie sendet einen inneren Strahl aus, tastet vorsichtig die Gebärmutter, das Herz, die Brustwarzen, den empfindlichen Punkt über dem Bauchnabel, die Kuhle unter dem Hals, die Oberlippe, linkes Auge, rechtes Auge, und bildet schnell das Gefühl von Ofer in sich, wie in dem Malspiel, wo man verschiedene Punkte der Reihe nach miteinander verbindet – Ofer scheint okay zu sein, auf eine etwas unklare Art erstarkt Ofer sogar ein bisschen, während sie so redet und Avram ihr so zuhört.

Adam hatte ich die meiste Zeit des Tages bei mir, erzählt sie, als sie auf dem schmalen Pfad an der Felswand weitergehen. Seit Ilan sich aus dem Staub gemacht hatte, weigerte er sich, allein zu bleiben, klammerte sich wie ein Äffchen an mich, Tag und Nacht, und ich war zu schwach, mich dagegen zu wehren, und ich habe ihn in unserem, das heißt in meinem Bett schlafen gelegt, das heißt in unserem, in Adams und meinem Bett.

Fast zwei Jahre lang hat er bei mir geschlafen, gegen alle Ratschläge, ich weiß, aber ich sage dir, ich hatte nicht die Kraft, wenn er schrie, mit ihm zu kämpfen; ich hatte auch nicht immer die Kraft, ihn nach dem Stillen zurück in sein Bett zu bringen, und es war ja auch ganz angenehm, nach dem Stillen mit ihm einzuschlafen, mit einem warmen Körper neben sich.

Sie lächelt: Es war, als kehrten wir nach kurzer Störung in unsere natürliche Situation zurück, ein Körper, ein Organismus, der für fast alle Bedürfnisse selbst aufkommt und niemanden um einen Gefallen bitten muss.

Meine Mutter und ich waren ein bisschen so, denkt Avram, in den ersten Jahren, nachdem er uns verlassen hatte.

Du und deine Mutter, ihr wart vielleicht ein bisschen so, sagt sie ihm mit einem Blick, ich hab die ganze Zeit daran gedacht, was du mir erzählt hast. Ich hab in dieser Zeit viel an euch gedacht.

Ilan rief weiterhin pünktlich jeden Tag an, und ich habe mit ihm geredet, oder besser ihm zugehört. Manchmal – hab ich dir ja schon gesagt, wie diese Frau da von Cocteau, dieses entsetzliche Weibchen, nur eben auf Ivrith – hab ich ihm sogar alle möglichen Ratschläge gegeben, zum Beispiel wie er Tintenflecke wegkriegt oder ob man dieses oder jenes Hemd bügeln darf. Ich hab ihn dran erinnert, zur Zahnsteinentfernung zu gehen, hab mir sein Gejammer angehört, wie schwer es ohne mich ist. Ein Fremder hätte gedacht, das sei ein ganz normales Gespräch zwischen der kleinen Frau und dem Mann, der auf einer kurzen Geschäftsreise ist.

Und manchmal hab ich einfach ins Leere gestarrt und zugehört,

wenn er mir erzählte, was er so macht, wie er mit dem Studium voran-
kommt, der Dozent für Strafrecht habe schon ein Auge auf ihn geworfen, und die Assistentin des Professors in Vertragsrecht habe ihm
gesagt, mit seinen Noten könne er ein Referendariat am Obersten
Gerichtshof bekommen. Und ich hab mir das alles angehört und mir
gedacht, wie tief ich in Adams Kacke stecke, in den Problemen mit
dem Windeldienst, mit meinen wunden Brustwarzen, und er schwebte
da in seinem Diamanthimmel …
Aber die Sache mit dem Kino hat er aufgegeben, fragt Avram leise,
oder?
Gleich nach dem Krieg, sagt sie.
Ja?
Du weißt schon, nachdem du zurückgekommen bist.
Aber er wollte doch so sehr.
Gerade deshalb.
Ich war mir immer sicher, er würde eines Tages doch …
Nein, sagt Ora, er hat das abgeschnitten, wie Ilan Sachen abschnei-
det. Sie macht mit der Hand die Bewegung und spürt, wie sie selbst
auf der anderen Seite des Messers runterfällt.
Meinetwegen? Weil das mit mir passiert ist?
Nicht nur deswegen, sagt sie, er hatte noch andere Gründe, sie
bleibt stehen und schaut ihn verzweifelt an: Sag, Avram, wie sollen wir
das alles schaffen?
Der Berg erhebt sich über ihnen wie eine Welle Wald, und Avram
sieht, wie ihre braunen Augen grün funkeln, sieht, wie diese Augen
noch immer funkeln.
Vergiss nicht, fährt sie fort, in den ersten Monaten nach Adams Geburt hat er sich auch ganz allein um dich gekümmert. Er ist jeden Tag
zu dir ins Krankenhaus Tel Haschomer und in all die Rehakliniken
gefahren, in die sie dich geschickt haben, und jeden Abend hat er mir
detailliert berichtet; wir hatten lange telefonische Sitzungen über deine
Behandlungen, die Medikamente, ihre Nebenwirkungen, und auch
über diese Verhöre, das darfst du nicht vergessen.
Hm, brummt Avram und schaut in die Ferne.
Und du hast ihn kein einziges Mal nach mir gefragt, was mit mir ist,
warum ich plötzlich nicht mehr komme.

Er atmet schwer, richtet sich auf, macht nun größere Schritte. Sie muss sich anstrengen mitzukommen. Du wusstest noch nichtmal, dass ich Adam bekommen hatte. Das hab ich mir damals zumindest gedacht. Sag mal, Ora … Ja? Hat er sich für Adam interessiert? Für Adam? Sie stößt ein schmales Lachen aus. War nur 'ne Frage.

Gut, sagt sie, streckt sich und bereitet sich darauf vor, eine alte Kränkung noch einmal zu durchzuleben. Am Anfang hat er durchaus noch nach Adam gefragt, das heißt, er hat sich Mühe gegeben, später hat er etwas weniger gefragt, und irgendwann hab ich gemerkt, dass es ihm sogar schwerfiel, seinen Namen auszusprechen. Dann begann er eines Tages, vom »Kind« zu reden, wie das Kind nachts geschlafen habe, wie seine Verdauung sei und so weiter, und da bin ich explodiert, auch ein gutmütiger Trottel wie ich kommt mal an seine Grenzen.

Als er anfing, Adam »das Kind« zu nennen, hab ich mich gefangen und ihm gesagt, er soll mich nicht mehr anrufen. Er soll aus meinem Leben verschwinden. Endlich konnte ich ihm sagen, was ich ihm schon Monate vorher hätte sagen sollen. Ich bin so doof gewesen, etwa drei Monate lang hab ich diese verschrobene Routine mitgemacht, stell dir das vor. Wenn ich heute daran denke …

Sie suchen Zuflucht im Schatten eines Aussichtspunktes, von dem aus man über das Hulatal blickt. Die Muskeln tun ihnen weh, und nicht nur vom Gehen. Avram sinkt auf den Boden, setzt noch nichtmal den Rucksack ab. Ora meint, immer wenn er stehenbleibt und sich nicht bewegt, überkomme ihn sofort so eine felsige undurchlässige Schwere. Mit den neugierigen Augen des Mädchens in sich mustert sie ihn insgeheim: Sie bemerkt, dass er sich scheut, in die Weite zu schauen, in das breite offene Tal am Fuße des Berges, oder auf den Berg selbst, auf dem sie gehen, in die Weite des Himmels. Sie erinnert sich, wie Ilan einmal über ihn gesagt hat: »Er hat sich verlöscht und sitzt jetzt in sich selbst im Dunkeln«, und auch hier draußen, in der Sonne und dem Himmelblau, ist seine Haut zwar hell und rötet sich schnell, aber es hat den Anschein, als wäre sein Körper undurchlässig für Licht.

Oder für Schönheit. Oder für Ofer. Mit schnellen Bewegungen putzt sie ihre Brillengläser, haucht sie immer wieder an. Reibt kräftig. Beruhigt sich.

Nachdem ich den Hörer aufgeknallt hatte, rief er sofort wieder an. Dass ich ihn aus meinem Leben rausschmeiße, könne er durchaus verstehen, aber ich könne ihn nicht aus der gemeinsamen Verantwortung für unser anderes Kind rausschmeißen.

Wie? Ach so.

Ja sicher.

So haben sie also über mich geredet, grübelt Avram und denkt, in noch ein, zwei Minuten wird er sie bitten aufzuhören. Mehr kann er nicht aufnehmen.

Und dann hatten wir noch ein Gespräch, sagt sie, eines der unglaublichsten, die wir je hatten. Wir wollten uns absprechen, wie wir uns jetzt um dich kümmern sollten, wie wir vor dir geheimhalten würden, was bei uns passierte, denn es war klar, so eine Krise bei uns, quasi bei den Eltern, konntest du zu dieser Zeit wirklich nicht gebrauchen.

Sie lachte kraftlos, und Avram erinnerte sich aus irgendeinem Grund daran, wie er sich mit etwa dreizehn, lange nachdem sein Vater eines Tages einfach weggegangen und verschwunden war, eingeredet hatte, sein geheimer, wahrer Vater sei der Dichter Alexander Pen, und wie er jede Nacht, mehrere Wochen lang, vor dem Einschlafen im Flüsterton Pens Poem *Der ausgesetzte Sohn* gelesen hatte.

Wir redeten miteinander wie völlig Fremde, Ilan und ich, sagt sie, nein, eher wie die Anwälte völlig fremder Leute. Mit einer Sachlichkeit, die ich bei mir nicht für möglich gehalten hätte, nicht mit ihm oder mit überhaupt jemandem. Wir sprachen mit aufgeschlagenen Kalendern ganz genau ab, bis wann Ilan sich weiterhin allein um dich kümmert und wann ich wieder in den Turnus einsteige, und wir verabredeten, vor dir weiter so zu tun, als wäre bei uns alles in Ordnung, zumindest bis du dich ein bisschen erholt hättest. Wir wussten ja, dass das nicht besonders schwierig sein würde, denn ohnehin interessiertest du dich kaum für etwas. Du hast grade mal ein bisschen mitgekriegt, was um dich herum passierte – oder wolltest du bloß, dass alle so von dir dachten, damit sie dich in Ruhe ließen? Ja? Dass sie dich endlich aufgeben und in Ruhe lassen?

Unter den halb geschlossenen Lidern bewegen sich seine Augen zur Seite.

Zum Schluss hast du es auch geschafft, sagt sie trocken.

Dann, mitten beim Einatmen, hält sie inne, erstarrt für einen Moment, denn plötzlich erinnert sie sich nicht mehr an Ofers Gesicht. Sofort springt sie auf und muss weiter, und Avram seufzt, steht auch auf und geht hinter ihr her. Sie starrt vor sich hin, ohne etwas zu sehen, ihre Augen bohren schwarze Kamine in den helllichten Tag, doch Ofer ist nicht zu sehen. Sie geht weiter, und sein Gesicht zerfällt in ihrem Kopf in einen Wirbel aus Bruchstücken. Für einen Moment blähen sie sich entsetzlich vor ihr auf und zerplatzen dann, als stieße jemand eine riesige Faust durch seine Haut und risse ihn von innen auf. Sie weiß sofort, das ist eine Strafe, aber wofür? Vielleicht dafür, dass sie ihre Wanderung fortsetzt und nicht auf der Stelle nach Hause zurückkehrt, um dort die schlimme Nachricht entgegenzunehmen. Oder dafür, dass sie zu keinem Kompromiss bereit ist (leicht verletzt? womöglich schwer? das Bein? unterhalb des Knies? unterhalb des Knöchels? der Arm? ein Auge? beide Augen? das Geschlechtsteil?). Fast zu jeder Tageszeit, hinter allen Dingen, Wörtern und Handlungen summen solche Angebote, die ihr von irgendwoher gemacht werden: Auch mit einer Niere kann man ganz gut leben, sogar mit nur einer Lunge; überleg mal, lehn das nicht gleich ab, so ein Angebot kriegst du nicht alle Tage, du wirst noch bereuen, dass du es abgelehnt hast, andere Familien sind darauf eingegangen und sind heute glücklich, relativ glücklich zumindest. Überleg es dir noch einmal, denk gut nach: Im Fall einer Phosphorverbrennung zum Beispiel kann man Haut transplantieren. Sogar Gehirnverletzungen kann man heute behandeln. Und auch wenn er nur noch eine Pflanze ist, wird er trotzdem leben, du kannst ihn versorgen, deine riesige Erfahrung von Avrams Verwundung, kannst du ihm zukommen lassen, also bitte, überdenk das nochmal: Er wird leben, Gefühle und Wahrnehmungen haben, das ist nicht das schlechteste Geschäft in deiner Situation. Tage und Nächte hindurch hat sie diese summenden Meldungen abgeschmettert, und auch jetzt reckt sie den Kopf und geht zwischen ihnen hindurch, versucht nur, ihr Gesicht vor Avram zu verstecken, ihn vor dem Gorgonenhaupt zu schützen, das sie in diesem

Moment zu haben meint, sie wird kein Geschäft machen und auch keine wie immer geartete schlimme Nachricht entgegennehmen. Geh, geh weiter. Sprich, erzähl ihm von seinem Sohn.

Dann begann für mich etwas völlig Neues, sagt sie, ich hatte keinen Funken Kraft, aber ich hatte ein Baby, und das zwang mich zu leben, mit der Entschlossenheit eines Babys kam er in mein Leben, im festen Glauben, dass alles allein für ihn erschaffen wurde, vor allem ich. Wir waren die ganze Zeit zusammen, er und ich, beinah vierundzwanzig Stunden am Tag. Im ersten Jahr noch ohne Kindermädchen und fast ohne Hilfe, nur ein paar Freundinnen wechselten sich zweimal die Woche ab, als ich wieder mit meinen Besuchen bei dir in Tel Aviv anfing. Aber den Rest der Zeit, die Tage und Nächte, war ich mit ihm allein.

Avram geht neben ihr her, nickt sich selbst zu, verbiegt sich in sich selbst zu einem Fragezeichen.

Das war eine herrliche Zeit für Adam und mich, sagt sie, die Zeit unserer Wunder.

Es waren unsere glücklichsten Jahre, denkt sie.

Nach und nach habe ich ihn kennengelernt – sie erinnert sich ausgerechnet an seine Zornausbrüche, wenn sie es wagte, ihn von der einen Brust abzunehmen, ehe er fertig war. Mit großem Geschrei, Empörung in den Augen und dem vor Kränkung puterrot anlaufenden Kopf.

Und der verschmitzte Humor in seinen Blicken und beim Spielen, sagt sie. Ich wusste nicht, dass Babys Humor haben, das hat mir keiner gesagt.

Avram nickt weiter vor sich hin. Als lerne er einen wichtigen Unterrichtsstoff auswendig. Wir üben jetzt einfach, staunt Ora, Avram und ich, wir üben zusammen an Adam, bevor wir zu Ofer kommen, wir üben den Wortschatz, die Grenzen und die Ausdauer.

Und in mir, fuhr sie fort, war die ganze Zeit das totale Chaos. Als seien alle Abläufe des Körpers und der Seele durcheinander gekommen. Ich war damals auch viel krank, hatte dauernd Entzündungen und Blutungen, und immer diese furchtbare Schwäche. Aber auch ein ganz verrücktes Gefühl von Kraft, wahnsinnig viel Kraft, frag mich nicht, woher. Und Anfälle von Weinen und Freude, Verzweiflung und Euphorie, und das alles innerhalb von Minuten. Wie sollte ich noch eine Stunde mit ihm überleben, wenn er vierzig Fieber hatte und mir die Ohren vollschrie, und das um zwei Uhr nachts, und der Arzt geht nicht ans Telefon, und andererseits – ich kann alles, kann ihn im Maul packen, vom einem Ende der Welt zum andern tragen, eine Frau, *gewaltig wie ein Heer.*

Da leuchtet Avram für einen Moment auf, lächelt vor sich hin, als koste er mit den Lippen, ohne Stimme: eine Frau, *gewaltig wie ein Heer.* Ihre Schultern entspannen sich, öffnen sich ihm entgegen »wie ein gebrochenes Schabbatbrot«: Manchmal hatte er sie so genannt, aber auch Portabella, mein Beneficium oder meine Remedia oder Dulcinea. Sie kannte diese liebevollen Wörter nicht, mit deren exotischen Klängen er sie umhüllte, als legte er ihr einen feinen Schal um die Schultern, den nur sie beide sehen konnten. »Von Avram«, pflegten Ora und Ilan in den Jahren nach Avram zueinander zu sagen, wenn irgendwo im Gespräch, im Radio oder in einem Buch so ein Wort auftauchte, das einfach für Avram geboren war, das von Anfang an wie für seinen Mund geformt war.

Eines Tages rief Ilan an, sagt Ora, und teilte mir seine neue Adresse und Telefonnummer mit, so als wär ich das Büro für den Reservedienst. Die Wohnung in Talpiot sei ihm zu kalt, sagte er, deshalb miete er eine andere Wohnung, in der Herzlallee in Bejt HaKerem. Na, dann viel Glück, sagte ich und strich seine alte Nummer am Kühlschrank durch.

Zwei Monate danach, bei einem ganz normalen Gespräch über dich und deinen Zustand, gab er mir wieder eine neue Nummer. Was ist los? Hast du ein neues Telefon? Nein, aber bei uns auf der Straße arbeiten sie schon seit einem Monat, reißen Tag und Nacht die Straße auf und schütten sie wieder zu; es ist furchtbar laut, und du weißt ja, Lärm macht mich wahnsinnig. Und wo wohnt deine neue Telefonnummer? In Even Sappir, nicht weit vom Hadassa-Krankenhaus. Ich hab ein nettes Häuschen in einem Hof gefunden. Und da ist es ruhig? fragte ich. Wie in einem Grab, beteuerte er, und ich schrieb die neue Nummer an den Kühlschrank.

Nach noch ein paar Wochen wieder ein Anruf, der Sohn seiner Hauswirtin habe ein Schlagzeug gekauft. Er hielt den Hörer aus dem

Fenster, damit auch ich mich daran erfreuen konnte. Wirklich riesige Trommeln, mindestens Tamtam-Trommeln für einen ganzen Dschungel, so kann ein Mensch nicht leben, da stimmte ich ihm zu und ging wieder mit dem Kuli zum Kühlschrank. Ich habe schon einen Vertrag für etwas Kleines in Bar Giora, näselte er. Bar Giora? Das ist doch hier, dachte ich, genau gegenüber, auf der anderen Seite des Wadis, ich spürte, wie sich etwas in mir zusammenzog, und verstand nicht, war es Erregung oder die Angst vor seiner plötzlichen Nähe. Doch die Wochen vergingen, und in unserem Verhältnis änderte sich nichts. Er war dort, wir waren hier, und wir waren immer mehr wir.

Nach einer Weile wieder ein Anruf: Hör mal, ich hab mich ein bisschen mit dem Hausbesitzer angelegt, der hat zwei Rottweiler, richtige Killerhunde. Ich zieh nochmal um, und ich dachte, du solltest es vielleicht wissen: Das ist jetzt ziemlich nah bei dir. Er lachte verlegen, es ist im Grunde direkt bei dir im Ort, in Zur Hadassa, ich meine, wenn es dich nicht stört.

Aber Hallo! Ilan! rief ich, spielst du mit mir jetzt heiß heiß, kalt kalt?

Ilan lachte wieder. Sie kannte Ilan und seine verschiedenen Arten zu lachen, und in diesem Lachen schwang etwas Schwaches, Armseliges, und sie spürte wieder, wie stark sie war. Ich schwöre dir, sagt sie zu Avram, bis dahin wusste ich wirklich nicht, was für eine Löwin ich bin, mit allen vier Pfoten auf der Erde. Und gleichzeitig war ich total schwach, ein Lumpen, auf dem sich alle die Füße abtreten können. Ich hab mich auch fast immer nach ihm gesehnt; alles erinnerte mich an ihn – wie Adams Nuckeln mich ganz heiß auf Ilan gemacht hat, erinnert sie sich mit leiser Freude, wie Ilans Geruch, den ich an Adam roch, mich nachts aufgeweckt hat –, die ganze Zeit hab ich mich gefühlt, als wäre er nur zwei Meter von mir entfernt.

Als sie das sagt, hört sie plötzlich im Kopf den Tonfall, mit dem Ilan sie während ihrer gemeinsamen Jahre am Telefon angesprochen hat, so eine entschlossene Schärfe, die einen schüttelte: Ora! Manchmal, wenn er sie so rief, meldete sich bei ihr ein unerklärliches Schuldgefühl – wie bei einem Soldaten, der beim Wacheschieben eingeschlafen ist und dessen Kommandant sich nun auf ihn stürzt. Aber meistens schwang, wenn er sie ansprach, auch ein gewisser Wagemut in seiner

Stimme, etwas Provozierendes, Erregendes, das zu einem Abenteuer einlud: Ora! Sie lächelt vor sich hin; »Ora!«, als machte er damit eine unerschütterliche Feststellung, die sie selbst oft angezweifelt hatte.

Also hab ich die Starke gespielt und ihn ganz cool gefragt, was ist denn los, Ilan, spielst du jetzt so eine Art *Monopoly*, kaufst und verkaufst Häuser in allen möglichen Straßen der Stadt? Oder sehnt sich mein gebildeter Freund ein bisschen nach Hause? Da sagte er mir, ohne zu zögern, ja, seit er ausgezogen war, sei es für ihn kein Leben mehr. Er werde ganz verrückt. Und ich hörte mich sagen, dann komm doch zurück, und sofort dachte ich – nein! Ich brauch ihn hier nicht, und ich will ihn hier auch nicht haben, ich will überhaupt keinen Mann, der mir hier rumrennt.

Hey, da bist du ja, sagt sie, lächelt erleichtert, als Avram für einen Moment die schweren Lider hebt und der alte Funke sich frech in seinen Blick schleicht.

Manchmal, hatte Ilan ihr damals am Telefon gesagt, fahr ich nachts zu dir. Da packt mich plötzlich so eine Kraft, die weckt mich auf, schmeißt mich aus dem Bett, um ein oder zwei Uhr nachts, und ich steh auf wie ein Zombie, steig aufs Motorrad und fahr zu dir und weiß, noch ein paar Minuten, dann bin ich bei dir, in deinem Bett, und fleh dich an, dass du mir verzeihst, dass du vergisst, dass du meinen Wahnsinn ausradierst, und dann, nur noch zwanzig Meter von deinem Haus entfernt, beginnt die entgegengesetzte Kraft, immer an derselben Stelle auf der Straße, als ob sie mich da umpolen, ich spür das im Körper: Da reißt mich etwas zurück und sagt zu mir, weg hier, mach, dass du wegkommst, es ist nicht gut, dass du hier bist …

Das passiert dir wirklich? fragte sie.

Ich werde wahnsinnig, Ora, ich habe ein Kind und bin nicht fähig, es zu sehen?! Bin ich denn noch normal? Und ich habe dich, und ich weiß tausendprozentig, dass du der einzige Mensch bist, mit dem ich leben kann und leben will, die Einzige, die mich ertragen kann, und was mach ich? Ich habe gedacht, ich müsste einfach hier abhauen, ganz weg hier, vielleicht nach England und dort studieren, ein bisschen Luftveränderung, aber das kann ich ja auch nicht! Wegen Avram kann ich nicht abhauen! Ich weiß nicht, was ich machen soll, sag du mir, was soll ich machen.

Und da, sagt Ora zu Avram, als er mir das sagte, da kam mir zum ersten Mal der Gedanke, dass du wirklich der Grund für seine Flucht von uns warst; aber vielleicht auch die Ausrede.

Ausrede wofür?

Wofür, stößt sie unangenehm spöttisch hervor, für seine Angst, mit uns zusammenzuleben, zum Beispiel, mit mir und mit Adam. Oder einfach für seine Angst, überhaupt zu leben.

Das versteh ich nicht.

Ach, sie schüttelt heftig den Kopf, ihr zwei.

Er hat ein Haus am Spielplatz gemietet, weißt du, an dem von der Elterninitiative, ganze hundert Meter unüberwindbare Luftlinie von unserem Haus entfernt, erzählt Ora, und dann hat er vielleicht drei Wochen lang nicht angerufen. Davon wurde ich wieder ein Nervenbündel, und das übertrug sich sofort auf Adam. Ich hab ihn stundenlang im Kinderwagen spazieren gefahren, im Ort und drum herum, nur dann hat er sich ein bisschen beruhigt, und welche Route ich auch nahm, am Ende kam ich immer zu Ilans Haus.

Avram läuft neben ihr her, den Kopf gesenkt, er sieht sie nicht an, sieht auch nicht in die Gegend, er sieht die junge Frau, einsam und getrieben mit einem Kinderwagen. Er führt sie auf den Wegen des Ortes, in dem er seine Jugend verbracht hat, auf der Kreisstraße und den Nebenstraßen, vorbei an Häusern und Höfen, die er kennt.

Einmal sind wir uns tatsächlich begegnet. Er kam aus dem Haus, und wir trafen zufällig am Gartentor zusammen. Wir blieben beide wie angewurzelt stehn und sagten so ein vorsichtiges »Schalom«. Er hat mich angeschaut, als würde er mich gleich hier auf dem Gehweg flachlegen, diesen Hunger in ihm kannte ich so gut. Aber ich wollte auch, dass er Adam anschaut. Ausgerechnet an dem Tag war Adam erkältet und verknautscht, mit verklebten Augen, doch Ilan warf einen so schnellen Blick auf ihn, dass ich dachte, er kann kaum was gesehen haben.

Doch wie so oft hatte ich mich getäuscht. Er sagte »das ist er«, schwang sich aufs Motorrad und brauste mit Vollgas davon und weckte Adam auf.

Erst als er längst weg war, überfiel es mich, dass er etwas völlig anderes gemeint hatte, ich zog Adam alle seine Hüllen aus, schaute mir genau sein Gesicht an und erkannte zum ersten Mal, dass er *dir* ähnlich sah.

Avram reckt den Kopf, schaut sie überrascht an.

Etwas in den Augen, murmelt sie und reibt ihre Fingerkuppen aneinander, etwas im Gesamtausdruck. Frag mich nicht, wie das sein kann. Sie lacht auf, vielleicht hab ich ein bisschen an dich gedacht, als wir ihn gemacht haben, was weiß ich, übrigens kann ich bis heute manchmal eine gewisse Ähnlichkeit zu dir erkennen.

Wie das? lacht Avram verlegen, und er stolpert fast.

Gibt es in der Natur nicht so was wie Inspiration?

Nicht Inspiration, sondern Induktion, sagt er schnell, in der Elektrizität gibt es so etwas, dass ein Magnet einen Stromfluss erzeugt.

Hey, Avram, sagt sie zart.

Was?

Nichts weiter … Hast du keinen Hunger?

Nein, noch nicht.

Willst du einen Kaffee?

Vielleicht gehn wir erst noch ein bisschen weiter? Das hier ist ein guter Weg.

Ja, sagt sie, wirklich ein guter Weg.

Sie läuft vor ihm, streckt die Arme zur Seite, atmet die klare Luft ein.

Und eine Woche später rief Ilan an, erzählt sie, um halb zwölf nachts, ich hab schon geschlafen, und fragte ohne Umschweife, ob es für mich in Ordnung wäre, wenn er in den Schuppen im Hof ziehen würde.

In den Schuppen? Avram verschluckt sich fast.

In den Schuppen, du weißt schon, wo das ganze Gerümpel steht, wo dein Tonstudio war.

Ja. Aber wie …

Ich habe nicht einmal einen Augenblick nachgedacht und gesagt, er soll kommen. Ich erinnere mich, ich hab den Hörer aufgelegt, mich im Bett aufgesetzt und mir gedacht, dieses Spiel, das wir schon zwei Jahre lang spielen, passt gut zu uns, dieses Stoß-weg-zieh-her, das in ihm wirkt, und diese Anziehungskraft, die Adam auf ihn ausübt.

Auch deine, sagt Avram, ohne sie anzuschauen.

Meinst du? Ich weiß nicht … Jetzt hört man nur ihre Schritte. Ora probiert im Stillen die Worte: Meine Anziehungskraft. Sie muss lachen. Es tut gut, sich daran zu erinnern. Nie zuvor hatte sie diese Kraft so gespürt wie in diesen Tagen, als Ilan ihretwegen quer durch die ganze Stadt zog.

Gut, seufzt sie (bis Bolivien und Chile hat er sich jetzt entfernt, leicht und luftig, ohne Gepäck, wieder Junggeselle). Am nächsten Morgen ging ich in den Schuppen und fing an, ihn auszuräumen. Uraltes Gerümpel und Dreck hab ich rausgeschmissen, das war ja die Rumpelkammer von all den Leuten, die irgendwann in deinem Haus gewohnt haben, und ich hab auch die Kisten mit deinen Hörspielen gefunden, die Texte und die Tonbänder. Die hab ich aufgehoben. Alle deine Sachen hab ich aufgehoben. Die sind bei mir, falls du sie mal …

Die kannst du wegwerfen.

Nein, nein, ich werfe nichts weg. Wenn du willst, dann wirf sie selber weg.

Und was gibt's da noch?

Tausende von Blättern mit deiner Handschrift. Vielleicht zehn Kisten. Kaum zu glauben, lacht sie, als ob du von dem Moment, als du zur Welt gekommen bist, nur dagesessen und geschrieben hast.

Später, nach einem Schweigen, das einen ganzen Hügel und ein halbes Wadi dauert, sagt Avram: Also, dann hast du den Schuppen ausgeräumt …

Ich hab da ein paar Stunden gearbeitet, und Adam rannte inzwischen nackt auf der Wiese herum, überglücklich, vielleicht spürte er, dass etwas passierte, ich habe ihm nichts erklärt, denn ich hab es auch mir selbst nicht richtig erklären können.

Als schon ein großer Haufen auf dem Weg vor dem Schuppen lag, hab ich mich da hingestellt und mir das Zeug mit so einer hausfraulichen Befriedigung angeschaut, und plötzlich gab es mir einen Stich ins Herz – wie hieß noch diese Frau in der Geschichte von Cocteau?

Ich glaub, sie hatte keinen Namen, sagte Avram.

Zu Recht. Sie hat es nicht anders verdient.

Avram lacht aus seinen Tiefen. Etwas in ihr kitzelt.

Dann hab ich alles wieder reingeräumt. Adam muss gedacht haben, ich bin verrückt geworden. Ich hab alles wieder reingeworfen und die Tür kaum mit der Schulter zudrücken und abschließen können, und ich spürte, ich hatte mich vor einer sagenhaften Blamage gerettet.

Ein paar Tage später, am Laubhüttenfest, als ich mit Adam bei meinen Eltern in Haifa war, kam Ilan, räumte den Schuppen selber aus und brachte seine eigenen Sachen. Er hat auch jemanden geholt, der ihm eine Kochecke und ein Klo eingebaut hat, und schloß sich an mein Strom- und Wassernetz an. Als ich zurückkam, nachts, Adam schlief auf meinem Arm, sah ich schon von weitem die Müllhaufen und das Gerümpel neben der Mülltonne stehen. Ich ging über den Plattenweg durch den Garten zum Haus und sah Licht im Schuppen, und ich hab nicht nach links und nach rechts geschaut – der helle Wahnsinn, was soll ich dir sagen, Avram.

Dann begannen Tage, ich weiß gar nicht, wie ich dir davon erzählen soll. Es war eine Qual. Ich war hier und er dort. Gerade mal zwanzig Meter zwischen uns. Wenn bei ihm das Licht anging, bin ich gleich auf meinen Beobachtungsposten am Fenster hinter der Gardine, vielleicht krieg ich ja einen Zipfel von ihm zu sehen. Bei ihm klingelt das Telefon, und ich bin wortwörtlich ganz Ohr.

Ab und zu sah ich ihn morgens, wie er sich leise davonmachte, kurz nach Sonnenaufgang, damit er mich Gott behüte nicht mit Adam trifft. Meistens kam er auch erst sehr spät nach Hause, dann floh er geradezu über den Weg, mit seiner Studententasche unterm Arm, rannte um sein Leben. Ich wusste nicht, was er den ganzen Tag macht, ob er eine Freundin hat, wo er sich nach der Uni aufhält, um nicht hier zu sein, während Adam und ich wach sind. Ich wusste nur, drei- bis viermal die Woche war er bei dir. Das war die einzig sichere Sache: dass er sich an den Tagen, wo ich nicht kam, um dich kümmerte.

Du erinnerst dich bestimmt nicht, aber ich habe damals auf alle mögliche Weise versucht, dich dazu zu bringen, mir was von ihm zu erzählen, um ein paar Informationen zu klauen. Kannst du dich daran erinnern?

Avram nickt.

Du erinnerst dich wirklich?

Mach weiter, ich werd später ...

Adam hab ich gesagt, da sei ein Mann, der jetzt bei uns im Schuppen wohne. Er fragte, ob der unser Freund ist, und ich sagte, das sei noch nicht ganz klar. Er fragte, ob er ein guter Mensch ist. Ich sagte, im großen Ganzen ja, obwohl er seine eigene Art hat, das zu zeigen. Adam wollte ihn natürlich sofort besuchen. Aber ich erklärte ihm, er sei furchtbar beschäftigt, man könne ihn nicht besuchen, denn er sei nie zu Hause. Adam war bezaubert von dieser Neuerung und vielleicht auch davon, dass es da einen Mann gab, der nie zu Hause war. Jedes Mal, wenn wir draußen gewesen waren und zurückkamen, zog er mich zum Schuppen. Er malte Bilder und wollte sie dem Mann im Schuppen schenken. Die ganze Zeit kickte er den Ball zum Schuppen. Er stand da und streichelte mit beiden Händen Ilans Motorrad und die Kette, mit der er es am Gartentor festgeschlossen hatte.

Manchmal hab ich mit ihm im Garten gespielt, beim Schuppen, oder ich hab ihm in einem großen Bottich ein Bad gemacht, oder ein Picknick auf der Decke auf dem Rasen, und er fragte jede Minute: »Sieht uns der Mann?« »Sollen wir ihn nicht einladen?« »Wie heißt er denn?«

Als ich mich schließlich geschlagen gab und ihm den heiligen Namen offenbarte, fing er an, »Ilan, Ilan« zu rufen, sie macht es vor, legt die Hände um den Mund und ruft, Ilan, Ilan. Avram schaut sie an.

Du musst verstehen, bis dahin hatte er so einen sechsten Sinn, das Wort »Papa« überhaupt nicht zu lernen, und jetzt fing er an, mit echter Hingabe »Ilan« zu rufen. Morgens schlug er die Augen auf und fragte nach Ilan. Er kam aus der Krabbelgruppe zurück und wollte wissen, ob Ilan schon von der Arbeit zurück sei. Nachmittags stand er auf dem Balkon, der zum Garten hinausgeht, hielt sich am Geländer fest, rüttelte mit aller Kraft daran und schrie »Ilan«, hundertmal, tausendmal, er gab nicht auf, bis ich ihn reinholte. Manchmal hab ich ihn wirklich mit Gewalt ins Haus gezogen.

Weißt du, erst jetzt, wo ich das erzähle, kapier ich, was ich ihm da angetan hab.

Ich hab damals nicht nachgedacht, verstehst du?

Ilan und ich waren ...

Du musst das verstehen.

Wir waren in so einer Spirale des Wahnsinns.
Alle meine vermeintlich natürlichen Instinkte …
Hör zu, ich hab keine Ahnung, wo ich damals war.
Es ist, als hätte es mich überhaupt nicht gegeben.

Das war nicht die übliche Art, wie es Adam zu Männern hinzog – Ora
nahm den Faden nach längerer Pause wieder auf, nachdem sie sich
Augen und Nase geputzt hatte und auch die giftige Pille geschluckt
hatte, dass Adam sie jetzt vielleicht gerade dafür bestrafte – es war nicht
das übliche Hingezogensein zu jedem männlichen Wesen, das zufällig
am Haus vorbeiging, zu jedem Briefträger, der ein Päckchen brachte,
mit dem er flirtete, den er bat, doch zu bleiben, und an dessen Bein er
sich klammerte. Ilan hatte – nun, du kennst das ja, diese abwesende
Präsenz. Und dass er in der Lage war, Adam so völlig zu ignorieren, wo
doch sonst alle halb ohnmächtig wurden, weil er so süß war, das hat
Adam einfach verrückt gemacht.

Bis heute ist das so, seufzt sie und sieht Adam bei einem Auftritt auf
der Bühne, wenn sich seine Augen in einer ganz privaten Ekstase, in
einer Mischung von Leiden und Flehen, nach innen drehen.

Was ist bis heute so?

Er braucht es immer noch, dass Ilan ihn sieht.

Nicht dass du denkst – mindestens zweimal am Tag beschloss ich,
dass es jetzt reicht, Ilan muss gehn, muss aus dem Hof verschwinden,
einfach, um Adam nicht weiter so zu quälen. Und andererseits, muss
ich dir sagen, war ich nicht in der Lage, auf ein Tausendstel Chance zu
verzichten, dass er doch noch zurückkommt. Die ganze Zeit versuchte
ich auch zu verstehen, was in Ilan vorging, wenn er Adam auf dem
Balkon jammern hörte. Dass ihn das nicht wahnsinnig machte, dort in
seinem Schuppen. – Was für ein Mensch ist er überhaupt, sag mir das,
wenn er so was aushält.

Ja, sagt Avram und verhärtet sich.

Und ich hab auch gedacht, vielleicht sucht er ja genau das.

Was? brummt Avram.

Genau diese Qual.

Welche? Ich versteh nicht.

Dieses Vom-anderen-Ufer-Schauen, sagt sie langsam, dieses Dasgelobte-Land-aus-der-Ferne-Sehen-und-nicht-hineingehn-Dürfen. Glaub mir, so eine Art von Qual hätte ich nicht …

Avrams Gesicht spannt sich wirklich an, seine Augen rennen hin und her. Sein Ausdruck verändert sich. Sie bleibt stehen, legt ihm die Hand auf den Arm.

Tut mir leid, Avram, ich wollte nicht … Geh jetzt nicht dorthin, sondern bleib bei mir.

Ich bin bei dir, sagt er einen Moment später. Seine Stimme ist eingedickt und verkrampft. Er wischt sich den Schweiß von der Oberlippe: Ich bin hier.

Ich brauche dich.

Ich bin hier, Ora.

Sie gehen schweigend. Irgendwo, nicht weit von ihnen, fließt eine Straße, man hört schon die Autos. Avram nimmt sie wahr, wie ein Träumender die Geräusche des Hauses zu hören beginnt, das vor ihm erwacht.

Ich habe ihn verachtet, fährt Ora fort, und manchmal hatte ich Mitleid mit ihm wie mit einem Schwerbehinderten. Ich habe ihn gehasst und mich nach ihm gesehnt, und ich wusste, dass ich etwas tun musste, um ihn daraus zu befreien, aus diesem Fluch, den er über sich selbst und über uns gebracht hat. Doch ich hatte nicht die Kraft, irgendetwas zu tun. Gar nichts.

In dieser ganzen Zeit, versteh, da haben Ilan und ich weiter telefoniert, mindestens zweimal die Woche, denn wir hatten ja auch dich. Etwa einmal im Monat hattest du noch eine kleine Operation, letzte kosmetische Reparaturen, und diese zahllosen Absprachen mit dem Sicherheitsministerium, und die Wohnungssuche für dich in Tel Aviv. Zweimal die Woche bin ich zu dir gefahren, um bei dir zu sein, und Ilan an allen anderen Tagen. Du hattest keine Ahnung von uns, das haben wir zumindest geglaubt. Nicht davon, dass wir ein Kind hatten, nicht davon, dass wir uns getrennt hatten, und auch nicht von Ilans Umzügen kreuz und quer durch Jerusalem. Sag mal …

Was?

Hast du überhaupt noch Erinnerungen an diese Zeit?

Ob ich mich noch erinnere? Ja.

Wirklich? Ora bleibt stehen.

An fast alles.

Aber woran genau? Sie rennt hinter ihm her: An die Behandlungen, an die Operationen, an die Verhöre?

Ora, ich erinnere mich an diese Zeit, an fast jeden Tag.

Ich habe bei dir gesessen, macht sie sofort weiter – die neue Information ist zu groß, zu erschreckend, als dass sie sie aufnehmen könnte. Sie kann im Moment nicht darauf reagieren, später, später –, und habe dir Geschichten von Ilan und mir erzählt, als hätte sich bei uns nichts verändert. Als wären wir noch immer Kinder im Alter von zweiundzwanzig, wie an dem Tag, als du uns verlassen hast, als wären wir an genau der Stelle stehengeblieben, um auf dich zu warten, bis du zurückkommst. Als hätten wir uns nicht bewegt.

Sie gehen schnell, aus irgendeinem Grund rennen sie beinah.

Nicht, dass du Interesse gezeigt hättest, daran erinnert sie ihn wieder. Du hast in deinem Zimmer gesessen oder dort im Garten und kaum ein Wort gesagt. Mit anderen Verwundeten hast du keinen Kontakt aufgenommen, mit den Schwestern auch nicht, hast nichts gefragt. Ich habe nie gewusst, was du von meinem ganzen Geschwätz überhaupt mitkriegst. Ich hab dir von meinem Sozialpädagogik-Studium an der Uni erzählt, das ich, als du zurückkamst, gleich abgebrochen habe, ich hatte keinen Kopf mehr dafür, und habe dich mit Szenen aus dem Campusleben vollgelabert, habe dir das Projekt mit meinen Straßenkindern beschrieben, das ich natürlich auch aufgegeben hatte, als du zurückgekehrt bist, aber jedes Mal hab ich dir von neuem erzählt, wie ich es aufbaue, wer mir dabei hilft und wer nicht, habe dir die Verhandlungen mit den Kibbuzim beschrieben, als fände alles gerade jetzt statt, in Maagan Michael sind sie bereit, die Kids zu beherbergen, aber den Swimmingpool dort dürfen sie nicht benutzen, und in Bejt HaSchita bringen sie sie in Häusern unter mit Löchern in den Wänden, und frag nicht, was gestern passiert ist, alle Kibbuzim haben gemeinsam gefordert, dass ich sofort meine Kinder zurückhole, weil sie bei ihnen Läuse gefunden haben. Ich habe bei dir gesessen und mein Leben einfach da weitergelebt, wo es abgebrochen war. Auch ich hab mir so ein bisschen Therapie gemacht. Was dagegen?

Sie erinnert sich: Eines Tages, als sie ihn wieder so vollquatschte, drehte er plötzlich den Kopf zu ihr und brummte: Wie geht es deinem Kind?

Und als sie zu stottern begann, fragte er weiter: Wie alt ist er? Wie heißt er? Für einen Moment war sie wie gelähmt, dann holte sie ihren Geldbeutel aus der Handtasche und zog sein Bild heraus.

Sein Gesicht hatte gebebt, seine Lippen unkontrolliert gezittert. Als sie das Bild zurück in den Geldbeutel stecken wollte, streckte er die Hand aus, packte sie sehr fest am Handgelenk, schaute und zitterte.

Er ähnelt euch beiden, sagte er schließlich schnell und seine Augen traten fast aus ihren Höhlen.

Avram, es tut mir so leid, sie konnte ihr Weinen nicht zurückhalten. Ich wusste nicht, dass du es weißt.

Wenn man ihn anschaut, sieht man, wie ähnlich ihr euch seid.

Ich und er? Wirklich? Ora freute sich für einen Moment; sie selbst sah kaum eine Ähnlichkeit zwischen Adam und sich.

Du und Ilan.

Ach so. Wie lange weißt du es schon?

Er zuckte mit den Schultern und schwieg. Ora rechnete schnell nach: Als ihr Bauch größer wurde, hatte sie ihn nicht mehr besucht, und Ilan hatte sich allein um ihn gekümmert. Plötzlich begann sie vor Wut zu kochen: Ich will nur wissen, wann er es dir gesagt hat!

Ilan? Ilan hat mir nichts gesagt.

Woher weißt du es dann?

Avram schaute sie ausdruckslos an: Ich hab es gewusst, von Anfang an hab ich es gewusst.

Ein verrückter Gedanke kam ihr: Er wusste es im selben Moment, als ich es erfuhr.

Und Ilan … Der weiß nicht, dass du es weißt?

Etwas Schelmenhaftes leuchtete in seinem Gesicht auf. Seine alte Listigkeit, seine Vorliebe für verschlungene Handlungen.

Eine ganze Weile gehen sie schon an einer schmalen Landstraße, die dennoch überraschend dicht befahren ist, und beide sind unruhig: Mindestens zwei Tage sind sie nicht mehr an so einer Straße entlanggegangen; sie haben das Gefühl, die Autos rasen zu nah an ihnen vorbei, und sie sehen sich selbst mit den Augen der Fahrer: zwei Flüchtlinge in Lumpen. Für ein paar Stunden hatten sie vergessen, dass sie das waren: Fliehende, Gejagte. Avram schlurft wieder und murrt ununterbrochen; und Ora stört der verschwommene, dumme, aber hartnäckige Gedanke, dass diese abgelegene Straße über eine Unzahl anderer Straßen und Kreuzungen mit den Straßen in Bejt Zajit verbunden ist, dass durch die Nerven und Adern des Asphaltnetzes eine schlechte Nachricht von dort zu ihr durchdringen kann; doch beide beruhigen sich wieder, als sie das blau-weiß-orangene Wegzeichen sehen, auf das zu vertrauen sie in den letzten Tagen gelernt haben. Es weist sie an, nach einer kleinen Betonbrücke links abzubiegen, sich von der Straße zu entfernen, am Rand eines einladenden Feldes weiterzugehen, und beiden tut es gut, wieder lebendige Erde unter den Füßen zu spüren, auf Gras und federnde Sträucher zu treten, die sich unter den Füßen biegen und einen dann einen halben Schritt weiterschubsen, zu spüren, dass kleine Steinchen beim Handwerk des Gehens wie Späne zu den Seiten stieben.

Der Rücken streckt sich, die Sinne öffnen sich wieder. Der Körper wacht auf, sie spürt es, er ist ein Tier des Feldes. Sogar der neue steile Abhang – eine Art Ziegenpfad über einen gewaltigen felsigen Trümmerhaufen – macht ihnen jetzt keine Angst. Riesige Eichen wachsen aus den steilen Felsen; ihre Äste hängen über den Abhang. Ora und Avram schweigen, konzentrieren sich auf den schwierigen Abstieg, helfen sich gegenseitig, hüten sich, auf den von den Quellbächlein feuchten Steinen auszurutschen.

Später – sie tragen beide keine Uhr und haben schon längst keinen Begriff mehr von Minuten oder Stunden; die Zeit bemisst sich nach der Brechung des Lichts im Prisma des Tages – lehnt sich Avram mit dem Rucksack an einen Baumstamm, setzt sich langsam hin und streckt die Beine von sich. Sein Kopf sinkt ein bisschen vor, für einen Moment sieht er aus, als schliefe er. Ora lehnt ihren Kopf gegen einen kühlen Felsen, schließt die Augen und lauscht dem Wasserrauschen in der Nähe. Avram sagt, wir sind in diesen Tagen viel gelaufen, und sie, ich kann kaum noch die Beine bewegen, und er, ich bin bestimmt dreißig Jahre nicht mehr so gelaufen. Das ist seine Stimme, denkt sie, er spricht mit mir. Und als sie die Augen aufmacht, schaut er sie an. Direkt und klar blickt er in sie hinein.

Was ist?

Nichts.

Was schaust du so?

Dich an.

Und was siehst du?

Er antwortet nicht. Sein Blick weicht aus. Er findet ihr Gesicht nicht mehr schön, davon ist sie überzeugt, und denkt, auch ihr Gesicht ist für ihn ein gebrochenes Versprechen.

Sag mal, Ora.

Was?

Ich hab mir überlegt, heute, als wir gelaufen sind, hab ich mir überlegt – wie … sieht er aus?

Wie er aussieht?

Ja.

Wie Ofer aussieht?

Avram verzieht den Mund: Ist das keine gute Frage?

Doch, doch. Eine prima Frage.

Sie dreht den Kopf hin und her, um sich die Augen zu trocknen, die auf einmal …

Ich hab ein kleines Bild von ihm im Geldbeutel, zusammen mit Adam, wenn du …

Nein, nein, sagt er erschrocken, erzähl lieber.

Nur mit Worten? Sie lächelt.

Ja.

Fröhliches, mutiges Gezwitscher erfüllt auf einmal das schmale Wadi. Ein unsichtbarer Vogel singt im Gebüsch, Ora und Avram senken den Kopf, saugen die Freude dieses kleinen Wesens in sich auf, das vor Leben und Geschichten übersprudelt. Da wird eine ganze Handlung ausgebreitet, vielleicht die Ereignisse des vergangenen Tages, ein Lob auf Körner und Würmer, die Geschichte von der wundersamen Rettung aus den Klauen eines Raubvogels, und zwischendrin ein Refrain, der nur aus Klagen und Widerrede besteht. Eine bittere Abrechnung mit einem kleinlichen Gegner.

Als ich dich so gehen sah, sagt Ora, als der Gesang in ein eher weltliches Gezwitscher umschlägt – heute, vor ein paar Augenblicken, dachte ich mir, wie Ofers Gang sich im Laufe der Jahre verändert hat.

Avram beugt sich etwas vor und lauscht.

Etwa bis er vier war, ist er gelaufen wie du, genau mit diesem … Du weißt schon, so hin und her wankend, mit abstehenden Armen wie ein Pinguin, eben wie du läufst.

So laufe ich? fragt er beleidigt.

Weißt du das nicht?

Auch heute noch?

Sag, willst du nicht mal seine Schuhe anziehen? Probier sie mal an, was soll's …

Nein, nein. Diese hier sind ganz bequem.

Willst du sie die ganze Zeit umsonst schleppen?

Also, du sagst, er lief wie ich?

Als er klein war. Mit vier oder fünf. Danach hatte er alle möglichen Phasen. Weißt du, Kinder ahmen doch nach, was sie sehen.

Ach ja? Er denkt an Ilans federnden, kampflustigen Gang.

In der Pubertät – willst du das wirklich hören?

Ich bin ganz Ohr, murmelt Avram.

Bis dahin ist er furchtbar dünn gewesen, und klein. Wenn du ihn jetzt sehen würdest, du würdest nicht glauben, dass er derselbe Mensch ist. Später hat er einen Riesenschub gemacht, ungefähr mit sechzehneinhalb, in die Breite und in die Höhe. Aber davor war er – sie malt mit den Fingern eine Linie in die Luft – wie ein Schilfrohr; Beine wie Zahnstocher. Es hat mir jedes Mal das Herz gebrochen, ihn so zu sehen. Und er ist die ganze Zeit – plötzlich fällt mir das ein – mit so schweren Bergstiefeln rumgelaufen, ein bisschen so wie die, die an deinem Rucksack hängen. Vom Aufstehn bis zum Schlafengehen hat er sie nicht ausgezogen.

Warum denn?

Warum? Verstehst du wirklich nicht, warum?

Natürlich weiß er es, denkt sie sofort, aber er muss es von dir hören, Wort für Wort, jetzt versteh doch.

Weil sie ihn ein bisschen größer gemacht haben, sagt sie, und er hat sich darin bestimmt auch stärker gefühlt. Stabiler. Männlicher.

Verstehe, murmelt Avram.

Ich sag dir, er war wirklich sehr klein.

Wie klein, lächelt Avram ungläubig, wie klein?

Mit den Augen signalisiert sie ihm: sehr klein. Winzig. Avram nickt, nimmt das erste Mal den Ofer in seine Augen auf, den er in ihrem Blick sieht: ein winziges Kind, murmelt sie, ein Däumling. Und sie fragt sich, was für ein Kind er wohl all die Jahre in seiner Vorstellung gesehen hat.

Hast du nicht gedacht, dass er ...

Ich habe nichts gedacht, unterbricht er sie, sein Gesicht verschließt sich.

Und hast du nie versucht, dir vorzustellen, wie er ...

Nein! Er bellt sie beinah an.

Sie schweigen. Ein sehr kleiner Junge, grübelt Avram, und etwas in ihm regt sich und gibt ihm einen Stich ins Herz. Ein schwebendes Kind. Ein flüchtiger Schatten. Das Leid eines solchen Kindes hätte ich nicht ausgehalten. Seinen Neid auf die anderen Kinder. Er schaut wieder in ihre Augen, und sie zeigt ihm gleichsam mit einem Zwinkern der Seele die Richtung, den dünnen Leib mit den hängenden Schultern, den schmalen Nacken, Beine wie Bleistifte, und die zarten Füße, die nur mit zwei Paar Socken in den schweren Schuhen hielten.

Wie ein Fohlen, erinnert sie sich, wie ein Fohlen, das noch nicht stehen kann und schon riesige Hufeisen bekommt.

Wie kann man so ein Kind überhaupt schützen, denkt Avram, wie überlebt der die Schule, wie die Straße. Kann man den überhaupt allein aus dem Haus lassen? Allein die Straße überqueren lassen? Ich hätte das nicht ausgehalten.

Liebe ihn, bittet Ora im Stillen.

Ich habe mir nichts gedacht, murmelt er, gar nichts.

Wie ist das möglich, fragen ihre Augen.

Frag mich nicht, antwortet sein Blick und weicht sofort aus. Seine Daumen rennen über die Kuppen der anderen Finger. Der Muskel, der sich in seinem Kiefer anspannt, sagt, stell mir nicht solche Fragen.

Aber ich hab dir doch gesagt, versucht sie ihn zu trösten, danach hat er einen gewaltigen Schub getan, in die Breite und in die Höhe. Heute ist er echt ...

Aber damals, denkt Avram und weigert sich aus irgendeinem Grund, sich von seinem merkwürdigen neuen Schmerz zu trennen, ähnlich einem grausamen Schmerz in der Seele, auf den ein leichtes Streicheln folgt.

Avram selbst, erinnert sie sich, war immer klein. Aber breit und stämmig. Heute habe ich noch die Gestalt eines Zwerges, hatte er eines Tages den Jungen und Mädchen in seiner Klasse völlig sachlich erklärt, so ist das bei allen Männern in unserer Familie, log er mit frecher Stirn weiter, aber mit neunzehn fangen wir plötzlich an zu wachsen, und wachsen und wachsen, dann kann uns keiner mehr aufhalten, hatte er gelacht, und dann rechnen wir ab. In der Pause, im Umkleideraum der Turnhalle hatte er vor allen andern Me'ir Blutreich verkündet, dass dessen Abonnement als Dickster der Klassenstufe abgelaufen sei, ab jetzt trage er, Avram, diesen offiziellen Titel, und er habe nicht die Absicht, mit irgendwelchen Möchtegernfettis, die nur so tun und bei denen die Oberarme und die Wampe nicht genug wabbeln, in Wettbewerb zu treten.

Und sag mal, flüstert Avram, ich weiß gar nicht, ob er ...

Ob er was? sagt Ora, frag ruhig.

Ob er auch – na ja – ob er auch rothaarig ist.

Er ist ziemlich rothaarig zur Welt gekommen, lacht sie erleichtert, und ich hab mich riesig darüber gefreut, und Ilan sich auch, aber dann ist er in der Sonne sehr schnell blond, sogar goldblond geworden. Und jetzt ist er ein bisschen dunkler. So wie dein Bart ungefähr.

Meiner? rief Avram erregt und fuhr sich über die wilden Bartbüschel.

Er hat wunderbares Haar, voll und dick, an den Enden gelockt, schade, dass er sich jetzt den Kopf rasiert, er sagt, das sei bei der Armee bequemer, aber vielleicht lässt er es nach der Entlassung wieder wachsen ...

Sie verstummt.

Adam hatte gestaunt, als sie ihn mit Fotoapparat und Blitzgerät überfiel, dann aber mit etwas verdächtiger Begeisterung mitgemacht. Sie hatte ihn beim Spielen, beim Malen, beim Fernsehen fotografiert. Im Bett liegend, unter der Decke. Ora sorgte sich, er könnte noch eine Zelluloidvergiftung bekommen. Am nächsten Tag, als sie weiter fotografierte, hatte er sie scheinbar arglos angeschaut und gefragt: Die sind für den Mann im Schuppen, oder? Ora war die Luft weggeblieben, nein, wieso denn? Die sind für meinen kranken Freund. Der, der in Tel Aviv im Krankenhaus liegt. Ach so, sagte Adam enttäuscht, der, zu dem du die ganze Zeit hinfährst? Ja, der, den ich immer besuche. Er möchte unbedingt wissen, wie du aussiehst.

Zu diesem Freund stellte Adam keine Fragen.

Avram erholte sich von einer weiteren Operation. Ora brachte ihm ein kleines Album. Sie hatte die Fotos von allem gesäubert, was ihm irgendwie hätte weh tun können, vom Hintergrund des Hauses, in dem er seine Kindheit verbracht hatte, von seinem Zimmer, seinem Garten. Er blätterte das Album schnell durch, verweilte eigentlich bei keinem Bild. Er lächelte nicht. Sein Gesicht blieb ausdruckslos. Nach ein paar Seiten klappte er es zu.

Soll ich es dir dalassen?

Nein.

Ich lass es gerne hier. Was stört's dich?

Ein schöner Junge, sagte er, und sie hatte gespürt, wie schwer ihm die Zunge im Mund lag.

Er ist wunderbar. Du wirst ihn kennenlernen.

Nein, nein.

Nicht jetzt. Irgendwann mal. Wenn du es willst.

Nein, er fing an, wild den Kopf zu schütteln, nein, nein, nein, sein ganzer Körper schüttelte sich, bis der Rollstuhl wackelte, Ora packte ihn mit beiden Händen, schrie, jetzt beruhige dich, beruhig dich doch, eine Schwester kam angerannt, dann noch ein Krankenpfleger, man zog sie von ihm weg, sie sah, wie er kämpfte, mit einem Schlag waren alle seine Kräfte zurückgekehrt, als habe er endlich verstanden, was ihm wirklich passiert war. Sie sah, wie sie ihm eine Spritze gaben, und danach das Erschlaffen und Abstumpfen der Sinne, wie sein Gesicht wieder eintrübte.

Sie erzählte Ilan am Telefon davon, und der schimpfte. Sie hätte sich doch denken können, was die Bilder bei Avram auslösten. Das ist, als ob du einen Toten noch folterst, schrie er, du gehst auf den Friedhof, stellst dich an sein Grab und prahlst mit deinem Leben.

Doch als Ilan ihn am nächsten Tag besuchte, bat Avram ihn, das Album mitzubringen. Ora legte es nachts vor die Tür des Schuppens, klopfte an und ging langsam zurück ins Haus. Nach ein paar Minuten sah sie durchs Fenster, wie Ilan herauskam, sich umblickte, das Album aufhob und mit hineinnahm. Von ihrem Platz am Fenster aus blätterte sie das Album mit Ilan zusammen durch. Hinter dem Vorhang des Schuppenfensters sah sie Ilan danach auf und ab gehen, auf und ab. Avram beendete die Reha und weigerte sich, in das Haus in Zur Hadassa zurückzukehren. Ilan mietete für ihn eine nette Wohnung in Tel Aviv, und abwechselnd machten Ora und Ilan dort sauber und bereiteten sie auf seine Ankunft vor. An einem stürmischen Regentag zu Beginn des Winters brachte Ilan Avram in seine Wohnung, und Avram begann sein neues Leben. In den ersten Wochen hatte er rund um die Uhr einen Betreuer, den das Verteidigungsministerium bezahlte, aber den wollte er loswerden. Die Rehabilitationsabteilung versuchte, ihn für verschiedene Arbeiten zu interessieren. Arbeit ermüdete ihn schnell, er war nicht in der Lage, regelmäßig zur Arbeit zu gehen. Ora redete immer wieder mit den Rehabilitationsbeauftragten, feilschte für Avram, stritt für ihn, versuchte, eine Arbeit zu finden, die zu ihm, zu seinem Charakter und seinen Begabungen passte. Die für ihn Zuständigen behaupteten, er sei einfach arbeitsscheu, er interessiere sich für nichts. Ora spürte einen Anflug von Ungeduld ihm gegenüber. Man gab ihr zu verstehen, ihre Erwartungen an Avram seien unrealistisch.

Avram begann, alleine aus dem Haus zu gehen. Manchmal versuchte sie stundenlang, ihn zu erreichen, und er war nicht da, dann bekam sie Angst, rief Ilan an, und der sagte: Jetzt bedräng ihn doch nicht.

Und wenn er sich was angetan hat?

Könntest du ihm einen Vorwurf machen?

Avram ging am Strand spazieren. Er ging ins Kino. Er saß in Parks, kam sogar mit fremden Leuten ins Gespräch, gewöhnte sich nette Umgangsformen an und so eine angenehme, aber hohle Freundlichkeit. Ilan bewunderte das Tempo seiner Genesung. Ora spürte, dass er ihnen etwas vorspielte. Wenn sie ihn zweimal die Woche besuchte, war er frisch, sauber und rasiert, »er hält sich gut«, berichtete sie Ilan. Er lächelte häufig, auch wenn es nicht sein musste, und quatschte eine ganze Menge. Sein Wortschatz wurde reicher, und wenn er Wörter »von Avram« benutzte, blühte Ora auf vor Glück. Doch schnell wurde ihr klar, dass die Gespräche mit ihm thematisch sehr begrenzt waren:

Von der fernen Vergangenheit, von der nahen Vergangenheit und vor allem von der Zukunft durfte man nicht reden. Nur die Gegenwart existierte. Nur der Moment.

In dieser Zeit trafen sich Ilan und Ora mit dem Psychologen vom Sicherheitsministerium, der Avram seit seiner Rückkehr aus der Gefangenschaft betreute. Zu ihrer großen Überraschung erfuhren sie, dass man bei Avram keine »Kriegsneurose« diagnostiziert habe. Die Ärzte konnten die Art seiner Verletzung zwar nicht genau feststellen und auch nicht sagen, in welchem Ausmaß Heilerfolge zu erwarten seien, doch waren sich alle einig, dass er nicht die eindeutigen Symptome einer Kriegsneurose habe. Wenn er keine Kriegsneurose hat, was hat er dann? hatte Ilan erstaunt gefragt und die Stirn vorgeschoben, als setzte er zum Angriff an. Schwer zu sagen, seufzte der Psychologe, seine Merkmale sind grenzwertig: Es ist durchaus möglich, dass er in ein paar Wochen oder Monaten da rauskommt, aber es kann auch länger brauchen. Wir glauben, besser gesagt, wir schätzen, dass er das Tempo seiner Heilung irgendwie selbst in der Hand hat, natürlich nicht bewusst.

Ich versteh nicht, polterte Ilan los, sagen Sie, er macht uns was vor? Er markiert bloß?

Gott behüte, sagte der Psychologe und hob die ausgebreiteten Hände, ich, also wir, das heißt der psychologische Betreuungsdienst des Sicherheitsministeriums, denken nur, dass Avram es vorzieht, in kleinen Schritten ins Leben zurückzukehren. In sehr kleinen Schritten. Und ich empfehle Ihnen, darauf zu vertrauen, dass er vermutlich viel besser als wir alle weiß, was gut für ihn ist.

Sagen Sie mir, sagte Ora und legte ihre Hand zügelnd auf Ilans Arm, kann es sein, dass die Tatsache, dass wir, Ilan und ich, ein Kind bekommen haben, irgendetwas damit zu tun hat ... wie soll ich sagen – Mit seiner Weigerung zu leben, zischte Ilan.

Diese Frage kann nur er ihnen beantworten, sagte der Psychologe und schaute sie nicht an.

Ilan wohnte weiterhin in dem Schuppen im Hof, seine Anwesenheit wie auch seine Abwesenheit waren immer weniger zu spüren. Ora glaubte nicht, dass es ihm noch gelingen würde, den Ozean zwischen

Schuppen und Haus zu überqueren. Er selbst sagte ihr bei einem nächtlichen Telefonat vom Schuppen aus, dies sei wohl die Nähe zu ihr und zu Adam, zu der er fähig sei. Sie fragte schon nicht mehr, was er meinte. Sie hatte den Eindruck, dass sie tief in sich bereits auf ihn verzichtet hatte. Wieder prüfte er – es war nicht das erste Mal –, ob sie wolle, dass er aus dem Hof verschwinde. Sie müsse nur ein Wort sagen – am nächsten Tag sei er weg. Ora sagte, ob du gehst oder ob du bleibst, das ist eigentlich egal.

Für kurze Zeit hatte sie einen neuen Freund, Motti, geschieden, Akkordeonspieler, der öffentliche Singabende veranstaltete. Ihre Freundin Ariela hatte ihr den vermittelt. Sie traf sich mit ihm meist draußen – mehr Adams als Ilans wegen. Wenn ihre Eltern Adam für drei Tage zu sich nach Haifa holten, lud sie Motti ein, bei ihr zu schlafen. Sie wusste, Ilan in seinem Schuppen sah oder hörte ihn zumindest, und sie versuchte nicht, etwas zu verheimlichen. Motti schlief ohne jede Anmut mit ihr. Er tastete sich den Weg in sie und fragte sie dauernd, ob er »schon dort« sei. Ora wollte nicht sein »dort« sein. Sie erinnerte sich an die Zeiten, wo sie ganz und gar »hier« gewesen war. Danach sang Motti in der Dusche in einem schmetternden Tenor *Marina, Marina, Marina*, und Ora sah Ilans Schatten im Schuppen, wie er auf und ab lief. Sie lud Motti nicht mehr ein.

Eines Abends, mit Avram in seiner Wohnung in Tel Aviv, beim gemeinsamen Salatschneiden, verfolgte sie aus dem Augenwinkel seine Bewegungen und prüfte, ob er das Messer richtig benutzte und nicht eine halbe Gurke ungeschält in die Schüssel warf, und er erzählt ihr von einer Krankenschwester aus Tel Haschomer, die ihn schon zweimal eingeladen hat, mit ihr auszugehen, doch er habe abgelehnt. Warum hast du abgelehnt? Weil. Weil, was? Weil, du weißt schon. Ich weiß nichts, was soll ich wissen? (Doch ihr wurde schon kalt.) Weil sie mich nach dem Kino zu sich nach Hause einladen würde. Und was ist daran schlecht? Verstehst du nicht? Nein, das verstehe ich nicht, hatte sie beinahe geschrien.

Er schwieg, schnitt weiter. Ist sie nett? fragte Ora beiläufig, während sie eifrig eine Tomate zerkleinerte. Sie ist ganz in Ordnung. Und ist sie hübsch? fragte Ora, geradezu bebend vor Gleichgültigkeit. Ziemlich hübsch, gut gebaut, grad mal neunzehn. Ah, entfuhr es ihr, was ist dann so schlecht daran, wenn du zu ihr nach Hause mitgehst? Ich kann nicht, sagte er und betonte das »kann«, und Ora nahm sich schnell eine Zwiebel, damit sie eine Ausrede für die Tränen hatte, die gleich aufsteigen würden.

Seit ich zurückgekommen bin, ist das so, ich kann einfach nicht mehr, er lachte spöttisch, tote Hose.

Kalt und hohl war es in ihrem Bauch. Da unten. Als käme erst jetzt, um Jahre verspätet, die letzte, ganz entsetzliche Druckwelle seines Unglücks und machte alles endgültig wahr. Hast du es überhaupt versucht? flüsterte sie, dachte, wie kann es sein, dass ich davon nichts mitgekriegt habe, dass ich nicht drauf gekommen bin, bei ihm auch in dieser Hinsicht vorzufühlen. Seinen ganzen Körper hab ich umsorgt, und gerade das hab ich vergessen? Das? Und ausgerechnet bei ihm?

Ich hab es viermal versucht, sagte er, viermal, das ist schon ziemlich repräsentativ, oder?

Mit wem? fragte sie erstaunt, mit wem hast du's denn versucht?

Gerade hier spielte er nicht den Bescheidenen: Einmal mit der Kusine eines Verwundeten, der neben mir lag, einmal mit einer Volontärin aus Holland, die da gearbeitet hat, einmal in der Reha mit einer Soldatin vom Pflegedienst und einmal, vor kurzem, mit einer Frau, die ich am Strand getroffen habe. Er sah ihren Gesichtsausdruck: Was guckst du so? Nicht ich hab damit angefangen! Die haben mich …

Siehst du, kicherte er hilflos, da zeigt sich, dass sich die Phantasien von Frauen hinsichtlich von Gefangenen auch auf Kriegsgefangene übertragen lassen. Anders kann ich mir das nicht erklären.

Vielleicht hast du ihnen einfach gefallen? brach es aus ihr hervor, erregt von Eifersucht. Vielleicht ist dein Charme ja unverletzt geblieben? Vielleicht waren nicht einmal die Ägypter in der Lage …

Er steht mir nicht, Ora. In dem Moment wo ich mit ihnen im Bett bin, kann ich nicht.

Dabei onaniere ich ganz gut, fügte er hinzu, aber wie lang kann es einer nur mit sich allein aushalten. Und außerdem, er gab ihr freiwillig eine Information, auf die sie gar nicht erpicht war, klapt es in letzter Zeit auch mit dem Onanieren nicht. Wenn ich Largactil nehme, komm ich nicht mehr.

Hast du sie denn wirklich gewollt? fragte sie; etwas in ihrer Stimme spaltete sich in verschiedene Richtungen. Vielleicht hast du sie ja nicht wirklich gewollt?

Ich wollte sie, und wie ich sie wollte, brummte er wütend, ich wollte ficken, was soll's, ich rede jetzt nicht von unsterblicher Liebe, ich wollte einen Fick, Ora, was bist du denn so …

Aber vielleicht waren sie nicht die Richtigen für dich? flüsterte sie und dachte schmerzerfüllt, eine Frau, die mit Avram ist, muss ganz genau auf ihn und seine Feinheiten eingestimmt sein.

Die waren in Ordnung. Such jetzt bloß keine Ausreden für mich, sie waren genau richtig für das, was …

Und mit mir, fragte sie mit leerem Blick, könntest du mit mir schlafen?

Plötzlich Schweigen.

Mit dir?

Sie schluckt. Ja, mit mir.

Ich weiß nicht, murmelt er, meinst du das ernst?

Damit würde ich nicht spaßen. Ihre Stimme bebte.

Aber wie …

Wir haben es doch sehr schön gehabt.

Ich weiß nicht, ich hab das Gefühl, mit dir nie mehr im Leben …

Aber warum nicht? Sie stürzt sich sofort in ihre Wunde. Wegen der Verlosung? Weil ich dich ausgelost habe?

Nein, nein.

Dann wegen Ilan?

Nein.

Sie schnappt sich noch eine Tomate, schneidet sie fast matschig.

Also, warum nicht?

Nein. Mit dir nicht mehr.

Bist du dir so sicher?

Sie standen vor der Arbeitsplatte des Spülsteins, berührten sich nicht, schauten die Wand an. Ihre Schläfen pochten im Einklang.

Und Adam? fragt Avram.

Was ist mit ihm?

Avram zögert. Er ist sich nicht sicher, was er fragen will.

Adam? Jetzt interessierst du dich für Adam?

Ja, ist das nicht in Ordnung?

Doch, doch, völlig in Ordnung, lacht sie, frag, was du willst. Zu diesem Behufe sind wir hier angetreten.

Ich meine, war er als Kind auch so … Weißt du, erzähl mir von ihm einfach, was du magst.

Schau an, jetzt geht es los, denkt sie und streckt sich ein bisschen. Sie gehen durch ein Gebüsch von krustigen Becherflechten und Salbei. Auch die Eichen hier sind niedrig wie Büsche. Ihre Schritte erschrecken die Echsen; Eidechsen flitzen unter ihren Füßen weg. Sie gehen nebeneinander, suchen Wegzeichen, die von den üppigen Pflanzen verschluckt wurden, und Ora schaut heimlich auf ihre Schatten, die vor ihnen über die Büsche gleiten. Wenn Avram beim Gehen die Arme schlenkert, sieht es einen Moment aus, als lege er ihr die Hand auf den Rücken, und wenn sie ihren Körper im Sonnenlicht ein bisschen in Position bringt, kann sie es hinbekommen, dass der Schatten seines Armes sich um den Schatten ihrer Hüfte legt.

Adam, sagt sie, war genauso schmal wie Ofer, aber er ist dünn und rachitisch geblieben.

Avrams Blick zerstreut sich gleichgültig, doch Ora kennt seinen Gesichtsausdruck nur zu gut.

Als Kind ist er immer größer als Ofer gewesen – na ja, vergiss nicht, er ist auch drei Jahre älter – aber als Ofer anfing sich zu entwickeln und zu wachsen, hat sich das auf einen Schlag geändert und völlig umgekehrt.

Und jetzt ist …

Ja.

Was?

Ofer ist größer. Viel größer.

Tatsächlich, staunt Avram, sogar viel größer?

Ich hab doch gesagt, er hat einen Schub getan und ihn mit einem Sprung überholt, fast um einen Kopf.

Was du nicht sagst …

Dann ist er im Grunde, sagt Avram, zieht die Wangen ein und geht schneller, auch größer als Ilan?

Ja, das ist er.

Schweigen. Es macht Ora beinah verlegen.

Aber Ilan ist groß, bemerkt er vorsichtig.

Ja.

Wie groß ist Ilan? Eins achtzig?

Etwas mehr.

Was du nicht sagst … Der Funke eines gelungenen Streichs blitzt in seinen Augen auf. Das hätte ich nicht gedacht, murmelt er erstaunt, ich habe überhaupt nicht gedacht, dass er mal so würde.

Was hast du denn gedacht?

Ich habe nichts gedacht, sagt er wieder, diesmal mit weniger Nachdruck, seine Stimme ist kaum zu hören. Ich habe kaum was gedacht, Ora, wenn ich es versucht habe … Er hebt die ausgebreiteten Arme in einer Geste, die vielleicht eine Frage ausdrückt, vielleicht auch das langsame Hochgehen einer Bombe

Sie denkt an die vielen schwarzen senkrechten Striche an der Wand über seinem Bett. Sie beherrscht sich und fragt nicht, wovor hattest du dann so große Angst, wenn du nichts gedacht hast? Wen hast du drei Jahre lang und vielleicht einundzwanzig Jahre lang so aus der Ferne beschützt, unter der Bedingung, dass du nur ja nichts über ihn erfährst?

Wie alt ist Adam heute?

Vierundzwanzig und ein bisschen.

Schon groß.

Fast so alt wie ich, zitiert sie einen alten Witz von Ilan. Avram schaut sie an, versteht schließlich, nickt höflich.

Und was ist mit ihm?

Mit Adam? Hab ich dir doch erzählt.

Das … das hab ich wohl nicht mitgekriegt.

Adam ist mit Ilan unterwegs, sie reisen durch die Welt. Südamerika. Ilan hat ein Jahr Urlaub genommen. Die beiden machen sich, wie es aussieht, ein verrücktes Leben. Sie wollen gar nicht mehr nach Hause kommen.

Aber Adam, sagt Avram, tastet sich vor, und Ora hat den Eindruck, als lerne er gerade die Melodie des Fragens. Was macht er sonst so? Ich meine, arbeitet er was, studiert er?

Er sucht noch, du weißt, heute suchen die Kids ziemlich lange. Und er hat eine Band. Hab ich dir das erzählt?

Ich erinnere mich nicht. Vielleicht. Er zuckt hilflos mit den Schultern. Ich weiß nicht, wo ich war, Ora. Erzähl es mir nochmal, von Anfang an.

Er ist ein Künstler, sagt Ora. Ihre Stirn hellt auf, Adam ist ein echter Künstler in der Seele.

Schweigen, es wird immer dicker und lärmender, und eine Frage wird nicht gestellt. Ora spürt plötzlich, dass alles etwas leichter würde, wenn sie Avram sagen könnte, dass auch Ofer in der Seele ein Künstler ist.

Eine Band? brummt er, was für eine Band?

Hip-Hop, so was in der Art, frag mich nicht, sie winkt ab, die spielen schon lange zusammen, er und seine Kumpels. Sie arbeiten jetzt an ihrer ersten CD, es gibt sogar ein Label, das sie nehmen würde. Eine Art Hip-Hop-Oper, ich versteh davon wirklich nichts. Furchtbar lang, dreieinhalb Stunden. Etwas übers Exil. So ein Zug von Exilanten, Unmengen von Exilanten.

Ach ja?

Ora und Avram gehen. Beim Durchqueren des Gebüschs hören sie das Kratzen an den Schuhen.

Da ist eine Frau, Ora erinnert sich an etwas, was sie zufällig aufgeschnappt hat, als Adam mit einem Freund am Telefon sprach, die zieht mit einem langen Faden quer durchs Land und rollt ihn hinter sich ab.

Einen Faden?

Ja, einen roten. Sie rollt ihn über das ganze Land.

Warum?

Keine Ahnung.

Was für eine Idee, murmelt er. Um seine Augen rötet sich die Haut.

Adam und seine Ideen, sagt sie hilflos, erschrickt etwas vor Avrams plötzlicher Erregung.

So als ob das Land da zerrissen oder aufgeribbelt ist?

Vielleicht.

Und diese Frau gibt dem Land jetzt den Faden, um es … Avram hält an dieser Idee fest.

Ja, so etwas Symbolisches.

Das ist stark. Und die Exilanten, woher sind die?

Weißt du, sagt Ora eilig, seine Band ist eine richtig ernste Clique, die haben recherchiert und über alle möglichen Orte im Land gelesen, auch über die Anfänge des Zionismus, sie haben in den Archiven der Kibbuzim gestöbert, im Internet gesucht und Leute befragt, was das Wichtigste wäre, was sie mitnehmen würden, wenn sie sofort fliehen müssten. Damit ist das meiste, was sie in dieser Sache weiß, bereits zusammengefasst, aber Avram soll es nicht merken, zumindest jetzt noch nicht, und deshalb redet sie weiter: Er und ein paar Kumpels, alles schreiben sie gemeinsam, die Musik und die Texte, und sie treten auch an allen möglichen Orten auf. Übrigens, sagt sie und lächelt sichtbar angestrengt, auch Ofer hat mal Musik gemacht. Getrommelt. Bongos. Aber er hat es ziemlich schnell wieder gelassen, und am Ende der zehnten Klasse, als Abschlussprojekt, hat er, das ist interessant, ausgerechnet einen Film gemacht.

Wer geht ins Exil?

Und auch Ofer hatte eine kleine Band, mit elf.

Von wo aus gehn sie ins Exil, Ora?

Von hier, sagt sie mit einer plötzlich schlaffen Handbewegung zu den sie umgebenden braunen Berggipfeln, zu den Eichen, den Johannisbrot- und den Olivenbäumen und zu den niedrigen Büschen. Von hier, wiederholt sie leise. In ihren Ohren hallen die Worte, die Ofer ihr vor der Fernsehkamera zugeflüstert hat.

Weg aus Israel? Ins Exil? fragt Avram bestürzt.

Ja. Ora holt Luft, richtet sich auf, schaltet ein müdes Lächeln ein: Du weißt doch, wie sie in diesem Alter sind. Sie wollen um jeden Preis schockieren.

Und du, hast du sie schon gehört?

Die Oper? Nein. Nein, das hat sich noch nicht ergeben.

Avram wirft ihr einen erstaunten, forschenden Blick zu.

Er hat mir noch nichts vorgespielt, sagt sie, gibt sich geschlagen, wird plötzlich leer. Hör zu, Adam und ich ... Ach Scheiße, weißt du, er erzählt mir überhaupt nichts.

Die steilen Geilen haben sie sich genannt, denkt Ora, presst die Lippen zusammen, verkriecht sich in sich selbst, macht einen großen Schritt und wendet Avram und seiner plötzlichen Begeisterung, die ihr auf die

Nerven geht, den Rücken zu. Wieso hat er es jetzt plötzlich so mit Adam? Ofer hat diese Band zusammen mit drei Klassenkameraden gegründet, erzählt sie weiter, eine Band aus vier Schlagzeugen ohne Gitarre, Flöte oder Klavier. Und zusammen haben sie die wildesten Lieder gedichtet, die vor allem »Lümmel« auf »Pimmel« und »quicken« auf »ficken« reimten, erinnert sie sich, reibt sich fest die Arme, bringt das Blut in Wallung. Einmal sind sie vor ihren Familien aufgetreten, im Keller eines der Häuser. Während des Konzerts war Ofer meist starr und verschlossen – in diesem Alter verkrampfte er sich meistens im Beisein Fremder, aber ab und zu, vor allem wenn die Band ein dreckiges Wort sang, schaute er sie unter seinen Lidern mit einem aufmüpfigen, kükenhaften Mut an, dass sie bebte.

Gegen Ende der Vorstellung war er endlich lockerer geworden und begann plötzlich, mit sonderbarer, gewalttätiger Wonne auf seine Bongos einzutrommeln und brach aus sich aus. Er übertönte seine drei Freunde, die zuerst staunten, sich dann mit ein paar Blicken absprachen, es mit ihm aufzunehmen, gegen ihn anzutrommeln, und die ganze Sache wurde zu einem lauten Getöse, einem Hämmern im Trommelfell mit Schreien und Stöhnen, alle drei gegen ihn, und Ilan rutschte schon auf seinem Stuhl herum, war kurz davor aufzustehen und dem Ganzen ein Ende zu machen, doch gerade sie, die normalerweise Situationen nicht auf den ersten Blick begreift, die in Bezug auf alles, was mit grundlegenden zwischenmenschlichen Situationen zu tun hat, wirklich legasthenisch veranlagt ist – waren das nicht genau seine Worte, war das nicht einer der Hauptpunkte seiner Mit-dir-bin-ich-durch-Rede gewesen? –, gerade sie hatte die Hand auf Ilans Arm gelegt und ihn zurückgehalten, denn sie meinte, etwas wahrzunehmen, eine kleine Änderung in Ofers Rhythmus, als kanalisiere er die Ströme der Gewalt und des Wettkampfes zwischen sich und den Dreien; sie hatte das Gefühl – wenn sie sich nicht wie üblich irrte –, dass Ofer sich bei ihnen unbemerkt einschlich. So war es tatsächlich, und sie hatte es vor allen anderen bemerkt, auch vor Ilan: Zuerst ahmte er sie nach, imitierte herrlich ihre affenhafte Wildheit, und dann, nur ein bisschen verzögert, spielte er einen feineren Widerhall, und sie hatte den Eindruck, er spiele ihnen eine weichere Version ihrer selbst vor, ironisch, mit seinem nur scheinbar irrenden Blick, mit seinen steil nach oben gezogen Augen, die sich eines gegenüber dem anderen ahnungslos stellen, dieser Blick, der so hundertprozentig Avram war.

Da wusste sie, dass sie richtig lag, dass er seine Freunde tatsächlich sanft und mit einer List, die sie bei ihm noch nie gesehen hatte, zu einem ganz neuen Trommeln verführte, das flüsterte und zischelte. Und tatsächlich gingen sie bald auf ihn ein, konnten ihm nicht widerstehen, und auch sie begannen auf ihren Trommeln zu flüstern und zu zischeln, und plötzlich entstand unter ihnen ein Gespräch aus Anspielungen und Geheimnissen, die wohl nur Elfjährige verstehen können. Eine Welle der Genugtuung zog durch den Keller. Die Eltern tauschten Blicke. Die Augen der vier Jungen glänzten, Schweißperlen standen auf ihren Gesichtern, die wischten sie sich mit dem Ärmel oder einem schnellen Lecken der Lippen ab, und sie trommelten weiter, murmelten in ihrer Trommelsprache und erzeugten ein dichtes Geräusch, das Ora noch nie gehört hatte, das gleichsam um sie herum kreiste, näher kam und sich wieder entfernte.

Eine Minute verging und noch eine, bis die vier nicht länger so flüstern konnten, man spürte, wie die Säfte in ihnen aufstiegen, und auf einen Schlag platzten sie heraus und entluden sich mit Donner und Blitz in einem Gewitter. Dann sangen sie noch einmal laut das Anfangslied, und das Publikum sang mit und tobte vor Begeisterung, und Ofer kehrte auf seinen gewohnten Platz im Ensemble zurück, wurde gewissermaßen wieder aufgenommen, schloss sein Türchen hinter sich und stand neben ihnen, ernsthaft und etwas finster. Nur auf seiner Stirn bebten noch die kleinen Fältchen, in denen sie in jener Zeit noch etwas vom Ansturm seiner Gedanken lesen konnte. Auf seinen Wangen glühte der Stolz, und sie dachte damals, Avram, du bist so sehr bei uns. Ilan legte die Hand auf ihren Schenkel. Ilan, der sie in der Öffentlichkeit fast nie berührte. Ihr Glück war vollkommen.

Du kannst nicht mit mir schlafen, sagte sie nachdenklich, ich kann nicht mit dir schlafen, echote er. Du kannst es einfach nicht, sagte sie, legte das Messer aus der Hand und stand reglos vor dem Spülstein. Ich kann einfach nicht, sagte er befremdet und versuchte, den merkwürdigen Ton in ihrer Stimme zu verstehen. Sie streckte eine Hand zur Seite aus, fand, ohne ihn anzuschauen, seine Hand und zog sie zu sich. Ora, sagte er zögernd. Warnend. Sie nahm ihm das Messer aus der Hand. Er wehrte sich nicht. Sie verweilte einen Augenblick mit gesenktem Kopf, als wartete sie auf einen Rat von jemand Verborgenem. Vielleicht sogar von Avram, dem Avram von früher. Danach zog sie ihn hinter sich her ins Schlafzimmer. Er ging, als hätte er keinen eigenen Willen. Als wäre alle Vitalität aus ihm gewichen. Sie legte ihn auf den Rücken und schob ihm ein Kissen unter den Kopf. Ihr Gesicht war seinem sehr nahe. Sie küßte ihn leicht auf die Lippen, das erste Mal, seit er aus der Gefangenschaft zurück war, setzte sich neben ihm auf die Bettkante und wartete darauf, sich selbst zu verstehen.

Du kannst nicht mit mir schlafen, sagte sie noch einmal etwas energischer. Ich kann nicht mit dir schlafen, wiederholte er vorsichtig, verstand nicht, was sie vorhatte. Du kannst jetzt einfach nicht mit mir schlafen, stellte sie fest und begann, ihre Bluse auszuziehen. Ich kann einfach nicht, wiederholte er misstrauisch. Auch wenn ich meine Bluse ausziehe, macht dir das nichts aus. Auch wenn du sie ausziehst, sagte er und verfolgte ausdruckslos die zu Boden fallende Bluse. Auch wenn ich zum Beispiel das hier ausziehe, fügte sie völlig sachlich hinzu, hoffte, dass Avram ihre Verlegenheit nicht bemerkte, und zog den BH aus, das interessiert dich überhaupt nicht, sagte sie und tastete, ohne ihn anzuschauen, nach seiner Hand und legte sie sich auf die rechte Brust, die kleiner und empfindlicher war, der Avram von früher hatte sich immer zuerst ihrer angenommen, und sie streichelte sich ein bisschen. Gar nichts, murmelte er und schaute, wie seine Hand die reine, zarte Brust streichelte, und diese drei Worte – reine, zarte Brust – strahlten aus unglaublicher Entfernung durch eine dicke Schale der Unempfindlichkeit hindurch in ihm auf. Auch nicht, wenn ich, sagte sie, stand auf und wand sich mit weichen Hüftbewegungen langsam aus ihrer Hose und fragte sich die ganze Zeit, was sie da eigentlich tat, sie spürte, sie würde es erst verstehen, indem sie es tat; gar nichts, sagte er vorsichtig, schaute auf ihre langen, hellen Beine, und auch das nicht, murmelte sie, zog sich den Slip aus und stand nackt vor ihm, dünn, hochgewachsen und beflaumt. Zieh dich aus, flüsterte sie, nein, lass mich dich ausziehen, du hast ja keine Ahnung, wie lang ich darauf gewartet habe.

Sie zog ihm Hemd und Hose aus. Er lag in der Unterhose da und sah bekümmert aus. Du kannst nicht mit mir schlafen, sagte sie wie zu sich selbst und fuhr mit der Hand über seinen Körper, von der Brust bis zu den Zehen; sie verweilte bei seinen vielen Narben, Nähten, Verkrustungen. Er schwieg. Sag, sagte sie, sag, ich kann nicht mit dir schlafen, sag es mir nach, sag es zusammen mit mir. Ich kann nicht mit dir schlafen, sagte er, und seine Brust wölbte sich ein bisschen und wurde breiter. Du kannst es einfach nicht. Ich kann es nicht. Auch wenn du es noch so wolltest, du kannst mich nicht ficken, sagte sie. Auch wenn ich, sagte er und schluckte. Sogar wenn du für dein Leben gern meine Beine um dich spüren würdest, wie sie dich umklammern und dich an sich ziehen, sagte sie, kniete sich auf den Boden neben ihn und rollte seine Unterhose runter, ihre Hand schwebte über seinem Schwanz, und er stöhnte leicht.

Sogar wenn meine Zunge um ihn fährt und ihn bimmeln lässt, sagte sie beiläufig, beinahe gleichgültig, und spürte, dass sie endlich den für ihn richtigen Ton gefunden hatte, und sie dachte, nur dank dem Avram von früher weiß ich jetzt, was tun, und sie betupfte ihn der Länge nach mit kleinen, feuchten Küssen und schloss ihre Lippen um ihn. Sogar wenn deine Zunge – sagte Avram und bekam keine Luft mehr, und seine Hand hob sich von allein und legte sich auf seine Stirn. Selbst wenn ich, sagen wir mal, flüsterte sie zwischen Lecken und leichtem Saugen, selbst wenn du, er stöhnte, stützte sich ein bisschen auf die Ellbogen, um ihren Körper zu sehen, der auf allen vieren neben seinem kauerte, er starrte auf die Wölbung ihres weißen, langen schönen Rückens, die Rundungen ihres Hinterns, und auf die kleine freche Brust, die sich hinter ihrem Oberarm versteckte. Sogar wenn er ein bisschen zu mir hin aufwachen würde, ganz gegen seinen Willen natürlich, fügte Ora hinzu und strich mit feuchten Fingern über seine Eichel, hielt fest, saugte, biss ihn leicht, selbst wenn er – murmelte Avram, befeuchtete sich die trockenen Lippen, sein Kehlkopf hüpfte. Sogar wenn ich ihn küsse und lecke und spüre, wie er in meiner Hand heiß pulsiert, stellte Ora fest. Sogar wenn er dir heiß, stöhnte Avram, und plötzlich erglühte ein Faden der Begeisterung in seinen Eingeweiden. Und wenn ich ihn zum Beispiel tief in den Mund nehme, sagte sie mit einer Ruhe, die sie selbst erstaunte, und nahm ihn nicht in den

Mund, und Avram ächzte, bewegte das Becken, hob sich ihr entgegen, sehnte sich danach, aufgenommen zu werden. Und sogar wenn er schläfrig bleibt und auch in meinem Mund weiterschlummert, sagte sie, schloss ihren Mund um ihn und spürte sein Pulsieren und seine Hitze. Sogar wenn er – murmelte Avram, und sein Kopf fiel nach hinten und seine Augen verkehrten sich, und er atmete tief, bis seine Lenden voll wurden.

Ora dämmert vor sich hin. Sie liegt auf dem Rücken, den Kopf zur Seite geneigt; ihr Gesicht ist ruhig und schön. Neben ihrem Ohr krabbeln an einem Stengel von Affodill hintereinander drei Feuerkäfer, die wie kleine Schilder glänzen; im Schatten ihrer Füße, versteckt von einer duftenden Raute, wehren pralle schwarz-weiße Raupen des Schwalbenschwanzes mit ihren Fühlern eingebildete und tatsächliche Feinde ab. Avram schaut sie an. Seine Blicke streicheln ihr Gesicht.

Ich hab mir gedacht, plötzlich erklang seine Stimme.

Was? Ora ist sofort wach.

Hab ich dich geweckt ...

Macht nichts. Was hast du gesagt?

Als du von seinen großen Schuhen erzählt hast, hab ich mir gedacht, ob du dich wohl an alle möglichen Sachen erinnerst.

Woran zum Beispiel?

Was weiß ich. Er lacht verlegen, wie er anfing zu laufen oder wie ...

Wie er anfing zu laufen?

Ja, am Anfang ...

Ofer als Baby?

Weil wir über seinen Gang gesprochen haben, da hab ich gedacht ...

Sie antwortet ihm mit einem unsicheren Kichern. Etwas Unangenehmes schwingt darin mit und zeigt, wie sehr sie sich schon damit abgefunden hat, dass er sich Ofer nie als Menschen aus Fleisch und Blut vorgestellt hat, der sich eines Tages aufrichten und auf seinen Beinchen loslaufen würde.

Das war, als wir noch in Zur Hadassa wohnten, sagt sie schnell, bevor er sich wieder zurückzieht. Er war ein Jahr und einen Monat alt; gerade daran erinnere ich mich noch gut. Sie zieht sich hoch, reibt sich die Augen und gähnt noch einmal, »Schuldigung«, sagt sie, hält sich kaum die Hand vor den Mund, und ihre Glieder sind noch in diesem angenehmen Dämmer, der sie hoffentlich abends nicht am Einschlafen hindern wird.

Soll ich dir erzählen?

Er nickt.

Ich war mit Ilan und Adam in der Küche. Ich weiß noch, wie eng es da war, später haben wir sie ein bisschen ausgebaut. Sie schaut ihn von der Seite an: Willst du wirklich?

Ja, ja. Was bist du so …

Sie setzt sich im Schneidersitz hin. Jeder Satz, den sie sagt, meint sie, enthält Zündstoff für Erinnerungen und für neue Informationen, die ihn verletzen können. Zum Beispiel die winzige, etwas dunkle Küche, in der sich die Gerüche stauten, mit den Feuchtigkeitsflecken an der Decke, auch da hatten sie sich einmal geliebt, im Stehen, sie lehnte mit dem Rücken an der Tür der Speisekammer, und als sie ihm jetzt erzählte, sie hätten dort ein bisschen ausgebaut, war es ihr unangenehm, als hätten sie ihn damit endgültig rausgeworfen.

Wir drei waren in der Küche, erzählt sie weiter, wir und Adam, und Ofer spielte im Wohnzimmer auf dem Teppich.

Und plötzlich merkte ich, dass im Wohnzimmer alles still ist.

Ich hatte sofort begriffen, dass kein Signal kam. Und auch Ilan merkte es. Ilan hatte, wie soll ich das sagen, so feine Sinne wie ein Tier, und sie verschluckt: in diesen Dingen; doch Avram nimmt das Verschluckte wahr: Ilan hat gut auf dein Kind aufgepasst. Ilan war eine gute Wahl, für uns beide. Sie reißt sich mit aller Gewalt zusammen und beschreibt ihm nicht, woran sie sich jetzt erinnert, eine ganze Abfolge von Bildern, Ilan zieht mit den Zähnen einen winzigen Dorn aus Ofers Fußsohle, Ilan leckt Ofer mit der Zunge ein Körnchen aus dem Auge, Ilan und Ofer beim Zahnarzt: Ofer liegt auf Ilan, der auf dem Behandlungsstuhl liegt, ihn streichelt und mit seinem leisen brummenden Atmen hypnotisiert. Ofer bekam die Spritze, hatte Ilan ihr später erzählt, und mir ist der Mund taub geworden.

Ich raste ins Wohnzimmer und sah Ofer mitten im Zimmer stehen, mit dem Rücken zu mir, und es war klar, bis dahin war er schon ein paar Schritte gelaufen.

Alleine?

Ja, vom runden Tisch, erinnerst du dich an den niedrigen runden Tisch, den wir mal auf dem Feld gefunden haben, als wir zu dritt wandern waren? So eine runde Kabeltrommel …

Von der Stromgesellschaft …

Die ihr, Ilan und du, den ganzen Weg nach Hause gerollt habt.

Ja, sicher. Er lächelt: Gibt's die noch?

Natürlich gibt's die noch. Als wir nach Ejn Karem gezogen sind, haben wir sie mitgenommen.

Beide lachen.

Und von dort war Ofer, fährt sie fort, indem sie mit dem Finger eine dünne Linie in die Erde zeichnet, anscheinend bis zu dem großen braunen Sofa gegangen.

Ich erinnere mich, sagt Avrams Gesichtsausdruck.

Und von dort, Ora setzt die Reise durchs Zimmer fort, ging er zum geblümten Sessel …

Dessen Brüderchen bis heute bei mir steht, murmelt Avram.

Ja, ich habe ihn gesehen, bemerkt Ora, verzieht etwas den Mund, und dann ist er wohl in Richtung Bücherregal gegangen, das Regal aus den roten …

Backsteinen …

Die ihr, Ilan und du, überall gesammelt habt.

Ach ja, seufzt Avram, mein Bücherregal …

Das sind alles bloß Vermutungen, sagt Ora, wischt sich den Staub vom Finger, verstehst du, ich weiß ja nicht wirklich, wie er gegangen ist, von wo nach wo. Als ich ins Wohnzimmer kam, stand er ein paar Schritte vom Regal entfernt, und da konnte er sich schon nirgends mehr festhalten. Nichts. Da lief er bereits ins Leere.

Das Ausmaß seiner Tat, sein Staunen und der Mut ihres winzigen Astronauten wurden plötzlich greifbar.

Ich hab den Atem angehalten. Ilan genauso. Wir wollten ihn nicht erschrecken. Er stand mit dem Rücken zu uns – sie lächelt, ihr Blick irrt dorthin, und Avrams Blick folgt ihm heimlich, sein Gesicht zieht sich gegen seinen Willen in die Länge bis dorthin – und Ilan, erinnert sie sich, trat von hinten an sie heran und umarmte sie, drückte sich an sie, gab ihr Halt, faltete die Hände auf ihrem Bauch, und zusammen standen sie schweigend da und wiegten sich langsam und stumm ein bisschen hin und her.

Das Zittern einer Feder steigt ihren Rücken hinauf, breitet sich bis zum Nacken aus und greift nach ihren Haarwurzeln. Sie verstummt. Lässt Avram das Bild in Ruhe ansehen. Das ihm so vertraute Zimmer mit dem Durcheinander verschiedenster Möbel und mitten drin Ofer, ein Krümelchen Leben im orangenen Hemd mit einem Bild von Pu dem Bären. Und sie und Ilan, wie sie ihn anschauen.

Ich konnte mich natürlich nicht beherrschen und habe gelacht, und Ofer erschrak, versuchte, sich zu uns umzudrehen, und fiel hin. Das luftgepolsterte Aufplumpsen des Windelpakets auf den Teppich. Der schwere Kopf wackelt, die Kränkung, so überrascht worden zu sein, und danach – das Staunen in seinem Gesicht, er schaut sie an, nur sie, als solle sie ihm erklären, was er gerade gemacht hat.

Und wo war Adam? fragte Avram.

Adam? Der saß noch in der Küche, nehme ich an, er hat bestimmt weitergegessen – sie hält inne: Wie Avram sofort registriert hat, dass Adam nicht dabei war, und wie er sich sofort auf seine Seite schlägt –, aber als er mein Lachen und Ilans Röhren hörte, kam er sofort angerannt.

Wie lebendig und klar dieses Bild ist: Adam packt mit der Faust Ilans Hosenbein, registriert mit schiefem Kopf den Erfolg seines kleinen Bruders. Seine Mundwinkel senken sich nur ein klein bisschen, zu einer Grimasse, die über die Jahre im langsamen Prozess, in dem sich die Seele ins Fleisch gräbt, zu einem Gesichtsausdruck wurde.

Weißt du, das alles hat drei oder vier Sekunden gedauert, nicht dass du denkst, dass sei eine große Geschichte gewesen. Und dann sind wir alle drei zu Ofer gerannt und haben ihn umarmt, und er wollte natürlich gleich wieder aufstehen. Überhaupt, seit er das Stehen entdeckt hat, war er nicht mehr zu halten.

Sag, seufzte sie, willst du das alles wirklich hören, oder machst du das nur für mich?

Er nickt mit abgewandtem Kopf, eine Geste, die sie nur schwer deuten kann. Vielleicht meinte er beides? Und warum eigentlich nicht? denkt sie, das ist schon eine Menge, nimm, was du bekommst.

Wo war ich stehngeblieben?

Dass er gefallen ist.

Aj, seufzt sie schmerzhaft überrascht, scharf. Die Luft zischt aus ihr heraus, sag das nicht.

Verzeih Ora, ich hab nicht nachgedacht.

Ist schon in Ordnung, sagt sie. Weißt du, solange ich mit dir über ihn rede, ist er okay – geschützt.

Warum?

Keine Ahnung. Aber das spür ich. Dann ist er beschützt. – Klingt das sehr verrückt?

Nein.

Soll ich weitererzählen?

Ja.

Sag einen ganzen Satz.

Erzähl mir mehr von ihm.

Von Ofer.

Von Ofer, erzähl mir mehr von Ofer.

Dann haben wir ihm beim Aufstehn geholfen, sagt sie – ihre Lider flattern einen Moment, als sehe sie etwas, was zu überwältigend war: Avram hat Ofer gesagt; er hat ihn berührt! – und wir haben ihn auf die Beine gestellt und haben um ihn die Hände ausgebreitet und gerufen, er soll zu uns kommen, und er machte wieder ein paar Schritte, wackelte ganz langsam los ...

Zu wem?

Was?

Zu wem von euch beiden?

Ah, sie bemüht sich, sich zu erinnern, überrascht von seiner neuen Schärfe, von einem Glanz der Entschlossenheit auf seinem Gesicht. Wie früher, dachte sie, wenn er etwas Neues verstehen musste, einen Gedanken, eine Situation, einen Menschen, und dann anfing, ihn zu umkreisen, in gemäßigtem, sehr leichtem Galopp, mit funkelnden Augen wie ein Raubtier.

Zu Adam, erinnert sie sich überrascht, ja, natürlich, er ist zu Adam gegangen.

Wie hat sie das vergessen können. Der winzige Ofer, ernst und konzentriert, mit angestrengtem Blick, offenem Mund und vorgestreckten Armen, sein Körper schwankt vor und zurück, er läßt eine Hand sinken und hält das Gelenk der anderen, als verkünde er damit, er sei ein geschlossenes System, unabhängig und sich selbst genug. Sie sieht es ganz lebendig vor sich: Sie, Ilan und Adam stehen vor ihm, alle ein bisschen voneinander entfernt, breiten die Arme zu ihm aus und rufen ihn lachend. Ofer, Ofer, locken sie ihn, komm doch!

Und während sie erzählt, begreift sie, was sie damals gar nicht wahrgenommen hat, den Moment, in dem Ofer das erste Mal zwischen ihnen wählte, und auch die Not, in der er sich befand, weil sie ihn zu dieser Wahl zwangen. Sie schließt die Augen und versucht, zu erahnen, was in ihm vorging, er hatte ja noch keine Wörter, denkt sie, nur so ein Ziehen und Stoßen in sich, und sie und Ilan und Adam jubelten und hüpften vor ihm herum; vielleicht zerriss es Ofer dort auch, wie es nur ein Baby zerreißen kann, und sie wendet sich schnell von dieser Szene seiner Not ab, und schon leuchtet auf ihrem Gesicht Adams freudiges Staunen, als Ofer sich ihm zuwendet: Staunen, Freude und Stolz, die für einen Moment die mürrische Unzufriedenheit von seinen Lippen wischen und sie zu einem erregten, ungläubigen Lächeln hochziehen: Er war erwählt worden, man wollte ihn. Jetzt erinnert sie sich – ein ganzer Strom von Bildern, Stimmen und Gerüchen wallt in ihr auf, alles kehrt plötzlich zurück –, wie Adam Ofer begrüßt hatte, als sie und Ilan ihn etwas mehr als ein Jahr vorher aus dem Krankenhaus nach Hause gebracht hatten, das muss sie Avram erzählen, vielleicht nicht jetzt, noch nicht, um ihn nicht zu überschwemmen, doch sie erzählt es trotzdem: Adam hüpfte und hampelte um sie herum, seine Augen glühten vor Angst, er schlug sich mit beiden Händen immerzu auf die Wangen, ohrfeigte sich selbst mit aller Kraft und schrie wie wild: Ich freue mich! Ich freue mich so!

Auch an sein abgehacktes Zwitschern erinnert sie sich jetzt, das aus den Tiefen seines Körpers drang, wenn er sich in den ersten Monaten Ofers Bettchen näherte, eine ganze Abfolge unbeherrschter kleiner Schreie, eine Mischung aus Zuneigung, Eifersucht und Erregung, die nicht alle in ihm Platz fanden, und so hatte er auch gezwitschert, als Ofer im Moment der ersten Erwählung auf ihn zuwackelte kam, und vielleicht war es auch ein anderes Zwitschern gewesen, wer weiß das schon, sagt sie zu Avram, vielleicht leitete er Ofer damit auch an, ermutigte ihn in einer Sprache, die nur sie beide verstanden?

Ofer machte einen Schritt nach dem andern. Lief und fiel nicht hin, vielleicht half ihm auch das Zwitschern seines Bruders, mit dem er seine Willenskraft verband, irgendwie das Gleichgewicht zu halten. Wie ein winziges Flugzeug im Sturm, sehnsüchtig einem vom Kontrollturm ausgesandten Strahl folgend, ging er weiter, kam an und sank in die Arme seines Bruders, und beide kugelten sich auf dem Teppich, ineinander verschlungen, kreischend vor Freude, und plötzlich hat sie das Bedürfnis, diese kleine Erinnerung irgendwo aufzuschreiben, damit sie ihr nicht für weitere zwanzig Jahre entflieht: Nur in ein paar Worten Ofers Ernsthaftigkeit beim Gehen beschreiben, und Adams kreischende Erregung und seine gewaltige Erleichterung, und mehr noch, wie die beiden sich wie Welpen aneinanderschmiegten. Sie meint, da wurden sie wirklich zu Brüdern, in dem Moment, als Ofer sich für Adam entschied. Es war vielleicht das erste Mal in Adams Leben, dass er wirklich glaubte, erwählt zu sein. Ora lächelt wie verzaubert angesichts ihrer sich balgenden Kinder auf dem Teppich, denkt, wie weise Ofer schon damals war, dass er wusste, wie er sich Adam anvertrauen konnte, und sich in dem Gewirr von Geheimnis und Schweigen, das zwischen ihren und Ilans geöffneten Armen lauerte, nicht fangen ließ.

So lief er das erste Mal, schließt sie diese Geschichte nun eilig ab. Sie ist erschöpft und lächelt Avram angestrengt an.

Das zweite Mal.

Wieso das zweite Mal?

Das hast du selbst gesagt.

Was?

Dass ihr das erste Mal, seine wirklich ersten Schritte, nicht gesehen habt.

Sie zuckt mit den Schultern. Ach so, stimmt. Aber was tut das …

Schon gut, nur so.

Sie fragt sich, ob er hier etwas merkwürdig auf einer historischen Genauigkeit beharrt oder ob er mit ihr und Ilan feilscht im Sinne von: »Ich hab es nicht gesehen, aber ihr auch nicht.«

Ja, sagt sie, du hast recht.

Für einen Moment schauen sie einander an, und plötzlich weiß sie: Er feilscht. Mehr noch, vielleicht rechnet er ab. Diese Entdeckung erschreckt sie, wühlt sie aber auch auf. Ein erstes Zeichen der Auflehnung und des Erwachens von einem, der, unterdrückt und zum Schweigen gebracht, zu lange geschlafen hat. Nun wird ihr klar, dass auch keiner dabei war, als Ofer sich das erste Mal vom Bauch auf den Rücken drehte. Stimmt das wirklich?

Einen Moment, nicht länger, zögert sie, dann erzählt sie es Avram, berichtet ihm die schlichten Tatsachen, die jetzt auch ihn etwas angehen, weil er sie endlich einfordert. Er kneift die Augen zusammen. Beinah kann sie sehen, wie sich die Räder in seinem Hirn zu einer Bewegung durchringen, die sie nicht gewohnt sind.

Die Sache ist die, erklärt sie, wir haben ihn eigentlich nie länger allein gelassen. Ilan war in dieser Hinsicht leicht hysterisch, er war überhaupt viel ängstlicher als ich. Ein weiteres Aufflackern der Blicke – eine wertvolle Information ist übermittelt worden und angekommen – fügt sich zu dem, was sie vorher über Ilans Sinn für die leisen Signale von Ofer gesagt hat. Eine schmale graue Furche huscht über Avrams Stirn: So ein Vater ist Ilan gewesen. So ein Vater für dein Kind.

Irgendwie kam es so, fährt sie fort, dass er diese Dinge wie Umdrehen, Sitzen, Stehen, Gehen das erste Mal gemacht hat, wenn er allein war.

Ist das, brummt Avram und schaut auf seine Fingerspitzen, ist das etwas Besonderes?

Um ehrlich zu sein, bis jetzt hab ich mich das noch nie gefragt, sagt Ora. Ich habe noch nie eine Liste seiner ersten Male gemacht. Aber zum Beispiel als Adam das erste Mal alleine stand und ging, war ich dabei. Na ja, sie zuckt mit den Schultern, ich hab dir ja gesagt, wir waren in den ersten drei Jahren unzertrennlich. Und ich erinnere mich, wie er immer strahlte, wenn er eine neue Errungenschaft gemacht hatte, und Ofer, ja Ofer war da …

Allein, vervollständigt Avram im Stillen ihren Satz, und seine Gesichtszüge werden plötzlich weich.

Ora wiegt sich ein bisschen hin und her. Sie sieht Ofer auf dem Teppich im Wohnzimmer sitzen, allein, wie er beide Hände ausstreckt, sich an dem niedrigen runden Tisch festhält, sich aufrichtet und hinstellt. Er schaut sich um und sieht, dass niemand da ist. Aus der Küche dringen die Stimmen von ihr, Ilan und Adam zu ihm. Er hebt die

Arme ein bisschen, lässt den Tisch los. Einen Moment steht er da, schwebt im Raum, hält sich gleich wieder fest. Doch schon wieder heben sich wie von allein die Ärmchen, suchen den Ort, an dem er vor einem Moment ganz allein geschwebt war.

Alles, was er sieht, bewegt sich plötzlich von seinem Platz, bewegt sich in seinen Umrissen und droht zu fallen. Ein schwindelerregendes Ballett sich verändernder Winkel und Lichtbrechungen, neuer Formen und Schatten. Sogar die Stimmen sind plötzlich neu, sie kommen aus anderen Richtungen. Da überfällt ihn Weltangst, aber bei ihm ist die Angst vor der Welt auch eine Begierde auf die Welt, das spürt Ora und denkt sich, bis vor einiger Zeit war das auch bei mir so.

Sie sitzt da, wiegt sich versunken hin und her, und Avram schaut sie an und hat das Gefühl, er schaue heimlich in ein persönliches, sehr kostbares Versteck. Er kann seinen Blick nicht von ihrem Gesicht wenden, das sich zu einem Licht hinwendet, das er nicht sieht.

Sie steht auf, geht zu ihrem Rucksack, kramt fieberhaft, holt ein dickes Notizbuch in einem festen dunkelblauen Einband heraus. Aus der Seitentasche zieht sie einen Stift. Ohne Vorwarnung, noch im Stehen, den Kopf leicht schief gelegt, schreibt sie auf die erste Seite: *Ofer hatte einen komischen Gang, das heißt, am Anfang lief er komisch. Fast vom ersten Moment an, als er zu laufen begann, machte er einen Bogen um alle möglichen Hindernisse, die außer ihm keiner sah. Es war urkomisch, ihn so laufen zu sehen, wie er sich vor etwas in Acht nimmt, was gar nicht existiert, oder vor einem Ungeheuer zurückweicht, das ihm anscheinend in der Mitte des Zimmers auflauert, dann ist es unmöglich, ihn dazu zu bringen, auf eine bestimmte Bodenkachel zu treten! Es ist ein bisschen, wie einem Betrunkenen beim Gehen zuzusehen. (Aber dieser Betrunkene hat System!) Ilan und ich sind beide der Meinung, dass er im Kopf eine innere Landkarte besitzt, nach der er sich bewegt.*

Sie kehrt mit vorsichtigen Schritten an ihren Platz zurück, legt das Notizbuch aufgeschlagen auf den Boden und setzt sich daneben, sehr aufrecht; dann schaut sie Avram verwundert an.

Ich hab über ihn geschrieben.

Über wen?

Über ihn.

Wozu?

Keine Ahnung. Plötzlich musste ich einfach …
Aber das Notizbuch …
Was ist mit dem Notizbuch?
Warum hast du das mitgenommen?
Sie starrt auf die Zeilen, die sie geschrieben hat. Die Buchstaben sehen aus, als würden sie rennen, als winkten sie ihr, forderten sie auf, weiterzuschreiben, jetzt nicht abzubrechen.
Was hast du gefragt?
Wozu hast du das Notizbuch mitgenommen?
Sie streckt sich. Plötzlich ist sie müde. Als hätte sie viele Seiten geschrieben. Ich dachte, ich würde einfach ein paar Sachen aufschreiben, die wir unterwegs sehen, Ofer und ich. Ein Ausflugstagebuch. Wenn wir mit den Jungs in den Ferien ins Ausland gefahren sind, haben wir immer Erlebnisse aufgeschrieben.
Sie war es, die geschrieben hat. Abends, im Hotel, oder in den Pausen, oder auf den langen Fahrten. Die anderen wollten nicht mitmachen – Ora zögert und beschließt, ihm das nicht zu erzählen; er muss etwas über Ofer hören, nur über ihn, zu diesem Behufe sind wir hier angetreten, und sie hat nicht vor, jetzt große Gespräche über die gesamte Familie anzufangen – die drei hatten sich immer liebevoll über ihre besondere, ihrer Meinung nach kindische Anstrengung amüsiert. Und sie hatte darauf beharrt: Wenn wir nicht aufschreiben, vergessen wir. Sie haben gefragt, aber was gibt es zu erinnern? Dass dieser Opa auf dem Boot Papas Bein vollgereihert hat? Dass Adam statt des bestellten Schnitzels einen Aal bekam? Sie hatte geschwiegen und sich gedacht, ihr werdet schon sehen, irgendwann werdet ihr euch erinnern wollen, was wir gemacht, wie wir gelacht haben – wie wir eine Familie waren, denkt sie jetzt –, in diesen Reisetagebüchern hatte sie immer versucht, alles möglichst genau zu beschreiben. Und wenn sie keine Lust zum Schreiben hatte, wenn ihre Hand faul wurde oder ihr die Augen vor Müdigkeit zufielen, stellte sie sich die Jahre vor, in denen sie mit Ilan zusammensitzen würde, an langen Winterabenden mit einem Becher heißen Punsch, beide in karierte Decken gewickelt, und sie würden sich Stellen aus ihren Reisetagebüchern vorlesen, die mit Postkarten, Eisenbahnkarten, Speisekarten, verschiedensten Eintrittskarten zu Vorstellungen und Museen bebildert waren. Das alles hatte

Ilan natürlich geahnt, einschließlich der karierten Decken, sie war immer so durchschaubar für ihn gewesen. Versprich mir, mich zu erschießen, bevor es dazu kommt, hatte er sie gebeten. Aber das hatte er in Bezug auf so vieles gesagt.

Warum, fragt sie sich, bin ich mit den Jahren immer weicher geworden und die drei nur immer härter?

Vielleicht hatte Ilan recht, sie sticht sich wieder mit dieser Nadel, vielleicht sind sie ja meinetwegen so hart geworden. Gegen mich sind sie so hart geworden.

Richtig weinen täte mir jetzt gut, notiert sie für sich selbst.

Als sie die Augen aufmacht, sitzt Avram ihr gegenüber, mit seinem Rucksack an einen Felsen gelehnt, ganz in sie vertieft.

Wenn er sie früher mit diesem Blick angeschaut hatte, zog sie sich sofort vor ihm aus, damit er ungestört bis in ihr Allerinnerstes sehen konnte. Niemandem außer ihm hatte sie erlaubt, so in sie hineinzusehen. Auch Ilan nicht. Doch Avram hatte sie gelassen, wie dieses ekelhafte Wort »ranlassen« sagt; Avram hatte sie immer rangelassen. Überall. Ihm hatte sie sich hingegeben, beinahe seit dem Moment, in dem sie sich kennenlernten, weil sie das Gefühl, den Glauben hatte – ach Ora, schon wieder du mit deinem Glauben, mit deinen Herzenswünschen, Illusionen, lernst du es denn nie? –, dass es da in ihr etwas oder eine Person gab, von der sie selbst nicht wusste, wer die war, vielleicht war es Ora, aber gleichsam in einer anderen Zusammensetzung, ihrem Wesen gegenüber treuer, genauer, und Avram kannte wohl einen Weg, zu ihr durchzudringen, und er war der Einzige, der sie wirklich erkennen und mit seinem Blick befruchten konnte, allein durch seine Existenz. Ohne ihn existierte sie einfach nicht, ohne ihn war das kein Leben, und deshalb hatte er auch ein Recht auf sie.

So war es, als sie sechzehn gewesen war, und auch mit neunzehn und zweiundzwanzig, doch jetzt reißt sie ihren Blick mit einer scharfen Bewegung von ihm los und schaut weg, als fürchte sie, er könne ihr da plötzlich weh tun, könne sie für etwas bestrafen, sich ausgerechnet dort an ihr rächen. Oder vielleicht entdecken, dass es dort schon nichts mehr gab, dass diese seine Ora vertrocknet und längst gestorben war, zusammen mit dem, was in ihm selbst vertrocknet und gestorben war.

Still sitzen sie da, verarbeiten, was sich gerade ereignet hat. Ora umarmt ihre Knie, rechtfertigt sich, dass sie auch für sich selbst nicht mehr so zugänglich ist wie früher, dass auch sie selbst sich diesem Ort in sich nicht mehr nähert. Wahrscheinlich ist es das Alter, denkt sie – schon eine ganze Weile ist sie darauf erpicht, zu verkünden, dass sie nun alt werde, als könne sie die Erleichterung nicht abwarten, die mit einer solchen Bankrotterklärung einhergeht –, so ist es doch, der Mensch verabschiedet sich von sich selbst, noch bevor andere sich von ihm verabschieden, er erleichtert sich das, was ihm ohnehin bald widerfahren wird.

Viel später steht Avram auf, streckt sich und geht Holz sammeln, um ein Feuer zu machen, legt einen Kreis aus Steinen. Ora meint, eine neue Entschlossenheit in seinen Bewegungen zu erkennen, doch sie kennt sich und nimmt sich in Acht: Vielleicht redet sie sich bestimmte Dinge nur ein, hält einen Schatten Avrams für ihn selbst.

Sie holt ein altes buntes Handtuch heraus, breitet es auf der Erde aus, legt Besteck und Geschirr darauf, zwei überreife Tomaten, eine Gurke, und reicht sie ihm zum Schneiden. Sie hat auch Cracker mitgenommen, Dosen mit Mais und Thunfisch und eine Flasche mit dem Olivenöl, das Ofer mag, aus dem Kloster Dir Rafat. Damit hatte sie Ofer überraschen wollen, und sie hält noch ein paar Überraschungen bereit, mit denen sie ihm im Laufe der Wanderung eine Freude machen wollte. Wo ist er jetzt? Für einen Moment weiß sie nicht, ob sie an ihn denken oder ihn lieber in Ruhe lassen soll. Was braucht er jetzt von ihr? Ihre Augen zieht es zu dem aufgeschlagenen Notizbuch. Vielleicht findet sie die Antwort dort? Sie möchte es zuklappen und kann nicht. Es liegt, ihrer Empfindung nach, so offen da, aber Zuklappen wäre Ersticken und hätte – so was Endgültiges. Sie stützt sich auf ein Knie, zieht die Ränder des Handtuchs glatt, beschwert es mit Steinen und nimmt dabei beiläufig das Notizbuch, liest, was sie geschrieben hat. Erstaunt stellt sie fest, dass sie auf wenigen Zeilen von der Vergangenheit in die Gegenwart gesprungen ist. *»Ofer hatte einen komischen Gang«, »es ist ein bisschen, wie einem Betrunkenen beim Gehen zuzusehen«, »Ilan und ich sind beide der Meinung, dass …«*

Ilan hätte dazu bestimmt etwas anzumerken gehabt.

Avram macht Feuer und lenkt es mit Hilfe einer Zeitung, die er gefunden hat, zu den Holzstücken. Ora starrt auf die Zeitung, fragt sich, von wann die wohl ist, und verscheucht ihren Blick von den Schlagzeilen. Wer weiß, wie weit die schon reingegangen sind, denkt sie, schließt schnell das Notizbuch und wartet, bis die Zeitung völlig verbrannt ist. Avram setzt sich ihr gegenüber auf den Boden. Sie essen schweigend. Das heißt, Avram isst. Er kocht Wasser auf für eine *Heiße Tasse* und trinkt gleich zwei davon, eine nach der andern, und erklärt, er sei süchtig nach Glutamat. Sie erkundigt sich beiläufig nach seinen Essgewohnheiten. Ob er für sich selber kocht? Ob jemand für ihn kocht?

Manchmal, sagt er kurz. Sie bestaunt seinen Appetit, ist selbst nicht in der Lage, auch nur einen Krümel runterzukriegen. Im Grunde, denkt sie jetzt, hat sich ihr Magen, als sie losging, verschlossen. Auch auf dem Festmahl im Haus der lachenden Frau, der Mutter des Babys, hat sie kaum etwas runterbekommen. Dann kam bei dieser Reise vielleicht doch auch was Gutes für sie heraus.

Plötzlich, in Blitzgeschwindigkeit, wie einer, der sich aus der eigenen Tasche beklaut, greift sie nach dem Notizbuch und schlägt es auf.

Ich habe Angst, ihn zu vergessen. Seine Kindheit. Oft passiert es mir, dass ich die beiden verwechsle. Bevor sie zur Welt kamen, dachte ich, eine Mutter erinnert sich an jedes Kind gesondert. Aber das stimmt so nicht. Bei mir zumindest ist es anders. Und blöd, wie ich war, habe ich nicht für jeden ein Heft über seine Entwicklung angelegt, mit all seinen Weisheiten von klein auf. Als Adam zur Welt kam, hatte ich keinen Sinn dafür, in dem ganzen Chaos, weil Ilan uns verließ. Und als Ofer geboren wurde, hab ich es auch nicht geschafft (auch wegen des Chaos damals. Anscheinend herrscht immer, wenn ich niederkomme, irgendein Chaos). Ich dachte mir, vielleicht jetzt, bei dieser Wanderung, schreib ich ein paar Sachen auf, an die ich mich noch erinnere, einfach damit sie irgendwo aufgeschrieben sind.

In ihrer Nähe fließt ein Fluss. Abendmücken summen. Die Grillen spielen verrückt. Ein Ast knackt im Feuer, Aschekrümel fallen auf das Notizbuch. Avram steht auf und trägt die Rucksäcke etwas weiter von der Feuerstelle weg. Sie wundert sich: Seine Bewegungen sind tatsächlich sicherer und leichter geworden.

Kaffee, Ofra?

Wie hast du mich genannt?

Er lacht, sehr verlegen.

Auch sie lacht, ihr Herz schlägt schnell.

Und trotzdem, willst du einen Kaffee?

Wartest du noch einen Moment? Nur eine Minute noch.

Er zuckt mit den Schultern, isst zu Ende und rollt Ofers Schlafsack zu einem Kissen, streckt sich aus, verschränkt die Arme unter dem Nacken und schaut nach oben, in die Zweige über sich. Andeutungen eines dunklen Himmels. Er denkt an die Frau mit dem roten Faden, die das ganze Land durchquert, sieht den Zug der Exilanten. Lange Schlangen von Menschen mit gesenkten Köpfen kommen aus allen Orten, aus den Städten, aus den Kibbuzim, und schließen sich dem großen Zug an, der sich langsam entlang der Wirbelsäule des Landes bewegt. In der Strafzelle in Abassija hatte er geglaubt, es gäbe Israel schon nicht mehr, und er hatte dieses Bild in allen Details gesehen. Kinder auf den Schultern der Erwachsenen, schwere Koffer, leere, verloschene Augen. Doch die Frau, die mit dem roten Faden durchs Land zieht, hatte etwas Tröstliches. Man kann sich zum Beispiel vorstellen, denkt er und saugt an einem Schilfstengel, dass in jedem Ort, in jedem Dorf oder Kibbuz jemand heimlich seinen eigenen Faden an ihren Faden anknotet. So entstünde im Verborgenen über das ganze Land ein richtiges Gewebe.

Ora beißt ins Ende des Kugelschreibers, klopft damit gegen die Zähne. Sein Versprecher eben hat sie durcheinandergebracht. Sie muss sich anstrengen, wieder dahin zu gelangen, wo sie vorher gewesen ist.

Ofer kam ganz normal zur Welt, die Geburt war nicht schwer und ging sehr schnell. Vielleicht zwanzig Minuten nachdem Ilan mich ins Krankenhaus gebracht hatte, in die »Hadassa« auf dem Scopusberg. Wir kamen gegen sieben Uhr morgens, etwa um sechs hatte ich beim Schlafen einen Blasensprung gehabt.

Nicht genau beim Schlafen, schreibt sie und schielt zu Avram hinüber, doch der ist noch immer in den Himmel vertieft, versunken in einen Gedanken, der ab und zu den Schilfstengel in seinem Mund hüpfen lässt, *da war etwas, und das Wasser ging mir im Bett ab. Als ich kapierte, dass es das war und nichts anderes, was unter diesen Umständen auch in Frage gekommen wäre, haben wir uns schnell fertiggemacht. Ilan hatte schon vorher Taschen für mich und für sich gepackt, alles lief nach Plan, schriftliche Anwei-*

sungen, Telefonnummern, Telefonmünzen etc., Ilan ist eben Ilan. Wir riefen Ariela an, dass sie auf Adam aufpasst und ihn nach dem Aufwachen in den Kindergarten bringt. Er hat die ganze Nacht geschlafen und nichts mitgekriegt.

Ofer kam um sieben Uhr fünfundzwanzig morgens zur Welt. Es war eine normale und sehr kurze Geburt. Ich kam und gebar. Sie hatten mich gerade mal fertig vorbereitet, mir einen Einlauf gemacht und mich auf die Toilette geschickt. Ich hatte einen starken Druck im Bauch, und als ich mich auf die Klobrille setzte, spürte ich, wie er kam! Ich hab nach Ilan geschrien, der kam rein, hob mich so, wie ich war, hoch, legte mich aufs nächstbeste Bett im Flur und rief nach der Schwester. Zusammen haben sie mich rennend in den großen Kreißsaal geschoben, in dem ich übrigens auch Adam zur Welt gebracht habe (im selben Raum!), und nach dreimal Pressen war er da!

Ihr Gesicht strahlt, sie lächelt Avram großzügig an. Er antwortet ihr mit einem überraschten Lächeln.

Ofer wog zwei Kilo und vierhundert Gramm. Ziemlich groß für meine eher beschränkten Verhältnisse. Adam hatte noch nichtmal zwei Kilo auf die Waage gebracht (dazu fehlten ihm 30 Gramm!). Aber seitdem haben sich meine beiden ganz schön gemausert.

Das war's. Genau das hatte sie schreiben wollen. Sie atmet tief durch. Schon dafür hat es sich gelohnt, das Notizbuch den ganzen Weg mitzutragen. Jetzt ist sie bereit, etwas zu essen. Ein plötzlicher Hunger beißt in ihr. Doch sie saugt noch einen Moment an dem Kuli und überlegt, ob es über die Geburt nicht noch etwas zu erzählen gibt. Sie schüttelt ihre angestrengte Hand. So ein Gymnasiastenschmerz, denkt sie sich, wann kam es überhaupt noch vor, dass sie etwas mit der Hand schrieb?

Die Hebamme hieß Fadwa oder Nadwa. Jedenfalls kam sie aus Kfar Rami, und in den zwei Tagen, die ich dort war, habe ich sie nochmal getroffen, und wir haben uns ein bisschen unterhalten. Ich wollte wissen, wer die junge Frau ist, deren Hände Ofer als Erste berührt hatten. Eine ledige junge Frau. Stark, sehr feministisch und scharfsinnig, dass einem angst wird. Und auch saukomisch. Sie hat mich dauernd zum Lachen gebracht.

Ofers Füße waren etwas bläulich. Als er zur Welt kam, hat er kaum geweint, nur so einen kurzen Ton von sich gegeben, dann war er still. Er hatte riesige Augen. Ganz und gar Avrams Augen.

Sie macht eine kleine Taschenlampe an und liest, was sie geschrieben hat. Vielleicht noch ein bisschen ausführlicher? Sie liest nochmal, der Stil gefällt ihr sogar. Sie weiß, was Ilan sagen würde. Er würde ihr die Ausrufezeichen wegstreichen, aber Ilan wird das wohl nicht lesen. Trotzdem, vielleicht kann man es noch ein bisschen ausbauen? Mit Tatsachen, nicht mit Beschönigungen. Was war da noch? Aus irgendeinem Grund kehrt sie noch einmal zu Adams Geburt zurück, einer langen und schweren Geburt. Sie hatte versucht, den Hebammen und Schwestern zu gefallen, wollte so sehr, dass die ihre Leidenskraft schätzen und sie bei ihren Gesprächen im Schwesternzimmer als Musterbeispiel hinstellen würden, im Vergleich mit anderen Gebärenden, die schrien, jammerten und manchmal auch fluchten. Wie viel Energie hatte sie in den wichtigsten Momenten ihres Lebens darauf verwendet, sich einzuschleimen, denkt Ora traurig. Ihre Beine kribbeln schon. Sie probiert einen anderen Felsen aus, und noch einen, setzt sich dann wieder auf die Erde. Keine idealen Bedingungen für autobiografisches Schreiben, denkt sie.

Nach ein paar Minuten haben sie mir Ofer auf den Bauch gelegt. Es störte mich, dass er in ein Tuch vom Krankenhaus gewickelt war. Ich wollte nackt mit ihm sein. Außer uns beiden waren mir alle, die sonst noch im Zimmer lagen, egal. Und Avram war nicht da.

Sie wirft einen vorsichtigen Blick auf ihn. Sollte sie die letzten Worte lieber streichen? Vielleicht würde sie später mal wollen, dass Ofer liest, was sie hier schreibt? Vielleicht würden Ilan und sie ja trotzdem …

Unruhe rumort in ihrem Unterbauch. Für wen schreibt sie? Wozu? Das sind schon fast zwei Seiten. Wie hat sie zwei Seiten vollgekriegt? Avram liegt auf dem Rücken hinter dem kleinen Feuer, das schon zu Glut geworden ist. Das Gesicht gen Himmel. Die Bartbüschel stehen wild durcheinander. Man muss ihm den Bart ein bisschen stutzen, denkt sie, vertieft sich für einen Moment in sein Gesicht: Mit zwanzig hatte er schon die ersten Haare verloren, von der Stirn nach hinten. Er war der Erste aus seiner Klassenstufe, aber bis dahin hatte er eine prächtige Mähne gehabt, stark und wild, und seine Koteletten hatte er dick bis auf die halbe Wange wachsen lassen. Sie machten ihn noch älter, als er sowieso schon aussah, und verliehen ihm, wie er ihr mal geschrieben hatte, *das Gesicht eines begehrlichen, feuchtlippigen Dickensschen Herbergsbesitzers.* Wie immer eine äußerst treffende Beschreibung, da konnte man nichts sagen: Immer hatte er sehr anschauliche, grausame und faszinierende Definitionen – vor allem, wenn es um ihn selbst, sein Äußeres und seinen Charakter ging, denkt sie. Mit deren Hilfe, das merkte sie interessanterweise erst jetzt, brachte er die anderen dazu, ihn durch seine Augen zu sehen, und schützte sich auf diese Art vielleicht vor zu selbständigen, wirklich schmerzhaften Blicken. Ora lächelt ihm mit amüsierter Hochachtung zu, wie jemand, der erst im Nachhinein entdeckt, dass ihm da ein besonders hintersinniger Streich ganz besonders gut gespielt worden ist.

Und vielleicht auch vor zu liebenden Blicken, schreibt sie, ohne nachzudenken, in ihr Notizbuch und schaut verblüfft, was sich da wie automatisch geschrieben hat, und streicht es sofort mit einer dünnen Linie aus.

Später, als alle Ärzte, Hebammen, Schwestern und der Doktor, der mich genäht hat, gegangen waren, hab ich Ofer ausgezogen und mir auf die Brust gelegt. Die letzten Worte lassen sie warm erschaudern. Woran erinnert sie dieses Beben? Woran erinnert es sie jetzt? »Auf die Brust«, flüstert sie in sich hinein, und ihr Körper erwidert sofort mit unglaublicher Süße: Avram. Er hatte die feinen Härchen auf ihrer Wange geleckt und ihr endlos »*deine Schläfen, eine Scheibe vom Granatapfel*« oder »mein zarter Flaum« ins Ohr gemurmelt, hatte sich an sie geschmiegt und ihr und sich selbst wie im Traum Dinge vorgeflüstert »das Wiegen deiner Hüften«, »der Samt deiner Kniekehlen«. Sie hatte vor sich hin gelächelt und gedacht, wie er sich mit Worten anheizte, doch lernte sie schnell, wenn sie ihre Scham überwandt und ihm diese Worte nachsprach, »zarter Flaum« oder »du bist in meinem Schoß«, wurde er in ihr sofort noch ein bisschen härter.

Vom Moment seiner Geburt an waren Ofers Berührungen die tröstendsten, schlichtesten und direktesten Berührungen in meinem Leben. Ilan sagte einmal, Ofer habe von Anfang an ausgesehen wie einer, der seinen Ort schon gefunden hat. Ein Mensch, der ganz perfekt in sein Leben passt. Und das stimmte genau, zumindest als Kind. Später dann nicht mehr. Wir haben verschiedene Phasen mit ihm durchgemacht. Auch Schweres. Aber ehrlich gesagt, nichts wirklich Schlimmes. Keine besonders originellen Sorgen. Mit Adam war es immer viel komplizierter, der war auch in den Problemen, die er machte, kreativer. Aber bei Ofer, da haben mich schon kleinste Problemchen deprimiert, keine Ahnung, warum. Gerade in der letzten Zeit, beim Militär, hatten wir es nicht leicht mit ihm. *Vor allem ich nicht. Denn die drei sind eigentlich ganz gut darüber weggekommen.*

Vielleicht sollte ich nicht davon schreiben, aber als dann alles Mögliche mit ihm schieflief, bestand ein Teil meiner Not darin, dass ich von Anfang an das Gefühl hatte, mit ihm vor Problemen gefeit zu sein. Ich weiß, das war dumm, und ausgerechnet mit ihm war dieser Gedanke noch absurder, bei all den Komplikation mit Avram. Aber er strahlte von Anfang an so eine Gelassenheit aus, wirklich vom ersten Moment an, und so hatte ich immer die Illusion, oder so eine Art Glauben, für ihn könne ich die Zukunft mit einer gewissen Sicherheit voraussagen. (Das hat übrigens auch Ilan zugegeben; es ist also nicht nur meine berüchtigte Naivität.) Ich hatte mir gedacht, hier ist einer, bei dem man es riskieren kann vorherzusagen, was für ein Mensch er sein wird, wenn er mal groß ist, wie er in allen möglichen Situationen reagieren wird. Einer, bei dem man sicher sein konnte, dass es mit ihm unterwegs keine Überraschungen gab. [Apropos Überraschungen: Ich habe noch gar nicht geschrieben, dass ich gerade in Galiläa bin, in einem Wadi, und Avram (!) liegt nicht weit von mir (!!). Er schläft gerade oder schaut in die Sterne.]

Sie atmet tief ein und begreift im Grunde erst jetzt, dass sie hier ist. So weit weg von ihrem Leben. Ihr Herz fließt über vor Dankbarkeit gegenüber diesem Dunkel voller Pfeifen und Grillenzirpen und gegenüber der Nacht selbst. Das erste Mal, seit sie aufgebrochen sind, hat sie das Gefühl, von der Nacht mit einer Art großzügiger Weichheit aufgenommen zu werden. Die Nacht scheint bereit zu sein, sie auf dem Grund dieses abgelegenen Wadis vor den Augen aller zu verbergen, und kostenlos gibt sie ihr noch Bäume und Büsche dazu, die nun ihren scharfen, süßen Duft verbreiten, den Nachtfaltern entgegen.

Ich hole etwas weiter aus. Nach der Geburt: Ilan stand neben uns und schaute uns an. Er hatte einen merkwürdigen Blick. Tränen in den Augen. Das weiß ich noch, denn als Adam zur Welt kam, war er cool und funktionierte perfekt (und ich kapierte nicht, dass genau dies ein Anzeichen für das war, was er ausbrütete). Aber bei Ofer sind ihm die Tränen runtergelaufen, und ich dachte, das ist ein gutes Zeichen, denn ich hatte die ganze Schwan-

322

gerschaft über Angst gehabt, er würde mich noch einmal direkt nach der Geburt verlassen, und diese Tränen haben mich ein bisschen beruhigt. Sie atmet schnell. Ihre Lippen sind leicht geöffnet, ihre Nasenlöcher weiten sich. Ohne nachzudenken, fügt sie im selben Schwung hinzu: *Gerade wenn er lacht, sieht Ilan traurig und manchmal sogar ein bisschen grausam aus (seine Augen bleiben dabei irgendwie so fern), und wenn er weint, sieht er immer aus, als ob er lacht.* Zunehmend wird ihr klar: Mit jedem Satz, den sie schreibt, verliert sie noch einen potenziellen Leser.

Und plötzlich hab ich kapiert, dass Ilan und ich mit dem Baby allein sind. Ich erinnere mich, mit einem Mal war es ganz still, und ich hatte Angst, er würde versuchen, witzig zu sein. Denn wenn Ilan unter Druck ist, muss er sofort um jeden Preis etwas Superschlaues sagen, und das passte mir in dem Moment gar nicht. Ich wollte nichts, was unsere ersten gemeinsamen Momente so grell störte.

Aber diesmal war Ilan wirklich weise und schwieg.

Er setzte sich neben uns und wusste nicht, was er mit seinen Händen anfangen sollte. Ich sah, er fasste Ofer nicht an. Dann sagte er: »Er hat so einen beobachtenden Blick«, und ich freute mich, dass dies die ersten Worte waren, die er über Ofer sagte, die überhaupt jemand auf der Welt über ihn sagte. Ich werd sie nie vergessen.

Ich nahm Ilans Hand und legte sie auf Ofers Hand. Es fiel ihm schwer, das spürte ich, und Ofer reagierte sofort. Sein Körper zog sich zusammen. Ich verschränkte meine Finger mit Ilans Fingern, und wir strichen gemeinsam über Ofer, hin und her. Ich hatte schon beschlossen, dass er Ofer heißen würde. In der Schwangerschaft hatte ich mir noch andere Namen überlegt, aber in dem Moment, wo ich ihn sah, wusste ich, die passen nicht. Ich sagte zu Ilan: Ofer. Und er stimmte sofort zu. Ich merkte, ich könnte ihn auch Melchisedek oder Kedor-Laomer nennen, Ilan würde alles akzeptieren, und das gefiel mir nicht, denn ich kenne Ilan ein bisschen, Gehorsam ist nicht seine starke Seite, und ich war, wie gesagt, bereits misstrauisch.

Da sagte ich, ruf ihn bei seinem Namen, und Ilan murmelte ein etwas farbloses »Ofer«. Und ich sagte zu Ofer: Das ist dein Papa, und ich spürte, wie Ilans Finger in meiner Hand erstarrten. Ich dachte, pass auf, jetzt wiederholt sich alles. Er wird aufstehn und gehn, das ist bei ihm so ein Reflex, mich zu verlassen, wenn ich Junge kriege. Plötzlich blinzelte Ofer ein paarmal, als ermuntere er Ilan, doch endlich was zu sagen! Und Ilan hatte schon keine Wahl mehr. Er lächelte schief und sagte: Hör zu, Junge, ich bin dein Papa, und damit basta. Keine Widerrede.

Sie hebt den Kopf zu Avram, lächelt zerstreut, mit einem Funken fernen Glücks, und seufzt.

Was ist? fragt Avram.

Das tut gut.

Avram setzt sich ein bisschen auf, was tut gut?

Das Schreiben.

Das hab ich auch schon mal gehört, fasst er bitter zusammen und dreht den Kopf weg.

Er, der sein Leben lang, bis es abgeschnitten wurde, geschrieben hat – denkt sie mit beißender Reue –, wirklich bis zum letzten Moment, als die Ägypter kamen und ihm den Stift aus der Hand genommen haben. Von seinem sechsten Lebensjahr bis er zweiundzwanzig war, hat er immer nur geschrieben. Und mehr denn je zuvor, nachdem er Ilan getroffen hatte, an dem er mit ganzer Seele hing. Der hatte ihn so richtig auf Touren gebracht, das weiß sie, denn plötzlich war da einer, der ihn wirklich verstand, mit ihm wetteiferte, ihn herausforderte, mehr und immer mehr zu wagen. Sie dachte daran, was in diesen sechs Jahren aus ihm hervorgesprudelt war, seit er Ilan im Krankenhaus begegnet war – okay, ihnen beiden, Ilan und ihr: Theaterstücke, Gedichte, Geschichten, Sketche und vor allem Hörspiele; die hatten er und Ilan mit diesem klobigen *Akai*-Tonbandgerät im Schuppen in Zur Hadassa aufgenommen. Sie erinnert sich an eine Serie mit mindestens zwanzig Kapiteln – Avram mochte entsetzlich lange Texte – über eine Welt, in der alle Menschen am Morgen Kinder waren, mittags Erwachsene und abends Alte, und das jeden Tag von neuem. Es gab ein Hörspiel in Fortsetzungen, das eine Welt beschrieb, in der die Menschen nur im Schlaf durch ihre Träume absolut ehrlich und offen miteinander kommunizieren – und nichts davon wissen, wenn sie wach sind. Und es gab noch eine Serie – die gelungenste, meinte Ora – von einem jazzbegeisterten Jugendlichen, der vom Deck eines Schiffes aufs weite Meer gespült wird und auf einer Insel bei einem Stamm strandet, dessen Angehörige keinerlei Form von Musik kennen, noch nicht einmal Pfeifen oder Summen, und denen eröffnet er nach und nach eine ihnen unbekannte Welt. In fast allem, was Avram und Ilan machten, schufen sie eine Welt. Meistens brachte Avram die Idee, und Ilan versuchte, so gut er konnte, sie in der Realität zu verankern, beteiligte sich natürlich auch am Schreiben und spielte auf dem Saxophon die »musikalische Untermalung« oder griff dafür auf seine vielen Schallplatten zurück. Ein ganzer Strom von Ideen und Erfindungen brach damals aus Avram hervor, »mein goldenes Zeitalter«, hatte er es mal genannt, nachdem es vorüber war. Zu seinem zwanzigsten Geburtstag hatte sie ihm seinen ersten kleinen Ideenblock gekauft. Sie konnte nicht länger zusehen, wie er auf der verzweifelten Suche nach seinen Zettelchen das Haus auf den Kopf stellte und alle Hosentaschen (auch ihre) umkrempelte. Wo immer er ging, umflatterte ihn eine Wolke von Zettelchen. Auf das Deckblatt des Blocks hatte sie ihm einen Limerick geschrieben: »Avram, ein feiner Geselle/ sprudelt immer wie eine Quelle/ aktuell und speziell/ doch vergisst er sehr schnell/ dieser Block hilft ihm nun auf der Stelle.« Binnen zwei Monaten hatte er den Block vollgeschrieben und bat sie, ihm auch einen weiteren zu kaufen. Du inspirierst mich, sagte er, und sie hatte wie immer gelacht: *Moi?* Mit meinem sehr geringen Verstand wie Pu der Bär? Sie wusste wirklich nicht, was an ihr inspirierend sein konnte, und er hatte sie liebevoll angeschaut und gesagt, jetzt weiß ich, wie das Lachen von Sarah in der Bibel geklungen hat, als man ihr – mit neunzig – die Botschaft brachte, sie werde Isaak gebären. Und dann sagte er noch, sie habe wohl gar nichts kapiert, weder von ihm noch von Inspiration. Seitdem kaufte Ora ihm seine Ideenblocks. Klein mussten sie sein und in die Gesäßtasche seiner Jeans passen. Er hatte sie immer bei sich, auch nachts, und in jedem Bett, in dem er schlief, gab es mindestens einen Kuli, um seine Ideenergüsse im Halbschlaf festzuhalten. Diese kleinen Blocks waren schlicht, darum hatte er gebeten, ohne Firlefanz, und trotzdem freute er sich, wenn sie ihm immer einen anderen aussuchte, in etwas anderer Art oder anderer Farbe, doch das Wichtigste blieb, dass er sie von ihr bekam. Sie mussten von ihr kommen, hatte er betont und sie so dermaßen dankbar angeschaut, dass es ihr einen Stich versetzte. Jedes Mal wenn sie diese Blöckchen aussuchte, war es ein feierlicher Akt. Sie ging in verschiedene Schreibwarengeschäfte, zuerst in Haifa, nach der Armee in Jerusalem, ihrer neuen Stadt, suchte einen Block, der in dieser bestimmten Phase zu ihm passen würde, genau zu der Idee, über die er gerade schrieb, zu seiner Stimmung. Noch größer war ihre Freude, wenn sie ihm das neue Blöckchen gab: wie er es in der Hand wog, es befühlte, daran roch und es mit der Gier eines Kartenspielers schnell durchblätterte, um zu sehen, wie viele Blätter es hatte, wie viel Lust ihn hier erwartete.

Sie stöhnt. Ohne es zu merken, presst sie die Schenkel zusammen, ihr Bauch erregt sich über die unverhohlene Begehrlichkeit, mit der er ihre Blöckchen gehalten hatte, über diese spitze, schamlos offenliegende Gier. Einmal hatte er ihr gesagt, das wird sie nicht vergessen, von jeder Figur, über die er schreibe oder die er erfinde, müsse er erstmal den Körper verstehen, dort fange er an, in ihrem Fleisch, ihrem Speichel, ihrem Schweiß und ihrer Milch, er erspüre das Gewebe ihrer Muskeln und Sehnen, ob sie lange oder kurze Beine hat, wie viele Schritte sie braucht, um so ein Zimmer zu durchqueren, wie sie einem Bus hinterherrennt und wie sehr sich ihr Hintern verkrampft, wenn sie vor dem Spiegel steht, und überhaupt, wie sie geht und wie sie isst und wie sie beim Kacken oder beim Tanzen aussieht, ob sie beim Orgasmus schreit oder züchtig kontrolliert stöhnt, kurz gesagt, alles, was er schreibt, muss für ihn lebendig, konkret und körperlich sein. So! hatte er geschrien, ihr seine hohle Hand hingehalten, eine Geste, die bei jedem anderen grob, plump und billig ausgesehen hätte, bei ihm aber zumindest in diesem Moment ein kleines Becken randvoll Erregung und Begierde war, als umfasse seine Hand eine große, schwere Brust.

Sie quält sich damit, dass sie ihm weh getan hat, erklärt sofort, sie habe nur noch ein paar Zeilen über Ofers Geburt geschrieben, bloß Tatsachen. Für die Geschichtsschreibung, grinst sie angestrengt, und Avram sagt in versöhntem Ton, ah, das ist gut. Und sie, meinst du das wirklich? Er stützt sich auf einen Ellbogen und stochert mit einem Ast in der Glut. Nur gut, wenn es irgendwo aufgeschrieben ist. Da fragt Ora sehr vorsichtig, sag mal, hast du seit damals je etwas geschrieben, in all den Jahren? Und Avram schüttelt schnell den Kopf: Mit den Worten bin ich fertig.

Ich habe für Ofer kein Babyheft angelegt, sagt sie, ich hatte damals nicht den Kopf dafür, mich hinzusetzen und zu schreiben, und hab mich deshalb die ganze Zeit schlecht gefühlt – doch was er gerade gesagt hat, breitet sich wie Gift in ihr aus. Wenn er mit den Worten fertig war – wie konnte sie es dann überhaupt wagen, etwas zu schreiben? – Denn wenn man es nicht gleich aufschreibt, erinnert man sich nicht, ich zumindest nicht, und in den ersten Monaten passiert so viel. Das Kind verändert sich mit jeder Minute.

Sie brabbelt weiter, und beide wissen es. Sie versucht zu verwässern, was er eben gesagt hat. Avram schaut konzentriert in die Glut. Sie sieht nur seine Wange, nur ein Auge, aber das funkelt. Sie denkt, genau in diesem Tonfall hat er Ilan gesagt, er wolle keinerlei Kontakt mit dem Leben.

Zum Beispiel, sagt sie nach einem langen Schweigen, erinnere ich mich, dass er sich nie so leicht hingab. Ofer hat sich nicht umarmen lassen. Man konnte ihn nur umarmen, wenn er wirklich wollte. Und so ist er bis heute, fügt sie hinzu, denkt daran, wie vorsichtig er sie in den Arm nimmt, sorgfältig Abstand zu ihrer Brust hält und sich in einem lächerlichen Bogen zu ihr hinunterbeugt. Man könnte meinen! Doch im Grunde war sie als Jugendliche genauso gewesen. Ihr scheuer, immer verlegener Vater hatte sie nur bei seltenen Familienanlässen umarmt – und da hatte sie ihren Körper von ihm weggebogen, dass er sie ja nicht wirklich berührte. Wie sehr sie sich jetzt nach einer vollen und schlichten Umarmung von ihm sehnt, aber dazu ist es zu spät. Vielleicht sollte sie auch das mit ein paar Worten aufschreiben, nur damit eine Erinnerung an diese Körperbewegung von ihr und ihrem Vater der Welt erhalten bliebe.

Nun gut, denkt sie und klappt das Notizbuch zu, das wird ja endlos. Das ist, als ob du mit einem Quast und Tünche durch die Welt gehst.

Und als Baby hat Ofer, erzählt sie Avram, wenn er nicht wollte, dass ich ihn umarme, so eine ruckartige Bewegung gemacht – sie bricht ab und saugt am Ende ihres Kulis. Wie plötzlich alles zu mir zurückkommt, sagt sie verwundert, sonst ist mein Gedächtnis wie ein Sieb.

Ofer war ein Kletterbaby. Ilan hat ihn »Efeu« genannt. Sie erinnert sich mit Wonne. Alles kommt zurück, eine Welle nach der andern wird lebendig, erfüllt auch Ofer mit Leben, irgendwo dort.

Ich hab ihn auf den Arm genommen, erzählt sie, und er fing sofort an, nach oben zu klettern. Zappelte in meinen Händen wie ein Fisch. Er konnte nicht einen Moment da bleiben, wo ich ihn haben wollte.

Immer nach oben, hochklettern, noch höher, ich weiß noch, manchmal hat es mich genervt, diese dauernde Bewegung, die Entschiedenheit, als ob er mich nur benutzte, um sofort woandershin oder zu jemand anderem zu gelangen, der interessanter war.

Sie lacht: Ein bisschen wie du, wenn du etwas wolltest. Wenn du eine neue Idee hattest.

Avram schweigt.

Dieser Jagdtrieb bei dir damals, etwa wenn ich dir von jemand Interessantem erzählte, den ich getroffen hatte, oder von einem Gespräch im Bus, da hab ich gleich gesehen, wie sich die Räder bei dir zu drehen anfingen und du geprüft hast, ob das in deine Geschichte, in dein Hörspiel passt, welcher deiner Figuren du den Satz gibst, den ich dir gesagt habe, oder mein Lachen, oder meinen Busen.

Warum quäle ich ihn bloß mit diesem Gerede, denkt sie, kann aber trotzdem nicht aufhören. Etwas in ihr ist stärker als sie. Als würde ihre Sehnsucht nach ihm plötzlich zu einer merkwürdig entzündlichen Aggression: Oder wie du mich gebeten hast, mich nackt vor dich hinzusetzen, damit du mich malen kannst. Mit Worten, nicht zeichnen. Und ich erinnere mich, wie ich da gesessen habe – mein Gott, ich kann es kaum glauben –, auf dem Balkon, der aufs Wadi hinausgeht. Du wolltest es unbedingt draußen machen, darauf hast du bestanden, weißt du noch? Da sei das Licht gut. Und ich hab natürlich eingewilligt, ich hab damals alles mitgemacht, worum du mich gebeten hast, und hab mich von dir mit Worten malen lassen, auf dem Balkon, das durfte Ilan natürlich, Gott behüte, nicht erfahren, dieses Spielchen, das wir damals spielten, das du mit mir damals gespielt hast, und mit Ilan, deinen parallelen Dimensionen. Und so, gegenüber dem Wadi, nackt, mit den Hirten aus Chussan und aus dem Wadi Fukin, die da vielleicht waren, das hat dich nicht gestört, nichts hat dich gestört, wenn du etwas für dein Schreiben brauchtest, wenn es in dir gebrannt hat – jetzt halt endlich die Klappe, versucht sie sich zu bremsen, was attackierst du ihn so? Was hat dich denn jetzt gestochen? In solchen Dingen gilt Verjährung – und ich, ich schwör dir, ich hatte am ganzen Körper eine Gänsehaut davon, dass du mich in Wörter zerkrümelst. Wie sehr ich das gewollt hab, hast du bestimmt gespürt, und gleichzeitig hab ich mich ausgenutzt gefühlt, als ob du meine intimsten Dinge plünderst, aber ich traute mich nicht, dir das zu sagen, denn man konnte ja nicht mit dir reden, wenn du in diesem Zustand warst – sie wiegt den Kopf gedankenverloren hin und her, und eine brennende, hartnäckige Bitterkeit steigt aus ihrem Rachen in die Nase – dein Despotismus, wenn du eine Idee hattest, wenn du eine Geschichte hattest, da hatte ich sogar ein bisschen Angst vor dir, in diesen Augenblicken sahst du aus wie ein Kannibale, und sogar das liebte ich an dir, dass du dich überhaupt nicht beherrschen konntest und keine Wahl hattest, das hab ich so sehr an dir geliebt.

Ich wollte dich jedes Jahr so schreiben, brummt Avram plötzlich, und Ora verstummt. Ich hab gedacht, das würde ich über Jahre mit dir machen, über viele Jahre. Fünfzig solche Jahre wollte ich. Seine Stimme ist dumpf und müde, als käme sie aus weiter Ferne. Mein Plan war, einmal im Jahr deinen Körper und dein Gesicht zu beschreiben. Jedes Detail, jede Veränderung an dir, Wort für Wort, unser ganzes gemeinsames Leben lang, auch wenn wir nicht zusammen wären und sogar wenn du die Seine bliebest. Dass du mein Modell sein würdest. Aber mit Worten.

Sie setzt sich sofort in den Schneidersitz, aufgewühlt von seiner überraschenden, langen Rede, und verscheucht den Gedanken, wie er wohl heute ihren Körper und ihr Gesicht beschreiben würde.

Im Grunde hab ich es nur zweimal geschafft, stellt er fest. Ora mit zwanzig und Ora mit einundzwanzig.

Sie erinnert sich nicht an diesen Plan von ihm. Vielleicht hat sie damals gar nichts davon gewusst. Nicht immer war er in der Lage gewesen zu erzählen, was sich in ihm entspann. Manchmal wollte er auch gar nicht. In diesen Augenblicken, bei seinen Anfällen kreativer Brunst, so nannte er das, konnte er meistens bloß ein paar Gedankenfetzen ausstoßen, Satzfetzen, die sich außerhalb seines Kopfes nicht immer miteinander verbinden ließen. Und wenn sie ihn nicht verstand, fing er an, sie schnell zu umkreisen, im Zimmer, draußen auf der Straße, im Bett, auf dem offenen Feld, im Bus, mit Ungeduld und Wut im Gesicht, wild gestikulierend, wie einer, der gleich erstickt und nach Luft ringt. Sie hatte gespürt, wie ihre Augen ihm gegenüber glasig wurden: Erklär's mir nochmal, Avram. Erklär's mir langsamer. Und dann die immer dunkler werdende Verzweiflung in seinem Blick, die Einsamkeit – das Exil –, in das ihre Zweifel, ihre Vorsicht und ihre zu kurzen Flügel ihn verstießen. Seine Feindseligkeit ihr gegenüber in diesen Momenten.

Vielleicht, weil er dazu verdammt war, sich so dermaßen in eine Frau zu verlieben, die ihn nicht auf Anhieb – »nur mit einer Anspielung und einem leisen Zucken im Gesicht« – verstand, zitierte er Brenner, und auch Brenner hatte sie nicht gelesen, sein ganzer Roman *Verlust und Scheitern*, hatte sie gesagt, deprimiert mich zu sehr. Und trotzdem hatte er sie geliebt, trotz Brenner und Melville und Camus und Faulkner und Nathaniel Hawthorne. Er liebte sie, begehrte sie und verlangte nach ihr, er klammerte sich an sie, als hinge sein Leben von ihr ab, und auch darüber möchte sie hier mit ihm reden, hier auf ihrer Wanderung, morgen vielleicht oder übermorgen, er soll ihr endlich erklären, was er wirklich an ihr gefunden hat, und sie daran erinnern, was sie damals noch besaß, vielleicht konnte sie etwas davon noch immer selbst gebrauchen.

Sie wird nervös. Gedankenblitze fliegen in ihr hin und her. Sie steht auf: Gibt's hier irgendwo ein Mädchenklo?

Er weist mit der Stirn ins Dunkel. Sie nimmt eine Rolle Papier und entfernt sich. Hinter einem dichten Busch hockt sie sich hin und pinkelt. Tropfen spritzen auf Schuhe und Hose. Morgen früh muss ich duschen und Wäsche waschen, denkt sie und wagt es, einen Moment nachzurechnen, was sie verpasst hat: Noch achtundzwanzigmal ihm nackt gegenüber gesessen zu haben und in seinem Blick zu lesen, wie er sie sieht. Zu sehen, wie sich über die Jahre die Wörter, mit denen er sie beschreibt, veränderten, Schatten über einer vertrauten Landschaft. Vielleicht hätte das Altern in seinen Worten weniger weh getan. Andererseits, da hatte sie keinen Zweifel, in seinen Worten hätte es ihr mehr weh getan.

Nachdem sie ihr Geschäft erledigt hat, lehnt sie sich im Dunkeln an einen dünnen Baumstamm. Umarmt sich in plötzlicher Einsamkeit. Bilder ihrer selbst im Laufe der Jahre blättern sich vor ihr auf. Ora als Jugendliche, Ora als Soldatin, schwanger, Ora und Ilan, Ora mit Ilan, Adam und Ofer, Ora mit Ofer, Ora allein. Ora allein mit all den Jahren, die noch kommen werden. Wer weiß, was er heute in ihr sieht. Vor ihr tanzen gemeine Worte: trocken, verdorrt, Venen, Muttermale, Fett, Lippen, ihre eine Lippe, Brüste, schlaff, Flecken, Fleisch, Fleisch.

Sie sieht ihn im rötlichen Licht der Glut. Er steht auf, holt aus der Tasche ihres Rucksacks die beiden Becher, reibt sie mit einem Hemdzipfel. Er gießt Wasser in das verrußte Kaffeetöpfchen mit dem langen Stiel. Schau, er macht ihr einen Kaffee. Er schiebt das Notizbuch ein bisschen weg, damit es nicht nass wird. Seine Finger verweilen einen Moment auf dem blauen Umschlag, betasten die Textur. Sie hat den Eindruck, dass er mit dem Daumen heimlich prüft, wie dick es ist.

In den Tagen und Wochen nachdem sie mit ihm in seiner Wohnung in Tel Aviv geschlafen hatte, begann er wieder zu welken, starrte stundenlang das Fenster oder die Wand an, ließ sich gehen, duschte nicht, rasierte sich nicht, nahm das Telefon nicht ab. Er versuchte auch, Ora zu meiden. Zuerst erfand er alle möglichen Ausflüchte, danach bat er sie ausdrücklich, nicht zu kommen. Wenn sie es trotzdem tat, warf er sie möglichst bald wieder raus. Er achtete darauf, nicht allein mit ihr in der Wohnung zu sein. Sie erschrak. Ihre Gedanken kreisten ununterbrochen um ihn und um das, was an jenem Abend passiert war. Wochenlang konnte sie kaum etwas anderes tun. Je mehr er ihr entfloh, desto mehr war sie verdammt, ihm nachzujagen. Immer wieder versuchte sie, ihm die Angst vor sich zu nehmen, ihm zu erklären, dass sie nichts von ihm wolle, außer dass sie und er wieder so sein könnten wie früher. Er schmetterte sie ab, verleugnete sie. Weigerte sich standhaft, über jenen Abend zu reden.

Eine Weile später entdeckte sie, dass sie schwanger war, und nach einem Monat gelang es ihr endlich, Avram davon zu erzählen. Für einen Moment erstarrte er vor ihr. Sein Gesicht verschloss sich, und das bisschen Leben, das es hatte, war mit einem Schlag verschwunden. Er fragte, ob sie wisse, wo sie abtreiben lassen könne. Er würde es bezahlen, vom Sicherheitsministerium ein Darlehen nehmen, keiner brauche etwas davon zu erfahren. Sie weigerte sich, das auch nur anzuhören, und sowieso sei es dafür schon zu spät, murmelte sie – unendlich gekränkt –, und er sagte, wenn es so ist, wolle er keinen Kontakt mit ihr. Sie versuchte zu diskutieren, erinnerte ihn daran, was sie einander bedeuteten. Er stand vor ihr. Sein Gesicht Stein. Seinen Blick machte er irgendwo über ihrem Kopf fest, damit er bloß nicht auf ihren Bauch fiel. Ihr wurde schwindlig. Sie hielt sich kaum auf den Beinen. Sie spürte, wenn er sich ihr noch einen Moment länger so entfremdete, würde ihr Körper den Embryo von allein abstoßen. Sie versuchte, seine Hand zu nehmen und auf ihren Bauch zu legen. Er tat einen entsetzlichen Schrei. Für einen Moment waren seine Augen rasend vor Wut, vor unverhohlenem Hass. Dann öffnete er die Tür und warf sie raus, beinah mit Gewalt schob er sie hinaus und ließ sie da dreizehn Jahre lang stehen – so kam es ihr vor. Und dann, kurz vor Ofers Bar-Mizwa, rief er eines Abends aus heiterem Himmel an, erklärte nichts, entschuldigte sich auch nicht, und schlug mit seiner brummenden, mürrischen Stimme vor, dass sie sich mal in Tel Aviv treffen sollten.

Bei dem Treffen verbat er ihr, etwas von Ofer zu erzählen, oder von Adam oder Ilan. Das Fotoalbum, das sie ihm in den Wochen vor dem Treffen zusammengestellt hatte, mit ausgewählten Bilden von Ofer und der ganzen Familie über diese dreizehn Jahre, blieb in ihrer Tasche. Avram erzählte ihr ausführlich von Fischern und von allen möglichen Gestalten, die er in Tel Aviv am Strand traf, von dem Pub, in dem er jetzt arbeitete, von einem Action-Film, den er schon viermal gesehen hatte. Von den Schlaftabletten, von denen er versuche loszukommen. Er hielt ihr einen Vortrag über die gesellschaftlichen Bedeutungen und die christlichen, vor allem katholischen Anspielungen in verschiedenen Computerspielen. Sie saß da, starrte auf seinen Mund, aus dem pausenlos Wörter quollen, deren Gehalt aber, so ihr Eindruck, schon längst zerronnen war. Für ein paar Augenblicke hatte sie den Eindruck, er wolle ihr absichtlich und aufwendig beweisen, dass sie von ihm nichts mehr zu erwarten habe. So saßen sie sich fast zwei Stunden an einem Tisch gegenüber, in einem lauten, hässlichen Café. Immer wieder von neuem trat sie aus sich heraus und betrachtete sich und ihn: Sie meinte, sie sähen aus wie Winston und Julia, die Helden von *1984*, als sie sich das zweite Mal treffen, nach der Gehirnwäsche und nachdem man sie gezwungen hat, einander zu betrügen. In einem bestimmten Moment, ohne erkennbaren Grund, war er dann aufgestanden, hatte sich förmlich von ihr verabschiedet und war gegangen. Sie hatte angenommen, sie werde ihn weitere dreizehn Jahre nicht sehen, doch etwa alle halbe Jahre bestellte er sie zu weiteren Treffen. Genauso nichtssagend und deprimierend. Bis Ofer eingezogen wurde.

Da teilte er ihr mit, er könne, bis Ofer die Armee hinter sich habe, nicht mit ihr in Kontakt sein.

Doch am Tag nachdem sie ihm erzählt hatte, dass sie schwanger sei, am Tag nachdem er sie aus seiner Wohnung und aus seinem Leben rausschmiss, hatte Ora ein weites weißes Leinenkleid angezogen und war hinaus auf den Balkon in Zur Hadassa getreten, hatte sich dort ein paar Augenblicke hingestellt und in all ihrer Pracht gezeigt, die wohl nur sie selbst wahrnahm; sogar ihre Mutter hatte noch nichts gemerkt. Sie wusste nicht, ob Ilan in diesem Moment im Schuppen war, doch sie hatte den Eindruck, Augen aus seiner Richtung musterten sie.

Um neun Uhr abends, nachdem sie Adam schlafen gelegt hatte, klopfte sie an die Tür des Schuppens, und Ilan machte sofort auf. Er trug das grüne Trikothemd, das sie mochte, und helle Jeans, die sie ihm einmal gekauft hatte. Er war barfuß. Seine nackten, sehnigen Füße ließen es in ihr blitzen. Hinter seinem Rücken sah sie ein erstaunlich mönchisch eingerichtetes Zimmer. Ein Feldbett, ein Tisch, ein Stuhl, eine Lampe. An den Wänden Bücherborde. Ilan schaute ihr in die Augen und senkte sofort den Blick auf ihren Bauch, dem noch nichts anzusehen war, und seine Kopfhaut zog sich nach hinten.

Das ist von Avram, sagte sie und meinte, sie klinge, als überreiche sie ihm ein Geschenk und verkünde, wer es ihm gemacht hatte. Dann überlegte sie sich, dass es vielleicht wirklich ein Geschenk war. Fassungslos stand er vor ihr, völlig durcheinander, und kraft der neuen Autorität ihres Bauches schob sie ihn ein bisschen zur Seite und trat ein.

Von wann ist das, stieß er hervor und ließ sich aufs Bett fallen.

So lebst du hier? sagte sie und fuhr mit dem Finger über die Bücher auf dem Bord. *Schadensrecht, Allgemeine Schadensrechtlehre* las sie mit Nachdruck, warf einen heimlichen Blick in das große Spiralheft, das offen auf seinem Tisch lag, *Eigentumsrecht, Familienrecht*. Ilan, der Student, sagte sie und spürte einen Schmerz, denn immer hatte sie davon geträumt, dass sie zusammen studieren würden, das heißt, zu dritt, und hatte gehofft, dass sie ihre Stunden und Tage mit ihnen beiden auf dem Givat Ram Campus verbringen würde, in Vorlesungen, in der Bibliothek, auf den Wiesen, in der Cafeteria, doch sie hatte ihr Studium abgebrochen, als Avram zurückkam, und wer weiß, wann sie es wieder

aufnehmen wird, was würde sie jetzt überhaupt studieren – zur Sozialpädagogik wollte sie nicht zurück, sie hatte nicht die Kraft, monate-
und jahrelang gegen Bürokratie und staatliche Stellen anzukämpfen.
Sie konnte jetzt keinerlei Berührung mit Abgebrühtheit, Willkür und
Gemeinheit ertragen, nach dem Krieg, nach Avram, und aufgrund
ihrer Erfahrung in dem einen Jahr mit ihrem Projekt ahnte sie schon,
wie bei jedem Treffen mit dem Verantwortlichen für das Sozialreferat
des Bezirks diese Echos wieder in ihr hochkommen würden; andererseits zog es sie auch zu nichts Theoretischem oder Abstraktem. Etwas
mit den Händen wollte sie machen, oder mit dem Körper, etwas Einfaches, Eindeutiges, Spürbares, mit Berührung und ohne viele Worte,
vor allem ohne Worte. Vielleicht ihre Jugendkarriere als Sportlerin
wieder aufnehmen, diesmal als Lehrerin, oder sich um Menschen
kümmern und ihre körperlichen Schmerzen lindern, warum nicht, so
wie sie es mit Avram in den Jahren gemacht hatte, in denen er im
Krankenhaus war, aber das alles wird wohl noch ein bisschen aufgeschoben, und zu deiner Frage, antwortete sie geradezu fröhlich, das ist
schon fast drei Monate her.

Und du bist dir sicher, dass es von ihm ist?

Ilan!

Ilan senkte den Kopf und schaute auf seine Hände. Er musste jetzt
erstmal verdauen und bei der Verkündigung ihrer Schwangerschaft
gab es viel zu verdauen. Plötzlich fühlte sie sich wichtig. Schicksals-
trächtig. Sie konnte sogar gelassen sein. Sie schaute ihn lange an, und
das erste Mal war sie ihm fast dankbar für das, was er mit seiner Flucht
für sie getan hatte. Erheitert beobachtete sie das Hin und Her der verschiedenen Gesichtspunkte hinter seiner glatten Stirn. Bei Ilan, dachte
sie, gibt es immer verschiedene Gesichtspunkte und Gegenaspekte,
vor allem Gegenaspekte.

Und was sagt er?

Er will mich nicht mehr sehen. Sie zog sich den einzigen Stuhl
heran und setzte sich in völliger Leibes- und Seelenruhe hin, ihre
Beine kannten das Maß, in dem sie sich bei einer Frau in ihrem Zustand spreizten: Er will, dass ich abtreibe.

Nein! schrie Ilan, sprang vom Bett auf und ergriff mit beiden Händen ihre Hand.

Hey, Ilan, sagte sie leise, schaute ihm in die Augen und erschrak beim Anblick des Abgrunds: da gab es nichts mehr abzuwägen und keine Interessen, nur ein nacktes, quälendes Dunkel: Behalt das Kind, flüsterte er fiebernd, bitte, Ora, unternimm gar nichts, und tu ihm nichts an.

Es kommt im April, sagte sie, und dieser einfache Satz erfüllte sie mit unbeschreiblicher Kraft: Wie ein Stempeleindruck, der einen heimlichen Bund besiegelte, den sie in diesem Moment kraft der Worte zwischen ihrem Körper, dem Baby und der Zeit selbst geschaffen hatte. Vielleicht wird es ja ein Mädchen, dachte sie. Das erste Mal wagte sie diesen Gedanken. Bestimmt wird es ein Mädchen, sagte sie aufgeregt. Sie hatte plötzlich ein ganz klares Gefühl, so ein Kneifen der Intuition eines winzigen Mädchens, das in ihr schwamm.

Ora, sagte Ilan und schaute auf seine Füße, was meinst du …

Was?

Ich hab mir gedacht, jetzt spring nicht gleich auf, hör mich bis zum Schluß an.

Ich höre.

Ilan schwieg.

Was wolltest du mir sagen?

Ich möcht zurück nach Hause.

Zurück? Jetzt? Sie kam völlig durcheinander.

Ich möchte, dass wir wieder zusammen sind, sagte er, und sein Gesicht erstarrte, wurde immer härter und widerlegte gleichsam seine Worte.

Aber jetzt?

Ich weiß, das ist …

Mit dem Kind von …

Wärst du denn bereit?

Alles, was sie in all den Jahren irgendwie in sich zurückgehalten hatte, brach jetzt aus ihr heraus. Sie schluchzte, Ilan packte sie und gab ihr Halt; seine starken Hände, sein raubtierhafter Körper, sie zog ihn an sich, und auf dem durchhängenden Feldbett schliefen sie miteinander, darauf bedacht, dem kleinen Fischchen, das in ihr schwamm, nichts anzutun. Ilan mit seinem süßen Geruch und diesem ihr gegenüber so eindeutigen Körper wollte sie – wie sehr hatte sie diesen sich aufbäumenden Willen begehrt, und sie antwortete ihm mit einer Brandung, von der sie nicht glaubte, dass schwangere Frauen ihrer fähig waren.

Gegen Morgen gingen sie aneinandergeschmiegt durch den Garten ins Haus, Ora sah, wie der Feigenbaum und die Silbereiche sich vor ihnen verneigten, zusammen stiegen sie die krummen Betonstufen hinauf, und Ilan betrat das Haus; er ließ sie los, ging leise durch die Räume mit seinen schnellen Katzenbewegungen, warf einen Blick auf Adam im Kinderzimmer und kam sofort wieder raus, zu schnell, Ora wusste, der Weg war noch weit. Zusammen machten sie sich Frühstück und gingen, in Decken gehüllt, auf den Balkon, um den Sonnenaufgang zu sehen. Keiner auf der Welt wird verstehen, was hier passiert, dachte Ora, nur wir beide, und das ist der Beweis, dass es so richtig ist.

Am Morgen wachte Adam auf, sah Ilan im Haus und fragte Ora: Ist das der Mann aus dem Schuppen? Und Ilan sagte, ja, und du bist der Adam, und reichte ihm die Hand. Doch Adam drängte sich an Ora, versteckte sein Gesicht in ihrem Morgenmantel und sagte: Ich bin dir böse. Warum? fragte Ilan. Dass du nicht gekommen bist, sagte Adam, und Ilan sagte, ich war sehr dumm, aber jetzt bin ich gekommen. Adam fragte, und nachher gehst du wieder? Ilan sagte, nein, ich bleibe hier, für immer. Adam überlegte einen langen Augenblick und schaute hilfesuchend zu Ora, sie lächelte ihm Mut zu, und er sagte, und du wirst mein Papa sein? Ilan sagte, ja, Adam grübelte weiter, sein Gesicht verzerrte sich bei der Anstrengung, zu verstehen, und schließlich stieß er einen Seufzer aus, bei dem Ora zusammenzuckte, den Seufzer eines deprimierten alten Mannes, und sagte: Dann mach mir einen Kakao.

Am Nachmittag fuhr Ilan zu Avram nach Tel Aviv und kehrte erst nach einem Jahr zurück, so zumindest kam es ihr vor. Niedergeschlagen und grau umarmte er sie mit seinem ganzen Körper und murmelte, es werde schon gutgehen, vielleicht, oder eben auch nicht. Und sie fragte, was gewesen war, und er sagte, frag nicht, alles ist gewesen, wir sind alle nur denkbaren Stationen durchgegangen – und unter dem Strich kam heraus: Er will uns nicht in seinem Leben haben, dich nicht und mich nicht. Unsere Geschichte mit ihm ist zu Ende.

Sie fragte, ob es überhaupt eine Chance gebe, Avram wenigstens für ein paar Minuten zu treffen, um sich zumindest richtig zu verabschieden. Keine Chance, sagte Ilan mit einer Ungeduld in der Stimme, die ihr nicht gefiel: Er will keinerlei Kontakt mit dem Leben, sagt er. Was? fragte Ora, er spricht davon, sich umzubringen? Das glaube ich nicht, sagte Ilan, er möchte bloß keinen Kontakt mit dem Leben. Aber wie ist das möglich? schrie sie, sich einfach umzudrehen und alles auszuwischen? Und Ilan sagte, verstehst du das wirklich nicht? Ich kann es nämlich verstehen, ich versteh ihn verdammt gut. Er brummte Ora an, als ob sie ihm etwas schulde oder als ob er Avram beneide, der jetzt eine klare Ausrede hatte, den Kontakt mit Menschen und mit dem Leben überhaupt abzuschneiden. Warum bist du dann zurückgekommen? Warum willst du überhaupt zurück? Er zuckte mit den Schultern und zeigte mit den Augen auf ihren Bauch, und sie explodierte und sagte nichts, denn was gab es noch zu sagen?

Abends gingen sie ins Bett, er auf seiner, sie auf ihrer Seite, als wären nicht Jahre ohne diese Routine, ohne diese vertrauten Abläufe vergangen, das Duschen, das gemeinsame Zähneputzen, seine Geräusche auf dem Klo, wie er sich mit dem Rücken zu ihr aufs Bett setzte, sich bedächtig seine Trainingshose anzog, sich dann hinlegte und sich der ganzen Länge nach mit einem Genuss räkelte, der sie störte. Ora wartete, bis er sich beruhigt hatte, und fragte mit der gelassensten Stimme, deren sie fähig war, ob er bloß Avrams wegen zu ihr zurückgekommen sei – dabei zeigte sie mit dem Kinn auf ihren Bauch – oder auch weil er sie liebe. Er sagte, nicht einen Tag habe ich aufgehört, dich zu lieben. Wie kann man dich nicht lieben. Und sie, Tatsache ist, man kann. Avram zum Beispiel liebt mich nicht mehr, und auch ich liebe mich nicht wirklich. Ilan wollte sie wohl fragen, was sie ihm gegenüber empfinde, aber er schwieg, doch sie verstand und sagte, sie wisse es nicht. Sie wisse nicht, was sie fühle. Er nickte vor sich hin, als tue es ihm gut, sich mit ihren Worten Schmerz zuzufügen. Sie sah, wie seine braunen Schläfen und die ihr zugewandte Wange bleich wurden, und staunte, wie jedes Mal, zu entdecken, wie teuer und wichtig sie ihm war, und wie sehr er gleichzeitig in ihr die einfache Sicherheit verhinderte, die dieses Wissen ihr hätte geben können.

Er sagte, ein verdammtes Stück Arbeit ist dieses Leben, und sie sagte, wie in einem dunklen Steinbruch kommt es mir vor, schon ein paar Jahre lang, seit dem Krieg, seit Avram fühle ich mich, als müsste ich graben und auf allen vieren im Dunkeln kriechen. Aber erzähl mir, was war noch, worüber habt ihr geredet. Hör zu, er hat richtig gebettelt, dass wir ihn alleinlassen. Wir sollen vergessen, dass es ihn überhaupt gegeben hat. Sie lachte: Avram vergessen? Na klar doch.

Und habt ihr darüber gesprochen? Sie wies auf ihren Bauch, und Ilan sagte, er hat mich fast geschlagen, als ich versucht habe, etwas zu sagen. Getobt hat er. Physisch. Er wird wahnsinnig, wenn er daran denkt, auf dieser Welt ein Kind zu haben. Und Ora dachte, etwas zu haben, das ihn hier hält.

Ilan murmelte: Als ob er schon auf dem Weg nach draußen war, und mit dem Ärmel an einem Nagel in der Tür hängengeblieben ist.

Für einen Augenblick fühlte sich Ora, als hätte sie wirklich einen Nagel in der Gebärmutter.

Sie schaltete das Licht aus, und sie lagen still da, spürten, wie sich die Wolken des gestrigen Glücks auflösten. Der Mund füllte sich mit Eisengeschmack, mit dem Geschmack von etwas, was nicht wieder gutzumachen war, auch in Zukunft nicht. Ich dachte, das könnte es ihm gerade leichter machen, sagte Ora, ihn sogar retten, verstehst du, es würde ihn wieder mit dem Leben verbinden. Davon will er nichts hören, sagte Ilan, zitierte Avram mitsamt der Härte in dessen Stimme: Von diesem Kind nichts hören und nichts sehen und nichts wissen, gar nichts.

Sie fragt, aber du, was willst du?

Dich.

Sie hatte noch viele Fragen, wagte nicht, sie zu stellen, wusste nicht, ob ihm klar war, auf was er sich da einließ, und ob er es nicht morgen schon bereuen würde. Doch die Entschlossenheit, die wie ein Glühfaden in ihm aufleuchtete, hatte etwas, was sie nicht kannte, und sie dachte, vielleicht könne er es gerade so, mit dieser Verwicklung, durchstehen. Vielleicht sogar nur so.

Und ich habe ihm auch versprochen, Ilan verschluckte diese Worte fast, er hat darum gebettelt ...

Worum? Ora stützte sich auf einen Ellbogen und prüfte sein Gesicht im Dunkeln.

Dass wir nichts davon sagen werden, niemals.

Wem?

Niemandem.

Auch nicht dem ...

Niemandem.

Ein Geheimnis? Ein Kind von Anfang an mit einem Geheimnis großziehen?

Sie ließ sich zurückfallen, hatte das Gefühl, jemand versuche, eine Trennwand zwischen sie und das Fischlein in ihrem Bauch zu schieben. Sie wollte weinen und hatte keine Tränen. Vor ihren Augen zogen die Gesichter ihrer Verwandten vorüber, vor denen sie das Geheimnis würde bewahren müssen, die sie ihr Leben lang anlügen müsste. Mit jedem von ihnen hatten die Lüge und das Geheimnis einen anderen Geschmack des Schmerzes. Sie spürte, wie sich das dunkle Bergwerk in weitere dunkle Stollen und Gänge verzweigte, in denen sie zu ersticken drohte. Ich bin nicht in der Lage, ein solches Geheimnis für mich zu behalten, sagte sie, du kennst mich doch. Aber Ilan kniff die Lider zusammen, sah Avram, das Flehen in seinem Gesicht, und sagte zu Ora, das sind wir ihm schuldig, und Ora hörte, nimm eine Mütze und zwei gleiche Zettelchen.

Ilan streckte einen Arm zu ihr aus und umfasste ihre Schulter. Näher kamen sie sich nicht. Sie lagen auf dem Rücken und starrten zur Decke, seine Hand leblos unter ihrem Nacken, und beide wussten, was gestern Nacht im Schuppen passiert war, würde sich bis zur Geburt nicht wiederholen, und vielleicht auch danach nicht. Adam stieß in seinem Zimmer im Schlaf eine Kette erregter Wörter aus, sie lauschten, und Ora spürte, wie viel Kälte sich hinter ihren Augen angesammelt hatte; das Geheimnis und das Geheimhalten fingen bereits an, sie zu verbiegen und zu entstellen.

Ilan schlief ein und atmete erstaunlich still, er hinterließ keine Kratzer in der Luft. Als er eingeschlafen war, wurde es ihr etwas leichter. Sie stand leise auf, ging in Adams Zimmer, setzte sich auf den Boden und lehnte sich an das Regal gegenüber seinem Bett. Sie lauschte seinem unruhigen Schlaf, dachte an die Jahre, in denen sie ihn alleine großgezogen hatte, und was sie in diesen Jahren einander gewesen waren. Sie umschlang ihren Körper und spürte, wie in ihr das Blut wieder zu fließen begann. Ich werde noch Zeit haben, alles, was hier geschieht, zu verstehen, dachte sie, wir müssen nicht alles heute Nacht lösen. Sie stand auf, legte Adam die weggestrampelte Decke wieder über und streichelte seine Stirne, bis er ruhig schlief. Dann ging sie zurück ins Bett und dachte an das Fischlein, bestimmt ein Mädchen, und wie es das Leben aller verändern würde; vielleicht würde es ihr sogar gelingen, Avram zu verändern. Allein durch ihre Existenz. Ora dämmerte ein und dachte noch, Adam und Ilan müssten jetzt von Beginn an lernen, Vater und Sohn zu sein. Einen Moment vor dem Einschlafen lächelte sie: Sie sah Ilans Zehen unter der Decke hervorschauen.

Sie kommt eilig aus dem Gebüsch zurück, Steinchen spritzen unter ihren Füßen weg. Avram schaut sie an, und sie zeigt mit dem Blick auf das Notizbuch, ihr sei noch etwas eingefallen, er solle warten.

Sie schreibt.

Nachdem er geboren war, noch bevor sie die Nabelschnur durchgeschnitten hatten, hab ich die Augen geschlossen und dir gesagt, du hast einen Sohn bekommen. Masal Tov, Avram, hab ich gesagt, du und ich, wir haben einen Sohn.

Seitdem hab ich mich oft gefragt, wo du in dem Moment warst, was genau du getan hast. Hast du etwas gespürt? Denn wie ist es möglich, nichts zu spüren, nicht mit seinem siebten oder achten Sinn zu wissen, dass einem so etwas passiert.

Sie beißt in den Kuli. Zögert, dann wirft sie es mit einem Satz aufs Papier: *Ich will wissen, ob es möglich ist, dass du es nicht spürst oder nicht mitkriegst, wenn dein Sohn, sagen wir, irgendwo verletzt wird.*

Etwa zwei Stunden nach der Geburt, als wirklich endlich alle weg waren, auch Ilan war weggefahren, um es Adam zu erzählen, da hab ich mit Ofer gesprochen. Ich hab ihm einfach alles erzählt. Hab ihm erzählt, wer Avram ist, was er mir bedeutet und was Ilan.

Jetzt fliegt der Kuli über die Seiten mit einer Schnelligkeit, als würde sie Salat schneiden. Sie zieht die Lippen ein.

Ich staunte, wie einfach die Geschichte war, als ich sie ihm erzählte. Das war das erste (und wohl letzte) Mal, dass ich so über uns denken konnte. Aus dieser ganzen Verwicklung, die Avram und Ilan und ich waren, war plötzlich ein kleines, eindeutiges Kind geworden, und die Geschichte war nun ganz einfach.

Avram gießt Kaffee in die Becher und reicht ihr einen. Sie unterbricht ihr Schreiben und lächelt ihn an. Danke. Er nickt, bitte. Einen Augenblick lang steigt von ihnen das entspannte, kesselartige Brummen eines Paares auf. Sie hebt den Blick erstaunt und zerstreut kehrt sie zu ihrem Notizbuch zurück.

Ich war mit ihm allein im Zimmer und habe ihm alles ins Ohr geflüstert. Kein Wort sollte ungeschützt im Freien sein. Eine Art Infusion mit seiner Geschichte. Er lag ganz still da und hörte zu. Schon da hatte er riesige Augen. Er lauschte mit offenen Augen, und ich hab ihm ins Ohr gesprochen.

Sie spürt auf den Lippen die Wärme der Berührung, ihren Mund an der zarten Ohrmuschel.

Wenn du da dabei gewesen wärst, wenn du uns bloß dort gesehen hättest, alles wäre anders geworden. Da bin ich mir sicher. Auch für dich. Es ist dumm, so etwas zu denken, klar, aber in dem Zimmer herrschte so eine …

Ich weiß noch nicht mal, wie ich das nennen soll. So eine Gesundheit herrschte da. Diese ganze Verwicklung hatte etwas Gesundes, und ich spürte, wenn du nur kämst und für einen Augenblick mit uns hier stündest, oder wenn du auf der Bettkante bei uns sitzen und Ofer berühren würdest, nur seine Zehen, ich weiß, du wärst geheilt gewesen und endlich von dort zurückgekehrt.

Die Wörter sprudeln nur so hervor. Es ist ein scharfes, festes, genau zu ortendes Gefühl: Solange sie schreibt, geht es Ofer gut.

Wenn du damals gekommen wärst und dich auf die Bettkante gesetzt hättest, dann hättest du Ofer genau das sagen können, was Ilan ihm gesagt hat: »Ich bin dein Papa und damit basta. Keine Widerrede.« *Das hätte ihn nicht verwirrt. Er wäre da einfach hineingeboren worden, wie ein Kind, das in zwei Sprachen hineingeboren wird und gar nicht weiß, dass es sich an etwas Besonderes gewöhnen muss.*

Sie probiert den Kaffee, er ist lauwarm. Schon abgekühlt. Sie lächelt ihn aufmunternd und dankbar an, doch er hat das kleine Beben ihres Mundes schon bemerkt, nimmt ihr den Becher aus der Hand und schüttet den Kaffee weg, er gießt ihr noch einen ein, aus dem kochenden Topf. Sie trinkt. Das tut gut, jetzt ist er sehr gut. Ihre Augen schauen über den Becherrand, überfliegen die Zeilen, die sie geschrieben hat.

Ich hab ihm alles erzählt, was wichtig für ihn war und was er einmal im

Leben, der Reihe nach, von Anfang bis Ende, gehört haben sollte. So hatten wir vielleicht eine halbe Stunde zusammen. In dieser Zeit hat er kaum einen Mucks getan. Er lag auf mir und lauschte mit offenen Augen. Manchmal hat er den Kopf ein bisschen gedreht und mich angeschaut, und manchmal ist er ein bisschen eingeschlafen. Auch als er geschlafen hat, hab ich zu ihm geredet.

Ich hab ihm erzählt, wie ich Ilan und Avram kennengelernt habe, dass ich von Anfang an die Freundin von beiden gewesen bin, Ilans Freundin und die gute Freundin von Avram (obwohl sich diese Unterscheidung manchmal, häufig sogar, verwischte). Nachdem ich mit der Armee fertig war, blieben sie noch beim Militär, das letzte Jahr Militär und noch ein Jahr beim stehenden Heer, ich wohnte schon in Jerusalem, in Nachlaot, in der Tiberias Straße, und studierte im ersten Jahr Sozialpädagogik, ich habe mein Studium geliebt – und überhaupt mein Leben.

Ich hab ihm auch von der Verlosung erzählt, zu der sie mich aufgefordert, mich gezwungen hatten, und was danach im Krieg passiert ist, wie Avram von dort zurückgekommen ist, von seinen Behandlungen und Krankenhausaufenthalten, und seinen Verhören, weil die vom Sicherheitsdienst aus irgendeinem Grund davon überzeugt waren, er hätte den Ägyptern die größten Staatsgeheimnisse verraten. Ausgerechnet ihn haben sie verdächtigt, und vielleicht hatten sie ja auch wirklich einen Grund, bei Avram kannst du nie wissen, seine Spiele mit parallelen Dimensionen und seine verwickelten Handlungen, und vor allem, weil er es so sehr brauchte, dass man ihn liebte. Alle mussten sehen, dass er besonders war und überhaupt der Größte – bei ihm kannst du wirklich nicht wissen.

Ich erzählte ihm, wie wir Avram gepflegt haben, nur wir zwei haben uns um ihn gekümmert, Avrams Mutter war ja noch während des Militärdienstes gestorben; außer uns hatte er niemanden auf der Welt. Ich hab ihm auch erzählt, wie Ilan und ich, als Avram noch in Tel Haschomer war, Adam gemacht haben, fast zufällig, ohne nachzudenken, ich schwöre dir, keine Ahnung, warum wir zusammenkamen und das passiert ist, zwei verschreckte Kinder waren wir damals, und direkt nach Adams Geburt hat Ilan mich verlassen, er hat gesagt, das sei wegen Avram, aber ich glaube, er hat auch Angst gehabt, mit mir und mit Adam zusammenzuleben, er hatte einfach Angst davor, was wir ihm alles geben könnten, mit Avram hatte das gar nichts zu tun.

Dann hab ich ihm von seinem Bruder Adam erzählt, damit er auch den ein bisschen kennenlernt, denn für Adam braucht man schon eine Gebrauchs-

anweisung. Zum Schluss hab ich ihm noch erzählt (ohne Einzelheiten), dass ich ihn etwa zweieinhalb Jahre nach Adam zusammen mit Avram gemacht habe, und ich habe ihm sogar das Wort »Kann-nicht-Fick« gesagt, so wie Avram es mir dabei ins Ohr geflüstert hatte, damit er von Anfang an auch ein Wort in seiner Vatersprache kannte.

Sie streckt sich. Wer hätte gedacht, dass Schreiben so gut tut! Es ist ermüdender und anstrengender als laufen, aber wenn sie schreibt, muss sie nicht die ganze Zeit weiter. Sie versteht nicht recht, was ihr da passiert und warum, aber so empfindet sie es, und so weiß es ihr Körper: Solange sie schreibt, solange sie über Ofer schreibt, müssen Avram und sie nicht fliehen. Vor nichts.

Als ich fertig erzählt hatte, hab ich ihm mit der Fingerspitze unter der Nase in die Kuhle der Oberlippe getippt, damit er alles, was er gehört hat, wieder vergisst und noch einmal neu und unbefangen anfangen kann, und da hat er geweint, das erste Mal seit der Geburt.

Sie lässt das Notizbuch fallen, das sich zwischen ihren Beinen wie ein kleines Zelt öffnet. Ora hat das Gefühl, dass die Wörter aus den Zeilen fliehen und sich in die Risse der Erde und in die Felsen verkriechen werden. Schnell dreht sie das Notizbuch zu sich um. Sie glaubt nicht, dass sie das alles geschrieben hat. Fast vier Seiten! Ilan hat immer gesagt, sogar einen Einkaufszettel für den Lebensmittelladen würde sie ein paarmal ins Unreine schreiben.

Avram?

Hmmm.

Komm, lass uns schlafen gehen.

Jetzt schon? Ist das nicht zu früh?

Ich bin fix und fertig.

Wie du willst.

Sie stehen auf und bereiten sich für die Nacht vor. Bedecken die Glut mit Erde und Steinen. Avram wäscht das Geschirr im Fluss. Ora sammelt die Reste ein und packt sie in den Rucksack. Ihre Bewegungen sind verzögert, nachdenklich. Sie meint, einen vergessenen Ton in seiner Stimme gehört zu haben, doch als sie sich seine letzten Sätze noch einmal im Kopf vorspielt, nimmt sie an, dass sie sich irrt. Der Abend ist warm, sie brauchen kein Zelt. Sie breiten die Schlafsäcke auf beiden Seiten der Feuerstelle aus. Ora ist so müde, dass sie sofort einschläft. Avram bleibt noch lange wach. Er liegt auf der Seite, schaut auf das Notizbuch, auf dem Oras Hand ruht. Ihre schöne Hand, denkt er, ihre Hand mit den langen Fingern.

Kurz nach Mitternacht wacht sie auf. Die Angst um Ofer ist in ihr aufgesprungen wie eine böswillige Puppe auf einer Sprungfeder. Eine sturmläutende Angst schüttelt ihren Körper, leuchtet mit einem wahnsinnigen Blick auf und krächzt: Ofer wird sterben! Ofer ist schon tot! Wie von einer inneren Schlange gebissen, setzt sie sich auf und schaut mit aufgerissenen Augen zu Avram, der schnarchend auf der anderen Seite der Feuerstelle liegt.

Wie kann es sein, dass er nicht spürt, was passiert?

Genauso, wie er nichts gespürt hat, als Ofer zur Welt kam.

Auf ihn kann sie sich nicht verlassen. Sie steht dem allen ganz allein gegenüber.

Wieder spürt sie die Trauer über das Paar, das sie einmal waren, die Trauer, dass sie hier so völlig einsam liegen, am Ende der Welt, aber was hatte sie sich denn gedacht, als sie ihn hierher mitschleppte, was für ein Unsinn war das gewesen? Sie wusste doch, dass solche dramatischen Gesten nichts für sie waren. Dem Avram von früher hätten die gepasst, aber nicht ihr, sie markiert bloß, tut bloß so, als wäre sie wild und mutig. Du, meine Liebe, setz dich schön zu Hause hin, sei ein braves Dummchen und warte auf die Nachricht von deinem Sohn und gewöhn dich schon mal daran, ohne ihn zu leben.

Mit einem Sprung ist sie aus dem Schlafsack, packt das Notizbuch und schreibt im Dunkeln Ofer, Ofer, Ofer, eine Zeile nach der anderen, dutzende Male, in großen, krummen Buchstaben, murmelt seinen Namen, schickt ihn genau zu Avram, obwohl er schläft, genau das muss sie jetzt tun – ihr wirkungsvollstes Mittel gegen das Gift, das vielleicht genau in diesem Moment auf ihn abgeschossen wird. Ofer, Ofer, schreibt sie, flüstert immer wieder, genau so musst du es machen, das ist das Gegengift, immer wieder neu fühlen, wie der Puls seines Namens zwischen ihr und Avram hin und her geht, und sie spricht weiter seinen Namen, mal flüsternd, mal lauter, und auf verschiedene Melodien. Ofer? Ofer … Ofer! O-fer, komm nach Hau-se! Ofer, wenn du nicht sofort diesen Haufen hier wegräumst! …

Sie schließt die Augen und stellt sich jeden einzelnen seiner Gesichtszüge vor. Sie hüllt ihn in Decken von Licht, wickelt ihn in Wärme und Liebe und pflanzt ihn immer wieder in das schlafende Bewusstsein auf der anderen Seite des verloschenen Feuers. Danach schreibt sie, im Dunkeln tastend, ohne zu sehen:

Da fällt mir ein, wie er als Baby seine Füße entdeckt hat. Mit welchem Genuss er sie gekaut und an ihnen gesaugt hat. Wenn ich mir nur vorstelle, was er da gefühlt haben muss – dass er etwas kaut, was in der Welt existiert, was er mit eigenen Augen sieht und was gleichzeitig in ihm Empfindungen weckt, die von innen, direkt aus ihm heraus kommen. (Ich muss das verstehen. Das bewegt mich sehr.)

Vielleicht begann er auch, als er an seinen Zehen saugte, ein Zipfelchen von dem zu begreifen, was »ich«, was »meins« ist?

Dieses Gefühl, in dem Kreis zwischen seinem Mund und seinen Füßen zu schwimmen, den er selbst geschlossen hatte!

Ich-meins-ich-meins-ich-meins-ich

Das ist ein so großartiger Augenblick, und bis jetzt habe ich noch nie darüber nachgedacht. Wie ist das möglich? Wo bin ich gewesen? Ich versuche, mir vorzustellen, in welchem Teil seines Körpers er in diesem Moment am meisten »ich« gefühlt hat, und ich glaube, an seinem Mittelpunkt, an seinem Pimmelchen.

Auch ich spüre das jetzt, beim Schreiben, nur dass es bei mir plötzlich furchtbar weh tut, wenn ich schreibe.

So vieles, was ich mal war, bin ich nicht mehr.

Wenn ich doch mehr darüber schreiben könnte. Ein ganzes Buch müsste man über diesen Augenblick schreiben, als Ofer an seinen Zehen saugte.

Und einmal, etwa mit einem halben Jahr, da hatte er Fieber, vielleicht war es nach einer Impfung. Wogegen haben sie ihn damals geimpft? War das die kombinierte Dreifachimpfung? Wer weiß das noch? Ich weiß nur, dass die Schwester an seinem Po keine Stelle mit genug Fleisch gefunden hat und dass Ilan lachend gesagt hat, Ofer brauche wohl eher eine Anti-Dreier-Impfung. Er wachte also mitten in der Nacht auf, glühte, redete mit sich selbst und sang mit hoher Stimme. Ilan und ich standen da, zwei Uhr nachts, todmüde, und fingen an zu lachen. Denn plötzlich haben wir ihn nicht richtig erkannt. Er war wie betrunken, und wir standen bei ihm und haben hysterisch gelacht, haben uns aber auch nicht wohl gefühlt, dass uns seine Krankheit und dieses

Singen und die ganze Situation so zum Lachen brachten und dass wir im Grunde auf seine Kosten lachten.

Es war, als hätten wir ihn aus einer gewissen Entfernung gesehen und beide (gemeinsam, nehme ich an) gespürt, wie sehr er uns noch fremd war, wie jedes Kind, das von irgendwo dort aus dem Unbekannten kommt.

Aber er war wirklich ein bisschen fremd. Er war von Avram. Er schwebte in größerer Fremdheitsgefahr als jedes andere Baby.

Sie hält inne, versucht zu lesen, was sie geschrieben hat, kann ihre Schrift nicht entziffern.

Wie erleichtert war ich, als Ilan ihn auf den Arm nahm, ihn umarmte und sagte, das ist nicht nett, dass wir über dich lachen, denn du bist krank, armes Kerlchen, und dazu noch ein bisschen beschwipst. Und ich war ihm so dankbar, dass er das gesagt hatte, »das ist nicht nett, dass wir über dich lachen« – und nicht «über ihn«. Auf einen Schlag hatte er diese Fremdheit weggewischt, die sich fast zwischen uns gedrängt hätte. Das hat Ilan hingekriegt, nicht ich.

Du musst wissen, dachte sie und schaute zum schlafenden Avram hinüber, dass du da keinen Zweifel hegst: Er war ein wundervoller Vater, für beide Jungs. Ich glaube wirklich, sein Vatersein ist das Beste an ihm.

Dann blättert sie um und schreibt über die Breite der ganzen Seite so fest, dass der Kuli fast das Papier aufreißt:

Ein toller Vater? Aber kein toller Partner?

Sie starrt auf die Worte. Schlägt noch eine Seite um.

Ofer beruhigte sich nicht, im Gegenteil, er sang immer lauter, jodelte richtig, und wir bekamen noch einen Lachanfall, aber da war zwischen uns schon etwas anderes, wir erlaubten uns, ein bisschen Spannung abzubauen, vielleicht das erste Mal seit der Schwangerschaft, und vielleicht auch, weil uns beiden plötzlich klar war, Ilan bleibt; jetzt können wir endlich unser Leben beginnen und eine ganz normale Familie sein.

Sie atmet auf, entspannt sich.

Du schläfst. Du schnarchst.

Was würdest du machen, wenn ich mich neben dich legen würde?

Schon fast eine Woche bin ich nicht mehr zu Hause.

Wie konnte ich so etwas tun? Ausgerechnet in so einer Zeit fliehen? Ich bin doch nicht normal.

Vielleicht hat Adam recht. Unnatürlich.

Nein. Weißt du, was? Ich fühl mich überhaupt nicht so.

Hör zu: Mit den Kindern sind in mir so viele Gefühle und Feinheiten erwacht, ich weiß nicht, wie viel davon ich damals, in Echtzeit, verstanden habe. Falls ich damals überhaupt einen Moment innehalten und nachdenken konnte. Diese Jahre erscheinen mir jetzt wie ein riesiger Sturm.

In jener Nacht, mit dem Fieber und dem Jodeln, haben wir Ofer ein kaltes Bad gemacht, um das Fieber zu senken. Ilan hatte nicht den Mut, ihm das anzutun. Ich hab ihn in die Wanne gelegt, eine teuflische, aber wirkungsvolle Methode, man muss nur die Angst davor überwinden, dass ihm im ersten Moment der Atem wegbleibt. Ich war mir sicher, er würde vor meinen Augen blau werden. Seine Lippen haben gezittert und er hat geschrien, und ich hab auf ihn eingeredet, das sei aber gut für ihn. Meine Finger lagen um seine winzige Brust, und sein Herz flatterte so schnell, dass es fast keine Pausen zwischen den Schlägen gab, er zitterte von dem Schock und sicher auch, weil ich sein Vertrauen missbraucht hatte.

Ein anderes Mal sah Adam das und schrie, ich würde Ofer quälen: »*Geh du doch selber in das kalte Wasser, Mama!*« »*Weißt du was, du hast ja recht!*« *Und ich bin wirklich mit ihm in die Wanne gestiegen, und in dem Moment wurde die ganze Sache zu einem wilden Spiel mit viel Gelächter. Adam, der klügste unter den Kindern.*

Aj, sie nimmt den Kopf zwischen die Hände. In ihr ächzt das Rad, das sich nicht zurückdrehen lässt.

Sie sitzt da, schaukelt sich selbst. Im Gebüsch hört sie ein gleichmäßiges beharrliches Rascheln, und ein paar Sekunden später laufen hintereinander zwei Igel an ihr vorbei, vielleicht ein Paar. Der kleinere schnuppert an ihren nackten Füßen, und Ora bewegt sich nicht. Die Igel tapsen weiter und verschwinden am Abhang des Wadis. Ora flüstert, danke.

Schau her, Avram, was Ofer angeht: Ich weiß nicht, ob ich ihm eine gute Mutter war, aber er ist ziemlich gut groß geworden, glaube ich. Er ist bestimmt das stabilere und stämmigere meiner beiden Kinder.

Ich hatte so gar kein Selbstvertrauen, als sie klein waren. Ich hab überall und dauernd Fehler gemacht. Was hab ich denn gewusst?

Vorhin, als ich gesagt habe, ich wäre vielleicht nicht die tollste Mutter gewesen, hast du aufgeschrien. Weil ich den Mut hatte, dir etwas kaputt zu machen – aber was? Die Illusion der idyllischen Familie? Der perfekten Mutter? Ist es das, was du über uns gedacht hast?

In den wichtigsten Dingen bist du ein solcher Analphabet.
Ich weiß noch nicht einmal, wo ich anfangen soll, dir etwas beizubringen.
In diesen Dingen bist du wie ein Wolfskind, wie ein Wolfsmensch.
Sie hebt den Kopf. Avram liegt eingerollt da und schläft ruhig. Vielleicht lächelt er im Schlaf. Offensichtlich sieht er überhaupt nicht wölfisch aus.
Weißt du, was, vielleicht hast du ja recht. Denn eigentlich waren wir keine so schlechte Familie. Die meiste Zeit waren wir sogar, verzeih den Ausdruck, ziemlich glücklich zusammen. Aber tief drinnen stimmt es schon.
Natürlich hatten wir auch Probleme, die normalen Sorgen, die üblichen, unvermeidbaren Unglücksmomente. (Wie hast du mir mal geschrieben, als du beim Militär warst: »Jede glückliche Familie ist auf ihre Art unglücklich.« Woher wusstest du das!) Und trotzdem kann ich sagen, dass Ofer und ich es seit seiner Geburt bis zu der Sache in der Armee vor ungefähr einem Jahr in Hebron sehr gut zusammen gehabt haben.
Und auf eine Art, gar nicht typisch für uns, haben Ilan und ich das schon damals gewusst. Nicht erst rückblickend.
Ich würd dir so gern von uns erzählen. Von uns allen. Eine Kurzfassung der Geschichte unserer Familie.
Wir hatten zwanzig gute Jahre; das ist in unserem Land schon fast eine Frechheit, oder? »Etwas, wofür man die alten Griechen bestraft hat« (ich weiß nicht mehr, in welchem Zusammenhang du das gesagt hast).
Und wir, wir hatten zwanzig Jahre, das ist wahnsinnig viel. Vergiss nicht, von den zwanzig Jahren waren die beiden Jungen sechs Jahre am Stück im Militär (mit einer Pause von fünf Tagen zwischen Adams Entlassung und Ofers Einberufung), und sie haben beide in den besetzten Gebieten gedient, an den beschissensten Orten. Und irgendwie ist es uns gelungen, da durchzukommen, ohne dass es uns einmal wirklich erwischt hätte, kein Krieg, kein Anschlag, keine Rakete, Granate, Kugel oder Bombe, kein Sprengsatz, Scharfschütze, Selbstmordattentäter, keine Metallkugeln, Steine aus der Steinschleuder, Messer, Fingernägel.
Einfach ein ruhiges, privates Leben.
Verstehst du das? Ein kleines, unheroisches Leben. Sich so weit wie möglich nicht mit der verfluchten Lage beschäftigen, denn wie du weißt, unseren Teil haben wir schon bezahlt.
Manchmal, alle paar Wochen …

Etwa einmal die Woche bin ich von einem Angstanfall aufgewacht und hab Ilan ins Ohr geflüstert: Schau uns an, sind wir nicht eine Art kleine Untergrundzelle mitten in »der Lage«?

Und das waren wir wirklich.

Zwanzig Jahre lang.

Zwanzig gute Jahre lang.

Bis es uns erwischt hat.

Das war kurz bevor er vier wurde, zwei oder drei Monate vorher, sagt sie. Ich war gerade dabei, Mittagessen zu kochen. Damals lernte ich im letzten Jahr Physiotherapie, und Ilan hatte schon seine eigene Kanzlei, es war eine völlig verrückte Zeit, aber immerhin hörten die Vorlesungen an zwei Tagen der Woche früher auf, und so konnte ich Ofer direkt vom Kindergarten abholen und ihm etwas kochen – sag, interessiert dich das wirklich …

Avram lacht in sich hinein, und seine Lider röten sich. Auf diese Art …

Was? Sag schon.

Spähe ich heimlich in euer Leben.

Ja? Dann späh nicht heimlich, sondern schau richtig hin. Alles steht dir offen.

Auf dem Gipfel von Keren Naftali, auf einem Teppich von Zyklamen und Anemonen, liegen sie verschwitzt und atemlos von dem steilen Aufstieg. Das war bisher das Schwerste, da sind sie sich einig, und sie stürzen sich auf die Waffeln und Kekse. Bald müssen sie einkaufen, erinnern sie einander. Avram steht auf und zeigt ihr, wie viel er in diesen Tagen abgenommen hat, und freut sich ungläubig, dass er das erste Mal eine Nacht durchgeschlafen hat, vier Stunden am Stück ohne Tabletten, kannst du dir das vorstellen? Der Ausflug tut dir gut, sagt sie, die Diät, das Laufen, die frische Luft. Ich fühl mich wirklich nicht schlecht, wundert er sich und wiederholt seine Worte wie einer, der aus sicherem Versteck ein schlafendes Raubtier reizt.

Hinter ihnen die Trümmer behauener Steine, Reste eines arabischen Dorfes oder eines alten Tempels. Avram, der vor kurzem einen Artikel darüber gesehen hat, denkt, die Art der Behauung stamme aus römischer Zeit, und Ora teilt diese Annahme gern. Ich hab jetzt keine Kraft für die Überreste eines arabischen Dorfes, sagt sie. Doch in einem kurzen Moment der Halluzination setzt sich aus den Steinen der Ruine ein Panzer zusammen, der, durch eine enge Gasse bretternd, als Projektion in ihrem Kopf auftaucht, und bevor er ein parkendes Auto plattwalzt oder eine Häuserwand abrasiert, fuchtelt sie mit den Händen vor ihren Augen und wehrt sich, genug, genug, meine Festplatte ist voll von solchen Bildern.

Ausladende Pistaziensträucher wiegen sich im sanften Wind. Nicht weit von ihnen ein eingezäunter kleiner Militärstützpunkt, von dem Antennen in den Himmel ragen. Ein gutaussehender äthiopischer Soldat, schwarz wie eine Schachfigur, steht unbeweglich auf einem Aussichtsturm und überblickt das Hulatal zu ihren Füßen, vielleicht schaut er auch mal heimlich zu ihnen rüber, für etwas Abwechslung beim Wacheschieben. Ora streckt sich, lässt den Wind ihre Haut kühlen, und auch Avram streckt die Beine von sich, auf einen Ellbogen gestützt siebt er mit den Fingern die Erde.

Ofer fragte mich, fährt sie fort, was es zu essen gäbe, und ich sagte, das und das, zum Beispiel Reis, Suppe und Fleischklopse.

Avrams Mund bewegt sich, ohne dass er es merkt, als kaue er die Wörter. Wie gern hat er gegessen, erinnert sie sich, und auch über Essen geredet, das Essen, der gute Freund des Menschen, und wie gern hatte sie in ihren gemeinsamen Jahren für ihn gekocht. Bei den großen Familienessen, bei den großen Gelagen für Freunde, an Feiertagen, am Sederabend, hatte sie immer auch Avram in Gedanken einen vollen Teller beiseitegestellt, zu gern würde sie ihn jetzt ein bisschen verführen, ihm eine Schüssel mit Auberginen in Tomatensoße unter die Nase halten, ein Lammgericht mit Kokos, vielleicht eine ihrer reichhaltigen Trostsuppen – er weiß ja gar nicht, wie gut sie kocht! Er erinnert sich wohl nur an die angebrannten Töpfe ihrer Studentenwohnung in Nachlaot.

Ofer fragte mich, woraus Fleischklopse gemacht sind, und ich murmelte irgendwas, das seien so runde Kugeln, aus Fleisch, er dachte noch einen Moment nach und fragte, und was ist Fleisch?

Avram setzt sich auf, legt die Arme um seine Knie.

Ehrlich gesagt, seit Ofer sprechen konnte, im Grunde seit wir verstanden, was er für ein Kind ist, hat Ilan immer gesagt, er warte nur auf den Moment, wo Ofer diese Frage stellt.

Was meinst du mit »was er für ein Kind ist«?

Warte, immer mit der Ruhe.

Seit einigen Sekunden nagt etwas in ihr und versucht, ihre Aufmerksamkeit auf sich zu ziehen. Etwas Nichtabgeschlossenes. Vielleicht ein Wasserhahn zu Hause, ein Licht, das sie vergaß auszumachen? Ein nicht abgeschalteter Computer? Oder ist das Ofer? Stößt ihm gerade etwas zu? Sie horcht in sich hinein, bahnt sich einen Weg zwischen Gefühlen und Ahnungen, aber nein, das ist nicht Ofer. Ihre Gedanken treiben weiter, springen zu dem Mann, den sie am Morgen, kurz nach Sonnenaufgang, getroffen haben, als sie aus der Schlucht des Nachal Kedesch aufgestiegen waren. Schade, dass wir mit diesem Mann keinen Kaffee getrunken haben, denkt sie. Wenn Avram nicht so nervös gewesen wäre …

Ora?

Wo war ich stehngeblieben?

Dass ihr gesehen habt, was für ein Kind er war.

Da hab ich zu Ofer gesagt, das sei eben Fleisch. Mit der beiläufigsten Stimme hab ich ihm gesagt, das sei nichts Besonderes, bloß Fleisch, weißt du, wir essen doch fast jeden Tag Fleisch.

Sie sieht ihn: Der winzige, schwächliche Ofer, ihr zarter Ofer, beginnt, von einem Bein aufs andere zu hüpfen, was er immer tat, wenn er besorgt war oder Angst hatte – sie steht auf und macht es Avram vor –, oder er rieb sich heftig das linke Ohr. So. Oder er lief so seitlich, hin und her, ganz schnell.

Avram wendet keinen Blick von ihr. Sie setzt sich wieder vor ihn und seufzt, sehnt sich nach diesem Ofer.

Und ich steckte den Kopf tief in den Kühlschrank, wollte dem Blick ausweichen, den er in diesem Moment hatte, aber er ließ nicht locker und fragte, von wem man dieses Fleisch genommen habe. Du musst wissen, er hat Fleisch damals sehr gemocht, Rindfleisch, auch Huhn. Außer Fleisch hat er kaum was gegessen, am liebsten Fleischklopse, Schnitzel und Hamburger. Ein echter Fleischfresser war er, was Ilan sehr gefreut hat, und mich auch, aus irgendeinem Grund.

Was?

Dass er gern Fleisch isst. Ich weiß nicht, so eine primäre Befriedigung. Das kannst du doch verstehen, oder?

Aber ich bin jetzt Vegetarier.

Ach deshalb, rief sie, ich hab gestern im Moschaw gemerkt, dass du das nicht anrührst ...

Drei Jahre schon.

Und warum?

Einfach so. Ich wollte mich reinigen. Doch sein Blick ruht mit Bedacht auf seinen Fingerkuppen. Du erinnerst dich, es gab schon mal eine Zeit, in der ich kein Fleisch gegessen habe.

Als er aus der Gefangenschaft zurückkehrte, natürlich wusste sie das noch, bekam er Krämpfe und übergab sich jedes Mal, wenn er an einem Steak-Restaurant oder Schawarma-Stand vorbeikam. Schon eine Fliege, die in einem elektrischen Insektenfänger verkohlte, löste bei ihm Brechreiz aus. Da erinnerte sie sich plötzlich, wie sich ihr selbst Jahre später der Magen umgedreht hatte, als Adam und Ofer ihr bei einem Schabbatessen mit weißer Tischdecke, geflochtenem Schabbatbrot und traditioneller Hühnersuppe im Spaß erklärten, was sich ihrer Meinung nach hinter der Abkürzung TVL versteckte, dem Panzer, bei dem Adam als Fahrer und nach ihm auch Ofer als Richtschütze und dann als Kommandant dienten. Sie hatten losgeprustet, nein, nicht »*Treu VaterLand*«, wo hast du denn das her, Mama, sondern »*transportiert verkohlte Leichen*«.

Aber ein paar Jahre später, erzählt Avram weiter, fünf, sechs Jahre später, ist mein Appetit zurückgekommen, dann hab ich alles gegessen, und eigentlich ess ich ja, wie du weißt, gern Fleisch.

Sie lächelt: Ich weiß.

Und vor drei Jahren ungefähr hab ich nochmal aufgehört.

Jetzt begreift sie: Genau vor drei Jahren?

Und ein paar Tagen, ja.

So eine Art Gelübde?

Er schaut sie verschmitzt von der Seite an. Sagen wir, ein Geschäft.

Und einen Augenblick später – ihr Hals war schon gerötet – fügte er hinzu, darfst denn nur du solche Sachen machen?

Solche Geschäfte mit dem Schicksal, meinst du?

Schweigen. Sie malt mit dem kleinen Finger kurze Linien, legt ein Dreieck darauf, ein Dach. Drei Jahre Abstinenz von Fleisch, denkt sie, und jeden Abend hat er einen Strich an der Wand durchgestrichen;

was bedeutet das? Was sagt er mir damit? Sie beschließt, ihm diese Szene mit Ofer in der Küche zu Ende zu erzählen und dann sofort aufzuschreiben, so etwas darf nicht vergessen werden, auch weil in ihr seitdem das Gefühl nagt, dass bei diesem Mittagessen der Anfang für einen anderen Ofer gelegt worden ist, und der war heimlicher und komplizierter.

Ofer dachte noch ein bisschen weiter und fragte, ob die Kuh, von der man das Fleisch nehme, das Fleisch dann wieder nachwachsen lasse.

Nachwachsen lassen, wiederholte Avram lächelnd.

Und ich habe mich gewunden und gesagt, nicht wirklich, nicht genau so, und Ofer fing wieder an, in der Küche auf und ab zu laufen, immer schneller. Ich sah, dass bei ihm etwas losging. Dann blieb er vor mir stehen und fragte, kriegt die Kuh eine Wunde davon, wenn man ihr das Fleisch wegnimmt? Ich hatte keine andere Wahl und sagte, ja.

Avram hört zu, plötzlich ganz und gar gefesselt von dieser Szene, wie Ora in der Küche steht und mit dem Jungen redet, der Junge ist klein und mickrig, ernst und besorgt, er läuft in der schmalen Küche hin und her, reibt sein Ohr und schaut seine Mutter hilflos an. Avram hebt, ohne es zu merken, ein bisschen die Hand vors Gesicht, Bröckchen von Familienintimitäten werden in unerträglicher Menge auf ihn abgeschossen. Die Küche, der offene Kühlschrank, ein für zwei Leute gedeckter Tisch, die Dämpfe aus den Töpfen auf dem Herd, die Mutter, das Kind, seine Not.

Dann fragte er, ob man das Fleisch wenigstens von einer toten Kuh nimmt, der es nicht mehr weh tut. Er hat versucht, da irgendwie anständig rauszukommen, verstehst du, dass ich da sauber rauskam, und irgendwie auch die gesamte Menschheit. Und ich spürte, ich musste auf der Stelle eine Halbwahrheit für ihn erfinden: Später, wenn er etwas robuster und noch ein paar Zentimeter gewachsen wäre und genug tierisches Eiweiß zu sich genommen hätte, dann könnte ich ihm offenbaren, was du einmal »die Tatsachen des Lebens und des Todes« genannt hast. Ilan war mir danach furchtbar böse, dass es mir nicht gelungen war, Ofer etwas vorzumachen, und er hat recht gehabt. Er hat wirklich recht gehabt! Ihre Augen glühen: Bei Kindern muss man ab und zu die Ecken etwas abrunden, ihnen etwas verheimlichen und die Tatsachen etwas sanfter vermitteln. Das geht nicht anders. Wirklich nicht, und ich … Ich konnte doch nie, ich war niemals in der Lage zu lügen.

Sie hört plötzlich, was sie sagt.

Na gut, außer … meint sie verlegen, du weißt schon.

Avram wagt nicht, es auszusprechen, doch seine Augen buchstabieren die Frage geradezu.

Weil wir es dir versprochen haben, sagt sie ganz schlicht. Ofer hat keine Ahnung.

Schweigen. Sie will noch etwas sagen, merkt aber, dass sie nach Jahren des Schweigens, nachdem der große Muskel des Bewusstseins sich so lange verkrampft hat, nicht einmal mit Avram darüber reden kann.

Aber wie ist das möglich? fragt er fassungslos, und sie kommt durcheinander. Sie meint, einen vorwurfsvollen Unterton zu hören.

Es ist möglich, flüstert sie. Ilan und ich gemeinsam haben es … Es ist möglich.

Plötzlich überschwemmt sie die Wärme des Bundes, den sie und Ilan geschlossen haben. Die Wärme, die sich gerade um das Schweigen, um ihr großes Geheimnis, um jenen immer aufgerissenen Graben, noch vertieft hat. Und die Zartheit, die gerade am Rande dieses Grabens bei ihnen erwacht war, die Vorsicht, mit der sie einander dort gehalten hatten, um nicht hineinzufallen, sich aber auch nicht zu weit zu entfernen. Gleichzeitig das bittere Wissen, mit einem Anflug einer ganz besonderen Süße, dass die Geschichte ihres Lebens immer auch in einer Spiegelschrift geschrieben wird, die niemand auf der Welt außer ihnen lesen kann – auch Avram nicht.

Noch jetzt, denkt sie, sogar nachdem wir so voneinander entfernt sind, haben wir gemeinsam diese eine, absolute Sache.

Da pressen sich ihre Kiefer zusammen, halten zurück, was sich für einen Moment ans Licht wagen wollte, und danach, kraft beinah zweiundzwanzigjähriger Übung, begibt sie sich sofort wieder auf das gerade, einfache Gleis, von dem sie für einem Moment verschoben worden war. Sie wischt sich die letzten Augenblicke und die Erinnerung an diese unfassbare und so gewaltige Ausnahme ihres Lebens gleichsam von der Seele.

Wo war ich stehngeblieben?

In der Küche. Mit Ofer.

Ja. Und Ofer wurde natürlich immer nervöser, weil ich schwieg, wie ein gepeitschter Kreisel sauste er hin und her, ging auf und ab, redete mit sich selbst, und ich sah, er war noch gar nicht in der Lage, mit Worten zu sagen, was er befürchtete. Zum Schluss, das werd ich nie vergessen, senkte er den Kopf und stand so verkrampft da, ganz und gar in sich verkrümmt – mit einer ganz feinen Bewegung wird Ora in ihrem Körper zu Ofer, bekommt seinen entsetzten Blick. Und Avram sieht: Hier ist Ofer, schau ihn dir an, du siehst ihn, du wirst ihn nie mehr vergessen, du kannst schon jetzt nicht mehr ohne ihn – und er fragte mich, ob es Menschen gäbe, die eine Kuh umbringen, um ihr das Fleisch wegzunehmen, und ich – was sollte ich ihm denn sagen –, ich habe ja gesagt.

Da rannte er los, raste wie ein Besessener durchs ganze Haus – sie erinnert sich an ein dünnes Weinen, es war nicht seine Stimme; was da aus ihm hervorbrach, war überhaupt keine menschliche Stimme – und er berührte verschiedene Gegenstände, Möbel, Schuhe, die auf dem Boden standen, rannte, schrie und berührte die Schlüssel auf dem Tisch, die Türklinken, ich bekam es mit der Angst zu tun, ehrlich, das sah aus wie eine unbekannte Zeremonie, so als verabschiedete er sich von allem, was …

Sie schaut Avram sanft an und wird traurig über das, was sie ihm erzählt, und über das, was er gleich noch von ihr hören wird. Jetzt steckt sie ihn wie mit einer Krankheit an, denkt sie, mit dem Schmerz, Kinder großzuziehen.

Ofer rannte ans Ende des Flurs, da wo die Tür zum Badezimmer ist, weißt du, da wo die Garderobe war, und von dort schrie er: Bringt ihr sie um? Bringt ihr die Kühe um, damit ihr ihnen das Fleisch wegnehmen könnt? Ja? Ja? Und das tut ihr mit Absicht? In diesem Moment begriff ich vielleicht zum ersten Mal in meinem Leben, was es bedeutet, dass wir lebende Wesen essen, dass wir sie umbringen, um sie zu essen, und wie wir uns selbst dressieren, nicht zu merken, dass auf unserem Teller ein abgetrenntes Hühnerbein liegt. Doch Ofer war nicht in der Lage, sich so zu belügen, verstehst du? Er war absolut ungeschützt, flüstert sie. Weißt du, was das bedeutet, so ein Kind, in dieser beschissenen Welt?

Avram zuckt zurück. Plötzlich spürt er, tief in seinem Innern meldet sich die Angst, die ihn überfallen hatte, als Ora ihm sagte, sie sei schwanger.

Sie trinkt Wasser, wäscht sich das Gesicht. Sie reicht ihm die Flasche, und er – ohne nachzudenken – kippt sie sich über den Kopf.

Mit einem Schlag ging Ofers Gesicht zu, verschloss sich – sie macht es ihm vor, ballt mit aller Gewalt die Fäuste –, und dann rannte er den ganzen Flur entlang, vom Badezimmer bis zur Küche, und er hat mich getreten, stell dir das vor, so was hatte er bis dahin noch nie getan, mit aller Kraft hat er mich getreten. Ihr seid wie Wölfe! Menschen wie Wölfe! Ich will nicht mehr bei euch sein.

Was?

Er hat geschrien, wie ein Rasender …

So hat er gesagt? »Wie Wölfe«?

Und das bei einem Kind, das ein Jahr vorher noch so gut wie nicht gesprochen hat, denkt sie, keine drei Worte hat er zusammengekriegt.

Aber woher hatte er das, fragt Avram atemlos, woher wusste er …

Er raste zur Tür, wollte abhauen, aber sie war abgeschlossen, und er trommelte mit Händen und Füßen dagegen, er ist richtig Amok gelaufen, und weißt du, sagt sie, ich hab immer das Gefühl, da ist etwas in ihm passiert, was nicht mehr gutzumachen war, etwas fürs ganze Leben, eine erste Wunde, weißt du, ein erster tiefer Schmerz.

Nein, das versteh ich nicht, erklär es mir, murmelt Avram, vergräbt die plötzlich schwitzenden Hände in seinen Schoß.

Erklär es ihm, denkt sie, wie kannst du ihm das erklären. Vielleicht erzählst du ihm von sich selbst, von Avram. Zum Beispiel von ihm und seinem Vater, der einfach aufstand und ging, als er fünf war, und seitdem nicht mehr gesehen ward. Sein Vater, der einmal das Gesicht des kleinen Avram mit Gewalt zwischen den Händen gehalten und es zu Avrams Mutter gedreht hatte und sie mit einem breiten, freundlichen Lächeln fragte, ob ihm das Kind ihrer Meinung nach auch nur im Geringsten ähnlich sei, ob es wirklich sein könne, dass so eine Kreatur von einem Mann wie ihm gezeugt wurde, und ob sie sicher sei, dass sie ihn geboren habe; vielleicht habe sie ihn ja geschissen.

Ich werde das Gefühl nicht los, sagt sie leise, dass er dort, in der Küche, etwas über uns erfahren hat.

Über wen?

Über uns. Über die Menschen, sagt sie, dass es das in uns gibt.

Ja.

Dieses Raubtier in uns.

Avrams Blick haftet an der Erde, am Staub. Ihr seid wie Wölfe, wiederholt er, bewegt die Worte in seinem Kopf, ich will nicht mehr bei euch sein. Bis in die Tiefen seiner Seele erschüttern ihn diese Worte. Beinahe dreißig Jahre lang hat er sie gesucht, und nun hallen sie ihm aus dem Mund seines Sohnes entgegen.

Ora fragt sich, auch das zum ersten Mal, was sich da in der Küche wirklich ereignet hat. In welchem Ton hat sie Ofer die Tatsachen des Lebens und des Todes nahegebracht? War es wirklich genau so, wie sie es Avram gerade beschrieben hat, also ohne Ofer richtig anzulügen, vielmehr ein Versuch, ihm die Sache mit dem Schlachten, so gut es eben ging, etwas leichter zu machen, ihm wirklich diesen Schrecken zu ersparen? Aus irgendeinem Grund erinnert sie sich, wie ihre Mutter ihr, als sie ein Kind war, gerade mal sechs Jahre alt, in allen Details, ein bisschen provozierend und merkwürdig vorwurfsvoll, von den Greueltaten der Gefangenen in den Konzentrationslagern, in denen sie im Krieg gewesen war, berichtet hatte.

Ich weiß nicht recht, sagt sie, als ich ihm diese Tatsachen nahebrachte, ob sie wirklich wichtig für seine Erziehung waren, um ihn aufs Leben vorzubereiten, und ob da nicht von einem gewissen Punkt an auch ein bisschen, wie soll ich sagen, Grausamkeit dabei war.

Aber warum? fragt Avram schockiert, wie kommst du denn jetzt auf Grausamkeit?

Vielleicht sogar ein bisschen Schadenfreude.

Ich versteh nicht, Ora, was du …

Ich meine, vielleicht habe ich ihm damit irgendwie so ganz nebenbei angedeutet, dass eben diese Dinge auch irgendwie seine Strafe dafür sind, dass er sich überhaupt meiner beschissenen Gesellschaft und ihren Spielen angeschlossen hat, verstehst du, dem Spiel der menschlichen Spezies.

Ach so, das meinst du, sagt Avram.

Sie schweigen.

Avram nickt, seine Lider sind schwer.

Und als ich versuchte, ihn zu umarmen, sagt sie, hat er getobt und mich so gekratzt, dass ich geblutet habe. In der Nacht, im Schlaf, hat er weitergeweint, so sehr hat das in ihm gebrannt. Am nächsten Morgen hatte er hohes Fieber. Er ließ sich nicht von uns trösten und auch nicht anfassen. Mit unseren Fleischhänden, verstehst du. Seitdem hat er zwölf Jahre lang kein Fleisch angerührt und nichts, was neben einem Stück Fleisch gelegen hat. Bis sechzehn ungefähr, bis er in die Pubertät kam und anfing zu wachsen, hat dieser Junge kein Fleisch angerührt. Und warum dann mit sechzehn?

Warte, gleich – bis dahin ist es noch ein langer Weg, denkt sie, langsam, ganz langsam werden wir es zusammen verstehen. Am Anfang weigerte er sich bei Tisch, mit mir zu reden, wenn ich mit der Gabel, die das Huhn berührt hatte, aus Versehen in seine Richtung zeigte, verstehst du, wie weit er … Ofer gehörte wirklich, wie Ilan damals so schön sagte, zum schiitischen Flügel der vegetarischen Bewegung.

Das muss sie aufschreiben, diese dauernden Kämpfe, die Ilan mit ihm ausfocht, die unglaubliche Hartnäckigkeit und Entschlossenheit, die Ofer damals an den Tag legte. Eine leichte, irritierende Angst überfiel sie und Ilan, dass ein vierjähriges Kind so feste Grundsätze hatte, denn beide spürten, seine Kraft zog er aus einer verborgenen Quelle jenseits seines Alters und jenseits seiner Eltern. Wo ist das Notizbuch? Sie steht auf. Der undeutliche innere Druck meldet sich wieder und bricht mit einem Mal aus: Wo ist das Notizbuch, Avram? Hast du gesehen, wohin ich das Notizbuch gelegt hab?

Sie stürzt sich auf ihren Rucksack und wühlt, und das Notizbuch ist nicht da. Es ist nicht da! Sie schaut erschreckt zu dem anderen Rucksack, zu dem von Avram, und Avram spannt sich an. Vorsichtig fragt sie ihn: Ist es vielleicht bei dir?

Nein, ich hab es da nicht reingetan. Ich hab ihn überhaupt nicht aufgemacht.

Stört es dich, wenn ich nachschau?

Er zuckt gleichgültig mit den Schultern, als sage er, der gehört mir nicht, der geht mich auch nichts an. Dann steht er auf und entfernt sich ein paar Schritte von dem Rucksack.

Sie macht eine Schnalle auf, löst Knoten, wirft von oben einen Blick hinein. Alles ist fast noch so, wie sie und Ofer es gepackt hatten.

Es war Avram auf wundersame Art gelungen, in all den Tagen, die er den Rucksack auf dem Rücken trug, nichts zu bewegen und zu verschieben.

Jetzt steht der Rucksack wie mit offenem Mund zwischen ihnen. Zuoberst, auf einem Stapel Kleider, liegt das rote T-Shirt von *Milan*, so wie sie es eingepackt hatte, und sofort ist ihr klar, das Notizbuch ist nicht da. Doch sie kann ihn nicht wieder zuschnüren.

Hier sind so viele Sachen zum Wechseln, sagt sie, gibt mit trockener Stimme eine nützliche Information weiter, Socken, Hemden, Waschzeug.

Ich stinke wohl?

Sagen wir mal, ich weiß jeden Moment, wo du gerade bist.

Ah. Er hebt den Arm und schnuppert. Keine Sorge, Ora, wir finden schon eine Quelle oder einen Wasserhahn, das ist kein Problem. Seine Stimme, gestresst und verlogen, krümmt sich wie bei einem Kind auf einer Freizeit, das dem Gruppenleiter gegenüber Ausreden erfindet, warum es leider nicht zusammen mit den anderen Kindern duschen kann.

Gut, wie du meinst, sagt Ora.

Schweigen. Sie atmet heftig. Ihre Finger schweben über Ofers Rucksack und entwickeln plötzlich ein Eigenleben.

Außerdem passen mir seine Sachen nicht.

Ein Teil vielleicht schon, und die Hosen bestimmt. Er ist ziemlich breit gebaut. Übrigens sind das nicht nur seine Klamotten, sie prüft von oben nach unten, immer noch nur mit den Augen, ohne etwas zu berühren: Er hat auch Hemden von Adam und von Ilan eingepackt. Und seine Pumphose aus dem Sinai, die passt dir garantiert. Und im Stillen fügt sie hinzu, sie wird dich schon nicht anstecken, mit Ofer.

Aber warum Kleidung von Adam und Ilan?

Das wollte er so. Von ihnen umhüllt wandern gehn.

Sie beherrscht sich und erzählt nicht, dass ihre drei Männer auch die Unterhosen gemeinsam benutzen.

Endlich schiebt sie eine Hand in den Rucksack, erst zögernd, fürchtet, die von Ofer geschaffene Ordnung durcheinanderzubringen, schleicht sich aber im Nu in die Tiefe, findet ihren Weg zwischen den

Kleidern, und schon sind beide Hände drin, graben, kramen in den von der Sonne gut gewärmten Kleidern, die schon eine Woche lang gebacken wurden, treffen unterwegs auf ein Knäuel Socken, schieben sich mit der Schnelligkeit eines Taschendiebs in Hosentaschen, hier ist auch das Handtuch, die Taschenlampe, und das sind die Sandalen, Unterhosen, T-Shirts, ihre Finger wühlen blind in den Tiefen, plündern, was sie nur können. Ein merkwürdiges Gefühl breitet sich in ihr aus: Das sind seine Kleider, seine Hüllen, und auf irgendeine Art ist es auch sein Innerstes, seine Wärme, seine Feuchtigkeit.

Sie beugt sich vor und vergräbt ihr Gesicht im Rucksack. Der Geruch sauberer, zusammengepresster, nicht gelüfteter Kleider. Gemeinsam hatten sie sie eingepackt, bevor sie losgehen wollten, sie und er, und sich dabei an die Einpackzeremonie am Abend vor der großen Schlacht in *Der Wind in den Weiden* erinnert, das Ora ihm dreimal vorgelesen hatte, als er noch ein Kind war: *Ein-Hemd-für-den-Schmetterling, die-Strümpfe-für-den-Kröterich;* und nun wurde ihr klar, dass während der gesamten Dauer dieser munteren Zeremonie, bei der Ora nicht aufhören konnte zu lachen, Ofer bereits seinen Plan ausgeheckt und vielleicht sogar schon gewusst, ja, gewusst hatte, dass er nicht mit ihr zu diesem Ausflug aufbrechen würde, dass das alles eine riesige Show war. Wie hatte er es geschafft, sie dermaßen zu betrügen, und warum, warum hatte er das getan? Hatte er Angst gehabt, eine ganze Woche mit ihr könne langweilig werden, der Gesprächsstoff könne ihnen ausgehen, oder dass sie ihn wieder wegen Talia und ihrer Trennung verhören würde, sich bei ihm vielleicht über Adam beklagen oder versuchen würde, ihn gegen Ilan auf ihre Seite zu ziehen (so etwas hätte sie nie getan!), oder fürchtete er sich, dass sie ihn noch einmal auf die Sache in Hebron ansprechen würde? Ja, das wird es wohl vor allem gewesen sein.

Bei dieser langen Liste wird ihr übel. Ein Säureschwall steigt in ihr auf. Ihr Gesicht versinkt im Rucksack, den sie mit den Armen fest umschlingt. Von der Seite sieht sie aus, als tränke sie durstig aus einer Quelle, doch Avram bemerkt, dass ihre zarten Halswirbel unter der Haut krampfartig zucken.

Unkontrolliert weint sie in ihn hinein, überwältigt von Selbstmitleid über ihr zerstörtes Leben, die Familie, die Liebe. Über Ilan. Adam.

Und jetzt ist auch noch Ofer dort – Gott behüte. Was bleibt von ihr selbst übrig, und wer ist sie überhaupt noch, wenn sie sich alle zurückziehen oder sich einfach von ihr losreißen. Was ist ihre ganze tolle Mutterschaft dann wert gewesen? Eine elende Lumpenexistenz mit der Lebensweisheit eines alten Aufnehmers? Fünfundzwanzig Jahre lang hatte sie vor allem aufgesogen. Alles, was von den Dreien runterprasselte, von jedem auf seine Art. Alles, was sie in diesen Jahren in den Raum der Familie hinausspülten, also in sie. Denn mehr als jeder andere von ihnen, mehr als sie alle drei zusammen, war doch sie selbst der »Raum der Familie«. Alles Gute und alles Schlechte, was sie absonderten, vor allem das Schlechte, hat sie aufgenommen. Sie weint, quält sich weiter und weiß doch auf dem Grund ihrer Seele, dass sie verfälscht; sie versündigt sich an ihnen und an sich selbst, aber sie ist nicht bereit, auf diese Bitterkeit zu verzichten: So viele Gifte und Säuren hat sie aufgesogen, alle Ausscheidungen ihrer Seelen und Körper, den ganzen Ballast ihrer Kindheit, Jugend und ihres Mannseins. Irgendwer hat das alles doch aufsaugen müssen, oder? jammert sie in die Hemden und Socken, die sich tröstend an ihr Gesicht schmiegen. Wie angenehm ist diese Berührung, wie angenehm der Duft der frischen Wäsche, obwohl er ihr mit spöttischer Weichheit entgegenschleudert, du Möchtegernfeministin. Eine Beleidigung für den Kampf der Frauen ist sie, fühlt sich wie ein blinder Fleck in dem grellen Neonlicht, das zum Beispiel jene Bücher gegen sie richten, die ihre Freundin Ariela ihr unverdrossen kaufte – sie konnte nie mehr als ein paar Seiten darin lesen, sie waren von energischen, klugen und selbstgewissen Frauen geschrieben, die Ausdrücke wie die »Dualität des Kitzlers als Bezeichnung und Bezeichnetes« oder »die Vagina als männlich codierter deterministischer Raum« ganz unbefangen formulierten, was in ihrem geringen und charakterlosen Verstand sofort das Summen von Maschinen oder Haushaltsgeräten auslöst, etwa von einem Mixer, Staubsauger oder Geschirrspüler. Für diese Frauen und deren gerechten Kampf ist allein schon ihre schlappe Existenz eine grobe Beleidigung. Verfickter Feminismus, denkt Ora, lacht ein bisschen beim Weinen; aber ist es nicht völlig klar, argumentiert sie weiter, dass ohne ihre Mechanismen der Kanalisierung, der Entsorgung, der Reinigung und Entsalzung, die sie pausenlos weiterentwickelte, ohne ihre zahllosen Zugeständnisse, dass ohne all das, und wenn sie nicht immer wieder geschluckt und ihre eigene Ehre hintangestellt und hier und da eben den Kopf eingezogen hätte, ihre Familie viel früher auseinandergebrochen wäre? schon vor Jahren, ganz bestimmt; oder vielleicht auch nicht? – wer weiß. Doch hatte all die Jahre in ihr die Frage rumort, was passiert wäre, wenn sie sich nicht bereiterklärt hätte, die Kloake für ihre Familie zu sein, oder anders, weniger beleidigend und ein bisschen raffinierter gesagt, wenn sie nicht ihr Blitzableiter gewesen wäre? Wer sonst hätte sich bereitgefunden, diese mühsame und undankbare Aufgabe zu übernehmen? Obgleich die daraus erwachsende verborgene Befriedigung groß war? Aber davon haben sie ja keine Ahnung, die drei, wie sollten sie auch. Was wussten die schon von dem süßen Gefühl, wenn es ihr mal wieder gelungen war, ein Zorngewitter abzuleiten, eine Enttäuschung, Kränkung, den Wunsch nach Rache oder einfach so ein momentanes Elend bei einem ihrer drei zu beruhigen, ganz gleich in welchem Alter. Sie weint noch eine Weile in die gewaschenen Stoffe, doch der Schmerz hat sich bereits in Tränen gelöst, und sie wischt sich das Gesicht mit dem T-Shirt ab, das Ofers Einheit am Ende des Dienstes in dem Camp bei Jericho unter ihren Soldaten verteilt hatte, mit dem Aufdruck *Nebi Mussa, denn die Hölle wird grade renoviert.* Schon ist sie getröstet und sogar erfrischt, wie immer nach kurzem, heftigem Weinen, genau wie im Bett: ein paar Berührungen, schon geht sie ab, immer, ohne Verzögerung und Komplikationen. Nachdem diese Wolke vorübergezogen ist, meldet sich wieder ihr Trieb, tief in Ofers Rucksack einzutauchen, seine Sachen in die Hand zu nehmen, sie hier auf Büschen und Steinen vor Avram auszubreiten, damit er ahnen kann, wie groß, wie breit, wie kräftig Ofer ist. Eine Erregung zieht durch ihren ganzen Körper: Wenn sie sich nur wirklich anstrengt – für einen Moment glaubt sie schon fast, dass ihr auf dieser Reise, die aus lauter feinen Weben von Beschwörungen und Wünschen besteht, alles möglich ist –, dann könnte sie Ofer selbst aus dem Rucksack herausziehen, ihn von neuem gebären, winzig, zart, mit zappelnden Armen und Beinen. Doch im Moment begnügt sie sich mit seiner Mütze vom Militär, der Trainingshose, der Pumphose. Sie fühlt sich gut. Bis zu den Oberarmen im Rucksack versunken, wie eine Bäckerin vom Dorf im Backtrog, knetet sie ihr Kind aus den Kleidern. Aber schon kommt ihr Grübelgedanke und schießt ihre Wonnen wieder ab, es ist auch ein bisschen so, als wühlte sie in seinem Nachlass. Erst da, das Kinn über dem Rand des Rucksacks, das Gesicht zwischen Wandersocken vergraben, erinnert sie sich wieder, wo sie ist, schaut Avram mit erschreckten Augen an und sagt, hör zu, ich bin so blöd, ich habe das Notizbuch dort liegengelassen.

Wo?

Da unten. Wo wir geschlafen haben.

Wie kommst du da drauf?

In der Früh, bevor du aufgestanden bist, hab ich ein bisschen geschrieben und es dann irgendwie liegenlassen.

Dann gehen wir zurück.

Wieso zurück?

Wir gehen zurück, sagt Avram und richtet sich auf.

Das ist ein ganz schönes Stück Weg.

Na und?

Sie zieht die Nase hoch. Ich bin ja so blöd.

Macht doch nichts, Ora, das macht wirklich nichts. Er lächelt sie an und sagt: Wir laufen doch schon eine Woche fast immer im Kreis.

Er hat recht, und ihr wird warm bei dem Gedanken, dass nur sie beide verstehen können, wie vollkommen gleichgültig es ist, ob man hin- oder zurückgeht, sich im Kreis dreht, sich verirrt, Hauptsache in Bewegung, Hauptsache über Ofer reden. Sie packen zusammen, verknoten, schnallen fest. Bei dem kleinen Militärstützpunkt holen sie sich frisches Wasser, und der Soldat vom Wachturm schenkt ihnen noch zwei Laib geschnittenes Brot, schon ein bisschen trocken, drei Dosen Thunfisch und Mais, und Hände voll Äpfel, und sie steigen weiter bergab, halten sich an Kiefernzweigen fest, und Ora muss dauernd an den Mann denken, den sie am Morgen getroffen haben, an sein langes, dunkles, weises Gesicht. Was hat er wohl über sie und Avram gedacht, was für eine Geschichte hat er sich in seinem Kopf zurechtgezimmert? Und plötzlich bleibt sie entsetzt stehen, und Avram läuft fast von hinten in sie rein: Wenn er das Notizbuch gefunden und darin gelesen hat, was dann?

Zwischen zwei Felsen erinnert sie sich. Ich hab es nur für einen Moment aus der Hand gelegt, als ich am Morgen den Schlafsack zusammengerollt habe, und dann hab ich es vergessen. Wie konnte ich es vergessen?

Mit ein bisschen Glück, sagt sie laut, vielleicht zu laut, findet es keiner, bis wir da sind.

Es war am Morgen gewesen, sehr früh. Sie und Avram waren aus der Schlucht hochgekraxelt, als ihnen eine Gestalt entgegenkam; vielleicht erschien sie Ora deshalb am Anfang größer und schmaler, als sie wirklich war. Wegen des merkwürdigen Lichts, das zwischen den Eichenzweigen hindurchschimmerte, so ein gelbliches, staubiges Sonnenaufgangslicht, wirkte die Gestalt dunkel und unscharf. Einen Moment war Ora stehengeblieben, hatte sie betrachtet und sich überlegt, dass man manchmal morgens, wenn einem ein Mensch entgegenkommt und hinter ihm die Sonne blendet, nur die Umrisse seines schmalen Körpers sehen kann, wie eine Giacometti-Figur, die sich bei jedem Schritt auflöst und wieder zusammenfügt; dann kann man nur schwer ausmachen, ob es ein Mann oder eine Frau ist, ob die Figur einem entgegenkommt oder sich entfernt – dann hatte sie plötzlich purzelnde Steine hinter sich gehört, mit einem Satz war Avram zur Stelle gewesen, hatte sie überholt und sich zwischen ihr und dem Fremden, der etwas perplex lächelte, aufgepflanzt.

Avrams Bewegung hatte sie durcheinandergebracht. Er hatte schwer atmend zwischen ihnen Position bezogen, sich aufgepumpt und einen eigensinnigen Blick aufgesetzt, den er nicht auf den Mann vor sich, sondern auf die Steinchen auf der Erde richtete. Wie ein Wachhund hatte er da gestanden und treu, hartnäckig und unbeholfen sein Frauchen beschützt.

Die Männer standen einander gegenüber. Avram versperrte den Weg und konnte nun selbst nicht weiter. Der Fremde räusperte sich, sagte vorsichtig guten Morgen, und Ora antwortete schwach, guten Morgen. Sie kommen von unten? Der Mann stellte eine überflüssige Frage, aber Ora nickte. Auch sie schaute ihn nicht an. Sie fühlte sich nicht in der Lage, irgendeinen Kontakt aufzunehmen, und sei er nur ganz oberflächlich. Sie wollte mit Avram weitergehen und über Ofer reden, alles andere lenkte bloß ab und war Kräfteverschwendung. Auf Wiedersehn, stieß sie aus und wartete, dass Avram weiterging, doch

Avram rührte sich nicht vom Fleck, und der Mann räusperte sich noch einmal und sagte, wenn Sie oben ankommen, werden Sie sehen, wie schön es dort blüht, ganze Teppiche von Ginster, und auch der Judasbaum blüht jetzt, doch Ora schaute ihn erschöpft an, was hatte der im Kopf, von was für Blüten sprach der. Er war etwa in ihrem Alter, ein bisschen älter, etwas über fünfzig, braungebrannt, stämmig und ziemlich abgeklärt. Sie betrachtete sich und Avram durch seine Augen und spürte, sie strahlten das Elend von Verfolgten aus, irgendein Unglück schwebte über ihnen. Der Mann schob zwei große markante Daumen unter die Riemen seines Rucksacks, zögerte wohl, ob er ihn absetzen sollte. Ora trat auf der Stelle. Plötzlich wurde ihr klar: Was ihr in diesen Tagen Halt gab, was ihren Körper aufrecht und ihre Seele zusammenhielt, war dieses gemeinsame Reden und Nachdenken über Ofer mit Avram. Das war ihr Sauerstoff, ihre Nahrung und ihr Wasser, etwas anderes brauchte sie nicht, und ohne das würde sie zu Boden fallen und zerkrümeln.

Dann machen Sie den Weg?

Wie bitte, fragte sie leise, welchen Weg?

Den Israel-Weg, sagte er und zeigte auf die blau-weiß-orangefarbenen Wegzeichen auf einem der Steine.

Was ist das, sagte sie und hatte keine Kraft, ihre Stimme zu einem Fragezeichen zu krümmen.

Ach so, sagte der Mann, ich dachte, Sie …

Wohin führt dieser Weg denn? fragte Ora nun drängend. Zu viele Dinge musste sie jetzt gleichzeitig verstehen. Das plötzliche Lächeln, das sein langes ernstes Gesicht in zwei Teile spaltete. Die warme Olivenfarbe seiner Haut. Und die Art, wie Avram noch immer trennend zwischen ihnen stand, als Wand von Mensch. Und vielleicht auch die zusammengerollte Zeitung, die aus einer Rucksacktasche des Fremden herausschaute. Außerdem baumelte eine große Damenbrille, ihrer eigenen ähnlich, aber ihre war rot, und diese war blau, an einer Schnur auf seiner Brust und passte so gar nicht zu ihm, und das machte sie aus irgendeinem Grund unglaublich nervös. Dass er gesagt hatte, dieser schlichte und vertraute Weg, auf dem Avram und sie seit einer Woche gehen, habe einen Namen, jemand habe ihm einen Namen gegeben, das hatte ihr auf einen Schlag etwas geraubt.

Der führt bis nach Eilat, sagte er, bis Taba. Quer durchs ganze Land. Und wo fängt er an?

Im Norden, ungefähr bei Tel Dan. Ich mach ihn schon eine Woche, geh eine Weile, geh wieder zurück, laufe im Kreis. Ich mag mich nicht von dieser Gegend trennen, wo alles blüht. Aber man muss ja weitergehn, nicht wahr? Wieder lächelte er sie an. Sie hatte den Eindruck, dass sich sein Gesicht ihr erst nach und nach offenbarte, als zeichne sie es vor ihren Augen im langsamen Tempo ihres Begreifens.

Haben Sie unten geschlafen? Er ließ nicht locker. Warum ließ er nicht von ihr ab? Er soll sie weitergehen lassen. Sie lächelte hilflos, wusste nicht, ob sie sich über ihn ärgern sollte – über diese lächerliche Brille, wie ein provokativer privater Witz, mit dem er vor den Augen aller rumwedelte – oder ob sie auf die natürliche, abgeklärte Sanftheit, die sie bei ihm wahrnahm, reagieren sollte.

Ja, unten, aber wir haben nur ... Was sagten Sie, wohin führt dieser Weg?

Nach Eilat. Jetzt fügten sich zu seinem Gesicht dicke Augenbrauen hinzu und kurzes, dichtes silbriges Haar.

Und auch nach Jerusalem? fragte sie.

Das liegt fast am Weg, aber bis dahin haben Sie's noch weit. Wieder lächelte er, wie nach jedem Satz. Blendendweiße Zähne sah sie, volle dunkle Lippen mit einer tiefen Kerbe in der Unterlippe. Sie spürte ein undeutliches Murren in Avrams Körper. Der Mann warf ihm einen vorsichtigen Blick zu.

Brauchen Sie irgendetwas? fragte er, und Ora begriff, dass er sich Sorgen um sie machte, dass er fürchtete, sie befände sich in irgendeiner Not, dass sie vielleicht sogar Avrams Geisel sei.

Nein, sagte sie, indem sie sich aufrichtete und mit ihrem ganzen Charme lächelte, bei uns ist alles okay, wir sind bloß noch ein bisschen verschlafen.

Da wachte sie plötzlich auf, fuhr sich mit beiden Händen durch ihr wirres Haar – sie hatte sich am Morgen, bevor sie losgingen, noch nicht einmal gekämmt, und es reute sie nun, dass sie im letzten Jahr aus Prinzip aufgehört hatte, sich die Haare zu färben, und sie wischte sich eilig die Augenwinkel und prüfte, dass an ihrer einen Lippe kein Krümel hing.

Hört mal, sagte der Mann, ich mach mir einen Kaffee, wollen Sie auch einen?

Avram brummte sofort ablehnend. Ora schwieg. Gegen einen Kaffee hätte sie jetzt nichts gehabt; sie hatte so ein Gefühl, dass er einen guten Kaffee kochen würde.

Sagen Sie …

Ja?

Was ist das hier für ein Ort?

Dieses Wadi hier, meinen Sie? Das ist der Nachal Kedesch. Wieder lächelte er und fragte: Sie wissen nicht, wo Sie sind?

Nachal Kedesch, murmelte sie, als enthielten diese Worte ein Wunder.

Es ist gut, in der Natur zu sein, sagte er bekräftigend.

Ja, das stimmt. Sie ist verzweifelt über ihr Haar, aber was soll's, sie wird ihn im Leben nicht wiedersehen.

Und es ist gut, ein bisschen vor den Nachrichten zu fliehen, fügte er hinzu, vor allem nach dem, was gestern war.

Avram stieß etwas aus, was wie ein Warnbellen klang. Der Mann wich einen Schritt zurück, sein Blick wurde bohrend.

Ora legte Avram die Hand auf die Schulter, beruhigte ihn mit ihrer Berührung.

Keine Nachrichten, bitte, brummte Avram.

In Ordnung, sagte der Mann vorsichtig, Sie haben recht. Hier braucht man die Nachrichten nicht.

Wir müssen weiter, sagte Ora, ohne ihn anzuschauen.

Sie brauchen wirklich nichts? Seine Augen wanderten über ihr Gesicht. Jetzt bemerkte er ihre Lippe, sie kannte das schon, wenn der Blick des anderen plötzlich scharf stellte, und sie hatte gelernt, dass sie in dieser Situation den Fremden gegenüber einen kleinen Vorteil hatte, wenn sie sie mit dem eigenen Blick fesselte und dabei in Ruhe betrachten konnte. Und dieser Mann hier, der schreckte nicht zurück, er zeigte vielmehr eine irritierende Mischung von Staunen, Zuneigung und Zartheit, und Ora meinte, gleich würde er den Finger, der den Riemen des Rucksacks hielt, ausstrecken, um ihr da drüberzufahren. Für die Dauer eines Lidschlags atmete sie einen Atemzug der Güte, doch sie hatte nicht mehr die Kraft, ihre Mundwinkel zu einem Lächeln hochzuziehen.

Wir sind wirklich okay, wiederholte Ora. Mit aller Kraft zwang sie sich, nicht zu fragen, was gestern in den Nachrichten gewesen sei. Ob man schon Namen bekanntgegeben habe.

In jedem Fall ... begann der Mann.

Avram setzte sich in Bewegung, weiter den Hang hinauf, und ging an ihm vorbei. Auch Ora ging an ihm vorüber und senkte den Kopf.

Ich bin Arzt, sagte der Mann leise, nur für ihre Ohren, falls Sie etwas brauchen.

Arzt? Sie zögerte. Es schien, als übermittele er ihr eine geheime Botschaft. Gab er ihr vielleicht einen Hinweis, dass Ofer einen Sanitäter brauchte?

Kinderarzt, sagte er. Seine Baritonstimme klang angenehm ruhig, sein Blick war konzentriert und dunkel, als er sie anschaute. Sie spürte, dass er sich Sorgen um sie machte, und auf diese Sorge reagierte ihre Haut. Sie dachte, von dieser Zartheit muss sie sich sofort und auf der Stelle losreißen.

Entschuldigung, flüsterte sie, aber das passt jetzt einfach nicht.

Sie setzten ihren Aufstieg fort, Avram voreneg, sie hinter ihm, der Blick des Mannes bohrte sich in ihren Rücken, und noch immer versuchte sie zu raten, was sie in den Nachrichten gemeldet hatten und wie ernst die Lage wohl war. Zumindest hatte sie erfahren, dass es dort noch nicht zu Ende war, dass der Einsatz sich diesmal wohl hinziehen würde, sie hatte ja schon die ganze Zeit gespürt, dass dort alles schiefgehen und nur noch immer schlimmer werden würde. Gleichzeitig nervte es sie, dass er sie schon einige Minuten von hinten betrachtete. Das war nicht gerade ihre starke Seite, und keiner konnte sie davon überzeugen, dass sie da falsch lag. Noch mehr nervte es sie, dass sie tatsächlich in der Lage war, sich, während dort alles schiefging und immer schlimmer wurde, über so einen Quatsch aufzuregen.

Nach diesem Aufstieg kamen sie auf einen von starkem, klarem Morgenlicht überfluteten Weg, den sie schweigend entlanggingen. Ora war noch immer verblüfft, mit welcher Schnelligkeit Avram sich zwischen sie gestellt hatte, als müsse er sie um jeden Preis vor der Außenwelt und deren Vertretern schützen, und ebenso vor jedem bisschen Information, was dort passierte. Vielleicht schützte er ja auch sich selbst, überlegte sie, verstand es nicht ganz, dachte dann aber wieder an seinen vegetarischen Eid, erinnerte sich an die schwarze Reihe durchgestrichener Striche an der Wand über seinem Bett, an die Hoffnung in seiner Stimme, als er sie am Tag von Ofers Entlassung zu Hause angerufen hatte. Jetzt ist es vorbei, nicht wahr? hatte er gefragt, sein Militärdienst ist vorbei? In diesem Moment war sie nicht in der Lage gewesen zu verstehen, wie sehr er anscheinend auf Ofers Entlassung gewartet, wie sehr er in den letzten drei Jahren um ihn gebangt hatte, Tag für Tag, einen Strich machen und durchstreichen, einen Strich machen und durchstreichen.

Sie beschleunigte ihren Gang. Sie folgten einem schmalen Pfad zwischen Büschen, so hoch wie sie. Ginster, plötzlich fiel ihr der Name wieder ein, davon hatte dieser Mann gesprochen, Dornginster blühte gelb zu beiden Seiten, verströmte seinen feinen, geradezu sichtbaren Duft, und hier diese gelbweißen kleinen Blüten, diese Hundskamille, wie von Kindern gemalt, und die Zistrosen, die Schierlingsblüten und die blauen Storchschnabel und ihr geliebtes *Echium judaeum*, das sie in all den Tagen kaum bemerkt hatte, aber was hatte sie überhaupt bemerkt? Und schau dort, freudig streckte sie den Arm aus, ließ Lungen und Augen weit werden, dieses wahnsinnige Rot, dieser Baum hier, der Judasbaum.

Der Berg war mit runden gelben Kissen von Wolfsmilch gepolstert, rosafarbene Decken von *Ricotia lunaria*. Ora brach einen Ginsterzweig ab, zerrieb ihn zwischen den Fingern und ließ Avram riechen, und als sein Gesicht nah an ihrer Hand war – sein großes, verlorenes Gesicht –, erinnerte sie sich daran, wie er Ilan angeschrien hatte, er wolle keinen Kontakt, keinerlei Kontakt mit dem Leben. Da kam ihr ein neuer Gedanke: Vielleicht hatte Avram gerade in den letzten Jahren, als Ofer beim Militär war, und vielleicht noch viel mehr jetzt, wo er dort bei dem Einsatz war, erkannt, dass ausgerechnet, wenn Gott behüte dieser eine Verbindungsfaden, den er zu ihnen hatte, reißen würde, er sich plötzlich dem Leben mit den dicksten Stricken verbunden fühlen würde, mit Stricken solcher Qualen, denen nur das Ende des Lebens ein Ende machen könnte, und Avram nieste sie laut an, gleichsam zur Bestätigung.

Entschuldige, murmelte er, wischte ihr Speichelspritzer und Ginsterpollen von Stirn und Nasenspitze, und sie ergriff sein Handgelenk und sagte ihm direkt ins Gesicht, darin hast du Übung, was?

Worin? Er war verärgert, blickte sie misstrauisch an. Im Fliehen vor einer schlechten Nachricht, sagte sie, du bist darin tausendmal geübter als ich, nicht wahr? Dein Leben lang fliehst du vor einer schlechten Nachricht. Und sie schaute ihm direkt in die Augen und hegte nicht den geringsten Zweifel, dass sie recht hatte, und sie hielt seine Hand und klappte ihm einen Finger nach dem anderen um und sagte skandierend dazu: Erstens fliehst du vor einer schlechten Nachricht, und die ist das Leben überhaupt. Zweitens fliehst du vor einer schlechten Nachricht, und die heißt Ofer. Drittens fliehst du vor einer schlechten Nachricht, und die bin ich. Er saugte verlegen die Lippen ein, Unsinn, Ora, sagte er, was machst du mir hier mitten auf dem Weg für eine psychologische Analyse. Doch sie spürte plötzlich viel Kraft und sagte: Versteh doch, manchmal ist eine schlechte Botschaft gerade eine gute Botschaft, die du nur nicht erkannt hast. Versteh doch, dass etwas, was früher vielleicht mal eine schlechte Botschaft war, mit der Zeit zu einer guten werden kann. Vielleicht zu der allerbesten, zu einer, die du dringend brauchst. Sie gab ihm seine Hand zurück und schloss seine Finger um den Zweig mit den sonnengelben Knospen. Komm, Avram, lass uns gehen.

Rechts von ihnen eine hohe Antenne und ein langer Maschendrahtzaun, auf dessen anderer Seite ein hässliches Fort lag, allem Anschein nach ein Fort der britischen Polizei. Dunkle Betongebäude, Wachtürme und schmaläugige Fenster. Jescha-Fort, liest Ora auf einem kleinen Schild. Nichts wie weg hier, stößt sie hervor, das hat mir grade noch gefehlt. Aber der Weg, wendet Avram zögernd ein, schau doch, der Weg führt da durch.

Gibt es keinen anderen Weg?

Sie schauen sich um, es gibt keinen anderen, das heißt, es gibt noch einen, der ist rot markiert, doch der Mann aus dem Wadi hatte gesagt, wenn sie dem blau-weiß-orangefarbenen Zeichen folgten, kämen sie nach Jerusalem, nach Hause. Für einen Moment kommt Ora durcheinander und fragt sich: Aber von zu Hause wolltest du doch fliehen, oder? Warum willst du dann plötzlich …

Sie dreht sich zu Avram um, drückt ihm den Zeigefinger auf die Brust und entscheidet: Wir gehen hier durch, aber schnell. Wir halten uns nirgends auf. Und erzähl mir unterwegs etwas.

Was soll ich erzählen?

Egal. Red mit mir, erzähl mir was, was weiß ich, von deinem Restaurant.

So erfuhr sie, beim eiligen Weitergehen, dass er in den letzten beiden Jahren, nachdem ihm im Pub gekündigt worden war, in einem indischen Restaurant im Süden der Stadt gearbeitet hatte. Sie suchten da einen Tellerwäscher. Zum Abwaschen war er nicht bereit gewesen, das ließ ihm zu viel Zeit zum Nachdenken, aber Böden wischen und allgemeines Putzen ja, durchaus. Er und der Schmutz waren schon seit Jahren so – er rieb zwei ausgestreckte Finger aneinander –, gute Freunde. Er lächelt sie an, versucht erfolglos, sie von dem schütteren Kiefernhain abzulenken, achtundzwanzig Kiefern, an jeder eine hölzerne Tafel mit einem Namen; eine Kiefer für jeden, der hier im April und im Mai 1948 gefallen ist, als man versuchte, das Fort von den arabischen Kämpfern zu erobern.

Mit dem Staubsaugen hab ich auch kein Problem, brabbelt Avram weiter, und kleine Botendienste, warum nicht? Junge für alles, das war ein guter Job.

Gut? fragt sie und schaut ihn von der Seite an. Dieses Wort hatte sie schon lange nicht mehr aus seinem Mund gehört.

Junge Leute, so ganz relaxte Indienfahrer, hängen da ab.

Weiter, erzähl weiter, murmelt sie, geht heldenhaft an einer Tafel mit einem Gedicht von Mosche Tabenkin vorbei, das ein schnauzbärtiger Tourguide einer kleinen Wandergruppe gerade laut vorliest. Die müssen alle taub sein, denkt Ora ärgerlich und beschleunigt ihren Gang, der schreit ja fast, und die umliegenden Hügel werfen sein Echo zurück: *Wie eine Kiefer war unser Junge, eine Knospe vom Feigenbaum, wie knorrige Myrtenwurzeln, er war der glühendste Mohn.*

Jetzt red schon weiter, murrt sie, was schweigst du auf einmal?

Und Avram, schnell: Im Grunde besteht das Restaurant nur aus einem großen Raum, sehr groß, eher ein Saal, ohne Trennwände, nur Stützsäulen. Das ganze Gebäude ist ziemlich runtergekommen; Avram beschreibt es mit in Falten gelegter Stirn, wie einer, der eine wichtige

Zeugenaussage macht, bei der es auf jedes Detail ankommt, und sie ist ihm dankbar für die vielen Einzelheiten, die es ihr ermöglichen, sich von dem marmorgefliesten Gedenk-Platz dorthin zu versetzen. Die achtundzwanzig Namen sind in Stein gehauen; sie erinnert sich, dass es hier auch ein großes Massengrab gibt, mit dreizehn war sie mal auf einem Klassenausflug hier. Der Klassenlehrer hatte in kurzen Hosen vor ihnen gesessen und laut von einem Blatt abgelesen:»Nebi Joscha war eine Festung am Weg, heut ist es ein Fixpunkt in der Geschichte.« Ora hatte auf dem Marmorplatz heimlich eine Clementine geschält, und eine Lehrerin hatte sie angeschrien:»Ein bisschen Respekt vor den Gefallenen!« – Ach, könnte sie doch auch heute so dermaßen dumm und unbeleckt von jedem Schmerz auf dem Marmorplatz eine Clementine schälen. Es ist gut, ein bisschen vor den Nachrichten zu fliehen, hatte der Mann gesagt, vor allem nach dem, was gestern war; in ihrem Körper windet sich ein Schrei, will raus, und Avram erfüllt weiter seine Aufgabe und führt sie durch ein Viertel mit Autowerkstätten, Transportfirmen und Massagesalons im Süden Tel Avivs. Er führt sie eine gewundene dreckige Treppe hinauf. Aber ab dem zweiten Stock liegen auf der Treppe plötzlich Teppiche, Bilder hängen an den Wänden, und es riecht nach Räucherstäbchen; dann trittst du ein, sagt er, und plötzlich erinnert sie sich, auch der legendäre Palmachnik Dudu war hier gefallen, und in ihrem Kopf summt die Melodie von *Ich hatt einen Kameraden.*

Dieser ganze große Saal, tönt Avrams Stimme irgendwo aus seinem Kleinindien, ist mit Teppichen ausgelegt, es gibt viele niedrige Tischchen, man sitzt auf großen Kissen, und wie du reinkommst, siehst du gegenüber am fernen Ende schon einen Herd mit großen Töpfen, verrußten riesigen Töpfen.

Sie verlassen das Gelände des Forts, Ora atmet erleichtert aus, schaut Avram dankbar an, und der zuckt nur mit den Schultern.

Die Worte kehren zu ihm zurück, denkt sie benommen.

Du wirst lachen, sagt er später, ich bin da der Älteste.

Was du nicht sagst, murmelt sie, schaut heimlich zurück auf das Fort, dem sie soeben entronnen sind. Komm, lass uns hier über die Straße gehen.

Wirklich, sagt er verlegen, zuckt nochmal mit einer Schulter, als entschuldige er sich für einen Streich, den man ihm irgendwann in den Jahren, in denen sie aus seinem Leben verschwunden war, gespielt hat. Der Besitzer ist ganze neunundzwanzig, die Köchin vielleicht fünfundzwanzig. Und alle andern sind auch noch Kinder, süße Kinder, fügt er lächelnd hinzu, und Ora fühlt sich ein bisschen betrogen. Warum begeistert er sich für fremde Kinder! Alles Indienkenner. Ich war als Einziger noch nicht dort. Aber ich weiß schon ganz gut Bescheid. Und da gibt es keine Kündigungen. Bei denen wird niemandem gekündigt.

Sie gehen zwischen fleischigen Feigenkaktushecken hindurch und gelangen an eine große Grabanlage mit Kuppeln auf dem Dach und Bäumen, die aus den Mauern wachsen. In den großen Zimmern, die zum Hulatal hin offen sind, liegen hier und da Decken und Bettzeug, auch leere Essschüsseln, Gaben, die die Gläubigen dem Propheten Joscha dargebracht haben, das ist der biblische Josua, Sohn Nuns.

Da arbeiten Leute, erzählt Avram, die keiner sonst einstellen würde. Leute wie er, denkt sie und versucht, ihn sich dort vorzustellen. Der Älteste, hatte er mit ehrlichem Staunen gesagt, als wäre dies völlig abwegig. Als wären Ora und er noch immer zweiundzwanzig, und alles andere wäre ein Irrtum. Sie sieht ihn zwischen diesen jungen Leuten mit seinem Gewicht, seinem starren Blick und seiner Langsamkeit, mit dem großen Kopf und dem spärlichen, aber langen Haar, das an beiden Seiten runterhängt. Wie ein Professor im Exil, der seinen Ruhm verloren hat, bedrückt und lächerlich zugleich. Aber dass sie einem dort nicht kündigen, das beruhigt sie.

Und nach dem Essen geben sie dir auch keine Rechnung.

Woher weiß ich dann, was ich bezahlen muss?

Du gehst zur Kasse und sagst, was du gegessen hast.

Und die glauben mir?

Ja.

Und wenn ich sie betrüge?

Dann hast du wohl keine andere Wahl.

Gibt es so was echt? In ihr flammt ein kleines Licht auf.

Siehst du, ja.

Bring mich sofort dahin.

Er lacht. Sie auch.

An den Wänden hängen große Fotos, die jemand in Indien oder Nepal aufgenommen hat; ab und zu wechseln sie die Bilder. Seitlich, neben der Tür zu den Toiletten, stehen drei Waschmaschinen, die immer in Betrieb sind. Für jeden, der sie braucht. Umsonst. Und während die Gäste essen, bietet man ihnen alle möglichen Behandlungen an, wie Reiki, Shiatsu, und Diagnosen anhand der Fußsohle. Er selbst werde, sobald der Umbau fertig ist, für die Dolci zuständig sein. Für die Dolci zuständig – wiederholt sie seine Worte.

Plötzlich beginnen die Bilder zu laufen. Schnell zu laufen. Sie sieht ihn rumrennen, abräumen, Müll ausleeren, Staubsaugen, Kerzen und Räucherstäbchen anzünden, seine Bewegungen faszinieren sie, seine Flinkheit und Leichtigkeit. Avram d.f.s., so hatte er sich früher neuen Mädchen vorgestellt und mit der Hand eine Girlande durch die Luft gezeichnet: dick, flink und schmiegsam.

Wer will, kann rauchen. Was er will. Das ist ganz frei.

Rauchst du auch? Sie lacht etwas nervös, zwar sieht man das Fort nicht mehr, aber sie hat den Eindruck, dass sie plötzlich rennen, dass der Weg sie zu schnell nach Jerusalem zieht, nach Hause, zu der Nachricht, die dort vielleicht mit der Ausdauer eines Attentäters auf sie wartet.

Ich komme zurück, stellt sie sich plötzlich vor, und sehe schon die Todesanzeigen an den Hauswänden. An den Strommasten. An der Anschlagtafel beim Lebensmittelladen. Schon von weitem werde ich es wissen!

Nun sag schon, drängt sie Avram, das möcht ich hören!

Nicht viel und auch nichts Starkes, vor allem Joints. Seine Hand klopft aus Gewohnheit gegen seine Brust, auf die nicht existierende Hemdtasche.

Manchmal ein Piece, Ecstasy, oder Tickets, wenn's welche gibt, nichts Hartes. Er schaut sie liebevoll an: Und du, hältst du dich noch an die Gebote der Pfadfinder?

Der *Machanot Olim*, korrigiert sie, vergiss es. Ich habe bloß Angst vor solchen Sachen.

Ora, du rennst schon wieder.

Ich? Das bist doch du.

Plötzlich hast du solche Anwandlungen, er lacht, da rennst du los, als wär weiß Gott was hinter dir her.

Zu ihrer Linken liegt das Hulatal in immer mehr Dämpfe gehüllt, je wärmer es wird. Ihre Gesichter röten sich, glühen vor Anstrengung und Hitze, der Schweiß läuft ihnen herunter, sogar das Reden ermüdet sie. Am Wegrand, am Fuße eines alten Olivenbaums, liegt ein riesiger Kronleuchter, ein prächtiger Lüster mit einundzwanzig Kristalltellerchen, Avram zählt sie mit dem Finger, alle unversehrt, durch feine, farbenfrohe Glasröhrchen miteinander zu einer Kugelform verbunden. Wer den wohl weggeworfen hat, wundert er sich, wer wirft denn so was weg? Schade, dass man den nicht mitnehmen kann. Er hockt sich hin und inspiziert ihn aus der Nähe. Gute Qualität. Den Kopf schief gelegt, lacht er leise, und Oras hochgezogene Augenbrauen fragen, worüber, und er sagt, schau her, woran erinnert er dich? Sie schaut ihn lange an, kommt aber nicht drauf, und er sagt: wie eine beleidigte Tänzerin, nicht, so eine beleidigte Primadonna? Ora lächelt, stimmt, und Avram steht auf: Die strahlt doch richtig in ihrem Beleidigtsein, oder? Wahnsinn.

Ora lacht herzlich. Ein vergessenes Strahlen stiehlt sich in ihre Augenwinkel.

Und Ofer, fragt er später, nimmt der was?

Keine Ahnung. Wie kann man in diesem Alter etwas über die Kids wissen. Adam, glaub ich, der schon, ab und zu mal, ja.

Vielleicht auch oft, immer, denkt sie, wie könnte es anders sein, bei den Leuten, mit denen er rumhängt, bei seinen immer entzündeten Augen und dieser kaputten Musik, die jeden kaputtmacht. Mein Gott, seufzt sie, wenn ich mich reden hör! Wann hat mich das Alter so angefallen?

Schade, dass du bei der Entführung nicht ein bisschen Gras aus meiner Wohnung mitgenommen hast, dann könntest du jetzt sehen, wie gut das ist.

Hast du immer was da? Sie versucht, ihre Stimme flach und aufgeklärt zu halten und fühlt sich wie eine Kontaktbereichsbeamtin, die einen Obdachlosen interviewt.

Eigenbedarf, was hast du denn, das zieh ich in den Blumenkästen zwischen den Petunien.

Fehlt es dir jetzt?

Sagen wir so, vor allem in den ersten Tagen hätte es mir gut getan.

Und jetzt?

Jetzt bin ich okay, sagt er, selbst erstaunt, jetzt brauch ich nichts.

Wirklich nicht? Ihr Gesicht leuchtet, ihre Brille funkelt freudig.

Aber wenn's was gäbe, ergänzt er eilig, um sie da wieder runterzuholen – für einen Moment sah sie aus, als wäre ihr ein Programm zum wundersam schnellen Entzug mit ihren Jugendlichen gelungen – wenn's was gäbe, würd ich's durchaus nicht ablehnen.

Wie weit wir uns entfernt haben, denkt sie. Ein ganzes Leben trennt uns voneinander. Wieder stellt sie sich Avram in seinem Restaurant vor, wie er zwischen den niedrigen Tischen rumläuft, Reste abräumt, mit den Gästen flachst und sich gutgelaunt ihre Späße gefallen lässt. Sie hofft, dass sie sich da nicht über ihn lustig machen, diese jungen Leute. Dass sie ihn nicht als übertrieben empfinden. Sie versucht, sich selbst dort zu sehen.

Am Eingang zieht man die Schuhe aus, erklärt er, so als leite er sie aus der Ferne an.

Sie setzt sich auf die Kissen, die sind nicht bequem; sie sitzt zu aufrecht, weiß nicht, wohin mit den Händen, lächelt in die Runde wie der welterfahrene Kolonialist, der den Eingeborenen eine Geste der Barmherzigkeit zukommen lässt. Ihre Verlogenheit umschattet sie. Sie fragt sich, ob sie mit Avram leben könnte, zum Beispiel in seiner Wohnung, in dieser Armut, in der Verlassenheit seines Lebens: Das Wort »Leben« stellt sie sich aus irgendeinem Grund mit dem orientalischen rollenden »l« vor, das sie bei dem Mann im Wadi gehört hat. Sie denkt an sein rotkariertes Hemd, es sah aus, als hätte ihm morgens jemand schöne Sachen angezogen und ihn dann auf einen Ausflug geschickt. Wieder stieß sie sich an seiner auf der Brust baumelnden bunten Damenbrille. Vielleicht war es gar keine geschmacklose Eitelkeit und auch keine provokative Manifestation, wie sie gemeint hatte, sondern eine kleine, ganz persönliche Hommage. Die Huldigung an eine Frau? Sie seufzt leise, fragt sich, ob Avram wohl etwas mitbekommen hat.

Ohne dass sie es bemerken, entspinnt sich zwischen ihnen ein Gespräch. Das Gespräch zweier Menschen, die unterwegs sind. Avram fragt, warum sie beschlossen hätten, ihn Ofer zu nennen. Ora sagt, sie hätte das allein beschlossen. Und warum gerade Ofer? Gefällt dir das nicht, fragt sie mit einem enttäuschten, vorwurfsvollen Unterton, und Avram versichert schleunigst, Ofer gefalle ihm sehr, das sei ein ausgezeichneter Name, ich versteh nur nicht … Was verstehst du nicht? Ich versteh nicht, wie man überhaupt den Namen für ein Kind wählt, wie trifft man eine so große Entscheidung? Und Ora, mit einem neuen Behagen, denn erst in den letzten Minuten hat sie wieder richtig durchgeatmet, sagt, das ist wirklich schwierig. Zum Beispiel bei Adam dachten wir lange, wir würden ihn Michael nennen, ich habe mir so sehr einen Jungen mit dem Namen Michael gewünscht; seit ich klein war, wollte ich das, aber in dem Moment, wo ich ihn sah, hab ich gesagt, das ist kein Michael. Er war einfach kein Michael. Aber ein Adam ist er? staunt Avram, das versteh ich nicht, was ist der Unterschied, erklär mir das. Und sie: Was gibt's da zu erklären, entweder es passt, oder es passt eben nicht. Du schaust das Kind an und weißt es. Da blitzt in Avram ein merkwürdiger Gedanke auf: Schade, dass sie ihn wegen Ofers Namen nicht gefragt haben, aber wie hätten sie ihn fragen können, gibt er sich selbst die Antwort, du hast sie ja nicht an dich rangelassen, hast sie ja richtig weggebissen, und trotzdem, wenn sie es wenigstens versucht hätten, nur ein letztes Mal.

Im Camp, im Sinai, sagt er, hatten wir einen, Ofer Chavkin, das war ein ganz besonderer Typ. Der ist allein durch die Wüste gewandert, hat den Vögeln was auf seiner Geige vorgespielt und in Höhlen geschlafen, der hatte vor nichts Angst, so eine freie Seele. Ich hab all die Jahre gedacht, Ilan hätte diesen Ofer im Kopf gehabt, als ihr ihm seinen Namen gegeben habt. Ora genießt noch einen Moment seine Formulierung »eine freie Seele«, dann kehrt sie zurück und wiederholt, nein, ich war das, ich habe das beschlossen. Ich mochte dieses Wort »ofer« für »Hirsch« in diesem schönen Vers im Hohelied: *Mein Freund gleicht einem jungen Hirsch,* und ich mochte auch den Klang, O-fer, so sanft, und Avram wiederholt den Namen im Stillen auf ihre Melodie und sagt danach leise und mit Ehrfurcht, ich wäre im Leben nicht dazu in der Lage, jemandem einen Namen zu geben. Deinem Kind schon, sagt sie, es rutscht ihr raus, und beide verstummen.

Sie gehen. Der Weg ist breit und bequem. So viele Farben, staunt sie, und fast eine Woche lang hab ich nur Weiß, Grau und Schwarz gesehen. Sag mal, sagt er nach einer Weile, das ist reine Neugier, aber habt ihr auch noch andere Namen erwogen? Da gab es viele, sagt sie und denkt, er ist mit »Ofer« trotzdem nicht ganz glücklich. Juval, Ro'i, Ron. Und sie fügt lachend hinzu: Juval war der Favorit, fast bis zum Schluss.

Juval? Avram probiert den Namen ohne Stimme, nur mit den Lippen. Juvali?

Wir hatten auch Mädchennamen. Wir wussten ja nicht, was es würde. Bis zur Mitte der Schwangerschaft war ich mir sicher, dass es ein Mädchen ist.

In Avram erhebt sich flatternd ein ganzer Schwarm Vögel: An die Möglichkeit eines Mädchens hatte er nie gedacht!

Was für Mädchennamen zum Beispiel?

Wir dachten an Dafna, Je'ara und Ruthi.

Stell dir vor, sagt er und wendet sich ihr nun mit dem ganzen Gesicht zu. Die Hautsäcke unter seinen Augen glänzen. Jetzt ist er ganz bei der Sache, es leuchtet und pulsiert in ihm. Durch seine Haut hindurch ahnt man das Feuer von damals. Jetzt ist Ofer gut aufgehoben, sie spürt es, wie zwischen zwei gewölbten Händen.

Ein Mädchen, sagt sie weich, hätte die ganze Sache einfacher gemacht, nicht wahr?

Avram holt tief Luft. »Mädchen« beutelt ihn noch mehr, als »Tochter«.

Sie gehen, jeder in sich selbst versunken. Der Weg knirscht unter ihren Füßen. Sie denkt: Sogar der Weg macht plötzlich Geräusche. Wie kommt es, dass ich all die Tage nichts gehört habe? Wo bin ich gewesen?

Und ihr wolltet es nicht noch einmal probieren, fragt er mutig, und Ora sagt ganz schlicht, Ilan habe das nicht gewollt, denn auch so, habe er gesagt, mit den ganzen Verwicklungen, seien wir schon eine kinderreiche Familie. Vor allem elternreich, denkt sich Avram, und fragt: Und du? Wolltest du? Ora stößt einen kleinen Schmerzschrei aus. Ich? Das fragst du im Ernst? Ich habe mein Leben lang das Gefühl, etwas verpasst zu haben, weil ich keine Tochter habe, kein Mädchen. Kurz darauf fügt sie nach einem Zögern hinzu: Ich habe immer gedacht, ein Mädchen hätte aus uns eine Familie gemacht.

Avram kommt durcheinander, aber ihr … ihr seid doch schon … Ja, sagt sie, wir waren eine Familie, natürlich, und trotzdem hatte ich immer dieses Gefühl, wenn ich noch eine Tochter hätte, wenn Adam und Ofer eine Schwester hätten, das hätte ihnen so viel gegeben, es hätte sie verändert – und sie zeichnet mit den Händen in der Luft einen vollständigen Kreis – eine Tochter hätte mich, glaub ich, den dreien gegenüber gestärkt, und sie wären vielleicht auch mir gegenüber etwas weicher geworden.

Avram hört ihr zu, er hört die Wörter, versteht die Bedeutung nicht, horcht auf: Was sagt sie ihm hier?

Ich bin ganz allein, sagt sie. Anscheinend hab ich es nicht geschafft, sie weicher zu machen, und sie sind allmählich so hart geworden, vor allem mir gegenüber, besonders in letzter Zeit. Hart und stur, alle drei, ja, auch Ofer, stößt sie mit großer Anstrengung hervor, es fällt mir furchtbar schwer, das zu erklären. Und Avram fragt nach, es *mir* zu erklären, oder überhaupt? Überhaupt, antwortet sie, aber vor allem dir. Dann versuch es, sagt er. Auch die Kränkung in seiner Stimme ist gut, denkt sie, auch das ist ein Lebenszeichen, aber erklären kann sie es nicht, noch nicht. Schritt für Schritt wird sie ihn hineinführen müssen, und es bereitet ihr Schmerzen, vor ihm zugeben zu müssen, dass auch Ofer ihr gegenüber nicht feinfühlig gewesen ist, und in der Zwischenzeit sagt sie, statt einer Antwort, ich habe die ganze Zeit gedacht, wenn ich ein Mädchen gehabt hätte, vielleicht hätte es mich daran erinnert, wie es ist, ich selbst zu sein. Ich, bevor das alles passierte.

Avram steht vor ihr und sagt: Ich erinnere mich noch daran, wie du damals warst.

Aber wenn ich ein Mädchen bekommen hätte, sagt sie später, wäre sie höchstwahrscheinlich ganz anders geworden als ich. Denn irgendwie, sie zieht die Nase hoch, kommen die Jungs beide mehr nach Ilan. Und auch ein bisschen nach dir, das hab ich ja schon gesagt, sogar Adam ist ein bisschen so wie du geworden, frag mich nicht, wie das möglich ist. Du siehst, meine mickrigen Gene haben gegenüber euren sofort nachgegeben.

Avram ist noch immer aufgewühlt von der Möglichkeit, dass er eine Tochter hätte haben können. Jedes Mal, wenn er diesen Gedanken nur anrührt, spürt er gleichsam ein helles Streicheln auf dem Gesicht. Hör mal, er tastet sich vor, wenn es ein Mädchen geworden wäre, ich meine ...

Ich weiß, sagt Ora leise. Was weißt du? Ich weiß. Dann sag schon, was du weißt, Ora. Wäre es ein Mädchen geworden, dann wärst du gekommen, um es zu sehen, nicht wahr? Ich weiß nicht. Aber ich weiß es, seufzt sie, meinst du, ich habe nicht daran gedacht? Nicht die ganze Schwangerschaft gebetet, dass es ein Mädchen wird? Meinst du, ich bin nicht zu einer weisen Frau im bucharischen Viertel gegangen, damit sie mir den Segen für ein Mädchen gibt?

Bist du wirklich ...

Natürlich bin ich gegangen.

Aber da warst du schon schwanger, staunt er, was hat sie da noch machen können ...

Na und, sagt Ora, man kann immer noch ein bisschen feilschen. Und übrigens, diesen Satz verschluckt sie fast, auch Ilan wollte eine Tochter. Ilan auch? Ja, da bin ich mir sicher. Aber gesagt hat er es nicht? Nein, darüber haben wir nicht gesprochen. Warum nicht? Du kannst dir gar nicht vorstellen, wie viel wir um diese Schwangerschaft herum geschwiegen haben. Nur wenn Adam uns was fragte, haben wir ein bisschen geredet. Durch Adam haben wir darüber geredet, was ich im Bauch habe und was passieren wird, wenn sein Geschwisterchen zur Welt kommt.

Avram schluckt, erinnert sich, wie er in ebendiesen Tagen im Bett lag, gelähmt vom Schrecken der Schwangerschaft, die dort immer gewaltiger heranwuchs.

Und wie er gebetet hat, dass die Schwangerschaft nichts wird.

Und wie er in allen Details geplant hat, sein Leben loszulassen, wenn er von der Geburt des Kindes erfahren wird.

Wie er die Tage gezählt hat, die ihm, nach seiner Rechnung, noch blieben.

Und wie er schließlich nichts getan hat.

Hatte er sich doch auch in Gefangenschaft, und noch mehr nach seiner Rückkehr, im letzten Moment immer an Thales, den griechischen Philosophen und Helden seiner Jugend gehalten, der gesagt hatte, es gebe keinen Unterschied zwischen dem Leben und dem Tod, und der, als man ihn fragte, warum er dann nicht den Tod wähle, geantwortet hatte, gerade weil es keinen Unterschied mache.

Ora kichert: Wir haben ihn Winzi genannt, Adam hat das für ihn erfunden. Wen habt ihr Winzi genannt? Ofer. Ich versteh nicht, Ora. Als er noch im Bauch war, sagt sie, so ein vorläufiger Name für die Zeit der Schwangerschaft, weißt du. Nein, murmelt Avram, er gibt sich geschlagen, ich weiß nicht. Ich weiß gar nichts. Ich habe keine Ahnung.

Sie legt ihm die Hand auf den Arm, nicht doch, bittet sie. Was nicht, fragt er ärgerlich. Quäl dich nicht mehr als nötig.

Trotzdem, sagt er später, Ofer ist ein guter Name.

So ein israelischer Name, sie geht darauf ein, und ich mag auch das »o« und das »e« darin. Wie in »Morgen« und in »Fohlen«.

Avram sieht ihre schöne Stirn, die Helligkeit, die sie jetzt umgibt. Wie in »hoffen«, denkt er, wagt es aber nicht auszusprechen.

Und er ist auch gut für Kosenamen, sagt sie.

Auch daran hast du gedacht?

Und auch, dass es auf Englisch »offer« ist, so weich und offen, so ein richtiges Angebot.

Er lacht beeindruckt: Du bist schon toll.

Sie beherrscht sich, erzählt ihm nicht, dass sie sich auch überlegt hat, wie dieser Name im Bett klingen würde, aus dem Mund der Frauen, die ihn lieben würden; sie hatte ihn sogar heimlich ausprobiert. Ofer, Ofer, hatte sie gestöhnt und über ihre innere Überflutung gelacht, als in ihr alles durcheinanderkam.

Kosenamen, natürlich, murmelte er, daran hab ich nicht gedacht. Und auch Beleidigungen, sagt er, damit er sich nicht auf alle möglichen Flüche reimt.

Die Weide, auf der sie gehen, grün und eben, gepunktet mit schwarzen und weißen Kühen, steigt plötzlich zu einem steilen Berg an. Sie seufzen, und ächzen, greifen nach den Ästen, die sich ihnen entgegenstrecken. Wenn ich eine Tochter hätte, denkt sie – ich hätte einige Dinge in meinem Leben korrigieren können, wenn ich eine Tochter gehabt hätte, und sie versucht, Avram das zu erklären, doch er versteht es nicht, zumindest nicht so, wie sie es gern hätte, nicht so, wie er sie früher sofort verstanden hatte, nur mit einer Anspielung und einem leisen Zucken im Gesicht: Dinge, von denen sie früher gehofft hatte, sie könne sie mit Hilfe ihrer eigenen Kinder an sich selbst verändern, doch das war nicht passiert. Avram fragt noch einmal, was für Dinge, und es fällt ihr schwer, das zu erklären. Wieder denkt sie an Ofers Talia, wie alle Männer in der Familie ihr entgegenkamen, wie problemlos und freudig sie ihr all das gaben, was sie Ora nicht gegeben hatten. Und sie sagt zu Avram, erst vor einer Weile, als Adam und Ofer schon erwachsen waren, habe sie kapiert, dass ihr diese Änderung, diese Korrektur nicht mehr durch ihre Söhne zuteil werden wird; plötzlich war ihr klargeworden, erst so spät, dass sich nicht durch sie etwas in ihr lösen würde. Vielleicht weil sie Jungen sind, sagt sie, und vielleicht auch einfach, weil sie sind, wie sie sind, keine Ahnung. Und sie verstummt, rudert schwer atmend den Abhang hoch und denkt, sie haben mich nicht wirklich gesehen und waren auch nicht wirklich großherzig, nicht so, wie ich es gebraucht hätte, und jetzt brennt, stark wie noch nie, in ihr der Gedanke, dass sie nie ein Mädchen haben wird.

Ich hab das nicht richtig aufgeschrieben, sagt sie traurig eine Weile später, beim Abstieg, auf dem Rückweg zu dem vergessenen Notizbuch. Überhaupt hab ich die meiste Zeit den Eindruck, dass ich das Wichtigste gar nicht rüberbringen kann. Nicht beim Schreiben und nicht, wenn ich dir erzähle. Alle Einzelheiten von Ofer möchte ich erzählen, die Fülle seines Lebens, die Geschichte seines Lebens, und ich weiß, das ist unmöglich, un-möglich, und trotzdem, genau das muss ich jetzt für ihn tun. Ihr Reden verlischt, geht über in Gemurmel, sie stellt sich den Mann vor, den sie getroffen haben, seine langen, sehnigen Hände und diese Daumen. Eher Arbeiterhände als die eines Arztes – vielleicht hat die Brille sie deshalb am Anfang so gestört, eine Damenbrille, wie ein oberschlauer Witz –, und sie sieht seine Hände ihr Notizbuch aufschlagen und darin blättern, er versucht zu verstehen, was er liest, wie diese Geschichte funktioniert, vielleicht sieht er auch ihr Gekritzel aus der Nacht, wie die Zeilen im Dunkeln eine über die andere laufen, und hat keinen Nerv, sich dahinein zu vertiefen, und wirft das Notizbuch weg. Vielleicht nervt ihn die Schrift. Vielleicht die endlosen Einzelheiten. Dennoch hofft sie, sie fühlt es, hegt im Grunde überhaupt keinen Zweifel daran, dass er in der schattigen Schlucht sitzt und alles lesen wird. Ihr Herz hüpft. Vielleicht sitzt er in ebendiesem Moment auf einem der Felsen, vielleicht sogar dort, wo sie in der Nacht gesessen hat, auf dem einzigen bequemen Felsen in der Umgebung, mit ihrem Notizbuch auf den Knien, seine dichten Brauen ziehen sich zusammen, er bemüht sich zu entziffern, was sie halbblind geschrieben hat, und zweifellos weiß er auch, dass diese Seiten von jener Frau stammen, die ihm aus dem Wadi entgegengekommen war. Die mit dem zerwühlten Haar und der etwas hängenden Lippe.

Am Anfang war es schwer gewesen – nun erinnert sie sich an das, was beim Aufstieg unterbrochen worden war –, die Geschichte von Ofers Vegetarismus, Ilans Kämpfe mit ihm, dass er ein bisschen Fleisch oder wenigstens Fisch aß, das Geschrei und der Streit bei jeder Mahlzeit, die persönliche Beleidigung, die Ilan empfand, als Ofer aufhörte, Fleischfresser zu sein.

Warum Beleidigung? Warum persönlich?

Keine Ahnung, aber er hat das sehr persönlich genommen.

Wirklich? Als sei das gegen ihn?

Dass es, na ja, gegen die Männlichkeit ist, dass es weibisch ist, sich vor Fleisch zu ekeln. Kannst du das denn nicht verstehen?

Doch. Ihr scheltender Ton überrascht ihn. Aber ich hätte nicht gedacht, dass das gegen mich gerichtet ist, ich weiß nicht, aber vielleicht doch. Ich weiß es nicht, Ora. Er breitet die Hände mit einer etwas übertriebenen Geste der Resignation aus. Ein Bruchteil dessen, was ihn früher ausgemacht hat, blitzt auf: Von Familien verstehe ich überhaupt nichts.

Also wirklich, sagt sie genervt, ausgerechnet du?

Was ich?

Hör mal, sagt sie genervt und ihre Nase rötet sich schon, bist du nie geboren worden? Hattest du keine Eltern? Keinen Vater?

Achso, das meinst du.

Avram schweigt.

Komm, wir setzen uns einen Moment. Mir verkrampfen sich bei diesem Abstieg alle Muskeln. Sie reibt kräftig ihre Hüften: Schau, sie zittern richtig, der Abstieg ist wirklich schwerer als der Aufstieg!

Nie werde ich sein Gesicht vergessen, als er entdeckt hat, dass wir

Kühe umbringen, sagt sie. Wie er mich angeschaut hat, weil ich ihm von klein auf Fleisch zu essen gegeben habe. Vier Jahre lang. Und sein Entsetzen darüber, dass auch ich Fleisch aß. Ilan, das ging ja noch, vielleicht hat er es so empfunden – ich versuche, mir vorzustellen, was er damals gedacht hat –, bei Ilan konnte man sich das vorstellen, aber bei mir? Dass sogar ich in der Lage bin zu töten, um zu essen? Wer weiß, vielleicht hatte er Angst, dass ich in einer bestimmten Situation auch ihn essen würde?

Avrams Daumen rennen über die Kuppen der anderen Finger. Seine Lippen bewegen sich tonlos.

Vielleicht hatte er auch das Gefühl, dass alles, was er bis dahin über uns gedacht hat, ein großer Fehler war oder, noch schlimmer, dass wir uns alle gegen ihn verschworen hatten.

Um ihn zu verwolfen, murmelt Avram.

Wie kommt es, dass ich nie wirklich versucht habe, mich in diesen Momenten in ihn hineinzuversetzen? Wo er doch der Mittelpunkt meines Lebens war? Die ganze Zeit hab ich mir nur überlegt, wie ich es für ihn gut machen kann, habe mich ganz auf ihn eingestellt und auf das, was er gerade braucht, und jetzt seh ich plötzlich, dass ich gar nichts verstanden habe, dass ich ihn nicht verstanden habe, ihn nicht kannte, so als wäre ich gar nicht bei ihm gewesen.

Du nicht bei ihm? Avram ist fassungslos. Du? Wie kannst du das sagen?

Sie wendet Avram ihr angespanntes Gesicht zu, fleht ihn an: Erklär mir, warum habe ich mich nie gefragt, was so ein Kind mit vier Jahren empfindet, wenn es entdeckt, dass es zur Familie der Raubtiere gehört?

Avram sieht, wie sie sich die Seele aufreißt, und weiß nicht, womit er sie trösten soll. Zu armselig kommt er sich in diesem Moment vor.

Ich muss darüber noch weiter nachdenken, flüstert sie, und darf nicht hier stehenbleiben. Immer bleib ich hier stehen, weil noch etwas dahinter steckt, verstehst du, bei dieser ganzen Geschichte mit dem Vegetarismus. Ich bin nicht umsonst so … Schau, zum Beispiel, die Niedergeschlagenheit, die ihn danach überfallen hat, über Wochen, eine echte Depression, ein vierjähriger Junge, der morgens nicht aufstehen und in den Kindergarten gehen will, weil er nicht will, dass ihn ein Kind mit seinen »Fleischhänden« anfasst, oder weil er einfach so Angst vor den Kindern und der Kindergärtnerin hat und vor allen zurückschreckt und jeden verdächtigt, verstehst du?

Ob ich das versteh, fragt Avram mit einem Lächeln, und Ora stoppt ihren Schwall, natürlich verstehst du das. Ich glaub, du hättest ihn prima verstanden, sagt sie leise.

Ja?

Überhaupt, du hättest Kinder verstehen können, aus dir selbst heraus. Sie wendet ihren ganzen Mut auf, um das zu sagen.

Ich? Er ist verblüfft, was soll ich ...

Wer, wenn nicht du, Avram.

Er stößt ein spöttisches Kichern aus und errötet. Ora hat den Eindruck, als öffneten sich mit einem Mal alle Poren seiner Seele.

Als er endlich wieder bereit war, in den Kindergarten zu gehen, sagt sie nach einer Weile, hetzte er gleich die anderen Kinder auf, kein Fleisch mehr zu essen. In jeder großen Frühstückspause hat er einen Aufstand gemacht, hat in ihren Brötchen rumgepult. Mütter haben mich angerufen und sich beschwert. Und als er rausbekam, dass die junge Frau, die ihnen dort Musikunterricht gab, auch Vegetarierin war, hat er sich bis über beide Ohren in sie verliebt, das hättest du sehn sollen, wie ein Ufo von einem anderen Stern, das incognito unter den Menschen lebt und plötzlich ein Ufoweibchen trifft. Er hat ihr Bilder gemalt und Geschenke gemacht, hat den ganzen Tag nur von Nina gesprochen, und manchmal hat er mich aus Versehen – und vielleicht auch gar nicht so aus Versehen – Nina genannt.

Sie stehen auf, gehen aber noch nicht los. Ihm fällt ein Hörspiel ein, an dem er schrieb, als er im Sinai seinen Militärdienst machte, bevor er in Gefangenschaft geriet. Da hatte er eine Nebenhandlung entwickelt, deren Kraft er erst entdeckte, als er schon in Gefangenschaft war. Immer wieder tauchte er in die Handlung ein und stärkte sich daran. Die Geschichte handelte von zwei siebenjährigen Kindern, Vollwaisen, die auf einem Schrotthaufen ein ausgesetztes Baby gefunden haben; sie spielte zu einer Zeit, in der viele Leute sich ihrer Kinder und Babys entledigten. Und die beiden Kinder, ein Junge und ein Mädchen, fanden das weinende Baby und beschlossen, dass es ein Gotteskind ist, der spät geborene Sohn des alten Gottes, der wohl auch sein Kind hatte loswerden wollen und es auf diese Welt geworfen hatte. Die beiden Kinder schworen sich, den Jungen selbst großzuziehen und ihn so zu erziehen, dass er ganz anders würde als sein verbitterter, grausamer Vater, um ganz und gar und von den Grundfesten her das zu verändern, was Avram ganz schlicht und schon bevor er in Gefangenschaft geriet, *die Grausamkeit des Schicksals* genannt hatte. Und so versenkte er sich zwischen Folter und Verhören, jedes Mal, wenn er in sich einen Funken Kraft dafür fand, ins Leben der beiden Kinder und des Babys, und manchmal, vor allem nachts, gelang es ihm für einige lange Augenblicke, ganz mit dem winzigen Baby zu verschmelzen. Sein geschundener Körper wurde dann von dem arglosen, unversehrten Körper des Babys aufgenommen, und er erinnerte sich oder stellte sich vor, wie er ein Baby gewesen war, und dann ein kleines Kind, und wie die Welt ein sehr heller, vollkommener Kreis gewesen war, bis sein Vater eines Abends vom Esstisch aufstand und den Suppentopf auf dem Herd umkippte und wutschnaubend begann, Avrams Mutter und Avram selbst zu verprügeln. Er hätte sie fast totgeschlagen, und danach ist er verschwunden, als hätte es ihn nie gegeben.

Komm Ora, sagt Avram und berührt leicht ihren Arm, lass uns weitergehn, damit wir es vorher finden.

Was?

Das Notizbuch, oder?

Vor wem?

Ich weiß nicht, bevor da Leute hinkommen, du willst doch nicht, dass jemand …

Sie läuft hinter ihm her, kraftlos und vertrocknet. Diese ganze Zeit ersteht jetzt wieder vor ihr. Jeder Morgen ein Albtraum: Die Zubereitung seines gereinigten und zensierten Butterbrots, und das natürlich erst dann, wenn die penible Ankleide-Zeremonie mit dem Kostüm des bewaffneten Cowboys beendet war – Vegetarismus auf der einen Seite, auf der anderen dieses Tötenwollen. Sie verweilt dort einen Augenblick. Wie er immer wieder misstrauisch sein Butterbrot untersucht hatte. Die Zöllnermine, die sein kleines Gesicht sich aufsetzte. Das Feilschen um die genaue Uhrzeit, wann sie ihn aus dem Hort der Raubtiere wieder abholen würde. Wie er sich, wenn sie ihn auf dem Fahrrad dorthin brachte, immer verzweifelter an ihren Rücken klammerte, je näher sie kamen und je lauter das Johlen der anderen Kinder zu hören war. Und diese wilde Vorstellung, die er damals hatte, so zumindest wollte sie die Sache sehen, dass die anderen Kinder ihn die ganze Zeit mit Absicht berührten und mit ihrer Wurstspucke anspuckten.

Tag für Tag hatte sie ihn dort, an den Maschendrahtzaun geklammert, zurückgelassen, von Tränen und Rotz verschmiert, laut weinend, die Drahtschlaufen drückten sich in seine Wangen, und sie hatte ihm den Rücken zugewandt, sich davongeschlichen und sein Weinen noch stundenlang gehört; je weiter sie sich vom Kindergarten entfernte, umso lauter hörte sie ihn schreien. Wenn sie ihm mit vier Jahren nicht zu helfen gewusst hatte – sie war hilflos gegenüber dem, was in ihm vorging –, was sollte ihm dann jetzt diese lächerliche, pathetische Wanderung helfen, ihr Quatschen mit Avram, ihr abwegiger Pakt mit dem Schicksal? Sie läuft weiter, die Beine werden immer schwerer, gehorchen ihr kaum noch. Es ist gut, ein bisschen vor den Nachrichten zu fliehen, hatte der Mann gesagt, vor allem nach dem, was gestern war. Wie viele? Wer? Hat man die Familien schon benachrichtigt? Lauf schnell nach Hause, sie sind schon unterwegs zu dir.

Sie läuft und nimmt kaum noch etwas wahr, fällt durch die Weite eines unendliches Raumes. Sie ist ein Menschenflöckchen. Auch Ofer ist ein Menschenflöckchen. Den Fall kann sie nicht aufhalten, noch nicht einmal verlangsamen. Auch wenn sie ihn geboren hat, obwohl sie seine Mutter ist und er aus ihrem Bauch geschlüpft ist, sind sie doch in diesem Moment nur zwei schwebende Menschenflöckchen, die durch einen gewaltigen, endlos großen, leeren Raum fallen. Und letztlich, spürt Ora, ist alles so dermaßen zufällig.

Etwas bringt ihre Schritte durcheinander, eine leichte Rhythmusstörung der Beine, und plötzlich eine schmerzhafte Verkrampfung zwischen Hüfte und Leistengegend.

Warte, Avram, renn nicht so.

Es sieht so aus, als genieße gerade Avram diesen schnellen Abstieg sehr, den kühlenden Wind, der ihm ins Gesicht bläst, aber sie bleibt bei einer Kiefer stehen, hält sich am Stamm fest, schmiegt sich an ihn.

Was ist los, Orale?

Orale nennt er sie, das ist ihm rausgerutscht. Beide blicken sich für einen winzigen Moment an.

Ich weiß nicht, ich glaub, wir sollten ein bisschen langsamer gehen.

Sie geht mit kleinen, vorsichtigen Schritten, versucht den gequälten Hüftmuskel zu meiden, und Avram neben ihr. Das Orale hüpft noch wie ein fröhliches Lämmchen zwischen ihnen hin und her.

Manchmal hatte ich so eine Phantasie, dass du verkleidet auftauchst oder in einem Taxi an dem Spielplatz sitzt, zu dem ich immer mit Ofer gegangen bin, und uns aus der Ferne zuschaust. Hast du so etwas je gemacht?

Nein.

Kein einziges Mal?

Nein.

Hast du nie wissen wollen, wie er aussieht, wie er so ist?

Nein.

Du hast ihn ganz aus deinem Leben geschnitten.

Genug, Ora. Damit sind wir durch. Sie schluckt, das schmeckt doppelt bitter, auch weil dieses »durch sein« plötzlich von Ilan zu Avram übergelaufen ist.

Ich hatte manchmal so ein Gefühl im Rücken, ganz plötzlich, etwas zwischen Kitzeln und Stechen, ja – sie zeigt ihm die Stelle –, aber ich hab mich nicht umgedreht, mit aller Gewalt hab ich mich nicht umgedreht sondern mir still und idiotisch beherrscht gesagt, dass du hier irgendwo bist, irgendwo um mich herum, und uns zuschaust. Können wir mal kurz stehnbleiben?

Nochmal?

Ich weiß nicht. Hör zu, das ist nicht in Ordnung.

Dass ich nicht gekommen bin …

Nein, dass wir hier wieder runtergehen. Zurückgehen ist für mich nicht gut.

Fällt dir der Abstieg schwer?

Das *Zurückgehen* fällt mir schwer, im Körper. Alles verkrümmt sich dabei, keine Ahnung.

Seine Arme baumeln. Er steht da und wartet auf Anweisungen. In solchen Momenten, hat sie das Gefühl, ist sein Wille sofort weg. Im

Nu verschwindet er, und Avram umgibt sich mit einer undurchlässigen Hülle: *Keinen Kontakt mit dem Leben.*

Hör mal, Avram, ich glaube ...

Was.

Ich kann nicht zurückgehen.

Das versteh ich nicht.

Ich auch nicht.

Aber das Notizbuch ...

Avram, es tut mir nicht gut zurückzugehen.

Und als sie das sagt, ist es in ihr stark und eindeutig wie ein Trieb. Sie macht kehrt und geht den Berg wieder hinauf, und es ist richtig, da hat sie keinen Zweifel. Avram bleibt noch einen Moment stehen, seufzt, reißt sich dann los und folgt ihr mürrisch murmelnd, ist ja auch egal.

Plötzlich geht sie leichtfüßig gegen den Hang an, und gegen das Gewicht des Mannes, der jetzt vermutlich unten in der Talsohle des Wadis auf ihrem Felsen sitzt und in ihrem Notizbuch liest, der Mann, den sie vermutlich nie mehr sehen wird, der sie mit seinem Blick geradezu angefleht hatte, sich ihrer annehmen zu dürfen − diese Lippen, eine reife Pflaume, mit dieser Kerbe. Von ihm hat sie sich mit einem kleinen Stich im Herzen soeben verabschiedet, dabei hätte sie gern einen Kaffee mit ihm getrunken, doch plötzlich hatte das Haus nach ihr geschnappt. Zurückgehen kann sie nicht.

Noch bevor Ofer geboren wurde, sagt sie, seit der Gefangenschaft, seit du zurückgekommen bist, lebe ich mit dem Gefühl, ständig von dir angeschaut zu werden.

Jetzt ist es raus, was über Jahre ihr Leben verbitterte und gleichzeitig versüßte.

Wie wirst du angeschaut?

In deinen Gedanken, von deinen Augen, keine Ahnung. Angeschaut eben.

Es gab Zeiten − aber das wird sie ihm natürlich nicht erzählen, zumindest jetzt nicht −, wo sie sich jeden Moment so vorkam, von der Minute an, wo sie morgens die Augen aufschlug, bei jeder Bewegung, die sie machte, bei jedem Lachen, wenn sie auf der Straße ging und wenn sie mit Ilan im Bett lag, als spiele sie eine Rolle in einer Auffüh-

rung oder einem verrückten Hörspiel von ihm. Und da spielte sie –
vielleicht mehr als um ihrer selbst willen – um seinetwillen mit.

Was gibt's da groß zu verstehen? Sie dreht sich plötzlich zu ihm um
und schaut ihn an, ganz gegen ihre Absicht – ihre schwachen Schließ-
muskeln –, das ist etwas, was Ilan und ich immer so empfunden haben.
All die Jahre: Wir spielen ein Theaterstück auf deiner Bühne.

Ich hab euch nicht darum gebeten, auf meine Bühne zu kommen,
brummt Avram gereizt.

Aber wie hätten wir uns anders fühlen können?

Beide werden zurückgeschleudert und in jene Szene gesogen: zwei
Jungen und ein Mädchen, fast noch Kinder. Nimm eine Mütze und tu
zwei Zettelchen rein, zwei gleiche – aber was lose ich hier aus? Das
wirst du erst am Ende wissen.

Versteh mich nicht falsch, sagt sie, wir haben ein ganz und gar wirk-
liches und volles Leben geführt, mit den Kindern, jeder mit seiner
Arbeit, mit den Ausflügen und Unternehmungen, den Fahrten ins
Ausland und unseren Freunden – die Fülle des Lebens, denkt sie, wieder in Ilans Tonfall, mit diesem Staunen, das all die Jahre nicht schwächer geworden war, über das, was sie gemeinsam hatten. Jahre mit
deinem Blick in unserem Rücken, und wir haben ihn kaum gespürt.
Gut, vielleicht waren es nicht Jahre. Wochen. Was weiß ich. Hier und
da ein Tag. Im Ausland zum Beispiel, wenn wir in Urlaub waren, konnten wir uns leichter von dir befreien. Aber im Grunde stimmt das auch
nicht, sagt sie traurig, denn an den schönsten Orten, in den sorglose-
sten Momenten hab ich plötzlich den Stich im Rücken gespürt, nein,
eher im Bauch, hier, und auch Ilan hat ihn gespürt, immer im selben
Moment. Gut, sagt sie leicht spöttisch, das war nicht so schwer zu spüren, denn in dem Moment, wo wir etwas sagten, was nach dir klang,
oder einen Witz von dir erzählten oder irgendeinen Satz, den du hättest sagen können, du weißt schon – oder wenn Ofer sich genau mit
deiner Bewegung den Kragen umschlug, oder wenn er für die Spa-
ghetti die Tomatensoße kochte, die du mir beigebracht hast. Tausendundeine Sache. Sofort haben wir uns in die Augen geschaut, uns gefragt, was du wohl gerade machst, wie es dir geht.

Ora, renn nicht so, seufzt Avram hinter ihr, doch sie hört ihn
nicht.

Auch das war Teil unseres Lebens, denkt sie überrascht, ein Teil der Fülle unseres Lebens – deine Leere, die uns ausfüllte.

Einen Moment lang hat sie genau den Blick, den sie Ofer manchmal zuwarf, wenn sie für einen kurzen Augenblick wie durch ein Spiegelfenster in ihn hineinspähte, zu jener Stelle, an der sie sah, was er selbst nicht wusste.

Vielleicht hat er gerade deshalb aufgehört – sofort muss sie sich das antun –, dir in die Augen zu schauen. Und vielleicht ist er auch deshalb nicht mit dir nach Galiläa gefahren.

Länger kann sie nicht mehr aushalten, was in ihr aufsteigt. Plötzlich hat es seinen Höhepunkt erreicht, und etwas in ihr bricht auseinander, löst sich auf, flaut ab und heilt in einer Mischung von innerem Staunen und warmer Süße. Hochgewachsen, stark und amazonenhaft steht sie auf einem Felsen höher als Avram, die Hände in die Hüften gestemmt. Sie mustert ihn prüfend und lacht los: Sag mal, ist das nicht verrückt? Ist das nicht völlig durchgeknallt?

Was? fragt er schnaufend, was von alledem?

Dass ich erst bis ans Ende der Welt fliehe und mich jetzt plötzlich keinen Schritt weiter von zu Hause entfernen kann.

Ach, das ist es? staunt Avram, jetzt rennst du nach Hause?

Vorher, als ich angefangen habe, mich zu entfernen, hat es mir echt körperlich weh getan.

Ah, sagt er und massiert seine stechenden Seiten.

Du denkst bestimmt: Was für eine Verrückte, die mich da entführt hat.

Er hebt sein großes, verschwitztes Gesicht zu ihr und lächelt: Ich warte noch auf deine Lösegeldforderungen.

Mit Leichtigkeit beugt sie sich über ihn, die Hände auf die Knie gestützt, und ihre Brüste runden sich im Ausschnitt ihres Hemdes: Das Lösegeld ist Ofer.

Eines Morgens, vor etwa zwanzig Jahren, hatten sie und Ilan Ofer zu einer Behandlung nach Tel Aviv ins Krankenhaus gebracht, zu einem Fachmann für Verdauungsprobleme bei Kindern. Da wurde Ofer für mehrere Stunden gequält, sie haben ihm Blut abgenommen, ihm durch Nase und Rachen eine Sonde in den Magen geschoben und ihn mit einem speziellen, sehr fettreichen Nährbrei gemästet, den der Professor ihnen aufgeschrieben hatte. Diese Lösung mussten sie in der Küche des Krankenhauses abholen. Ilan war mit dem Rezept und Ofers leerem Fläschchen in der Hand in den Keller des Gebäudes hinuntergegangen. Mitten in der Küche blieb er stehen: Dutzende von Menschen rannten da herum, Köche und Hilfsköche schoben Wagen voller Nirostacontainer und Tabletts hin und her, schleppten Kartons mit Brot und mit Obst, Säcke von Mehl und Zucker. Andere zerschnitten Fleisch und Hühner, gossen Wasser in Kessel, Milch in Flaschen, Saft in Kannen und Öl in Riesenpfannen. Anweisungen und Mahnungen flogen hin und her, riesige Töpfe brodelten, Dampf und Rauch stieg zur Decke, und überall summten Flammen und Öfen. Ilan kam es vor, als betrete er das unterste Deck eines großen Schiffes, wo Wesen, die nie das Tageslicht sehen, die Kessel anheizten. In diesem Moment sah er Avram.

Avram lief dort in blauer Arbeitskleidung herum, mit einer hellblauen Nylonhaube auf dem Kopf, einer Schürze um die Hüften, und hörte Ilan durch das Getöse murmeln: Entschuldigung, kann mir bitte mal jemand helfen?

Avram ging auf ihn zu, trocknete sich die Hände an der Schürze ab. Sie standen einander gegenüber. Fast zwei Jahre waren vergangen, seit sie sich das letzte Mal gesehen hatten, seit Ora ihm gesagt hatte, dass sie von ihm schwanger sei.

Ilan sagte, ich wusste nicht, dass du hier arbeitest.

Avram zuckte mit den Schultern. Das Sicherheitsministerium hat mir den Job besorgt, brummte er. Er sah dick und ungepflegt aus, sein Blick war trüb, er wagte sich nur kurz heraus und zog sich gleich in seine Höhle zurück. Ilan wusste nicht, ob er ihm die Hand hinstrecken sollte. Avram stand da und rührte sich nicht. Schon damals hatte er sich dieses klotzartige Dastehen angewöhnt, und in Ilan formulierte sich die Befürchtung: Sein Avram, Avram d.f.s., dick, flink und schmiegsam, war zu einem anderen, einem Fremden geworden.

Da fiel Ilan etwas ein, was Avram ihm während der Reha erzählt hatte, bei einem Spaziergang zu Fuß durch Tel Aviv. Er sagte, er überlege sich bei fast jedem Menschen, den er zum ersten Mal treffe, was für einen Gefängniswärter der wohl abgeben würde, er stufe ihn auf einer Skala zwischen Barmherzigkeit und Grausamkeit ein und stelle sich vor, welche Foltermethoden der wohl am liebsten anwenden würde, wenn man ihn bloß ließe. Ilan hatte gedacht, interessant wäre, wo er mich einstufen würde, hatte ihn damals aber nicht gefragt; doch dort in der Küche spürte er nun, wie Avram ihn heimlich mit diesen Augen maß, und gegen seinen Willen wich er einen Schritt zurück. Danach fasste er sich und reichte ihm den Zettel mit dem Rezept. Avram hielt den Zettel ins Licht und las. Als er Ofers Namen sah, verzerrte sich sein Gesicht und wurde feuerrot. Ilan murmelte, wir haben ihn Ofer genannt. Avram reagierte nicht. Ilan sagte: Er hat Verdauungsstörungen, wohl ein Problem mit der Fettverdauung, und Avram hob die Hand mit dem Rezept vors Gesicht und brachte Ilan damit zum Schweigen. Ilan senkte den Kopf. *Keinen Kontakt*, erinnerte er sich, *keinen Kontakt mit dem Leben*. Aus irgendeinem Grund versuchte er, das Fläschchen vor Avram hinter dem Rücken zu verbergen, doch Avram beobachtete seine Handbewegung, und es zog seine Augen zu der leeren Flasche. Ilan hatte angenommen, Avram würde das Rezept an jemanden weitergeben, dessen Aufgabe es war, solche Mischungen zuzubereiten, doch Avram gab ihm ein Zeichen, er solle an der Tür warten, und ging zu einem der riesigen Kühlschränke am Ende des Raumes, holte ein paar Flaschen heraus und goss, mit dem Rücken zu Ilan, von ihrem Inhalt in einen Topf. Dann stellte er den Topf auf den Herd, zündete eine kleine Flamme an und rührte langsam. Dieses Erwärmen und Rühren dauerte vielleicht drei Minuten, und in dieser ganzen Zeit drehte er sich nicht ein einziges Mal um, schaute Ilan nicht an. Zum Schluss drehte er das Feuer ab, probierte die Lösung mit einem Teelöffel, vielleicht um die Temperatur zu prüfen. Sie war wohl zu heiß, denn er fing an, die Mischung von einem Topf in den andern zu gießen. Ohne es zu merken, zog es Ilan zu ihm hin. Mit unendlicher Geduld goss Avram die Mischung mehrmals von einem Topf in den andern. Ilan sah die Handbewegungen von hinten und staunte, wie geübt und präzise sie waren. Als er direkt hinter ihm stand, streckte Avram, ohne sich umzuschauen, die Hand nach seiner Rechten aus, und Ilan gab ihm wortlos das Fläschchen. Avram goss den Inhalt des Topfes in die Flasche. Beide verfolgten konzentriert die weiße Flüssigkeit. Nur einmal zitterte Avrams Hand, und ein bisschen Milch spritzte auf den Boden. Bevor er Ilan die Flasche reichte, umfasste Avram sie für einen Moment mit beiden Händen, als wolle er noch einmal die Wärme prüfen oder sich vielleicht an ihr wärmen. Danach hielt er Ilan die Flasche hin, und auch der umfasste sie mit beiden Händen. Sie standen einander gegenüber. Avrams Arme hingen herab, als ziehe jemand sie nach unten, und nur eine Schulter hob sich und ragte unnatürlich auf. Er schaute Ilan nicht an. Ilan murmelte danke und machte sich aus dem Staub. Erst abends, wieder zu Hause mit Ora und Ofer, war er in der Lage, ihr davon zu erzählen.

Sie gehen los. Der Weg ist leicht und sie sind es auch. Wohl zum ersten Mal, seit sie aufgebrochen sind, halten sie ihre Köpfe nicht so gebeugt. Sie folgen dem Weg, bergauf, bergab, er wird zu einem breiten Trampelpfad, sie klettern auf ein Steinmäuerchen und verlieren unter wuchernden Pflanzen ihre Wegzeichen – ein Teppich grüner hochgewachsener Mariendisteln bedeckt alles – und sie beschließen, sich auf ihre Erfahrung und auf ihren schon recht gut entwickelten Wanderersinn zu verlassen und gehen mutig und schweigend noch ein paar hundert Meter durch die Disteln. Ohne irgendeinen Hinweis auf die Richtung, ohne etwas zum Festhalten, wie erste Schritte, denkt Ora, und sofort bricht das Geschwür der Angst um Ofer wieder in ihr auf. Sie spürt, dass sie ihm in diesem Moment nicht hilft, dass der Kreidekreis, den sie um ihn gezogen hat, durchlässig wird, und noch immer sehen sie kein Wegzeichen. Das Gehen fällt ihnen schwerer, ab und zu bleiben sie stehen und schauen sich um. Da blicken andere Augen sie an, ein Schleuderschwanz, der mit seinen Verneigungen aufgehört hat und sie misstrauisch beäugt, eine Eidechse mit Heuschrecke im Maul, ein Schwalbenschwanz-Falter, der einen Moment zögert, bevor er sein gelbliches Ei in eine Fencheldolde legt, als spürten auch sie, dass etwas im allgemeinen Rhythmus gerade falsch läuft, dass jemand seine Richtung verloren hat, doch da leuchtet es wieder blau-weiß-orange auf einem Felsen, und sie zeigen mit vier Händen darauf, freuen sich über diesen süßen kleinen Sieg, Avram rennt voraus und reibt mit der Schuhsohle an dem bezeichneten Felsen – ein Männchen markiert sein Territorium –, und jetzt sprechen beide die Sorge aus, die sie befallen hatte, und loben sich gegenseitig, dass es ihnen gelungen war, ihre Ängste für sich zu behalten und den anderen nicht damit zu belasten, und auch die Wegzeichen kehren nun zurück und werden häufiger, als wolle der Weg die Wanderer für die Prüfung entschädigen, der er sie unterzogen hat.

Hör zu, was mir jetzt noch eingefallen ist, sagt sie. Nach Ofers Geburt, als wir ihn aus dem Krankenhaus nach Hause brachten, stand ich über seinem Bettchen und habe ihn angeschaut. Er schlief, winzig klein, aber mit einem großen Kopf und einem roten, etwas verkrampften Gesicht und ein paar geplatzten Äderchen auf den Wangen, von der Anstrengung der Geburt, und sein Fäustchen neben dem Gesicht geballt. Wie ein kleiner Boxer sah er aus, klein und furchtbar wütend, als konzentriere er sich auf eine Wut, die er von wer weiß woher mitgebracht hatte.

Aber vor allem, sagt sie, sah er einsam aus, als sei er von irgendeinem Stern gefallen, und das einzige, was er wusste, war, dass er sich hier vom ersten Moment an schützen müsse.

Dann kam Ilan rein, stellte sich neben mich und umfasste meine Schultern, und wir schauten ihn zusammen an. Das war so anders, als das Mal, wo wir Adam nach Hause brachten.

Avram betrachtet sie, alle drei, reißt seinen Blick aber sofort wieder los und zitiert laut aus dem Brief, den Ilan an die Tür von Adams Zimmer gehängt hatte: *Die Hotelleitung erwartet von ihren Gästen, das Hotel bei Erreichen des achtzehnten Lebensjahres zu verlassen!*

Und da erzählte mir Ilan auch, fährt Ora fort, dass er sich, wenn man ihn beim Militär in eine neues Camp versetzte, wo er keinen kannte und auch keinen kennen wollte, als Erstes im abgelegensten Zimmer, im letzten Winkel ein Bett gesucht und die ersten Stunden schlafend verbracht hat. Um sich, wie er sagte, im Zustand der Bewusstlosigkeit an den neuen Ort zu gewöhnen, quasi in Vollnarkose.

Avram lächelt zerstreut. Stimmt. Einmal haben sie ihn einen halben Tag gesucht, im Camp in Tassa war das, und haben schon gedacht, er sei gekidnappt worden.

Ora erinnert sich, wie sie ihn am Kinderbettchen von Ofer, der mit geballter Faust schlief, mit dem Ellbogen angestoßen und ihm gesagt hatte, also mein Lieber, ich habe noch einen Soldaten für die Armee gemacht, und er hatte sofort, wie zu erwarten, geantwortet: Bis Ofer groß ist, wir hier Frieden sein.

Und, denkt sie, wer hat recht gehabt?

Sie gehen nebeneinander, jeder für sich und dennoch zusammen. Bei allem, was sie sagt, brechen in Avram innere Äderchen auf. *Wo bin ich gewesen, als sie an Ofers Bett standen, was hab ich in diesem Moment getan?* Manchmal, wenn er sich an ein neues Medikament gewöhnen musste, wachte er an einem unbekannten Schmerz auf, lag wach, das Gesicht schweißüberströmt, und lauschte nach innen und spürte, wie ein paar Tropfen verseuchtes Blut sich den Weg zu einem der inneren Organe bahnten, dessen Existenz er bis zu diesem Zeitpunkt noch nie gespürt hatte. Jetzt ist es genauso, nur ist die Angst eine ganz andere. Verborgen und erregend. Als zeichneten die aufbrechenden Äderchen eine neue Landkarte. Und auf Oras Schultern hat der Rucksack plötzlich kaum noch Gewicht, als stütze sie jemand heimlich von hinten. Sie könnte singen, vor Freude schreien, übers Feld tanzen. *Was sie ihm alles erzählt! Was sie einander erzählen!*

Ora, sagt Avram wieder, du rennst so.

Einen Augenblick lang ist sie sich nicht sicher, ob er nur das Tempo ihrer Schritte meint.

Sie beginnt knarzend zu lachen. Und weißt du, was Ofer immer gesagt hat, was er machen will, wenn er mal groß ist?

Avrams Gesicht biegt sich zu einem Fragezeichen, er bekommt kaum Luft, staunt darüber, wie unvorsichtig sie in den Bereich der Zukunft vordringt.

Eine Arbeit – sie prustet vor Lachen, kann kaum reden –, wo man, während er schläft, an ihm Versuche macht.

Schau, jetzt hast du nochmal gelächelt, denkt sie, nimm dich in acht, Avram, dass deine Lachmuskel sich nicht daran gewöhnen. Und übrigens, ich schätze solche Offenbarungen eines Lächelns sehr. Spar nicht damit. Zu Hause seh ich so was nicht oft, bei meinen drei Schlauen.

Denn die können andere gut zum Lachen bringen, sinnt sie nach, lachen können sie viel weniger gut, und schon gar nicht über meine Witze. Das ist wohl so ein beschissener Kompaniestolz, über meine Witze nicht zu lachen – aber wie soll man über deine Witze lachen, hatte Ilan mal gemurmelt, wenn du das ganze Lachen schon beim ersten Wort an dich reißt?

Sie möchte ihm sagen, hör zu, Ofers Lachen ist genau wie deins, wie ein Lachender Tölpel im Rückwärtsgang, sie zögert: dein Lachen? Das von früher? Sie weiß noch nicht einmal, wie sie es beschreiben soll. Beinahe fragt sie ihn: Lachst du manchmal noch so, dass dir die Tränen kommen? Dass du auf dem Rücken liegst und mit Armen und Beinen strampelst? Lachst du überhaupt noch? Gibt es jemanden, der dich zum Lachen bringen kann?

Dieses junge Mädchen, denkt sie und reißt sich von ihrem Ort los, die, die er früher mal erwähnt hatte, die Kleine, bringt die dich zum Lachen?

Sie kommen zu einem Wasserbecken und tauchen nach kurzem Zögern unter, Ora im Slip – ein Kompromiss zwischen ihren sich widersprüchlichen Wünschen und Befürchtungen – und Avram mit allen Kleidern und nach ein paar Augenblicken nur noch in Hosen. Hier ist sein Körper, leuchtend bleich, von Narben und Schorfkrusten gefleckt, dicker, als sie sich erinnert, aber auch kräftiger, als sie ihn sich vorgestellt hat. Gerade in seiner Nacktheit strahlt er eine Stärke, etwas überraschend Breitgebautes aus. Er entscheidet sich natürlich, wie immer, nur »das Dicke« zu sehen, das sich ihrem Blick offenbart, kneift entschuldigend eine Speckfalte zwischen den Fingern, bietet sie ihrem Blick dar und zuckt mit den Schultern, das sind nun mal die nackten Tatsachen. Und sie, woran erinnert sie sich? Wie er beim Anblick ihres nackten Körpers: Großer Gott, Orale, welch ein Liebreiz! gerufen hatte. Außer Avram kannte sie niemanden, der dieses Wort je verwendete, das nur in Gedichtbänden und ihrem »Almanach« lebte, oder er hatte, wiehernd wie ein Pferd oder brüllend wie ein Löwe, seinen großen Kopf über ihr geschüttelt, oder wie der alte Kapitän Cat aus *Unter dem Milchwald* von Dylan Thomas geschrien; *leg dich nieder, lass mich landen, / lass mich scheitern in deinen Lenden.*

Sie taucht in das nicht sehr tiefe Wasser, und vor ihr hüpft dunkel sein froschartiger Körper. Ein alter Schmerz steigt auf, Erinnerungen an Zeiten, wo dieser schwere, faltenreiche, ungepflegte Körper zu einem Glühfaden entflammte, dann hatte sie sein Gesicht in beide Hände genommen und ihn gezwungen, ihr in die Augen zu schauen, solange er konnte, sie offen zu halten, hatte sich ganz in seine Augen versenkt und einen Blick gesehen, dessen fernes Ende völlig offen war, geradezu endlos, und hatte gewusst, es gibt einen Ort, an dem sie ganz und gar und bedingungslos geliebt wird, wo alles, was sie ist, dankbar und mit Freuden angenommen wird.

Ora war das Zentrum, die Quelle; auch das eine Neuerung, die von ihm kam: Nicht Avram, auch nicht Ora-und-Avram, sondern Ora war der Ort ihres Liebesspiels. Viel mehr als in seinem, trafen sich ihrer beider Begierden in ihrem Körper; nach ihrer Lust sehnte er sich so viel mehr als nach seiner eigenen. Das machte sie staunen und störte sie manchmal – jetzt lass mich mal dir was Gutes tun, drängte sie ihn dann, du sollst auch mal richtig genießen –, und er hatte gelacht, aber wenn du es genießt, genieße ich es am meisten, spürst du das nicht? Sah man ihm das nicht an? Sie spürte es und sah es, aber verstehen konnte sie es nicht. Was für ein Altruismus ist das? hatte sie sich empört. Was für ein Altruismus? Er hatte sie frech angegrinst und gesagt, der pure Egoismus, und sie hatte zögernd gelächelt, wie immer, wenn sie einen Witz nicht verstand, und weiter sein Lecken und Streicheln genossen und gespürt, dass sie hier einen Hinweis auf etwas Kompliziertes und Verbogenes bei ihm erhalten hatte. Um Avram zu verstehen, um Avram wirklich zu erkennen, hätte sie beharren und nachfragen müssen, doch seine Küsse waren süß, sein Lecken ließ die Erde beben, und jedes Mal gab sie nach, nie war es der richtige Zeitpunkt, und so hatten sie letztlich nie darüber gesprochen.

Wäre es aber umgekehrt gewesen – sie hörte Avram laut planschend aus dem Wasser steigen, schade, sie hätte gern ein bisschen Spaß mit ihm gehabt (doch er schien nicht interessiert), und jetzt würde sie vor seinen Augen nackt aus dem Wasser steigen müssen –, wäre es umgekehrt gewesen, er hätte nicht lockergelassen, jeden Krümel einer Antwort, die sie ihm anvertraute, hätte er untersucht und gedeutet und bestaunt, er hätte sich an ihn erinnert, ihn jedes Mal von neuem umgedreht und wieder anders betrachtet. Sie steigt eilig aus dem Wasser, hüpft von einem Bein aufs andere und hält frierend die Hände vor den Busen. Der war jetzt natürlich noch mehr geschrumpft, wo ist das Handtuch, verdammt nochmal, warum hat sie es nicht schon vorher rausgelegt?

Avram wirft ihr ein Handtuch zu und schaut fast nicht hin. Ihre Zähne klappern »danke«, mit dem Rücken zu ihm trocknet sie sich ab und erinnert sich, wie er ihr, als sie neunzehn war, gesagt hatte, ihre Brüste seien absolut perfekt, denn sie passten genau in seine Hände. Er bestand darauf, von dem Busen als etwas Weiblichem zu reden, alles andere sei absolut undenkbar, meinte er, und sie übernahm das gern und sagte: meine Busen. Wie sehr er sie bewunderte, nie genug von ihnen bekam; deine Liebreize nannte er sie, und auch deine Rubensbusen, was ihr immer wieder zeigte, dass er Ora wirklich nicht sah, wie sie war, dass er völlig blind für ihre Mängel war, dass er sie anscheinend liebte. Und sie, sie liebte ihn so sehr dafür, dass er ihre Brüstchen zu Busen machte, dass er ihren kleinen Brüstchen einen Platz in der Welt gab, noch bevor irgendwer deren Existenz überhaupt bemerkt hatte. Dass er mit solcher Begeisterung glaubte, dass sie eine Frau sei, während sie selbst daran noch zweifelte. In den Jahren danach, als sie die Jungs stillte, hatte sie oft gedacht, wenn doch nur auch Avram ihre Busen so groß und üppig und voller Milch erleben könnte – die überquellende Ora, er war jedes Mal vor Lust vergangen, wenn er dies in einem anderen Kontext ihrer Weiblichkeit sagte.

Sie trocknet sich kräftig ab, wie sie es immer gern tut, reibt die Haut, bis sie rosa ist und dampft, und spielt mit ihren umherirrenden Gedanken. Merkwürdig glühend starrt sie ihn an, und Avram öffnet seitlich ein mürrisches Elefantenauge zu ihr und fragt: Ist was? Sie fasst sich wieder, richtet sich gerade auf und blinzelt schnell, als wolle sie schleunigst den aufmüpfigen, feuchten Blick loswerden, der ihr entwischt ist.

Als Avram sein Hemd anziehen will, verkündet Ora, warte, das waschen wir auch gleich und lassen es dann auf dem Rucksack trocknen. Sei so gut, mach jetzt deinen Rucksack auf und such dir was Sauberes zum Anziehen.

Sie gehen an einer ganzen Reihe von Quellen entlang, Ejn Gargar, Ejn Pua, Ejn Chalav. Flechten umhüllen mit orangenem Flaum die Zweige der Mandelbäume am Wegrand. Kaulquappen stieben auseinander, wenn der Schatten von Avrams Kopf aufs Wasser fällt. Ora redet. Manchmal wirft sie ihm einen Blick zu und sieht: Seine Lippen bewegen sich ihren Worten nach, als wolle er sie ganz und gar in sich aufnehmen. Sie erzählt von den langen Nächten, die sie mit Ofer auf dem

Arm im Schaukelstuhl verbrachte, wenn er krank war, schwitzte, glühte, manchmal auch zitterte und jammerte. Zusammen mit ihm hatte sie gewacht oder geschlafen, ihm sanft zugeredet und den Schweiß von seinem Gesicht gewischt. Ich habe nicht gewusst, dass man den Schmerz eines anderen so stark empfinden kann, sagt sie und linst zu ihm hinüber, denn wer, wenn nicht Avram, konnte früher mit dem Schmerz eines anderen vollaufen.

Sie erzählt ihm vom Stillen. Wie Ofer über Monate allein von ihrer Milch gelebt hat, wie er sich murmelnd und mit Blicken mit ihr unterhielt. Eine ganze Sprache war das, so reich, sagt sie, dass man sie mit Worten nicht beschreiben kann.

Doch sie möchte, dass er nicht nur Ofer dort sieht, sondern auch sie: mit dem fleckigen Still-BH und dem wirren Haar. Mit dem Bauch, der über Monate einfach nicht zurückgehen wollte, mit der Hilflosigkeit, an der sie schier verzweifelte, angesichts der unerklärlichen Schmerzen des weinenden und schreienden Kindes. Mit den stichelnden Ratschlägen von ihrer Mutter, den viel erfahreneren Nachbarinnen und Kinderkrankenschwestern. Und mit dem Glücksgefühl, allein mit ihrem Körper ein lebendes Wesen zu erhalten.

Und dann dieser Moment – ein Abgrund – zwischen Ofers hungrigem Schreien und dem Augenblick, wo er ihre Brustwarze einsaugte. Wenn er schrie, hatte sie gesehen, brach sein Körper auf einmal zusammen, wie einer, der weiß, dass er gleich verhungert. Todesangst floss in ihn hinein, sie hatte es gespürt. Todesangst füllte alle Räume in ihm, wo keine Nahrung war. Er schrie, beweinte sich selbst, bis die rhythmischen Ströme kamen und ihn langsam wieder auffüllten; dann lag ein Licht der Erleichterung auf seinem kleinen Gesicht, er war gerettet, sie hatte ihn gerettet, es lag in ihrer Kraft.

Sie, die noch immer beim Umschalten vom vierten in den dritten Gang umkam vor Angst, versehentlich den Rückwärtsgang einzulegen, sie erhielt einen Menschen am Leben.

Manchmal, wenn er in ihren Armen lag, strich sie flüchtig mit der Hand um sein Gesicht und seinen Körper und meinte jedes Mal, die feinen, durchsichtigen Weben zu spüren, die ihn mit Avram irgendwo dort verbanden. Sie wusste, das war Unsinn, aber sie konnte diese Handbewegung nicht unterlassen.

Es war Nacht, nur sie und er existierten auf der Welt; rundherum war es dunkel; warme Milch floß im Verborgenen von ihr in ihn. Seine winzige Hand ruhte auf ihrer Brust, der kleine Finger war abgespreizt, die anderen Finger bewegten sich im Rhythmus des Trinkens, und mit der anderen Hand zerrieb er den Stoff ihres Morgenrocks, eine seiner Haarsträhnen oder sein Ohr, und er schlug die Augen auf und schaute sie an. Sie tauchte in seinen Blick, versenkte sich in seine Augen und hatte das Gefühl, als präge sich ihr Gesicht in sein weiches, noch nebelhaftes Hirn. Sie erlebte einen ergreifenden Moment der Ewigkeit. In seinen Augen sah sie ihr Abbild, und siehe, sie war schöner denn je. Sie schwor ihm, einen guten Menschen aus ihm zu machen, zumindest einen besseren, als sie selbst es war. Sie würde all das besser machen, was ihre Mutter an ihr falsch gemacht hatte.

Ihre Ergriffenheit quoll über, ein Strahl Milch spritzte Ofer auf Gesicht und Nase, und der, ganz überrascht, konnte nicht atmen und begann zu weinen.

Beim Gehen umarmt sie jetzt ihren Körper, der von einer starken Welle mitgerissen wird. Vergessene Empfindungen, das Einschießen der Milch, der Druck, die feuchten Flecken, die sich immer wieder mitten auf der Straße, bei der Arbeit, im Café, wenn sie nur an Ofer dachte, auf der Bluse abzeichneten, ich brauchte nur an ihn zu denken, schon hab ich getropft, lacht sie, und Avram, dessen Gesicht in ihrem Licht leuchtet, fragt sich, ob sie auch Ilan von ihrer Milch hat probieren lassen.

Ganz plötzlich legt sich ein Schatten über sie, mitten am Tag. Sie gehen im Nachal Zivon, eine merkwürdige tiefe Schlucht, die sie verstummen lässt. Der Weg windet sich zwischen scharfkantigen Felsen hindurch; sie müssen klettern und genau darauf achten, wohin sie den Fuß setzen. Die Eichen, um die sie herumgehen, hatten immer noch höher wachsen müssen, um das Sonnenlicht zu erreichen. Bleicher Efeu und lange Farne ergießen sich von den Baumkronen. Sie gehen durch zerbröselndes Laub, zwischen blutlosen Zyklamen und Albino-Pilzen. Hier ist es fast dunkel. Fühl mal, sagt sie und legt seine Hand auf einen bemoosten Felsen. Eine weiche, pelzige Berührung in völliger Stille. Zwischen den dicht stehenden Bäumen ist kein Vogel zu hören. Wie ein Märchenwald, sagt Ora leise. Avram schaut sich in allen

Richtungen um. Seine Schultern richten sich etwas auf. Seine Daumen rennen, zählen ununterbrochen die anderen Finger. Keine Angst, sagt sie, ich find schon den Weg hier raus. Schau mal dort, sagt er, einem Lichtstrahl gelingt es, das Laub der Baumkronen zu durchdringen und die Wange eines Felsens zu streicheln.

Wenn wir zurück sind, denkt er, werde ich ein Buch über Galiläa lesen; schon eine Landkarte würde ausreichen. Ich möchte wissen, wo ich gewesen bin.

Wie wäre es für sie gewesen, hier mit Ofer statt mit mir zu wandern, fragt er sich, worüber hätten sie geredet. Wie ist es überhaupt, ganz allein mit seinem Kind an so einem Ort zu sein. Bestimmt schrecklich peinlich. Aber Ora hätte ihn ja nicht schweigen lassen, Avram lächelt, sie hätten gar nicht aufgehört zu reden, sie hätten bestimmt auch heimlich über Leute gelacht, die sie unterwegs trafen. Vielleicht auch über mich, wenn sie mich zufällig getroffen hätten.

Sie steigen auf dem schmalen Pfad zwischen kriechenden dicken Baumwurzeln nach oben. Die Rucksäcke werden schwer. Sie denkt, wie es wohl gewesen wäre, wenn Avram und Ofer hier im Wald spazieren gegangen wären. Alleine. Eine Männerreise.

Plötzlich, als hätte jemand mit der Hand über ihr Gesicht gewischt, verlassen sie den Schattenbereich und treten ins Sonnenlicht. Noch ein paar Sekunden, dann fällt ihr Blick auf eine große Weide, einen Berg und weiß blühende Obsthaine. Ist das schön, flüstert sie, um die Stille nicht zu erschüttern.

Der Weg ist weich und eben, ein ausgetretener breiter Gehweg mit einem Streifen Gras in der Mitte. Wie eine Pferdemähne, denkt Avram.

Sie erzählt ihm von Ofers Erkundungsexkursionen durch das Haus, von seinen hartnäckigen Nachforschungen zu jedem Buch, das er auf den unteren Regalbrettern fand, zu den Blättern der Topfblumen, zu den Töpfen und Deckeln in den unteren Schubladen der Küchenschränke. Sie gibt Avram jeden Splitter Erinnerung, der ihr aus Ofers Kindertagen noch einfällt. Der Sturz vom Stuhl, die Naht am Kinn mit den sieben Stichen. Die Katze, die ihn auf dem Spielplatz im Gesicht gekratzt hat, und sie beruhigt ihn gleich, ihm sei keine Narbe davon geblieben, und Avram fährt unbemerkt mit der Hand über einige seiner Narben, auf den Armen, der Schulter, der Brust und dem Rücken, und eine überraschende kleine Welle der Freude durchströmt ihn, dass Ofer unversehrt ist, dass sein Körper so unversehrt ist. Ora erzählt weiter, von seiner ersten Kinderfrau, einer Sonja, die ihn betreute, als er eineinhalb Jahre alt war. Viel zu spät stellte sich heraus, dass sie apathisch, womöglich sogar depressiv war, völlig unempfindlich für ihn und seinen Charme. Ich kann mir das nicht verzeihen, sagt sie, dass ich das nicht früher gemerkt habe und Ofer nicht geglaubt habe. Der hatte geweint, wenn er sie am Morgen sah, und wir dachten, er sei einfach verhätschelt und werde sich mit der Zeit schon an sie gewöhnen. Ein halbes Jahr hat sie ihn betreut, ein halbes Jahr lang war er Tag für Tag jeden Morgen allein mit ihr zu Hause, fünf Stunden am Tag, das muss für ihn eine Ewigkeit gewesen sein, und diese Sonja hat wohl kaum mit ihm gesprochen. Ich stell mir das vor, bei so einem Kind wie Ofer, das die ganze Zeit seine Gefühle ausdrückt, und das ein halbes Jahr lang!

Avram streckt seine Hand zu ihr aus, um ihre Schulter zu berühren, zu trösten. Er traut sich nicht, fürchtet, einen Fehler zu machen. Welches Recht hat er, sie wegen dieses einen Fehlers zu trösten, denkt er. Er, der nichts und damit alles falsch gemacht hat.

Ich erzähle nur so ganz kleine Geschichten, sagt sie immer wieder, sag, wenn dir das auf die Nerven geht.

Doch Avram scheint immer wacher zu werden: Er will wissen, wann Ofer sprechen gelernt hat, in welchem Alter, und was sein erstes Wort war. »Abba«, Papa, sagt Ora, doch Avram versteht sie nicht oder er hat nicht richtig gehört und fragt erstaunt: *Avram?* Dann kapiert er, und beide lachen. Sofort will er natürlich auch wissen, was Adams erstes Wort war. »*Or*«; sie spürt, wie er die naheliegende Frage runterwürgt, »Licht«, nicht »Mama«? Doch Avram sagt: »*Or*«, das ist schon fast »Ora«, und daran hatte sie noch nie gedacht; sie erinnert sich, dass Ofer immer behauptet hat, seine ersten Worte seien wie die eines Außerirdischen gewesen: »Bringt mich zu eurem Anführer.« Ora erinnert ihn an die schwere Kommode seiner Mutter, die als Wickeltisch für beide Kinder gedient hatte, und an das schwarze Regal, in dem alle ihre Kinderbücher standen. Sie kann sich noch an recht viele der Geschichten erinnern, die sie ihnen vorgelesen hat, sie kann sie noch auswendig: »Wenn es ein Summgeräusch gibt, dann macht jemand ein Summgeräusch, und der einzige Grund, ein Summgeräusch zu machen, den *ich* kenne, ist, dass man eine Biene ist. Und der einzige Grund dafür, eine Biene zu sein, den ich kenne, ist, Honig zu machen.« Sie erklärt dem unwissenden Avram, dass dies die tiefen Gedanken von Pu dem Bären sind, und sie lächelt im Stillen: »Und der einzige Grund, Honig zu machen, ist, damit ich ihn essen kann.«

Dann versucht sie, sich den kleinen Ofer gebadet, gewickelt und bettfertig vorzustellen, wie er den Kopf an Avrams Schulter lehnt und einer Geschichte lauscht. Ofer trägt das grüne Pyjama mit den Mondsicheln, aber sie kann nicht sehen, was Avram anhat. Es gelingt ihr noch nicht einmal, Avram richtig zu sehen, sie spürt nur seine körperliche Präsenz und wie Ofer sich an ihn schmiegt. Avram hätte ihm Abend für Abend eine neue Geschichte erfunden, davon ist sie überzeugt, er hätte ihm eine richtige Show gemacht. Bestimmt hätte er sich gelangweilt, wochenlang Abend für Abend dieselbe Geschichte vorzulesen, wie Ofer es damals verlangte. Jetzt erinnert sie sich auch an Ilans besondere, geheimnisvolle weiche Stimme, die einem die Bauchhöhle erbeben ließ, mit der er den Jungs vor dem Schlafengehen Geschichten vorlas, doch davon erzählt sie Avram nicht, erinnert sich nur um ihrer selbst willen und um Ofers willen, wie gern Ilan die Jungs ins Bett gebracht hatte. Sogar beim schlimmsten Stress im Büro war er immer rechtzeitig nach Hause gekommen um ihr zu helfen, die Kinder ins Bett zu bringen, und sie hatte sich so gerne dazugelegt, mit ihm und den Jungs die Flügel aneinander gerieben und ihm zugehört, wie er vorlas.

Der Weg ist einfach und bequem zu laufen, Avram streckt die Arme seitlich aus, staunt, wie angenehm sich die Pumphose auf der Haut anfühlt – dreimal hat Ora die Hose umgeschlagen, bis sie ihm passte. Bei meiner Erdnussgröße, hatte er lachend gesagt. Sie erzählt von der Krabbelgruppe, in die Ofer ging, und von seinem ersten Freund, Joel, der nach einem Jahr mit seinen Eltern in die USA zog und ihm das Herz brach. Das sind so kleine Geschichtchen, entschuldigt sie sich wieder, doch von Geschichte zu Geschichte, von Wort zu Wort, formt sich Ofer, das Baby, auch für sie immer klarer zum Kind: Das winzige Baby streckt sich, wächst, wird zum Krabbelkind, es wechselt Kleider,

Spielzeug, den Haarschnitt; seine Augen verändern sich. Sie zeigt Avram, wie Ofer alleine spielt, wie er sich dabei konzentriert und ganz im Spiel aufgeht. Sie erzählt von seiner Liebe zu besonders kleinen Spielsachen mit vielen Details und aufwendigem Zubehör, sie bestaunt seine Fähigkeit zu schauen, was wohin gehört, und alle Teile mit endloser Geduld zusammenzubauen und dann wieder auseinanderzunehmen.

Von mir hat er das nicht, lacht Avram, und Ora ist gerührt. Gerade aus dieser Leugnung hört sie die Bestätigung.

Als er anderthalb war, sind sie auf Urlaub in ein Feriendorf am Meer gefahren. Dort war er in aller Frühe aufgewacht und hatte gesehen, dass Ora, Ilan und Adam noch schliefen. Er war aus seinem Bett geklettert und hatte allein den Bungalow, in dem sie untergebracht waren, verlassen. Ora bemerkte es in dem Moment, als die Fliegengittertür zuschlug, und lief ihm leise hinterher. Barfuß, mit einem kurzen Hemdchen und einer Windel bekleidet, lief er hinaus auf die große Wiese und sah wohl zum ersten Mal in seinem Leben einen riesigen Wassersprenger, der sich drehte. Staunend blieb er stehen, gickelte und murmelte vor sich hin. Dann begann er ein Spiel mit dem Wassersprenger. Er näherte sich dem Strahl, bis er beinah seine Beine benetzte, und rannte wieder weg. Ora schaute ihm, hinter einem Mäuerchen versteckt, heimlich zu und meinte, sie könne mit eigenen Augen sein Glück sehen, und auch das Glück selbst, wie es sonnig und golden im Wasser blitzte.

Plötzlich erfasste ihn der Wasserstrahl und überspülte ihn von Kopf bis Fuß. Er erschrak, verharrte wie gelähmt unter dem Strahl, zitterte am ganzen Leib mit geballten Fäustchen, das Gesicht verzerrt zum Himmel gerichtet. Sie macht es Avram vor, stellt sich mit geschlossenen Augen und zusammengepressten Lippen hin und zittert. Ein winziges Menschenkind, einsam zwischen den Schlägen des Wassers um ihn herum, beugte sich einem unverständlichen Urteil, und sie rannte natürlich los, wollte ihn retten, doch dann hielt etwas sie an, zog sie in ihr Versteck zurück, vielleicht der Wunsch, ihn einmal so zu sehen, wie er ganz für sich allein ist, sagt sie zu Avram, ihn als Mensch in der Welt zu sehen.

Schließlich kam Ofer zu sich, ging ein paar Schritte weiter, bezog in sicherem Abstand Stellung und schaute den Wassersprenger beleidigt an; er weinte lautlos und bebte am ganzen Leib. Doch sofort vergaß er die Kränkung, denn ein neues wundervolles Wesen bot sich seinen Blicken dar: ein altes, hinkendes Pferd mit einem zerrissenen Strohhut auf dem Kopf, aus dem die Ohren herausragten. Das Pferd zog einen Wagen, auf dem ein ebenfalls alter Mann saß, und auch der trug einen Sonnenhut. Dieser alte Mann sammelte jeden Morgen den Müll vom Strand und fuhr ihn zum Müllplatz. Ofer stand fasziniert da, immer noch tropfend, in seinen Augen ein rundes Staunen: Das Pferd und der Wagen und der Mann zogen vor ihm vorüber, und der alte Kutscher bemerkte das kleine Kind, lächelte es aus seinem zahnlosen Mund an, nahm vor ihm in einer anmutigen Geste den ausgefransten Strohhut ab und beschrieb mit dieser Bewegung einen Moment lang den Bogen, der sich von seinem Greisentum bis zu Ofers Babyalter spannte.

Ora hatte befürchtet, Ofer könne sich vor dem Mann erschrecken, doch er klatschte nur auf seinen kleinen Bauch, gickerte und schlug sich ein paarmal mit beiden Händen auf den Kopf, vielleicht in Nachahmung des Hutabnehmens.

Danach trabte er los, dem Pferd hinterher.

Er lief, ohne sich umzuschauen, und Ora ging ihm nach. Er hatte so viel Kraft, erzählt sie Avram, und überhaupt keine Angst, dieser Winzling von anderthalb Jahren.

Ein Blättchen der Seele raschelt in Avram. Hinter seinen geschlossenen Lidern läuft ein winziges Kind den leeren Strand entlang, etwas nach vorne geneigt, nur mit einer Windel und einem Hemdchen am Leib, ganz und gar vorwärts drängend, auf etwas hin und weiter.

Auf dem Wagen lagen Haufen von Gerümpel, Kartons, zerrissene Fischernetze, große Abfalltüten. Fliegen schwebten über ihm, und eine Gestankwolke zog hinter ihm her. Der Alte rief dem Pferd hin und wieder mürrisch etwas zu und ließ seine lange Peitsche über ihm kreisen. Ofer lief auf der Wasserlinie hinter ihnen her, und Ora folgte ihm und sah mit seinen Augen das Wunder dieses großen, knochigen Tieres. Vielleicht – jetzt, wo sie Avram davon erzählt, mutmaßt sie – dachte er auch, alles, was sich da vor ihm bewegte, sei ein verzweigtes und faszinierendes Geschöpf mit zwei Köpfen, vier Beinen und großen Rädern, mit Lederriemen und Strohhüten und einer Summwolke. Als sie Avram davon erzählt, werden ihre Schritte, ohne dass sie es merkt, schneller; es zieht sie der lebendigen Erinnerung hinterher – Ofer am Strand, ein mutiges Tierjunges voller Zukunft, und sie hinter ihm her, versteckte sich ab und zu, obwohl es gar nicht nötig war, denn Ofer drehte sich kein einziges Mal um, und sie fragte sich, wie weit er es wohl wagen würde zu gehen, und seine Bewegungen antworteten: endlos. Sie sah – das muss sie nicht sagen, das versteht sogar Avram –, dass der Tag kommen wird, an dem er sie verlassen würde, so wie alle es tun, aufstehn und weggehn, damals ahnte sie ein bisschen von dem, was sie dann fühlen würde und was nun ohne Vorwarnung seine Zähne in sie schlug.

Als das Pferd und der Alte sich so weit entfernt hatten, dass Ofer sie nicht mehr einholen konnte, blieb er stehen, winkte ihnen noch einen Moment nach, sein Fäustchen klappte ein paarmal auf und zu, dann drehte er sich mit einem süßen, schelmischen Lächeln um, breitete freudig die Ärmchen aus, als hätte er die ganze Zeit gewusst, dass sie da war, als gäbe es überhaupt keine andere Möglichkeit, und lief in ihre Arme und rief: Mma, Mma, Hase!

Weißt du, erklärt sie, in seinen Bilderbüchern war ein Tier mit einem langen Kopf und langen Ohren immer ein Hase.

Das ist ein Pferd, hatte sie ihm gesagt und ihn fest umarmt. Sag mal: Pferd.

Ilan hatte so einen Tick, erzählt sie in der nächsten Kaffeepause in einem violetten Kleefeld, in dem gelbe Stängel der Junkerlilie wucherten und Honigbienen summten. Wenn er Ofer oder Adam ein neues Wort beibrachte, sollten sie es laut wiederholen. Ehrlich gesagt hat mich das manchmal genervt, und ich dachte, warum dressiert er sie so? Jetzt glaube ich allerdings, dass er recht gehabt hat, und ich beneide ihn sogar im Nachhinein, denn so hat er immer als Erster ihre neuesten Wörter gehört.

Gerade das hat er von mir, sagt Avram zögernd, etwas verlegen, das weißt du, oder?

Was?

Er schluckt, wird rot: Das hab ich Ilan gesagt, beim Militär. Wenn ich mal ein Kind haben sollte, würde es jedes neue Wort von mir bekommen, ich würde es ihm darreichen, und daraus würde, na ja, ein regelrechter Bund aus Wörtern zwischen uns.

Dann hat er das von dir?

Hat er das nicht erzählt?

Ich kann mich nicht daran erinnern.

Dann muss er es vergessen haben.

Ja, wahrscheinlich, sagt sie, und vielleicht hat er es mir auch nicht sagen wollen, um bei mir keine Wunde aufzureißen. Keine Ahnung. Wir hatten, was dich anging, alle möglichen Zeremonien; jeder hatte seine Momente, wo er mit dir verbunden war, aber vor allem bei den Wörtern war das so, und beim Sprechenlernen der Jungs, sagt sie und seufzt, und ihre hängende Oberlippe scheint noch ein bisschen tiefer zu sinken, gut, er hat sich dir gegenüber immer beweisen müssen.

Mir gegenüber? fragte Avram erschrocken.

Was denkst denn du, ihr wart beide so verbale Typen, solche Wortemacher, ich meine, und bei Ilan ... Hör mal, was ist das für ein Geräusch?

Zuerst hören sie ein Geräusch in den Dornen, ein kurzes, schnelles Peitschen aus verschiedenen Richtungen, dann das Rascheln eines, nein vieler Lebewesen, und ein feuchtes Schnaufen direkt auf sie zu. Avram springt auf die Füße und späht um sich, da wird das Bellen schneller, mehrstimmig, und er ruft ihr zu, schnell, steh auf, sie verschüttet den Kaffee, versucht hochzukommen, stößt sich an etwas und kauert nun da, und Avram aufrecht über ihr, die Haare stehen ihm zu Berge, Augen und Mund weit aufgerissen zu einem lautlosen Schrei. Hunde, aus allen Richtungen Hunde.

Als es ihr endlich gelungen ist, sich zu erheben, zählt sie drei, vier, fünf Hunde. Er zeigt mit einem Kopfnicken nach links, und da stehen mindestens noch vier weitere, ganz unterschiedlicher Art, große und kleine, schmutzig und verwildert stehen sie da und bellen wütend in ihre Richtung, ohne sie direkt anzuschauen. Avram zieht Ora an sich, umklammert ihr Handgelenk, und sie begreift noch immer nichts. In einer neuen Situation finden in ihrem Hirn die Kontakte immer beängstigend langsam zueinander, und statt sofort alle Sinne zu schärfen und sich zu bewähren, taucht jetzt ihre dumme Angewohnheit auf, die zum Überleben herzlich wenig taugt, wie Ilan ihr mal erklärt hat, sie klammert sich an die kleinen, völlig unwichtigen Details der Situation (dass sich unter Avrams Armen schnell Schweißflecken ausbreiten, dass einer der Hunde wohl ein gebrochenes Bein hat, es hängt angewinkelt und lahm an seiner Hüfte, wie Ilans Lider wild geflattert haben, als er ihr vor neun Monaten mitteilte, er werde sie verlassen; dass der Mann aus dem Nachal Kedesch zu allem Überfluss auch noch zwei identische Eheringe an zwei Fingern trug).

Die Hunde rücken enger zusammen, bilden eine Art Phalanx, an deren Spitze ein großer schwarzer Hund mit mächtigem Brustkorb steht, direkt dahinter ein kräftiger goldfarbener Hund. Der schwarze Hund bellt sie wild und laut an, atmet kaum, und der goldene knurrt tief und anhaltend. Unheilverkündend.

Avram dreht sich um sich selbst und macht Geräusche eines Asthmaanfalls. Sie hat den Eindruck, seine Augen werden immer größer und füllen sein Gesicht völlig aus. Du nach hier, ich nach da, zischt er ihr zu, du musst schreien und treten!

Sie versucht zu schreien. Ihr wird klar, sie kann nicht. Eine Art Scheu vor Avram, so eine idiotische Verschämtheit, vielleicht auch vor den Hunden? Vor sich selbst? Wann hat sie wirklich mal geschrien? Wann hat sie Schreie losgelassen, die ihr den Hals aufrissen? Wann würde sie das tun?

Die Hunde stehen da und bellen wie von Sinnen. Das Bellen und Jaulen schüttelt ihre von dumpfer, hartnäckiger und roher Wut geladenen Körper. Ora schaut sie an, noch immer zu langsam. Und der Film vor ihren Augen läuft zu schnell. Sie starrt gebannt auf die Mäuler, auf die Schleimfäden an den Lefzen. Die Hunde kommen näher, umzingeln sie. Avram faucht ihr zu, sie soll einen Stock nehmen, irgendwas, und Ora versucht, sich an Dinge zu erinnern, die sie hier und da von Adam gehört oder bei zufälligen Gesprächen seiner Freunde aufgeschnappt hat. Idan, ein süßer Junge und begnadeter Musiker, der sich beim Militär zur Hundestaffel gemeldet hatte, der erzählte ihr einmal, als sie ihn und Adam zu einem Konzert nach Caesarea fuhr, wie man Hunde darauf dressiere, den »dominanten Körperteil« des Gesuchten anzugreifen, den Arm oder das Bein, mit dem er versucht, sich vor dem Hund zu schützen. Er hatte Ora erklärt, ein normaler Hund schnappe nur leicht nach einem Arm, aber ein Hund der Staffel – Idan selbst besaß einen belgischen Schäferhund, die hätten den stärksten Trieb, hatte er gesagt, die kannst du in jede Richtung dressieren –, ein Hund der Staffel würde richtig zupacken und den Arm oder das Bein oder das Gesicht nicht mehr loslassen; erstaunlich, wie ihr diese nützliche Information jetzt prompt einfiel, aber Idan schickte Hunde in den Angriff, und sie befand sich hier auf der falschen Seite des Hundes.

Der Schwarze, drängt Avram sie, gib acht auf den Schwarzen. Und wirklich, das große Männchen, zweifellos der Anführer, stellt sich nicht weit von ihr auf und starrt sie mit blutunterlaufenen Augen an; ein gewaltiger Brocken, der aussieht, als lege er in ebendiesen Momenten die Umrisse seiner Hundegestalt ab und verwandele sich in ein urzeitliches Tier. Im selben Moment kommt ein anderer Hund quer übers Stoppelfeld auf sie zugerast, klein und mutig, Ora hüpft hoch, klammert sich an Avram, reißt ihn beinah um, und Avram blickt sie einen Moment wütend an, sieht jetzt selbst aus wie ein Tier, aber wie ein friedliebendes, vegetarisch lebendes, eher ängstliches Tier, ein Gnu, ein Lama oder Kamel, das plötzlich in ein Schlachthaus geraten ist, dann holt er zu einem gezielten Tritt gegen den Hund aus, und der fliegt in entsetzlicher absoluter Stille wie ein ausgebreiteter Lumpen, den Kopf unnatürlich nach hinten gebogen durch die Luft, und über ihm fliegt auch Avrams *Allstar*-Schuh.

Ich hab ihn umgebracht, flüstert Avram entsetzt.

Völlige Stille. Die Hunde nehmen nervös die Witterung auf. Ora kommt der Gedanke, wenn sie und Avram nicht angreifen, würden sich auch die Hunde vielleicht beruhigen. Sie denkt an ihren Hund Nikotin. Versucht, seine Weichheit zu beschwören, überredet seinen häuslichen Geruch, von ihr zu ihnen hinzuströmen. Sie schaut sich um. Das Feld ist gefleckt von Hunden. Wahrscheinlich verwilderte Haushunde. Hier und da schimmert ein Halsband aus einem zotteligen, verdreckten Fell, ab und zu schwingt einer einen prächtigen Schwanz, an dem noch Anzeichen vergangener Pflege und Verwöhnung zu erkennen sind, wie einen Taktstock. Alle haben entzündete Augen, mit einer Schicht von gelbem Eiter und Schmutz bedeckt, die jetzt erschreckend weiße Blicke zu ihnen aussenden, als ziehe die Wut ihre Schädel nach hinten. Bei einigen umschwirren Fliegen offene Wunden. Ora wird immer deprimierter. Von jeher hatte sie ein besonderes Verhältnis zu Hunden und glaubte fest, sie und ihre Sprache zu verstehen; Hunde hatten ihr alles mit Gutem vergolten und ihr immer Liebe entgegengebracht. Nikotin – ein Geschenk für Ilan, als er mit dem Rauchen aufhörte – war für sie durchschaubar und verständlich wie eine Geschwisterseele gewesen. Was aber hier passiert, ist gegen die Natur, ist ein Aufstand. Verrat. Jetzt also verraten sie auch noch die Hunde. Der große Schwarze steht reglos da, prüft die Situation, und die anderen – auch Ora und Avram – betrachten ihn voller Spannung. Dicht hinter ihm befindet sich der goldene Hund. Als Ora ihn eingehender mustert, wendet er verlegen den Kopf ab und fährt sich mit der Zunge übers Maul, und plötzlich weiß Ora, dies ist eine Hündin.

Steine, sammel Steine, zischt Avram aus dem Mundwinkel, wir bewerfen sie mit Steinen.

Nein, sagt sie, berührt seinen Arm, warte.

Bloß nicht zeigen, dass wir Angst haben …

Warte, mach gar nichts, die werden schon gehn.

Die Hunde legen die Köpfe schief, als verfolgten sie ihr Gespräch.

Und schau ihnen nicht in die Augen. Bloß nicht in die Augen.

Avram senkt den Blick,

Sie stehen einander schweigend gegenüber. Ein Falkenpaar kreist über ihnen, vollführt ein Balz-Ballett.

Das Brustfell des großen Schwarzen sträubt sich. Er geht los, zieht langsam einen weiten Kreis um sie. Die anderen Hunde sind angespannt. Auch ihr Fell sträubt sich.

Scheiße, faucht Avram, diese Chance haben wir verpaßt.

Der Schwarze zieht einen unsichtbaren Kreis um sie, er wendet keinen Blick von ihnen. Die anderen schauen ihn ausdruckslos an. Nur ihre Schwänze schlagen rhythmisch. Ein wunderschöner Windhund verlässt seinen Platz und läuft dem Schwarzen hinterher. Zwei dreckige gelbe Hunde schließen sich mit einem Hyänenlächeln an. Ora und Avram tauschen Blicke. Avram scharrt mit dem einen Schuh immer mehr Steine um sich. Die Hunde umkreisen sie jetzt, sie schließen den Kreis. Ora sucht das goldene Weibchen, denkt sich, wie wild und mutig sie aussah, als sie neben dem schwarzen Hund gestanden hat. Ein schönes Paar, geht es ihr mit einem Anflug merkwürdiger Eifersucht durch den Kopf: die vergessene Sehnsucht, ein schönes Paar zu sein.

Plötzlich springt ein Funke über und es scheint, als hätte der Kreis selbst, die Kreisform, in der sie sich bewegen, in den Hunden einen uralten Trieb entzündet. Auf einen Schlag werden ihre Züge scharf, die Gesichter und die Körper eindeutig. Wölfe, Hyänen und Schakale ziehen im Kreis um sie herum. Auch Ora und Avram bewegen sich um die eigne Achse. Avrams Rücken berührt ihren Rücken. Er ist feucht. Sie bewegen sich zusammen, vor und zurück, zu den Seiten. Sie sind ein Körper. Sie hat den Eindruck, dass Avram mit tiefer Stimme undeutlich und heiser brummt, aber vielleicht ist sie das auch selbst.

Die Hunde um sie herum werden schneller. Es ist ein gemäßigtes Laufen. Sie sucht fiebrig nach der Goldenen. Sie muss sie unbedingt finden. Ihr Blick gleitet von einem Hund zum nächsten. Hier ist sie. Sie rennt mit den andern. Ora wird traurig: Auch das Gesicht dieses Weibchens ist jetzt scharf gemeißelt, die hochgezogenen Lefzen legen ihr Zahnfleisch frei.

Ein grauer Blitz schießt vorbei, etwas schnappt von hinten ihr Hosenbein, packt ihre Wade, und Ora zuckt zusammen und tritt, ohne hinzuschauen, um sich, und sie trifft; ihr Fuß zerspringt fast vor Schmerz, und ein dreckiger zottiger Hund bellt mit entsetzlich dünner Stimme und haut ab, setzt sich in einiger Entfernung hin und leckt seinen Hinterlauf. Ein anderer Hund, ganz und gar getigert und sehr muskulös, schießt aus dem Kreis hervor, springt auf sie zu und prüft sie mit einem sonderbaren Lächeln. Sie schreit ihn an, fuchtelt mit Armen und Beinen, und er kneift den Schwanz ein und weicht etwas zurück, schaut sie mit einer Art Staunen an, das sie verlegen macht und für einen Moment wieder zur Besinnung bringt.

Avram neben ihr stößt hohe, verzerrte Töne aus, nicht Wörter, sondern abgehackte Silben, wie Krämpfe beim Erbrechen, und sie denkt, wenn dieser Kampf nicht schnell zu Ende geht, dreht er noch durch. Sie spürt, wie das wacklige Baugerüst der Seele, das er sich mit viel Mühe gezimmert hat, wegen so einer blöden Sache beinahe zusammenbricht. In ebendiesem Moment schlägt er mit dem Stock, ganz nah bei ihrer Hüfte, ein Rachen reißt auf, noch ein pfeifender Schlag, ein ekelerregendes Geräusch, etwas zerbricht, jemand zerbricht, hinkt jaulend davon, zieht mit den Vorderläufen den hinteren Teil des Körpers nach, und wieder sieht sie Nikotin, wie er sich alt und krank in sein Körbchen schleppt, und seine Augen: ein Abgrund.

Sie beginnt zu pfeifen.

Nicht die Melodie eines Liedes, sondern einfach etwas Monotones, Mechanisches, das eher wie das Pfeifen eines kaputten Gerätes klingt. Die Ohren der Hunde spitzen sich zu ihr hin. Avram schaut sie misstrauisch an. Sein Bart ist zerzaust, sein Gesicht entsetzlich spitz.

Einen Hundepfiff, analysiert sie die Situation dumpf, ich brauch einen Hundepfiff, den Pfiff für einen Hund, mit dem du abends spazieren gehst, wenn er für einen Moment hinter einem Baumstamm oder in einem fremden Hof verschwindet. Im Kreis um sich sieht sie hier und da eine braune, graue oder gelbe Pfote zögern, bevor sie sich wieder auf die Erde setzt. Sie pfeift weiter. Spitze Ohren beben, als entzifferten sie Meldungen aus einer anderen Welt. Ihre Augen rennen hin und her. Sie versucht, einen tiefen, leisen Pfiff auszustoßen, voller und reicher, soweit es ihre Lungen zulassen, aber es geht nicht, und sie hält wenigstens diesen schwachen Pfiff durch und behütet ihn wie ein urzeitliches Feuer.

Ein abgemagerter brauner Hund bleibt stehen, setzt sich auf die Hinterbeine und kratzt sich mit dem Vorderlauf am Ohr. Mit dieser Bewegung löst er den Bann des Kreises. Die anderen Hunde fangen an, sich zu zerstreuen. Auch das goldene Weibchen tritt aus der Reihe, zögert, sie ist schwerfällig und hechelt, den Kopf etwas gesenkt. Ein großer Kanaanhund mit einer hässlichen gelben Wunde an der Hüfte humpelt ebenfalls davon, bleibt nach einer Weile mitten auf dem Feld stehen und schaut in den Himmel, als hätte er vergessen, was er eigentlich wollte. Ora meint, er gähne.

Der Schwarze wiegt ein paarmal den Kopf, fährt sich verdrießlich mit der Zunge übers Maul. Er schaut die anderen Hunde gelangweilt an. Ora macht jetzt ihren Pfiff für Nikotin, es sind die ersten Töne von *Yesterday,* das ist auch ihr Pfiff mit Ilan gewesen. Der Schwarze bellt noch drei- oder viermal gen Himmel, dreht sich um und trabt davon. Andere folgen ihm. Er stellt den Schwanz auf und rennt los, und sie hinterher. Auch das goldene Weibchen schleppt sich in einigem Abstand hinter ihnen her. Ora hat den Eindruck, das Rudel wird kleiner. Sie denkt an den toten Hund irgendwo im Dornengebüsch. Sie öffnet die Hand, ihre Finger sind steif; der Stein, den sie hielt, fällt zur Erde. Sie denkt: Nicht einmal einen Stein hab ich geworfen? Sie schaut Avram von der Seite an. Seinen Stock – jetzt erkennt sie, es ist ein Eukalyptus- oder Kiefernzweig – schwingt er noch immer hoch über dem Kopf. Seine Brust hebt und senkt sich wie ein Blasebalg.

Sie pfeift. Ilan pfiff immer unter der Dusche ihre Melodie, ohne es zu merken, und sie lag im Bett, legte das Buch aus der Hand und lauschte. Einmal hat er vom einen Ende des von Menschen wimmelnden Foyers im Jerusalemtheater so nach ihr gepfiffen, und sie hatte ihn am anderen Ende gehört und sich leise vor sich hin pfeifend in seiner Richtung aufgemacht und das Foyer durchquert, bis sie sich in die Arme fielen.

Avram beobachtet sie staunend. Sie pfeift dem weglaufenden Rudel hinterher, pfeift gezielt nach dem goldenen Weibchen. Die dreht unwillig den Kopf und verlangsamt ihren Gang. Auch ein paar andere Hunde lösen sich zögernd aus dem Rudel und laufen querfeldein, in alle Richtungen. Sie schauen Ora mit einem neuen Blick an. Der ist klarer; ein Hundeblick.

Ora beugt sich vor, die Hände auf den Knien. Die Goldene wendet sich schon mit dem halben Körper zu ihr.

Komm, flüstert Ora ihr zu.

Die anderen Hunde galoppieren davon, bellen vor sich hin, jagen einer dem anderen nach, kämpfen ein bisschen miteinander, schießen mit angelegten oder aufgestellten Ohren übers Feld, sammeln sich wieder zu einem Rudel. Die Goldene schaut abwechselnd zu ihnen und zu Ora. Danach, vorsichtig und mit bebenden Pfoten, geht sie auf Ora zu. Ora rührt sich nicht, pfeift kaum hörbar, weist ihr den Weg. Avram lässt den Stock fallen. Das Weibchen durchquert das Stoppelfeld.

Ora lässt sich langsam auf ein Knie nieder. Die Goldene bleibt sofort stehen, eine Pfote noch in der Luft, ihre schwarzen Nasenlöcher weiten sich. Ora findet eine Scheibe Brot auf der Decke, auf der sie gegessen hatten, und wirft sie in einer vorsichtigen Bewegung in ihre Richtung. Die Goldene schreckt zurück und knurrt.

Friss ruhig, flüstert Ora, das ist gut.

Die Hündin neigt den Kopf. Ihre Augen sind groß und entzündet. Ora redet mit ihr: Du hast mal in einem Haus gewohnt, du hast mal ein Zuhause gehabt, da haben dich Leute gepflegt und geliebt. Du hattest eine Schüssel fürs Futter und eine fürs Wasser.

Vorsichtig und geduckt nähert sich die Hündin der Scheibe Brot. Sie knurrt, zieht die Augenbrauen hoch, lässt keinen Blick von Avram und Ora.

Schau sie nicht an, flüstert Ora.

Ich habe dich angeschaut, sagt er verlegen und dreht das Gesicht weg.

Die Hündin packt das Brot und schlingt es hungrig hinunter. Ora wirft ihr auch ein Stück Käse hin. Sie schnuppert, frisst. Auch ein paar Stückchen Cabanos. Und Kekse. Komm, sagt Ora zu ihr, du bist ein liebes Tier, du bist ja ganz lieb. Die Hündin setzt sich hin und leckt sich die Schnauze. Ora gießt Wasser aus einer Wasserflasche in ein Plastikschälchen, stellt es auf die Erde, zwischen sich und die Hündin, und geht zurück an ihren Platz. Die Hündin schnuppert von weitem. Zögert hinzugehen, wird angezogen und fürchtet sich. Ein kleines Jaulen. Trink, sagt Ora, du bist durstig. Die Hündin nähert sich dem Schälchen, lässt dabei keinen Blick von Ora und Avram, ihre Beinmuskeln zittern plötzlich, als würde sie gleich zusammenbrechen. Sie trinkt in schnellen Zügen und entfernt sich. Ora nähert sich ihr, und die Hündin bleckt die Zähne, ihr Rückenfell stellt sich auf. Ora spricht mit ihr und schüttet Wasser nach. Das tut sie noch zweimal, bis die Flasche leer ist. Die Hündin sitzt neben dem Schüsselchen. Danach kauert sie da und beginnt, sich ein Knäuel von Haaren und Dornen, das sich in ihrer Pfote verhakt hat, wegzubeißen.

Jetzt geht es schon nicht mehr anders: Sie schauen sich an.

Ora und Avram stehen da, völlig erledigt, stinkend vor Schweiß und Angst, beschämt. Ein verlegenes Lächeln zieht über ihre Gesichter. Anscheinend haben sie es noch nicht geschafft, sich ihre alte Haut wieder überzustreifen. Avram starrt Ora an und wiegt langsam den Kopf, staunend, voller Anerkennung, in seinen blauen Augen spiegelt sich die Freude vergangener Zärtlichkeiten. Plötzlich erinnert sich ihr Leib mit brennender Schärfe an ihn, an die Kraft seiner Umarmungen, und für einen Moment fragt sie sich, ob sie ihm wohl auch pfeifen müsse, damit er zu ihr kommt. Doch er kommt von sich aus, es waren nicht mehr als drei Schritte, umarmt sie, umhüllt sie wie einst, flüstert ihr zu, Ora, Orale. Die Hündin hebt den Kopf und schaut sie an.

Einen Moment später weicht Ora vor ihm zurück und starrt ihn an, als habe sie ihn Jahre nicht gesehen, stürzt sich dann wieder auf ihn und beginnt, ihn mit beiden Händen zu schlagen, ins Gesicht zu schlagen und zu kratzen, wortlos, mit röchelndem Atem, und er ist schockiert, schützt sein Gesicht, versucht sie festzuhalten, sie zu umarmen, damit sie ihn nicht verletzt und sich selbst nichts antut, denn sie beginnt, sich selbst zu kratzen und ins Gesicht zu schlagen. Ora, hör auf damit, ruft er, fleht sie an, bis es ihm gelingt, sie fest in die Arme zu schließen und an sich zu drücken, damit sie aufhört zu toben, doch sie kämpft und schnaubt und tritt um sich, und jedes Mal, wenn sie einen kleinen Zwischenraum zwischen sich und ihm spürt, versucht sie, den mit einem Schlag oder Tritt oder mit wütendem Schnauben auszufüllen, und je mehr sie tobt, umso mehr muss er sie an sich ziehen, bis sie ganz aneinander kleben, wie ein Leib umschlungen dastehen, und sie schreit ihm mit knirschenden Zähnen du Scheißkerl entgegen, uns die ganzen Jahre … zu bestrafen … Wer schuldet hier überhaupt jemandem was … Ihre Stimme wird schwächer, bis sie an seiner Brust aufgibt und den Kopf in die Kuhle seiner Achseln legt, fassungslos, was ihr da rausgerutscht ist. Was war das plötzlich, woher kam das auf einmal, sie hat ihm doch etwas ganz anderes sagen wollen. Und er rührt sich nicht, drückt sie an sich und streichelt immer wieder ihren Rücken unter der schweißnassen Bluse, und sie atmet heftig und flüstert in seinen Leib, so wie sie ein paar Tage zuvor in das Loch in der Erde gesprochen hatte. Avram kommt es vor, als ob sie bete, doch nicht zu ihm, sondern zu jemandem in ihm, den sie bittet, er solle ihr endlich aufmachen und sie reinlassen, und die ganze Zeit kneten seine Hände ihren Körper, und auch sie knetet ihn, Finger umklammern die Glieder des anderen, erinnern sich ungläubig. Und für einen überraschenden Augenblick – nicht länger – Zügellosigkeit, eine heimliche, überstürzte Übertretung der Ordnung, wie wenn die Banden der Plünderer flink die Zeit zwischen dem Erdbeben und dem Eintreffen der Ordnungskräfte nutzen, und Oras Knie geben nach, sie hält sich nur noch mit letzter Kraft aufrecht, denkt, was ist das, was passiert hier, und zieht ihren Kopf von ihm weg, will ihm in die Augen schauen und fragen, was das soll, doch er zieht sie an sich, mit alt-neuer Glut, vergräbt immer wieder seine Nase in ihr, genau so war er gewesen, sie öffnet sich plötzlich, erinnert sich, wie er, wenn er in sie eingedrungen war, immer ganz von Sinnen gewesen war, abwechselnd hart und wieder schlaff wurde und sich langsam wie ein Schlafwandler auf langer Wanderschaft bewegte, Seele und Körper zerstreut, so anders als sein natürlicher Rhythmus, wenn er nicht in ihr war, anders als der Rhythmus seiner üblichen Anspannung als Jäger. Einmal hatte er gesagt, in dem Moment, wo er in sie eindringe, schließe sich in ihm eine Art innerer Kreis und er falle sofort in einen Traum. Wie ein Unterwasserlabyrinth, versuchte er es ihr zu beschreiben, als sie ihn darum bat. Nein, nein, vergiss es, das ist wie ein Traum, den kann man, wenn man aufwacht, nicht erzählen oder rekonstruieren. Das ist das Tolle, hatte er geschrien, dass ich keine Worte habe. Ich habe keine Worte!

Und natürlich hatte sie in jenen weit zurückliegenden Jahren auch die anderen Frauen und jungen Mädchen gespürt, die er beim Liebesspiel unter dem Baldachin seiner geschlossenen Lider vorbeiziehen ließ, den rhythmischen, hurenhaften Wechsel seiner Begierden und Phantasien, während er in ihr war. Und jedes Mal, wenn die Eifersucht ihr einen Stich versetzte, hatte sie sich gesagt, man könne Avram eben nicht ohne seine Phantasien, ohne seine Parallelwelten, ohne seine tausend vorgestellten Frauen lieben. Doch im selben Moment suchte sie dann dringend seinen Mund, um ihn mit *ihren* Küssen zu küssen, tiefe, fordernde Küsse, oder nur mit der Zungenspitze die Spitze seiner Zunge zu berühren und ihn dorthin zurückzuholen, wo dies alles stattfand, und er begriff immer sofort, was sie tat, lächelte hinter seinen geschwollenen Embryo-Lidern und machte eine Bewegung, die sagte: Hier, ich bin ja schon wieder zurück.

Und die ganze Zeit in diesen Jahren flüsterten seine Fußsohle und ihr Knöchel, seine Wimpern und ihr Bauchnabel, sie schmiedeten Pläne und weihten einander in ihre verborgensten Geheimnisse ein. Sie war noch so jung gewesen, hatte nicht gewusst, dass man beim Liebesspiel so lachen konnte und durfte, dass ihr Körper so leichtsinnig und sprunghaft war und genauso gern lachte wie sie. Wie kehren all diese Bilder jetzt zu ihr zurück, wo sie sich kaum auf den Beinen halten kann. Jahre hatte sie sich nicht erlaubt, sich daran zu erinnern: Dass seine Glieder immer alle ihre Glieder berührten, wie sie ineinander verschlungen waren, denn man dürfe auch nicht eine tausendstel Berührung verschwenden, hatte er gemurmelt, keinen Finger, keinen Schenkel, kein Lid, und gewiss nicht die Wade oder ein Ohrläppchen.

Ora war nicht zu erschöpfen, wenn sie mit ihm zusammen war, sie kam und lachte, lachte und kam noch einmal, in kurzen, schnellen Salven, während er sich zusammenriss, sich wie ein tibetanischer Yogi aus allen seinen Ecken zuammensammelte, wie er ihr mit einem schelmischen Lächeln erklärte: aus seinen fernsten Kolonien. Von den Zehenspitzen, den Ellbogen, den Wimpern, dem Nacken, *aus der Ferne anfangen*, bis sie seine Zeichen spürte und im Stillen lächelte, hier, hier, wie die Flut anrollte und wie schnell dann der Humor aus seinem Körper wich, ja, plötzlich war alles ernst und entschlossen und schicksalhaft, und seine Muskeln legten sich um sie, eine Umarmung wie ein riesiges Schloss, und dann die alles besiegelnden Stöße tief in ihr, sie erinnerte sich gut.

Danach, sein Kopf schon schwer auf ihrer Brust, spürte sie, wie er aus den Gewässern seiner Sinne wieder auftauchte, langsam, verhalten, mit den Bewegungen eines Kindes im Mutterleib, und brummte: Orale, hab ich dir weh getan?

Und auch hier, auf dem offenen Feld, umarmt er sie im Stehen, gibt ihr Halt, schiebt sie dann ein bisschen von sich, schade, sie hätte gerne, wenn er nur gewollt hätte; vielleicht eine Minute rangen sie miteinander, mehr nicht, sie hatte den Ozean der Zeit bereits durchquert, und er, wo war er gewesen, was will er wirklich, was weiß sie schon, nur dass er sie festhält, sie in seinen Armen hält, vorsichtig ihr Haar streichelt und sie fragt: Hab ich dir weh getan?

Dann lässt er locker, reißt sich beinah von ihr los, als begreife er, was beinah passiert wäre, was hier aus den Tiefen emporgestiegen war, und Ora schwankt, ihr schwindelt, sie hält sich wieder an seinem Arm fest, warte, hau jetzt nicht ab, wieso haust du mir schon wieder ab, und sie schaut ihn geschwächt an, berührt einen langen blutenden Kratzer auf seiner Nase, das bedauerliche Werk ihrer Hände: Avram, sagt sie leise, erinnerst du dich noch an uns?

Ilan kam nach Hause, erzählt sie; nachdem er vor mir und Adam geflohen war und überall in der Stadt andere Häuser ausprobiert hatte, kam er zu uns zurück, ins Haus in Zur Hadassa, und er empörte sich sofort über Adam, das heißt über mich, ich hätte ihn und seine Erziehung und sein Sprechen vernachlässigt, und auch Ordnung und Disziplin. Er war noch keinen Moment zurück, da fing er schon an, Adam zu korrigieren.

Verstehst du? Fast drei Jahre haben Adam und ich mehr oder weniger wie zwei Wilde alleine im Dschungel gelebt, ohne Gesetze und Verbote, und dann landete der Missionar.

Plötzlich wurde uns klar, dass nichts bei uns in Ordnung war, es gab weder einen klaren Tagesablauf noch feste Zeiten, wir aßen, wenn wir Hunger hatten, schliefen, wenn wir müde waren, und das Haus hatte etwas von einem Misthaufen.

Warte, sie hebt den Finger, das war noch nicht alles: Adam lief nackend im Dorf herum, verdrückte Unmengen Schokolade, sah wahllos fern und kam oft erst um elf Uhr in die Kinderkrippe. Er ging noch nicht ordentlich auf den Topf, und dann nannte er mich zu allem Überfluss auch nicht Mama, sondern Ora. Waren wir hier denn in Chicago?

Und Ilan, wie er eben ist, nahm die Dinge sofort in die Hand, natürlich alles sehr nett und mit einem Lächeln – er war bei mir noch auf Bewährung, das wusste er –, aber plötzlich tauchten im Haus Uhren auf, eine in der Küche, eine kleine im Wohnzimmer, eine Mickymausuhr in Adams Zimmer. Danach begannen Aufräum-, Saubermach- und Wegwerfaktionen. Die schöne Zeit war vorbei. Diesen Schabbat sichten wir sein Spielzeug, nächsten Schabbat deinen Papierkram, und was soll diese ganze Apotheke, die aus dem Badezimmerschrank quillt?

Sie lacht freudlos.

Aber nicht dass du denkst, ich hätte nur gelitten, irgendwo mochte ich das auch. Es war ein angenehmes Gefühl, dass ein Mann im Haus war und jemand anfing, das Chaos zu beseitigen. So eine Art innere Säuberung. Die Rettungskräfte waren eingetroffen.

Vergiss nicht, ich war ja mit Ofer schwanger, ich hatte nicht viel Kraft, mich zu wehren, und Ilans ganze Begeisterung zeigte mir, dass er hier ziemlich ernsthaft sein Nest baute und diesmal vielleicht bleiben würde.

Avram läuft neben ihr, spreizt heimlich die Zehen in Ofers Schuhen. Als er sie anzog, hatte er gleich verkündet, er schwimme in ihnen und das gehe nicht. Das wird schon gehen, hatte Ora gemurmelt, den Rucksack auf seinen Schultern aufgemacht und ein paar dicke Wandersocken hervorgekramt, nimm die, und er hatte sie über seine Socken gezogen. Noch immer waren die Schuhe etwas groß, aber, um ehrlich zu sein, bequemer als seine alten, durch deren Sohlen er schon die Steine gespürt hatte.

Lass deinen Füßen einfach ein bisschen Luft, rät sie ihm, und stell dir vor, dass du gerade dieses Gefühl magst.

Er macht sich auf Ofers Absätzen breit, vergleicht die Länge ihrer Zehen. Seine Fußsohlen lernen die Fußabdrücke seines Sohnes. Winzige Vertiefungen und Erhebungen, geheime Botschaften. Eigenheiten von Ofer, die selbst Ora nicht kannte.

Vor allem, sagt Ora, hat er Adam korrigiert. Ordnung, Sauberkeit und Disziplin, das sagte ich ja schon, aber dann begann Ilan sein Alphabetisierungsprogramm.

Wie soll ich dir das erklären. Sie lacht nervös, Adam war damals ein ziemlich stiller Junge. Auch ich war in dieser Zeit nicht gerade gesprächig, hatte ja eigentlich niemanden zum Reden. Die meiste Zeit war ich mit Adam allein zu Hause, und wir führten unser kleines Leben. Es ging uns ziemlich gut, und Reden war wirklich nicht das Wichtigste. Wir kamen auch ganz gut ohne Worte aus, haben uns prima verstanden, und ich glaube, aber vielleicht auch nicht …

Nun sag schon.

Vielleicht hatte ich in all den Jahren zu viele Wörter von euch beiden gehört, von dir und Ilan. Vielleicht brauchte ich etwas Ruhe.

Er seufzt.

Euer ganzes Reden, dieses endlose brillante Blabla, diese stetige Anstrengung.

Ilan und ich, denkt Avram, zwei überhebliche, aber unbeachtete Hähne.

Und ich fühlte mich immer etwas außen vor, sagt sie.

Du? Wirklich? Das wühlt ihn auf, er weiß nicht, wie er ihr sagen soll, dass er immer das Gefühl hatte, gerade sie sei der Mittelpunkt, der Brennpunkt von ihnen beiden gewesen, die Kraft, die Ilan und ihn antrieb, auf ihre Art.

Ehrlich gesagt habe ich mich nie für euern Zirkus begeistern können.

Aber das war doch alles nur deinetwegen. Für dich.

Es war zu viel.

Sie gehen schweigend. Die Hündin hinter ihnen hält ihren Abstand ein, spitzt aber die Ohren.

Ilan war schockiert, erzählt Ora weiter, als sie von ihren Gedanken zurückkehrt, wie unterentwickelt Adams Sprache war, so sagte er zumindest, und er brachte ihm richtiggehend Sprechen bei, verstehst du? Im Alter von fast drei hat er mit ihm einen Rekrutenkurs im Sprechen gemacht.

Wie denn das?

Er sprach dauernd mit ihm, brachte ihn morgens in den Kindergarten und redete mit ihm über alles, was sie unterwegs sahen. Er holte ihn aus dem Kindergarten ab und redete wieder mit ihm, fragte, was er erlebt habe, forderte Antworten, ließ nicht locker. »Väter gegen das Schweigen«.

Avram lacht leise. Ora wird rot: Das war ihr gelungen.

Er redete mit ihm, wenn er ihn anzog, wenn er ihn zu Bett brachte, ihm sein Essen gab. Ich hab ihn die ganze Zeit gehört, die ganze Zeit dieses Reden. Adam und ich waren an so einen Lärm nicht gewöhnt, es war nicht leicht. Auch für Adam nicht, da bin ich mir sicher.

Mit dem Finger zeigen und »das da« sagen reichte nicht mehr. Jetzt hieß das »Türpfosten« und »Schloss«, »Regalbretter« und »Salzstreuer«. Dauernd hörte ich im Hintergrund, wie den Kratzer auf einer Schallplatte, sag »Regalbrett«. »Regalbrett«. Sag »Heuschrecke«. »Heuschrecke«. Er hatte ja recht. Das bestreite ich gar nicht. Ich spürte, er tat das Richtige, und ich sah, wie Adams Welt voller und reicher wurde, weil die Dinge plötzlich Namen bekamen. Ich konnte nur nicht ... Ich konnte nicht ... Siehst du, auch ich weiß jetzt nicht genau, wie ich das sagen soll.

Es gab ihr einen Stich ins Herz, diesen ungeahnt gewaltigen Durst bei Adam zu sehen. Nach einer kurzen Schockphase begriff Adam, was Ilan ihm da anbot, und plötzlich hatte sie ein plapperndes Kind.

Er redete und redete, von dem Moment, in dem er die Augen aufschlug, bis er einschlief, und manchmal auch im Schlaf. Und in seinem Reden, in seinem Wortschatz, der sich von Woche zu Woche verdoppelte und verdreifachte, hörte sie ununterbrochen den gegen sie gerichteten Vorwurf, sie habe die entscheidenden Jahre seiner Entwicklung vergeudet, und schlimmer noch, sie habe seine Faszination für Wörter überhaupt nicht bemerkt. Ilan hat mit ihm wie mit einem Erwachsenen geredet, erklärt sie Avram. Nicht nur im Wortschatz, auch im Tonfall. Sie hatte ihnen zugehört und es hatte sie geschmerzt: Er redete so sachlich, als wären sie Partner. Kein Echo mehr von ihrem süßen kindlichen Gebabbel mit Adam. Nur selten gab es ein Wort, das Ilan für das Gespräch mit Adam zu kompliziert erschien. Sag »Assoziation«, »Assoziation«; sag »Philosophie«, »Kilimandscharo«, »Crème brûlée« ...

Ilan erklärte Adam, dass es Synonyme gab, und so lernte Adam mit drei Jahren, dass man den Mond auch Sichel oder kleines Himmelslicht nennen konnte. Dass es nachts dunkel und düster und sogar stockfinster war. Dass er, Adam, sprang, aber auch hüpfte und hopste. (Avram lauscht, eine merkwürdige Freude regt sich in ihm, ein bisschen stolz und ein bisschen verlegen.) Ilan brachte ihm bei, dass »Adam sein Teller« »Adams Teller« hieß und »Papa sein Mantel« »Papas Mantel« war, und amüsierte sich stundenlang mit ihm über »Papas Sohn«, »Adams Nase« und »Papas und Adams Finger«. Ab und zu nahm Ora alle Kraft zusammen und protestierte, du dressierst ihn ja, du machst ihn zu deinem Spielzeug, und Ilan antwortete, für Adam ist das ein Spiel, wie Lego aus Wörtern. Sie wollte schimpfen, du markierst ihn jetzt als dein Territorium, aber sie sagte bloß: Dafür ist er noch zu jung, ein Kind in seinem Alter muss noch nicht alle Possessivformen kennen. Und Ilan antwortete, aber du siehst doch, dass es ihm Spaß macht. Natürlich, sagte sie, er merkt ja, dass es dir gefällt, und er will dir gefallen. Er wird alles tun, um dir zu gefallen – hör mal, Ora öffnet mitten im Satz eine Klammer: Da fällt mir noch was ein. Etwa ein halbes Jahr nachdem Ilan zurückgekommen war, fragte Adam, wo denn der Mann, der im Schuppen gewohnt hatte, hingegangen sei. Und was habt ihr ihm geantwortet? fragt Avram nach längerem Schweigen. Ich habe kein Wort rausgekriegt, und Ilan sagte nur, der ist gegangen und kommt nie mehr zurück. Das ist mir jetzt plötzlich eingefallen. Aber wo war ich stehengeblieben?

Sie war geschwächt gewesen. Die Schwangerschaft mit Ofer, die so leicht und mit einem Gefühl der Gesundheit begonnen hatte, wurde gegen Ende anstrengend, und sie litt oft. Sie fühlte sich abwechselnd wie ein Elefant oder gerupft und hässlich. Vom sechsten Monat an, erzählt sie, drückte Ofer mir auf einen Nerv, und ich hatte bei jedem Aufstehen höllische Schmerzen. In den letzten beiden Monaten verbrachte sie die meiste Zeit in einer bestimmten Stellung im Bett oder in dem großen Sessel im Wohnzimmer – auch das Atmen tat ihr manchmal weh –, und sie betrachtete Ilan und Adam in ihrem intellektuellen Fieber, während sie selbst immer schwächer wurde, sich zunehmend in die ihr bekannte Nische gedrückt fühlte, in die sie sich vor Jahren in einer Mischung aus Stumpfheit und Selbstaufgabe verkrochen hatte, als Avram und Ilan damit anfingen, sich vor ihren Augen leidenschaftliche Wortgefechte zu liefern.

Sie konnte Ilan und Adam nicht daran hindern, sich mit Synonymen, Reimen und Assoziationsspielen zu amüsieren, und natürlich fühlte sie sich auch geschmeichelt, als die Kindergärtnerin ihr von dem gewaltigen Schritt in Adams Entwicklung berichtete, in so kurzer Zeit habe er einen Sprung von mindestens zwei Jahren gemacht. Er habe im Kindergarten nun eine viel stärkere Position, obgleich er aus irgendeinem Grund auch wieder einnässe, aber jetzt sei er zumindest in der Lage, von diesen Unfällen zu berichten, so dass man ihn kaum schelten könne.»Mir ist was weggelaufen«, sagte er dann, zitiert Ora mit schiefem Mund und fragt gereizt: Was lächelst du so?

Ich glaube, sagt Avram und schaut sie nicht an, ich hätte das wohl auch so gemacht.

Mit deinem Kind?

Vielleicht. Ja.

Wie Ilan?

Ja.

Das hab ich mir auch manchmal gedacht, sagt sie und schwört sich, diesen Punkt nicht weiter zu vertiefen, nie im Leben.

Was denn?

Schon gut, nicht so wichtig.

Was hast du gedacht? Sag schon.

Da bricht es aus ihr heraus: Das ist es im Grunde doch, was Ilan gesucht hat, einen Partner wie dich, mit dem er glänzen und brillieren kann.

Avram schweigt, dreht eine Locke seines Bartes um den Finger.

Denn als Ersatz war ich nicht gut genug, sagt sie trocken. Zumindest nicht in dieser Hinsicht. Es ist mir nicht gelungen, und ich habe es erst gar nicht versucht.

Aber warum hättest du es überhaupt versuchen sollen?

Ilan hat das gebraucht. Weißt du überhaupt, wie sehr er dich und das, was ihr gemeinsam hattet, gebraucht hat? Er hat sich ohne dich so welk gefühlt.

Avrams Gesicht lodert, und plötzlich nagt in Ora ein Zweifel: Vielleicht hat sie damals überhaupt nicht verstanden, was Ilan durchmachte. Vielleicht suchte er gar keinen Ersatz für Avram, sondern versuchte, selbst wie Avram zu sein. In ihrer Erregung läuft sie schneller. Vielleicht gab er sich damals alle Mühe, so Vater zu sein, wie er sich Avram als Vater vorstellte?

Sie sind so sehr in sich versunken, dass die Straße, an die sie gelangen, ihnen Angst macht. Die Wegzeichen sind plötzlich verschwunden. Ora geht weiter, kehrt um, sucht, wird enttäuscht. Bisher hatten wir Glück damit, denkt sie, aber jetzt? Wie kommen wir jetzt nach Jerusalem?

Die Straße ist nicht besonders breit, doch die vielen Autos rasen in irrsinnigem Tempo. Am Straßenrand fühlen sich beide langsam und dumpf; gern würden sie umkehren, sich dahin zurückziehen, woher sie kamen, auf eine lichte stille Wiese oder ins schattige Dickicht des Waldes. Aber Umkehren ist unmöglich, das geht für Ora nicht, und Avram hat sich anscheinend schon an ihrem Vorwärts-und-weiter-Drang angesteckt. Verstört stehen sie am Straßenrand, schauen nach links und rechts und zucken bei jedem vorüberfahrenden Auto zurück.

Wie diese Japaner, die dreißig Jahre nach Kriegsende aus den Wäldern kommen, murmelt sie.

Ich bin wirklich so einer, erinnert er sie.

Sie sieht, die Straße und die von ihr ausgehende Gewalt machen ihm Angst. Sein Gesicht verschließt sich, sein Körper macht zu. Sie sucht die Hündin. Bis eben ist sie ihnen doch noch nachgelaufen, auf Distanz. Jetzt ist sie weg. Was tun? Zurückgehn und nach ihr suchen? Und wie willst du sie über die Straße kriegen? Wie willst du sie und Avram zusammen über die Straße bringen?

Jetzt fehlen mir bloß noch ein Kohlkopf und eine Ziege, schimpft sie im Stillen.

Komm, sagt sie und gibt sich einen Ruck. Sie weiß, wenn sie nicht sofort etwas unternimmt, wird seine Schlaffheit ihn lähmen: Komm, wir gehen rüber.

Sie nimmt seine Hand, spürt, wie er vor der Straße kapituliert.

Wenn ich »jetzt« sage, rennst du los.

Er nickt kraftlos, den Blick auf den Schuhspitzen.

Du kannst doch rennen, oder?

Plötzlich verändert sich sein Gesicht: Sag mal, warte noch einen Moment …

Später. Später.

Nein, warte. Was du vorhin gesagt hast …

Pass auf, nach dem Laster: Jetzt!

Sie läuft los, auf die Straße, ein, zwei Schritte, und sein massives spezifisches Gewicht hält sie zurück. Sie schaut schnell nach rechts und links. Noch ist die Straße leer, doch Avram trottet unvorstellbar langsam hinter ihr her. Sie dreht sich um, zieht ihn mit beiden Händen. Ein metallic-violetter Jeep rast aus der Kurve auf sie zu, blendet die Scheinwerfer auf. Sie stehen mitten auf der Straße, stecken fest, können nicht vor und nicht zurück. Und Avram versteinert. Sie ruft seinen Namen, zieht ihn an den Armen. Sie hat den Eindruck, als spreche er zu ihr, als bewegten sich seine Lippen. Der Jeep schießt wütend hupend an ihnen vorbei, und Ora betet, dass niemand aus der Gegenrichtung kommt. Sag mal, murmelt er immer wieder, sag mal. Was denn, stöhnt sie in sein Ohr, was ist denn jetzt so wichtig? Ich, ich, stottert er, ich wollte dich fragen … Was wolltest du fragen? Ein Lastwagen rollt auf sie zu, immer näher, tutet wie ein altes Nebelhorn, sie stehen genau auf seiner Spur, Ora zieht Avram an sich, rettet ihn vor dem Laster, erstarrt mit ihm auf dem weißen Mittelstreifen. Hier werden sie sterben, wie zwei Schakale überfahren werden. Und er: Hat er auch sonst keinen? Auch sonst keinen … was? Wovon redest du? Hat Ilan auch sonst keinen Ersatz gefunden?

Im Dröhnen einer vorbeifahrenden Hupe hört sie ein feines, kaum fassbares Flüstern, wie das Rascheln eines Kindes hinter einem Schrank beim Versteckspiel. Sie starrt ihn an − der große runde, in der Sonne weichgekochte Kopf, das wilde Haar auf beiden Seiten, seine aufgerissenen Augen, deren Blick sich wieder, jetzt wie ein Löffel in einem Glas, bricht. Da begreift sie endlich, was er sie fragt.

Mit beiden Händen streichelt sie langsam sein Gesicht, seinen wilden Bart, seine verzweifelten Augen. Ihre Bewegung bringt die Straße zum Verschwinden. Die Straße kann warten. Völlig ruhig sagt sie, was, das wusstest du nicht? Hast du dir das nicht gedacht? Nach dir hatte Ilan keinen Freund mehr wie dich.

Ich auch nicht, sagt er mit hängendem Kopf.

Ich auch nicht, und jetzt komm. Gib mir die Hand. Wir gehen.

»Ich bin in der Hölle!« hatte er ihr in einem Brief aus einem Vorbereitungslager aufs Militär geschrieben, siebzehn war er damals gewesen, »im Camp Ora-Quelle, das garantiert nach Dir benannt ist. Dir würde es hier gefallen, wir fressen Kies, spülen ihn mit Kettenfett runter und hüpfen wie abgeknallte Hühner aufs Sprungtuch. Alles Sachen, die du doch gerne machst, oder? Und ich? Ich begnüge mich damit, von dir zu phantasieren, und versuche erfolglos, die Stellvertreterinnen für dich in meinem Herzen zu ficken. Gestern Abend habe ich zum Beispiel Atara zu mir aufs Zimmer eingeladen. Ich empfinde ihr gegenüber, wie du weißt, keine Liebe. Was dann? Ich hatte a) den Eindruck, dass sie öffentlich ist, und b) drängte mich die Biologie. Der Vorwand war (was für eine niederträchtige List), gemeinsam im Radio Paul Temple zu hören (*Paul Temple und der Fall Vandyke*), aber dann hieß es

427

plötzlich, die Mädchen dürften nicht auf die Jungenzimmer kommen, und so blieb ich einsam und allein zurück und verschrumpfte mich in mein Loch, während Ilan mit ein paar Kumpels verschwand – meines Wissens alles Mädchen (nur damit du es weißt) –, und bestimmt haben sie da kräftig geknutscht.«

»Heute Morgen, meine Liebe«, schrieb er am nächsten Tag, »sind wir um halb sechs aufgestanden und zu einem Hügel gefahren, wo wir Steine aufgelesen, Unkraut gejätet und Terrassen gebaut haben (stell dir mich da vor, ohne Unterhemd!) Ich habe einen Plan ausgeheckt, und es gelang mir, als einziger Junge mit acht deiner Geschlechtsgenossinnen zu arbeiten, doch zeigte sich schnell, dass sie alle kalte Hintern hatten und Avram gegenüber feindselig eingestellt waren. Neben mir arbeitete Ruchama Levitov (von der hab ich dir schon geschrieben; wir hatten mal eine flüchtige und betrübliche Begegnung), so dass ich Gelegenheit hatte, unsere Beziehung nun genauer zu klären, aber zum Schluss haben wir doch nur Kleinquatsch geredet (ich habe gerade versucht, das englische *small talk* zu übersetzen), und sie provozierte mich und sagte, wir würden immer diskutieren und streiten und uns trennen und wieder von neuem anfangen, wie ein doppeltes Diagramm. Ich hab ihr einen Jean-Paul-Belmondo-Blick zugeworfen und nichts gesagt, aber danach dachte ich, das ist mein Schicksal mit Mädchen, irgendwie klappt es nie richtig, und auch wenn es hier und da mit einer mal klappt, kommt immer der Moment, wo sie plötzlich vor mir zurückweicht oder gleich abhaut, oder sie sagt, sie finde mich übertrieben. (Hab ich dir von Tova G. erzählt, die mir, als wir endlich in die Horizontale gelangt waren, erklärte, ich sei ihr »zu intim« ??!! und richtiggehend aus dem Bett floh?!) Um die Wahrheit zu sagen, Ora, ich habe keine Ahnung, was bei mir nicht stimmt mit den Mädchen. Ich würde gern mal mit dir darüber reden, ganz ehrlich und ohne Zensur.

Dein Caligula mit schwieligen Löffelchen, zum Abendessen eilend.«

Ora kramte in dem vollen Schuhkarton, zog einen anderen Brief aus derselben Zeit heraus, warf einen Blick auf Avram, der eingegipst in Verbänden dalag, und las ihn vor.

»Meine schejne Schejndel. Wieder eine Chemiestunde. Man wollte uns begeistern für endotherme und exotherme Reaktionen. Ich hatte einen sagenhaften Streit mit der Lehrerin. Phantastisch! Sie versuchte sich rauszureden, da gab ich ihr den entscheidenden Stoß. Zum Schluss kroch sie geschlagen aus der grölenden Klasse, und ich feierte mit Macht und Pracht meinen Triumphzug durchs Klassenzimmer!«

Ora warf ihm einen Blick zu. Keine Reaktion. Zwei Tage vorher hatten die Ärzte begonnen, ihn nach und nach aus dem künstlichen Tiefschlaf zurückzuholen. Doch auch wenn er halbwach war, öffnete er die Augen nicht und sprach nicht. Jetzt schnarchte er mit aufgerissenem Mund. Der Kopf und die Schulter, die man sah, waren übersät mit offenen und vereiterten Wunden. Sein linker Arm war eingegipst, die Beine auch, das rechte in einer Extension aufgehängt, und aus allen Körperteilen kamen Schläuche. Seit ein paar Nächten las sie ihm Briefe aus ihrer Jugend vor. Ilan glaubte nicht an solche Behandlungsmethoden, doch sie hoffte, dass gerade seine eigenen Worte zu ihm durchdringen und ihn zum Reden reizen würden.

Vielleicht hatte es auch gar keinen Sinn. Sie blätterte in den Briefen und Zetteln. Ab und zu fischte sie einen heraus, las eine Stelle vor, doch meistens wurde ihre Stimme nach ein paar Zeilen leiser, bald las sie nur noch für sich, lachte und staunte, wie er ihr mit sechzehneinhalb ohne jede Hemmung und mit saftiger Ausführlichkeit seine Begegnungen mit Mädchen beschrieben hatte … »Keine Sorge, die sind nur ein schwacher Abklatsch von dir, und auch nur so lange, bis du dich dazu durchringst, das über mich verhängte Lustembargo aufzuheben und dich mir ganz und gar hinzugeben, inklusive der heiligen Stätten.« Er schrieb von erfolglosen Werbeversuchen und Pannen, vor allem von peinlichen Pannen schrieb er ihr, Ora kannte niemanden, der so fröhlich von seinem Scheitern und seiner Nichtigkeit berichtete.

Hunderte von Papieren und Zettelchen lagen in diesem Karton, eng beschrieben in seiner sprunghaften Handschrift, die manchmal von der Spannung, die sich auch in Worten nicht entladen konnte, zitterte; übersät mit Kritzeleien, anmutigen Zeichnungen, Pfeilen, Sternchen und Fußnoten. Erfindungen und Wortspiele sprudelten nur so aus ihm hervor, auch kleine Wortfallen, um zu prüfen, ob sie aufmerksam las und alle Einzelheiten mitbekam. Auf den Rückseiten der

Briefe las sie als Absender: Chilik & Billig GmbH, Zubehör für Träume und Inkubus, oder: Ch. Bovary, pharmakologischer Berater für gehörnte Männer.

Auf jeden Briefumschlag klebte er neben die offizielle Briefmarke seine eigene Marke, auf die er sich selbst oder sie und natürlich sie und Ilan gemalt hatte, zusammen mit den drei, fünf oder sieben Kindern, die sie in Zukunft haben würden. Er schnitt für sie urige und unanständige Stellen aus Zeitungsartikeln, schickte ihr Inschriften, die er auf den Jerusalemer Friedhöfen gefunden hatte (»der von Qualen Gepeinigte«, schrieb er fröhlich, »als hätten sie das für mich geschrieben!«). Auch schickte er ihr eine genaue Strickanleitung für eine Zwergenmütze aus dicker Wolle mit roter Bommel und seine eigenen Rezepte für Hamantaschen, für Aufläufe und Kuchen, die sie niemals zu backen wagte, denn es reichte ihr schon, das Rezept zu lesen, um zu spüren, dass darin zu viele entgegengesetzte Geschmäcker miteinander kämpften.

Avram stöhnte im Schlaf, seine Lippen bewegten sich. Ora hielt den Atem an. Er murmelte etwas Unverständliches, schmerzverzerrt. Sie befeuchtete seine Lippen mit einem Tuch und wischte ihm den Schweiß vom Gesicht. Er beruhigte sich.

Am Morgen nach ihrer letzten gemeinsamen Nacht auf der Isolierstation hatte er angefangen, ihr zu schreiben:»Ich fühle mich, als hätte man uns operativ voneinander getrennt«, schrieb er, »als wäre ich *nur noch Beulen und Striemen und frische Wunden*, seit du mir ausgerissen wurdest.« Damals war eine weitere Welle von Verwundeten ins Krankenhaus gekommen, und man hatte Ilan, Avram und sie auf andere Krankenhäuser verteilt. Er schrieb ihr jeden Tag, über drei Wochen, noch bevor er ihre Adresse herausbekommen hatte, und dann schickte er ihr die ersten einundzwanzig Briefe in einem bunt beklebten Schuhkarton. Seitdem hatte er ihr sechs Jahre lang Briefe von fünf, zehn und auch zwanzig Seiten geschickt, mit Limericks, Gedichten, ausgewählten Zitaten und Szenen aus Hörspielen; er schickte ihr auch Telegramme, die er lieber »Telepfunde« nannte, und Entwürfe für Geschichten, die er mal schreiben würde, mit girlandenartigen Randbemerkungen und Streichungen, bei denen absichtlich das Gestrichene noch lesbar war. Sein ganzes Herz hatte er ihr gegeben, und sie hatte seine Briefe immer mit neugieriger Lust und einer gewissen Spannung, mit blankliegenden Nerven und einer beinahe physischen Sehnsucht nach Ada gelesen, und mit dem unverständlichen Schuldgefühl, Ada zu betrügen. Doch hatte sie in den ersten Monaten ihrer Korrespondenz jeden seiner Briefe auch mit einem verächtlich-spöttischen Zug in den Mundwinkeln geöffnet – ein Zug, der manchmal während des Lesens zu einem Zucken wie vor dem Weinen wurde. In jeden Brief flocht er etwas über Ilan ein. Um sie neugierig zu machen oder um sich selbst zu quälen, das konnte sie nicht entscheiden.

»Heute, liebe Ora«, las sie ihm flüsternd vor und beugte sich ein bisschen über sein bis zum Knochen zerschnittenes Gesicht, »überfiel mich eine abgründige Traurigkeit, und ich laufe herum wie die Katze, die für sich blieb, von Rudyard Kipling (kennst du?), und der Einzige, dem ich meine Geheimnisse anvertraue, ist Ilan, mein guter alter entmannter Freund. Wie du weißt, pflegen wir uns in Angelegenheiten des weiblichen Geschlechts zu beraten. Das heißt, ich rede, meistens natürlich von dir. Und Ilan reagiert nicht, aber gerade wegen seines Schweigens denke ich, dass er in Bezug auf dich nicht ganz gleichgültig ist, obwohl ich sehe, er hat dir gegenüber noch nicht das gemacht, was ich im gemeinsamen Ratschluss mit meinem Freund Søren Kierkegaard »den Sprung in die Liebe« nenne, obwohl er andererseits stur darauf beharrt, gegenüber den ihn umgebenden Herden blonder und dunkelhaariger Mädchen indifferent zu bleiben. Meist gebe ich ihm Ratschläge, weil er in Sachen Frauen so unerfahren und unbeholfen ist, und verhalte mich dabei natürlich völlig neutral, wie einer, der schon ganz abseits steht und in dieser Sache, also in Bezug auf dich, keinerlei eigene Interessen verfolgt. Du wirst nicht glauben, wie leidenschaftlich ich versuche, ihn davon zu überzeugen, dass du für ihn bestimmt bist. Sicher wirst du fragen, warum ich das tue? Weil meine Aufrichtigkeit mich dazu verpflichtet und weil mir klar ist, dass, obwohl du für mich bestimmt bist, ich nicht für dich bestimmt bin. Das ist die bittere Wahrheit, Ora. Und das ist das Gesetz meiner Liebe zu dir: Nur Herzensnot und Komplikationen werde ich dir bringen, und gerade weil du mir so wichtig bist, und wegen meiner absoluten und uneigennützigen Liebe zu dir, muss ich Ilan für dich begeistern, muss zumindest seine blinden Augen und sein Herz öffnen. Ist das nicht völlig gestört? Los, schreib mir schnell, damit mein Herz nicht vor Sehnsucht vergeht!«

Doch schon im P.S. zu diesem Brief erzählte er ihr fröhlich von verwickelten Affären und seinem Pech mit anderen Mädchen, die nur ein billiger und zufälliger Ersatz waren, und das nur, weil sie in den verborgenen Tiefen ihres Herzens darauf bestehe, ausgerechnet den trübseligen Ilan mit seiner kafkaesken Lebensfreude zu lieben, der sich überhaupt nicht für sie interessiert, und weil sie sich weigert, Avram vor dem Gesetz zu heiraten und mit ihm zusammen in irgendeinen kleinen Schuppen zu ziehen.

In den ersten Wochen hatte sie ihm kurze, vorsichtige Briefe zurückgeschrieben, deren Ängstlichkeit ihr peinlich war. Er hatte sich nicht beklagt. Nie hatte er sich über die Zahl der Seiten oder deren dünnen Inhalt beschwert, im Gegenteil: Immer war er begeistert und dankbar für jeden Buchstaben, den sie ihm schrieb. Danach wagte sie sich ein bisschen weiter vor, erzählte ihm zum Beispiel von ihrem großen Bruder, dem Revoluzzer und Marxisten, der ihren Eltern das Leben schwermache und nur tue, wozu er gerade Lust habe, weshalb sie wütend auf ihn sei und ihn gleichzeitig beneide. Sie schrieb ihm, wie einsam sie unter ihren Freundinnen sei, von ihren Ängsten vor den Wettkämpfen – deshalb hatte sie die Leichtathletik schon fast ganz aufgegeben und sich aufs Schwimmen verlegt; der Wechsel vom trockenen ins feuchte Element hat ihr sofort gut getan; es gab Tage, an denen sie sich wie eine Fackel fühlte, die sich im Wasser etwas abkühlt. Und von Ada schrieb sie ihm, sehnte sich schriftlich nach ihr, wie sie es nur bei ihm konnte. Ab und zu – im Grunde in jedem Brief – beherrschte sie sich nicht und bat ihn im P.S., Ilan einen herzlichen Gruß auszurichten. Obwohl sie wusste, dass sie ihm damit weh tat, hatte sie nicht die Kraft, es nicht zu tun. Und auch im nächsten Brief konnte sie sich wieder nicht beherrschen und erkundigte sich, ob er den Gruß auch ausgerichtet habe.

Von diesem Briefwechsel, von ihrer neuen Freundschaft und auch von der wahnsinnigen Herzensnot, die ihr die Gedanken an Ilan bereiteten, erzählte sie keiner ihrer Freundinnen. Seit der Rückkehr aus dem Krankenhaus in Jerusalem wusste Ora, dass alles, was sie in jenen Nächten erlebt hatte, zu kostbar und zu außerordentlich war, um es Fremden anzuvertrauen. Umso mehr das, was sie jetzt mit den beiden erlebte. In der Doppelung lag ein Geheimnis, das sie gar nicht zu lüften versuchte. Es hatte sie ganz plötzlich getroffen, wie ein Blitz oder ein Unfall, und sie musste nun mit den Folgen dieses Treffers zurechtkommen. Doch mit jedem Tag wuchs in ihr die unerschütterliche Gewissheit, die immer selbstverständlicher wurde: Sie brauchte sie alle beide, sie waren lebenswichtig für sie wie zwei Engel, die letztlich dieselbe Mission hatten: Avram, vor dem sie keine Zuflucht fand, und Ilan, der ganz und gar Abwesende.

Fast unbemerkt wurden ihre Briefe an Avram zu einer Art Tagebuch, das sie ihm zur Aufbewahrung anvertraute. Doch da sie ihm von ihrer tagtäglichen und allnächtlichen Sehnsucht und dem körperlichen Verlangen nach Ilan nicht schreiben konnte, die plötzlich in ihr aufflammten, schrieb sie über andere Dinge, immer mehr über ihre Eltern, vor allem über ihre Mutter, ganze Seiten schrieb sie über ihre Mutter, sie hatte nicht geahnt, dass es so viel über sie zu schreiben gab. Am Anfang, wenn sie das Geschriebene las, kam es ihr wie ein Verrat vor, und sie war entsetzt, und dennoch konnte sie ihm das nicht vorenthalten; sie hatte sowieso den Eindruck, dass er alles über sie wusste, auch das, was sie gern vor ihm verborgen hätte. Sie erzählte ihm von der ständigen Anstrengung, die Gründe für die Wutausbrüche ihrer Mutter zu erahnen, von den verborgenen Anschuldigungen, die im ganzen Haus wie dichte Gitter aufgestellt waren, vor denen es kein Entrinnen gab, und verriet ihm das große Familiengeheimnis von den Anfällen ihrer Mutter. Die schloss sich alle paar Tage in ihr Zimmer ein und schlug sich selbst schmerzhaft, das hatte Ora zufällig entdeckt, als sie zehn gewesen war und sich, wie so oft, im Bettzeugfach im Kleiderschrank ihrer Eltern versteckt hatte. Sie hatte gesehen, wie ihre Mutter ins Zimmer gerannt kam, die Tür hinter sich abschloss und anfing, sich zu schlagen, sich ohne einen Laut Bauch und Brust aufzukratzen, und dann schrie sie im Flüsterton: du Dreckstück, du Dreckstück, noch nicht mal Hitler hat dich gewollt. In diesem Moment hatte Ora beschlossen, dass sie einmal eine traumhafte Familie haben würde; dies war ein unverrückbarer, kristallklarer Beschluss, nicht so, wie kleine Mädchen sich manchmal ihr Leben ausmalen. Für Ora war es eine Lebensentscheidung: Sie würde eine eigenen Familie haben, mit Mann und Kindern, zwei Kinder, nicht mehr, und sie würden in einem Haus wohnen, wo es immer hell war, bis in die entlegensten Winkel. Vor ihrem geistigen Auge sah sie ein lichtdurchflutetes Haus ohne jegliche Schatten, in dem sie, ihr Mann und ihre beiden Kinder sich fröhlich bewegten. Auch sie waren durchsichtig und versteckten nichts, so dass es dort solche Überraschungen nie geben würde. Mit fünfzehn und mit zwanzig dachte sie noch immer, sie würde zumindest einen Menschen auf der Welt haben, oder zwei oder drei unter all den geheimnisvollen, unberechenbaren Fremden, die sie wirklich kennen würde.

Von einem Brief zum nächsten merkte sie, in welchem Maße ihr verborgene Zusammenhänge klar wurden, indem sie sie zu Papier brachte, und es überraschte sie auch ein bisschen, dass sie so genau beschreiben konnte – hatte sie doch immer gedacht, sie sei vor allem im Zuhören gut, darin, guten Schreibern zuzuhören. Später spürte sie dann, dass sie schreiben wollte, schreiben musste, und mindestens ebenso wollte sie, dass er las, was sie zu sagen hatte, und dass er ihr immer wieder schrieb, was er in ihr sah.

Und viele Grüße an Ilan.

Einmal hatte er ihr geschrieben: Du bist meine erste Liebe.

Da war sie für zwei Wochen untergetaucht, und danach schrieb sie ihm, sie sei noch nicht so weit, über Liebe zu reden. Sie habe das Gefühl, sie seien beide noch zu jung, noch nicht reif genug, und überhaupt wolle sie mit diesen ganzen Sachen wie der Liebe noch ein paar Jahre warten. Er schrieb, jetzt, nachdem sie ihm dies ausdrücklich mitgeteilt und er es Ilan erzählt habe, sei er sich seiner Liebe zu ihr völlig sicher, sein Schicksal liege nun in ihrer Hand, und er legte einen frankierten Antwortumschlag bei. Sie bat ihn inständig, ihr nicht weiter von seiner Liebe zu schreiben, das würde nur Nervosität und ungesunde Gefühle in ihre schöne und reine Beziehung bringen. Er antwortete, a) ist Liebe meiner Meinung nach das gesündeste, schönste und reinste Gefühl, das es gibt, und b) kann ich nicht mehr aufhören, über meine Liebe zu dir zu reden. Meine Liebe zu dir, meine Liebe zu dir, meine Liebe zu dir, und mit diesen Worten schrieb er die ganze Seite voll.

DAS WAR KEINE LIEBE AUF DEN ERSTEN BLICK, schrieb er ihr in einem Telegramm, das er ein paar Stunden nach diesem Brief abschickte und das eine Woche vor dem Brief ankam, HABE DICH SCHON LANGE VORHER GELIEBT STOP BEVOR ICH DICH KANNTE STOP HABE DICH AUCH RÜCKWÄRTS GELIEBT STOP NOCH BEVOR ES MICH ÜBERHAUPT GAB STOP DENN ICH WURDE ERST ICH ALS ICH DICH TRAF. Sie schickte einen kurzen Brief, es falle ihr schwer, jetzt weiter mit ihm zu korrespondieren, sie habe gerade viele Prüfungen und Wettkämpfe und sei sehr beschäftigt. Zum Beweis legte sie einen Artikel aus *Maariv für die Jugend* bei über einen Hochsprungwettbewerb im Wingate Institut, an dem sie teilgenommen hatte. Er schickte ihr ihren Brief zusammen mit der Asche des verbrannten Artikels zurück und schrieb ihr dann drei Wochen lang nicht, und sie wurde fast wahnsinnig vor Erwartung, bis er sich wieder meldete, als wäre nichts gewesen:

»Gestern war ich mit Ilan, Friede seiner Seele, auf einem Jazzkonzert (er bestellt dir zu meiner großen Verwunderung diesmal Grüße und will mir die ganze Zeit über die Schulter schauen, was ich dir schreibe, obwohl er weiterhin darauf beharrt, dass du ihn nicht im Geringsten interessierst!). Also, wir waren gestern im »Puss-Puss«, einem Klub hier, und es war wun-der-voll; ich hatte eine Menge Erlebnisse mit lauter Gazellen, die mit mir zwar Blicke tauschten, aber leider keine Telefonnummern. Bei der Musik gelang es mir, ein klareres Bild über die Sammlung meiner Mädchen in der letzten Zeit zu bekommen, und ich habe ein paar interessante und fundierte Theorien über sie entwickelt, vor allem über dich: Ich denke, letztlich wirst du dein Schicksal nicht mit meinem verbinden, sondern mit dem eines anderen Knaben, mit Ilan oder jemand anderem vom Typ Ilan. Jedenfalls mit einem, der deinen Nabel nicht, wie ich, vor Jauchzen tanzen lässt, der dich nicht, wie ich, mit Wortspielen um den Verstand bringt und der nicht, wie ich, deinen Rücken vor Wonne erschauern lässt, dafür wird er viel schicker sein als ich, viel, viel hübscher, ruhiger und gefestigter, vor allem für dich leichter zu verstehen (und auch deiner Mutter wird er garantiert auf den ersten Blick gefallen!). Ja, ja, meine untreue Ora, das hab ich mir überlegt, während ich in der kleinen feuchten Höhle mit den Haschischdüften saß (!!!) und die Engel auf den Tonleitern von Mel Keller auf und ab steigen sah, aber jetzt hab ich den Faden verloren …

Zum Schluss wirst du dich fürs ganze Leben mit so einem ernsten, toll aussehenden Alpha-Mann mit silbernen Schläfen vereinigen, einem, der dich nicht fragen wird, ob dein Nabel beim Anblick eines schönen Sonnenuntergangs sich erregt oder beim Lesen des neuesten auf den Lippen brennenden Gedichts von David Avidan, doch an seiner Seite wird dir eine in alle Ewigkeit sichere Zukunft beschert sein. Denn ich habe dich im Verdacht, doppeltes Orachen, dass es in deiner schönen hellen Seele (die ich, das muss ich dir nicht sagen, sehr liebe) einen kleinbürgerlichen dunklen Winkel gibt (wie im Laden an der Ecke, da, wo die alten Konservendosen stehen) und dass du, verzeih mir, in Sachen Liebe, in Sachen echter Liebe meine ich, ziemlich vernagelt bist, und deshalb wirst du dich so entscheiden, wie du dich entscheiden wirst, und mich für mein ganzes Leben unglücklich machen. Daran (an dem Unglück, das ich von dir zu erwarten habe) hege ich keinen Zweifel, ich betrachte es bereits völlig philosophisch, als gegebenen Zustand, etwa wie eine chronische Krankheit, an der ich mein Leben lang leiden werde, und deshalb musst du auch nicht jedes Mal, wenn ich davon rede, so hysterisch reagieren!

Auf dem Rückweg von dem Jazzkonzert habe ich mit dem langbeinigen (und auch sonst langgliedrigen) Ilan darüber gesprochen, ihm meine Theorie über dich und ihn auseinandergesetzt und ihm natürlich auch mein bitteres Schicksal geklagt, eine Frau zu lieben, die meine Liebesgaben verschmäht, und mich mein Leben lang mit Ersatzspielern begnügen zu müssen. Ilan tröstete mich wie immer damit, du würdest deine Meinung vielleicht doch noch ändern und erwachsen werden, und versuchte sich mit weiteren, ähnlich dummen Tröstungen, und ich erklärte ihm noch einmal, warum er meiner Meinung nach viel besser zu dir passe, als Alpha-Mann etc., und dass ich meinen Platz in deinem Herzen, an dem ich mich noch immer auf die lächerlichste Weise festklammere, nur für ihn zu räumen bereit wäre, und er sagte noch einmal, du seist echt nicht sein Typ, er kenne dich im Grunde gar nicht, und wiederholte, er sei in der Nacht, in der wir drei im Krankenhaus geredet haben, völlig benebelt gewesen, aber mich beruhigt das nicht, denn ich spüre, dass damals zwischen euch etwas Starkes passiert ist, gerade weil ihr beide so benebelt wart, da ist irgendetwas gewesen, und es bringt mich um, dass du nicht bereit bist, mir das zu bestätigen oder zu sagen, dass es nicht stimmt; es ist, als wäret ihr da zusammen an einem Ort gewesen, in den ich nicht eindringen konnte (und das wird mir wohl auch nicht mehr gelingen), und ich kann mich nur in den Arsch beißen, dass dir diese Offenbarung der Liebe (denn Liebe ist eine Offenbarung!!) nicht mit mir passiert ist, wo ich doch so nah dran gewesen bin. (Fuck, zischte Avram, als er in wahnsinnigem Zorn kapitulierte.) Das ist auch noch so etwas, was ich ziemlich oft im Leben spüre, dieses Ganz-nah-dran-Sein, und ich hoffe bloß, dass das nicht zum fundamentalen Grundprinzip meines Lebens werden wird.

Dein von Qualen deprimierter Avram.«

Da gelang es ihr endlich, ihre Ängstlichkeit und die lähmende Verwirrung, die sie befallen hatte, abzuschütteln, und sie schrieb ihm in einfachen Worten, die immer komplizierter wurden, sie glaube wirklich, dass sie verliebt sei, doch eben leider nicht in ihn, und sie könne bloß hoffen, dass er ihr das verzeihe, denn das liege überhaupt nicht in ihrer Macht; ihn würde sie wie einen Bruder mögen und lieben, und sie würde ihn auch in Zukunft immer so mögen und lieben, und ihrer Meinung nach brauche er sie auch nicht wirklich – an dieser Stelle zitterte ihre Hand wild, worüber sie staunte; der Füller hüpfte richtig auf dem Blatt, wie ein Pferd, das seinen Reiter abwerfen will –, denn er sei doch ein so voller und überquellender Mensch, tausendmal klüger und tiefschürfender als sie, und werde bestimmt, wenn er sich erstmal an den Gedanken gewöhne, viele andere Lieben finden, davon sei sie völlig überzeugt, und die würden auch viel besser zu ihm passen als sie, wohingegen der, den sie liebe, sie ihrer Meinung nach »wie die Luft zum Atmen« brauche, schrieb sie, »entschuldige die Formulierung, aber in diesem Fall ist das kein Klischee. Das empfinde ich wirklich so.« Sie fügte noch hinzu, diese Liebe liege ihr schwer auf dem Herzen und bringe sie schon seit Monaten, im Grunde seit fast einem Jahr, um den Verstand, denn ihr sei völlig klar, wie unlogisch und aussichtslos diese Liebe sei, und sie wäre glücklich, wenn sie herausbekäme, warum ihr das passiere etc. etc. Avram sandte ein Telegramm: KENNE ICH IHN? STOP IST DAS ILAN? STOP SAG MIR NUR SEINEN NAMEN UND ICH MEUCHLE IHN.

Als sie ihm nach seinem wochenlangen Nachforschen und Drängen diesen Verdacht bestätigte, wurde er beinahe wahnsinnig. Sieben Tage lang konnte er nichts essen, wechselte seine Kleider nicht und zog ganze Nächte lang weinend durch die Straßen. Jedem, den er traf, erzählte er von Ora und erklärte mit gemessenen und wohlgesetzten Worten, warum das alles nicht nur unvermeidlich, sondern aus der Sicht der Evolution und Ästhetik und noch in anderer Hinsicht sogar notwendig und willkommen war. Natürlich verriet er Ilan das Geheimnis sofort, und der beteuerte, er interessiere sich nicht für Ora, und machte sich über ihre verrückte Idee lustig, dass er sie »wie die Luft zum Atmen brauche« – das hat sie wirklich gesagt? fragte er Avram, so hat sie über mich geschrieben? –, und er versprach Avram, niemals mit ihr Kontakt aufzunehmen.

Zumindest nicht als Erster, fügte er etwas später leiser hinzu.

Am nächsten Tag kletterte Avram in der großen Pause auf die riesige Kiefer im Schulhof, formte die Hände zu einem Trichter und verkündete den Dutzenden von Schülern und Lehrern, er habe beschlossen, sich von seinem Körper scheiden zu lassen, er werde ab jetzt in konsequenter und völliger Trennung von ihm leben, und um zu beweisen, wie egal ihm das Schicksal seines frisch geschiedenen Körpers sei, sprang er und knallte auf den Asphalt.

»Jetzt liebe ich dich nur noch mehr«, schrieb er ihr mit der linken Hand am nächsten Tag aus dem Krankenhaus, »in dem Moment, als ich gesprungen bin, habe ich verstanden, dass meine Liebe zu dir für mich ein Naturgesetz ist, ein Axiom oder, wie unsere arabischen Verwandten sagen, *min elbadhijaat,* ein anerkannter Grundsatz. Ganz egal, wie deine objektive Situation sein wird, und wenn du mich hassen, auf dem Mond leben oder – Gott behüte – eine operative Geschlechtsumwandlung vornehmen lassen würdest, ich werde dich immer lieben, daran ist nichts zu ändern und ich kann dagegen nichts tun, außer mich umbringen/aufhängen/verbrennen/ertränken, oder etwas anderes tun, was zur Beendigung dieser merkwürdigen Lebensgeschichte führen wird, die den Titel ›Das Leben Avrams‹ trägt.«

Sie schrieb ihm, es sei entsetzlich, dass sie beide so an enttäuschter Liebe litten, und versprach ihm noch einmal, auch wenn sie ihn nicht so liebte, wie er es gern hätte, fühle sie sich doch weiterhin als seine Seelenfreundin fürs Leben und könne sich ein Leben ohne ihn gar nicht vorstellen. Und wie in allen Briefen der letzten Zeit konnte sie es sich nicht verkneifen, nach Ilan zu fragen, wie der auf seinen Sprung vom Baum reagiert habe, ob er ihn im Krankenhaus besuche, und sie formulierte ungezügelt, gegen ihren Willen, gegen ihren Charakter, gegen die ihr sonst eigene Fairness und gegen alles, was sie gern über sich dachte, seitenlange Vermutungen über Ilans geheimste Wünsche, seine Hemmungen und sein Zögern, und immer wieder fragte sie Avram, warum sie sich seiner Meinung nach in Ilan verliebt habe, sie kenne ihn doch gar nicht, und schon seit einem Jahr (minus einen Monat und einundzwanzig Tage) habe sich ein Fremder ihrer Seele bemächtigt und diktiere ihr ihre Gefühle. Das ist doch ganz einfach, antwortete ihr Avram giftig, das ist wie ein Rätsel mit drei Komponenten: ein Brand, eine Überlebende und ein Feuerwehrmann. Wen wird deiner Meinung nach die Überlebende wählen?

Über jeden ihrer Briefe berichtete Avram Ilan jetzt ausführlich, und der hörte zu und zuckte mit den Schultern. Schreib ihr etwas, flehte Avram, ich halte es nicht mehr aus, dass sie mich damit quält. Ilan sagte zum tausendsten Mal, er habe mit Ora nichts am Hut, und ein Mädchen, das ihm so nachrenne, stoße ihn sowieso ab. Das Problem war nur, dass er überhaupt mit Mädchen nichts am Hut hatte. Mädchen umschwirrten und umsummten ihn, doch keine begeisterte ihn wirklich. Von Begegnung zu Begegnung, von Versuch zu Versuch wurde er trauriger und verlosch; vielleicht sollte ich sowieso besser schwul sein, sagte er eines Abends auf den großen, weichen Kissen in Jans Teestube in Ejn Karem zu Avram, und beide erstarrten, als er das, was in irgendeiner Form schon eine ganze Weile zwischen ihnen schwebte, beim Namen nannte. Keine Sorge, fügte Ilan betrübt hinzu, du bist nicht mein Typ. Avram trug Oras letzten Brief in der Tasche, den Ilan zu zeigen er nicht gewagt hatte. »Manchmal denke ich«, schrieb sie dort, »dass er sich jetzt in genau so einem Zustand befindet, wie ich vor etwa einem Jahr, bis ich dich (und ihn) im Krankenhaus getroffen habe, denn ich lebte wirklich in Wachträumen und hatte Angst, die Augen aufzumachen. Und jetzt, mit dem großen Schmerz, dass er mich ignoriert, spüre ich dennoch, dass ich ins Leben zurückkehre, und das verdanke ich wohl zum größten Teil dir. Ich verrate dir auch, dass ich ihm manchmal von ganzem Herzen wünsche, er möge sich in irgendein (anderes) Mädchen verlieben, obwohl ich weiß, dass mir das sehr weh tun würde; von mir aus soll er sich in einen Jungen verlieben (lach nicht, manchmal denke ich wirklich, dass er vielleicht gerade das braucht und nur nicht den Mut hat, es zuzugeben, und manchmal denke ich, er ist in dich verliebt, ja, ja …), doch sogar das könnte ich bei ihm akzeptieren, Hauptsache, er tut sich etwas Gutes und wacht endlich aus seinem Schlaf auf, der mir höllische Angst macht, oj Avram, was täte ich ohne dich?

Für immer dein, die Verkäuferin aus dem Laden an der Ecke …«

Mit Schrecken fuhr sie hoch. Das Zimmer war dunkel (vielleicht war eine Schwester gekommen, hatte sie schlafen sehen und das Licht ausgeschaltet). Nur die Spiralen des Heizöfchens glühten rot. In ihrem Schoß lag der letzte Brief, den sie ihm vorgelesen hatte. Ilan hatte recht. Avrams Gesicht blieb ausdruckslos, während sie ihm seine Briefe vorlas. Es zerbrach nur ihr Herz. Sie legte das Blatt zurück in den Schuhkarton, reckte sich und hielt plötzlich inne: Er hatte die Augen geöffnet. Er war wach. Sie hatte den Eindruck, er schaue sie an.

Avram?

Er blinzelte.

Soll ich Licht machen?

Nein.

Ihr Herz begann stark zu pochen: Soll ich dir das Bett richten? Sie sprang auf: Die Schwester rufen, dass sie die Infusion wechselt? Ist das Öfchen okay für dich?

Ora?

Was, was?

Er atmete schwer. Was ist mit mir?

Sie zwinkerte schnell: Du kommst wieder in Ordnung.

Was ist passiert?

Warte kurz, murmelte sie und verdrückte sich mit einer merkwürdigen Bewegung in Richtung Tür, ich bring dir …

Ora, flüsterte er in so großer Not, dass sie von selbst stehenblieb und sich schnell die Augen trocknete.

Avram, Avram, sagte sie staunend, genoss seinen Namen in ihrem Mund.

Warum bin ich so …?

Sie saß neben ihm, ihre Hand fuhr in der Luft über den eingegipsten Arm: Erinnerst du dich, dass Krieg war?

Seine Brust fiel mit einem Schlag ein, er stieß einen tiefen, schwammigen Seufzer aus; bin ich verletzt?

Ja, so kann man es nennen. Jetzt ruh dich ein bisschen aus und rede nicht.

Eine Mine?

Nein, es war keine …

Ich bin bei denen gewesen, sagte er langsam. Danach fiel sein Kopf etwas zur Seite und er tauchte wieder ab in den Schlaf.

Sie wollte losrennen, einen Arzt alarmieren, berichten, dass Avram gesprochen habe, oder Ilan anrufen und ihm die gute Nachricht überbringen, doch sie fürchtete sich, ihn auch nur einen Moment alleinzulassen. Etwas in seinem Gesicht riet ihr, nicht wegzugehen, sondern sich neben ihn zu setzen und auf ihn zu warten, ihn vor dem zu beschützen, was er begreifen wird, wenn er aufwacht.

Seine Stimme knarrte brüchig: Ist noch jemand hier?

Nur du. Und ich. Sie vermied ein Lächeln: ein Spezialzimmer für dich.

Er verdaute die Information.

Soll ich einen Arzt rufen? Vielleicht die Schwester? Du hast da eine Klingel …

Ora.

Ja.

Wie lange bin ich …?

Hier? Etwa zwei Wochen, ein bisschen länger.

Er schloss die Augen, versuchte die rechte Hand zu bewegen und konnte es nicht. Er verdrehte den Hals und betrachtete das Gewirr von Drähten und Schläuchen, das aus seinem Körper hing.

Du hattest ein paar … murmelte sie, kleine Operationen, das kommt alles in Ordnung, in ein paar Wochen springst du wieder …

Ora, er stoppte sie schwerfällig und befreite sie beide von dem Druck, etwas vorspielen zu müssen.

Willst du was trinken?

Ich … Ich erinnere mich nicht, mir fehlen da ein paar Sachen. Seine

Stimme war furchterregend, erschöpft und mühsam, als quetsche sie sich aus einer gewundenen Tube heraus.

Mit der Zeit wirst du dich erinnern. Die Ärzte sagen, es kommt alles zurück. Sie redete schnell, mit zu hoher, zu fröhlicher Stimme. Er fuhr sich langsam mit der Hand übers Gesicht, sein Finger zauderte bei der Berührung der abgebrochenen Zähne, das werden sie wieder richten, keine Sorge, sagte sie sofort und hörte sich dabei – wie eine Wohnungsmaklerin, die einen zögernden Kunden überredet, in einer Ruine wohnen zu bleiben. Und auch den Ellbogen richten sie dir wieder, fügte sie hinzu, und die Brüche hier, in den Fingern, und deine Fußknöchel.

Sie erinnerte sich an seinen Sprung von der Kiefer und fragte sich, ob die Scheidung von seinem Körper ihm wohl etwas geholfen habe, als sie ihn dort folterten. Nicht zum ersten Mal sann sie darüber nach, dass sich bei ihm die Dinge zum Schluss oft in der Tiefe miteinander verbanden und zu einem Gesetz wurden, zu einer von Avrams Tiefenstrukturen, und sie erinnerte sich, ihm gesagt zu haben, er sei so eine Art Magnet für unglaubliche Dinge und wundersame Zufälle, aber vielleicht war ihm auch das jetzt verloren gegangen, und wer weiß, was er noch verloren hatte, Dinge, für die es vielleicht keine Worte gab, die vielleicht gar keinen Namen hatten und die erst langsam nach und nach klarwerden würden, ihr und auch ihm selbst.

Das wird alles wieder, sagte sie, sie wollen erst die großen, dringenden Sachen richten, sie versteckte ein schiefes, entschuldigendes Lächeln, danach machen sie das Kosmetische und kümmern sich auch um deinen Mund. Das ist dann keine große Sache mehr. Kein Problem.

Sie hatte den Eindruck, er höre sie überhaupt nicht. Was sie mit ihm machen würden, war ihm egal. Sie sprühte weiter ihr dummes Gerede, konnte sich nicht stoppen, weil sie daran dachte, was ihm vielleicht verlorengegangen war und was damit noch alles zusammenhing. Dinge, über die sie in den Wochen, die sie neben ihm gesessen hatte, nicht nachzudenken gewagt hatte, brachen plötzlich aus ihr heraus. Auch der Gedanke, dass Avram selbst vielleicht gar nichts verstand, dass das ganze Verstehen noch vor ihm lag.

Welchen Monat haben wir?

Jetzt ist Januar.

Januar.

Neunzehnhundertvierundsiebzig, fügte sie hinzu.

Winter.

Ja, Winter.

Er tauchte ab, dachte nach oder war eingeschlafen, sie wusste es nicht. Aus einem der Zimmer, vielleicht dem Verbrennungszimmer, hörte man Schmerzenswimmern.

Ora, wie bin ich zurückgekommen?

Im Flugzeug, erinnerst du dich nicht?

Ach?

Ein Flugzeug von dort, sagte sie und dachte, das halt ich nicht aus, dieses Gespräch bringt mich um.

Ora?

Ja, was?

Sie merkte, er riss die Augen weit auf. Ein kalter, sonderbarer Blitz zuckte dort.

Gibt es, gibt es noch ... Israel?

Gibt es noch, was?

Schon gut.

Sie hatte ihn nicht verstanden. Danach spürte sie, wie ihr Mund trocken wurde: Gibt es noch, ja. Natürlich. Alles ist noch da. Dachtest du, dass nicht? Alles ist, wie es war, Avram, hast du gedacht, wir seien schon ...

Seine Brust hob und senkte sich schnell unter der Decke. Der Spiralofen, der schwächer geworden war, glühte wieder heller. Sie starrte auf seine Fingerspitzen, auf das blanke Fleisch an Stelle der Fingernägel, und dachte, nachdem er dort gewesen war, von wo er jetzt zurückkam, würden sie sich nie mehr wirklich begegnen; sie habe ihn für immer verloren.

Er schlief wieder ein, warf den Kopf hin und her und schrie vor Schmerz. Es war kaum auszuhalten. Er kämpfte gegen jemand Unsichtbaren und begann dann leise zu weinen. Er flehte richtig. Plötzlich sprang sie auf, nahm einen Brief aus dem Karton und las laut und mit einer Hingabe, als ob sie betete: »Gestern war ich mit meiner Mutter ein Kleid für sie kaufen, ich berate sie immer in diesen Dingen und habe bei *Schwarz* ein sehr schönes Kleid für dich gesehen: grün und ärmellos, ganz schmal, das sich eng um deine schlanke Gestalt legen wird, und vor allem – mit einem goldenen Reißverschluss von oben bis … unten!« Avram ächzte und verkrampfte sich im Bett, und Ora las ihm galoppierend und fast ohne Luft zu holen die dummen, herrlichen Zeilen vor, die aus einer so großen Entfernung abgeschickt worden waren, wie das Licht eines längst verloschenen Sterns. »Oben ist ein großer Ring, an dem man den Reißverschluss aufzieht, und noch anregender für meine Gedanken ist die Beobachtung, dass der von innen aufgeht (!!!), wie in einem Film mit Elke Sommer, den ich mal gesehen habe; sie hat ihn ganz langsam bis zum Bauchnabel aufgemacht, das war echt geil (allgemeines Stöhnen im Publikum). Um es kurz zu machen: 49,75 Lira, und das Kleid gehört dir.«

Stunden später.

Der Krieg, murmelte Avram irgendwann.

Ja, das ist in Ordnung, sagte Ora, die aus einem fliehenden Traum erwachte. Sie trank Wasser und glättete ihr Gesicht mit den Händen.

Was? fragte Avram schwach atmend.

Der Krieg ist vorbei, beruhigte sie ihn. Als sie diese Worte sagte, hatte sie den Eindruck, sich in eine alte Frauendynastie einzureihen und eine Stufe aufgestiegen zu sein. Gleich darauf kam sie sich blöd vor, vielleicht hatte er fragen wollen, *wie* der Krieg ausgegangen war, wer gesiegt habe, doch als sie ihn ansah, konnte sie sich nicht überwinden, ihm zu sagen, wir haben gesiegt.

Wie lang war ich …

Dort? Eineinhalb Monate. Ein bisschen länger.

Er war verwundert und entsetzt.

Dachtest du, weniger?

Mehr.

Als du zurückkamst, hast du viel geschlafen. Eine Zeit lang haben sie dich auch in künstlichen Schlaf versetzt.

In Schlaf versetzt …

Du kriegst jetzt alle möglichen Medikamente. Später werden sie nach und nach damit aufhören.

Medikamente?

Die Anstrengung des Sprechens ließ ihn wieder einschlafen, er schnappte manchmal nach Luft, wälzte sich unruhig. Die ganze Zeit machte er den Eindruck, als kämpfe er gegen jemanden, der ihn erwürgen wollte. Die zurückkehrenden Kriegsgefangenen waren die Gangway heruntergekommen. Einige liefen allein, andere brauchten Hilfe. Auf dem Rollfeld herrschte Chaos. Soldaten, Reporter und Fotografen aus der ganzen Welt; Bedienstete des Flughafens standen zusammen und jubelten den Rückkehrern zu, Minister und Parlamentsabgeordnete versuchten, zu ihnen durchzudringen, ihnen vor laufender Kamera die Hand zu drücken. Nur die Familien der Gefangenen hatten ausdrücklich Anweisung erhalten, nicht auf dem Flughafen zu erscheinen, sondern zu Hause auf ihre Lieben zu warten. Da Ora und Ilan keine Angehörigen waren, wussten sie nicht, dass sie nicht zum Flughafen kommen durften. Sie wussten auch nicht, dass Avram verwundet war. Sie warteten, und er stieg nicht aus. Die Gefangenen mit ihren rasierten Schädeln gingen barfuß in Gummischuhen an ihnen vorüber und schauten sie mit dumpfer Entgeisterung an. Ein Führungsoffizier begleitete einen der zurückgekehrten Kriegsgefangenen, dem man die Augen verbunden hatte, und las ihm laut von einem Zettel vor:»Jeder, der Informationen an den Feind gegeben hat, wird bestraft ...« Ein großer Gefangener, der an Krücken lief, fragte einen der Journalisten, ob es stimme, dass auch Syrien mit im Krieg gewesen sei. Plötzlich entdeckte Ilan, wie Soldaten aus dem Heck des Flugzeugs Tragen ausluden. Er packte Ora an der Hand, und sie rannten dort hin. Niemand hielt sie auf. Sie liefen zwischen den Verwundeten herum, fanden Avram nicht, blieben stehen und schauten sich an. Entsetzen. Später wurde noch eine Trage aus dem Flugzeug gehoben, die letzte. Mit ihr stieg ein ganzes Team von Ärzten und Sanitätern aus der Maschine, ein Infusionsständer und andere Schläuche wurden wackelnd nebenhergeschoben. Ora wagte einen Blick und wurde schwach. Sie sah, wie ein großer runder Kopf, zweifellos der von Avram, bedeckt von einer Sauerstoffmaske hin und her geworfen wurde. Er hatte jetzt eine Glatze, sein Schädel war rasiert worden und an einigen Stellen verbunden, doch ein Verband hatte sich bei dem Gerüttel wohl gelöst, und klaffende Wunden, wie aufgerissene Münder, kamen zum Vorschein.

Sie sah, dass die Männer, die ihn trugen, wegschauten und durch den Mund atmeten. Ilan rannte bereits neben der Trage her und warf ab und zu einen Blick auf Avram, und Ora sah den Ausdruck auf seinem Gesicht und wusste, es stand schlecht. Ilan half, die Trage in den Krankenwagen zu heben, versuchte mit einzusteigen, wurde aber gewaltsam zurückgehalten. Er schrie, protestierte, fuchtelte herum, doch die Soldaten ließen ihn nicht näher ran. Da marschierte Ora nach vorne und sagte dem alten Stabsarzt leise, aber eindringlich, ich bin die Freundin, stieg ein und setzte sich zusammen mit dem Arzt und der Schwester neben die Trage. Der Arzt meinte, Ora solle sich lieber zum Fahrer setzen. Sie weigerte sich. Der Krankenwagen schaltete das Signal ein; durchs Fenster sah Ora die Schnellstraße, die fahrenden Autos mit den Menschen darin, einzelne, Pärchen, manchmal ganze Familien, und dachte, das Leben, das sie bisher geführt hatte, war jetzt vorbei. Noch immer schaute sie Avram nicht direkt an.

Die Schwester gab ihr eine Stoffmaske, gegen die Geruch. Der Arzt und die Schwester begannen, Avram auszuziehen. Brust, Bauch und Schultern waren übersät mit offenen entzündeten Geschwüren, tiefen Wunden, Blutergüssen und sonderbaren Schnitten mit scharfen Rändern. Die rechte Brustwarze schien nicht mehr an ihrem Platz zu sein. Der Arzt legte seinen behandschuhten Finger auf jede einzelne Wunde und diktierte der Schwester mit ausdrucksloser Stimme, offener Bruch, Prellung, Schnittwunde, Ödem, Peitschwunde, Strom, Quetschung, Verbrennung, Strangulationszeichen, Infektion. Auf Malaria untersuchen, fuhr er im selben Ton fort, auf Bilharziose untersuchen, siehst du das da – ein Fest für die plastischen Chirurgen.

Er und die Schwester drehten Avram auf den Bauch, so dass man den Rücken sah. Ora schaute nur kurz hin, sah einen lebenden Fleischklumpen, der in Rot, Gelb und Lila waberte. Sie spürte, alles drehte sich ihr um. Der Gestank war unerträglich. Auch der Arzt hielt den Atem an, und seine Brille beschlug von innen. Er entblößte Avrams Hintern und holte tief Luft: Diese Bestien, murmelte er. Ora saß da, schaute aus dem Fenster, weinte still und ohne Tränen. Der Arzt bedeckte Avrams Hintern und schnitt ihm die Hosen ab. Die Beine waren an drei Stellen gebrochen. Um die Knöchel war das offene Fleisch in riesigen blutigen Ringen aufgeschwollen, die aussahen, als ob etwas in ihnen lebte. Der Arzt machte der Schwester mit der Hand ein Zeichen von »aufgehängt«, und Ora sah Avram in einer dunklen Zelle an den Beinen hängen mit baumelndem Kopf und begriff plötzlich: Die ganze Zeit, die er in Gefangenschaft gewesen war, hatte sie es nicht gewagt, sich vorzustellen, was sie ihm da antaten, weil er Soldat beim militärischen Nachrichtendienst gewesen war und so viel wusste. Sie hatte alle Bilder und Gedanken verjagt, die sich in den Momenten vor dem Einschlafen auf sie stürzten, und die Schlaftabletten, die sie nahm, wirkten sogar gegen Albträume – und jetzt konnte sie es nicht fassen, dass Ilan und sie kein einziges Mal über Folter gesprochen hatten und darüber, was einem passiert, der gefoltert wird.

Sie machte sich klar, dass sie in der ganzen Zeit überhaupt sehr wenig über Avram geredet hatten, obwohl doch nichts anderes sie in diesen Tagen und Wochen beschäftigte und sie fast jeden Tag zur Dienststelle für die Betreuung der Familien von Gefangenen und Vermissten fuhren, um den neuesten Stand der wenigen Nachrichten und die zahllosen Gerüchte zu erfahren. Immer wieder hatten sie sich die unscharfen Fotos der Kriegsgefangenen angesehen, die im In- und Ausland veröffentlicht worden waren, hatten mit Offizieren und Angestellten geredet, die bereit waren, ihnen zuzuhören, und wenn sie nicht selbst hinfuhren, riefen sie an und fragten, ob es etwas Neues gebe, doch schon spürten sie, wie man ihnen auswich und sie von einem zum Nächsten weiterverband. Aber sie hatten nicht aufgegeben, wie denn auch, sie waren wie verrückt gewesen in dieser ganzen Zeit; wenn sie etwas aßen, dachten sie, das isst er nicht, und wenn im Radio ein Stück kam, das er mochte, dachten sie, das hört er nicht, und wenn sie etwas Schönes sahen, dachten sie, das sieht er nicht.

Der Arzt sagte, keine Sorge, du kriegst ihn wie neu zurück, und Ora starrte ihn an. Sie wusste, wenn der Krankenwagen für einen Moment anhielte, sie würde die Tür aufmachen und fliehen. Es ging über ihrer Kräfte. Der Arzt fing an, etwas in einen dicken Hefter zu notieren, und hielt inne: Dein Freund?

Sie nickte.

Er betrachtete sie lange, das wird schon wieder, sagte er schließlich, diese Schweine haben ganze Arbeit geleistet, aber wir sind besser. Glaub mir, in einem Jahr wirst du ihn nicht mehr wiedererkennen.

Und wie wird er im … Sie stotterte und ihre Hand sank mutlos. Allein die Frage war schon Verrat.

Im Kopf? murmelte der Arzt, das ist nicht mehr meine Abteilung, sein Gesicht verschloss sich, und er kehrte zu seinen Papieren zurück. Ora warf der Schwester einen flehenden Blick zu, doch auch die wich ihr aus. Da zwang sie sich, Avram anzuschauen. Man darf ihn jetzt keinen Moment ohne liebenden Blick lassen, dachte sie und schwor sich, ab jetzt würde sie ihn immer liebend anschauen, immer bei ihm sein, um ihn liebend anzuschauen, und wenn es ein ganzes Leben der Liebe brauchen würde, um wieder gutzumachen, was sie ihm dort angetan hatten. Doch den Brechreiz bekam sie nicht unter Kontrolle, und auch nicht das Zurückschrecken vor seinem Gesicht mit den ausgerissenen Augenbrauen; es gelang ihr einfach nicht, ihren Blick mit Liebe zu füllen, und eine metallische Stimme in ihr krächzte: Genau wie mit Ada, das Leben geht weiter, was?

Der Krankenwagen raste mit eingeschalteter Sirene weiter. Plötzlich spannte sich Avrams Gesicht an, er warf den Kopf hin und her, als versuche er, Schlägen auszuweichen, und er weinte mit der Stimme eines Jungen, eines Kindes. Wie hypnotisiert schaute sie ihn an, das kannte sie bei ihm nicht. Ihr Avram hatte vor nichts und niemandem Angst gehabt, der kannte einfach keine Angst. Immer hatte sie den Eindruck gehabt, er sei gegen alles Böse gefeit, und überhaupt war es unvorstellbar gewesen, dass irgendwer so einem Avram etwas antun wollte, der mit offenen Armen und völlig ungeschützt durch die Welt ging, mit dieser neugierig forschenden Kopfhaltung, mit seinem Eselslachen und diesem scharfen Blick, Avram eben.

Aber vielleicht haben sie ihm gerade deshalb so zugesetzt, fuhr es ihr durch den Kopf, haben ihn deshalb so zugerichtet und zertrümmert. Nicht nur, weil er vom Nachrichtendienst war.

Avrams Mund ging auf, er röchelte und bekam kaum Luft. Sie konnte sich nicht ausmalen, was man ihm in seiner Vorstellung in diesem Moment antat. Sie meinte, er versuche die Hände zu heben und sein Gesicht zu schützen, doch nur ein paar seiner Finger bewegten sich leicht. Sie würde niemals ein Kind haben, schoss es ihr durch den Kopf. In eine Welt, in der so etwas passierte, würde sie kein Kind setzen. Genau in diesem Moment schlug Avram die Augen auf. Rot und trüb. Sie beugte sich über ihn, der Gestank seines offenen Fleisches schlug ihr entgegen. Er sah sie, sein Blick fokussierte sie. Sie hatte den Eindruck, dass die Blutergüsse bis in seinen Augapfel drangen. Avram, sagte sie, das bin ich, Ora. Ihre Finger schwebten über seiner Schulter, sie hatte Angst, ihn zu berühren, Angst, ihm weh zu tun. Er flüsterte: Schade. Was ist schade? fragte sie, was ist schade? Er röchelte, die Worte erstickten fast an der Flüssigkeit in der Lunge. Schade, dass sie mich nicht umgebracht haben.

Dann gingen die Türen des Krankenwagens auf und viele Gesichter drängten sich in die Öffnung, Hände wurden hereingestreckt, Schreie gellten. Ilan war schon da. Irgendwie hatte er es geschafft, noch vor dem Krankenwagen anzukommen, der schnelle Ilan, dachte sie mit einem Funken Groll, als hätte er diesen Vorsprung vor Avram auf unredliche Weise erworben. Beide rannten hinter der Trage her zu einer Baracke, die zu einer Notaufnahme umfunktioniert worden war. Dutzende Ärzte und Schwestern scharten sich um die Verwundeten, nahmen Blut- und Urinproben, machten Abstriche vom Speichel und von den Wunden. Ein Sanitätsoffizier bemerkte Ora und Ilan und jagte sie mit großem Geschimpfe davon. Sie verkrochen sich auf eine Bank draußen, umschlangen sich und vergruben sich ineinander. Ilan stieß Geräusche aus, die sie nicht kannte, wie ein trockenes, heiseres Bellen. Mit geballten Fäusten packte sie sein Haar, bis er vor Schmerz aufschrie. Ilan, Ilan, was soll das alles werden, flüsterte sie laut in sein Ohr. Ich bleibe bei ihm, bis er zurückkommt, sagte Ilan, bis er wieder so ist, wie er war, egal, wie lange das dauert, und wenn es Jahre sind, ich geh hier nicht mehr weg. Ora ließ von seinem Haar ab, schaute ihn an. Plötzlich erschien er ihr älter, gleichsam von Trauer und Entsetzen schwerer geworden. Du wirst bei ihm bleiben, wiederholte sie seine Worte verwundert. Was dachtest denn du, fragte er ärgerlich, dass ich ihn allein lass? Ja, dachte sie, das hab ich wirklich gedacht, ich dachte, ich würde das alleine mit ihm durchmachen.

Dann fasste sie sich: Nein, nein, klar, dass du bleibst, keine Ahnung, was mich da plötzlich ... Hör zu, allein steh ich das gar nicht durch. Und er verzog beleidigt und verärgert den Mund: Aber warum denn allein? Und sie dachte, weil du, auch wenn du da bist, immer ein bisschen nicht da bist. Komm, sagte sie, wir gehn wieder zu ihm, wir warten an der Tür, bis sie uns reinlassen.

Sie gingen nebeneinander zwischen den betriebsamen Baracken entlang. Schon lange, seit dem Krieg, waren sie nicht in der Lage gewesen, sich zu berühren. Aber jetzt, bemerkte sie verblüfft, meldete sich in ihr plötzlich ein primäres, nacktes Verlangen nach Ilan, ein richtiger Hunger nach seinem Fleisch, seinem heilen, gesunden Körper. Sie blieb stehen, packte seinen Arm und zog ihn an sich, und er ging sofort darauf ein, drehte sie zu sich und drückte sie fest an seinen Körper, und plötzlich beugte er sich über sie und küsste sie begierig, sein Mund füllte ihren, sie spürte, wie er ganz und gar, mit seinem ganzen Körper in sie eindrang, ihr Innerstes nach außen stülpte, und sie kam noch nicht einmal dazu, sich zu wundern, dass er, der so verschämt war, sie vor aller Augen küsste, und sie spürte, er war jetzt stärker, gleichsam kräftiger und knochiger, wie er sie packte, wie er sie küsste, er hob sie richtig in die Luft, vor seinen Mund, dann verschwamm alles, und sie hatte das Gefühl, er halte sie allein mit seinem Mund in der Luft, und dann drang in ihren nebligen Verstand der Gedanke, wer sie so zusammen sah, musste denken, Ilan sei aus der Gefangenschaft zu seinem Mädchen zurückgekehrt, da löste sie sich von ihm, stieß ihn fast mit Gewalt zurück, und sie standen einander schwer atmend gegenüber.

Sag mal, hörte sie Avram plötzlich und zuckte zusammen – diese Stimme, sein röchelnder Atem – Ora …, er schaute an die Decke, ich muss das wissen.

Was? Frag ruhig.

Etwas … Ich kann mich nicht erinnern.

Frag mich.

Er schwieg. Die ganze Zeit wollte er sein aufgehängtes Bein bewegen, wollte sich da kratzen, wo der Gips aufhört.

Ich krieg das nicht richtig zusammen …

Was?

Dich und mich …

Und?

Als hätte ich ein Loch mitten im …

Dann frag.

Was … sind wir?

Das hatte sie nicht erwartet: Du meinst …

Vermutlich hatte sie sich in einer zu heftigen Bewegung über ihn gebeugt. Sein Gesicht verzerrte sich vor Schrecken. Vielleicht hatte er im Dunkeln gedacht, jemand hole mit der Hand oder einem Gegenstand gegen ihn aus.

Sie murmelte: Was wir jetzt sind?

Nimm's mir nicht übel, ich bin ein bisschen …

Wir sind gute Freunde, sagte sie, und das werden wir immer bleiben, und plötzlich drängte sie etwas, und sie fügte zu schrill und zu laut hinzu, du wirst sehen, wir werden noch tolle Sachen zusammen machen.

Danach quälte sie sich monatelang wegen dieses dummen Satzes, der ihr herausgerutscht war. Später dachte sie, dass sie da vielleicht eine kleine Prophetie ausgesprochen hatte. *Wir werden noch tolle Sachen zusammen machen.* Doch als sie das gesagt hatte, war sein bitterer Spott geradezu spürbar. Sein schwerer Kopf bewegte sich auf dem Kissen, er versuchte, ihr Gesicht zu betrachten; sie war froh, dass es im Zimmer dunkel war.

Ora …

Was.

Ist sonst noch jemand hier im Zimmer?

Nur wir.

Der Gips macht mich wahnsinnig, sagte er mit schwerer, eingedickter Stimme. Alles, was er tat, tat er jetzt langsam, und ihr wurde klar, wie sehr gerade sein Tempo und seine scharfen Bewegungen den Avram von früher ausgemacht hatten.

Mir ist kalt.

Sie legte ihm eine dritte Decke über. Schweiß rann ihm übers Gesicht, er zitterte vor Kälte.

Kratz mich.

Sie streckte den Arm aus und kratzte ihn da, wo der Gips aufhörte. Sie hatte den Eindruck, ihr Finger tauche in eine offene Wunde. Er stöhnte und brummte in einer Mischung von Schmerz und Lust.

Genug. Es tut weh.

Sie setzte sich wieder hin. Was willst du wissen?

Was wir waren.

Was wir waren? Wir waren alles Mögliche. Wir waren einer für den andern ganz Verschiedenes, und das werden wir auch weiter sein, du wirst sehen.

Und wieder, als sie sich so hineinsteigerte, glaubte sie daran.

Mit einer Hand, in einer unendlich langen Bewegung, zog er sich die Decke über die Brust, als wolle er sich vor der Lüge in ihrer Stimme schützen. So lag er ein paar Minuten still da. Dann hörte sie, wie sich seine trockenen Lippen voneinander lösten, und sie wusste, was jetzt kommen würde.

Und Ilan?

Ilan ... Wo soll ich da anfangen. Woran erinnerst du dich noch und woran nicht? Frag.

Ich erinner mich nicht. Nur Teile. In der Mitte ist alles weg.

Dass du mit Ilan zusammen im Camp im Süden warst, erinnerst du dich daran?

In *Babylon*, ja.

Ihr wart fast fertig mit eurem Dienst. Ich wohnte schon in Jerusalem, hab an der Uni studiert, sie redete und dachte: Bleib bei den Fakten. Antworte nur auf das, was er fragt. Lass ihn entscheiden, was er hören kann.

Wieder Schweigen. Das elektrische Spiralöfchen sprühte Funken.

Und warte auf ihn, mahnte sie sich, geh in seinem Tempo. Vielleicht will er gar nicht darüber reden, vielleicht ist das viel zu früh für ihn.

Avram lag reglos da. Seine Augen waren weit geöffnet. Er hatte nur eine Augenbraue, und von der war die Hälfte abgerissen.

In dieser Zeit seid ihr abwechselnd jede Woche aus dem Sinai nach Hause gefahren, drängte es sie zu sagen, du und Ilan.

Er drehte den Kopf fragend zu ihr.

Eine Woche du, eine Woche er. Einer musste im Camp bleiben.

Er dachte lange nach.

Und der andere?

Der andere fuhr nach Hause, nach Jerusalem.

Und du warst in Jerusalem?

Ja – bleib bei den Tatsachen, ermahnte sie sich wieder –, erinnerst du dich, wo ich gewohnt habe?

Da gab es Geranien, sagte Avram nach einigem Nachdenken.

Richtig! Siehst du, du erinnerst dich! Ich hatte ein kleines Zimmer in Nachlaot.

Ja?

Weißt du nicht mehr?

Das kommt und geht.

Mit Außentoilette und einer winzigen Küche im Hof. Da haben wir nächtliche Festessen gekocht. Und einmal hast du mir auf dem Gaskocher eine Hühnersuppe gemacht.

Und meine Mutter, wo war die?

Deine Mutter?

Ja.

Du ... erinnerst dich nicht?

War sie schon ...

Als du im Grundwehrdienst warst, ist sie ...

Stimmt, du warst mit mir auf der Beerdigung, ja. Und Ilan war auch da. Er ging neben mir, auf der anderen Seite. Ja.

Sie stand von ihrem Platz auf, spürte, dass sie nicht mehr konnte. Sag mal, hast du Hunger? Soll ich dir was holen?

Ora.

Sofort setzte sie sich gehorsam wieder hin, wie auf den Befehl eines strengen Lehrers.

Ich versteh nicht.

Frag.

Der Mund.

Sie tauchte das Läppchen, das neben ihm lag, in Wasser und betupfte seine Lippen.

Aber im Krieg ...

Ja.

Warum ich ...

Hier hielt er selbst inne und verstummte. Ora dachte, jetzt fragt er nach den Losen.

Ich bin zu unserer Stellung am Suezkanal gefahren, sagte er leise, nicht Ilan.

Er erinnerte sich also, sie wusste es, jetzt erinnerte er sich, wagte aber nicht zu fragen. Sie warf einen hilflosen Blick zum Fenster, suchte ein erstes Anzeichen der Morgenröte, einen Schimmer Licht.

Und wir beide, du und ich, was hatten wir miteinander?

Ich hab dir schon gesagt, wir waren gute Freunde. Wir waren … Hör zu, wir haben uns geliebt, sagte sie schließlich ganz schlicht, und die Worte zerrissen ihr das Herz.

Und mich haben sie im Flugzeug zurückgebracht?

Was? Sie kam durcheinander. Ja. Im Flugzeug. Mit den anderen.

Es gab noch andere?

Viele.

Lange?

Du warst da ungefähr …

Nein, ich und du.

Wir beide …? – Ein Jahr.

Sie hörte, wie er ungläubig die Worte für sich selbst wiederholte. Sie beherrschte sich, nicht zu fragen, ob er gedacht habe, länger, um nicht hören zu müssen, dass er sagte, weniger. Danach schlief er wieder ein und schnarchte. Sie hatte den Eindruck, er konnte immer nur einen Krümel seines früheren Lebens verdauen.

Aber wir haben uns wirklich geliebt, sagte sie, obwohl er schlief. Sie sprach laut zu ihm, ernst und streng, und war angespannt, als führte sie mit ihm Verhandlungen, von denen eine Menge abhing. Du und ich, wir waren wirklich … entsetzlich, dachte sie, wie ich darüber schon in der Vergangenheit rede.

Er bewegte sich, verhedderte sich in seinen Decken, verfluchte den Gips, der ihm auf das Bein drückte. Sie hörte die große Platinschraube in seinem Oberarm gegen das Bettgeländer schlagen.

Hör mal, Ora.

Was?

Ich kann nicht.

Was nicht?

Du musst wissen …

Was?

Ich kann nicht mehr … Er ächzte, suchte die Worte. Ich liebe nichts mehr. Gar nichts mehr.

Sie schwieg.

Ora?

Ja.

Das war's.

Ja.

Auch keinen Menschen.

Ja.

Ich habe keine Liebe mehr.

Ja.

Für nichts.

Er stöhnte. Ein Restchen seines alten Selbst, der Barmherzige, Ritterliche in ihm, verlangte, sie zu beschützen, sie spürte es, doch fehlte ihm die Kraft dazu: Das wollte ich dir schon vorher sagen.

Ja.

Alles ist in mir gestorben.

Sie saß mit gesenktem Kopf da. Versteinert. Wie war das möglich, Avram ohne Liebe, dachte sie, was war das überhaupt, Avram ohne Liebe. Und dann dachte sie, und wer bin ich, ohne seine Liebe?

Aber auch in ihr gab es seit dem Krieg, seit er in Gefangenschaft geraten war, keine Liebe mehr, für niemanden. Genau wie nach Ada, als wäre ihr das Blut wieder eingetrocknet. Das war sogar recht bequem. Sie lebte ihren Verhältnissen gemäß. Warum erschien ihr das bei Avram um so viel schlimmer?

Ora.

Ja.

Wie lange waren wir zusammen?

Ein Jahr, fast ein Jahr.

Und du und Ilan?

Fünf Jahre. Seit wir siebzehn waren etwa. Sie lachte freudlos: Du hast uns erst zusammengebracht, weißt du noch? Auch damals waren wir im Krankenhaus, dachte sie, auch damals war Krieg.

Daran erinnere ich mich, murmelte er, und dass ihr Freunde wart, daran erinnere ich mich auch. Aber an uns kann ich mich nicht erinnern.

Sie schluckte die Kränkung mit Mühe.

Natürlich waren wir zusammen, murmelte er fassungslos, dass ich mich daran nicht erinnert hab!

Du wirst dich wieder an alles erinnern. Hab Geduld.

Ich glaub, die haben mir da was kaputtgemacht.

Das kommt zurück, sagte Ora, und ihr Magen zog sich zusammen, es kann eine Weile dauern, aber du …

Eine große, kräftige Schwester öffnete die Tür, machte Licht und schaute hinein: Sind wir okay?

Wir sind okay, sagte Ora und sprang mit einem Schrecken auf, der sich zu einer fiebrigen, mechanischen Freude verselbständigte: Gut, dass Sie kommen, ich wollte Sie schon rufen.

Avram schnarchte bereits laut, und diesmal fiel es Ora schwer, ihm zu glauben, dass er schlief; sie beherrschte sich und erzählte nicht, dass er wieder redete. Die Schwester wechselte den Infusionsbeutel und den Urinbeutel, strich Salbe auf seine Finger und über seine Augen, wo die Augenbrauen ausgerissen waren. Danach drehte sie ihn auf die Seite und entfernte mit einem Tupfer den Eiter, der aus der Wunde auf seinem Rücken quoll, verband ihn wieder und spritzte ihm Antibiotika, soviel wie für eine Pferd.

Meine Liebe, Sie müssen jetzt aber auch schlafen, sagte sie beiläufig zu Ora.

Morgen früh fahr ich nach Hause, antwortete Ora und lächelte angestrengt.

Sagen Sie, sind Sie verwandt mit ihm, Sie und der Große, Familie?

So ungefähr. Im Grunde ja. Wir sind seine Familie.

Ora kam der Gedanke, dass Ilan sich jetzt, seit Avram zurück war, jeden Tag veränderte. Als mache eine neue Kraft ihn irgendwie breiter, so dass er mehr Platz einnahm. Auch sein Gang war jetzt energischer und kräftiger, was sie etwas verwirrte und beunruhigte. Manchmal schaute sie ihn erstaunt an: als würde jemand seine Linien, die bisher nur mit Bleistift gezeichnet waren, mit Tinte nachziehen.

Nein, lachte die Schwester, ich frage bloß, weil ich die ganze Zeit nur Sie und ihn hier sehe. Hat er sonst niemanden?

Nein, nur uns beide.

Aber wie sind Sie mit ihm verwandt? Sie ähneln ihm so gar nicht, beharrte die Schwester, die schon fertig war, noch immer in der Tür stand und anscheinend nicht gehen wollte, Sie und der Große sehen einander viel ähnlicher, lachte sie, wie Geschwister sehen Sie aus, wie sind Sie denn miteinander verwandt?

Das ist eine lange Geschichte, murmelte Ora, ich erzähl sie Ihnen ein andermal.

Die Tür, flüsterte Avram, als die Schwester gegangen war. Ora stand auf und machte die Tür zu.

Und du hast zu Ilan gehört, sagte er, prüfte quasi, ob er auf diese Annahme bauen konnte.

So kann man es sagen. Auch. Aber vielleicht solltest du dich jetzt nicht so anstrengen.

Und Ilan ... den hast du geliebt, nicht wahr?

Ora nickte. Sie dachte, wie kann man für die Beschreibung so unterschiedlicher Gefühle ein und dasselbe Wort verwenden?

Wieso ... Sag, wieso hast du dann auch ...

Entweder prüft er mich, schoss es ihr durch den Kopf, oder er spielt hier eins von seinen Spielchen.

Wieso was? fragte sie.

Wieso haben wir dann auch ...

Sie meinte, endlich eine dünne, etwas hellere Linie hinter dem Fenster zu sehen. Was quälst du ihn mit deinem Gestammel, dachte sie, wovor fürchtest du dich? Erzähl ihm einfach, was war. Gib ihm seine Vergangenheit zurück. Womöglich ist das alles, was er noch hat.

Sie sagte: Hör mal, Avram, ein Jahr lang, bis zum Krieg, war ich mit dir und mit Ilan zusammen.

Er stieß überrascht und heiser den Atem aus.

Erinnere dich, Mann, du musst dich erinnern, murmelte er vor sich hin. Warum ist diese ganze Zeit ausgelöscht? Sie war mit ihm zusammen und auch mit mir? Gleichzeitig? Wieso hat er da mitgemacht, dass auch ich ...

Wieder tauchte er ab, verkroch sich für lange Minuten. Ora dachte, er kann nicht verstehen, was ihm früher völlig selbstverständlich erschien.

Ich versteh das nicht mehr, Ora, hilf mir.

Sein Körper zuckte, als trage er in sich einen Kampf aus. Sie wand sich auf ihrem Stuhl, ihre Haut wurde ihr zu eng. Was wollte er von ihr? dachte sie, was sollte dieses merkwürdige Verhör? Wo er sich doch erinnert. Wie kann er dieses Jahr vergessen und alles, was wir zusammen erlebt haben.

Aber mit uns beiden?

Ja.

Zusammen? Zur selben Zeit?

Sie richtete sich auf und sagte, ja.

Und das haben wir beide gewusst?

Ora spürte, sie konnte nicht mehr. Warum auf einmal diese kleinliche Fragerei? Es war, als ob auch etwas in ihr sich unheilbar infizierte.

Ich und Ilan – haben wir davon gewusst?

Was? Was sollt ihr gewusst haben? schrie Ora fast.

Dass wir beide, dass wir gleichzeitig mit dir zusammen waren?

Was willst du von mir? Was willst du hören?

In einem erregten, stockenden Flüstern stieg seine Stimme auf; wir haben es also nicht gewusst?

Sie hatte keine Wahl mehr: Verdammt noch mal, *du* hast es gewusst.

Und er nicht?

Offenbar nicht. Ich weiß nicht.

Du hast es ihm nicht erzählt?

Sie schüttelte den Kopf.

Und er hat nicht gefragt?

Nein.

Auch mich hat er nicht gefragt?

Du hast mir zumindest nichts davon erzählt.

Aber hat er es gewusst?

Ilan ist klug, stieß sie aus. Sie wollte viel mehr sagen. Das Wort »klug« sagte nicht viel. Etwas Breites, Tiefes, Wunderbares und auf seine Art Unglaubliches war ihnen in diesem verschwiegenen Jahr widerfahren. Sie schaute Avram an, sah sein angestrengtes Gesicht, seine kleinliche, beinahe krämerhafte Angst, und dachte, er würde jetzt auch nicht einen Bruchteil mehr davon verstehen.

Aber wir waren Freunde, murmelte er dumpf, Ilan und ich sind doch Freunde, er ist mein bester Freund … Wie kann ich da …

Hätte sie gekonnt, sie hätte ihn ins Koma zurückversetzt, damit er nicht so viel verstand, damit er sich nicht in diesem Augenblick selbst so völlig ungeschützt begegnen musste.

Es war zu spät. Mit einer unendlichen Verzögerung traten seine Augen aus den Höhlen. Ora spürte, wie sich im Zeitlupentempo eine Explosion des Verstehens in ihm entlud.

Auf der anderen Seite der Straße, die sie jetzt überqueren, erstreckt sich eine fette Wiese. Ein umgefallener Stacheldrahtzaun, viel blühender Klee. Hey, schau mal, sagt Avram und zeigt mit fröhlicher Einfalt: Auf einem runden Felsen prangt in der Sonne blau-weiß-orangefarben die Wegmarkierung. Ein Zwinkern des Weges. Wir haben ihn gefunden, verkündet er, stellt den Fuß auf den markierten Fels und deutet mit ausgestrecktem Arm auf den ansteigenden Weg. Verdammt hoch, sagt er, als seine Augen der Hand bis zum Gipfel folgen, und zieht etwas furchtsam den Fuß wieder zurück.

Sie fragt nach: Sind Berge auch ein Problem für dich?

Auch Straßen sind eigentlich kein Problem, murrt er, ich weiß nicht, was mit mir los ist.

Ich hab echt Schiss gehabt, die hätten uns da fast überfahren.

Dann verdanke ich dir mein Leben, brummt er.

Sagen wir, noch ein paar solche Szenen, dann sind wir quitt? Sie wagt es, das auszusprechen, und sieht den Schatten eines bitteren Lächelns über sein Gesicht ziehen.

Und wo ist deine Hündin?, erinnert er sich.

Meine? Plötzlich gehört sie mir?

Unsere, okay, unsere.

Sie kehren zurück an den Straßenrand, pfeifen beide nach ihr, zusammen und jeder allein, rufen aus voller Brust, hey und ho, gegen den Verkehrslärm, Hündchen, komm schon, und sie hören sich selbst, wie ihre Stimmen sich vermischen. Wenn Ora nur den Mut hätte, sie würde einmal Ofer schreien, O-fer, komm nach Hau-se.

Doch die Hündin ist nicht zu sehen. Vielleicht ist es auch besser so, denkt Ora, dass ich mich nicht zu sehr an sie binde, ich hab nicht die Kraft für noch eine Trennung, aber trotzdem ist es schade, wir wären gute Freundinnen geworden.

Der Aufstieg ist steil und beschwerlich. Olivenbäume, Mastixsträucher, dazwischen stacheliger Weißdorn, ihre Wadenmuskeln dehnen sich so sehr, dass es weh tut, und die Steigung ermüdet die Lungen.

Was das wohl für ein Berg ist, sagt Avram schwer atmend, ich wüsste gern, wie der heißt, wo sind wir überhaupt. Ora bleibt stehen und atmet tief durch. Was interessierst du dich plötzlich dafür, wo wir sind? Er schaut sie verlegen an. Es ist bloß sonderbar, zu gehen und nicht zu wissen, wo man ist. Und sie, die Karte ist in deinem Rucksack. Und er, vielleicht schaun wir mal drauf?

Sie setzen sich, lutschen Zitronenbonbons. Avram zögert einen Moment, öffnet dann die rechte Tasche des Rucksacks. Das erste Mal, seit sie aufgebrochen sind, steckt er die Hand hinein. Er holt ein Leatherman-Taschenmesser heraus, eine Schachtel Streichhölzer, Kerzen, eine Rolle Bindfaden, eine Creme gegen Mücken. Eine Taschenlampe. Noch eine. Ein Nähset, Deodorant, Aftershave. Ein kleines Fernglas. Avram breitet seine Beute auf dem Boden aus und betrachtet sie. Für einen Moment scheint es ihr, als versuche er, aus diesen Gegenständen irgendeine Gestalt von Ofer zu erschaffen, Mutmaßungen über Ofer. Ora lacht: Er ist immer für jeden Notfall gerüstet, aber wie du dir denken kannst, hat er das weder von mir noch von dir.

Auf einem dornigen Becherstrauch falten sie die große, in Plastikfolie eingeschweißte Karte aus, eins zu fünfzigtausend. Sie beugen sich darüber, Kopf an Kopf. Wo sind wir? Vielleicht hier? Nein, das ist überhaupt verkehrt herum.

Sie strengen die Augen an. Zwei Finger irren hin und her, stoßen aneinander, kreuzen einer die Wege des andern.

Hier ist unser Weg.

Ja, der ist eingetragen.

Der Israelweg, das hat der Typ doch gesagt.

Welcher Typ? fragt sie.

Der, den wir getroffen haben.

Ihr Finger läuft schnell den ganzen Weg zurück, bis er an die Grenzlinie stößt.

Hoppla, sie hält an und zieht den Finger weg, der Libanon.

Meiner Meinung nach, murmelt er, haben wir etwa hier angefangen.

460

Vielleicht hier, zeigt sie, denn da sind wir gleich in das Wadi einge-stiegen, weißt du noch? Wer könnte das vergessen? Und in dem Wadi sind wir immer so zickzack gegangen. Sie führt ihre Finger über die Windungen des Weges. Avrams Finger immer neben und ein bisschen hinter ihren. Hier, hier sind wir auf-gestiegen, und hier war die Holzbrücke, und da haben wir die Mehl-mühle gesehen, und ungefähr hier haben wir die erste Nacht geschla-fen. Oder hier? Bei Kfar Juval? Wie soll sich einer erinnern. Was haben wir denn in den ersten Tagen gesehen, sagt sie, wer hat da über-haupt irgendwas gesehen. Er schaut sie an und sagt, ja, ich war wie ein Zombie.

Hier ist der Steinbruch von Kfar Giladi und hier der Wald von Tel Chai, den Weg mit den Skulpturen sind wir gegangen, und hier haben wir gegessen, bei Ejn Ro'im. Ich hab zu der Zeit gar nichts wahr-genommen. Nein, wirklich nicht, du bist gelaufen und hast mich ver-flucht, dass ich dich mitgeschleppt habe. Und ungefähr da, denke ich, haben wir Akiba getroffen, und hier sind wir ins Wadi hinunterstie-gen. Schau mal, das war ein ganz schönes Stück zu gehen, siehst du? Ja, und das ist bestimmt das arabische Dorf – was davon noch übrig ist. Ich hätte es mir gern angeschaut, aber du bist weitergerannt. Ich hab schon genug Ruinen in meinem Leben. Und das ist Nachal Kedesch. Dann haben wir hier geschlafen. Und von hier sind wir den Abhang hochge-klettert, und da haben wir diesen Typ von dir getroffen. Seit wann gehört der mir? Ihr Finger verharrt auf der Karte, hinterlässt für einen Moment einen Abdruck auf der Plastikhülle, und da ist schon das Je-scha-Fort, und das Scheichgrab Nebi Joscha. Und hier, siehst du, von hier sind wir den Keren Naftali hochgeklettert, und dann gleich wie-der runter, weil du dein Notizbuch im Nachal Kedesch vergessen hat-test. Und hier war noch ein Wadi, der Nachal Dischon. Auf der Karte sieht er ganz harmlos aus, und schau hier, die Turbinen, von denen wir nicht wussten, was die da sollen: »Regionale Wasserpumpstation Ejn Aviv«, na schön, wieder was gelernt. Und ich glaube, in diesem Pool haben wir uns gewaschen, und hier sind wir auf diesem riesigen Rohr über dem Wasser gelaufen. Da hab ich vielleicht geschlottert. Wirk-lich? Davon hab ich nichts gemerkt, Ora, du hast gar nichts gesagt. So

461

bin ich eben. Und hier, siehst du, ist dein Märchenwald, Nachal Zivon. Und das ist die Weide, über die wir vorhin gekommen sind. Ja,
natürlich. Und hier die Straße. Stimmt. Da stand »Straße 89«.

Wenn wir also hier rübergegangen sind, sagt er ungläubig, dann
müssten wir jetzt hier sein …

Auf dem Meron! Sagt sie ungläubig.

Wir sind auf dem Berg Meron?

Ja, sieh doch selbst.

Ihre Finger versammeln sich in einer gewissen Ehrfurcht. Avram,
murmelt sie, schau mal, wie viel wir gelaufen sind.

Er steht auf, kreuzt die Arme vor der Brust und geht zwischen den
Bäumen auf und ab.

Sie falten die Karte zusammen, schultern die Rucksäcke und klettern weiter den steilen Hang hinauf, bahnen sich einen Weg durch die
Dornen. Jetzt geht Avram vor. Ora fällt es ein bisschen schwer, mit-
zuhalten. Diese Schuhe sind doch ganz gut, stellt er für sich fest. Und
prima Socken. Er findet einen langen, elastischen Zweig, von einem
Erdbeerbaum, bricht ihn mit einem Tritt auf die richtige Länge und
benutzt ihn zum Gehen und Klettern, und er rät auch Ora, hier einen
Stock zu benutzen. Er stellt fest, dass die Wegmarkierungen auf diesem
Teil ausgezeichnet sind; dicht und ohne Unterbrechungen, so, wie es
sein muss. Sie hat den Eindruck, er summt etwas vor sich hin.

Ein Glück, dass der Weg so lang ist, denkt sie, und betrachtet ihn
von hinten: So haben wir Zeit, uns an all die Umwälzungen zu gewöhnen.

Schwarzmähnenpferd, sagt sie, das ist einer der Kosenamen, die Ilan
für Adam erfand, als der vielleicht dreieinhalb war, und auch Riesen-
rüsselfant. Hörst du diese Worte?

Avram murmelt sie vor sich hin und hört sie in Ilans Stimme.

Oder er nannte ihn Schöner Eselsschrei. Solche Sachen.

Schöner Eselsschrei?

Ja.

Sie hatte beobachtet, wie Adam sich vor ihren Augen veränderte.
Wie er sich verbog, um Ilans Wünschen zu entsprechen. Er hat das
Bild einer Katze orange angemalt und ihr erklärt: »Ich hab sie oran-

giert«, oder: »und jetzt lass ich gelbe Farbe runterpinseln«, und sie hatte schief gelächelt. Natürlich war sie stolz auf ihn gewesen, aber mit jedem Fortschritt dieser Art hatte sie auch das Gefühl, dass er sich weiter von ihr entfernte. Sie betrachtete ihn, wie er Ilan hinterherdackelte, und erschrak, was sie ihm gegenüber empfand. Wie hatte er diesen verbalen Drang, der ihn jetzt mit Haut und Haar gepackt hatte, bisher vor ihr geheim gehalten? Mit einer unverhohlenen Versessenheit, die sie als männlich empfand, kehrte er den Jahren, in denen er mit ihr allein in ihrem kleinen Zweierparadies gelebt hatte, den Rücken. Bambi und seine Mutter – Gott hab sie selig.

Das schlottert mir die Knie, hatte er ihr jauchzend berichtet, nachdem Ilan ihn hoch über dem Kopf durch die Luft gewirbelt hatte, so dass ihm schwindlig wurde.

Ja, sie rang sich ein Lächeln ab, das war süß.

Sie hatte den Eindruck, dass, eine Weile nachdem er sich des Redens bemächtigt hatte, nun das Reden sich seiner bemächtigte. Er fing an, alle seine Gedanken auszusprechen. Sie merkte das nicht gleich. Erst nach einer Weile begriff sie, dass die ohnehin vitale Tonspur ihres Familienlebens gleichsam noch eine zweite Spur dazubekommen hatte. Er ließ alle seine Gedanken, Wünsche und Ängste sprechen. Und da er sich manchmal noch in der dritten Person ausdrückte, war das sogar sehr lustig: Adam ist hungrig, hungrig, hungrig! Warte noch ein bisschen! Nein, er will nicht länger warten, erwarten, abwarten, sich gedulden, dass Mama vom Klo kommt. Adam geht jetzt in die Küche und macht sich selber Salat, aber das Messer darf er nicht, das Messer ist gefährlich. Streichholz auch gefährlich? Nein, Dummkopf, Streichholz ist holzig.

Nach der Zubettgehzeremonie liegt er in seinem Bett und murmelt vor sich hin. Ora und Ilan stehen hinter der Tür und lauschen mit gemischten Gefühlen. Adam muss schlafen. Vielleicht kommt ein Traum? Bärchen, weißt du, was du jetzt musst? Du musst schlafen, schlummern, ruhen, und wenn ein Traum kommt, rufst du Adam. Träume sind nicht echt, das ist bloß ein Bild in deinem Kopf, Bärchen.

Das hat uns befremdet und ein bisschen verlegen gemacht, so als ob sein Unterbewusstes ganz offen vor uns läge. Sie wendet den Blick von Avram, will nicht, dass er sich an sein eigenes unkontrolliertes Reden unter dem Einfluss der Tablette an dem Abend erinnert, als sie ihn auf diese Wanderung entführte. Sie überlegt sich, ob sie ihm erzählen soll, wie er da über sie geredet hat, »die ist völlig durch den Wind, die ist doch durchgeknallt«.

Schon vor seinem vierten Geburtstag kannte Adam alle Buchstaben. Mit Leichtigkeit hatte er sie gelernt, und dann war er nicht mehr zu halten. Er las. Er schrieb. In den Ritzen der Seifenstücke erkannte er Schriftzeichen. In Brotrinden, im Topf auf dem Herd. Er bestand darauf, die Worte zu lesen, die die Falten seines Bettlakens warfen, oder die Linien in seiner Hand.

Wer bist denn du? fragte Ilan und kitzelte ihn, als er ihn in der Badewanne wusch.

Ich bin Papaskind, kicherte er.

Und was noch?

Mamaskind.

Und was noch?

Liebeskind, Menschenskind.

Menschenkind, hatte Ilan ihn lachend korrigiert, und was noch?

Mondkind.

Großes Gelächter schäumte aus dem Badezimmer bis an ihr Bett.

Jetzt, auf dem Berg Meron, versucht sie sich zu erinnern, warum sie das damals so geärgert hat. Sie denkt, was gäb ich drum, noch einmal schwanger, mit Rückenschmerzen und müde in jenem Bett zu liegen, mit Ofer im Bauch, und das Gelächter der beiden zu hören.

Komm, wir machen ein bisschen Pause. Das ist ja kein Berg mehr, das ist steil wie eine Leiter.

Sie sinkt auf den Boden. So einen Aufstieg und dann noch so eine Sehnsucht, das hält ihr Herz nicht aus. Adam ist mit ihr hier, höchstens vier Jahre alt, rennt auf der Wiese herum. Seine kindlichen Bewegungen, sein forschender, zerbrechlicher, immer etwas misstrauischer Blick. Und wie er strahlt, wenn er sich erlaubt, sich zu freuen, weil er etwas ganz toll gemacht hat oder weil Ilan ihn lobt. Ich rede die ganze Zeit von Adam, sagt sie, aber Ofer ist niemals nur Ofer allein, das verstehst du, oder? Ofer, das ist immer auch Adam, und auch Ilan und auch ich. So ist das. So funktioniert Familie. Du hast keine Wahl, sie lacht ihn an, du wirst uns alle kennenlernen.

Ein Bild jagt das andere: Adam und Baby Ofer liegen zusammen im Schlafsack auf dem Teppich im Wohnzimmer – wie in einem Indianercamp, nackend eingerollt mit verschwitztem, wuscheligem Haar, und Adams rechte Hand liegt auf Ofers Bauch mit dem vorstehenden Bauchnabelknopf. Adam und Ofer, fünfeinhalb und zwei, sie haben sich in einem leeren Pappkarton ein Häuschen eingerichtet. Ihre Gesichter schauen durch ein kleines rundes Loch, das sie für sie ausgeschnitten hat.

Ofer und Adam, ein Jahr und viereinhalb, früh morgens, nachdem sie zusammen nackend in Adams Bett geschlafen haben und Ofer gekackt und den schlafenden Adam verschmiert hat. Gründlich und eifrig hat er das getan, und gewiss auch großzügig und mit viel Liebe. Ofer bläst die Backen auf, um die drei Kerzen auf seinem Geburtstagskuchen auszublasen, aber hinter ihm taucht Adam auf und pustet sie wild aus. Ofer richtet sich auf seinen kurzen Beinchen vor Adam auf, der ihm seinen Lieblingselefanten weggenommen hat, und brüllt ganz fürchterlich: Fant! Ofer! Fant Ofer! Er besteht so beharrlich auf seinem Recht, dass Adam einen Schrecken kriegt, ihm den Elefanten zurückgibt und ihn mit einem Funken neuer Hochachtung anschaut, und Ora lugt aus der Küche und registriert: Heute hat sich was verändert.

Großes Familienpicknick. Ein ganz lebendiges, scharfes Bild: Erwachsene und Kinder sitzen im Kreis und schauen auf Ofer, der in der Mitte steht. Ein helles, dünnes kleines Kind mit riesigen hellblauen lachenden Augen und einer Flut von goldenem Haar, er erzählt den Anwesenden den komischsten Witz der Welt, den Mama – das versichert er seinen Zuhörern – schon siebenmal gehört hat, und jedes Mal hat sie sich gekugelt vor Lachen! Und dann erzählt er einen langen, unverständlichen Witz von zwei Freunden. Er erzählt, bringt alles durcheinander, vergisst, erinnert sich wieder, und in seinen Augen rennt das Lachen hin und her, und sein Publikum johlt, und etwa jede Minute unterbricht Ofer und erinnert seine Zuhörer: Gleich, gleich kommt das Ende, wo man lacht!

Und die ganze Zeit läuft Adam – vielleicht sieben oder acht –, dünn, geheimnisvoll, seltsam und irgendwie getrieben, nach einem ganz bestimmten geheimen Schema, das nur er kennt, zwischen den Leuten hindurch, er hält sich nirgends auf, gibt sich keiner Umarmung, keinem Streicheln hin, schaut vielmehr scharf und gierig in die Ofer zugewandten Augen. Plündert sie aus, ohne dass einer es merkt, ein kleines Raubtier, selbst gejagt.

Avram hört ihr zu. Eine Kohlmeise zwitschert im Gebüsch. Auf einer Seite des Berges, nicht weit von ihnen, an einer Stelle, wo wohl vor kurzem ein Brand gewütet hat, blüht wieder der Senf, ein wildes Durcheinander jauchzender Pflanzen, als hätten sie beschlossen, fröhlich zu sein, und sie freut sich, wie der ganze verbrannte Fleck von Senfblüten und Bienen summt.

Ofer, sagt sie, schwieg, bis er fast drei war. Er hat sich einfach keine Mühe gegeben, sprechen zu lernen.

Und das ist, Avram zögert, das ist spät?

Das ist ungewöhnlich, ja, ziemlich spät.

Avram legt die Stirn in Falten, verarbeitet die Information.

Weißt du, er hatte ein paar Grundwörter, ein paar sehr kurze Sätze, und viele Bruchstücke von Wörtern, hier eine Silbe, da eine Silbe, aber ansonsten war ihm einfach nicht danach, sprechen zu lernen. Trotzdem hat er sich sehr schön seinen Weg gebahnt, nur mit seinem Lächeln und seinem Charme, und natürlich mit diesen Augen. Die hat er von dir, sagt sie, weil sie sich nicht beherrschen kann.

Zu Oras Überraschung überzeugte er sogar Ilan, dass man fast ohne ein einziges Wort ein richtiges Leben führen kann. Den Ilan, der mir, Ora richtet sich etwas auf, noch bevor Adam zur Welt kam, gesagt hatte, er wisse schon jetzt, dass er nicht in der Lage sei, ein Baby zu lieben – auch nicht den eigenen Sohn –, bevor es zu sprechen anfange, verstehst du? Und hier ist Ofer, fast drei Jahre lang sprachlos, und du siehst, was dabei rausgekommen ist.

Ilan und er gruben stattdessen zusammen im Garten Beete um und pflanzten Gemüse und Blumen, sie gründeten eine komplizierte Ameisenstadt und hielten sie instand, bauten aus Lego vielteilige Schlösser, formten stundenlang aus Knete Figuren, spielten mit Teig und mit Ofers Radiergummisammlung, backten einen Kuchen. Ilan, stell dir vor!, lacht sie. Und Ofer hatte wirklich so eine Manie, alles zu zerlegen, schon als ganz kleines Kerlchen hat er alles auseinandergenommen und wieder zusammengesetzt, immer wieder, tausendmal. Die automatische Bewässerungsanlage im Garten, ein altes Tonband, ein Transistorradio, den Ventilator und natürlich Uhren; ihm ist es zu verdanken, dass Ilan ein bisschen was von Mechanik, Zimmerei und Elektrotechnik gelernt hat, und all das passierte fast ganz ohne Worte, du hättest die beiden gurren und pfeifen hören müssen, du hättest Ilan sehen müssen, als habe er Urlaub von sich selbst.

Avram lächelt. Ein Beinahe-Glück verzerrt für einen Augenblick sein noch ungeübtes Gesicht. Er will es wirklich wissen, stellt sie verblüfft fest, und ihr Herz bestätigt ihr, was sie schon immer über Avram wusste: Er könnte sich vielleicht nie an Ofer binden, das würde er nicht wagen, aber er könnte und würde es wagen, sich an die Geschichten über Ofer zu binden.

Damals, bei Ofer, hatte sich ein lachender, leichtsinniger Ilan gezeigt, ein heller und seltener Ilan, den sie sehr liebte. Er kugelte sich mit ihm auf dem Boden, machte mit ihm Ringkämpfe, spielte im Wohnzimmer und im Hof Fußball und Verstecken, hob ihn sich auf die Schultern und rannte wild schreiend um das ganze Haus, er sang und johlte mit ihm Nonsense-Lieder.

Und wie die beiden in der Badewanne getobt haben, richtige Wasser- und Entenkämpfe, du hättest das Badezimmer sehn müssen, wenn sie fertiggeplanscht hatten.

Und Adam?

Ja, Adam, sagt sie − merkt wieder, wie er immer gleich zu Adam zurückkehrt, natürlich hätte auch Adam mitspielen können, es ist nicht so, dass er ausgeschlossen war, verdammt, ist das kompliziert …

Wenn Adam mit dabei war, hatte sie immer den Eindruck, dass Ofer und Ilan sich bremsten, weniger wild und ausgelassen waren und gleichsam geduldig Adams ununterbrochenes Gerede ertrugen. Wenn er sie damit überschwemmte, kippte es nicht selten in einen erschreckenden Sturm physischer Wildheit um, dann schlug und trat Adam sie beide wegen eines kleinen, dummen Vorwands oder einer eingebildeten Beleidigung. Manchmal warf er sich bei einem Wutanfall auf die Erde, schlug mit Händen und Füßen und auch mit dem Kopf − bei der Erinnerung an diese dumpfen Schläge zuckt Ora zusammen −, dann versuchten Ilan und Ofer mit allen Mitteln, ihn zu beruhigen und zu versöhnen. Es war rührend, wie Ofer seinen großen Bruder streichelte, sich neben ihn setzte, sich an ihn schmiegte und ohne Worte tröstend auf ihn einredete.

Das war keine leichte Zeit, sagt sie, denn Adam verstand ja nicht, was da passierte; und je mehr er versuchte, sich den beiden zu nähern, desto eindeutiger wichen sie zurück, und er kam noch mehr unter Druck und drehte noch mehr auf. Was hätte er auch tun sollen, sag mir, er hatte doch nur ein Mittel, um zu zeigen und auszudrücken, was er wollte, nur das, was Ilan ihm beigebracht hatte, aber warum – sie macht eine verärgerte Kopfbewegung –, warum hatte sie nicht häufiger eingegriffen? Sie war so geschwächt gewesen und noch so unreif. Eigentlich, denke ich jetzt, hat er Ilan angebettelt, zu ihm zurückzukehren und ihren gemeinsamen Bund zu bekräftigen.

Und dann denke ich an Ilan, wie er Ofer einfach erlaubt hat, er selbst zu sein, wie er alles an ihm liebte, sogar auf seine ewige Kritik verzichtete, um ganz und gar und ohne Vorbehalte alles, was Ofer war, lieben zu können. Und indem er das tat – sie weiß, das kann sie nicht laut sagen –, hat er sich von Adam abgewandt. Anders kann man es nicht nennen. Sie weiß, auch Avram versteht genau, was da passiert ist. Er hört schon die Zwischentöne und das Schweigen.

Ilan hat das nicht mit Absicht gemacht. Das weiß sie. Er hat das bestimmt nicht gewollt. Er hat Adam geliebt. Aber so ist es gekommen. Ora merkte es, Adam merkte es, vielleicht hat sogar Ofer als Krabbelkind schon etwas davon gespürt. Dieses Verhalten von Ilan, diese entsetzliche, verborgene, feine Bewegung hatte keinen Namen, aber damals war das ganze Haus voll von diesem tiefen und schwer zu fassenden Vertrauensbruch, den sie auch jetzt, zwanzig Jahre später, als sie Avram davon erzählt, nicht in Worte fassen kann.

Und eines Morgens, da war Adam etwa fünf, fütterte Ilan ihn mit einem weichgekochten Ei, und Adam leckte sich die Lippen und sagte, Ei, Ei, Ei – das Küken ist frei. Das war ein Spiel, das sie vor Ofers Geburt sehr gemocht hatten, und Ilan antwortete ihm gleich, es fiel in den Brei, und Adam lachte glücklich, dachte einen Moment nach und sagte, mit großem Geschrei. Und beide lachten, und Ilan sagte, du bist großartig, aber komm jetzt anziehn, sonst sind wir zu spät im Kindergarten, und Adam sagte, weil die andern sonst warten.

Als Ilan ihm sein Hemd anzog, sagte Adam, Arm im Hemd fühlt sich fremd, und Ilan lächelte, das kann keiner so wie du, mein Junge.

Und als er ihm die Schuhe zuband, sagte Adam, in den Schuhen kann ich ruhen, und Ilan sagte, ich seh, du bist so richtig in Reimelaune, und Adam sagte, gib mir deine Posaune.

Sie gingen zusammen in den Kindergarten und kamen am Spielplatz von Zur Hadassa vorbei, und Adam sagte, auf der Rutsche fährt eine Kutsche, und die Wippe steht auf der Kippe. Ilan war mit den Gedanken woanders und sagte wohl, Adam sei heute aber wirklich ein Dichter, und er sagte, wo ist der Trichter.

Als Ora mittags in den Kindergarten kam, erzählte ihr die Kindergärtnerin begeistert, Adam habe einen ganz besonderen Tag gehabt: Er habe mit den Kindern und der Kindergärtnerin nur in Reimen gesprochen und sogar andere Kinder damit angesteckt, natürlich nicht alle, denn nicht alle könnten so schön reimen wie er, aber man könne schon sagen, wir hatten hier einen Garten mit kleinen Dichtern, nicht wahr, Kinder? Und Adam legte seine glatte Stirn in Falten und sagte, als wäre er zornig: Kinder, Kinder, alles Erfinder, aus dem Zylinder.

Auch auf dem Heimweg, auf dem Fahrrad, dicht an ihrem Rücken, die dünnen Ärmchen mit unbekannter Kraft um ihre Hüften geschlungen, antwortete er auf alle ihre Fragen mit Reimen, und sie, die von Anfang an nicht viel Geduld für Ilans Spielchen mit ihm hatte, bat ihn, damit aufzuhören, und prompt antwortete er, sie solle ihn nicht stören, und Ora dachte, das sei wohl das Trotzalter, und schwieg.

Zu Hause machte er gerade so weiter. Ora drohte ihm, nicht mit ihm zu sprechen, bis er wieder normal rede, und er antwortete normal, Kanal. Später saß er vor dem Fernseher und sah Kinderstunde, und als sie ins Wohnzimmer schaute, hockte er vorgebeugt, die geballten Fäuste auf den Knien, und seine Lippen bewegten sich nach jedem Satz, den die Figuren sagten, und sie begriff, dass er ihnen in Reimen antwortete.

Sie nahm ihn auf eine Autofahrt mit, hoffte, das Fahren würde ihn ablenken und ihn diesen sonderbaren Reimzwang vergessen lassen. Sie fuhr mit ihm ins benachbarte Mevo-Bejtar und zeigte ihm Arbeiter auf einem Dach, und er sagte Reiter, Leiter, weiter, flach, schwach, und als sie am Coop vorbeikamen, schrie er nach einigen Sekunden größter Seelennot: Stopp, Galopp. Sie bremste, um einen alten Hund über die Straße laufen zu lassen, und hörte nur tiefes Schweigen vom Rück-

sitz und sah dann im Spiegel, wie seine Lippen zitterten und ihm Tränen in die Augen schossen, weil er keinen Reim auf Hund fand.
Rund, sagte sie zärtlich, und er atmete erleichtert auf, auch Mund und bunt.
Komm, erzähl mir jetzt, wie war es denn im Kindergarten? fragte sie, als sie in dem Versteck auf dem Weg zum Nachal HaMaajanot saßen, das sie beide so mochten, und er sagte sofort starten, abwarten. Sie legte ihm den Finger auf die Lippen und sagte, jetzt sag mal nichts und hör nur zu, und er schaute sie verängstigt an und murmelte Schuh, Kuh, und Ora verkrampfte sich beim Anblick des Kummers und der Verzweiflung in seinem Gesicht. Sie hatte den Eindruck, als flehe er sie an, sie möge doch schweigen, die ganze Welt möge schweigen, damit es keine weiteren Geräusche mehr gebe. Sie zog ihn an sich, und er vergrub seinen Kopf an ihrem Hals, sein Körper war wie zusammengeballt. Sie wollte ihn beruhigen, doch jedes Mal, wenn sie sich vergaß und auch nur ein Wort fallen ließ, musste er ihr mit einem Reim antworten. Sie fuhr mit ihm nach Hause, gab ihm sein Abendessen, badete ihn in der Wanne und bemerkte, dass er, auch wenn sie gar nichts sagte, Reime auf die Geräusche des Wassers machte, auf das Zuschlagen einer fernen Tür, auf den Pfeifton zu Beginn der Nachrichten im Radio der Nachbarn.

Das ging etwa drei Monate, erzählt Ora, jeder Satz, jedes Wort, alles, worüber wir sprachen oder was er um sich herum hörte, wurde gereimt. Adam, ein Reimroboter.

Und was habt ihr gemacht?

Was hätten wir machen können? Wir haben versucht, zu schweigen. Keinen Druck auszuüben, es einfach zu übergehen.

Erinnerst du dich an diesen Film, den wir mal zu dritt in Jerusalem im Kino gesehen haben, fragt Avram.

David und Lisa, ja, und sie zitiert: »David, David, look at me, look at me, what do you see?«

Und Avram antwortet sofort: »I see a girl, who looks like a pearl.«

Drei Monate, sie kann es selbst kaum glauben, bekam jedes Geräusch im Haus einen Reim.

Den traurigen Seufzer über das, was jetzt in ihr erwacht, unterdrückt sie mühsam: der Wunsch, dieses Verlangen, sofort mit Ilan darüber zu reden, zu verstehen, was Adam damals durchgemacht hat, es immer wieder mit ihm bei ihren Küchengesprächen oder bei ihren Abendspaziergängen durchzukauen. Ilan gibt es nicht mehr, ermahnt sie sich.

Doch für einen Moment, wie jeden Morgen, wenn sie die Augen aufmachte und die Hand tastend zur Seite ausstreckte, trifft sie auch hier dieser Schlag, als wäre es das erste Mal: Sie hat keinen Partner. Sie hat keinen Reim.

Von morgens bis abends war es so, jeden Tag, und nachts auch, sagt sie, und dann ist es irgendwie weggegangen, wir haben es kaum gemerkt. Wie auch die anderen Ticks, die er und Ofer hatten. So ist das eben, sagt sie, verzieht ihren Mund zu einem angestrengten Lächeln, du denkst schon, das war's, diesen Tick werden sie nie mehr los. Adam wird für immer in Reimen reden, Ofer wird sein Leben lang mit einem Schraubenschlüssel unterm Kopfkissen schlafen, um die Araber zu verhauen, wenn sie kommen, oder er wird sein Cowboykostüm tragen, bis er siebzig ist, und eines Tages merkst du, dass dieser Tick, mit dem er die ganze Familie verrückt gemacht hat, sich einfach in Luft aufgelöst hat.

Um die Araber zu verhauen?

Ach, das ist auch eine ganze Geschichte, sie lacht kurz auf, dein Sohn hatte eine blühende Phantasie.

Ofer?

Ja.

Aber warum ... warum die Araber? Hatte er mal was mit ...

Nein, nein, mit einer Handbewegung will sie seinen Verdacht zerstreuen, das war alles bloß in seinem Kopf.

Sie kommen am Naturfreundehaus vorbei, Avram rennt zu einem Trinkwasserhahn und füllt die Wasserflaschen. Ora sieht das Wasser über den Rand der Flasche fließen, sein Blick wandert zu dem Wäldchen, durch das sie gerade heraufgestiegen sind, er lächelt leicht, und sie folgt seinem Lächeln, es führt sie zu der goldenen Hündin. Erschöpft hechelnd steht sie zwischen den Bäumen. Ora gießt Wasser in ein Schälchen und stellt es nicht weit von sich hin. Das ist dein Schüsselchen, sagt sie und gießt immer wieder nach, bis die Hündin keinen Durst mehr hat. An einem Kiosk auf Rädern kaufen sie, nachdem der

Besitzer endlich bereit ist, sein Radio abzustellen, drei Portionen Hot Dog für die Hündin, Borekkas und Süßigkeiten für sich. Sie setzen ihren Aufstieg fort. Der Lautsprecher aus dem nahegelegenen Militärcamp alarmiert die ganze Zeit Techniker, Fahrer oder Antennenspezialisten. Die menschliche Präsenz wird zu dicht und macht sie nervös. Sie meiden Begegnungen und Gespräche mit anderen Paaren, die ihren Weg kreuzen. Die sehen uns recht ähnlich, denkt Ora und spürt einen Stich Neid, ungefähr unser Alter, kleinbürgerlich, nett, gönnen sich einen Tag Urlaub in der Natur, um ein bisschen vor der Arbeit und den Kindern zu fliehen, und bestimmt denken sie dasselbe über Avram und mich. Wie er gleich aufgesprungen ist, als ich von Ofers Angst vor den Arabern erzählt habe. Woran hab ich da nur gerührt?

Auf der Spitze des Berges Meron stehen sie an einem Aussichtspunkt, »instand gesetzt von Angehörigen und Freunden von Oberleutnant Uriel Perez seligen Angedenkens, geboren am 17. November 1977 in Ofira, gefallen im Libanonkrieg am 26. November 1998. Er wanderte, kämpfte, studierte die Tora und liebte sein Land«, liest Avram dort, und sie schauen nach Norden zum Hermon, in violetten Nebeln, aufs Hulatal und den grünen Abhang des Keren Naftali. Sie versuchen, stolz und doch bescheiden, die Kilometer zu schätzen, die sie zurückgelegt haben. Eine neue, unbekannte Kraft pulsiert in ihren Kniekehlen, und als sie für einen Moment die Rucksäcke absetzen, haben sie das Gefühl, ein bisschen zu schweben.

Was meinst du, Ora, sollen wir hier oben übernachten?

Hier wird es bestimmt kalt; lass uns lieber ein bisschen weiter runter gehen. Sollen wir den markierten Weg nach unten nehmen?

Ich möcht erstmal um den Gipfel herumgehen – er streckt sich und lockert die Arme –, auch wenn das nicht auf der Route liegt.

Na dann los, sagt sie freudig, wir müssen ja nicht nur der Route folgen.

Sie nehmen einen ringförmigen Weg um den Gipfel, und die Hündin rennt zum ersten Mal vor ihnen her, ab und zu bleibt sie stehen, betrachtet sie, wirft ihnen einen aufmunternden Blick zu und läuft dann weiter. Die Luft ist getränkt von Blütenduft und dem Geruch feuchter Erde. Efeu klettert die Baumstämme hoch, und die Feuerzungen eines Judasbaums flammen zwischen den Eichen und dem Weißdorn auf. Ein gewaltiger Erdbeerbaum, aus dessen Wurzeln wie aus einer riesigen, weit geöffneten Hand dünne Fingerstämme wachsen; er ist ohne Rinde, nackt, seine Farbe und Glätte machen sie beinahe verlegen, wie menschliche Nacktheit, wie der Körper einer Frau. Ora bleibt plötzlich stehen: Du, ich muss dir noch was erzählen. Das bedrückt mich die ganze Zeit, aber ich konnte nicht. Willst du es hören?

Ja, sicher.

Als ich mich von Ofer verabschiedet habe, als ich ihn zu dem Brigadentreffpunkt brachte, war da auch das Fernsehen. Die haben uns gefilmt.

Ja?

Der Reporter fragte ihn, was er mir, bevor er ausrückt, noch sagen will, und Ofer bat mit so einem Lächeln, ich soll ihm alle möglichen Lieblingsgerichte kochen, ich weiß schon nicht mehr, was es war, und dann hat er mir plötzlich noch etwas ins Ohr geflüstert, vor laufender Kamera.

Avram bleibt stehen, wartet.

Er hat mir gesagt – sie holt tief Luft, presst die Lippen zusammen –, dass wir, wenn, wenn er …

Ja, flüstert Avram, möchte sie bestärken, doch sein Körper reagiert wie auf einen drohenden Schlag.

Dass wir, wenn ihm was passiert, hörst du, wenn ihm was passiert, dann sollen wir das Land verlassen.

Was?

»Versprich mir, dass ihr dann das Land verlasst.«

Das hat er gesagt?

Genau so.

Ihr alle?

Vermutlich, ich konnte noch nichtmal …

Und, hast du's ihm versprochen?

Ich glaube nicht, ich weiß nicht mehr. Ich war so entsetzt.

Sie gehen schweigend weiter, plötzlich gebückt. Wenn ich umkomm, hatte Ofer ihr zugeflüstert, dann verlasst ihr das Land. Macht, dass ihr wegkommt. Dann habt ihr hier nichts mehr verloren.

Am meisten deprimiert mich, das ist mir völlig klar, dass er das nicht aus dem Ärmel geschüttelt hat. Er hat sich das lange vorher überlegt. Er hat es geplant.

Avram stapft weiter.

Warte, renn nicht so.

Er reibt sich Gesicht und Kopf. Kalter Schweiß bricht ihm aus. Diese drei Worte aus ihrem Mund, wenn ich umkomm. Wie kann sie die sagen. Wie kriegt sie die überhaupt über die Lippen.

Weißt du, vorher, als Adam beim Militär war, erinnert sie sich, hat er mal gesagt, wenn ihm was passieren sollte, sollen wir zu seinem Andenken ein Bänkchen gegenüber dem »Submarine« aufstellen.

Was für ein »Submarine«?

Das gelbe. Dieser Klub in Talpiot. Da tritt er manchmal mit seiner Band auf.

Sie gehen schweigend. Leute kommen an ihnen vorbei, doch sie bemerken sie nicht. Bei einer in den Fels gehauenen alten Ölmühle setzen sie sich hin. Larven von Salamandern schwimmen in einer Rinne im Regenwasser. Überall liegen von Wildschweinen ausgegrabene Klumpen Gras herum. Beide schweigen, sammeln Kraft.

Irgendwie hab ich, sagt sie, in diesen ganzen Tagen, seit wir hier laufen, was soll ich dir sagen, in den Momenten, wo die Verdrängung nicht klappt, hab ich das Gefühl, dass ich mich verabschiede.

Du wirst nicht weggehn, beschwört er sie, beinahe entsetzt, das kannst du nicht machen.

Nein? Warum nicht?

Komm, lass uns weitergehen.

Seine Kiefer pressen sich zusammen, zermalmen Gedanken und Worte. Er möchte ihr sagen, dass sie nur hier, in dieser Landschaft, mit diesen Felsen und Zyklamen, nur auf Hebräisch und in dieser Sonne, zu verstehen ist. Aber das klänge zu sentimental und auch unsinnig, und er schweigt.

Ora richtet sich auf. Plötzlich denkt sie, dass Ofer vielleicht etwas von Avram ahnt. Als hätte er gesagt – wenn auch mir das passiert, wenn das noch eine Generation weitergeht, dann habt ihr hier nichts mehr verloren.

Aber wenn schon, sagt sie leise, dann verabschiede ich mich nicht nur vom Land.

Ora …

Lass. Lass gut sein, warum die Landschaft ruinieren?

Ihr Mund zittert. Sie beißt sich auf die Lippe. Avram schlurft neben ihr her, eine bleierne Leere breitet sich mit jedem weiteren Schritt in ihm aus.

Vielleicht erzählt sie mir deshalb von ihm, schießt es ihm durch den Kopf, damit es jemanden gibt, der sich an ihn erinnert.

Sag mal. Mit letzter Kraft reißt sie sich aus dem zähen Schweigen.

Was, Orale?

Weißt du, wozu ich jetzt Lust hätte?

Wozu denn? Zerstreut grinst er aus seinen schwarzen Gedanken hervor, wünsch es dir, denkt er, er würde alles für sie tun.

Morgen oder übermorgen, sagt sie, möcht ich dir ein bisschen die Haare schneiden.

Er fragt verblüfft: Geht das so nicht mehr?

Geht schon, aber da ist so ein Drang, der mich auf hohen Bergen überkommt. Einmal ratzekahl.

Ich weiß nicht. Mal sehn. Lass mich überlegen.

Die Luft ist klar und würzig. Ausladende Büsche von Zistrosen auf beiden Seiten des Weges blühen in Weiß und Rosa. Er denkt sich, wie sie von einem zum anderen springt, wie sie gleichzeitig überall mit dabei ist.

Und wer schneidet dir sonst die Haare, normalerweise? fragt sie mit wohlabgewogener Unbeschwertheit.

Ab und zu hat mir ein Freund, der Friseur ist, in der Ben-Jehuda-Straße, den Gefallen getan.

Ah.

Aber in letzter Zeit meistens Neta, etwa jedes halbe Jahr.

Er befühlt sein langes, schütteres Haar, das im Wind flattert: Vielleicht solltest du es wirklich ein bisschen in Form bringen.

Du wirst nichts merken, sagt sie, es tut auch nicht weh.

Sie gehen. Die leeren Fruchtbecher der Eicheln knacken unter ihren Füßen. Ein kühler Wind weht. In dem Wäldchen hier wachsen rote, blaue und violette Anemonen.

Zwischen ihnen vibriert eine neue Nähe.

Weißt du, sagt Ora, seit gestern versuche ich etwas, seit wir beide ein bisschen aus dem Schockzustand raus sind und ich gespürt habe, dass auch du jetzt besser drauf bist, das war doch etwa seit vorgestern, oder?

Ja.

Genau, nachdem ich nachts in mein Notizbuch geschrieben habe … Seitdem versuche ich, alles, was ich sehe, die Landschaft, die Blumen, die Felsen, die Farbe der Erde, das Licht zu jeder Tageszeit – sie macht eine weit ausholende Bewegung mit der Hand –, alles eben, auch dich, auch die Geschichten, die ich dir erzähle, und uns beide, und auch diese Hyazinthe hier – Schalom, mein Freund, grüßt sie sie mit einem Kopfnicken –, das alles versuche ich mir jetzt einzuprägen, damit ich mich später wirklich daran erinnern kann. Man weiß ja nie, sagt sie und macht vor Avram ein Clownsgesicht, das nicht gerade zum Lachen reizt, vielleicht ist es ja mein letztes Mal.

Ofer wird nichts passieren, Ora, schau, er wird ganz okay zurückkommen.

Versprichst du mir das?

Er zieht die Augenbrauen hoch.

Versprich es mir, sagt sie, rempelt ihn mit der Schulter an, was stört's dich, einer alten Frau eine kleine Freude zu machen.

Sie kommen an einem weiteren Aussichtspunkt vorbei, zur Erinnerung an Josef Bukisch, seligen Angedenkens, gefallen am 25.7.1997 während seines Wehrdienstes. »So viele schöne Dinge gibt's auf dieser Welt/ Landschaften, Blumen, Menschen, Tiere./ Machst du die Augen auf, so siehst du jeden Tag/ einhundert schöne Dinge. Wenn nicht mehr« (Lea Goldberg). Erinnere dich, rast es in Avrams Kopf, hämmert gegen seine Schädeldecke, dieses Gedächtnis, das du geleert hast, das du ausgelöscht hast, das du mit lauter Mist angefüllt hast, mit lauter Scheiße, in dem wirst du jetzt jedes Wort von ihr aufbewahren, alles, was sie dir über Ofer erzählt. Wenigstens das kannst du für sie tun, was kannst du ihr sonst noch geben? Dein verfluchtes krankhaftes Gedächtnis wirst du ihr geben.

Was er dir da gesagt hat, versucht Avram etwas später vorsichtig, war das vielleicht ein bisschen unter dem Einfluss von Adams Oper?

Übers Exil? Dass wir alle in einem langen Zug hier wegmüssen?

Vielleicht.

476

Röte steigt in ihr auf, von der Brust bis zum Hals. War doch auch ihr dieser Gedanke schon gekommen. Und jetzt ihm. Wie er es lernt, seine Fäden mit ihren zu verweben! Sie stehen schweigend da, wanken ein bisschen. Zu ihren Füßen das Naturschutzgebiet Meron, grüne Weite, Wälder, felsige Berge. Avram denkt wieder an die Frau, die hinter sich den roten Faden abrollt. Vielleicht eine Nabelschnur, die bei ihr anfängt und dann endlos weitergeht? Er stellt sich vor, wie aus allen Städten, Dörfern, Kibbuzim und Moschawim immer mehr Männer, Frauen und Kinder kommen und ihre roten Fäden an ihren Faden anknoten. Für einen Moment sieht er ein rotes Netz über die ganze Landschaft ausgebreitet, sie packt es wie ein Fischernetz. Ein feines Netz, blutend, es glitzert in der Sonne.

Dieses Laufen hat schon etwas Besonderes, nicht wahr? sagt er später, und Ora lacht gedankenversunken auf, ja, sehr, das kann man wohl sagen; und er, nein, ich meine einfach diese Bewegung des Laufens, dass man von einem Punkt zum nächsten gehen muss, ohne Sprünge, dass der Weg uns so lehrt, in seinem Tempo zu gehen.

Das Gegenteil von meinem Leben mit Auto, Mikrowelle und Computer, sagt sie, wo man mit einem Knopfdruck ein ganzes Huhn auftauen oder eine E-Mail nach New York schicken kann. Oj, Avram, sagt sie, streckt die Arme von sich und atmet die scharfe Höhenluft ein, dieses Schritt für Schritt liegt mir so viel mehr. Vielleicht können wir unser Leben lang nur so gehen und gehen, ohne anzukommen?

Sie weichen von dem Rundweg um den Gipfel ab, auf einer kleinen Wiese in frischem Grün legen sie sich auf die warme Erde, das Gesicht zur Sonne gewandt, es ist Nachmittag, über Oras Kopf steht ein schon bestäubter Storchenschnabel, er lässt seine blauen Blüten fallen und stirbt vor sich hin. Eine gewaltige Kraft, erdig, felsig und urzeitlich, dringt aus dem Fels unter ihr in ihren Körper. Die Hündin liegt etwas entfernt, leckt und putzt sich eifrig. Avram holt aus seinem Rucksack eine Mütze von Ofer – »3. Kompanie, ›Die Kerle‹« – und bedeckt damit sein Gesicht, auch sie legt sich eine Mütze aufs Gesicht. Die Wärme der Sonne macht sie schläfrig. Eine tiefe Stille breitet sich aus. In den abgefallenen Anemonenblättern neben ihrer Hand gräbt ein Blatthornkäfer. Neben ihrem Knie beeilt sich eine Mittagsschwertlilie, ihre Blüten weit zu öffnen, auch die sind blau und eine listige Versuchung für Anhänger des schon verwelkten Storchenschnabels.

Vorhin, bei diesem Aussichtspunkt, sagt Ora leise unter ihrer Mütze, als wir aufs Hulatal schauten, das mit seinen Feldern in allen Farben so wunderschön war, dachte ich, dass es mir eigentlich mit dem Land immer so geht.

Wie?

Dass jede Begegnung mit dem Land auch immer ein bisschen ein Abschied ist.

Vor Avrams geschlossenen Augen taucht plötzlich ein Fetzen Papier auf. Das Stück einer arabischen Zeitung, das er auf dem Klo im Abassija Gefängnis im Eimer gefunden hatte. Durch den verschmierten Kot gelang es ihm, einen kurzen, sachlichen Bericht über eine Exekution am Vortag auf dem zentralen Platz in Tel Aviv zu lesen, bei der die gesamte Riege stellvertretender Minister und fünfzehn Bürgermeister und Leiter der Regionalverwaltungen aus der Gegend von Haifa hingerichtet worden waren. Einige Tage und Nächte lang war er überzeugt gewesen, dass es Israel nicht mehr gab. Danach begriff er, dass es sich um ein Täuschungsmanöver handelte, doch da war in ihm schon etwas zerbrochen.

Seine Augen unter der Mütze sind aufgerissen. Er erinnert sich an die endlosen Fahrten mit Ora und Ilan durch Tel Aviv, nachdem man ihn aus dem Krankenhaus entlassen hatte. Alles erschien ihm damals zwar ganz lebendig, aber gleichzeitig wie eine riesige Show. Bei einer dieser Fahrten war ihm Ora gegenüber die Bemerkung rausgerutscht: Klingt ja ganz schön, mit Herzl zu sagen:»Wenn ihr wollt, ist es kein Märchen«, aber was, wenn einer nicht mehr will? Oder wenn einer zum Wollen keine Kraft mehr hat?

Was zu wollen?

Wenn einer nicht länger kein Märchen sein will.

Ein Schwarm von Steinhühnern erhebt sich flügelschlagend von dem Gebüsch neben ihnen, und die Hündin kehrt enttäuscht von dort zurück.

In solchen Momenten denke ich immer, sagt Ora unter ihrer Mütze, das ist mein Land, und ich kann wirklich nirgendwo anders hin. Wohin sollte ich gehen, sag mir, wo sonst würde ich mich über alles, was passiert, so aufregen, und wer würde mich überhaupt nehmen?

Aber im selben Moment weiß ich auch, dass das Land im Grunde keine Chance hat, wirklich keine Chance, verstehst du? Sie reißt sich die Mütze vom Gesicht und setzt sich mit einem Ruck auf. Überrascht, dass Avram dasitzt und sie anschaut. Wenn du das mit kühler Logik überlegst, flüstert sie, ohne Illusionen, wenn du nur Zahlen und historische Tatsachen berücksichtigst, hat dieses Land keine Chance. Und plötzlich stürmen, wie in einem schlechten Theaterstück, einige Dutzend Soldaten auf die große Wiese, rennen in zwei Reihen auf sie zu, teilen sich zu beiden Seiten von Ora und Avram.»Offizierskurs der Technischen Truppe« steht auf ihren verschwitzten Hemden, dreißig oder vierzig erschöpfte, kräftige junge Männer, und ihnen voraus rennt gelenkig eine zart gebaute blonde Soldatin, die ihnen eine Art provokative Melodie vorsingt:
Auf auf auf!
Und sie antworten ihr heiser brüllend:
Rina hat was drauf!
Und sie: Auf auf auf!
Stürmt den Berg hinauf!

Was antwortest du einem Sechsjährigen, dem mickrigen Ofer, wenn er sich eines Morgens auf dem Weg mit dem Fahrrad in die Schule fest an deinen Rücken klammert und vorsichtig fragt: Mama, wer ist gegen uns? Du versuchst herauszubekommen, was genau er meint, und er fragt ungeduldig, wer auf der Welt hasst uns, welche Länder sind gegen uns, und du willst natürlich, dass seine Welt noch sorglos und frei von Hass bleibt, und sagst ihm, die, die gegen uns sind, hassen uns nicht unbedingt, wir haben eben mit einigen Nachbarländern so eine Art langen Streit über verschiedene Sachen, genauso wie die Kinder bei dir in der Schule sich manchmal streiten und sich sogar schlagen. Aber er schließt seine Arme noch fester um deinen Bauch und verlangt, du sollst ihm die Namen der Länder sagen, die gegen uns sind; seine Stimme und sein spitzes Kinn, das sich in deinen Rücken bohrt, zeugen von größter Dringlichkeit, und du fängst an aufzuzählen: Syrien, Jordanien, Irak, Libanon. Aber mit Ägypten haben wir Frieden, sagst du mit ermutigender, fröhlicher Stimme, mit den Ägyptern hatten wir viele Kriege, aber jetzt vertragen wir uns mit denen, und du denkst dir, wenn er wüsste, dass wegen dieser Ägypter er selbst entstanden ist. Aber er fordert von dir Genauigkeit, er ist ein praktisch veranlagter Junge, der es immer ganz genau wissen will: Sind die Ägypter schon richtig unsere Freunde? Nicht so richtig, räumst du ein, sie wollen noch nicht wirklich unsre Freunde sein. Dann sind sie gegen uns, stellt er düster fest und fragt sofort weiter, ob es noch mehr »arabische Länder« gebe, und er lässt nicht locker, bis du sie aufzählst, Saudi-Arabien, Libyen, Sudan, Kuwait und Jemen, du spürst in deinem Rücken, wie er diese Namen auswendig lernt, und fügst auch Iran hinzu, die sind nicht wirklich Araber, mögen uns aber auch nicht besonders, und er schweigt noch immer und fragt dann mit erschöpfter Stimme, ob es nicht noch mehr gebe, und du murmelst, doch, Marokko, Tunesien und Algerien, und du erinnerst dich auch an Indonesien, Malaysia, Pakistan und bestimmt auch Usbekistan und Kasachstan, alle diese auf -stan klingen dir nicht geheuer, aber schau mal, mein Spatz, schon sind wir da, und als du ihm hilfst, vom Gepäckträger zu steigen, hast du den Eindruck, dass sich sein Gewicht verdoppelt hat.

In den Tagen danach fing er an, aufmerksam die Nachrichten zu hören. Auch wenn er beim Spielen war, spannte er sich zur vollen Stunde hin an, und später dann auch zu den Kurzmeldungen alle halbe Stunde. Unauffällig, mit Bewegungen eines Spions, erschien er plötzlich in der Küche, stand wie zufällig neben der Tür und lauschte dem Radio. Sie beobachtete ihn und sah, wie sich sein kleines Gesicht jedes Mal in einer Mischung aus Wut und Angst verzerrte, wenn von einem Israeli berichtet wurde, der bei einer feindlichen Handlung umgekommen war. Bist du traurig? fragte sie ihn, als er weinte, nachdem auf dem Markt in Jerusalem wieder eine Bombe explodiert war, und er stampfte auf und rief, ich bin nicht traurig, ich bin wütend! Die bringen uns alle Leute um! Bald haben wir keine Leute mehr! Sie versuchte ihn zu beruhigen, wir haben eine starke Armee, sagte sie, und außerdem gibt es auch große, starke Länder, die uns beschützen. Ofer nahm diese Information mit Vorbehalt auf. Er wollte wissen, wo genau sich bitte diese befreundeten Länder befänden. Ora schlug einen Atlas auf: Hier zum Beispiel sind die Vereinigten Staaten, hier ist England, und hier sitzen noch ein paar gute Freunde von uns, murmelte sie und wischte zu schnell mit der Hand über einige europäische Länder, denen auch sie selbst nicht besonders vertraute. Er schaute sie fassungslos an: Aber die sind weit weg! rief er, als könne er nicht glauben, wie dumm sie war: Guck doch, wie viele Seiten dazwischen sind! Ein paar Tage später bat er sie dann, ihm die Länder zu zeigen, die »gegen uns« sind. Wieder schlug sie den Atlas auf und zeigte sie ihm, eines nach dem andern. Wart mal, sie wunderte sich für einen Augenblick, und wo sind wir hier eigentlich? Ein Hoffnungsfunke blitzte in ihm auf: Vielleicht sind wir gar nicht auf dieser Seite? Sie zeigte mit dem kleinen Finger auf Israel. Er stieß ein merkwürdiges Wimmern aus und drückte sich ganz fest an sie, bohrte sich geradezu in sie hinein, als wolle er sich wieder in ihren Körper verkriechen. Sie umarmte ihn, streichelte ihn und murmelte tröstende Worte. Als es ihr gelang, sein Gesicht zu sich zu heben, sah sie in seinen Augen etwas, was ihr den Magen zuknotete.

Danach wurde er, ganz gegen seine Art, sehr ruhig. Sogar Adam schaffte es nicht, ihn zum Lachen zu bringen. Ilan und Ora versuchten, etwas aus ihm herauszubekommen, ihn mit Versprechungen für eine Reise in den großen Ferien nach Holland abzulenken, vielleicht sogar auf eine Safari in Kenia, doch vergeblich. Er war betrübt und schlaff und in sich versunken. Damals begriff Ora, wie sehr ihre Lebensfreude davon abhing, dass die Augen dieses Kindes leuchteten.

Sieh mal, sagte Ilan, sein Blick. Mir gefällt nicht, wie er schaut. Das ist doch kein Kinderblick.

Auf uns?

Auf alles. Fällt dir das nicht auf?

Ihr war das wohl aufgefallen, natürlich hatte sie es bemerkt, doch wie immer – du kennst mich ja, Avram, seufzt sie beim Abstieg vom Berg Meron, du weißt ja, wie ich in solchen Sachen bin – zog sie es vor, über das, was sie sah, nicht nachzudenken, vor allen Zeichen die Augen zu schließen und schon gar nicht darüber zu reden, sondern zu hoffen, dass es von allein vorüberginge. Aber jetzt, das wusste sie, würde Ilan es aussprechen, er würde es definieren, nüchtern und scharf formulieren, und dadurch würde die Sache plötzlich existieren und wachsen und immer größer werden und sich verzweigen.

Es ist, als ob, sagte Ilan, als ob er etwas wüsste, was wir noch nicht zu wissen wagen …

Lass ihn doch, das geht bestimmt vorbei. Das sind ganz normale Ängste in diesem Alter.

Nein, Ora.

Erinnerst du dich, sagte sie mit einem freudlosen, starren Lächeln, wie Adam, als er drei war, die Frage umtrieb, ob es auch nachts Araber gäbe?

Aber das hier ist etwas anderes, Ora, manchmal hab ich das Gefühl, dass ...

Weißt du, wir machen ihm einen traumhaften Tag auf der Pferderanch, oder wir kaufen ihm ...

Manchmal hab ich den Eindruck, er schaut uns an, als wären wir ...

Einen Papagei, sagte Ora resigniert, erinnerst du dich, er wollte doch immer einen Papagei ...

Als wären wir auf dem Weg zum Schafott, sagte Ilan entsetzt.

Dann verlangte er genaue Zahlen. Als er hörte, dass in Israel viereinhalb Millionen Menschen leben, beeindruckte und beruhigte ihn das. Viereinhalb Millionen schien ihm eine gewaltige Zahl. Doch nach zwei Tagen kam ihm ein neuer Gedanke, er war wirklich immer ein praktisches und furchtbar logisches Kind, betont sie für Avram, und auch diesen analytischen Kopf und diese Zielstrebigkeit hat er nicht von dir und nicht von mir, und er wollte wissen, wie viele gegen uns sind, und ließ nicht locker, bis Ilan für ihn die genaue Einwohnerzahl aller moslemischen Länder auf der Welt recherchiert hatte. Ofer spannte auch Adam mit ein, der musste ihm beim Rechnen helfen, und sie verzogen sich in ihr Zimmer, und Ora hörte ihr Gemurmel und freute sich, dass ihre beiden Söhne einander so nah waren. Nach einer Weile kam Adam heraus und sagte, Ofer sei ein bisschen traurig, ob sie mal kommen könne. Sie ging hinein und sah Ofer eingerollt, die Hände schützend über den Kopf haltend, auf seinem Bett liegen, er weinte leise. Auf dem Kopfkissen mit dem Bild von Pu und Kaninchen und Ferkel lag ein aus dem Rechenheft gerissenes Blatt, auf dem in Adams Schrift eine sehr lange Zahl stand mit entsetzlich vielen Nullen.

Die bringen uns um, sagte Ofer mit weit aufgerissenen Augen, als sie ihn auf den Arm nahm. Sein offener Mund zitterte: Mama, sieh doch, wie viele das sind.

Die bringen uns um, rief Adam, machte kleine Hüpfer auf der Stelle, die-brin-gen-uns-um! johlte er dann heiser, nahm einen kurzen Stock und lief im Zimmer auf und ab und focht mit einem unsichtbaren Feind.

Adam, jetzt reicht's, schimpfte sie.

Die-brin-gen-uns-um! kreischte Adam und rannte merkwürdig ausgelassen durchs Zimmer und stach unters Bett, die-brin-gen-uns-um! Ofer weinte laut, Adam tobte, er war wie eine losgelassene Sprungfeder. Ora wusste nicht, wen sie zuerst beruhigen sollte.

Sei still! schrie Ofer und schlug mit den Fäusten auf ihren Rücken, doch Adam war nicht mehr zu bremsen, er taumelte von einer Ecke in die andere, erstach den Feind, und ein krampfhaftes Lachen gefror auf seinem Gesicht. Ora starrte ihn an: Sie erinnerte sich, wie er sich, als er vier oder fünf war, einmal an sie geschmiegt und gesagt hatte, er wolle ihr »etwas geheimeln«: Immer wenn ich eine Geschichte höre, wo einer stirbt oder verletzt wird, sage ich »das hat er so verdient«, aber in Wirklichkeit sag ich das, damit keiner merkt, dass ich traurig bin.

Sie setzte sich neben Ofer, streichelte über sein schweiß- und tränennasses Haar, schaute hilflos auf ihren anderen Sohn und wusste nicht, ob er sich vor den Arabern fürchtete oder weil sein kleiner Bruder ihm keine Stütze mehr war.

Was machst du mit so einem Kind, das plötzlich die Tatsachen des Lebens und des Todes entdeckt, sagt Ora zu Avram, als sie auf dem Abhang des Meron an einer Gedenktafel für einen drusischen Soldaten vorbeigehen, »Feldwebel Salach Kassem Tafesch, Gott möge seinen Tod rächen«, liest Avram aus dem Augenwinkel – Ora geht lieber schnell weiter –, »gefallen mit 21 Jahren im Südlibanon bei einem Zusammenstoß mit Terroristen am 31. März 1991. Wir werden dich nie vergessen.« Was machst du mit so einem Kind, wiederholt sie mit zusammengepressten Lippen, das von seinem Taschengeld ein Blöckchen kauft und jeden Tag mit Bleistift einträgt, wie viele Israelis nach dem letzten Anschlag noch übrig sind.

Oder am Sederabend, bei Ilans Familie, fängt er einmal plötzlich zu weinen an, er wolle kein Jude mehr sein. Weil man uns immer umbringt und immer hasst, an allen Festen sei das so. Und die Erwachsenen schauen sich an, und ein Cousin sagt, dagegen könne man so leicht nichts sagen, und seine Frau kontert sofort, du bist ja paranoid, und er belegt seine Aussage mit einem Zitat aus der Pessach-Haggada: *In jedem Zeitalter erheben sich viele wider uns, um uns ins Verderben zu stürzen*, und sie sagt, das sei ja nun keine wissenschaftlich geprüfte Tatsache und man müsse doch mal überlegen, was unser Anteil daran sei, dass sie *sich wider uns erheben*, und schon bricht die alte Diskussion auf, und Ora will sich, wie immer, in die Küche verziehen und beim Spülen helfen, doch plötzlich hält sie inne: Sie sieht, wie Ofer die diskutierenden Erwachsenen mit verweinten, prophetischen Augen anblickt, voller Entsetzen über ihre Zweifel und ihre Naivität.

Schau sie dir an, hatte Avram nach seiner Rückkehr aus der Gefangenschaft einmal bei einer ihrer wahnwitzigen Fahrten durch die Straßen Tel Avivs zu ihr gesagt, schau sie dir an: Sie laufen auf der Straße herum, sie reden, schreien, lesen Zeitung, kaufen ein, sitzen im Café – er hatte ein paar Minuten lang alles beschrieben, was an den Fenstern des fahrenden Autos vorbeizog –, warum hab ich dann die ganze Zeit das Gefühl, dass das alles eine einzige riesige Show ist? Dass sie das alles nur tun, um sich selbst davon zu überzeugen, dass das alles hier wirklich ist?

Jetzt übertreibst du's aber, hatte Ora gesagt.

Ich weiß nicht, warum, aber ich hab so ein Gefühl, vielleicht täusch ich mich auch, dass Amerikaner oder Franzosen nicht die ganze Zeit *wollen* müssen, dass Amerika oder Frankreich existiert, oder England.

Ich versteh dich nicht, Avram.

Diese Staaten bestehen, auch ohne dass man sie die ganze Zeit wollen muss, aber hier …

Wenn ich mich so umschaue, hatte sie geantwortet, und ihre Stimme klang etwas höher und heiserer, erscheint mir das alles völlig natürlich und normal. Ein bisschen verrückt, zugegeben, aber im Rahmen der Normalität.

Ich habe es eben von einem anderen Ort aus gesehen, hatte Avram gedacht, sich in sich selbst verkrochen und geschwiegen.

Ora hatte den Wagen gelenkt und sich ungeduldig umgeschaut. Sie sah ein altes Paar an Stöcken, einen Parkwächter, der einen Strafzettel schrieb, drei Männer, die wild gestikulierend diskutierten. Eine Frau mit einem Hund. Zwei Arbeiter in Overalls, die einen großen Spiegel trugen.

Nein, nein, hatte sie gesagt und sich geschüttelt, sich aufrechter hingesetzt, das Kinn ein bisschen vorgeschoben, red nicht so, lass mich damit in Ruh, ich will das nicht hören!

Am nächsten Morgen – Ora erzählt weiter über Ofer – zog er die Konsequenz und verkündete, ab jetzt wäre er Engländer, man solle ihn ab heute John nennen, auf Ofer würde er nicht mehr hören. Denn die Engländer bringt man nicht um, erklärte er schlicht, und die haben keine Feinde. Ich hab in der Klasse gefragt, und auch Adam hat gesagt, dass alle mit den Engländern gern befreundet sind. Deshalb werde er jetzt auch nur noch Englisch sprechen, das heißt, was er für Englisch hielt, lachte Ora, ein Kauderwelsch aus Hebräisch mit englischem Akzent. Und zur Sicherheit verbarrikadierte er auch noch sein Bett mit Büchern und Spielzeug, mit kugelsicheren Wällen von Stofftieren, und bestand jeden Abend darauf, mit einem schweren Schraubenschlüssel unterm Kopfkissen schlafen zu gehen.

Und einmal hab ich zufällig gesehen, dass er in seinen Block immer *Haravim*, »die Streitenden«, schrieb, und erklärte ihm, *Aravim*, Araber, schreibe man aber mit A, da war er völlig überrascht: Er hatte gedacht, sie hießen so, weil sie immer mit uns streiten.

Wie zu erwarten, entdeckte er dann eines Tages, dass auch ein Teil der Israelis Araber sind. Ich wusste nicht mehr, ob ich lachen oder weinen sollte, verstehst du? Er begriff, alle seine Berechnungen waren falsch, und jetzt musste er von den Israelis auch noch die arabischen Israelis abziehen.

Sie erinnert sich, wie er durchdrehte, als er das erfuhr. Er hatte getrampelt und war rot angelaufen, hatte sich auf den Boden geworfen und geschrien, die sollen hier abhauen! Die sollen nach Hause gehen! Warum sind die überhaupt zu uns gekommen! Haben die denn kein eigenes Land?

Und dann bekam er so einen Anfall, sagt sie, wie damals, als er vier war, mit dem Vegetarismus. Er hatte hohes Fieber, eine Woche lang war ich ganz verzweifelt. Und eine Nacht war er sich ganz sicher, dass ein Araber bei ihm sei.

In seinem Körper? ruft Avram entsetzt, und seine Augen rasen zur Seite, sie hat das merkwürdige Gefühl, er verstecke etwas vor ihr.

In seinem Zimmer, korrigiert sie sich leise, so ein Fieberwahn eben, völliger Unsinn. Etwas warnt sie, hier müsse sie aufpassen, doch sie weiß nicht, worauf. Avram macht bereits zu. Der Blick der Gefangenschaft erstarrt in seinen Augen.

Bist du okay?

Sein Blick ist wie nach innen weggedreht; er zeigt Scham, Schrecken und Schuld. Für einen Augenblick glaubt Ora genau zu wissen, was er sieht, doch im nächsten reißt sie sich da heraus. Ein Araber in seinem Körper, denkt sie. Was haben die ihm angetan? Und warum redet er nicht darüber?

Diese Nacht werd ich nicht vergessen, sagt sie und versucht, das eben aus Avrams Augen entwichene Entsetzen zu zerstreuen. Ilan war beim Reservedienst im Libanon. Vier Wochen war er nicht zu Hause. Ich habe Adam in unserem Bett schlafen lassen, damit Ofer ihn nicht stört. Überhaupt hatte Adam bei dieser ganzen Geschichte nicht viel Geduld für Ofer, als könne er es nicht mit ansehen, dass Ofer vor etwas Angst hat. Stell dir das vor, und Ofer war – na, wie alt war er da, sechs vielleicht, dann war Adam schon neuneinhalb, aber er konnte es Ofer nicht verzeihen, dass er so zerbrach.

Ich hab die ganze Nacht bei Ofer gesessen, erzählt sie weiter, er glühte vor Fieber und war ganz verwirrt, und er sah diesen Araber irgendwo im Zimmer, auf Adams Bett, auf dem Schrank, unter dem Bett, wie er durchs Fenster zu ihm hereinschaute. Wahnsinn.

Ich versuchte, ihn zu beruhigen, machte Licht, holte auch eine Taschenlampe, bewies ihm, dass da niemand war, und zwischendrin versuchte ich auch, ihm ein bisschen die historischen Tatsachen zu erklären, den Dingen die richtigen Proportionen zu geben; ich, die sich so gut auskennt, verstehst du, ich halte ihm mitten in der Nacht einen Vortrag über die Geschichte des Konflikts.

Und? fragt Avram sehr leise und mit traurigen Augen.

Nichts. Ich kam gar nicht an ihn ran, er war so elend, dass ich mir schon überlegte, lach nicht, Sami anzurufen, unseren Fahrer, du weißt, den, der …

Ja, ja.

Dass er ihm das erklärt, was weiß ich, dass er ihm zeigt, dass auch er ein Araber ist und trotzdem nicht unser Feind, dass er uns nicht hasst und Ofer auch nicht sein Zimmer wegnehmen will. Sie verstummt, schluckt einen bitteren Klumpen runter, die Erinnerung an ihre letzte Fahrt mit Sami. Am nächsten Morgen um neun hatte Ofer einen Termin beim Hausarzt. Um acht, nachdem ich Adam zur Schule geschickt hatte, packte ich Ofer in seinen Mantel, setzte ihn ins Auto und fuhr nach Latrun.

Nach Latrun?

Ich bin doch eine patente Frau.

Mit hartem, verschlossenem Gesicht war sie die Stufen hinaufgestiegen, den schmalen Kiesweg entlanggeschritten, hatte sich den im Fieber phantasierenden Ofer von den Schultern gehoben und ihn mitten auf den riesigen Platz der Gedenkstätte der Panzerbrigaden gestellt und gesagt, er solle sich umschauen.

Er blinzelte benommen, geblendet von der Wintersonne. Um ihn herum standen Dutzende von Panzern, alte und neue. Geschützrohre und Maschinengewehre zeigten auf ihn, sie nahm ihn an der Hand und führte ihn zu einem besonders großen Panzer, einem sowjetischen T55. Ergriffen stand er da. Sie fragte ihn, ob er genug Kraft hätte, da raufzuklettern. Darf ich denn? Erlaubst du mir das? Sie half ihm, auf den Turm zu klettern, und kletterte hinterher. Da stand er, wankte ein bisschen, schaute ängstlich um sich und fragte, gehören die uns? Ja. Was, alle? Ja, und das ist noch lange nicht alles, was wir haben.

Ofer fuhr mit dem ausgestreckten Arm durch die Luft, zeigte die ganze Reihe der Panzer entlang, die da in einem Halbkreis standen – einige, noch aus dem Zweiten Weltkrieg, waren nicht mehr in Gebrauch, Metalligel und Eisenschildkröten, alte erbeutete Panzer aus mindestens drei Kriegen. Er wollte auf einen anderen Panzer klettern, auf noch einen und immer weiter. Ehrfürchtig fuhr er mit den Fingern über Raupenketten, Turmluken, Ausrüstungskisten, Motorabdeckungen und ritt auf den Geschützrohren. Um halb zehn saßen sie beide im Restaurant der Tankstelle von Latrun, und Ofer verdrückte einen riesigen griechischen Salat und ein Omelette aus drei Eiern.

Vielleicht war diese Schocktherapie, die ich ihm da angedeihen ließ, ein bisschen primitiv, aber sie hatte Erfolg. Und außerdem, murmelt sie trocken, dachte ich damals, was für ein ganzes Land gut ist, ist auch gut für mein Kind.

Mitten auf einer Wiese, am Fuß einer großen Eiche, liegt ein Mann. Sein Kopf ruht auf einem Stein, neben ihm ein Rucksack, aus dessen Tasche Oras blaues Notizbuch herausragt. Verlegen stehen sie neben ihm. Vorsichtig, um ihn nicht zu wecken, nähern sie sich dem Notizbuch. Ora nimmt aus irgendeinem Grund hastig die Brille ab und versteckt sie in ihrer Tasche. Sie und Avram schauen sich um, runzeln die Stirn und versuchen zu verstehen, wie er es geschafft hat, sie zu überholen und vor ihnen an diese Stelle zu gelangen. Fast neidisch denkt Ora, mit welcher Ruhe und Sicherheit er sich so wehrlos der Welt aussetzt und völlig ungeschützt mitten auf der Wiese liegt. Sein dunkles, männliches Gesicht ist offen. Die Brille an der Schnur um den Hals sitzt wie ein großer, bunter Schmetterling auf seiner Brust.

Avram macht ihr ein Zeichen, wenn sie nichts dagegen hätte, würde er das Notizbuch jetzt nehmen. Sie zögert. Ihr Notizbuch liegt so bequem in der Tasche seines Rucksacks, als wäre da auch für sie selbst dort noch Platz.

Doch Avram marschiert bereits vorsichtig los, zieht es wie ein geübter Taschendieb aus dem Rucksack und bedeutet Ora, jetzt schleunigst zu verschwinden, wenn sie keine Probleme, Gespräche und Erklärungen wollten, schon gar nicht mit einem, der schon bei ihrer ersten Begegnung den Fehler gemacht hatte, die Nachrichten zu erwähnen.

Sie drückt das Notizbuch an die Brust, nimmt die dort gespeicherte Wärme in sich auf. Der Mann schläft weiter. Ein Büschel grausilbriges Haar schaut aus dem Hemdkragen und weckt in ihr eine unerklärliche Sehnsucht, ihren Kopf da hinzulegen, sich ganz und gar einem tiefen, ansteckenden Schlaf wie dem seinen hinzugeben. In einer plötzlichen Anwandlung reißt sie sie letzte Seite aus dem Notizbuch und schreibt: »Ich habe mein Notizbuch wieder an mich genommen. Auf Wiedersehn, Ora.«

Sie zögert einen Moment und schreibt ihre Telefonnummer zu Hause dazu. Falls er doch eine ausführlichere Erklärung möchte. Als sie sich hinunterbeugt, um den Zettel in die Tasche seines Rucksacks zu stecken, sieht sie wieder die beiden goldenen Eheringe, einen am Ringfinger, den anderen am kleinen Finger.

Mit dem angenehmen Gefühl einer gelungenen List schleichen sie davon, ihre Augen blitzen in kindlichem Übermut, und schon beim Gehen blättert sie in ihrem Notizbuch und stellt verwundert fest, wie viel sie in dieser einen Nacht im Wadi geschrieben hat; sie überfliegt ihre Zeilen mit seinen Augen.

Der Weg ist freundlich, windet sich sanft, und die Hündin springt um sie herum, läuft manchmal neben ihnen her, bleibt dann ohne Grund mit hängender Zunge vor ihnen stehen, setzt sich und dreht den Kopf in Oras Richtung, die schwarzen Bögen über ihren Augen heben sich ein bisschen, und Ora antwortet ihr mit einer ähnlichen Geste.

Das ist eine lächelnde Hündin, siehst du? Sie lächelt uns an.

Doch beim Abstieg, während sich unter ihren Schuhen immer wieder Steine lösen und talwärts rollen, lässt ihr der Gedanke keine Ruhe, es könne gar nicht sein, dass sie in einer Nacht so viel geschrieben hat. Bei einem großen Felsen, der geheimnisvoll rechteckig aufragt, muss sie stehenbleiben: Sie holt das Notizbuch aus dem Rucksack, setzt die Brille wieder auf, blättert das Notizbuch durch und stößt einen kleinen Schrei aus: Hey, sie kriegt kaum Luft und zeigt Avram das Notizbuch, das ist die Schrift von dem Mann!

Avram betrachtet die aufgeschlagene Seite, sein Gesicht legt sich in Falten: Bist du sicher? Sieht eher aus wie …

Sie beugt sich tiefer über das Blatt: Es sieht ein bisschen aus wie ihre eigene Handschrift, oder eine männliche Variante davon: ordentliche Buchstaben, alle in dieselbe Richtung geneigt.

Wirklich ziemlich ähnlich, murmelt sie verlegen, fühlt sich ertappt, sogar ich selbst hab mich zuerst getäuscht.

Sie blättert zurück, sucht die Stelle, wo der Schreiber gewechselt hat. Zwei-, dreimal überfliegt sie die richtige Seite, bis sie ihre letzten Zeilen erkennt: … *Sind wir nicht wie eine kleine Untergrundzelle mitten in der Lage? Und das waren wir wirklich. Zwanzig Jahre lang. Zwanzig gute*

Jahre lang. Bis es uns erwischt hat. Und direkt anschließend, ohne umzublättern, so eine Frechheit, nicht einmal einen Strich hat er gezogen! liest sie: *Nicht weit vom Nachal Dischon treffe ich Gilad, 34, einen Elektriker, der auf einer Djembé trommelt, er lebte früher in einem Moschaw im Norden, jetzt in Haifa. Er hat mir erzählt, wonach er sich sehnt:* »*Mein Vater war Landwirt (Pekannüsse), und in schlechten Jahren hat er verschiedene Jobs gemacht. Er hat sogar mal Bauholz von Müllhalden aufgelesen und es einem Araber im Nachbardorf verkauft.*« Was ist das? Sie drückt Avram das Notizbuch gegen die Brust, was soll das bitte?

Und sie zieht es wieder an sich und liest mit halb erstickter Stimme:

»*Bretter, damit muss man umgehn können. Die kannst du nicht einfach so ins Lager schmeißen, die musst du ordentlich stapeln, die großen auf die großen, die kleinen auf die kleinen, und immer Backsteine drauflegen, sonst verziehen sie sich. Aber zuerst musst du die Nägel rausziehn. Früher hab ich mit meinem Vater nachts unter dem Vordach draußen gestanden und ...*« Sag, was ist das? Was ist das für ein Quatsch? Sie schaut genervt zu Avram, doch der hält die Augen geschlossen und macht ihr ein Zeichen, weiter, lies weiter.

»*Und mein Vater hatte ein blaues Unterhemd mit Löchern. Wir hatten an ein Stemmeisen einen Verlängerungsstiel montiert, und dann haben wir einen Meißel genommen und damit die zusammengenagelten Bretter voneinander getrennt. Mein Vater von der einen, ich von der anderen Seite, ich hab ihm Contra gegeben, und nachdem wir sie getrennt hatten, haben wir gemeinsam an jedem Brett gearbeitet und die Nägel mit der andern Seite des Klauenhammers rausgezogen. Stundenlang im Licht einer kleinen Lampe, einer Birne, die an einem Kabel vom Vordach hing. Dieses gemeinsame Arbeiten mit ihm fehlt mir bis heute.*« Es geht noch weiter, murmelt sie, hör zu, das ist noch nicht alles.

»*Und jetzt, was ich bereue. Das ist schwieriger. Ich bereue vieles (er lacht). Erzählen Ihnen die Leute das so einfach ohne Zögern? Also, irgendwann mal hatte ich ein Flugticket nach Australien, um auf einer Baumwollfarm zu arbeiten, ich hatte auch schon ein Visum und alles, und dann hab ich hier ein Mädchen kennengelernt und alles abgesagt. Aber die ist es auch wert gewesen, deshalb bereue ich das nur zum Teil.*«

Ruckartig blättert sie um. Ihr Blick fliegt über die Zeilen. Sie liest leise: *Meine Liebe, eine Frau hat ihr Notizbuch mit ihrer Lebensgeschichte verloren. Ich bin mir ziemlich sicher, dass ich sie vorhin getroffen habe, als ich ins Wadi runtergestiegen bin. Der geht es nicht gut. Sie wirkt sogar gefährdet (sie war nicht allein). Seit ich sie gesehen habe, frag ich dich, was ich machen soll, und du antwortest nicht. Ich bin es nicht gewohnt, dass du nicht antwortest. Das ist alles ein bisschen verwirrend.*

Ora klappt das Notizbuch zu: Was ist das für einer? Wer ist das?

Avrams Gesicht ist finster und verschlossen.

Vielleicht ein Journalist, vermutet sie, der Leute unterwegs interviewt? Aber er sieht gar nicht so aus.

Arzt, erinnert sie sich, er hatte gesagt, er sei Kinderarzt.

Wieder stielt sich ihr Blick auf die Seiten: *Beim Moschaw Alma treffe ich Edna, 39, geschieden, Kindergärtnerin aus Haifa:* »*Am meisten sehne ich mich nach meiner Kindheit in Sichron Jaakov. Von Haus aus bin ich eine Samarin, aus der Familie Samarin, und ich sehne mich nach der Unbefangenheit, nach der Einfachheit von früher. Da war alles weniger kompliziert, nicht so ›psychologisch‹. Sie werden es nicht glauben, ich habe drei große Jungs (sie lacht). Man sieht's mir nicht an, nicht wahr? Ich hab früh geheiratet und mich noch schneller wieder scheiden lassen, aber ich habe so ein Gefühl, dass ich mit der Mutterschaft noch überhaupt nicht fertig bin. Ich will, wie man so schön sagt, nochmal so was Kleines auf dem Arm halten, das mir das Herz erwärmt. Und was die Reue im Leben angeht (Edna lacht), da hab ich einen ganzen Sack voll. Haben Sie die Kraft, das alles aufzuschreiben?*«

Ein Sog zieht Ora hinein. Sie blättert schnell weiter und sieht, auf jeder Seite: Sehnsucht und Reue.

Ich verstehe nicht, murmelt sie und hat das Gefühl, er habe sie in die Irre geführt: Er wirkte doch so – sie sucht nach dem Wort – solide? schlicht? privat? nicht wie einer, der … der Leute nach solchen Sachen fragt.

Avram schweigt. Gräbt mit der Schuhspitze in den Steinchen des Weges.

Und warum in meinem Notizbuch? fragt Ora laut, gibt es keine anderen Notizbücher?

Damit dreht sie sich zum Gehen, reckt den Kopf und drückt das Notizbuch an die Brust. Avram zuckt mit den Schultern, schaut sich um – keiner da, der Mann schläft wahrscheinlich noch – und geht hinter ihr her. Das verblüffte leichte Lächeln auf ihren Lippen sieht er nicht.

Sag mal, Ora …

Ja.

Will Ofer, wenn er mit dem Militär fertig ist, nicht irgendwo hinfahren?

Er soll erstmal da fertigmachen, fährt sie dazwischen, und Avram schweigt.

Er hat schon mal davon geredet, sagt sie später, vielleicht nach Indien.

Indien? Avram verbeißt sich ein Lächeln, unterdrückt einen wilden Gedanken, dann soll er zu mir kommen, ins Restaurant, ich kann ihm viel über Indien erzählen.

Er hat sich noch nicht entschieden. Adam und er wollten zusammen fahren.

Beide? Sind sie sich denn so …

Nahe, vollendet sie seinen Satz, ja, beste Freunde, ein bisschen Stolz glitzert in ihr, wenigstens das ist ihr gelungen. Ihre beiden Söhne sind enge Freunde.

Ist das üblich?

Was?

Dass zwei Brüder in diesem Alter –

Die beiden waren fast von Anfang an so.

Aber hast du nicht gesagt … Hast du nicht erzählt, dass Ilan und Ofer …

Das hat sich geändert, sagt sie, damals hat sich dauernd was verändert. Wie soll ich dir denn das alles erzählen?

Es ist, als wolltest du das Fließen eines Flusses beschreiben, begreift sie, einen Strudel malen, oder Flammen. Es ist ein immerwährendes Geschehen, sie freut sich über diese Wortverbindung, die er früher benutzt hat: Familie ist ein immerwährendes Geschehen.

Sie erzählt: Adam ist sechs und ein paar Wochen, Ofer ist fast drei. Adam liegt auf der Wiese im Hof in Zur Hadassa. Die Arme links und rechts weggestreckt, die Augen geschlossen. Er ist tot. Ofer läuft durch die Fliegengittertür dauernd rein und raus, die Geräusche wecken Ora aus einem seltenen Mittagsschlaf. Sie schaut durchs Fenster und sieht, dass Ofer Adam Geschenke bringt, eine Art Opfergaben, die ihn wieder lebendig machen sollen. Alle seine Stofftiere trägt er nach draußen, und ein Spielzeugauto und das Kaleidoskop, die Brettspiele und Murmeln; seine Lieblingsbücher und ausgewählte Videokassetten häuft er um Adam auf. Er ist besorgt und dabei außer sich. Immer wieder springt er über die vier großen Betonstufen ins Haus. Ein ums andere Mal kehrt er zu Adam zurück und legt seine liebsten Gegenstände um ihn herum. Adam rührt sich nicht. Nur wenn Ofer im Haus ist, hebt er ein bisschen den Kopf, macht ein Auge auf und beäugt die letzte ihm dargebrachte Opfergabe. Sie hört ein Schnaufen. Ofer zieht seine Lieblingsdecke hinter sich her und legt sie vorsichtig über Adams Beine. Danach schaut er ihn mit flehendem Blick an und sagt etwas, was sie nicht hören kann. Adam rührt sich nicht. Ofer ballt die Fäuste, schaut um sich, rennt wieder ins Haus. Adam bewegt die Zehen unter Ofers Decke. Wie grausam er sein kann, denkt sie, und seine Grausamkeit hypnotisiert sie so sehr, dass sie nicht in der Lage ist, dieser Qual ein Ende zu machen. Durch die geschlossene Tür hört sie Geräusche eines Kampfes und großer Anstrengung. Etwas Schweres wird mühsam gezogen. Stühle werden weggeschoben, Ofers schwerer Atem wird unterbrochen von abgehacktem Stöhnen. Einen Moment später erscheint seine Matratze oben im Treppenhaus, erhebt sich hoch über seinem Kopf. Ofer ertastet mit dem Fuß die oberste Stufe. Ora erstarrt, beherrscht sich, nicht zu schreien, um ihn nicht zu erschrecken, damit er nicht fällt. Adam öffnet einen Spalt breit ein Auge, sein Gesicht zeigt eine Mischung aus ungläubigem Staunen und Hochachtung für seinen winzigen Bruder, der auf dem Kopf eine Last trägt, die schwerer ist als er selbst. Ofer steigt die Treppe hinunter, wankt unter der riesigen Matratze vor und zurück. Stöhnt, schnauft, wackelt auf zittrigen Beinen vorwärts. Er kommt bei Adam an und fällt mit der Matratze neben ihn. Adam stützt sich auf die Ellbogen und schaut ihn mit aufgerissenen Augen dankbar an.

Plötzlich begreift Ora-hinterm-Fenster, dass es sich hier nicht um eine Grausamkeit Adams handelt; vielmehr prüft er Ofer ernsthaft, ob er einer viel größeren, wirklich schicksalsträchtigen Aufgabe gewachsen ist, von der Ora damals noch nicht ahnt, worin sie besteht; Ora denkt nur, es sei seine übliche Aufgabe, die schon schwierig genug ist, nämlich die, Adams kleiner Bruder zu sein.

Was meinst du damit? fragt Avram zögernd.

Warte. Schön langsam.

Du bist also nicht mehr tot? fragt Ofer. Ich lebe, sagt Adam, springt auf und fängt an, mit seitlich ausgestreckten Armen quer über den Hof zu rennen, ich lebe, ich lebe, und Ofer hüpft hinter ihm her, lächelt völlig erschöpft.

Vielleicht hat Ilan Adam betrogen, sagt sie, aber Ofer hat ihn nie betrogen.

Klein, schmal und stammelnd, alle mit seinem Blick verzaubernd, mit seinen großen blauen Augen, dem goldfarbenen Haar und seinem feinen, staunenden Lächeln: Er spürte bestimmt schon damals, dass er mühelos die Herzen erobert, nur mit seiner Zugewandtheit, seiner Freundlichkeit. Und natürlich, denkt sie, hatte er auch schon gemerkt, dass überall, wo er mit Adam auftaucht, die Augen immer seinen rastlosen, sich allem entziehenden, beunruhigenden älteren Bruder überspringen und bei ihm verweilen. Überleg nur, was für eine Versuchung das für ein Kind ist, sagt sie leise, alles einzuheimsen, auf Kosten seines Bruders.

Und das hat er nie gemacht. Wirklich nie. Immer, in jeder Situation, hat er sich für Adam entschieden.

Schon mit seinen ersten Schritten, erinnert Avram sie.

Das hast du dir gemerkt, sagt sie froh.

Ich merke mir alles, sagt er, streckt die Hand aus und umfasst ihre Schulter, und so gehen sie, seine Eltern, die Köpfe dicht beisammen.

Sie sind neun und sechs, einer lang und dünn, der andere noch ganz klein, sie rennen zusammen herum, reden wild gestikulierend, als kletterten sie einer auf die Ideen des andern. Komplizierte, aberwitzige Gespräche, über Orks und Gnome, Vampire und unsterbliche Monster. Aber Adam, zwitschert Ofer, ich hab noch nicht verstanden, ein Wolfsmensch, ist das ein Kind, das in einer Familie von Wölfen geboren wurde? Kann sein, antwortet Adam ernst, aber es kann auch sein, dass er einfach an Lykanthropie leidet. Ofer ist für einen Moment fassungslos, danach versucht er das Wort auszusprechen, verfängt sich in den Silben. Adam erzählt ihm ausführlich von der Krankheit, die Menschen oder menschenähnliche Wesen zu Menschentieren macht. Sag mal Lykanthropie, sagt Adam und seine Stimme bekommt etwas Forderndes, und Ofer sagt es.

Vor dem Schlafengehen, im Dunkeln, in ihren nicht weit auseinander stehenden Betten, unterhalten sie sich: Ob der grüne Drache, der beim Atmen eine Wolke Chlorgas ausstößt, wohl gefährlicher ist als der schwarze, der in Sümpfen und Salzadern lebt und dessen Atem aus reiner Säure besteht? Ora bleibt mit einem Arm voll Wäsche neben der angelehnten Tür des Kinderzimmers stehen, drückt sich an die Wand und hört zu. Aber den »Verrückten Tod« … gibt es den wirklich? fragt Ofer, seine Stimme ist heiser. Hör mir bis zum Ende zu, sagt Adam und kommt so richtig in Fahrt, einmal am Tag vereinigen sich alle verrückten Zombies des Verrückten Todes und werden zu einem riesigen todverrückten Ball. Aber das ist nicht wirklich, oder? forscht Ofer mit inzwischen ganz dünner Stimme nach. Den habe ich erfunden, verrät Adam, deshalb gehorcht er auch nur mir. Dann erfinde auch mir was, fleht Ofer, erfinde mir was gegen ihn. Adam brummt vor sich hin, vielleicht morgen. Nein, jetzt, drängt Ofer, ich kann die ganze Nacht nicht schlafen, wenn du mir nicht was erfindest. Nein, erst morgen, sagt Adam scharf, und Ora hört sie beide, und mehr noch die feinen, in ihre Stimmen mit eingeflochtenen Drähte, die sich miteinander verweben, Drähte der Angst, der nackten Grausamkeit, und sie hört auch das ergebene Flehen, die Macht zu retten und die Weigerung zu retten – wobei die Weigerung vielleicht nichts anderes ist als die Kehrseite der Angst, sich selbst retten zu lassen. Das alles haben sie doch von ihr, sogar Adams Grausamkeit, die sie empört und ihr so fremd ist, die sie aber in diesem Moment auch auf sonderbare Art erregt, sie wie wild zum Sprechen bringt, als offenbare sie ihr etwas über sich, das zu sehen sie bisher nicht gewagt hat. Sie beide, Adam und Ofer, stammen aus der Wurzel ihrer Seele. Eine Doppelhelix. Adam verhängt »Gute Nacht« und schnarcht sofort laut, und Ofer ächzt in seinem Bett und bettelt, Adam, schlaf nicht, schlaf jetzt nicht, ich hab Angst vor dem Verrückten Tod, kann ich zu dir ins Bett kommen? Schließlich hört Adam auf zu schnarchen und erfindet für ihn einen »Skort« oder den

»Stark« oder den »Falkenmann«, er erklärt ihm ausführlich deren Eigenschaften und Wesenszüge, und je länger er redet, umso weicher wird seine Stimme, und Ora spürt, wie er es jetzt genießt, Ofer von allen Seiten zu beschützen, ihn mit den Kissen seiner Vorstellungskraft zu polstern, der einzigen Quelle seiner Kraft. Und auch diese Kissen, Adams Güte, sein Mitleid, sein Beschützenwollen, das alles stammt auch ein bisschen von ihr, und plötzlich hört sie mitten in Adams Redefluss das weiche Summen von Ofer, wenn er einschläft.

Unentwegt planen sie Hinterhalte: In jeder Ecke im Hof und im Garten stellen sie Androidenfallen auf, in die aber vor allem Ora hineintappt, aus bunten Pappröhren, Besenstielen und Nägeln erschaffen sie unglaubliche Tiere, aus Pappkartons futuristische Fahrzeuge, sie entwickeln teuflische Waffen, mit denen sie die Bösen oder auch die ganze Menschheit qualvoll vernichten können, je nachdem, wie Adam gerade gelaunt ist. In einem besonderen Labor ziehen sie sich in mit Wasser gefüllten, geschlossenen Gläsern, in denen auch ein paar Blütenblätter schweben, Plastiksoldaten. Jeder Soldat dieser tristen Geisterarmee besitzt einen Namen, einen Dienstgrad und auch eine genaue Biographie, die sie beide im Kopf haben, und jeder hat eine tödliche Mission, die er erfüllen muss, wenn der Zeitpunkt gekommen ist. Tagelang bauen sie Kartonschlösser für Drachen und Ninja-Schildkröten, richten Schlachtplätze für Dinosaurier her, malen in giftigem Schwarz-Gelb-Rot Ritterschilde, und auch hier ist meistens Adam der Denker, Erfinder, Phantast, der »Herrscher des Labyrinths«, und Ofer ist der Elfe, der verzauberte Geist, der Gehorsame, der Ausführer. Auf seine langsame und abgewogene Art erklärt Ofer Adam die Grenzen des Möglichen und formt mit geschickten Händen die massiven Bausteine, aus denen später die Luftschlösser seines Bruders gebaut werden.

Aber das ist noch nicht alles, erzählt Ora, die ihre beiden möglichst oft belauscht und beobachtet hatte: Denn Ofer, erklärt sie, hat von Adam gelernt, und er hat *ihn* gelernt. Was meinst du damit, fragt Avram; wie soll ich dir das erklären, sagt sie lachend und irgendwie etwas verlegen, ich habe wirklich mitverfolgt, wie Ofer begriffen hat, dass er den Code knacken kann, nach dem Adams Kopf funktioniert, wie Adam in Gedanken von A zu Z hüpft, und wie er manchmal auf einen Schlag seine Idee umkehrt, wie er mit allerlei Absurditäten und Paradoxen spielt. Am Anfang hat Ofer ihn nur so nachgeahmt, hat Adams Geistesblitze einfach wie ein Papagei wiederholt, aber nach und nach hat er das Prinzip verstanden, und als Adam von einer Treppe, die die Treppe runtergeht, erzählte, kam Ofer mit einer Wohnung, die umzieht, mit Geld, das Geld kauft, mit einem Weg, der einen Ausflug macht, und dann erfand er sein erstes Paradox: ein König, der seinen Untertanen befiehlt, ihm nicht zu gehorchen. Es war so schön, zu beobachten, wie Adam Ofer formte und ihm im Grunde auch beibrachte, wie man mit ihm selbst umgehen musste, mit einem, der so besonders, so sensibel und so verletzbar war. Er hat Ofer den geheimen Schüssel zu sich gegeben, und diesen Schlüssel besitzt bis heute nur Ofer. Ihr Gesicht wird weich und strahlt, doch sie weiß nicht, ob es etwas bringt, Avram das alles zu erzählen, diesem einsamen Wacholderstrauch. Kann er ihr überhaupt so weit folgen, in diese schwer greifbaren Tiefen der Seele, wo er, Avram, doch ein Einzelkind war und schon so früh auch keinen Vater mehr hatte. Aber er hat Ilan gehabt, antwortet sie sich selbst sofort, Ilan war ihm wie ein Bruder. Und die zwei hättest du hören müssen, sagt sie zu Avram, ihre endlosen, aberwitzigen Gespräche. Ich hätte stundenlang zuhören können …

Doch das Duo der kleinen Gesichter verzieht sich vor ihren Augen, beide zeigen dieselbe Unzufriedenheit: Mama, jetzt geh schon. Du störst uns!

Beleidigung und Wonne stoßen sich in ihr: Sie stört! aber ihre beiden kennen schon das Gefühl von »uns«. Es reißt sie entzwei, und gleichzeitig ist sie glücklich.

Da gibt es viele Geschichten, sagt sie, aber eine muss ich dir unbedingt erzählen, die mit Adam und Ofer passiert ist, sag mir, wenn du müde wirst.

Müde? fragt er lachend, ich hab lang genug geschlafen.

Wir hatten da eine riesige Geschichte, kurz vor Adams Bar Mizwa, die kann ich mir bis heute nicht erklären …

Die Hündin rennt aufgeregt hin und her, knurrt, sträubt ihr Fell. Ora und Avram schauen sich um. Ora denkt für einen Moment, da kommt der Mann, der mein Notizbuch hatte, er ist mir nachgejagt. Doch einige Meter entfernt, vor einem Brombeerstrauch, stehen zwei riesige Wildschweine und schauen sie mit kleinen Augen an. Die Hündin jault, drückt sich flach auf den Boden und kriecht zu Ora zurück, schmiegt sich fast an ihr Bein. Die Wildschweine schnuppern in der Luft, ihre Schnauzen öffnen sich, einen Moment regt sich gar nichts. Nur ein kleiner Vogel auf einem nahen Baum beschreibt, was sich hier abspielt. Ora spürt, ihr Körper reagiert auf das Wilde, Ungebändigte in ihnen. Ihre Haut juckt, in ihr pulsiert etwas Scharfes, Tierisches, das so viel stärker ist als das, was sie empfand, als die Hunde sie angriffen.

Mit einer abrupten Bewegung brechen die Schweine grunzend auf und laufen weg, ihre dicken Körper tänzeln schwerelos mit triumphierender Zufriedenheit.

Dina, 49. Ich treffe sie an der Quelle Ejn Aravot.

Wonach sie sich sehnt:

»Als meine Mutter starb, war ich zwölf. Mein Vater hat seine Familie, Frau und drei Kinder, in der Schoah verloren, in Auschwitz. Er ist nach Transsilvanien zurückgegangen und hat da meine Mutter getroffen, die in Auschwitz Mengele überlebt hatte. Die zwei, die mit der nackten Haut davongekommen waren, heirateten und wanderten fünf Jahre später ein. Meine Mutter konnte nicht schwanger werden, aber eine reiche Tante hat sie zu Therapien gebracht, die man damals in Tel HaSchomer machte, und so wurde sie schwanger, und ich kam zur Welt.

Sie haben mich in Watte gepackt, ich war ihr wertvollster Schatz. Mein Vater war etwas depressiv, und meine Mutter, patent, wie sie war, hat den ganzen Laden geschmissen.

Als ich zwölf war, hat meine Mutter Pfirsiche geerntet, um Marmelade für den Kuchen zu meiner Abschlussfeier der siebten Klasse zu kochen. Da hat eine Schlange sie in den Finger gebissen, und drei Tage später war sie tot.«

(Meine liebe Tami, Tamara, Tamjuscha! sie hat ein bisschen geweint, als sie das erzählte, und gesagt: Sehen Sie, das ist so viele Jahre her, und trotzdem noch eine offene Wunde.)

Und dann haben sie bei uns im Moschaw gesagt:Was wird jetzt aus dem armen Mädchen. Ich war ein Mädchen mit vielen Ängsten, aber ich hatte keine Wahl und habe unseren Betrieb anstelle meiner Mutter geführt. Rechnungen, den ganzen Papierkram, denn mein Vater las nur Ungarisch und Rumänisch. Wenn wir den Tierarzt brauchten, hab ich ihn gerufen, und ich hab auch alle Einkäufe gemacht; mein Vater ließ mir da freie Hand.

Mein Vater ist jeden Morgen mit dem Maulesel und dem Wagen zum Grünzeugschneiden gefahren, mit der Sense. Er hat den Maulesel irgendwo angehalten, und ich bin abgestiegen und habe mir die Blumen angeschaut. Später hat er einen großen Haufen Klee und Luzerne auf den Wagen geladen, alles, was er zwischen den Orangenhainen sensen konnte, und ich bin wieder aufgestiegen und hab mich auf dieses scharf duftende grüne Polster gelegt. Auf der Heimfahrt hab ich die Augen geschlossen und nur ab und zu geblinzelt und versucht, anhand der Wolken und der Strommasten herauszubekommen, an welcher Stelle des Weges wir waren.

In diesen Momenten war ich völlig ohne Sorgen.«

»Und was bereuen Sie?«

(Sie möchte einen Moment nachdenken. Sie hat ein nettes Gesicht, ist Sonderschullehrerin. Ich denke noch manchmal an die Besitzerin meines Notizbuches, die mit mir keinen Kaffee trinken wollte. Ich glaube, sie hätte dir gefallen.)

»Gut. Das ist nicht genau Reue. Mehr Traurigkeit als Reue. Meine Mutter war eine harte Frau. Es tut mir leid, dass sie nicht mehr gesehen hat, wie weit ich es gebracht habe. Ich glaube, das hätte ihr gutgetan, denn so vieles, was ich heute bin, habe ich ihr zu verdanken, der Art, wie sie mich großgezogen und auf die richtige Spur gesetzt hat.«

Danach hat sie auch mir ein paar Fragen gestellt. Ich hab ihr ein bisschen erzählt. Sie meint, deinen Namen schon mal gehört zu haben, oder einen Artikel von dir über Dramatherapie gelesen zu haben, und vielleicht war sie sogar mal in einem Vortrag von dir (hätte sie dich in einem Vortrag gesehen, das hätte sie nicht vergessen). Wir haben Kekse gegessen, die sie gebacken hat. Sehr lecker. Ich dachte mir, das ist das erste Mal, dass ich wieder Dattelkekse essen kann.

Hast du seine Bewegungen gesehen? fragt Ilan eines Nachts, als sie im Bett liegen.

Von Adam? Die er mit dem Mund macht? murmelt sie und rückt ihren Kopf in seiner Achselhöhle zurecht, gräbt sich dort ein (später, wenn sie eingeschlafen wäre, würde Ilan sie vorsichtig umdrehen und sich sanft an ihren Rücken drücken; jede Nacht im Halbschlaf erlebt sie die Süße jener Reise, wenn ihr Vater sie allabendlich auf dem Arm vom Sofa in ihr Bett trug).

Und hast du gesehen, wie er sich mit dem Finger zwischen die Augen tippt?

Ihre geschlossenen Augen öffnen sich: Jetzt, wo du es sagst.

Sollen wir ihn mal fragen?

Nein, nein, lass lieber, was bringt das schon?

Du hast recht, das vergeht bestimmt auch so.

Ein paar Tage später merkt sie, dass Adam sich nun auch alle paar Minuten in die Handfläche bläst, wie einer, der seinen Mundgeruch prüfen will. Er dreht sich um die eigene Achse und macht kurze, schnelle Atemstöße, als wolle er ein unsichtbares Wesen vertreiben. Sie beschließt, Ilan nichts davon zu erzählen, zumindest nicht gleich. Warum soll er sich unnötig Sorgen machen? Ein paar Tage, und es ist wieder vorbei. Doch schon am nächsten Tag kommen neue Bewegungen hinzu: Jedes Mal, wenn er etwas anfasst, bläst er sich auf die Fingerspitzen und danach auf die Unterarme bis zu den Ellbogen. Und bevor er etwas sagt, formt er die Lippen wie ein Fisch zu einem O. Dieser überschießende Erfindungsreichtum macht ihr etwas Sorgen. Ein Satz ihrer Mutter fällt ihr ein: Die Vielfalt der Sorgen kennt keine Grenzen. Zum Schluss, nachdem er beim Mittagessen dreimal unter verschiedenen Vorwänden aufgestanden, ins Badezimmer verschwunden und mit nassen Händen zurückgekommen ist, ruft sie Ilan im Büro an und beschreibt ihm die neuesten Entwicklungen. Ilan hört ihr schweigend zu. Wenn wir daraus jetzt eine große Sache machen, sagt er, drängen wir ihn nur noch weiter in die Ecke. Lass uns einfach versuchen, es zu ignorieren, und du wirst sehn, er wird sich von allein wieder beruhigen. Sie wusste, dass er das sagen würde. Genau deshalb hat sie ihn ja angerufen.

Am nächsten Tag beobachtet sie, dass Adam, wenn er sich zufällig selbst berührt, schnell auf die berührten Stellen pustet. Das neue Gesetz, dem er nun wohl gehorchen muss, macht aus ihm ein Knäuel kantiger Gebärden und Gegengebärden, die er mit allen Mitteln verbergen will, doch Ora sieht sie, und Ilan sieht sie auch. Sie tauschen Blicke.

Merkwürdig, denkt Avram, haben sie nicht daran gedacht, mit ihm zu jemandem irgendwo hinzugehen?

Vielleicht sollten wir ihn doch zu jemandem bringen, sagt sie nachts im Bett zu Ilan.

Zu wem? fragt Ilan mit verkrampfter Stimme.

Keine Ahnung. Zu jemandem, der was davon versteht, der ihn sich mal anschaut.

Zu einem Psychologen?

Vielleicht? Einfach, dass er mal einen Blick auf ihn wirft.

Nein, nein, das würde alles bloß noch schlimmer machen, das wäre, als ob wir ihm sagen, er sei ...

Was?

Er sei nicht in Ordnung.

Aber er ist nicht in Ordnung, denkt Ora.

Komm, lass uns noch ein bisschen warten, gib ihm noch etwas Zeit.

Sie versucht, sich in seiner Achsel einzurichten, doch ihr Kopf findet keinen Platz, und überhaupt – es ist zu heiß, sie schwitzen, ihre beiden Körper sind unruhig. Aus irgendeinem Grund erinnert sie sich an etwas, was Avram ihr mal gesagt hat: Wenn man einen Menschen, egal wen, lange genug beobachtet, kann man den entsetzlichsten Zustand sehen, in den er vielleicht mal geraten wird. Sie schläft diese ganze Nacht nicht ein.

Am Wochenende fahren sie an den Strand von Bejt Jannai. Von dem Moment an, wo sie den Strand erreicht haben, ist Adam ununterbrochen damit beschäftigt, zu putzen. Er wäscht sich immer wieder die Hände, schrubbt mit feuchten Tüchern seine Matratze. Sogar die Luftmatratze wendet er alle paar Minuten um, um den Teil abzuwischen »der das Wasser berührt hat«.

Gegen Abend, als die Sonne untergeht, sitzen Ora und Ilan in Liegestühlen, Ofer spielt und gräbt im Sand, nahe an der Wasserlinie. Adam steht bis zur Hüfte im Wasser, dreht sich um sich selbst, versprüht in alle Richtungen seine kurzen Atemstöße, berührt nacheinander sämtliche Arm-, Hand- und Fingergelenke und auch die Beine. Ein alter Mann und eine alte Frau, beide hochgewachsen und braungebrannt, gehen Arm in Arm am Strand entlang und bemerken ihn, bleiben stehen und schauen ihn an. Aus der Ferne, mit dem roten Sonnenuntergang im Rücken, sieht es aus, als vollführe er einen poetischen Elfentanz, eine Bewegung jagt die andere, jede Bewegung bringt neue Bewegungen hervor.

Die denken bestimmt, er macht Tai-Chi, flüstert Ilan, und Ora flüstert, das mache sie allmählich verrückt. Er legt ihr die Hand auf den Arm. Warte, irgendwann hat er genug davon. Wie lang kann er damit noch weitermachen?

Schau doch, es ist ihm völlig egal, dass sie ihn beobachten.

Ja, das beunruhigt mich wirklich ein bisschen.

Ein bisschen? Vor aller Augen? Adam?

Sie denkt an Ilans Vater, der in seinen letzten Tagen im Krankenhaus jedes Schamgefühl verloren hatte und sich vor aller Augen auszog, um noch eine Stelle vorzuzeigen, auf die das Geschwür übergegriffen hatte.

Siehst du, wie Ofer ihn die ganze Zeit anschaut?

Wie muss das für ihn sein, dass sein Bruder so ist?

Hat er was gesagt?

Ofer? Kein Wort. Heute früh, als wir allein am Strand waren, hab ich versucht, mit ihm darüber zu reden.

Klar, sagt sie und lächelt ungewollt, er würde nie mit uns gegen Adam kollaborieren.

Adam küsst seine Fingerspitzen, fährt mit den Händen abwärts und berührt leicht und schwebend die Hüften, Schenkel, Knie und seine Knöchel im Wasser, richtet sich dann wieder auf, dreht sich um die eigene Achse und pustet dabei Atemstöße in alle vier Himmelsrichtungen.

Was wird im September, wenn die Schule anfängt?

Das sind noch fast zwei Monate. Bis dahin geht es vorbei.

Und wenn nicht?

Das geht bestimmt vorbei.

Und wenn nicht?

Unmöglich, dass es nicht vorbeigeht!

Ora zieht die Knie an die Brust, hält den Atem an und schaut Avram lange an. Avram kann plötzlich nicht mehr sitzen. Er spürt Ameisen am ganzen Körper.

Es sieht aus, als entferne sich Adam jeden Tag weiter von ihnen. Ihr kommen immer mehr schlechte Gedanken, die, so ihr Eindruck, schon lange auf diesen Augenblick gewartet haben. Am Tag schweben sie wie Schatten in ihrem Kopf. Nachts, noch im Halbschlaf, verjagt sie sie, bis sie keine Kraft mehr hat, und dann fallen sie über sie her. Ilan weckt sie, streichelt ihr Gesicht, zieht sie an sich und fordert sie auf, zusammen mit ihm langsam zu atmen, bis sie sich beruhigt hat.

Ich hatte einen Albtraum, erzählt sie, vergräbt das Gesicht an seiner Brust. Sie erlaubt ihm nicht, Licht zu machen, aus Angst, das Gesehene könne in ihren Augen zerreißen: Avram war auf der Straße an ihr vorbeigegangen, er war weiß gekleidet und sehr bleich, und als er nahe bei ihr war, murmelte er, sie solle sich heute die Zeitung kaufen. Sie versuchte, ihn aufzuhalten, ihn zu fragen, wie es ihm gehe und warum er sie noch immer ignoriere, doch er hatte angewidert seinen Arm aus ihrem Griff befreit und war verschwunden. Und in der Zeitung stand die Überschrift, Avram bereite sich auf einen Hungerstreik vor ihrem Haus vor, bis zum bitteren Ende, es sei denn, sie gebe einen ihrer Söhne heraus.

Adam braucht neue Turnschuhe für das nächste Schuljahr, und sie schiebt den Einkauf hinaus. Er bittet sie immer wieder, mit ihm ins Einkaufszentrum zu gehen, ein Geschenk für Ofer auszusuchen, und sie – die noch vor zwei Wochen auf so einen Wunsch begeistert reagiert und gesagt hätte: »Und wenn wir mit den Einkäufen fertig sind, lad ich dich ins Café ein« – entzieht sich ihm mit fadenscheinigen Ausreden, bis er wohl selbst etwas versteht und sie nicht mehr fragt.

Jeder Tag bringt neue Zeichen: Bevor er etwas sagt, stößt er die Ellbogen nach hinten, ballt und öffnet die Fäuste mehrmals, bevor er »ich« sagt. Das Waschen und die Atemstöße werden immer häufiger. Im Laufe einer Mahlzeit kann er fünf- und auch zehnmal aufstehen, um sich die Hände zu waschen und den Mund auszuspülen.

Nach einem Schabbat zu Hause, an dem Ilan Adam einen ganzen Tag lang gesehen hat, und nach drei gemeinsamen Mahlzeiten sagt er zu Ora, komm, wir müssen etwas unternehmen.

Wie erwartet, will Adam nichts davon hören. Er wirft sich auf den Boden und schreit, er sei nicht verrückt, sie sollten ihn in Ruhe lassen. Seit er ein kleines Kind war, hat er sich nicht mehr so verhalten, und der Anblick entsetzt sie. Wenn sie versuchen, ihm gut zuzureden, rennt er weg und schließt sich in seinem Zimmer ein und hämmert lange wie wild gegen die Tür.

Lass uns noch ein bisschen warten, sagt Ilan, als sie im Bett liegen und sich den Kopf zerbrechen, wir geben ihm etwas Zeit, sich an den Gedanken zu gewöhnen.

Wie lange? Wie lange willst du denn noch warten?

Sagen wir, eine Woche?

Nein, so lang mach ich das nicht mehr mit. Einen Tag, vielleicht zwei Tage, länger nicht.

Wenn sie Adam in diesen Tagen anschaut, spürt sie etwas Lähmendes. Ihr Sohn wird für sie zu einem fortschreitenden Prozess. In den gemeinsamen Stunden zu Hause – wenn sie keine Ausrede findet hinauszugehen, ein bisschen Luft zu schnappen, die fließenden, harmonischen Bewegungen anderer wie einen stärkenden Trank zu sich zu nehmen und auch den bitteren Neid zu spüren, wenn sie die anderen Kinder seines Alters in den Ferien beobachtet –, in diesen Stunden hat sie den Eindruck, dass sein ganzes Wesen vor ihren Augen auseinanderbricht und die Teile immer weniger, immer lockerer miteinander verbunden sind. Für Augenblicke scheint es ihr so, dass seine Gesten – »Zeichen« sagten Ilan und sie mit gesenktem Blick – jetzt das Kind, das er früher war, irgendwie zusammenhalten müssen.

Und das passiert direkt vor deinen Augen, sagt sie zu Avram oder zu sich selbst, zu Hause passiert das, du könntest es anfassen, aber da gibt es nichts anzufassen. Die Hand schließt sich um ein Nichts.

Avram entfährt ein kaum hörbares Ah.

Du musst sagen, wenn du nicht mehr weiterhören willst, sagt sie, und er wirft ihr wieder diesen Wie-kommst-du-denn-darauf-Blick zu; und sie zuckt mit den Schultern und denkt sich, was weiß ich, über Jahre hab ich mich daran gewöhnt, dir gegenüber zu schweigen.

Sie errichten ihr kleines Lager in Ejn Jakim im Nachal Amud, neben einer Wasserpumpstation aus der Mandatszeit. Ora schlägt das Handtuch als Tischdecke auf, packt Lebensmittel aus, deckt den Tisch. Avram sammelt Holz und Steine für die Feuerstelle. Die Hündin springt über das schmale Flüsschen von einem Ufer zum andern, wird nass, schüttelt sich mit tausend Spritzern und wirft ihnen einen spielfreudigen Blick zu. Bevor sie sich zum Essen setzen, waschen sie Strümpfe, Unterwäsche und Hemden an der Quelle und hängen sie an die Büsche, damit sie trocknen, wenn am Morgen die Sonne aufgeht. Avram kramt in seinem Rucksack, holt ein weites weißes indisches Hemd und eine blendend weiße Pumphose heraus und zieht sich hinter einem Busch um.

Am nächsten Tag, als sie mit ihm allein zu Hause war, hat er ihr ganz aufgeregt und glücklich etwas erzählt, was ihm bei seinem geliebten Computerspiel passiert ist. Sie versucht sich auf das, was er sagt, zu konzentrieren, seine Freude zu teilen, aber es fällt ihr schwer: Jetzt markiert er auch seine Satzenden mit Atemstößen. Nach bestimmten Buchstaben – sie hat den Eindruck nach Zischlauten, aber vielleicht gibt es zu dieser Regel bereits Ausnahmen, die ihre eigenen Strafen verlangen – saugt er fest seine Wangen ein. Fragesätze ziehen eine neue Mundbewegung nach sich: Er schiebt die Lippen vor und zieht eine Schnute, die fast die Nase berührt.

Sie steht mit ihm in der Küche und kämpft für einen Moment gegen den gemeinen Drang, die Lippen genauso vorzuschieben, damit er wenigstens weiß, wie er aussieht. Damit er kapiert, wie schwer das zu ertragen ist. Aber sie kann sich zurückhalten, denn sie erinnert sich, wie ihre Mutter das früher mit ihr gemacht hat, in der Zeit nach Ada, als sie sich für kurze Zeit weitaus harmlosere Eigentümlichkeiten zugelegt hatte.

Doch als sie Adams bohrenden Blick sieht, drängt es sie plötzlich, ihn zu umarmen, schon seit Wochen hat sie ihn nicht mehr umarmt, er hat sich von niemandem anfassen lassen, doch auch sie hat es nicht mehr versucht, scheute sich, diesen entfremdeten Körper zu berühren, vielleicht fürchtete sie auch, nicht Wärme, sondern einer starren Kruste zu begegnen. Jetzt küsst sie seine Wangen und seine Stirn, wie dumm war sie gewesen, sich so zurückzuhalten und mit seinem Sichentziehen zu kollaborieren, vielleicht hat er nichts weiter als eine einfache, feste Umarmung gebraucht; und tatsächlich, auf einen Schlag fließt er aus seiner Gefangenschaft auf sie zu, schmiegt sich mit dem ganzen Körper an sie, legt seinen Kopf an ihre Brust, und sie reagiert mit Leib und Seele, spürt plötzlich wieder, wie stark sie ist, wie lebendig, wie ist es bloß dazu gekommen, dass sie bereit gewesen war, auf all dies zu verzichten, wie war sie überhaupt auf die Idee gekommen, ihr Kind einem Fremden zur Behandlung anzuvertrauen, bevor sie das

Einfachste und Allernatürlichste selbst ausprobiert hat; und sie schwört sich, ab jetzt wird sie ihm alles geben, was sie hat, wird ihre Heilkräfte einsetzen, ihre lange Erfahrung mit verschiedenen Therapieformen, entspannenden Massagen, warum hat sie ihm das die ganze Zeit vorenthalten?

Sie schließt die Augen und presst die Kiefer über seinem Kopf zusammen, um das aufsteigende Weinen zu unterdrücken, und sie erinnert sich sehr genau an etwas, was Ilan ihr einmal sagte: Er umarme die Kinder immer ein bisschen weniger, als er eigentlich möchte, denn das sei immer ein bisschen mehr, als sie brauchen. Na ja, Ilan mit seiner Rechnerei. Sie küsst Adam wieder auf die Stirn, und er dreht den Kopf zu ihr und macht ein süßes Gesicht wie,»noch eine Extraportion«, und das macht sie überglücklich.»Special«, das war so ein ganz früher Brauch zwischen ihr und ihren Söhnen, schon seit Jahren wollte das keiner mehr von ihr, und siehe da, Adam rundet schon die Lippen, und sie lacht etwas verlegen, er ist immerhin schon fast dreizehn und hat einen dunklen Bartflaum, aber er braucht das anscheinend so sehr, dass ihn nichts verlegen macht, er küsst sie heiß auf die linke und die rechte Wange, auf die Nasenspitze und die Stirn, und Ora preist sich glücklich, mit Küssen würde sie ihm den Rückweg zeigen, und er lächelt mit gesenkten Lidern und macht ihr ein Zeichen von nochmal »Special«, und wieder küsst er ihre linke und rechte Wange, Nasenspitze und Stirn, und Ora sagt, jetzt bin ich aber dran, und Adam bettelt, ein einziges Mal noch, seine Hände halten ihr Gesicht fest, ihr Nacken wird steif, er besprenkelt ihre rechte Wange nun mit harten, spitzen Küsschen, dann die linke, die Nase, die Stirn, und sie kämpft, will ihm ihr Gesicht entziehen, doch er umschlingt sie mit harten Fingern, und sie schreit, genug, was ist denn mit dir los, und sieht, wie sich sein Gesicht verzerrt, erst unverständig, dann zutiefst verletzt, und sie stehen sich einen Moment lang zwischen Esstisch und Spüle gegenüber, Adam berührt blitzschnell dreimal mit den Fingerspitzen seine Mundwinkel und die Stelle zwischen den Augen, bläst sich dann schnell auf die Handflächen, erst auf die rechte, dann auf die linke, und seine Augen füllen sich mit einer trüben Flüssigkeit, dann entfernt er sich, geht, das Gesicht zu ihr gewandt, rückwärts aus der Küche, beobachtet sie misstrauisch, als würde sie sich gleich auf ihn stürzen, und sie erinnert sich: Genau so hatte Ofer sie angeschaut, als er entdeckte, dass sie Fleisch aß. Dasselbe Aufblitzen der Möglichkeit, sie könnte ihn zerreißen, das damals zwischen ihr und Ofer hin- und hergegangen war, zieht jetzt wie eine vorzeitliche Inschrift durch ihren Sinn, aber wie willst du Avram das erklären, so einen Moment zwischen Mutter und Sohn – und trotzdem erklärt sie es ihm, bis ins letzte Detail, damit er es weiß, damit er den Schmerz spürt, damit er es erlebt, damit er sich erinnert; und Adams Augen werden vor ihr immer größer und größer, füllen schon das ganze Gesicht aus, er geht weiter rückwärts, das Gesicht immer noch zu ihr gewandt, und bevor er durch die Küchentür hinausgeht, wirft er ihr einen letzten, entsetzlich nüchternen Blick zu, als wollte er ihr ohne Worte sagen, du hattest die Gelegenheit, mich zu retten, jetzt gehe ich weg.

Zum Schluss, mit viel Druck und der wirksamsten aller Drohungen, ihn nicht mehr an den Computer zu lassen, überwinden sie Adams Widerstand und bringen ihn zu einem Psychologen. Der bestellt Ora und Ilan nach drei Sitzungen zu sich. Adam sei seiner Meinung nach ein intelligenter und durchaus fähiger Junge, und er habe einen starken Charakter. Einen sehr starken sogar, fügte er etwas ängstlich hinzu, er hat drei Stunden hier auf diesem Stuhl gesessen und geschwiegen.

Geschwiegen? fragt Ora verblüfft, und was ist mit den Bewegungen?

Keine einzige Bewegung. Er saß da wie ein Stein, hat mich angeschaut, kaum mal gezwinkert.

Ora erinnert sich plötzlich an Ilan als Jungen, wie er die ganze Klasse boykottiert hat.

Keine einfache Situation, sagt der Mann ratlos, drei Sitzungen lang, ich hab alles Mögliche versucht, aber er hat die ganze Zeit diesen Widerstand im Gesicht, und er ballt die Hand vor Ora und Ilan zur Faust: Verschlossen wie ein Bunker. Wie eine Sphinx.

Was schlagen Sie dann vor, fragt Ilan feindselig.

Natürlich kann man noch ein paar Sitzungen weitermachen, sagt der Mann, ohne ihnen in die Augen zu schauen, dazu bin ich durchaus bereit, aber ich muss Ihnen sagen, irgendwas mit der Interaktion stimmt hier nicht …

Was sollen wir tun, unterbricht Ilan, die Ader an seiner Schläfe färbt sich schon blau, ich möchte, dass Sie mir in einfachen Worten sagen, was wir jetzt tun sollen! Ora schaut ihn verzweifelt an, sieht, wie sich das Eisengitter auf einen Schlag vor seinem Gesicht schließt.

Ich glaube nicht, dass es hier eine schnelle Lösung gibt, sagt der Mann näselnd, ich versuche vielmehr, gemeinsam mit Ihnen laut nachzudenken: Vielleicht ginge es mit jemand anderem besser? Vielleicht mit einer Psychologin?

Wieso eine Frau, fragt Ora verunsichert und hat das Gefühl, man werfe ihr hier irgendetwas vor, warum denn eine Frau?

Es ist Abend. Ora sitzt zu Hause und sortiert die Belege für ihre Umsatzsteuererklärung, alle zwei Monate muss sie ihre Einnahmen aus der Physiotherapeutischen Praxis, in der sie arbeitet, angeben – aber Patienten, die ich zu Hause empfange, melde ich grundsätzlich nicht, sagt sie Avram mit einem gewissen Stolz, mit dem Gefühl, als verbündeten sich hier zwei Regimegegner (und er, er hat noch nicht einmal einen Personalausweis dabei!) –, da kommt Adam rein und bittet sie, ihm beim Aufräumen seines Zimmers zu helfen. Das ist keine übliche Bitte, schon gar nicht in dieser Zeit, und das Chaos in seinem Zimmer ist wirklich unerträglich, aber sie muss an diesem Abend den Bericht für die Steuer fertig kriegen und fragt gereizt: ausgerechnet jetzt? Warum bist du nicht vor einer Stunde gekommen, als ich Zeit hatte? Warum gilt immer nur meine Zeit nichts in diesem Haus?

Adam geht wieder, halb tanzend, halb humpelnd vor lauter Zuckungen, und Ora versucht, weiter ihre Belege zu ordnen, kann sich aber nicht mehr konzentrieren. Am meisten deprimiert es sie, dass er noch nicht einmal mit ihr gestritten hat. Ohne ein Wort zu sagen ist er gegangen, als könne er es sich nicht leisten, auch nur einen Funken Energie zu verschwenden.

Sie sitzt da, sortiert die Ausgaben für Fahrtkosten und Spesen und spürt, dass in diesen Minuten Adam in seinem Zimmer in Splitter der Verzweiflung und Einsamkeit zerfällt, und sie weiß, seine Auflösung wird auch auf sie übergreifen, bald auf Ilan und sie als Paar, die ganze Familie wird auseinanderfallen. Wie furchtbar schwach wir sind, denkt sie, starrt auf die geordneten Stapel kleiner Zettelchen, warum sind wir beide so gelähmt und kämpfen nicht wirklich um ihn? Haben wir das Gefühl – schießt es ihr durch den Kopf –, das sei die Strafe? Aber wofür?

Um dich haben wir viel mehr gekämpft, sagt sie leise zu Avram.

Avram schließt die Finger fest um den heißen Kaffeebecher, verkrampft sich völlig, sein Blick klammert sich an die letzten tanzenden Lichtflecken auf dem Flüsschen des Wadis.

Ora springt von ihrem Stuhl auf, rast in Adams Zimmer, sie ahnt das Schlimmste.

Doch Adam steht einfach nur da, mitten im Kinderzimmer, zwischen unglaublichen Bergen von Kleidern, Spielzeug, Schulheften, Handtüchern und Bällen, erstarrt, etwas nach vorne gebeugt.

Adam, was ist los?

Ich weiß nicht, mir ist es reingefahren.

In den Rücken?

Überall. Offensichtlich hatte er sich mitten drin, zwischen einem Bewegungssegment und dem nächsten, im Nichts verfangen. Ora umarmt ihn, massiert ihm Hals und Rücken. Sein Körper ist völlig steif, lange Minuten lockert sie ihn, so wie sie es mit Avram in der Reha gemacht hat, so wie sie es mit ihren Patienten macht; sie gibt dem Körper seine Erinnerung, die Musik seiner Bewegung zurück, bis Adams Verkrampfung sich etwas löst, dann setzt sie ihn auf einen Stuhl und sich selbst im Schneidersitz zu seinen Füßen auf den Boden.

Tut's noch weh?

Nein, jetzt ist es okay.

Komm, dann machen wir das jetzt zusammen.

Sie hebt Kleider und Spielsachen vom Boden auf und gibt sie ihm, damit er sie aufräumt. Er gehorcht, geht in seinen Roboterbewegungen zum Schrank und zum Regal und wieder zu ihr. Sie sagt nichts zu seinem Handeln und seinen Gesten, schaut ihn nur immer wieder heimlich an.

Da kommt Ofer nach Hause, von einer tollen Woche bei Oma und Opa in Haifa, und schließt sich freudig der Aufräumaktion an. Als hätte jemand im Zimmer ein großes Licht angemacht, verziehen sich die schlechten Gedanken. Auch Adam strahlt. Ora, die weiß, wie sehr Ofer unter Unordnung und Schmutz leidet, bewundert ihn im Stillen, wie er es zugelassen hat, dass Adam ihr gemeinsames Zimmer zu einem solchen Müllhaufen verkommen ließ. Nicht ein einziges Mal hat er sich in diesem Monat beschwert. Vielleicht sollte jetzt jeder sein eigenes Zimmer bekommen, davon haben wir schon vor einem Jahr gesprochen. Doch sie weiß, wie Adam das auffassen würde, und bestimmt würde auch Ofer diesen Vorschlag im Moment entschieden ablehnen. Mit Ofers Hilfe wird das Aufräumen zu einem Spiel. Zu jedem Stück, das sie aus dem Haufen zieht, stellt sie Fragen, und Adam und Ofer antworten. Sie lachen. Adam nur ein bisschen, mit verkrampften Kiefern, denn jedes Lachen verlangt von ihm eine Reihe von Bewegungen, die vermutlich die Wirkung des Lachens wieder aufheben sollen. Zwei Stunden sitzt sie auf dem Boden im Kinderzimmer und erforscht die »materielle Kultur« der Kindheit ihrer Söhne. Spiele, die sie schon jahrelang nicht mehr spielen, Malblätter und Arbeitsblätter, verknitterte Schulhefte, leere Batterien, alte Wahlzettel, die Ora mal aus der Wahlkabine für sie mitgehen ließ, Alben mit den Fotos von Fußballspielern und Fernsehstars, abgetragene Turnschuhe, Teile von Legoschlössern, verschiedenste Talismane, Boglins und andere rundliche Monster, die früher ihre Welt bevölkerten, Waffen und Versteinerungen, zerrissene Poster, Handtücher und Socken mit Löchern. Es gibt Spielsachen und Spiele, von denen sie sich nicht trennen wollen, und sie sind ernsthaft beleidigt, wenn sie vorschlägt, sie an andere Kinder weiterzugeben, die kaum Spielzeug haben. So erfährt Ora zum ersten Mal von der komplizierten emotionalen Beziehung ihrer beiden Söhne zu einem abgewetzten Wollbären, von dessen Bedeutung sie nichts ahnte, zu einer besonders widerlichen Gummischlange oder zu einer kleinen kaputten Taschenlampe, eine Erinnerung an nächtliche Abenteuer, von denen sie hinter der geschlossenen Tür nichts geahnt hatte, wenn sie dachte, die beiden schliefen.

Nach und nach wird das Zimmer, trotz der Kämpfe und des Feilschens um jedes alte Spielzeug oder das mottenzerfressene T-Shirt einer spanischen Fußballmannschaft, wieder geräumiger. Volle Plastiksäcke werden einer nach dem anderen zur Tür getragen, um weggegeben oder weggeworfen zu werden. Sie hat den Eindruck, dass Adam erleichtert ist, seine Bewegungen werden runder und schon fast entspannt. Er läuft im Zimmer auf und ab, ohne sein Gehen und Reden durch irgendwelche Gesten zu unterbrechen, braucht keine Kommas oder Punkte durch Ellbogen oder Knie, und als das gemeinsame Unternehmen schließlich abgeschlossen ist und Ora aufsteht, um allen telefonisch eine Pizza zu bestellen, kommt er von sich aus zu ihr und umarmt sie weich und schlicht.

Doch die Pause dauert nur ein paar Minuten, nicht länger. Erinnerst du dich, wie Ilan immer sagte:»Jede Freude ist verfrüht«? Das ist nicht von Ilan, sagt Avram und springt auf, das ist von mir. Von dir? Natürlich! Weißt du nicht mehr, wie ich … Die goldene Hündin hebt den Kopf von ihren Pfoten und schaut ihn fragend an. Ora bemerkt den kleinen Sturm, der ihn packt, und fragt: Dass er dir das genommen hat, darüber regst du dich auf?

Nach der Pause zieht es Adam wieder zum Wasserhahn, um sich den Mund zu spülen und die Hände zu waschen; man sieht beinahe die Fäden, auf denen er balanciert, und Ora fällt in eine noch unerträglichere Verzweiflung. Einen Moment bevor alles, was sich in ihr angestaut hat, aus ihr herausbricht, legt sie das Pizzadreieck aus der Hand, verlässt Ofer und Adam, die sich, wie üblich, schon wieder angeregt unterhalten, geht in Ilans Arbeitszimmer, setzt sich dort an den Tisch und lässt den Kopf auf die Quittungen sinken.

Ein schwerer Schatten breitet sich in ihrem Kopf aus. Sie möchte Ilan anrufen, damit er früher von der Arbeit kommt. Er soll kommen und sie in den Arm nehmen, denn sie beginnt zu fallen. Was rennt er draußen rum, während hier alles auseinanderbricht. In letzter Zeit ist er kaum noch zu Hause, steht morgens noch vor den Jungs auf und kommt um Mitternacht zurück, wenn sie schlafen. Wo bist du? Warum sind wir beide so gelähmt? Wie kommt es, dass wir so schnell zerbrechen? Warum wirkt das alles wie ein Fluch, der jahrelang geduldig gewartet hat – die Rache einer bösen Fee, die nicht zum Geburtstag eingeladen wurde –, um uns ausgerechnet dann zu treffen, wenn es uns gerade gutgeht? Aber sie hat nicht die Kraft, den Hörer abzunehmen.

Wir vernachlässigen ihn, sagt sie Ilan spät abends im Wohnzimmer. Sie liegt erschöpft auf dem Teppich, er liegt ihr gegenüber auf dem Sofa, seine langen Beine hängen über die Lehne. Schlapp und müde sieht er aus. Sag mir, was mit uns los ist, erklär mir das, warum schaffen wir es nicht, etwas zu tun?

Was können wir denn tun?

Ihn zwingen, dass er in eine Therapie geht, ihn mit Gewalt zum Arzt schicken, zu einem Psychiater, was weiß ich. Ich habe das Gefühl, die Angst lähmt mich, und du hilfst mir nicht. Wo bist du überhaupt? Mach ihm einen Termin bei noch jemand anderem, sagt er. Sie meint, in seinem Gesicht einen Schrecken zu erkennen. Etwas in seinem Gesicht, an seinem Kinn, erinnert sie plötzlich an die Tage nach Adams Geburt, direkt bevor er weglief.

Ich ruf gleich morgen früh an, verspricht sie und greift nach seinem Arm. Wir wissen noch nicht einmal, wie er sich dabei fühlt. Ich versuche mit ihm zu reden, aber er haut immer gleich ab. Stell dir mal vor, was für eine Angst das sein muss.

Auch für Ofer, sagt Ilan. Wir konzentrieren uns so sehr auf Adam, dass wir Ofer ganz vergessen.

Manchmal denke ich, wenn es eine normale Gefahr wäre, ein Brand oder sogar ein Terrorist, etwas, was wir kennen, etwas Logisches, meinst du, ich wäre nicht längst losgerannt, ihn zu retten? Würde ich nicht mein Leben für ihn riskieren? Aber hier …

Adam kommt aus seinem Zimmer und geht in die Küche. Aus dem Dunkel des Wohnzimmers verfolgen Ora und Ilan, wie er sich zum Kühlschrank bewegt. Als er es endlich schafft, die Wasserflasche an die Lippen zu setzen, räuspert sich Ilan, und Adam schaut sich überrascht zu ihnen um.

Hey, was-macht-ihr-denn-da? Seine eintönige Stimme, sein kantiges, künstliches Sprechen.

Wir ruhen uns ein bisschen aus, nur so, sagt Ilan, und was ist mit dir, Schatz?

Al-les-pri-ma, sagt er, dreht sich einmal um sich selbst und verzieht sich in sein Zimmer, er marschiert, hebt die Knie wie eine mechanische Nachahmung menschlicher Bewegung, die bei Adam in Stottern zerfällt.

Jetzt begreift sie. Mit einem Schlag bricht in ihr eine Schale auf, und sie weiß, dass Adam etwas völlig Neues entdeckt hat, ein neues Wissen, eine neue Kraft, und plötzlich ist es völlig klar, man muss ihn nur anschauen, dann sieht man sofort: Die Kraft der Negation, des Zerfallens, des Sichauflösens in Nichts, die ihn in sich hineinzieht und verschlingt, die entdeckt Adam gerade, und es scheint eine ganz gewaltige Kraft zu sein, nicht wahr? sagt sie zu Avram, ihre Stimme ist heiser, die Kraft des Nein, die Kraft des Nichtseins? Avram rührt sich nicht, zerdrückt fast den leeren Kaffeebecher. In den ersten Monaten in der eigenen Wohnung – nach den Krankenhausaufenthalten und den Rehamaßnahmen – war er durch die Straßen Tel Avivs gegangen und hatte sich vorgestellt, er sei eine Biene in einem gewaltigen Schwarm. Das Wissen, dass er überhaupt nicht in der Lage war, die Bewegungen des ganzen Schwarms zu verstehen, tat ihm gut. Er hatte nur eine Aufgabe: zu existieren. Er musste sich nur bewegen, essen, kacken, schlafen. In anderen Stellen des Schwarms gab es vielleicht Emotionen oder Wissen oder ein richtiges Bewusstsein, vielleicht auch nicht. Das ging ihn nichts an, er war nur eine Zelle, völlig bedeutungslos, leicht zu ersetzen und gedankenlos zu zerstören.

Und manchmal, viel seltener, machte er auch genau das Umgekehrte: Er ging durch die Straßen, sprach absichtlich laut mit sich selbst, als wäre er allein auf der Welt, als ereignete sich die ganze Welt bloß in seinem Kopf, und diese Jugendlichen, die sich über ihn lustig machten, waren nur eine Ausgeburt seiner wilden Phantasie, wie auch die Alten, die mit dem Finger auf ihn zeigten, und das Auto, das mit quietschenden Bremsen einen Zentimeter vor ihm zum Halten kam.

Als Adam die Tür des Kinderzimmers hinter sich schließt, steht Ora vom Teppich auf und geht in die Küche. Sie macht den Kühlschrank mit Adams Bewegungen auf, hebt die Wasserflasche an den Mund, genau wie er es gemacht hat – Ellbogen, Handgelenk, Finger –, schließt ihre Lippen um die Familienflasche, trinkt und konzentriert sich dabei ganz auf Adam, und dann weiß sie für einen blitzartigen Moment (nicht länger, aber das reicht für ein Leben), wie es ist, wenn man nicht mehr die Linie sieht, sondern bloß noch die Punkte, die sie ausmachen; sie erkennt das Dunkel im Nichts des Lidschlags, die Abgründe zwischen einem Augenblick und dem nächsten.

Ja, stößt Avram leise hervor, als hätte er mehrere Minuten nicht geatmet.

Sie stellt die Flasche zurück in den Kühlschrank, rekonstruiert seine abgehackten Bewegungen, vergisst Ilan, der daliegt und sie aus dem Dunkeln beobachtet. Hier der Absturz zwischen zwei Schritten, dort das Geflüster des Zerfalls. So schaut ihr Sohn mit offenen Augen in die Welt, und er sieht vielleicht das, was man nicht sehen darf: Dass auch er selbst sich auflösen und zu dem Staub werden kann, von dem er genommen ist. Wie schwach die Kraft ist, die ihn zusammenhält.

Sie geht zurück zu Ilan und setzt sich neben ihn, und der schließt schnell die Arme um sie, schmiegt sich mit merkwürdigem Eifer und auch, wie sie meint, mit einer gewissen Ehrfurcht an sie.

Was, fragt Ilan kaum hörbar, was hast du da gespürt?

Sie antwortet nicht, fürchtet sich aufzuwachen, dieser Moment, in dem sie Adam erkannt hat, darf nicht verschwinden, er darf nicht entfliehen wie ein Traum.

Ora gähnt und sieht – mit einem gewissen Vergnügen –, wie sehr Avram, ohne es zu merken, an ihren Lippen hängt. Können wir morgen weitermachen, bittet sie, und er, der eigentlich noch mehr hören will, steht auf und räumt die Reste des Abendessens zusammen, sammelt den Abfall, spült das Geschirr und rollt seinen Schlafsack nicht weit von ihrem aus. Das alles tut er schweigend, sie sieht die rastlosen Fragen und Gedanken hinter seiner Stirn und sagt sich, morgen, lieber morgen, und schlägt sich in die Büsche, um ihr Geschäft zu verrichten; sie denkt ein bisschen über Scheherazade nach, dann ziehen sie sich beide, die Rücken zueinander aus, kriechen in ihre Schlafsäcke und liegen mit offenen Augen neben dem knisternden Feuer, doch Avram ist unruhig, steht auf, füllt zwei Flaschen mit Wasser aus dem Fluss, löscht die glühenden Kohlen und legt sich wieder hin.

Und da, sobald das Feuer erloschen ist, erwachen auf einen Schlag alle Tiere im Wadi, die bis zu diesem Moment beinah geräuschlos waren, und ein Chor aus Fröschen und Nachtvögeln, Schakalen, Füchsen und Grillen bricht in eine ohrenbetäubende Kakofonie aus. Jaulen, Schreien, Schnarchen, Krähen und Sägen. Ora und Avram liegen da, haben den Eindruck, dass der kleine Fluss lärmend um sie herumfließt, kleine und größere Tiere schweben an ihnen vorbei oder krabbeln über ihre Gesichter, und Ora flüstert, was ist das, und Avram flüstert, die sind alle verrückt geworden, und die Hündin steht auf und steht unruhig da, ihre Augen glänzen im Dunkeln. Jetzt müsste Avram zu ihr kommen, sich zu ihr legen, selbst wenn er bloß ihre Hand hielte, sie mit einem Streicheln beruhigte, mit langen, ruhigen Atemzügen, so wie Ilan früher, aber sie sagt kein Wort, sie wird ihn nicht drängen, und von sich aus unternimmt er nichts, nur die Hündin nähert sich ihr vorsichtig, einen Schritt nach dem andern, bis sie schließlich neben ihr steht. Ora streckt die Hand aus und streichelt ihr Fell im Dunkeln, und das Fell zittert vor Spannung, wegen der Geräusche ringsherum, oder wegen der Berührung durch Menschenhand, die erste Berührung nach wer weiß wie langer Zeit. Ora streichelt sie immer weiter, genießt es, krault sie, spürt die Körperwärme, doch plötzlich schreckt die Hündin zurück, als könne sie es nicht länger ertragen, geht ein paar Schritte weiter weg, legt sich hin und schaut Ora hechelnd an.

So liegen sie alle drei da, stumm und ein bisschen ängstlich, der Lärm flaut langsam ab, nun erhebt sich das Summen der Mücken. Blutrünstig und frech stechen sie in jedes Stück nacktes Fleisch; Ora hört, wie Avram sich ohrfeigt und flucht, rollt sich in ihren Schlafsack ein, zieht ihn bis übers Gesicht zu, lässt nur ein kleines Loch zum Atmen und versinkt in sich selbst; dabei rückt sie den Kopf so zurecht, dass er da ruhen kann, wo sie ihn am liebsten hat, in Ilans Achselhöhle, und da erwacht in ihr wie das Sprudeln einer kleinen Quelle die Sehnsucht nach ihrem Haus in Ejn Karem, das Haus von Ilan und ihr, mit den Gerüchen in seinen Wänden und den verschiedenen Lichtmustern, die die Fenstergitter zu den verschiedenen Tageszeiten auf die Scheiben warfen, mit den Stimmen von Ilan und den Kindern, die zwischen den Zimmern hin und her fliegen. Sie geht langsam durch die einzelnen Zimmer.

Als Ofer in ihr aufsteigt, schiebt sie ihn vorsichtig zur Seite, sagt ihm, alles in Ordnung, er müsse sich keine Sorgen machen, sie mache, was getan werden müsse. Er brauche jetzt nicht an sie zu denken. Er solle auf sich selbst aufpassen, dort, und sie werde ihn von hier aus beschützen.

Ein paar Monate nachdem Ilan und sie sich getrennt hatten, war sie einmal in das leere Haus zurückgekehrt. Sie hatte in allen Zimmern Fenster und Läden aufgemacht, aus allen Hähnen das Wasser laufen lassen und den vertrockneten Garten gegossen, Staub gewischt, die Teppiche zusammengerollt, den Boden gefegt und dann sorgfältig gewischt. Fast einen ganzen Vormittag war sie dort gewesen, hatte sich nicht einen Moment hingesetzt oder ein Glas Wasser getrunken. Hatte das Haus geputzt, danach die Läden wieder vorgezogen, die Fenster geschlossen, das Licht ausgemacht und war gegangen.

Dass es wenigstens sauber ist, hatte sie gedacht, das Haus hat doch keine Schuld daran, dass wir uns getrennt haben.

Ora, das ist Avrams Stimme, sind sie sich ähnlich?

Sie war schon fast eingeschlafen, und seine Frage lässt sie hochfahren.

Wer?

Die Jungs, heute. Sind sie sich ähnlich? Ich meine, einer dem andern, in ihrem Wesen ...

Sie setzt sich auf und reibt sich die Augen. Er sitzt in seinen Schlafsack gehüllt.

Entschuldige, hab ich dich geweckt?

Nicht schlimm, ich war wohl gerade eingeschlafen. Aber wie kommst du plötzlich darauf ... Ihre Zunge fährt noch mit Wonne über sein »die Jungs«. Als hätte er endlich ihre Perspektive übernommen, sogar ein bisschen ihren Tonfall, wenn sie an sie denkt. Sie beobachtet ihn wohlwollend. Für einen Moment scheint es möglich: Onkel Avram.

Machen wir vielleicht noch einen Tee?

Willst du einen? fragt er und steht schnell auf, läuft los, um ein paar Äste zu sammeln. Sie hört, wie er sich an einem Strauch stößt, etwas sticht ihn, er flucht, rutscht im Wasser aus, entfernt sich von ihr und kommt wieder näher. Sie reißt sich zusammen, um nicht loszulachen.

Ja und nein, sagt sie später, als der Teebecher ihr Hände und Gesicht wärmt. Sie sehen völlig unterschiedlich aus, das hab ich dir schon gesagt, aber andererseits ist es unverkennbar, dass sie Brüder sind, auch wenn Adam eher ...

Eher, was?

Sie hält inne. Hat Angst, sie könne jetzt, bei dem schwierigen Verhältnis, das sie gerade zu Adam hat, allerlei überflüssige Vergleiche zwischen Adam und Ofer anstellen, die nicht fair wären, und ausgerechnet sie ...

Aj, seufzt sie tief, und die Hündin hebt den Blick, kommt zu ihr und setzt sich neben sie.

Was, fragt Avram sanft, woran hast du gedacht?

Warte kurz.

Ausgerechnet sie, deren Mutter sie immer, auch im Beisein völlig fremder Personen, mit anderen verglich, wobei sie natürlich fast immer schlechter wegkam, ausgerechnet sie, die sich schon in jungen Jahren geschworen hatte, wenn sie einmal Kinder haben würde, sie niemals im Leben ...

Ora? Avram fragt vorsichtig nach, hör mal, wir müssen nicht unbedingt.

Nein, das ist okay. Gib mir nur noch einen Augenblick.

Und doch hatte sie mit Ilan viel Zeit damit zugebracht, die Söhne miteinander zu vergleichen, es wäre unnatürlich gewesen, das nicht zu tun.

In den ersten Jahren, bricht es nun aus ihr heraus, was mich in den ersten Jahren mit Ilan so bedrückt hat, was ich wirklich nicht ertragen konnte, war, wie er die Jungs angeschaut hat. Mit seinen genauen, objektiven Definitionen, du kennst ihn ja ... Und ob, brummt Avram, ich kenne diese Seite von Ilan, wenn der Rationalist sich ereifert. Ah, genau das ist es, sagt sie lachend und krault mit der linken Hand den Kopf der Hündin.

Ilans Definitionen, denkt sie, mit denen er Adams und Ofers Charakter, ihre Stärken und Schwächen auf den Punkt brachte und damit quasi ihr Urteil für die Zukunft festschrieb, ohne die Möglichkeit eines Einspruchs oder einer Veränderung, die mit dem Erwachsenwerden kommen würde, auch nur zu bedenken. Erst Jahre später, sagt sie – sie merkt, auch darüber kann sie mit Avram bereits reden und meint, dass er sie versteht –, erst viel später habe sie begriffen, dass sie diese Definitionen durch nicht minder kluge und klare Aussagen durchaus widerlegen konnte, mit einem unabhängigen, nüchternen Blick, der ihre Söhne in ein weicheres und versöhnlicheres Licht rückte, und dann sah sie auch, mit welcher Erleichterung und sogar Freude Ilan ihr zustimmte und ihre Sicht übernahm, so dass sie manchmal meinte, auch ihn selbst damit vor irgendetwas zu retten.

Kannst du mir sagen, warum er so ist?, fragt sie Avram, du hast ihn doch so gut gekannt – fast hätte sie gesagt: vielleicht sogar besser als ich –, dann erklär mir doch, warum kämpft er immer so gegen sich selbst, gegen seine Weichheit, seine Zartheit, warum muss er immer eine geballte Faust sein? Avram zuckt mit den Schultern. Mit mir, sagt er, war er nie so. Ich weiß, mit dir nicht. Sie schweigen. Die Zikaden um sie herum spielen wieder verrückt.

Ora fragt sich, ob sie dazu verurteilt ist, bis ans Ende ihrer Tage Ilan und seine Wechselhaftigkeit verstehen zu wollen, oder ob sie einmal ohne seine ständigen Echos für sich selbst leben können wird – eine Vorstellung, die ihr nicht unbedingt Erleichterung verschafft, sie auch überhaupt nicht erfreut, und plötzlich beißt die Sehnsucht kräftig zu.

Mit Ilan über die Jungs zu reden, denkt sie, war ein so schöner Teil ihres Familiewerdens gewesen, das Reden selbst, und wie oft haben sie über die Jungs geredet. Dabei hat sie nicht selten gedacht, dass sie es Avram zu verdanken hatten, so miteinander sprechen zu können, Ilan und sie; hätten sie ihn nicht getroffen, hätte er sie nicht als Jugendliche geprägt, wie viel verschwiegener und scheuer wären sie geblieben. Also danke, sagt sie ihm im Stillen, danke auch dafür.

Am liebsten sprachen sie über die Kinder auf ihren abendlichen Spaziergängen, nachdem das Unternehmen des Zubettbringens beendet war. Ohne Avram zu fragen, ob er das will, nimmt sie ihn mit ins unaufgeräumte Kinderzimmer zu den sorgsamen Vorbereitungen auf jene schwierige Ausfahrt in die Nacht mit ihren Schatten, ihrer Fremdheit und dem Exil, das sie über jedes Kind in seinem eigenen Bett verhängte. Nach einer letzten Umarmung, nach nochmal Wassertrinken, nochmal Pipimachen, noch ein kleines Licht, noch ein Kuss für das Bärchen oder den Affen, nachdem Adam und Ofer zu Ende geredet hatten und endlich eingeschlafen waren …

Am Anfang, als sie noch in Zur Hadassa wohnten, waren sie den Weg nach Ejn Joel gegangen, an den Pfirsich- und Pflaumenhainen von Mevo Bejtar vorbei, zwischen den Überresten der Quitten-, Walnuss-, Zitronen-, Mandel- und Olivenbäume arabischer Dörfer, die hier einmal waren und nicht mehr sind – immer wieder hatte sie sich gesagt, sie müsse doch wenigstens die Namen der Dörfer herausbekommen –, manchmal gingen sie auch zum Nachal HaMaajanot, einem Wadi, in dem das ganze Jahr über Wasser floss und in dem die Einwohner von Chussan und Batir kleine Gärten mit Auberginen, Paprika, Bohnen und Zucchini angelegt hatten. Erst als die erste Intifada begann und sie Angst hatten, dort rumzulaufen, wählten sie den Weg ins nahe Wäldchen, im Herbst gibt es da ganze Kissen von Herbstzeitlosen und Zyklamen, sagt sie, vielleicht geh ich mit dir mal da hin, erinnere mich daran – und als sie nach Ejn Karem umzogen, noch bevor sie herausfanden, wo man Brot und Milch oder Gemüse kaufen konnte, hatten sie sich einen Weg gesucht, der ihnen gefallen würde, nicht zu kapriziös, aber auch nicht zu langweilig, nicht ganz abseits, aber auch nicht zu belebt, ein Weg, auf dem zwei zusammen gehen und sich leise unterhalten, manchmal auch Händchenhalten oder sich küssen konnten. Und im Laufe der Jahre hatten sie weitere Wege entdeckt, verborgenere, in die Wadis, zwischen Olivenhainen, zwischen Gräbern arabischer Scheichs und Häuserruinen, in jeder freien Stunde gingen sie dorthin, manchmal auch morgens, das aber erst, als die Kinder schon groß und selbständig waren und Ofer schon leckere Omelettes und Pausenbrote für sich und für Adam zubereiten konnte. Auch wenn er den größten Stress bei der Arbeit hatte, war Ilan nicht bereit gewesen, auf unsere tägliche Runde zu verzichten, sagt sie.

Avram hört zu und sieht Ora und Ilan – ein Paar. Ilan vielleicht bereits an den Schläfen ergraut, Ora ist schon fast ganz silbern, sie trägt eine Brille, Ilan wahrscheinlich auch. Sie gehen auf ihrem verborgenen Weg im gleichen Schritt eng nebeneinander, ab und zu dreht sie den Kopf zu ihm, manchmal suchen ihre Hände einander und verschränken sich. Sie unterhalten sich leise. Ora lacht. Ilan lächelt sein Drei-Falten-Lächeln. Plötzlich sehnt sich Avram nach Ilan. Fassungslos rechnet er nach, dass er ihn seit einundzwanzig Jahren nicht mehr gesehen hat.

Bei diesen Gesprächen, erklärt sie Avram, weiß ich fast immer schon vorher, was er sagen wird. An der Art, wie er vor dem Satz atmet, erkenne ich die Richtung und oft auch die Worte. Und ich freu mich so, dass wir einer den anderen voraussagen können.

Aber Ilan ist das wohl auf die Nerven gegangen – denkt sie und sagt es auch Avram –, ihn hat es irgendwann gelangweilt, dass er schon an meinem Atemholen ahnte, was ich sagen würde, und auch an meinem Lachen vor einem Witz. Vielleicht braucht er einfach etwas Urlaub von mir, so hat er es zumindest gesagt, ich bin für ihn offenbar schwere Arbeit, sie zuckt mit den Schultern, aber ich war gerade bei etwas anderem, was ich dir erzählen wollte, was war das noch? Ich bin so zerstreut.

Und ich rede auch die ganze Zeit schlecht über ihn, denkt sie und sagt es einen Moment später, das ist wirklich nicht in Ordnung und auch nicht richtig, es entspricht nicht der Wahrheit, das hat er nicht verdient.

Sie und Ilan auf ihrer abendlichen Runde, Arm in Arm, zerkrümeln den vergangenen Tag, vergleichen Eindrücke, fügen immer mehr Details dem großen Bild ihres Lebens hinzu, lachen über dieses und jenes, umarmen und lösen sich voneinander, diskutieren, beraten sich in beruflichen Dingen. Ilan habe zwar nicht viel von ihren Angelegenheiten verstanden, sagt sie zu Avram, das habe sie auch nicht von ihm erwartet, wie viel Anteilnahme konnte die Massage eines verstauchten Knöchels oder das Einrenken einer Schulter bei einem Nichtbeteiligten schon hervorrufen? Dennoch tat es ihr leid, dass ihn die kleinen großen Dramen, von denen sie erfuhr, wenn sie einen Hexenschuss oder einen irritierten Gesichtsnerv behandelte, nicht ebenso bewegten wie sie. Sie dagegen war über die Jahre zu seiner engsten Beraterin geworden, zu seiner geheimen Geschworenenkammer, zur letzten Instanz seiner Entscheidungen. Bei ihm im Büro lachte man offen darüber: »Ora hat es noch nicht abgesegnet«, »Ilan wartet auf den Bescheid des Obersten Gerichtshofs«, und wirklich, erzählt sie – sie wird vor Bescheidenheit rot, ein Glück, dass es dunkel ist –, habe er ihr vollkommen vertraut und sich überraschenderweise ganz auf ihre Intuition verlassen, auf ihr weises Herz – das waren seine Worte, entschuldigt sie sich –, obwohl diese verschlungenen juristischen Schachzüge in Fragen des Urheberrechts, die Vertraulichkeitsabkommen und Konkurrenzklauseln sie nicht wirklich interessierten, genauso wenig wie das Markenzeichen einer Firma für Bewässerungsanlagen oder eines Arzneimittelkonzerns für Generika, und die Frage, wann genau bei einer Idee dieser schwer zu fassende, abstrakte und geheimnisvolle »geniale Funke«, wie Ilan ihn nannte, flog. Tatsächlich hatten die komplizierten Prozesse bei der Anmeldung eines Patents in Israel, in den

USA oder Europa sie nie interessiert, auch nicht Ilans Überzeugungs-
tricks, um Geldgeber dazu zu bewegen, etwa in einen jungen Arzt aus
Karmiel zu investieren, der eine endoskopische Kamera entwickelt
hatte, die sich nach Gebrauch im Blutkreislauf auflöst und selbst ab-
baut, oder in einen Biochemiker aus Kirijat Gat, der eine kostengüns-
tige Art entwickelt hatte, aus altem Frittieröl Diesel herzustellen. Aber
Ilan, wie er eben so ist, lacht sie, der Mann, ich sag's dir, hätte Schach-
meister oder Politiker oder Berater der Mafia werden sollen, diese Seite
an ihm kennst du gar nicht, das hat sich erst nach dir entwickelt.

Auf ihrem Spaziergang abends verteilten Ilan und Ora problemlos
die Aufgaben für den nächsten Tag. Wir haben nie darüber gestritten,
wer was macht, verstehst du? Wir waren ein prima Team. Sie bespra-
chen kurz die anstehenden Dinge, Rechnungen, die zu bezahlen waren, Reparaturen, den Fahrdienst für die Kinder, ihre Finanzen und
aktuelle Fragen der familiären Innen- und Außenpolitik, die Suche
nach einem passenden Altersheim für ihre Mutter und was man mit
ihrer faulen, verlogenen Putzfrau machen sollte, die zu entlassen über
Jahre keiner von ihnen gewagt hatte, selbst Ilan hatte sich davor gefürchtet, und erst die Trennung hatte ihrer Herrschaft über das Leben
der beiden ein Ende gemacht.

Doch am häufigsten kreisten ihre Gespräche um die Kinder; sie betrachteten dankbar diese beiden erfreulichen Menschen, die in ihrer
Mitte heranwuchsen, und zitierten, was Adam gesagt, was Ofer gemacht hatte, verglichen sie, wie sehr sie sich in den letzten Jahren oder
sogar in den letzten Wochen, in so kurzer Zeit verändert hatten, mein
Gott, lass sie nicht so schnell groß werden! Sie schwelgten in der Erinnerung an kleine Szenen, winzige Momente, die nur zwischen ihnen
beiden so groß und leuchtend wurden, weil nur ihnen diese beiden
Jungs so lieb und teuer waren.

Auch Ofer? fragt Avram beinahe stimmlos, war auch er ... Ich meine
für Ilan ... War auch er für ihn ...

Sie lächelt ihn an, ein schattenloses Licht in ihren Augen. Avram
sieht es sogar in der Dunkelheit und nimmt einen kräftigen Schluck
von dem heißen Tee, verbrennt sich Zunge und Gaumen und lässt den
Schmerz genüsslich einen Moment in seinem Mund verweilen.

Wenn sie und Ilan sich so unterhielten, spürten sie beide diese Kraft des strömenden Lebens, die ihre beiden kleinen Jungs der Zukunft entgegentrug. Ein ums andere Mal staunten sie über das enge Verhältnis der beiden – die haben irgendein Geheimnis, sagt sie zu Avram, und ich sage dir, das haben sie bis heute. Ohne dass sie es jemals ausgesprochen hätten, spürten Ilan und sie, dass es zwischen Adam und Ofer etwas gab, was vielleicht der Dreh- und Angelpunkt ihrer ganzen Familie war, wohl der stärkste und vitalste aller sichtbaren und verborgenen Dreh- und Angelpunkte, um die die vier miteinander kreisten. Avram lauscht und mahnt sich im Stillen: Merk dir das, merk dir alles, und manchmal steckten Ora und Ilan unterwegs die Köpfe zusammen, schmiegten sich aneinander und fassten sich ein Herz zu raten – vorsichtig, denn alles war zerbrechlich, wer wusste das besser als sie –, was die Zukunft ihren Söhnen bringen würde, wohin ihr Leben sie lenken würde, und sie fragten sich, ob Adam und Ofer dann immer noch in der Lage sein würden, ihr so seltenes Geheimnis gut zu leben.

In den Abendstunden sitzt sie allein in Ilans Arbeitszimmer, starrt auf die Regale voller Gesetzbücher und ist nicht in der Lage, irgendetwas zu tun. In der letzten Woche hat Adam noch zwei Termine bei einer älteren, sehr erfahrenen, ruhigen und angenehmen Psychologin gehabt. Auch dort hat er geschwiegen, auch vor ihr seine Bewegungen versteckt, aber sie klang nicht besorgt, sie hatte Ora und Ilan zu sich in die Praxis bestellt und ihnen erklärt, solche Symptome seien in diesem Alter, vor dem Einsetzen der körperlichen Pubertät, nicht selten, und etwas in Adams Blick gebe ihr die Sicherheit, dass er im Kern ein starker Junge sei, und nur um sicherzugehen und um sie beide zu beruhigen, überweise sie ihn zu einer neurologischen Untersuchung bei dem Fachmann auf diesem Gebiet. Doch war der Termin erst in drei Wochen, Ilan ließ seine Kontakte spielen, um ihn vorzuverlegen, und in der Zwischenzeit glaubte Ora, verrückt zu werden.

Adam und Ofer sitzen in der Küche und führen ein Gespräch über die verschiedenen Arten von Nashörnern, und sie sendet, wie es ihre Art ist, alle paar Sekunden ihren mütterlichen Radar dorthin und wertet ihn, ohne sich dessen bewusst zu sein, laufend aus; erst nach einer Weile fällt ihr auf, dass sie schon lange nicht mehr so eine Art von Gespräch zwischen ihnen gehört hat: Adam klingt gelassener. Er hilft Ofer beim Malen eines Bildes für die »Freizeit Kreatives Schaffen«, an der Ofer in diesen Sommerferien teilnimmt. Er erfindet für ihn ein Wassernashorn mit zwei großen Flossen, und auch ein geschnitztes Nashorn, und ein geschnutztes, so ein aufgeschnutzeltes Nashorn, das nicht unter Tierschutz steht – er diktiert Ofer die Worte –, so eines, das stundenlang dasitzt und sich selbst im Wasser anschaut, und an die Seite malst du auch noch ein verhutzeltes Nashorn, sie kugeln sich vor Lachen, aber das verhutzelte ist so verhutzelt, dass man es nicht mehr sieht, erklärt Adam. Dann mal ich bloß seine Fußspuren, jubelt Ofer, und Adam: Komm, ich mal sie dir. Und bei ihrem Gespräch vollführt Adam alle seine Zeremonien, sie hört seine kurzen Atemstöße, das Schnalzen seiner Zunge, wie er kurz den Wasserhahn zum Hände-waschen aufdreht, und Ora versinkt wieder in sich selbst, doch plötz-lich fährt sie hoch und hört Ofer, der mit seinem dünnen Stimmchen ganz ruhig fragt: Warum machst du das?

Sie weiß nicht, wovon Ofer spricht.

Was denn, fragt Adam misstrauisch.

Das mit dem Händewaschen und so.

So halt. Weil ich Lust dazu hab.

Bist du denn dreckig?

Ja. Nein – Mensch, nerv mich nicht.

Aber wovon? fragt Ofer weiter, mit dieser gelassenen, ganz klaren, ausgeglichenen und sachlichen Stimme, die sie so gerne hätte, beson-ders in solchen Momenten.

Was wovon?

Wovon bist du dreckig?

Keine Ahnung. Reicht das jetzt?

Sag mir nur noch eins.

Du nervst heut aber, also was?

Wenn du dich so wäschst – bist du danach dann wieder sauber?

Ein bisschen, ja. Keine Ahnung. Aber jetzt halt endlich die Klappe!

Schweigen. Ora wagt nicht, sich zu bewegen, fragt sich, wie Ofer sich all die Wochen zusammengerissen und Adam keine Fragen gestellt hat. Etwas in seiner Stimme, in seiner Beharrlichkeit, sagt ihr, er hat geplant, was er fragen würde, er hat die Situation genau gewählt, Adams Stimmung dafür vielleicht sorgfältig vorbereitet.

Adam …

Was jetzt noch?

Lässt du mich auch mal?

Was soll ich dich lassen?

Dass ich es für dich mache.

Was? Ora spürt, der Bogen von Ofers frechem Wagemut spannt auch ihre Nerven bis zum Äußersten. Sie ist völlig starr, denkt sich, was für ein gefährliches und mutiges Spiel Ofer hier spielt.

Na, so einen ... von deinen Dingern.

Nu mach mal halblang, lacht Adam angestrengt, und Ora hört genau seine Verlegenheit, bist du jetzt durchgeknallt?

Bloß einen, was stört's dich?

Aber warum?

Damit du einen weniger machen musst.

Was?

Hör auf! Du machst mir mein Bild nass!

Was hast du da gesagt?

Wenn ich einen mach, dann musst du einen weniger machen.

Du bist ja verrückt, weißt du das? Hundertprozentig verrückt. Was mischst du dich überhaupt ein ...

Das kann dir doch egal sein. Bloß einen, oder wenigstens einen auf Pump.

Welchen?

Das kannst du bestimmen. Den da oder den, oder ...

Sie hört, ein Stuhl wird wild zurückgeschoben, schnelle Schritte. Sie stellt sich Adams Tanz um die eigene Achse vor, auf dem Weg zum Wasserhahn, wie seine Blicke jetzt verstört hin und her flitzen.

Adam ...

Gleich fängst du eine! Ich warne dich, hör auf!

Langes Schweigen.

Mensch, Adam, was ist. Bloß einen ...

Sie hört Schritte und einen Schlag. Schnaufen, Knuffe, Plumpsen. Ein Stuhl fällt um. Halb unterdrücktes Stöhnen. Sie begreift, Ofer zwingt sich, nicht zu schreien, damit sie nicht angerannt kommt und sie trennt und ihm seine Pläne kaputtmacht. Sie steht auf, geht aber nicht hin.

Gibst du auf?

Nur einmal, lass mich.

Nervensäge! kreischt Adam, hast du keine anderen Freunde, du Zwerg? Du Klette!

Nur einmal, das versprech ich dir.

Sie hört Ohrfeigen klatschen, eine, noch eine, und Ofers unterdrücktes Wimmern. Ohne es zu merken, beißt sie sich in die Faust.

Hast du mich jetzt verstanden?

Das kann dir doch egal sein. Bloß einen jedes Mal.

Adam stößt ein hohes, unsicheres Kichern aus.

Ich mach es so, dass du nichts davon merkst, ächzt Ofer.

Adam schnalzt mit der Zunge, bläst sich auf die Handflächen, dreht sich schnell um die eigene Achse. Nein, sagt er zum Schluss leise, ich glaube, ich muss die alle selber machen, bis zuletzt.

Ich mach sie einfach neben dir, Ofer lässt nicht locker

Der Hahn wird geöffnet. Kurzes Spülen, Atemstöße. Stille.

Danach noch einmal der Hahn, jetzt fließt das Wasser etwas länger, andere Atemstöße, stärker und langsamer.

Hast du's gemacht? Na prima, und jetzt verpiss dich.

Du gibst mir ab jetzt jedes Mal einen, sagt Ofer mit einer Nachdrücklichkeit, die Ora überrascht, und sie sieht, wie er mit ernstem, konzentriertem Gesicht aus der Küche entwischt.

In den folgenden Tagen verbringen Adam und Ofer ihre ganze Zeit zusammen. Sie kommen nur selten aus ihrem Zimmer, keiner weiß, was bei ihnen vorgeht. Wenn Ora an ihrer Tür lauscht, hört sie sie spielen und plappern, wie als sie sieben und vier waren. Überhaupt hat sie den Eindruck, als kehrten die beiden jetzt zusammen in frühere Zeiten zurück, als zöge sie ein sechster Sinn zurück zu der Zeit, als sie beide noch klein waren.

Und eines Morgens, nachdem sie sie geweckt hat und beide sich umgedreht und noch ein bisschen weitergeschlafen haben, geht sie wieder am Kinderzimmer vorbei und hört Adam fragen: Wie viele darf ich heute? und Ofer sagt, drei ich, drei du. Aber welche drei? fragt Adam so leise und ergeben, dass sie seine Stimme für einen Moment nicht erkennt; mit dem Wasser und den Beinen und dem Drehen, die machst du, und ich mach alle andern.

Vielleicht kann ich auch den mit dem Mund machen, flüstert Adam.

Nein, sagt Ofer, den mit dem Mund mach ich.

Aber ich muss doch …

Den Mund hab ich schon für mich genommen. Zu spät.

Sie legt sich beide Hände auf die Schläfen. Ofer hat anscheinend einen Anker in Adam geworfen, sie findet kein anderes Bild dafür. Er ist schon dort, denkt sie, und wirkt mit derselben ruhigen Beharrlichkeit in Adams Tiefen, mit der er seine riesigen Schlösser aus Lego baut oder einen alten Fernsehapparat in seine Bestandteile zerlegt.

Der Weg ist schmal. Es ist ein heißer Morgen, schon um sieben Uhr sticht die Sonne, der Himmel ist unerträglich blau; jedes Mal, wenn der Weg sich auch nur ein bisschen von dem schattigen Flüsschen entfernt, beginnen sie zu schwitzen. Avram läuft vor ihr. An seinem Rucksack hängen Socken und Unterhosen von Ofer, die nach der Wäsche am Abend noch nicht getrocknet sind. Er geht langsam, sieht kaum etwas. Alles zieht ihn nach hinten, zu ihr, zu dem, was sie ihm anvertraut.

Heute darf ich gar keinen? fragt Adam eines Morgens beim Frühstück ganz offen, in ihrer Gegenwart, und Ofer denkt nach und beschließt: Heute mach nur ich. Aber weißt du, was?, so hartherzig ist er nun doch nicht, den mit dem Fingerumbiegen, den kriegst du.

Und alle anderen machst du? fragt Adam, seine kindliche und ergebene Stimme schockiert sie, und Ofer sagt: Ja.

Aber erinnerst du dich auch?

Die ganze Zeit.

Bist du sicher, Ofer?

Bisher hab ich noch keinen verpasst. Komm, wir gehn rüber.

Im Nu ist sie wieder auf Lauschposten an der geschlossenen Tür. An diese Haltung, erklärt sie Avram, erinnert sich ihr Körper noch ganz genau aus der Kindheit, als sie aus ihrem Zimmer ihre Eltern belauschte und durch die geschlossene Tür hindurch versuchte, Stimmen, Gelächter oder Andeutungen mitzubekommen. Lebenszeichen. Seitdem sind vierzig Jahre vergangen, verkündet der Richter in ihrem Kopf, und was haben Sie, verehrte Frau, in diesen vierzig Jahren gemacht? Die Seiten der Tür gewechselt, Hochwürden.

Der Polizist soll Speed heißen, sagt Ofer. Und wie heißt der Dieb?

fragt Adam. Den nennen wir Taifun. Okay, sagt Adam. Speed fährt Motorrad und hat ein Luftkissenboot, sagt Ofer und zeichnet seine Gestalt. Und der Dieb? fragt Adam schwach. Der Dieb wird langes Haar haben und auf seinem Unterhemd einen schwarzen Stern, und er hat eine Panzerfaust und einen Laserbohrer. Okay, sagt Adam. Ora greift sich an den Hals. Das ist ein uraltes Spiel, das haben sie vor zwei oder drei Jahren gespielt, da haben sie auf dem Teppich gelegen und Mannschaften von Polizisten und von Dieben aufgestellt, von Orks und Goblins. Nur dass damals Adam der Erfinder war – und Ofer der eifrig nickende Schüler.

Hey, sagt Ofer, der mit den Fingern ist heute aber bei mir.

Hab ich den mit den Finger gemacht?

Hast du es nicht gemerkt?

Na, dann mach du eben.

Warte, das gibt eine Strafe, weil du meinen gemacht hast.

Was für eine Strafe?

Die Strafe ist, überlegt Ofer lange, dass ich dir auch den mit den Augen wegnehme, wenn du sie so fest zusammenkneifst und dann wieder aufmachst.

Den muss ich aber machen, flüstert Adam.

Ich hab ihn dir aber schon weggenommen.

Dann hab ich gar nichts mehr.

Du hast noch den mit den Armen und Beinen, und du pustest noch.

Langes Schweigen. Danach spielt Ofer weiter, als wär nichts gewesen. Jetzt bring ich einen Polizisten mit einer Eisenfaust, der heißt Mac Bumm Bumm, wenn der sein Hemd aufmacht …

Für wie viele Tage nimmst du mir den weg? fragt Adam matt.

Drei Tage, heute nicht mitgezählt.

Dann darf ich heute noch?

Nein, heute dürfen wir beide nicht.

Wir beide? Aber wer macht ihn dann?

Niemand. Den gibt es heute einfach nicht.

Geht das denn? fragt Adam traurig.

Was wir festlegen, geht, sagt Ofer und klingt wie der Herrscher des Labyrinths.

Ora sagt zu Avram, sie werde wohl nie wirklich erfahren, was sich in dieser ganzen Zeit hinter der geschlossenen Kinderzimmertür abgespielt hat. Aber was konnte da schon groß passieren? Zwei Jungs, der eine fast dreizehn, der andere neun und ein bisschen, waren in den Sommerferien drei oder vier Wochen lang Tag für Tag zusammen, meist ohne andere Kinder, haben am Computer gesessen oder Tischtennis gespielt und stundenlang geredet, haben Figuren erfunden und manchmal auch zusammen Eier in Tomatensoße oder Nudeln gekocht, aber währenddessen – frag mich nicht, wie – hat der eine den anderen gerettet.

Im Wald in Bar'am treffe ich einen Mönch. Zweiundsechzig, groß und beeindruckend (ein bisschen wie Sean Connery früher). Er sagte, von welchem Orden, aber ich hab es nicht notiert und bin mir jetzt nicht mehr sicher. Sein Hebräisch ist ausgezeichnet, fast ohne Akzent. Er macht nicht den ganzen Israel-Weg, geht hier nur manchmal spazieren, sucht die Einsamkeit, um nachzudenken.

Er war ohne weiteres bereit, auf meine Fragen zu antworten. Ich habe es aufgeschrieben:

»Was ich bereue? Ich habe zwei Kinder. Ja, und die liebe ich sehr. Ich bin aus Cardiff, Wales, da war ich verheiratet, und meine frühere Frau und meine Söhne sind da geblieben. Es ist nicht leicht, aber die Notwendigkeit für mich, im Kloster zu leben, wurde mit der Zeit stärker als die des Familienlebens, und diese beiden Wünsche lassen sich nicht miteinander vereinbaren. Aber so ist mein Leben eben gelaufen, und im Allgemeinen gebe ich mir Mühe, nichts zu bereuen.

Sehnsucht? Ja, vielleicht nach meinen Söhnen. Ich sehe sie einmal im Jahr. Sie sind erwachsen, es gibt schon Enkel, die kenne ich kaum. Aber ansonsten versuche ich, ausgeglichen zu sein, ohne Reue und ohne Sehnsucht, und ich denke, ich komme diesem Zustand schon ziemlich nah.«

(Wir redeten noch ein bisschen, und ich wollte mich gerade verabschieden, da lud er mich ein, mit ihm einen Tee zu trinken. Er hatte gute Kräuter dabei. Sehr scharfe. Wir unterhielten uns noch ziemlich lange, er erzählte mir aus seinem früheren Leben, und als wir uns wirklich schon verabschiedet hatten, rief er mich aus der Ferne zurück, denn plötzlich war ihm noch etwas eingefallen.)

»Einmal in der Woche besucht uns im Kloster eine Nonne von den Philippinen, eine junge Nonne aus dem Schwesternkloster in Nazareth. Die kommen manchmal zum Unterricht zu uns. Sie ist in ihrem Denken nicht besonders entwickelt, kennt gerade mal ein paar Tatsachen im Zusammenhang mit der Heiligen Schrift, aber den Glauben kann sie nicht wirklich begreifen. Ich rede mit ihr viel über den Glauben, biete ihr ein bisschen geistige Führung an, das ist für mich sehr befriedigend, denn so ordne ich auch meine eigenen Gedanken. Das ist eine ernsthafte Übung für mich.

Und jetzt glaube ich doch, dass ich vielleicht wirklich etwas bereue.

(Er zündet sich eine Zigarette an.)

Meine Frau war ein prima Mensch und auch eine gute Mutter für unsere Kinder. Aber irgendwie hat sie in mir nie den Wunsch geweckt, ihr die Welt zu Füßen zu legen, verstehen Sie, was ich meine? Das bereue ich. Dass ich ihr nicht die Liebe zurückgeben konnte, die sie verdient hat. Und dass ich ihr weh getan habe, als ich mich für das klösterliche Leben entschied.

Und vielleicht bereue ich noch etwas: Dass ich nie die große Liebe zu einer Frau empfunden habe. Dass ich in meinem Leben vor dem Kloster keine Frau gefunden habe, der ich mich bedingungslos hingeben konnte, die für mich der Zielhafen war. Dazu bin ich ein zu selbständiger Mensch. Interessant, bei Kazantzakis habe ich gelesen, dass ein Mann auf Kreta seine Frau umbrachte, weil er sie zu sehr liebte und sich davor fürchtete, von einem Menschen zu sehr abhängig zu sein. So eine totale Liebe habe ich nie erlebt. Nein.

Merkwürdig, heute, wo ich schon ziemlich alt bin, spüre ich zwischen mir und dieser Nonne, von der ich Ihnen erzählt habe, eine ganz besondere Nähe, eine völlig reine Nähe. Ich habe schon in der Jugend alle möglichen Sprachen gelernt, Arabisch, Sanskrit, Hebräisch – die Spiritualität des Ostens hat mich sehr geprägt, und irgendwie zieht es mich auch zu – ich will nicht sagen exotischen Menschen, zu Menschen, die anders sind als ich.«

(Ich beschließe, ihn zu fragen.)

»Nein ... Das spielt sich überhaupt nicht auf der körperlichen Ebene ab. Jeder von uns geht seinen Weg, und es ist völlig klar, dass sie überhaupt nicht an so etwas denkt. Wir treffen uns einmal in der Woche, reden, beten zusammen, gehen manchmal ein bisschen spazieren. Hier gibt es sehr schöne Wege, die die meisten Leute nicht kennen.

Und ich unterrichte sie. Die Sache mit dem Glauben ist bei ihr noch ziemlich schwach, und es ist gar nicht so leicht, wo wir so gegensätzlich sind. Sie ist

eine einfache Frau – Bildungsstand des religiösen Lehrerseminars für Englisch-
lehrerinnen in Manila. Aber sie ist voll Leben. Wirklich, sie, wie soll ich sagen,
sie verströmt Begeisterung. Wenn sie zum Beispiel ›Amazing Grace‹ singt,
ein Lied, das sie im Lehrerseminar gelernt hat, – das müssten Sie hören.«
(Jetzt sitze ich auf einem Felsen im Wald, drum herum Stille und Vögel.
Wie klug hast du gerade diese Fragen für mich ausgesucht, die so tief drin-
gen, und wie hast du für mich bis zum Schluss noch etwas gesucht, das ich
bei meinem Wandern außerdem machen sollte. Ich sitze hier und denke, im
Grunde hast auch du in allem, was du getan hast, immer »etwas Zusätz-
liches« gesucht. So hast du es geschafft, dass ich bei jeder zufälligen Begeg-
nung unterwegs auch immer bei dir bin.)

Ob sie sich ähnlich sind, hast du gefragt. Plötzlich fällt ihr die Frage aus
der Nacht wieder ein.

Ja, das hab ich gefragt.

Ofer ist, glaub ich, eher ein bisschen – nein, eher nicht, hmm …

Was?

Ach, das ist schwierig. Ich sag mal so: Adam ist so … Was will ich
überhaupt sagen? Sie stülpt verlegen die Lippen vor. Komisch, dass es
mir plötzlich so schwerfällt, sie zu beschreiben. Fast alles, was ich über
sie sagen will, erscheint mir jetzt zu ungenau.

Sie rappelt sich auf und sammelt ihre Gedanken von neuem: Adam
ist – rein äußerlich – sagen wir mal, er zieht nicht auf Anhieb die Aufmerksamkeit auf sich, er fällt nicht gleich auf, ja? Andererseits ist er,
wenn man ihn kennt, sehr charismatisch, unheimlich charismatisch
sogar. Der kann zum Beispiel …

Wie sieht er aus?

Du meinst – soll ich ihn dir beschreiben?

Ein paar Einzelheiten.

Der Einzelheitenbär: entfernter Verwandter des Ameisenbärs, fast ausge-
storbene Unterart der Gattung Bär, lebt von einzelnen Details und nur von
ihnen – mit diesen Worten hatte Avram sich zum Abschluss der achten
Klasse in einer Broschüre mit dem Titel *Bestimmungsbuch für Menschen-*
tiere des 28. Jahrgangs vorgestellt, in dem er Schüler und Lehrer seines
Jahrgangs gemäß einer zoologischen Ordnung beschrieben und auch
wunderbar gezeichnet hatte.

Er ist ein bisschen klein, im Vergleich, das hab ich dir schon gesagt, und hat sehr schwarzes Haar, wie Ilan früher, aber mit Mittelscheitel, und das Haar hängt ihm links und rechts wie zwei Flügel runter, so halbrund über die Ohren – Ora deutet es mit der Hand an.

Ihr Gesicht funkelt. Was ist? fragt er. Gar nichts, antwortet sie und zuckt leicht gereizt mit einer Schulter. Doch je mehr Avram ins Leben zurückkehrt – so schweigsam, schwerfällig und abwesend er dabei ist –, umso mehr magnetisiert er sie und zwingt sie zu einer feinen, ganz und gar lupenreinen Genauigkeit, die ihr eine angenehme, schon Jahre nicht mehr empfundene Wärme bereitet.

Zwei junge Pärchen gehen an ihnen vorbei. Die beiden Frauen nicken zum Gruß und schauen neugierig zu ihnen herüber, die Männer sind unüberhörbar ins Gespräch vertieft. Wir beschäftigen uns vor allem mit intelligenten Charts zur biometrischen Erkennung, erzählt der größere der beiden, gerade arbeiten sie bei uns an einem Projekt, wo ein Palästinenser, der reinkommen will, dem biometrischen System nur seine Handfläche und sein Gesicht hinhalten muss, die werden dann gelesen. Verstehst du? Kein Kontakt mit den Soldaten, keine Reden, nichts. Alles tipptopp steril, K.o.K., Kommunikation ohne Kontakt.

Und hinter das linke Ohr, sagt Ora, als sie vorüber sind, schiebt er die Haare zurück, das ist besonders hübsch, ein richtiges Schmuckstück.

Sie schließt die Augen: Adam, seine Wangen schimmern auch heute noch rötlich unter dem Bartflaum, ein Andenken an die Kindheit. Und er hat lange Koteletten. Und große, bittere Augen.

Die Augen sind das Auffallendste in seinem Gesicht, sagt sie, groß wie die von Ofer, aber ganz anders, sie liegen viel tiefer und sind richtig schwarz. Wir sind überhaupt eine Augenfamilie. Und seine Lippen – da stockt sie überraschend.

Was ist mit denen?

Nein, nein, ich find sie schön, sagt sie, konzentriert sich einen Moment auf ihre Handflächen, ja, doch.

Aber?

Er hat da auf der Oberlippe so eine Art Krampf.

Was für einen Krampf?

Na gut, sie holt tief Luft, wappnet ihr Gesicht, dann ist der Moment wohl gekommen.

Siehst du, was ich hier hab?

Er nickt, ohne sie anzuschauen.

Genau so was, nur zieht es bei ihm nicht nach unten, sondern nach oben.

Aha.

Sie überqueren einen flachen Seitenarm des Flusses, hüpfen von Stein zu Stein, halten sich ab und zu aneinander fest.

Viele Fliegen heute, sagt Avram.

Das ist bestimmt die Hitze.

Ja. Abends werden es bestimmt noch mehr …

Sag mal …

Was.

Ist das sehr auffällig?

Nein, nein.

Weil du noch gar nichts dazu gesagt hast.

Ich hab es kaum bemerkt.

Ich hatte da so eine kleine Sache, stößt Ora hervor, nichts Dramatisches, etwas mit dem Gesichtsnerv, etwa einen Monat nachdem Ilan weggegangen ist. Mitten in der Nacht ist es passiert. Ich war allein zu Hause und hatte furchtbare Angst. Sieht es schlimm aus?

Ich sag dir doch, man merkt es kaum.

Aber ich spüre es. Sie berührt mit dem Finger den rechten Rand der Oberlippe und schiebt sie ein bisschen nach oben. Dauernd hab ich das Gefühl, dass mir das Gesicht da runterfällt.

Aber man sieht wirklich nichts, Orale.

Das sind nur zwei Millimeter, die ich nicht spüre, am Rest der Lippe hab ich ganz normale Empfindungen.

Ja.

Eines Tages wird das weggehen. Das bleibt bestimmt nicht so.

Sie gehen auf einem schmalen Weg zwischen Maulbeer- und Walnussbäumen.

Sag mal, Avram …

Was.

Bleib mal stehn.

Er bleibt stehen. Wartet. Zieht die Schultern ein bisschen hoch.

Wärst du vielleicht bereit, mir einen kleinen Kuss zu geben?

Steif wie ein Bär kommt er auf sie zu. Er schaut sie nicht an, umarmt sie und pflanzt entschlossen seinen Mund auf ihren.

Und bleibt. Und bleibt.

Ah, atmet sie weich.

Ahhhhh, stöhnt er überrascht.

Sag mal ...

Was?

Hast du was gespürt?

Nein. Alles wie immer.

Sie lacht: »Wie immer«!

Ich meine, so wie du früher warst.

Erinnerst du dich noch?

Ich erinnere mich an alles.

Auch daran, dass ich von Küssen ganz benommen werde? Und manchmal ohnmächtig?

Auch daran.

Wirst du aufpassen, wenn du mich küsst?

Ja.

Mein Gott, wie hab ich dich geliebt, Avram.

Er küsst sie wieder. Seine Lippen sind so weich, wie sie sie in Erinnerung hat.

Sag mal ... Meinst du, wir werden miteinander schlafen?

Er zieht sie fester an sich, sie spürt seine Kraft. Wieder denkt sie, diese Wanderung tut ihm gut, und ihr auch.

Sie gehen weiter, erst Hand in Hand, dann wieder jeder für sich, neue Fäden der Verlegenheit entspinnen sich zwischen ihnen, und die Natur zwinkert, versprüht Farbflecken, Heiliger Pippau und Kreuzkraut, Bahnen von violetten Klee- und Leinblüten, richtet riesige violette – wenn auch stinkende Aronstab-Blüten auf, blinzelt mit Sumpfdotterblumen und hängt kleine Orangen und Zitronen an die Bäume. Anregend ist dieses Laufen, sagt Ora, die Luft und so, oder? Merkst du das nicht auch?

Er lacht verlegen, und bei Ora werden sogar die Augenbrauen warm.

Neta kennt er schon dreizehn Jahre. Sie behauptet, sie habe ein paar Abende lang in dem Pub gesessen, in dem er gearbeitet hat, und er habe kein Auge von ihr gelassen. Er sagt, er habe sie überhaupt nicht bemerkt, bis sie sich eines Abends an der Bar übergeben musste und zusammenbrach. Damals war sie neunzehn und wog siebenunddreißig Kilo, und er trug sie gegen ihren Willen in einer stürmischen Winternacht – kein Taxifahrer war bereit, sie mitzunehmen – zu einem befreundeten Arzt in Jaffa, und sie zappelte auf dem ganzen Weg, ihre dünnen Arme und Beine schlugen erbarmungslos auf ihn ein, sie bedachte ihn mit den abscheulichsten Flüchen, und nachdem ihr die ausgegangen waren, rezitierte sie die Liste der Flüche, die Schalom Alejchem von seiner Stiefmutter gesammelt hatte, in alphabetischer Reihenfolge, angefangen bei Aussatzbeulen, Auswurf und ausgewrungenem Nastuch über Beulenfinger, gemeiner Dieb, Knochenschädel bis Rabbi von Drasna und zahnloses Lästermaul, und er selbst vervollständigte für sie die Liste und murmelte einige besonders gute Flüche, die sie übersprungen hatte. Als sie auch mit dieser Liste durch war, begann sie, ihn schmerzhaft zu kneifen und malte ihm aus, wozu man sein Fleisch, sein Fett und seine Knochen verwenden könnte. Avram zog die Augenbrauen hoch, und als sie von den Speckstreifen sprach, die sie gern aus ihm machen würde, murmelte Avram, der kein Wort und keinen Satz, den er im Leben gelesen hatte, vergessen konnte: »wahrlich ein erlesener Tod … erstickt im weißesten und feinsten, wohlriechenden Walrat; eingesargt, aufgebahrt und bestattet in der Geheimkammer tief im Wale, in seinem Sanctum Sanetonum.« In der alten Übersetzung, fügte er hinzu, hieß es noch viel schöner »Spermaceti«. *Moby Dick* war eine besonders fruchtbare Fundgrube für sie gewesen, und die Viper in seinen Armen verstummte auf einen Schlag, schielte zu dem schwerfälligen Ungetüm, das zwischen den Regengüssen Dunstblasen ausstieß, und stellte fest, ihr seid euch schon ziemlich ähnlich, du und der weiße Wal.

Neunzehn? fragt Ora nach und denkt, ich war sechzehn, als wir uns kennenlernten.

Er zuckt mit den Schultern: Mit sechzehn war sie schon von zu Hause abgehauen und trieb sich im Land und in der ganzen Welt herum. Eine Zigeunerin aus gutem Haus. Vor etwa zwei Monaten hat sie sich zum ersten Mal eine kleine Wohnung in Jaffa gemietet, jetzt wird sie wohl bürgerlich.

Ora ist unruhig. Sie will jetzt nicht über Neta reden.

Gegen ihren Willen erfährt sie, dass Neta immer verhungert aussieht – nicht unbedingt, dass sie etwas essen muss, eher so ein allgemeiner, existenzieller Hunger, und dass ihre Finger fast immer zittern, vielleicht wegen der Drogen, vielleicht aber auch, weil, wie sie sagt, ihr Leben auf einer ziemlich hohen Voltzahl summt. Jahrelang wohnte sie während der Sommermonate in einem alten Simca, den ihr einer ihrer Freunde vermacht hatte. Sie besaß auch ein kleines Zelt, das sie überall aufschlug, wo man sie nicht vertrieb. Er erzählt, und Ora – schon der Name Neta ätzt wie Eis im Gedärm, obwohl sie in der Sonne laufen. Und überhaupt, was soll dieser plötzliche Redefluss bei ihm! Warum schiebt er ausgerechnet jetzt Neta zwischen uns?

Und wovon lebt sie? (Sei großzügig, ermahnt sie sich.)

Das ist nicht so ganz klar. Sie braucht nur wenig. Schwer zu glauben, mit wie wenig sie auskommt. Und sie malt auch, sagt er, und Oras Herz sinkt noch ein bisschen tiefer, na klar doch, denkt sie.

Vielleicht hast du es in meiner Wohnung gesehen, die Wände, die sind von ihr.

Die riesigen aufwühlenden Kohlezeichnungen – warum hatte sie ihn bisher nicht danach gefragt? Vielleicht, weil sie die Antwort ahnte? –, Propheten, die Lämmer und Zicklein an ihrer Brust stillen, der Greis, der sich über ein Mädchen beugt, das zu einem Kranich wird, eine Jungfrau, die aus einer Wunde in der Brust des göttlichen Hirschs geboren wird. Sie erinnert sich an die Zeichnung der Frau mit der Mohawk-Frisur und fragt, ob Neta so rumläuft, und Avram lacht, früher mal, das ist schon lange her. Ich hab das nicht gemocht. Jetzt hat sie langes Haar, bis hier.

Ja, sagt Ora, und sag mal, diese leeren Alben, die ich bei dir gesehen habe, die ohne Bilder, sind die auch von ihr?

Nein, das ist etwas von mir.

Du sammelst?

Ich suche, sammle, verbinde Sachen, die Leute wegwerfen.

Du verbindest?

Ja, ich verbinde allen möglichen Trödelkram.

Sie gehen auf halber Höhe des Wadis, der Fluss fließt tief unter ihnen, er ist nicht mehr zu sehen. Die Hündin läuft vorneweg, gefolgt von Ora und Avram als Lumpensammler. Er erzählt ihr von seinen kleinen Arbeiten, versucht sie herunterzuspielen, nur so Kleinkram, um die Zeit rumzubringen. Zum Beispiel Fotoalben, die Leute weggeworfen haben, oder von Leuten, die gestorben sind – da reißt er die Fotos raus und klebt die Bilder anderer Leute, ganz anderer Familien ein; wieder andere Fotos überträgt er auf Blechschachteln, direkt auf den Rost, oder auf verrostete Motorhauben. Überhaupt interessiere er sich in letzter Zeit für Rost, sagt er, für die Stelle oder den Moment, wo das Metall zu Rost wird. Und Ora denkt sich, da bin ich ja richtig.

Der Weg führt wieder ins Wadi hinunter, und plötzlich strahlt Avram und beschreibt begeistert einen 1943 in England gedruckten Geografie-Atlas, den er im Müll gefunden hat. Wenn du da reinschaust, kämst du nicht drauf, was damals in der Welt passierte, sagt er, alle Länder sind aus irgendeinem Grund noch in den alten Grenzen, da gibt es keine Judenvernichtung, keine Besetzung Europas, keinen Krieg, ich kann stundenlang dasitzen und mir das anschauen, und in die Ecken dieser Landkarten habe ich Ausschnitte aus einer russischen Zeitung geklebt, die ich auf dem Müll gefunden habe, aus *Der Stalinist*, auch von 1943, aber da wird der Krieg schon richtig beschrieben, es gibt Karten von den Kämpfen und entsetzliche Zahlen von Toten – und wenn ich diese beiden Blätter miteinander verbinde, dann läuft mir – Ora! –, dann läuft mir Strom durch den ganzen Körper.

Sie erfährt, dass er und Neta auch ein bisschen zusammen arbeiten. Wir haben beide diesen Tick – Avram errötet –, dass wir auf der Straße alte Sachen, Schrott suchen und uns überlegen, was man daraus machen könnte. Ich bin immer etwas praktischer, sagt er mit einem entschuldigenden Lächeln, aber sie ist viel gewagter; ohne es zu merken, zieht er sich aus der Geschichte zurück und beschreibt Ora ein bisschen, was Neta in ihrem kurzen Leben schon alles gemacht hat, ihre verschiedenen Verwandlungen, ihre Reisen, die Handwerke, die sie gelernt hat, ihre Krankenhausaufenthalte, ihre Abenteuer und die wechselnden Männer in ihrem Leben, und Ora meint, er beschreibe er das Leben einer Siebzigjährigen. Überhaupt, sagt er voller Bewunderung, ist sie mutig, so viel mutiger als ich, sie ist vielleicht der mutigste

Mensch, den ich je getroffen habe – und er schmunzelt, denn er erinnert sich, dass Neta immer sagt, sie bestehe vor allem aus Ängsten, aus Ängsten und Zellulitis – und Ora sieht plötzlich die durchgestrichenen schwarzen Striche über seinem Bett, und eine klare Linie, die von ihnen zu den Kohlezeichnungen in seinem Wohnzimmer führt; ein Funke durchfährt ihren Körper: Sag mal, weiß Neta …?

Von Ofer?

Ora nickt. Ihr Herz beginnt zu rasen.

Ja, ich hab ihr von ihm erzählt.

Sie streckt die Arme seitlich aus und geht weiter, sehr durcheinander, taucht ihre Füße in den Fluss, sucht ihr Gleichgewicht auf den runden Bachkieseln. Das ist der Nachal Amud, denkt sie, ich war mit der Klasse mal hier, bei der Wanderung vom Mittelmeer bis zum See Genezareth. Als wäre es erst gestern gewesen. Als wäre ich gestern noch ein Mädchen gewesen. Sie wischt sich die Augen, der gegenüberliegende Hang ist dicht bewachsen, eine Familie von Klippdachsen sonnt sich dort, da verschwimmt das Bild schon wieder, sie sollte lieber sehen, wo sie hintritt, pass auf, hier geht es wieder bergauf, bis zu diesem Felsvorsprung, unter dem sich ein Wasserfall in die Tiefe stürzt, fall jetzt bloß nicht runter, halt dich an dem Geländer fest. Neta weiß also Bescheid.

Die Hündin kommt und reibt sich an ihren Beinen, als wolle sie ihr Mut zusprechen; Ora beugt sich vor und krault zerstreut ihren Kopf. Neta weiß es also. Die Blase des Geheimnisses wurde aufgestochen, die undurchdringliche Blase, in der man fast erstickte und in der Ora gelernt hatte zu atmen. Avram selbst hat sie aufgestochen. Ein Luftzug von draußen dringt ein. Was für eine Erleichterung, ein neuer, tiefer Atem.

Was hat sie gesagt, fragt Ora und kann sich kaum auf den Beinen halten.

Dass ich ihn treffen muss.

Ach, murmelt Ora, das hat sie gesagt?

An dem Abend, als ich dich anrief, bevor du zu mir gekommen bist, fährt Avram schwerfällig fort, wollte ich dir das sagen.

Was? Sie kriegt kaum noch Luft, beugt sich ganz und gar über die Hündin und vergräbt zehn zitternde Finger in ihrem Fell.

Dass ich, wenn er mit dem Militärdienst fertig ist, Avram artikuliert jedes Wort gestochen scharf; dass ich ihn dann gerne … aber natürlich nur, wenn du und Ilan, wenn ihr nichts dagegen habt.

Nun sag schon.

Dass ich ihn dann gern mal sehen würde.

Ofer.

Einmal.

Du wolltest ihn sehen.

Zur Not auch nur aus der Ferne.

Ja?

Ohne dass er … Ich will mich nicht in eure …

Und das sagst du mir jetzt?

Er zuckt mit den Schultern, steht wie angewurzelt auf dem Fels.

Und als du angerufen hast – jetzt begreift sie es erst –, da hab ich dir erzählt, dass er …

Dahin zurückgeht, ja, und da konnte ich nicht mehr …

Sie nimmt ihren Kopf in beide Hände und drückt und drückt und verflucht verzweifelt diesen Krieg, diesen einen, nie endenden, dem es wieder einmal gelungen war, ihr in die Seele zu kriechen. Sie reißt den Mund auf, ihre Lippen spannen sich, bis das Zahnfleisch zu sehen ist, und ein kalter, spitzer Schrei reißt sich aus ihrer Kehle los und erschüttert die Vögel, dass sie verstummen. Die Hündin hebt den Blick zu ihr, ihre klugen Augen weiten sich immer mehr, bis sie es nicht mehr erträgt und vor Ora in ein herzzerreißendes Jaulen ausbricht.

Channi und Daniel, religiös (haben sich mit neun bei den »Bnej Akiba« kennengelernt), 38, schon siebzehn Jahre verheiratet, gehen Hand in Hand. Sie haben mir erzählt, dass sie einmal die Woche wenigstens für einen Tag wandern gehen, jedes Mal woanders im Land. Er ist Dozent für Bibelkunde, sie Logopädin. Sie waren sehr nett, weigerten sich aber standhaft, auf meine Fragen zu antworten. Die haben sie verlegen gemacht.

Ganz zum Schluss sagte Channi: »Sagen Sie, kann ich mich nach etwas sehnen, was ich noch nie hatte?«

Er hat Neta zum letzten Mal gesehen, als er ihr beim Streichen ihrer neuen Wohnung in Jaffa half. Ein Zimmer im vierten Stock, ohne

Aufzug, mit einer kleinen Kammer als Küche und einem Ausgang aufs Dach. Sie auf einer großen Malerleiter, einen Joint in der einen Hand, in der andern einen Tünchquast, und er auf einer Haushaltsleiter. Ihre drei Katzen rennen zwischen den Leitern herum. Eine ist nierenkrank, die zweite zurückgeblieben, die dritte ist die Seele ihrer Mutter, die in einer Katze wiedergeboren wurde und ihr so das Leben zur Hölle macht. Vorher haben hier Gastarbeiter aus China gewohnt, und eine Wand ist noch von kleinen Nagellöchern übersät. Die Nägel waren in einer bestimmten Form angeordnet, und sie und Avram versuchen, deren Bedeutung herauszubekommen. Sie besteht darauf, ein löchriges graues Männerunterhemd anzuziehen, das sie in dem zurückgelassenen Müll gefunden hatte, »so erweise ich der Milliarde Chinesen etwas Ehre«, sagt sie, und er freut sich, sie im Unterhemd zu sehen.

Alle paar Wochen füllt sie mir den Kühlschrank auf, erzählt er, und macht Großputz in meiner Wohnung. Sie möbelt mich etwas auf, interessiert dich das überhaupt?

Ja, natürlich. Ich höre zu.

Von dem Geld, das sie nicht hat, kaufte Neta ihm eine teure Musikanlage, und sie hören zusammen Musik. Manchmal liest sie ihm ganze Bücher vor, ein Kapitel nach dem andern. Und zu keiner Droge sagt sie nein, erzählt er, auch Koks und Heroin nimmt sie, wird aber irgendwie von nichts abhängig.

Außer von dir, lacht Neta, wenn er ihr ab und zu ein Programm zum Avram-Entzug andrehen will.

Von mir wirst du nicht viel haben.

Und Illusionen – sind Illusionen nichts?

Du bist jung, erklärt er ihr, du kannst Kinder kriegen, eine Familie haben.

Aber du bist der einzige Mensch, mit dem ich mich familiieren würde.

Vielleicht hat sie sich in jemanden verliebt. Dieser Gedanke schmerzt ihn weitaus mehr, als er gedacht hätte. Vielleicht hat sie es endlich doch eingesehen?

Was ist passiert? fragt Ora.

Keine Ahnung. Avrams Schritte werden schneller. Plötzlich begreift er, dass er, wäre Neta nicht in seinem Leben oder überhaupt nicht am

Leben, vielleicht keinen Grund hätte, nach der Wanderung nach Hause zurückzukehren.

Ich mach mir ein bisschen Sorgen um sie. Sie ist in letzter Zeit verschwunden.

Und das ist nicht normal bei ihr?

Das ist schon vorgekommen. Sie ist so eine, die kommt und geht.

Wenn wir ein Telefon sehen, versuchst du, sie anzurufen?

Ja.

Vielleicht hat sie dir zu Hause eine Nachricht hinterlassen.

Er rennt fast. Versucht, sich an ihre Mobiltelefonnummer zu erinnern, und schafft es nicht. Er, der sich an alles erinnert, an jeden Quatsch, an jeden blöden Satz, den ihm jemand vor dreißig Jahren gesagt hat, jede zufällige Zahlenkombination, er, der bei der Armee die Personenkennziffern sämtlicher Soldaten und Offiziere im Abhörbunker auswendig konnte, und sämtliche, auch die geheimen Telefonnummern aller Kommandeure der Einheit; und natürlich alle Namen und Personenkennziffern der Kommandeure sämtlicher Brigaden und Divisionen der ägyptischen Armee; samt deren Privatadressen, Telefonnummern zu Hause und manchmal auch den Namen ihrer Frauen, Kinder und Geliebten; und die Unterlagen der monatlich wechselnden Codes für die Verschlüsselungen in sämtlichen nachrichtendienstlichen Einheiten des Südkommandos. Und ausgerechnet bei Neta kommen ihm jetzt die Zahlen durcheinander.

Sie ist wahnsinnig jung, murmelt er. Ich bin alt, und sie ist so jung. Er schaut Ora traurig an: Das ist ein bisschen wie einen Hund großzuziehen, von dem du weißt, er wird vor dir sterben, nur dass in diesem Fall ich der Hund bin.

Ora hält unwillkürlich der Hündin die Ohren zu.

Über Neta hat er eine ganze Clique kennengelernt. Leute wie sie. Zart und mittellos, »zerbrochene Gefäße« nennt sie sie. Sie bewegen sich in Rudeln. An den Stränden des Sinai, am Nizzanim-Strand, in der judäischen Wüste, man trifft sie in Ashrams in Indien, auf Festivals mit viel Musik, Drogen und freier Liebe, in Frankreich, Spanien oder im Negev.

Weißt du, was »Engellaufen« ist?

Eine Sportart?

Er nimmt Ora mit auf ein Rainbow-Festival in Holland oder Belgien. Alle teilen da alles miteinander, erklärt er ihr mit einer Begeisterung, als wäre er selbst dort gewesen: Jeder hilft bei den Mahlzeiten mit und bezahlt für die Mahlzeiten mit dem, was er eben hat. Nur Drogen bezahlt man mit Geld.

An einem Abend hat sie beim »Engellaufen« mitgemacht, sagt er und wirft Ora ein Lächeln zu, das gar nicht für sie bestimmt ist; seit er jung war, hat sie es nicht mehr bei ihm gesehen. Wie das Flimmern einer Kerze in einem staubigen alten Lampion. Wer kann diesem Lächeln widerstehen, fragt sie sich.

Die Leute stehen einander in zwei Reihen ziemlich dicht gegenüber, er zeigt mit den Händen wie nah, und in der Regel kennt man sich nicht. Alles Fremde. Jedes Mal geht ein anderer aus der Gruppe mit geschlossenen Augen zwischen den Reihen durch, bis zum Ende.

»Spießrutenlauf« schießt es Ora durch den Kopf. Wie oft hatte er davon gesprochen, in tausend verschiedenen Zusammenhängen, bis es manchmal so schien, als wäre die ganze Welt ein einziger Spießrutenlauf, in den der Mensch bei seiner Geburt geworfen wird, er stolpert da durch, wird geschlagen und getreten – und am Ende gebrochen und geschunden wieder ausgespuckt.

Den, der gerade dran ist, erzählt Avram, führt man langsam und sanft zwischen den beiden Reihen durch, und alle berühren ihn, umarmen und streicheln ihn, flüstern ihm Sachen ins Ohr, du bist so schön, du bist wunderbar, du bist ein Engel, und so geht das bis zum Ende der Reihe; da erwartet ihn einer mit einer großen Umarmung, und dann reiht er sich wieder ein.

Und, haben sie Neta auch so umarmt?

Warte, sie hat zuerst in den Reihen gestanden und ein paar Stunden lang die anderen gestreichelt und umarmt und Sachen geflüstert, die sie normalerweise furchtbar zum Lachen bringen. Mit solchen Deklamationen hat sie wirklich nichts am Hut. Weißt du, was, sagt er und richtet sich auf, du musst sie kennenlernen.

Okay, bei Gelegenheit. Und was passierte dann?

Als sie mit Engellaufen an der Reihe war, ist sie nicht reingegangen.

Ora nickt. Noch bevor er es ausspricht, weiß sie es schon.

Sie ist in den Wald gelaufen und hat da bis zum Morgen gesessen. Sie konnte es nicht. Sie hatte das Gefühl, ihre Zeit, etwas zu empfangen, sei noch nicht gekommen.

Plötzlich weiß Ora, was Avram und Neta gemeinsam haben: Für sie beide ist Gestreicheltwerden immer auch ein bisschen, als würden sie geschlagen. Sie schlingt sich beim Gehen fest die Arme um den Körper. Diese Neta weckt in ihr widersprüchliche Gefühle; in den letzten Minuten empfindet sie ihr gegenüber plötzlich eine zarte, mütterliche Zuneigung. Und Neta weiß von Ofer. Avram hat ihr von Ofer erzählt.

Sag mal, was weiß sie von mir?

Sie weiß, dass es dich gibt.

Ora schluckt trocken.

Und du – endlich wird sie diesen Klumpen los –, liebst du sie?

Lieben? Was weiß ich. Ich fühl mich gut mit ihr. Sie weiß, wie sie mich nehmen muss. Sie lässt mir Raum.

Nicht wie ich, sagt sich Ora und denkt an die Beschwerden ihrer Jungs.

Zu viel Raum, denkt Avram besorgt, wo bist du, meine Netuschka?

Nachdem sie ihre kleine Wohnung gestrichen hatten, trugen sie die Leitern hinaus aufs Flachdach, und sie brachte ihm bei, mit der Leiter zu laufen. In ihren Nomadenzeiten, erklärt er Ora, wenn sie manchmal so rumzieht, verdient sie sich ihr Geld mit Kunststücken auf der Straße, schluckt Feuer und Messer, jongliert, schließt sich für eine Weile einem Straßenzirkus an. Wie zwei betrunkene Heuschrecken stelzten sie unter dem Abendhimmel auf ihren Leitern zwischen Sonnenkollektoren und Antennen aufeinander zu. Danach stieg sie mit Schwung auf den Rand des Daches, und sein Blut stockte.

Also, was meinst du, fragte sie mit ihrem traurig-süßen Lächeln: Besser wird es wohl nicht mehr, sollen wir der Sache jetzt ein Ende machen?

Er bückte sich, hielt mit den Händen seine Leiter fest, Neta ging auf ihrer Leiter seitlich im Krebsgang auf dem Dachrand weiter. Hinter ihr sah er Dächer, einen blutigen Sonnenuntergang, das Dach einer Moschee. Du bist so ein Sturkopf, Avram, sagte Neta wie zu sich selbst, du hast mir zum Beispiel noch nie gesagt, dass du mich liebst. Ich habe dich, wenn ich mich recht erinnere, zwar auch nie gefragt, aber eine junge Frau muss etwas in dieser Art einmal in ihrem Leben von ihrem Mann hören. Aber du bist geizig. Sagst mir, wenn's hochkommt, mal »ich mag deinen Körper«, »ich bin gern mit dir zusammen«, »ich mag deinen Hintern«, solche neunmalklugen Vermeidungsformeln. Vielleicht sollte ich es endlich begreifen?

Die Füße ihrer Leiter stießen an die Randsteine des Daches, und die Spreizkette spannte sich zwischen den Holmen. Avram entschied sich im Bruchteil eines Augenblicks: Wenn ihr etwas passieren würde, er würde sich hinterherstürzen.

Geh ins Zimmer, murmelte sie, auf dem Tisch neben dem Aschenbecher liegt so ein kleines braunes Buch. Geh und bring es mir.

Avram schüttelte den Kopf.

Geh schon, ich mach auch nichts, bis du zurückkommst. Pfadfinder-Ehrenwort.

Er war von der Leiter gestiegen und ins Zimmer gelaufen. Ein, zwei Sekunden war er drinnen, und sein Blut raste: Sie wird springen. Er schnappte sich das Buch und lief zurück aufs Dach.

Und jetzt lies da weiter, wo ich aufgehört habe.

Seine Finger zitterten. Er schlug auf und las: »… denn ich hatte ja meinen *Lebensmenschen*, den nach dem Tod meines Großvaters entscheidenden für mich in Wien, meine Lebensfreundin, der ich nicht nur sehr viel, sondern, offen gesagt, seit dem Augenblick, in welchem sie vor über dreißig Jahren an meiner Seite aufgetaucht ist, mehr oder weniger alles verdanke.« Er drehte das Buch um und sah: Thomas Bernhard, *Wittgensteins Neffe*.

Weiter, aber mit mehr Gefühl.

»Ohne sie wäre ich überhaupt nicht mehr am Leben und wäre ich jedenfalls niemals der, der ich heute bin, so verrückt und so unglücklich, aber auch glücklich, wie immer.«

Ja, sagte sie zu sich selbst, hielt die Augen in höchster Konzentration geschlossen.

»Die Eingeweihten wissen, was alles sich hinter diesem Wort *Lebensmensch* verbirgt, von und aus welchem ich über dreißig Jahre meine Kraft und immer wieder mein Überleben bezogen habe, aus nichts sonst.«

Danke, sagte Neta wie im Traum, während sie weiter auf der Spitze der Leiter schwankt.

Er schwieg. Verschmäht und beschämt kam er sich vor.

Verstehst du, was das Problem ist?

Er wiegte den Kopf auf eine Art, die ein Ja und ein Nein bedeuten konnte.

Ganz einfach, sagte Neta, du bist der Mensch meines Lebens, aber ich bin nicht der Mensch deines Lebens.

Neta, du ...

Der Mensch deines Lebens ist sie, die Frau, die mit dir ein Kind hat und deren Namen du mir noch nicht einmal verrätst.

Er zog den Kopf ein und schwieg.

Aber schau, sie lächelte und wischte sich die Haarsträhnen aus den Augen, das ist keine besonders originelle Tragödie, und auch kein so großes Problem. Im Leben ist nicht alles so klar umrissen. Ich kann damit leben. Und du?

Er verstummte. Sie bat ihn um so wenig, und noch nicht einmal das Wenige konnte er ihr geben.

Komm, Neta, sagte er und streckte ihr die Hand entgegen.

Aber du denkst noch drüber nach? Ihre Augen hingen sanft und hoffnungsvoll an ihm.

In Ordnung. Und jetzt komm.

Ein Schwarm Spatzen zog flügelraschelnd vorbei. Avram und Neta standen da, jeder in sich selbst versunken.

Was, noch immer nicht? murmelte sie, als hätte sie eine Stimme gehört, ist es noch immer nicht an der Zeit?

Mit zwei schnellen Bewegungen klappte sie die Leiter auf dem Dach zusammen. Schau dich mal an, rief sie überrascht, du zitterst ja am ganzen Leib. Ist es dir kalt da drinnen? In deinem Herzlos?

Am nächsten Tag erzählt Ora ihm von Adam. Sie hätte ihm lieber über Adam von früher erzählt, besonders über Adam als Baby, von den drei Jahren, in denen er nur ihr gehörte. Aber Avram fragt nach Adam heute, und sie beschreibt ihm, ohne etwas zu verhehlen, ihren erstgeborenen Sohn mit den entzündet aussehenden, geröteten Augen, dem schmalen, etwas vorgebeugten Körper und dieser deprimierenden Schlaffheit, mit der er die Schultern hängen lässt. Und auf seinen Lippen dieser Ausdruck von leichtem Abscheu, Spott und ein bisschen nihilistischer Verachtung.

Was sie über ihn sagt, die Tatsache, dass sie in der Lage ist, Adam so zu sehen, erschreckt sie: Ilans objektiver Blick auf die Jungs – jetzt hat sie ihn auch. Jetzt hat sie es gelernt, in einer fremden Sprache über ihn zu sprechen.

Sie skizziert vor Avram einen Gesichtszug nach dem andern, einen vierundzwanzigjährigen Jungen, der gleichzeitig schwach und stark wirkt, der eine stille und beunruhigende Kraft ausstrahlt, die viel stärker ist, als es seinem Alter entspricht. Das ist mir nicht ganz klar, sagt sie zögernd, diese Kraft hat etwas, was du nicht packen kannst, sie ist irgendwie – sie schluckt – düster. Jetzt hab ich es ausgesprochen.

Die Blässe unter seinen von dichten Bartstoppeln dunklen Wangen, seine tiefliegenden schwarzen Augen, der vorstehende Kehlkopf – trotz allem, finde ich, hat er etwas ganz Besonderes, obwohl sein Gesicht nicht gerade, zumindest nicht auf den ersten Blick … Aber in meinen Augen ist er richtig schön, aus bestimmten Perspektiven. Und er hat so merkwürdige Ungereimtheiten im Gesicht, als wirkten in ihm gleichzeitig verschiedene Alter. Es ist für mich so interessant, ihn manchmal einfach nur anzuschauen.

Was ist das für eine Kraft, fragt Avram, wovon redest du da?

Wie soll ich dir das erklären – sie spannt sich innerlich an, jetzt muss sie genau sein –, er ist ein Junge, den man wohl mit nichts überraschen kann. Ja, das ist es. Nicht mit etwas Erfreulichem und nicht mit etwas Traurigem, und auch nicht mit etwas, was furchtbar weh tut, was wirklich entsetzlich ist. Du kannst ihn mit nichts überraschen. Nachdem sie das gesagt hat, weiß sie, dass sie ihn zum ersten Mal wirklich genau beschrieben hat – und er ist geradezu das Gegenteil von ihr. Er hat diese wahnsinnige Kraft, sagt sie, und ihre Stimme wird plötzlich leise, die Kraft der Verachtung.

Zwei seiner Auftritte hat sie gesehen, zu einem hat er sie eingeladen, den anderen hat sie heimlich besucht, nachdem er sich von ihr geschieden hatte – da richten sich Dutzende Gesichter junger Männer und Frauen in den gleißenden, aus allen Richtungen auf sie niederprasselnden Lichtgarben auf ihn, und alle lassen sich mit geschlossenen

Augen in seine apathische, etwas krankhafte Schlaffheit hineinziehen, aus sich selbst heraus in ihn hinein. Du müsstest sie sehen. Wie … ich weiß nicht, wie ich es beschreiben soll, es gibt keinen Vergleich. Avram stellt sich ein Feld albinobleicher Sonnenblumen zur Stunde der Mondfinsternis vor.

Auf dem Plateau des Berges Arbel, über dem Tal des Sees Genezareth, das ganz bewässert ist, ruhen sie sich aus. Ein begehrtes Ausflugsziel. Auch eine Schulklasse ist hier unterwegs, Jungen und Mädchen kreischen, fotografieren sich gegenseitig, rennen durcheinander. Reisebusse laden Touristengruppen aus, und Reiseleiter schreien um die Wette. Doch Ora und Avram sind mit ihren eigenen Dingen beschäftigt. Ein leiser Wind weht, wohltuend nach dem anstrengenden Aufstieg. Sie hatten auf dem Weg nach oben kaum gesprochen – er war besonders steil gewesen; in den Fels gehauene Stufen und Eisenpflöcke hatten ihnen geholfen; doch alle paar Schritte hatten sie anhalten und durchatmen müssen. Aus einem Beduinendorf am Fuße des Berges hatten sie Hühner schnattern, eine Schulglocke bimmeln, Kinder schreien hören, und über sich in der Felswand hatten sie eine Reihe aufgerissener Münder gesehen: Die Höhlen, in denen sich die Rebellen gegen Herodes versteckt hielten, hatte Avram gemurmelt –»das hab ich irgendwo gelesen«, aber die Soldaten des Herodes überlisteten sie und ließen sich in Käfigen vom Gipfel des Berges zu ihnen hinunter und zogen sie mit Stangen an Eisenhaken aus den Höhlen und warfen sie in die Tiefe.

Über dem Plateau und dem Trubel der Menschen schwebt im blauen Himmel ein Adler auf einer Säule warmer Luft, die aus dem Tal aufsteigt. In großen Kreisen und mit wunderbarer Leichtigkeit schwebt er auf der Luftsäule, bis sich die aufgetürmte Wärme auflöst und er weiterfliegt, eine andere Bö zu suchen. Avram und Ora genießen diesen Anblick: seinen Flug, die in der Hitze violett flimmernden Berge des Golans und Galiläas, das blaue Auge des Sees Genezareth, bis Ora eine Erinnerungstafel sieht, an Feldwebel Ro'i Dror seligen Angedenkens, der am 18.6.2002 unter ebendiesem Felsvorsprung ums Leben kam bei Übungen der Antiterroreinheit »Duvdevan«. »*Er fiel sachte, wie ein Baum fällt. Ohne das leiseste Geräusch fiel er in den Sand.*« (*Der Kleine Prinz*). Ohne ein Wort stehen sie auf und fliehen zu einem anderen Ende des Plateaus, doch auch an ihrem neuen Zufluchtsort steht ein Gedenkstein. Im Gedenken an Stabsfeldwebel Sohar Minz, der 1996 im Südlibanon fiel, und Ora bleibt stehen und liest mit weit aufgerissenen Augen: *Er liebte das Land und starb für das Land, er liebte uns und wir liebten ihn.* Avram will sie an der Hand weiterziehen, doch sie rührt sich nicht von der Stelle, und er reißt sie mit Gewalt fort. Du warst dabei, mir von Adam zu erzählen, erinnert er sie, und sie, oj Avram, wo soll das alles enden, sag mir, wo soll das alles enden, es gibt schon keinen Platz mehr für die vielen Toten.

Jetzt erzähl mir von Adam, sagt er.

Aber, mir ist etwas eingefallen, ich wollte dir noch etwas von Ofer erzählen.

Wieder spürt sie diesen kleinen Schubs, mit dem sie Ofer jedes Mal in den Vordergrund der Bühne befördert, wenn sie den Eindruck hat, dass Avram sich zu sehr für Adam interessiert.

Was ist mit Ofer? fragt er, doch sie spürt, er ist noch immer mit dem Rätsel Adam beschäftigt.

Sie nehmen den südlichen Abhang in Richtung Karnej Chittin. Der Weg ist leicht abschüssig, zu beiden Seiten Weizenfelder, die Ähren reifen golden in der Sonne. Sie entdecken ein völlig unberührtes Eckchen, wie ein kleines Nest auf der Erde, um sie herum Kissen violetter Lupinen, Avram legt sich hin und streckt sich aus, Ora liegt ihm gegenüber, und die Hündin kommt und drängt sich fast unter ihren Kopf. Ora spürt den warmen, atmenden Körper, der sie braucht, und ist einen Moment versucht, den Eid, den sie nach Nikotins Tod abgelegt hat, zu brechen und sie zu adoptieren.

Als Talia Ofer verlassen hat – meine Söhne werden anscheinend immer verlassen, schimpft sie leise, also haben sie wohl doch etwas von mir mitbekommen –, warte, das muss ich dir erklären. Adam fand keine ernsthafte Freundin, ich meine, keine richtige Liebe, bis Ofer Talia mitbrachte.

Denk mal, sagt sie, zwei solche Jungs, wirklich nicht die schlechtesten, die haben schon was zu bieten, und trotzdem hatten sie so lange keine Freundinnen. Denk doch an uns in dem Alter. Denk an dich.

Natürlich dachte er daran, sofort, sie sah in seinem Gesicht, dass er dort war, mit siebzehn, mit neunzehn, mit zweiundzwanzig. Wie von

Sinnen umwirbt er sie, aber gleichzeitig auch jedes andere Mädchen, das er sieht. Es war ihr nicht gegeben, seinen Geschmack in Sachen Mädchen zu verstehen; jede war seiner ewigen und absoluten Liebe wert, jede wurde unter seinem Blick größer und schöner, sogar die dümmsten und hässlichsten Mädchen, vor allem solche, die ihn verachteten und ihn quälten. Weiß du noch …, fängt sie an, und er zuckt verlegen mit den Schultern, natürlich erinnere er sich noch, aber lass das jetzt; und sie denkt, was hat er nicht alles gemacht, um zu bezaubern, zu verführen, wie hat er seinen innersten Kern freigelegt, sich ereifert, erniedrigt, zum Wurm gemacht und schließlich sich selbst lächerlich gemacht, wenn er ihr davon erzählte: Was bin ich? Nicht mehr als eine hormonelle Gärungsbakterie?! Und noch heute, dreißig Jahre später, wagt er es, mit ihr zu streiten: Das war alles nur, weil du mich nicht wolltest, wenn du sofort ja gesagt hättest, wenn du mich nicht fünf Jahre lang gequält hättest, bevor du ja gesagt hast, hätte ich diesen ganzen Unsinn nicht machen müssen.

Sie stützt sich auf die Ellbogen: Ich hab dich nicht gewollt? – Nicht so, wie ich dich wollte. Ilan wolltest du mehr, mich nur als Gewürz dazu. Das stimmt nicht, murmelt sie leise, wirklich nicht, das war viel komplizierter. Du wolltest mich nicht, du hattest Angst. Wovor soll ich Angst gehabt haben? Sie schreckt zurück, zwinkert verlegen. Du hast Angst gehabt, Ora, Tatsache ist, dass du mich zum Schluss aufgegeben hast, du hast mich aufgegeben, gib's zu.

Beide schweigen gekränkt. Ihr Gesicht brennt. Was sagst du ihm? Noch nicht mal sich selbst konnte sie es damals erklären. Hatte sie nicht in dem Jahr, als sie mit ihm zusammen war, manchmal das Gefühl gehabt, dass er in so einer Vielzahl wie eine ganze Armee durch sie hindurchströmte? Was sollte sie ihm sagen? Wo sie doch selbst nicht immer davon überzeugt war, dass wirklich sie es war, die in ihm diesen Liebessturm auslöste, vielleicht war es ein anderes Mädchen, über das er mal phantasiert hat und über das er ununterbrochen, mit all seiner Vorstellungskraft, weiter phantasierte? Sie hatte ihn auch im Verdacht, dass er, da er sich nun mal überstürzt in sie verliebt hatte, in einem Augenblick des Wahns, im Krankenhaus auf der Isolierstation, nie im Leben würde zugeben können, dass sie nicht zu ihm passte. In seiner merkwürdigen Ritterlichkeit, die an Don Quichotte erinnerte, würde er diesen einmal gefassten Entschluss niemals revidieren. Doch wie sollte sie ihm das sagen? Noch nicht einmal vor sich selbst hatte sie es bisher gewagt, das einzugestehen.

Und manchmal fühlte sie sich noch viel elender, wie eine Schneiderpuppe, der er immer und immer wieder andere bunte Kleider anzog, was ihre Saftlosigkeit, ihre Beschränktheit und Engstirnigkeit nur noch mehr hervorhob. Doch jedes Mal, wenn sie ihm, traurig und unglücklich, auch nur ein bisschen von dem mitteilte, was sie empfand, reagierte er zutiefst beleidigt und konnte nicht verstehen, wie wenig sie sich selbst und ihn kannte und wie sie das Schönste, was er je im Leben erlebt hatte, so verletzen konnte.

Warum musste bei ihm alles übertrieben sein, und warum immer so wahnsinnig intensiv, hatte sie sich manchmal gefragt und sich gleich dafür geschämt weil sie sich an jenes Mädchen erinnerte, das mal aus seinem Bett floh, weil er ihr »zu intim« war. Auch sie hatte ab und zu das Gefühl gehabt, dass er, wenn er vor lauter Liebe und Begierde in ihren Körper und ihre Seele eindrang und dort wie ein großes Raubtierbaby tobte, gar nicht ahnte, wie sehr er ihr weh tat und sie zerriss. Oder wenn er ihr so in die Augen schaute … Was dann in seinem Blick lag, ist mit Worten nicht zu beschreiben. Das geschah nicht unbedingt in Augenblicken der Begierde, meistens kam es danach. Dann schaute er sie so schutzlos liebend an, war ihr völlig unterworfen, beinahe verrückt, und sie stupste seine Nase oder kicherte, oder schnitt ihm komische Gesichter, doch er schien ihre Verlegenheit nicht zu spüren, und sein Gesicht bekam einen merkwürdigen Ausdruck, sehnte sich nach etwas, was sie nicht verstand. Für einen langen Augenblick tauchte er in ihre Augen ein, er war wie ein großer Körper, der in dunkles Wasser eintauchte und während des Schauens versank; und es war, als schlössen sich ihre Augen über ihm, deckten ihn in sich zu, als schützten sie ihn auch vor ihr selbst. Sie wusste nicht, was sie ihm da gab und was sie von ihm bekam.

Ich konnte nicht mit dir zusammensein, sagt sie ihm schlicht.

Die Sonne geht langsam unter. Die Erde gibt plötzlich einen frischen Duft ab. Ora und Avram liegen ruhig auf dem Feld. Über ihnen mischen sich die Blautöne des Abendhimmels. Nimm eine Mütze, und tu zwei Zettelchen rein, nein, du brauchst nicht zu wissen, was du da auslost, du darfst raten, aber nur im Stillen, und bitte schnell, die

warten schon auf uns, draußen steht der Command Car, und jetzt
zieh einen raus. Hast du gezogen? Was hast du gezogen? Bist du dir
sicher? Ihr Gesicht wirkt im Schatten länger. Sie schließt die Augen. Was
war rausgekommen? Was hattest du gewollt, und was war wirklich
rausgekommen? Bist du dir sicher? Bist du dir ganz sicher?
Hör mal, sagt sie, ich habe nicht mehr atmen können, du warst mir
zu viel. Wieso zu viel, fragt Avram leise, was ist denn zu viel, wenn
man liebt?

Dvori und Gideon Schinar aus dem Moschaw Bejtan Aharon. Gideon (54):
»Ich sehne mich nicht nach einem bestimmten Menschen. Ich sehne mich nach
einer Zeit – ich habe die Landwirtschaftsschule Kaduri besucht –, erinnere
mich an die seelischen Stürme der Kindheit, an die echte Freundschaft, die es
da gab. Früher habe ich geglaubt, dass es Freunde gibt, heute – vergiss es.«
Dvori (47): »Ich sehne mich nach unserer Kindheit, nach dem Eretz Israel
von früher. Als wir noch diese Wanderungen vom Mittelmeer zum See Gene-
zareth machten, nicht nur bis zum nächsten Einkaufscenter. Ich bin ursprüng-
lich aus dem Moschaw Nordia, und ich bereue es, dass ich nicht weiterstudiert
habe, Hebräische Literatur und Sprache. Ich habe in Bar Ilan studiert, dann
hab ich ihn kennengelernt, so kam das erste Kind, das zweite Kind, und
dann zogen wir aus, um ›Galiläa jüdisch zu besiedeln‹, wir sind als Pioniere
nach Kfar Kisch gegangen, und aus all unseren schönen Plänen ist was ganz
anderes geworden. Ich glaube, alle Leute in unserem Alter werden Ihnen eine
ähnliche Antwort geben, zumindest was die Reue angeht. Die meisten haben
das starke Gefühl, etwas verpasst zu haben.« (Ich frage sie, warum.) »Weil
man uns zu früh in diese Bahn gelenkt hat, dass wir uns ganz und gar für die
gemeinsame Sache einsetzen, auf die eigenen Wünsche und auf die Selbstver-
wirklichung verzichten. Sofort heiraten, Kinder kriegen, Arbeit.«
Eine Stunde später traf ich sie wieder. Zufällig.
Gideon sagte: »Hören Sie mal, die zwei Fragen, die Sie da gestellt haben,
umfassen das ganze Leben«, und Dvori sagte:«und zerstören es.«
Gideon: »Nachdem wir uns von Ihnen verabschiedet haben, fiel mir ein,
dass ich mich vielleicht am meisten nach meinem Bruder sehne. Er war mir
Bruder und Freund. Er ist am letzten Tag im Jom-Kippur-Krieg in Suez ge-
fallen, nach dem zweiten Waffenstillstand, bei den Fallschirmspringern. Er

war dreiunddreißig. Können Sie vielleicht Sachen zurückbringen, die schon
verloren sind? Haben Sie vielleicht eine Verbindung zu dem da oben?«

Die beiden, Adam und Ofer, die waren so träge, wie lang haben die
gebraucht, bis sie eine Freundin fanden, erzählt sie am nächsten Tag,
im »Schweizer Wald«. Fast die ganze Zeit waren sie zusammen, wohnten immer zusammen in einem Zimmer, waren nicht bereit, sich zu
trennen, bis wir ihnen schließlich, als Adam etwa sechzehn war, getrennte Zimmer gegeben haben. Wir dachten, das wär jetzt wirklich
an der Zeit.

Wo habt ihr da noch ein Zimmer untergebracht?

Ein schnelles Aufblitzen in seiner Stimme, und Ora spannt sich an:
Nun, da unten, wo dieser Keller war, wo die Singer-Nähmaschine
deiner Mutter stand.

Ihr habt den Keller zweigeteilt?

Mit einer Rigipswand, ja. Keine große Sache.

War das nicht zu klein?

Nein, es ist sogar ziemlich hübsch geworden, zwei Zimmerchen,
gerade richtig für die Pubertät.

Mit Toilette?

Eine ganz kleine, mit einem winzigen Waschbecken.

Und woher kam die Luft?

Wir haben zwei Fenster in die Wand eingesetzt, eher symbolisch.

Ja, sagte er nachdenklich, natürlich.

Nachdem er seine Operationen, Krankenhausaufenthalte und Behandlungen hinter sich hatte, wollte Avram nicht mehr ins Haus seiner
Mutter in Zur Hadassa zurückkehren, noch nicht einmal auf Besuch,
und Ilan und Ora kauften ihm, mit Unterstützung von Oras Eltern und
Darlehen und Hypotheken, das Haus ab. Sie waren darauf bedacht, es
über seinem Wert zu erstehen – sehr viel über seinem Wert, wie Ilan
betonte, wenn das Gespräch darauf kam. Sie vollzogen diese Transak-
tion nach allen Regeln der Kunst mit Hilfe eines Anwalts, der ein alter
Freund von Avram war, doch Ora – auch Ilan, obwohl er es immer
abstritt – konnte sich diese Torheit, diese Herzlosigkeit nie verzeihen,
ihn weiterhin so zu quälen – jetzt hatte sie es endlich vor sich selbst
ausgesprochen –, und das endete erst, als sie in das Haus in Ejn Karem

umzogen. Jetzt, angesichts seiner wie geblendet zusammengekniffe-
nen Augen, als er versucht, die Veränderungen in dem Haus zu verfolgen, das mal ihm gehört hatte, kann sie sich kaum beherrschen, ihm
nicht die ganze Liste der Erklärungen und Rechtfertigungen aufzuzählen, die sie immer noch bereit hält – alles hatten sie damals in guter
Absicht und nur im Hinblick auf ihn und seine Bedürfnisse getan; sie
hatten ihm wirklich die Makler und Käufer ersparen wollen; glaubten
wirklich, er würde sich besser fühlen, wenn er wüsste, dass das Haus
quasi »in der Familie blieb«. Sie kauften das Haus von ihm (für bares
Geld, zu einem für ihn hervorragenden Preis!), doch sie haben darin
ihr eigenes Leben gelebt, sie, Ilan, Adam und Ofer.

Manchmal, wenn keiner es sah, hatte sie im Vorübergehen die eine
oder andere Wand in den Zimmern oder im Flur berührt, die Finger
langsam darüber gleiten lassen, manchmal hatte sie sich zum Lesen so
hingesetzt wie er früher, auf die oberste Stufe der Treppe, die in den
Hof führt, oder auf die Fensterbank, die aufs Wadi hinausgeht. Auf den
Fenstergriffen ließ sie jedes Mal die Hand etwas verweilen, eine Art
heimlicher Händedruck. Die Badewanne, die Kloschüssel, die rissigen
Zimmerdecken, die Schränke mit ihrem gestauten Geruch. Einzelne
etwas eingesunkene oder hervorstehende Bodenkacheln. Die Sonnenstrahlen morgens aus dem Osten, sie konnte stehenbleiben und für ein
paar Sekunden in ihren Anblick versinken, manchmal mit dem kleinen Ofer auf dem Arm, der ganz ruhig war und sie interessiert beobachtete. Die Abendbrise aus dem Wadi, die die Haut streichelte, man
konnte sich in ihr wiegen und sie tief einatmen.

Und es war ausgerechnet Ofer, der zuerst eine Freundin mitbrachte,
noch vor Adam, betont Ora und hofft, dass Avram sich über diese Information freut, doch er bekommt einen bohrenden Blick und fragt,
was genau sie mit »ausgerechnet Ofer« meint. Sie erklärt, weil er doch
der Jüngere war und wir irgendwie immer gedacht hatten, Adam
würde der Erste sein. Aber der brauchte wohl auch hier seinen Bruder,
der ihm einen Weg bahnte. Zwei ziemlich große Jungs, sagt sie verwundert, und beide die ganze Zeit zu Hause, bis Adam eingezogen
wurde, bis das Militär sie trennte. Da änderte sich dann alles total.
Plötzlich hatte Adam Freunde, viele Freunde, und Ofer auch, und
dann fand Ofer Talia; mit einem Schlag öffneten sie sich beide und

gingen hinaus in die Welt. Ja, das Militär hat ihnen auch Gutes getan, fügt sie schnell hinzu, als entschuldige sie sich dafür, als hätte Avram versucht, mit ihr darüber zu streiten. Doch bis Adam achtzehn war, bis zu seiner Einberufung, waren sie die meiste Zeit nur zu zweit, ich meine, er, Ofer und wir, wir vier zusammen – sie macht eine Bewegung, als stopfe sie Dinge in einen Koffer oder Rucksack –, und obwohl sie immer viel zu tun und zu lernen hatten und Adam seine Bands hatte, spürten Ilan und ich doch immer, dass sie primär nach innen, auf die Familie ausgerichtet sind, genauer noch, einer auf den anderen, ich hab dir ja gesagt, da war dieses Geheimnis in ihnen. Ora hält die Gurte des Rucksacks fest, ihr Kopf ist etwas nach vorne geneigt, sie sieht kaum, was vor ihr liegt, die Felsen, die Himbeerhecken, die blendende Sonne, und plötzlich kommt ihr der Gedanke, dass sich Ofer und Adam in dem großen, bedrückenden Geheimnis ein kleines, eigenes Geheimnis geschaffen haben, wie ein Iglu im Schnee, das selbst aus Schnee gebaut ist.

Und obwohl es toll war, murmelt sie, dass sie so viel mit uns zusammen waren und mit uns überallhin gingen – unsere Leibwächter, sagte Ilan manchmal, und ich wusste nicht, ob er darüber lachte oder sich beklagte –, dass sie auf Ausflüge, manchmal auch ins Kino und sogar zu unseren Freunden mitkamen, das ist überhaupt kaum zu glauben, sie zuckt verlegen mit den Schultern, die kamen mit, setzten sich an die Seite und reden miteinander, als hätten sie sich ein Jahr lang nicht gesehen, das ist wunderbar, ich frage dich, wo sieht man so was heute noch, und trotzdem haben Ilan und ich, trotzdem hatten wir die ganze Zeit das Gefühl, dass das auch ein bisschen, wie soll ich sagen …

Da sieht Avram in ihrem verirrten Blick sie alle vier, wie sie sich in den Räumen des ihm bekannten Hauses bewegen. Vier längliche, helle Menschenflecken mit einem diffusen Licht an den Rändern, wie Gestalten, die man durch ein Nachtsichtgerät sieht, wie Nebel, umgeben von einem flaumigen grünlichen Schein, einer klebt am anderen, und sie bewegen sich in einem unförmigen Miteinander; wenn sie sich für einen Augenblick voneinander trennen, hinterlassen sie in dem Lichtfleck kleine Büschel feiner leuchtender Fasern. Zu seinem großen Erstaunen spürt er bei ihnen eine stetige Anstrengung, immer sind sie angespannt, vorsichtig, sie haben keine Leichtigkeit, nichts Vergnügliches, auch nicht die Freude des gemeinsamen Lebens, die er sich immer vorgestellt hatte, wenn er an sie dachte, wenn er den Gedanken an sie erlag, wenn das Gift der Gedanken an sie langsam in seine Venen tropfte.

Und als Ofer eine Freundin hatte, fragt er zögernd, war Adam da nicht eifersüchtig?

Am Anfang fiel ihm das nicht leicht, ja, es schmerzte ihn, dass Ofer eine neue nahe Seele gefunden und mit ihr eine so enge Beziehung hatte, zu der er nicht dazugehörte. Du musst bedenken, das geschah im Grunde zum ersten Mal seit Ofers Geburt.

Sie waren ein nettes Paar, sagt sie, Ofer und Talia, sie hatten so etwas Zartes im Umgang miteinander.

Es fällt ihr schwer zu reden.

Ein andermal, sagt sie, winkt ab.

Als Talia Ofer verließ, fährt Ora später fort, hat er sich auf sein Bett gelegt und ist eine Woche lang fast nicht aufgestanden. Er hat nicht mehr gegessen, hat völlig den Appetit verloren, nur noch getrunken, vor allem Bier, und Freunde kamen ihn besuchen, auf einmal sahen wir, wie viele Freunde er hat, und so hielten wir, ganz ungeplant, bei uns Zuhause eine Art Trauerwoche ab.

Eine Trauerwoche? fragt Avram erschrocken.

Ja, sie saßen um sein Bett und versuchten, ihn zu trösten, und wenn die einen gingen, kamen andere, die Tür war die ganze Woche offen, von morgens bis abends und auch nachts, und er bat seine Freunde immer wieder, sie sollten ihm von Talia erzählen, alles, woran sie sich erinnerten, mit allen Einzelheiten, und übrigens durfte keiner ein schlechtes Wort über sie sagen, nur gute Sachen, er ist so eine gute Seele, sagt sie und schaut Avram mit großen Augen an, und ich hab dir von ihm noch gar nichts erzählt, du hast noch gar nicht angefangen, ihn kennenzulernen … Plötzlich überschwemmt sie eine Sehnsucht, eine gierige, Sehnsucht, ohne jede Vorsicht, sie hat ihn schon so lange nicht mehr gesehen und nicht mit ihm gesprochen, wohl die längste Zeit, seit sie ihn geboren hat; seine Kumpel spielten ihm Lieder vor, die Talia mochte, und ließen auf dem Video endlos *Mein Essen mit André* laufen, das sie mochte, und verdrückten große Tüten Erdnuss-flips und Schokoladenwaffeln, ohne die Talia keinen Abend überleben konnte, eine Woche ging das so. Und ich hab die ganzen Sippe natürlich verpflegen müssen, du kannst dir nicht vorstellen, welche Mengen Bier seine Kumpel an einem Abend runterkippen. Aber das kennst du ja aus dem Pub.

Vielleicht, denkt sie, sind Ofer oder Adam oder sie beide mal bei einer ihrer Kneipentouren in Tel Aviv, bei einem Urlaub vom Militär, in seinem Pub gelandet; hätte er sie irgendwie erkennen können? Eine Ahnung? Dass sich einem plötzlich die Härchen im Nacken aufstellen?

Ora?

Ja, sie schaut versonnen vor sich hin, weißt du, anscheinend wurde das in der Stadt so ein Thema – wie alles, was Ofer anfängt, aber das sagt sie nicht –, denn dann kamen auch Leute, die Ofer nicht wirklich kannten, nur gehört hatten, dass diese Sache bei uns stattfand, so eine Trauerwoche für eine verflossene Liebe, und sie kamen und setzten sich dazu und erzählten von ihren eigenen enttäuschten Lieben und von allem möglichen Liebeskummer, den sie selbst erlebt hatten.

Ein Nachmittagssonnenstrahl gleitet über ihre Stirn, und Ora hält ihm wohlig ihre Wange hin, reibt sie an ihm, rauf und runter. Jung und schön ist ihr Gesicht jetzt, als wäre ihr noch nichts Schlimmes widerfahren, als könnte sie aufstehen und einfach naiv und rein in ihr Leben loslaufen.

Später kamen dann die Freunde dieser Freunde, und danach sogar Leute, die keiner kannte, die es schlicht spannend fanden, vorbeizukommen und über ihre Nöte in Sachen Liebe zu reden. Und dabei traf Adam Libi, die dann seine Freundin wurde, so eine Art großes Tierbaby, ein Heimatlosentierbaby, einen Kopf größer als er, ein Bärenkind. Während der ersten Tage der Trauerwoche hatte sie in der entferntesten Ecke des Zimmers gesessen und ununterbrochen geweint, dann raffte sie sich auf und half mir mit dem Essen, mit den Getränken und dem Geschirr, Aschenbecher ausschütten, leere Flaschen wegwerfen. Doch von irgendetwas war sie so erschöpft, dass sie auf jedem Bett im Haus einschlief, sie sank einfach zusammen und schlief ein; irgendwie kroch sie, ohne dass wir es merkten, schlafend in unser Leben, und jetzt sind Adam und sie zusammen, und ich glaube, es geht ihnen gut, denn so sehr Libi ein Bärenbaby ist, ihm gegenüber ist sie auch sehr mütterlich, sagt Ora, und eine leichte Traurigkeit mischt sich in ihre Stimme. Ich glaube, es geht ihm wirklich gut mit ihr, das hoffe ich zumindest.

An dieser Stelle erlaubt sie sich einen tiefen Seufzer, der in ihr gefangen ist, den Seufzer einer Bankrotterklärung: Weißt du, das war nicht einfach so dahingesagt, vor ein paar Tagen. Ich habe wirklich überhaupt keine Ahnung, was jetzt in seinem Leben passiert. Die Hündin hört den Seufzer, bleibt stehen und kommt zu ihr. Ora zieht sich ihre feuchte spitze Schnauze zwischen die Oberschenkel. Über den Kopf der Hündin hinweg sagt sie zu Avram: Wenn ich ein Wort oder irgendetwas in einer anderen Melodie sage ...

Oder wenn du plötzlich lachst ...

Oder wenn ich weine ...

Dann reagiert sie sofort, sagt Avram.

Gestern, als du die Fliegen mit dem Handtuch vertrieben hast, das hat sie deprimiert. Woran hat dich das erinnert, meine Süße, fragt sie die Hündin und krault den Kopf, der sich an sie schmiegt, von woher bist du zu uns gekommen?

Sie hockt sich hin, hält den Kopf der Hündin mit beiden Händen und reibt ihre Nase an deren Schnauze: Was hast du erlebt? Was haben sie mit dir gemacht? Avram schaut die beiden an. Das Licht verstärkt den Silberglanz von Oras Haar und strahlt auf dem Fell der Hündin.

Mit Adam hast du gar keinen Kontakt? fragt er, als sie weitergehen.

Er hat alle Fäden abgeschnitten.

Avram schweigt.

Da war so eine Sache, murmelt sie, nicht mit ihm, sondern mit Ofer, da ist seiner Einheit in Hebron was Saublödes passiert – keiner ist dabei umgekommen, und Ofer war auch nicht Schuld, und wenn, dann bestimmt nicht er allein, immerhin waren zwanzig Soldaten mit dabei, warum ausgerechnet er? Egal, nicht jetzt, ich habe da einen Fehler gemacht, ich weiß, und Adam war mir sehr böse, dass ich nicht zu Ofer gestanden hab – sie holt tief Luft und skandiert nacheinander die Wörter, die ihr seitdem das Leben verbittern: dass ich Ofer nicht rückhaltlos unterstützen konnte. Verstehst du? Verstehst du, wie absurd das ist? Denn mit Ofer hab ich das längst geklärt, zwischen uns ist alles wieder in Ordnung, bloß Adam mit seinen verdammten Grundsätzen verzeiht mir das bis heute nicht.

Avram fragt nicht weiter. Ihr Herz schlägt bis zum Hals. War es gut, ihm das zu erzählen? Sie hätte es ihm längst erzählen müssen. Sie fürchtet sich vor seinem Urteil, vielleicht denkt auch er, wie Adam, dass sie keine richtige Mutter ist.

Umarmen sie sich? fragt Avram.

Was hast du gesagt? sie schreckt aus einem Sekundentraum auf.

Nichts, nichts weiter. Avram macht erschrocken einen Rückzieher.

Nein, hast du gefragt, ob sie …

Ob sie sich manchmal umarmen, Ofer und Adam …

Sie schaut ihn dankbar an: Warum fragst du?

Was weiß ich? Ich versuche, sie mir ein bisschen vorzustellen, wie sie zusammen so sind. Das ist alles.

Das ist alles? Sie könnte jubeln, das ist alles?

Sie sind schon sehr weit gelaufen. Sind in der Moschawa Kinneret vorbeigekommen, haben ihre Vorräte aufgefüllt, den Friedhof von Kinneret besucht, in dem Gedichtband der Dichterin Rachel geblättert, der an einer Eisenkette neben ihrem Grabstein liegt, sie haben die Straße Tiberias–Zemach überquert, sind durch die Dattelplantagen gegangen und haben der Mauleselin »Buba« die letzte Ehre erwiesen, *die in den 20er und 30er Jahren des 20. Jahrhunderts getreulich die Ländereien der Moschawa Kinneret gepflügt hat* und dicht am Jordan begraben liegt; sie haben Pilger aus Peru und Japan gesehen, die tanzend und singend im Jordan untertauchten, und waren ein ganzes Stück zwischen dem klaren Jordan und einem stinkenden Abwasserkanal entlanggelaufen, bis der Weg sie vom Jordan weg in den Nachal Jawneel führte, und in Ejn Petel gönnten sie sich ein königliches Frühstück im Schatten von Eukalyptusbäumen und Oleanderbüschen, und sie sahen den Berg Tabor schon vor Augen und wussten, auch dahin würden sie kommen.

Der Tag ist sehr heiß, und sie erfrischen sich mal an einer Quelle, mal unter riesigen Wassersprengern auf den Feldern, werden von Himbeersträuchern zerkratzt, suchen ab und zu ein Fleckchen Schatten, schlafen ein, stehen auf und gehen weiter, reiben sich immer wieder mit Sonnencreme ein, er ihren Nacken, sie seine Nase, und sie klagen, dass ihre Haut so gar nicht für dieses Klima geschaffen ist. Avram schält ihr beim Gehen mit Ofers Taschenmesser den »Stock für den heutigen Tag«, diesmal einen dünnen, etwas gebogenen und vielleicht von Ziegen angenagten Eichenzweig; nicht besonders bequem, verkündet sie, als sie ihn ausprobiert, aber er hat Charakter, und deshalb behalte ich ihn.

Als Jugendliche haben sie sich kaum umarmt, erzählt sie jetzt, als sie auf einem Steinhaufen im Schatten einer großen Pistazie auf dem Gipfel des Jawneel sitzen, an einem wunderbaren Punkt, von dem man alle auf einmal sehen kann, den See Genezareth, den Golan, den Gilead, den Meron und den Berg Gilboa, Samaria und sogar den Carmel. Sie hatte gespürt, dass der Körper des jeweils andern bei den Jungs eine gewisse Verlegenheit auslöste, und das war ihr merkwürdig vorgekommen: Sie haben doch beide im selben Zimmer gewohnt und, als sie klein waren, auch immer zusammen geduscht. Aber den Körper des andern zu berühren … Noch nicht einmal mit Schlägen, denkt sie jetzt, nur als sie klein waren, haben sie manchmal, auch nicht oft, miteinander gerauft, aber nachdem sie in die Pubertät kamen – fast nie.

Was hätte sie darum gegeben zu wissen, ob sie sich je über ihre Pubertät unterhalten haben, über die Veränderungen in ihrem Körper oder zum Beispiel über Mädchen, übers Onanieren und Schmusen. Wohl eher nicht. Sie nimmt an, dass das körperliche Erwachsenwerden sie beide verlegen gemacht hat, als wäre da eine fremde Kraft von außen in die Intimität ihres Lebens als Bruderpaar eingedrungen. Nicht selten hatte sie sich und auch Ilan gefragt, was haben wir bei ihrer Erziehung falsch gemacht? Haben wir uns in ihrem Beisein nicht genug umarmt? Haben wir ihnen nicht genug gezeigt, wie das ist, wenn man sich liebt?

Schon sonderbar, sagt sie mit einer Stimme, die belustigt klingen soll, wie keusch und schamhaft meine Söhne sind. Ich hab sie immer zu dreckigen Witzen, anzüglichen Bemerkungen und auch zu Schimpfworten verleitet, was ist schon dabei, und Ofer hat, als er klein war, gern mitgemacht, hat auch solche Schweinereien gesagt und ist dabei furchtbar rot geworden, aber als sie größer wurden, vor allem, wenn sie mit uns zusammen waren – eigentlich nicht mehr.

Das ist Ilan mit seinem verdammten Puritanismus, denkt sie, immer auf der Hut, dass man bei ihm, Gott behüte, keinen Zipfel seines Jackenfutters sieht, manchmal hatte ich das Gefühl – du wirst lachen –, dass sie meinten, sie müssten unsere Unschuld beschützen. So als wüssten wir nicht, was Sache ist. Komm, gehn wir weiter. Das nervt mich.

Der Weg – ausgetrocknete Erdschollen, nackte Steine, feine, grasartige Pflanzen, niedergetrampelt und schon wieder sprießend. Hier und da eine bescheidene weiß-gelbe Hundskamille, um deretwillen der Fuß einen größeren Schritt macht, und dann einfach trockene Blätter des letzten Frühlings, löchrig und zerbröselt, durchsichtig, nur das Blattgerippe ist noch übrig. Ein felsiger Weg, gelb, staubig, nichts Besonderes, solche gibt es Tausende, mit welkem Reisig und dem orangebraunen Staub von Kiefernpollen; eine Reihe schwarzer Ameisen trägt Körnchen oder einen halben Sonnenblumenkern, und hier das tiefe Loch eines Ameisenlöwen, und hier graugrünliches Flechtengewebe auf den gesprungenen Steinen und Felsen, ab und zu ein schwarz glänzendes Häufchen von Hirschlosung oder das aufgelockerte braune Nest einer Ameisenkönigin, die von ihrem Jungfernflug zurückkam. Hör mal, sagt Ora und ergreift seine Hand, ich sage dir, die Wege hier im Land machen Geräusche, die ich nirgendwo sonst gehört habe, und sie gehen weiter und lauschen, rrrrsch, rrrrsch, wenn der Schuh über die Erde schleift, oder rrch-rrch, wenn nur die Schuhspitze auf den Weg tritt, und chchcchsch, chchchsch, wenn sie einfach so gehen, oder chwasch, chwasch, wenn sie energisch gehen, und das schnelle Klopfen von rrischschrsch, wenn kleine Steinchen wegspritzen, oder chrap, chrap, wenn sie über dornigen Becherstrauch hinweggehen, was ein Glück, dass sie alle auf Hebräisch so passende Konsonanten haben, sagt sie, versuch mal, diese Klänge auf Englisch oder Italienisch zu beschreiben; vielleicht kann man sie ja wirklich nur auf Hebräisch so genau ausdrücken? Du meinst, die Wege hier reden Hebräisch? brummt Avram, dass die Sprache aus der Erde wächst? Und schon erfindet er für sie eine Geschichte, wie hier einst die Wörter aus dem Boden sprossen, wie sie aus den trockenen Rissen der Erde schossen, mit Disteln und Dornen aus dem Zorn heißer Chamssinwinde schlüpften und wie Laubheuschrecken und Zikaden herumhüpften.

Ora hört seinen Redefluss. Tief in ihr bewegt ein erstarrtes Fischchen seinen Schwanz ganz sacht, und der leise Wellenschlag erreicht sie.

Interessant, wie das auf Arabisch klingt, überlegt sie sich später, das ist ja auch deren Landschaft, auch sie haben diese röchelnden Konsonanten, so als ersticke die Kehle an der Dürre des Landes. Sie macht es vor, und die Hündin stellt interessiert die Ohren auf, sag mal, Avram, erinnerst du dich noch an die arabischen Wörter für diese ganzen Dornen und Disteln, oder hat man euch das beim Nachrichtendienst nicht beigebracht? Und Avram meint trocken, wir hatten es da vor allem mit Panzern, Flugzeugen und Granaten; über Disteln hat da irgendwie nie einer gesprochen.

Das ist ein Fehler, ein großer Fehler, stellt Ora fest.

Ob sie sich umarmen, hat er gefragt, und sie erinnert sich, das ist noch gar nicht lange her, etwa ein Jahr, da saßen sie an Adams Geburtstag im Restaurant, in so einem neuen in einem Moschaw nicht weit von Jerusalem, zwischen Feldern und leeren Hühnerställen, etwas zu schick für meinen Geschmack, sagt sie. Und da kommt ihr der Gedanke, dass Avram, auch wenn er in einem Pub, in dem indischen Restaurant und wer weiß, wo sonst noch überall gearbeitet hat, vielleicht gar nicht weiß, wie so eine Familienunternehmung funktioniert, er ist so ahnungslos. Und deshalb hält sie inne und berichtet zunächst, wie man bei ihnen in der Familie das passende Restaurant auswählt, denn Adam ist ja ein derart verwöhnter Feinschmecker, dass man erst mal per Telefon recherchieren muss, ob es da für ihn etwas zu essen gibt, einen Gang nach dem andern. Wenn das Lokal ausgewählt ist und man dort angekommen ist und Platz genommen hat – das Hinsetzen selbst, unterbricht sie sich wieder, unsere allgemeine Politik der Sitzordnung, du kannst dir das Manöver gar nicht vorstellen –, zugegeben, für eine einfache Familie sind wir schon ziemlich kompliziert. Sie erzählt weiter, und Avram sieht sie alle vor sich: Zuerst Ilan: Er sucht den besten Tisch im Raum, weit genug von den Toiletten und der Küche entfernt, passend beleuchtet, nicht zu grell, nicht zu dunkel, möglichst ruhig, und er selbst muss mit dem Gesicht zum Eingang sitzen, um jede Gefahr, die seine kleine Familie bedrohen könnte, rechtzeitig zu erkennen – damals war die Welle der Selbstmordanschläge auf ihrem Höhepunkt, erinnert sie ihn, und er brummt, wann war das je anders –, und Adam, der so weit wie möglich am Rand sitzen muss, beinah versteckt, mit dem Rücken zu allen anderen Gästen; und Ofer ist da genau wie ich, dem ist das alles egal, der sitzt überall gern, solange das Essen gut und reichlich ist; und sie selbst hat es natürlich gern intim, gibt andererseits aber auch gern ein bisschen mit ihrer Familie an.

Wenn sie also alle ihren Platz gefunden haben, beginnt die nächste Phase, die Auswahl aus der Speisekarte. Adam wird von der Kellnerin sofort als »problematisch« erkannt, als einer, der mit seinen genauen Anweisungen den reibungslosen Ablauf des Restaurants stört, nichts, was Sahne enthält, könnte das nicht auch in Butter gebraten werden? Enthält einer der Dips etwa in irgendeiner Form Auberginen oder Avocado? –, und Ilan und seine Witzchen mit der Kellnerin, immer wieder wundert sich Ora darüber, dass er völlig blind dafür ist, dass die armen Mädchen, egal in welchem Alter, einen mittelschweren Schwächeanfall bekommen, wenn er sie mit dem leuchtenden arktischen Grün seiner Augen anschaut; und Oras ganz persönlicher Kampf mit ihrem Blick, den es immer auf den Preis zieht, da führt sie ganz private Verhandlungen zwischen ihrer Esslust und ihrer Sparsamkeit – na los, denkt sie, erzähl es ihm, mit allen Peinlichkeiten –, bei ihr ist es der pure Geiz, ganz eindeutig, jetzt hat sie es zugegeben, irgendwie kann sie Avram gegenüber leichter zugeben, was sie Ilan all die Jahre vorenthalten hat.

Wo war ich stehen geblieben? seufzt sie.

Beim Geiz, bezeugt Avram mit erfrischender Bösartigkeit.

Ja, ja, benutz das ruhig gegen mich, zum Wohl! ein Funke fliegt zwischen ihren und seinen Augen hin und her.

Und immer ist sie es, die zögernd vorschlägt: Vielleicht bestellen wir für uns vier zusammen nur drei Hauptgänge, mehr schaffen wir doch nicht, und sie streiten mit ihr, so als wäre ihr Vorschlag eine Beleidigung ihres Appetits, vielleicht sogar ihrer Männlichkeit, und zum Schluss bestellen sie natürlich vier Hauptgerichte und essen noch nicht einmal drei davon. Und Adam bestellt einen entsetzlich teuren Aperitif, wozu muss er so viel trinken, ein kurzer Blickwechsel mit Ilan – lass ihn, lass ihn doch heut Abend, den geb ich aus –, und als die Kellnerin mit der Bestellung zurück in die Küche geht, macht sich plötzlich eine zerstörerische Stille breit, und die drei Männer schauen auf ihre Fingerspitzen, betrachten eine Gabel oder ein philosophisches Problem, ein abstraktes, erhabenes, vielleicht sogar existenzielles Problem.

Und Ora weiß doch, dass gleich alles in Ordnung, mehr als in Ordnung, sogar richtig gut sein wird, denn die Jungs mögen Restaurants, sie gehen gern mit Ilan und ihr essen – und überhaupt sind sie ein prima Team zu viert; gleich erzählen sie Witze, dann kommt das Gelächter, danach die Wellen der Zuneigung, nur noch ein Augenblick, dann wird sie diesen seltenen, geheimnisvollen Moment familiären Glücks genießen können … Das gibt es seltener, als du vielleicht denkst, sagt sie zu Avram, dass vollständiges Glück und Familie zusammengehen; aber davor kommt immer dieser beschissene Moment, unvermeidlich wie eine Gebühr, die alle drei von ihr auf ihrem Weg zu ebendieser Süße verlangen. Die sich wiederholende qualvolle Zeremonie richtet sich, so ihr Eindruck, einzig und allein gegen sie, denn sie löst diese Zeremonie aus; und gerade weil ihre Männer spüren, wie sehr sie sich nach dieser Süße verzehrt, sind sie so versessen darauf, sie ihr vorzuenthalten oder ihr zumindest den Weg dahin ein bisschen zu erschweren. Frag mich nicht, warum, das musst du sie fragen, sie sieht sie alle drei vor sich, jeder mit seinen Fingerspitzen, mit seiner Lust, sie ein bisschen zappeln zu lassen, dieser Versuchung können sie nicht widerstehen, auch Ilan nicht. Früher war er nicht so, rutscht es ihr heraus, obwohl sie etwas ganz anderes sagen wollte, früher waren sie und er sich wirklich einig – ein Fleisch, sagt sie beinah –, und wenn es sein musste, bildeten sie gegenüber den Kindern auch eine Front. Da war er ein echter Partner, und erst in den letzten Jahren – ich versteh's einfach nicht, eine späte Wut brodelt in ihr –, seit die Jungs in die Pubertät gekommen sind, begann etwas zu knirschen, als hätte er beschlossen, dass auch er jetzt eine Zeit der Pubertät verdient habe.

Wenn sie jetzt darüber nachdenkt, muss sie zugeben, dass sie in den letzten Jahren, und vor allem im letzten Jahr, kurz vor ihrer Trennung, tatsächlich ein ums andere Mal drei revoltierenden, trotzigen und zornigen Pubertierenden gegenüberstand – immer waren die Klobrillen hochgeklappt, ein aufgerichteter Protest –, wenn sie bloß gewusst hätte, was in ihrem Verhalten diese Reaktion provoziert, diesen idiotischen Drang ihr gegenüber, sich von einer Minute zur andern in Gegner zu verwandeln, und warum war es, verdammt nochmal, immer, zum Beispiel im Restaurant, ihre Aufgabe, sie aus diesem Schweigen zu befreien? Vielleicht sollte sie sich einfach der ernsthaften Betrachtung der Fingerspitzen anschließen und dabei im Stillen ein langes, besonders kompliziertes Lied summen, bis einer von ihnen aufgibt? Höchstwahrscheinlich würde das Ofer sein, das weiß sie, sein Gefühl, dass es unfair ist, seine natürliche Barmherzigkeit, würden aufschreien, und der Drang, sie zu beschützen, würde bei ihm schließlich stärker sein, als die Wonne, zu ihnen zu gehören, und sofort hat sie Mitleid mit ihm, warum soll sie ihn bei seinen Männerspielen zum Straucheln bringen, ist es da nicht besser, wenn *sie* nachgibt und nicht er?

Wieder meldet sich das alte Thema: Wenn sie eine Tochter hätte. Ein Mädchen würde sie wieder zusammenbringen, mittels seiner Fröhlichkeit, Einfachheit, Leichtigkeit, all dem, was Ora früher besaß, aber verloren hat. Denn Ora war ja mal ein Mädchen gewesen, vielleicht nicht so fröhlich und leicht, wie sie gern gewesen wäre, aber sie hatte sich sehr bemüht, immer fröhlich, immer strahlend zu sein, so wie das Mädchen, das sie nicht geboren hat. Sie erinnert sich gut, sagt sie zu Avram, an das plötzlich aufkommende feindliche Schweigen, das sich immer wieder zwischen ihren Eltern ausbreitete, ein Schweigen, mit dem ihre Mutter ihren Vater für Sünden strafte, von denen er keine Ahnung hatte.

Sofort war Ora damals wie eine flinke Zaubernadel zwischen ihrem Vater und ihrer Mutter hin und her gesaust, hatte den aufgerissenen Moment wieder zusammengeflickt, durch den ihre Eltern beinah in den Abgrund gestürzt wären.

Das Schweigen im Restaurant dauert nie länger als eine Minute, entnimmt Avram Oras Gestammel, ihrem gesenkten Blick, aber das ist eine verfluchte Ewigkeit, und allen ist klar, man muss anfangen zu reden, das Schweigen auftauen, aber wer fängt an, wer meldet sich freiwillig, wer wird als Erster einknicken und etwas sagen, sogar etwas Dummes – Dummes, das ist ihre Abteilung, weiß Ora, schon eine kleine Peinlichkeit wäre hier hilfreich; etwa die Geschichte von der sehr beleibten Russin, die sich diese Woche bei dem Platzregen zu ihr unter den Schirm gedrängt hatte. Sie hatte nicht gefragt, sich nicht entschuldigt, sondern Ora nur lächelnd gesagt: »Wir gehen jetzt ein bisschen zusammen«; oder soll sie von der alten Junggesellin erzählen, die sie diese Woche wegen eines umgeknickten Knöchels behandelt hat und die ihr etwas verlegen, aber doch begierig, ihr Patent, Hefeteig aufgehen zu lassen, verriet: Sie nehme ihn mit ins Bett, lege sich mit dem Teig im Schoß zum Mittagsschlaf, und so gehe er unter der Decke das erste Mal auf! Ja, sie redet einfach drauflos, und alle lachen herzlich und wundern sich, wie die Russin Oras grenzenlose Hilfsbereitschaft sogar während eines Platzregens zielsicher erkannt hat, und sie machen sich über die Alte mit dem Hefeteig lustig und über ihre anderen Patienten, überhaupt über ihre Arbeit, die ihnen etwas merkwürdig vorkommt – einfach zu einem Fremden hinzugehen und ihn anzufassen? Und die kleine Flamme, die sie entzündet hat, wird aufflackern und brennen, und sie werden es warm und gut haben, verstehst du, was ich meine? Siehst du das Bild, oder rede ich bloß …

Er nickt gebannt. Vielleicht hat er in seinem Pub doch einiges gesehen, denkt sie, oder in dem indischen Restaurant, oder wenn er draußen unterwegs war, in der Stadt und am Meer. Vielleicht hat er seinen typischen scharfen Blick von früher ja doch nicht aufgegeben, sondern bemerkt, verfolgt, heimlich hingeschaut, mitgehört und all das in sich aufgenommen, ja, es würde zu ihm passen wie zu einem Detektiv, der Beweise für ein Verbrechen von unvorstellbarem Ausmaß sammelt – die Spezies Mensch.

Danach ist es schon in Ordnung, danach sind wir ganz bei der Sache, wir alle, lachen, sticheln und reden – und meine drei sind so geistreich und scharfsinnig, zynisch und entsetzlich makaber, sagt sie, so wie Ilan und du früher, genau so. Aber Avram schmerzt es, denn er spürt, wie sie jetzt das Gefühl zu vertuschen versucht, dass ihr in diesen Gesprächen immer etwas entgeht, der geheime Blitz zwischen ihren drei Männern, von dem sie nur den Donner danach mitkriegt. Wenn dann das Essen kommt, beginnt ein reger Tauschhandel, den mag sie am liebsten, Teller und Schüsselchen wandern von Hand zu Hand, Gabeln stochern mal hier und mal da, alle vier kosten, vergleichen, kritisieren, bieten einander an, was gerade vor ihnen steht. Eine Atmosphäre der Großzügigkeit und des Genießens breitet sich aus. Nun kommt endlich: Wir – eine Familie im Glück. Was gesprochen wird, bekommt sie nur noch in groben Zügen mit, das Gespräch ist nicht die Hauptsache, es lenkt sogar in gewisser Weise von der Hauptsache ab.

Sie hat den Eindruck, dass sie über sich selbst lachen, über das Hin und Her der Teller und darüber, was die Leute an den anderen Tischen wohl über sie denken; oder sie unterhalten sich übers Militär, über eine neue CD, worüber ist nicht wichtig, auf diesen Moment kommt es an: die Geborgenheit in der Familie.

So ein Scheiß, hörte sie Ofer zu Adam sagen, vor allem zu Adam, den ganzen Sommer haben wir in Nebi Mussa Fliegen totgeschlagen, und dann stellt sich heraus, wir haben bloß die schwachen erwischt und damit eine Generation starker Fliegen herangezogen, die unseren Angriff überlebt haben und jetzt nur noch ihr starkes Erbgut weitergeben. Sie lachten. Beide haben schöne Zähne, dachte Ora. Adam beschrieb die Ratten, die, wenn er beim Reservedienst ist, in der Küche frei herumlaufen. Ofer dankte es ihm mit einem noch höheren Trumpf: Ein Fuchs, womöglich mit Tollwut, der, als alle pennten, ins Zimmer seiner Panzerbesatzung geschlichen kam und aus einem Rucksack einen ganzen Kuchen klaute. Sie redeten mit lauten, rauhen Stimmen, wie immer, wenn sie vom Militär sprachen, aber vielleicht auch, weil Ofers Ohren ständig von Panzerstaub und Kettenöl verstopft waren. Ora und Ilan lachten immer wieder, genossen das Zusammensein, aßen von dem würzigen Brot. Ihre Aufgabe hier war bekannt: Sie bilden den Hintergrund, sie sind der Resonanzraum, in dem die Erklärung des Erwachsen- und Unabhängigseins ihrer Söhne immer wieder hörbar wird; wohl auch für die Söhne selbst erst hörbar wird, egal in welchem Alter, damit sie irgendwann an ebendieses Erwachsensein und ihre Unabhängigkeit glauben können. Sie redeten auch wieder über kleine und größere Unfälle beim Militär – diese Gespräche im Restaurant hatten einen ziemlich festen Aufbau, begreift Ora plötzlich, es gab eine geplante, schrittweise Eskalation. Adam erzählte, wie zu Anfang seines Dienstes in der Panzerbrigade einer der Offiziere ihnen gezeigt hatte, was einem Fahrer passieren könne, der in den Schwenkbereich des Geschützrohrs gerät: Er stellte eine Holzkiste auf die Wanne, neigte das Geschütz und zeigte, wie das Rohr die Holzkiste zerquetschte, und genau das wird jemandem passieren, der ohne Absprache mit dem Richtschützen aus dem Panzer klettert, betonte

Adam als Warnung gegenüber seinem kleinen Bruder, und Ora bekam eine Gänsehaut; bei uns, erzählte Ofer, gibt es einen Soldaten, so ein armer Kerl, echt ein Idiot, der es auch drauf anlegt, der es immer von allen abkriegt, und vor einem Monat oder so, bei einer Tarnübung, ist er vom Panzer gefallen und ihm ist die Hand angeschwollen. Da haben sie ihn zum Sanitäter ins Zelt geschickt, und da ist ein Antennenmast auf ihn gefallen und hat ihm den Kopf aufgeschlagen … Ilan und Ora tauschten schnell schockierte Blicke aus, und sie wussten nur zu gut, sie durften auf die Geschichte nicht reagieren, auch nicht mit einem Wort. Alles, was sie sagen würden, jeder besorgte Gesichtsausdruck, würde weitere Spitzen provozieren – »Kleidchen von links«, mit diesen Worten pflegt Adam Ofer vor Ora zu warnen –, doch hatten Adam und Ofer diesen Blickwechsel natürlich mitbekommen, und so waren alle auf ihre Kosten gekommen, und jetzt, nachdem die Fundamente gelegt waren, nachdem sie den Eltern hinreichend klargemacht hatten, vor wie vielen unterschiedlichen Gefahren sie ihre Söhne nicht länger würden bewahren können, erzählte Ofer so nebenbei, dass der Terrorist, der sich vor zwei Wochen auf dem Busbahnhof von Tel Aviv hochgejagt und vier Zivilisten mitgenommen hatte, vermutlich durch seinen Checkpoint gekommen war, durch den Checkpoint, für den sein Regiment zuständig war.

Ilan fragte vorsichtig, ob man wisse, wann genau der Terrorist dort durchgekommen war und ob jemand die Soldaten seines Regiments beschuldige, und Ofer erklärte, man könne nicht wissen, in wessen Schicht er durchgegangen sei, und es könne auch sein, dass er eine neue Art von Sprengstoff am Körper trug, den man am Checkpoint überhaupt nicht erkennen kann. Ora war gar nicht in der Lage zu reden, sie schwieg, und Ilan schluckte trocken und sagte, weißt du, was? Ich bin froh, dass der Terrorist sich in Tel Aviv hochgejagt hat und nicht bei dir am Checkpoint, und Ofer protestierte, aber Papa, das ist meine Aufgabe, zu diesem Zweck steh ich da, dass er mit mir hochgeht und nicht in Tel Aviv.

Und Ora – wie hat sie reagiert? Dieser Moment ist jetzt etwas verschwommen, sie kann ihn nicht rekonstruieren – sie weiß nur noch, dass sie plötzlich ganz hohl wurde, nur noch eine Schale ihrer selbst. Irgendetwas hatte sie im Mund gehabt, vermutlich ein Stück Roggenbrot mit Pinienkernen, das sie in das Pesto mit Walnüssen getaucht hatte. Ofer und Adam redeten schon über einen anderen Soldaten, den sie beide kannten, der am Ende eines Ausbildungsabschnitts am Elterntag mit ausgebreiteten Armen auf ein fremdes Ehepaar zugelaufen war und gerufen hatte: Mama, Papa, erkennt ihr mich nicht mehr? – Ofer, Adam und wohl auch Ilan kriegten sich nicht ein vor Lachen, und Ora saß fassungslos dabei, die nymphenhaften Kellnerinnen huschten zwischen den Tischen umher und hauchten ihr »Ist alles in Ordnung?«, »Schmeckt es Ihnen?«, und vor zwei Wochen war ein mit Sprengstoff bepackter Terrorist an Ofer vorbeigegangen, und das war Ofers Aufgabe, zu genau diesem Zweck stand er da, dass der Terrorist mit ihm hochgeht und nicht in Tel Aviv.

Dann wurde Ofer sehr ernst und erzählte Adam und Ilan von der letzten Woche, von dem Einsatz in Hebron. Man habe ihm verboten, davon zu erzählen, und er erzähle es auch nur so, in groben Zügen, ohne Einzelheiten. Man habe sie in den Suq, den arabischen Markt, reingeschickt, um einen Einsatz zur Eliminierung von gesuchten Terroristen zu sichern – schon hörte sie nicht mehr richtig hin, die vorige Geschichte hatte sie zu sehr mitgenommen –, so etwas haben sie noch nie gemacht, das gehört gar nicht zu ihren Aufgaben, und sie besetzten ein ganzes Haus, um dort einen Beobachtungsposten einzurichten, und schlossen die Bewohner des Hauses in eine der Wohnungen ein, keine Sorge, wir haben sie anständig behandelt, sagte er und schielte zu ihr rüber, doch sie war nicht mehr bei der Sache, hörte in dieser Phase des Gesprächs nicht mehr wirklich zu; wenn sie zugehört hätte, vielleicht hätte sie später etwas anders gemacht, aber vielleicht auch nicht, und danach – wie war das Gespräch überhaupt dorthin gelangt? – nur nachträglich und mit größter Anstrengung über Wochen und Monate war es ihr gelungen, Fetzen dieses Gesprächs aus der Erinnerung heraufzuholen und zusammenzufügen, bis sie sich den Verlauf des gesamten Abends im Kopf mehr oder weniger rekonstruiert hatte –, danach hatte Ofer Adam gebeten, ihm das vorschriftsmäßige Vorgehen bei der Festnahme eines Verdächtigen zu erklären, und auch hier hatte sie nur Bruchstücke mitgekriegt, du rufst dreimal, auf Arabisch und auf Hebräisch, Halt – Wer da?, und danach dreimal Halt – Stehenbleiben oder ich schieße! (das war Adam), *Waqeff walla batuchak* (das war Ofer), dann legst du an, zielst auf die Beine unterhalb der Knie und führst den Abzug bis zum Druckpunkt zurück (wieder Ofer) – genau in diesem Tonfall, bemerkte Ora benebelt, hatten sie früher für Ofers Grammatikprüfungen gelernt, Adam der Lehrer und Ofer der Schüler –, und wenn er nicht stehenbleibt, sondern wegläuft, zielst auf den Mittelpunkt der Masse, um ihn zu töten. Ofer war verlegen, erinnerte sich nicht mehr genau, was diese Masse war, und Adam rügte ihn, habt ihr in der Schule keine Physik gehabt? und Ofer sagte, schon, aber wo ist das beim Menschen? Und Adam grinste und meinte, als ich in den besetzten Gebieten war, haben sie uns gesagt, zwischen die Brustwarzen, und Ofer erzählte, ich hab beim letzten Schulschießen auf der Schießbahn so einem Pappkameraden in den Bauch geschossen, und der Kompaniechef sagte, Ofer, ich hab dir gesagt, unterhalb der Knie, da hab ich ihm gesagt, ja, Herr Offizier, aber fällt er so nicht auch? Beide lachten, und Ofer warf Ora einen vorsichtigen Blick zu, er wusste, sie mochte solche Witze nicht, und Adam, der das auch wusste, bemerkte mit einem leichten Grinsen, es gebe Soldaten, die fest daran glauben, dass die Araber mit einem Balkenkreuz im Gesicht rumlaufen, wie bei der Schießausbildung.

Und jetzt ist sie wieder mit ihnen dort, sie ist zurück, die kleine Störung in ihrem Hirn wurde behoben, als hätte es da einen Kurzschluss gegeben, als Ofer sagte, aber Papa, das ist meine Aufgabe, zu genau diesem Zweck steh ich da, dass er mit mir explodiert und nicht in Tel Aviv. Und sie lacht mit ihnen, lacht wider Willen, lacht, weil die drei jetzt lachen und sie es sich nicht erlauben kann, dabei außen vor zu bleiben. Aber etwas stimmt hier nicht. Sie schaut hilflos von Ilan zu Ofer zu Adam und wieder zurück. Etwas riecht hier komisch, sie verzieht misstrauisch den Mund und prüft, ob auch sie etwas spüren, denn im Moment des Kurzschlusses hat sie eine Szene gesehen, ganz konkret, als komme jemand angerannt und dringe von draußen ein, von den Feldern, und springe mit beiden Beinen auf den Tisch, lasse die Hosen runter und hockt sich hier zwischen sie und scheißt, ohne sich mit irgendwas aufzuhalten, einen riesigen stinkenden Haufen zwischen ihre Teller und Gläser. Und sie, ihre drei Männer, reden weiter, als wär nichts passiert, und auch an den anderen Tischen scheint alles normal zu sein, die Nymphen schweben herum und hauchen ab und zu: »Ist alles in Ordnung?«, »Schmeckt es Ihnen?« und trotzdem versteht sie irgendetwas nicht, als hätten alle anderen einen besonderen Kurs besucht, wie man sich in solchen Situationen verhält, wenn der Sohn so einen Satz sagt, wie, aber Papa, das ist meine Aufgabe, genau zu diesem Zweck stehe ich da, dass er mit mir hochgeht und nicht in Tel Aviv, und überhaupt wird ihr klar, wie viele Stunden dieses Kurses sie wohl verpasst hat, und sie hat den Eindruck, die Luft im Restaurant habe sich plötzlich unerträglich erwärmt, und jetzt begreift sie, was passiert, sie spürt die Anzeichen, sie ist schweißüberströmt. Solche Anfälle hat sie schon gehabt, solche Ausbrüche – das ist rein körperlich, nichts Schlimmes, Hitzewellen, das Toben des Klimakteriums, das liegt außerhalb jeder Kontrolle, eine kleine Intifada des Körpers. Am Ende eines Ausbildungsabschnitts bei der Abschlusszeremonie war es passiert, auf dem Appellplatz in Latrun, als die ganze Parade vor der riesigen Mauer mit den Tausenden Namen der Gefallenen vorbeizog, und in Nebi Mussa bei einer von seinem Regiment für die Eltern veranstalteten Vorführung der Einheit in Bewegung und beim Schießen, und bei noch zwei oder drei anderen Anlässen. Mal hatte sie aus der Nase geblutet, mal hatte sie sich übergeben, ein andermal hysterisch geweint, und jetzt – sie blickt sich verängstigt um – Durchfall? Kann sein, dass sie es nicht mehr bis zur Toilette schafft, so stark ist das, und sie verkrampft sich und reißt sich zusammen, man sieht die Anstrengung auf ihrem Gesicht, wie kommt es, dass keiner merkt, was mit ihr los ist? Sie lässt den Blick erschöpft von Ilan zu Ofer und Adam gleiten, sie unterhalten sich, komm, lass sie lachen, lacht ihr ruhig, denkt sie, lasst ein bisschen die Anspannung der letzten Woche raus, doch in ihrem Körper: der totale Zusammenbruch, sie ist eine Hülle, in ihr ist alles flüssig. Eine Kokosnuss. Vielleicht sind sie auch Schauspieler? Hat man ihr vielleicht überhaupt die Familie ausgetauscht? Ihr Herz pocht furchtbar stark. Wie kommt es, dass sie es nicht hören, dass sie ihr Herz nicht hören? Einsamkeit schließt sich um sie, der Keller ihrer Einsamkeit als Kind, und heiß ist es hier, meine Güte, als hätten sie plötzlich alle Öfen angeschaltet und die Fenster geschlossen. Und außerdem stinkt es. Furchtbar. Sie kriegt kaum noch Luft. Sie muss sich wieder fassen und darf sich vor allem nichts anmerken lassen, diesen wunderbaren fröhlichen Abend, der sich hier entwickelt, nicht versauen, sie genießen es so, haben solchen Spaß, da wird sie ihnen mit den Spe- renzchen ihres Körpers, der plötzlich so ein Sensibelchen geworden ist, keinen Strich durch die Rechnung machen. Gleich wird sie sich wieder unter Kontrolle haben, das ist eine Frage des Willens, einfach nicht daran denken, mit welchem Ernst, welchem Verantwortungsbe- wusstsein er gesagt hatte, aber Papa, das ist meine Aufgabe, zu genau diesem Zweck stehe ich da, dass er mit mir hochgeht und nicht in Tel Aviv. Und jetzt, vor den lachenden Gesichtern von Ilan, Adam und Ofer, mein Gott, da kommt er schon wieder, er ist schon wieder da, in dieser sanften Beleuchtung, zwischen den schlanken Libellen – »Alles in Ordnung?«, »Alles gut so?« –, und er springt tatsächlich mit beiden Beinen auf den Tisch und scheißt einen riesigen Haufen, und eine entsetzliche Welle rollt in ihr an, gleich wird sie keinen Platz mehr in ihr haben, wird ihr sogar aus dem Mund spritzen, aus den Augen, aus den Nasenlöchern, und sie macht verzweifelt alles zu, all ihre unzuver- lässigen Löcher, eins nach dem andern, und alles, was sie über ihn denken kann, ist nur dessen Erleichterung, die gewaltige, skandalöse Erleichterung dieses Scheusals, das mit zwei kräftigen Beinen auf den Tisch gesprungen ist und so, zwischen den weißen Tellern und den dünnwandigen Gläsern, den Servietten, dunklen Weinflaschen und den Spargelstengeln, sich hingehockt hat und eine Riesenportion gif- tig stinkende Scheiße geschissen hat, und Ora kämpft mit sich, ver- sucht ihren Blick von der Mitte des Tisches zu lösen, von diesem nack- ten Monster, das da hockt und sie verführen will, nein, er wird sie noch von innen aufsprengen; wartet einen Moment, zwitschert sie anmutig und wackelt mit zusammengepressten Lippen eilig auf die Toilette.

Und einmal, am Anfang seines Dienstes in den besetzten Gebieten, das ist schon lange her – erzählt sie Avram, ich erwähne das in Klammern, es hat gar nichts mit diesem Abend im Restaurant zu tun, aber plötzlich ist es mir wieder eingefallen –, sie wohnten schon in Ejn Karem, da hörte Ora ein merkwürdiges Geräusch von der Treppe, die auf den Weg unterhalb des Hauses führt, und sie ging dem Geräusch nach bis ans Ende des Gartens und sah Ofer da sitzen, in kurzen Hosen und in einem Hemd vom Militär – auch damals war er auf Kurzurlaub –, er saß da und schnitzte mit dem Taschenmesser eifrig an einem dicken Holzstock, und sie fragte ihn, was das sei, und er hob die Augen mit dem ironischen Ausdruck seiner steilen Augenbrauen und fragte, nach was das denn aussehe, und sie sagte, wie ein runder Stock, und er lächelte und sagte, das ist ein Schlagstock, darf ich vorstellen: Schlagstock, Mama – Mama, Schlagstock. Wozu brauchst du einen Schlagstock, fragte sie, und er lachte wieder, um kleine Füchse zu verhauen, und Ora fragte, ob das Militär ihm nicht die Waffen zur Verfügung stelle, die er brauche, um sich zu verteidigen, und Ofer sagte, Schlagstöcke nicht, und grade die brauchen wir am dringendsten, die sind in den Situationen, in die wir geraten, am effektivsten. Und sie sagte, das mache ihr Angst, und er sagte, aber was hast du gegen einen Schlagstock, Mama, das ist minimale Gewaltanwendung. Und Ora fragte mit einem erworbenen Zynismus, der nicht ihr eigener war, ob es für Schlagstock schon eine Abkürzung wie »mGa« gebe. Und Ofer antwortete überrascht, aber ein Schlagstock erzeugt keine Gewalt, sondern verhindert sie, dann musst du nicht schießen, und Ora sagte, trotzdem erlaub mir bitte, mich schlecht zu fühlen, wenn ich sehe, wie mein Sohn dasitzt und sich einen Schlagstock schnitzt. Ofer schwieg. Normalerweise vermeidet er es, sich auf solche Diskussionen mit mir einzulassen, sagt sie zu Avram, er hat keinen Nerv dafür und sagt immer, Politik interessiere ihn einfach nicht. Er mache, was seine Aufgabe sei, mehr nicht, aber er versprach ihr, wenn sie da fertig seien und er da rauskomme, genau zu überdenken, was er beim Militär alles getan habe.

Er schnitzte den Stock weiter, bis er ganz rund war. Ora stand noch immer am oberen Ende der Treppe und schaute wie hypnotisiert auf seine geübten Handbewegungen. Er hat wunderbare Hände, murmelt sie zu Avram, du musst sehen, was er alles damit macht. Der runde Tisch in der Essecke. Das Bett, das er für uns gebaut hat.

Ofer wickelte einen Streifen Gummi um den größten Teil des Stocks. Ora beugte sich zu ihm hinunter und sagte, sie wolle das anfassen. Aus irgendeinem Grund war es ihr wichtig, das anzufassen, zu spüren, wie es ist, wenn das auf dich einschlägt – so eine Art schwarzes Gewebe, unnachgiebig, nicht angenehm, berichtet sie Avram, und Avram schluckt und schaut in die Ferne – um den restlichen Stock wickelte Ofer noch so ein braunes Material, der Schlagstock war fertig, und dann machte er die Bewegung, sagt sie und macht vor, wie Ofer sich mit dem Schlagstock dreimal in die offene Hand schlug, als wolle er sehen, wie stark der Stock ist, welche Kraft in ihm steckt, und ein bisschen amüsierte er sich auch damit, wie mit einem bissigen Tier, dessen Domestizierung erst begonnen hat.

Das war kein guter Augenblick, sagt sie, als ich Ofer den Schlagstock schnitzen sah.

Es war mir wichtig, dass du das weißt, sagt sie und presst die Lippen zusammen, und Avram nickt, bestätigt, dass er auch diese Szene von ihr entgegengenommen hat.

Wo war ich stehengeblieben?

Umarmungen, erinnert er sie, in diesem Restaurant. Er mag es, wie sie manchmal »wo war ich stehen geblieben« fragt, dann schaut für einen Moment ein verwirrtes junges Mädchen, verträumt und zerstreut, aus ihrem Gesicht.

Ja, seufzt sie, und dann haben wir im Restaurant Adams Geburtstag gefeiert, und, du musst verstehen, wir haben bis zum letzten Moment nicht gewusst, ob sie an diesem Wochenende überhaupt beide nach Hause kommen würden. Adam war gerade zum Reservedienst im Jordantal eingezogen, und Ofer war in Hebron stationiert, er sollte an diesem Wochenende gar nicht freibekommen, doch dann haben sie ihn da überraschend rausgelassen, ein Auto fuhr nach Jerusalem, und er kam spät nach Hause und war furchtbar müde, und auch beim Essen ist er manchmal kurz eingenickt, er hatte eine schwere Woche hinter sich, das haben wir erst später erfahren, er wusste vor lauter Müdigkeit kaum, wo er war.

Avram sieht sie verwundert an.

Es wurde ein schöner Abend, sagt sie, unterschlug die plötzliche Magenverstimmung, derentwegen sie bei diesem Abendessen kaum etwas runtergekriegt hatte. Danach wollte ich, dass wir alle Adam beglückwünschen, fährt sie mit dieser angespannten Stimme fort – sie hofft, dass es ihr gelungen war, Avram von Ofers enormer Müdigkeit zu überzeugen, denn das war seine Verteidigungsstrategie bei der späteren Anhörung und den Verhören und bei seinen endlosen Auseinandersetzungen mit ihr –, bei solchen freudigen Anlässen machen wir immer eine kleine Glückwunschzeremonie …

Wieder zögert sie. Unsere Familienangelegenheiten, alle diese kleinen Zeremonien, fragen ihre Augen – tun die dir weh? Und seine Augen signalisieren ihr: Erzähl bitte weiter. Wie immer verbot uns Adam, ihn zu beglückwünschen, das dürfen wir in der Öffentlichkeit nicht. Darin ist er Ilan so ähnlich. Avram lächelt und sagt: Damit euch ja nicht die Leute hören, die schon einen Monat im Voraus die Tische um euch herum bestellt haben, um euch zu belauschen, nicht wahr? Ganz genau, bestätigt Ora – sie taut langsam wieder auf –, doch an diesem Abend sagte Adam plötzlich, ich bin bereit, aber nur Ofer darf was sagen. Ilan und ich sagten sofort, in Ordnung, so überrascht waren wir, dass er überhaupt einwilligte. Und ich dachte, meinen Glückwunsch werde ich ihm später sagen, wenn ich mit ihm allein bin, oder ich schreib ihn ihm, ich habe ihm und eigentlich allen dreien immer Glückwünsche geschrieben, denn ich denke, ich dachte, dass jeder solche Anlass eine Gelegenheit ist, Ereignisse oder einen ganzen Zeitabschnitt zusammenzufassen, und ich wusste, er hebt meine Glückwünsche auf …

Hör mal, sagt sie, hast du gemerkt, wir reden schon richtig miteinander.

Es ist mir zu Ohren gekommen, sagt er.

Um das alles zu schaffen, müssen wir dreimal das ganze Land durchqueren.

Warum nicht, sagt Avram.

Sie schweigt.

»Wo war ich stehengeblieben«, fragt Avram danach an ihrer Stelle, und er antwortet: Im Restaurant, die Glückwünsche von Ofer.

Stimmt, der Geburtstag.

Sie taucht wieder ab. An diesem Wochenende erlebte sie die letzten Augenblicke ihres vorsichtigen, zerbrechlichen Glücks, plötzlich meint sie zu verstehen, was sie hier in diesen Tagen macht: Sie hält Avram eine Trauerrede auf die Familie, die mal war und nicht mehr sein wird.

Dann nahm Ofer den Kopf zwischen die Hände, stützte die Ellbogen auf den Tisch, dachte einige Augenblicke still nach, er hatte es wirklich nicht eilig. Er ist immer etwas langsamer als Adam, sagt sie und fügt hinzu: Überhaupt ist er irgendwie schwerfälliger und stämmiger, in seinen Bewegungen, beim Reden und auch im Aussehen. Wenn fremde Leute die beiden sehen, denken sie meistens, er wäre der Ältere, und dort im Restaurant war es so schön, wie er diese Bitte von Adam richtig ernst nahm.

Dann fing er an, zuerst wolle er sagen, wie froh er sei, Adams kleiner Bruder zu sein, und in all den Jahren, seit er auf demselben Gymnasium wie Adam war, und noch mehr seit er in dem Regiment ausgebildet wurde, in dem Adam war, lerne er Adam auch durch all die anderen Menschen kennen, die ihn kennen, die Lehrer, die Soldaten und Offiziere. Erst sei es ihm auf die Nerven gegangen, dass alle ihn aus Versehen Adam nannten und ihn nur als Adams kleinen Bruder sahen, aber jetzt …

Im Ernst, sagte Ofer langsam mit seiner tiefen, rauhen Stimme, die ganze Zeit kommen Leute und reden mit mir über dich, was du für ein Mensch bist, was für ein Freund, wie du Verantwortung übernimmst, alle kennen deine Witze, und jeder im Regiment hat seine eigene Geschichte, wie du ihm geholfen, wie du ihn ermutigt hast, als es ihm beschissen ging …

Das ist Adam, fragt Avram vorsichtig nach, du sprichst von Adam, nicht wahr?

Ja, sagt sie ein bisschen stolz, auch uns war diese Seite von ihm neu. Ilan sagte sogar, Ofer zerstöre gerade leichtfertig den Ruf, den Adam sich über Jahre mühsam zu Hause erworben habe.

Oder das »Bingo«, das du erfunden hast, lachte Ofer, das man bis heute an der Schule nach dir nennt.

Was ist das? mischte Ilan sich ein.

Man wählt sieben Wörter, erklärte Ofer, die ein Lehrer bestimmt nicht im Unterricht benutzen wird, sagen wir mal – »Pizza« oder »Bauchtänzerin« oder »Eskimo«, und wenn die Stunde anfängt, sitzen alle schon mit der Liste der Wörter da und müssen dem Lehrer scheinbar arglose Fragen zum Thema der Stunde stellen, damit er diese Worte alle im Laufe des Unterrichts sagt.

Ilan beugte sich vor, über den Tisch, seine Augen glänzten, seine Finger verschränkten sich nach und nach miteinander: Und der Lehrer hat natürlich keine Ahnung.

Null Ahnung, sagte Adam, grinste breit, der ist nur hin und weg, dass sich auf einmal alle an seinem langweiligen Unterricht beteiligen.

Oho, sagte Ilan und schaute Adam mit Hochachtung an, eine prächtige Natter hab ich da in meinem Schoß großgezogen.

Adam senkte bescheiden den Kopf. Ofer lächelte Ilan an, der »geniale Funke«, was? Ilan nickte und rieb seine Schulter an Ofers Schulter. Ora hatte die Spielregeln noch nicht verstanden, und was sie nicht verstand, mochte sie nicht. Sie wollte zurück zu dem, was Ofer angefangen hatte Adam zu sagen.

Und wer gewinnt? fragte Ilan.

Wer den Lehrer mit seinen Fragen dazu bringt, die meisten Wörter von der Liste zu sagen.

Aha, nickte Ilan, ich verstehe. Jetzt sag mir noch ein Beispiel, wie du ihn dazu kriegst, so ein Wort zu sagen.

Aber Ofer war gerade dabei, Adam etwas zu sagen.

Moment, Mama, jauchzte Ofer, das ist wirklich Spitze: Los, sag ein Wort, Bruderherz.

Sag du eins, brummte Adam.

Aber ohne dass ich es höre, ich bin der Lehrer.

Die Jungen steckten die Köpfe zusammen, flüsterten, lachten, einigten sich.

Und es ist eine Geschichtsstunde, fügte Adam hinzu, das erschwert die Sache.

Dann besprechen wir jetzt die Dreyfusaffäre, beschloss Ilan, daran kann ich mich noch ganz gut erinnern.

Ilan erzählte von dem jüdisch-französischen Offizier, der des Verrats bezichtigt wurde, und Ofer und Adam bombardierten ihn sofort mit Fragen. Er erzählte von dem Gerichtsverfahren, wie man jene, die Dreyfus verteidigen wollten, mundtot gemacht habe, dass man ihn für schuldig befunden habe. Doch sie interessierten sich mehr für die Familie von Dreyfus, für ihre Bräuche, was sie so anzogen und was sie aßen. Ilan blieb bei seinem Vortragskonzept und tappte in keine Falle. Zur Zeremonie der öffentlichen Degradierung von Dreyfus erschien auch Theodor Herzl. Jetzt wurden ihre Fragen drängender. Ora lehnte sich zurück und betrachtete sie, und alle drei spürten, dass sie sie beobachtete, und legten noch einen Gang zu. Dreyfus wurde auf die Teufelsinsel verbannt, Emile Zola schrieb sein »Ich klage an«, Esterházy wurde als der wahre Verräter erkannt, gefangen genommen und vor Gericht gestellt, und Dreyfus wurde schließlich freigelassen, doch Herzl interessierte die Jungs weitaus mehr. *Der Judenstaat* wurde gedruckt, danach kamen Herzls Treffen mit der türkischen Regierung und mit dem deutschen Kaiser. Ilan beugte sich vor, leckte sich die Oberlippe, und seine Augen leuchteten. Und die Jungs bestürmten ihn von beiden Seiten, umkreisten ihn wie zwei junge Wölfe einen Büffel. Ora ließ sich mitreißen und war auch schon ganz aufgeregt, obwohl sie nicht wirklich wusste, wen sie sich als Sieger wünschte. Wohl eher die Söhne, doch etwas in ihr zog sich zusammen, als sie die wilde Glut auf ihren Gesichtern bemerkte, und sie bekam Mitleid mit Ilan, als sie sah, wie grau seine Schläfen schon waren. Der Erste Zionistenkongress trat in Basel zusammen, *Altneuland* erschien. England machte den Vorschlag, den Zionisten ein großes Stück Land in Uganda »in einem der Gesundheit der Weißen zuträglichen Klima« zuzuteilen, erinnerte Ilan sich aus seiner Gymnasialzeit, und Adam fragte, wie die Dinge wohl aussehen würden, wenn dieser Vorschlag angenommen worden wäre, ganz Afrika wäre nach der Ankunft der Juden plötzlicher von Hast und Fieber heimgesucht worden, die Juden dort hätten mit ihrer hyperaktiven Nervosität gebrodelt und alles in Gärung versetzt; und ihr könnt sicher sein, sagte Ilan, innerhalb von anderthalb Minuten wäre dort ein tief verwurzelter Antisemitismus entflammt. Und dann hätten wir Tansania erobern müssen – und Kenia und Sambia, lachte Ofer –, natürlich bloß, um uns vor deren Hass zu schützen; und auch um ihnen ein bisschen Liebe zu Israel und Jüdischkeit mit Hühnersuppe beizubringen, rief Adam und kugelte sich vor Lachen. Ganz zu schweigen von der Liebe zu *Gefilte Fisch*, sagte Ilan grinsend, und die Jungs sprangen auf und jubelten: Bingo!

Die Hauptgerichte wurden aufgetragen. Ora erinnert sich an jedes Gericht, das an diesem Abend auf den Tisch kam, Adams Filetsteak, Ilans Gänsekeule, das Beefsteak Tatar, das Ofer verschlang. Sie erinnert sich, wie es ihre Blicke immer wieder zu diesem rohen Fleisch zog und sie sich nach jener Zeit, als er Vegetarier war, zurücksehnte, überhaupt nach dem vegetarischen Ofer. In den Wochen und Monaten danach, in den durchwachten Nächten und den schlafwandlerisch durchlebten Tagen, in denen sie die Ereignisse jenes Abends Schritt für Schritt für sich rekonstruierte, fragte sie sich mehr als einmal, was Ofer wohl durch den Kopf gegangen war, als er sein Steak aß, oder während dieses Bingospiels, ob er sich dabei wirklich an nichts erinnerte – sie hatten doch ausdrücklich von Besatzung und Hass gesprochen, im Grunde auch von Gefangennahme und Freilassung, und sogar davon, jemandem das Maul zu stopfen. Warum hatte da keine Alarmglocke in ihm geläutet, wieso hatte er keine gedankliche Verbindung hergestellt, wenn auch nur undeutlich und vernebelt, zwischen all dem und dem alten Mann, der mit zugeklebtem Mund gefangen war im Kühlraum im Keller dieses Hauses in Hebron.

Er ist einfach furchtbar müde gewesen, murmelt sie wieder, ohne Zusammenhang. Er hatte die Augen halb geschlossen und konnte den Kopf kaum noch aufrecht halten, zwei Tage und zwei Nächte hatte er nicht geschlafen, und auch noch die drei Bier, aber das Bingospiel und das Gelächter haben ihn irgendwie wach gehalten.

Einen Moment hatte es gegeben, denkt sie, in dem er sich wohl dumpf erinnerte. Plötzlich hatte er Adam um sein Handy gebeten, um beim Militär anzurufen. Sie sieht, wie er es in der Hand hielt. Seine Augenbrauen bewegten sich, hinter seiner Stirn arbeitete es. Durch die Müdigkeit hindurch versuchte er, sich an etwas zu erinnern.

Doch dann sah er das Display, war beeindruckt von dem neuen Gerät, entdeckte eine Funktion, die er nicht kannte, und Adam erklärte sie ihm.

Ora sagte, Ofer, du hast Adam noch nicht zu Ende gratuliert.

Muss nicht sein, sagte Adam kurz und machte sich über sein Steak her.

Das ist nicht fair, kokettierte Ora, er hat noch gar nichts gesagt.

Nur wenn er will, sagte Adam und meinte warnend zu Ofer, und bitte ohne Geigen.

Ofer wurde wieder ernst. Sein Gesicht wirkte jetzt abwechselnd ganz weich und dann wieder knochig. Seine hübschen, großzügigen Lippen – Avrams Lippen – bewegten sich, ohne dass er es merkte. Er legte die Gabel aus der Hand. Ora beobachtete, wie Adam und Ilan erheiterte Blicke tauschten: Vorsicht, sagten diese Blicke, legt schon mal die Taschentücher bereit.

Und wirklich, sagte Ofer, ich weiß nicht, wie ich im Leben ohne dich zurechtgekommen wäre, wenn du dich in bestimmten beschissenen Situationen, von denen die Eltern überhaupt keine Ahnung haben, nicht um mich gekümmert hättest.

Das war eine Überraschung. Ora hatte sich aufgerichtet, Ilan auch. Wir kannten ja nur die umgekehrte Situation, sagt sie, nur Ofer, der sich um Adam kümmert. Und plötzlich ermöglichte er uns den Blick in eine Welt, von der wir nichts wussten und von der ich immer gehofft hatte, dass sie dennoch existiert, verstehst du? Verstehst du mich? Avram nickt heftig und schiebt die Unterlippe so weit vor, dass sie fast die Nase berührt. Und ich habe gesehen, wie Adam die Augen niederschlug und am Hals ein bisschen rot wurde, erzählt Ora, da hab ich gewusst, dass es stimmt.

Ich denke, sagte Ofer, es gibt auf der Welt keinen anderen Menschen, der mich so kennt wie du, der die intimsten Dinge über mich weiß und mir, seit ich auf der Welt bin, nur Gutes getan hat.

Adam gab keinen Kommentar ab, löste auch nicht die Spannung mit einem Witz. Sie hatte den Eindruck, er wollte, dass sie und Ilan das hörten.

Niemand anderem vertraue ich so wie dir, niemand anderen schätze und liebe ich wie dich.

Ora und Ilan senkten die Köpfe, damit die Jungs ihre Augen nicht sahen.

Auch wenn ich mich oft über dich aufgeregt habe, vor allem, wenn du mir alles Mögliche gepredigt hast oder dich über meinen Musikgeschmack lustig gemacht hast.

Guns N'Roses machen aber auch wirklich keine Musik, brummte Adam, und Axl Rose ist kein Sänger.

Aber damals wusste ich das nicht und war stinksauer, dass du mir die mies machst. Und am Ende hab ich gesehen, dass du recht hattest. So hast du mich in allem weitergebracht, sagte Ofer, und mich vor allerlei Unfug bewahrt; auch wenn du nicht der starke große Bruder warst, mit dem ich andern Kindern, die mich verhauen haben, drohen konnte, ich hatte trotzdem immer das Gefühl, dass mir einer den Rücken stärkt und dass du nicht zulassen würdest, dass mir einer was tut.

Ofer wurde rot, begriff vielleicht er erst jetzt, was für eine Offenheit er sich hier erlaubt hatte.

Es folgte eine lange Stille. Alle hielten den Kopf gesenkt. Sie rührten an die Wurzeln der Dinge. Ora wagte nicht zu atmen, betete, dass Ilan jetzt keinen Witz machte. Dass in keinem von ihnen jetzt der Stand-up-Comedian-Reflex ausgelöst würde.

Zum Wohl, sagte Ilan leise, auf unsere Familie. Er hatte Tränen in den Augen, schaute Ora dankbar an und stieß auf sie an.

Na denn Prost, sagten Adam und Ofer, und zu Oras Überraschung schauten auch sie zu ihr und hoben ihr Glas auf sie. Auf unsere Familie, fügte Ofer leise hinzu, und sein Blick sendete einen Lidschlag lang eine ihr bisher unbekannte Frequenz, und für einen Moment meinte sie: Er weiß Bescheid.

Danach, erzählt Ora, saß er etwas steif da, als hätten seine eigenen Worte ihn überwältigt, stützte den Kopf wieder in die Hände, dann drehte sich Adam zu ihm um und umarmte ihn, richtig so, mit beiden Armen – Avram sieht sie, er sieht sie ganz genau –, und obwohl Adam neben ihm so klein wirkt, hüllte er ihn in diesem Moment richtig ein, und Ofers Kopf war gesenkt.

Ofers schön geformter Kopf. Damals hat er ihn noch nicht rasiert. Sein Kopf mit dem hellen Schein in der Mitte, der noch heller wurde, wenn er sich die Haare schneiden ließ. Für einen Moment sah es aus, als rieche Adam an Ofers Haar, so wie er es nach dem Haarewaschen getan hatte, als Ofer ein Baby war.

Ilan und ich schauten die beiden an, und ich hatte das Gefühl, und vielleicht auch Ilan, das habe ich ihn nicht gefragt …

Was für ein Gefühl, fragt Avram nach.

Als sie sich umarmten, da wusste ich plötzlich, dass sie zusammenbleiben, auch wenn Ilan und ich eines Tages nicht mehr da werden, sie werden sich nicht voneinander entfernen, werden sich nicht trennen, sich nicht fremd werden, und wenn nötig, werden sie einander helfen. Sie würden *eine Familie* sein, verstehst du?

Sein Mund zog sich immer mehr in die Breite, zum Ausdruck eines gequälten Lächelns.

Wo soll das alles enden, Avram? sie schaute ihn mit aufgerissenen Augen an. Was wird, wenn er ...

Erzähl mir, schreit Avram beinah, erzähl mir von ihm.

Sie hatten eine wunderbare Rückfahrt vom Restaurant. Alle waren restlos zufrieden, die Jungs sangen unterwegs ein verrücktes Lied von Monty Python über einen muskulösen Holzfäller, der gern Damenwäsche trägt, und Ora nahm dieses angenehme Abweichen von ihrem üblichen Puritanismus wahr, es schien ihr, als zeigten sie damit, dass sie nun auch ihre Eltern für erwachsen hielten, zumindest so erwachsen wie sie selbst. Auf dem Rücksitz trommelten sie sich auf Knie, Bauch und Brust – Ofers breite Brust klang dumpf, und der Klang erregte sie –, und danach berieten sie sich, in welchen Pub sie jetzt gehen würden. Ora und Ilan wunderten sich, dass sie noch Kraft hatten, etwas trinken zu gehen, wo Ofer doch kaum die Augen offen halten konnte, und Ilan bat sie nur, bitte nicht zusammen in »jenen« Pub zu gehen, und erinnerte sie daran, dass vor einem Monat ein Terrorist mit einem Sprengstoffgürtel dort reingegangen war, und Adam und Ofer legten sich feierlich die Hand auf die Brust und versprachen, sie würden sich aufteilen, Ofer ginge in den Pub *Hoffnung der Schahiden* und Adam in den Klub der *Heiligen der Hisbolla*, und etwas später sagten sie, wir treffen wir uns auf dem *Platz der siebzig Jungfrauen* und ziehen ein bisschen um die Häuser bis zu einer Stelle, wo viele Leute auf einem Haufen sind, und suchen die orientalisch aussehenden Männer mit dem bohrenden Blick.

Früh am nächsten Morgen – Adam und Ofer schliefen noch, sie waren wohl erst vor ein paar Stunden nach Hause gekommen – standen sie und Ilan in der Küche, noch etwas benommen vom Abend zuvor, wollten gleich zu ihrem Morgenspaziergang aufbrechen, doch zuvor bereiteten sie den Jungs noch einen Salat und stellten ihnen jemenitisches *Jachnun* mit harten Eiern und Tomatenpüree hin. Sie schälten Gemüse, schnitten es klein und unterhielten sich leise über den letzten Abend, über das, was Ofer zu Adam gesagt hatte und die großzügige Umarmung. Plötzlich ein vorsichtiges Klopfen an der Tür, und direkt danach ein energisches Klingeln.

Ilan und Ora tauschten schnelle Blicke aus. Das war nicht logisch, aber dennoch, so ein Klingeln um diese Uhrzeit am Schabbat konnte nur eines bedeuten. Ora legte das Messer aus der Hand und schaute Ilan an, und Ilan schaute sie an und seine Augen wurden weit, ein unmenschliches, beinahe wahnsinniges Entsetzen blitzte in ihren Augen auf. Dann wurde alles langsamer, immer langsamer, bis es erstarrte. Sogar das klare Wissen erstarrte, das Wissen, dass Ofer und Adam zu Hause waren – aber womöglich auch nicht, im Grunde haben wir sie eine ganze Nacht nicht gesehen, und eine Nacht hier im Land war eine lange Zeit, vielleicht war etwas passiert, vielleicht hatte man sie dringend zurückbeordert, wir haben noch nicht einmal Nachrichten gehört, warum haben wir heute früh keine Nachrichten gehört?

Oras Augen suchten die Autoschlüssel, die Adam am Abend mitgenommen hatte. Sie glaubte, sie am Schlüsselbrett hängen zu sehen, aber vielleicht waren es auch andere. Noch ein ungeduldiges Klingeln. Sie sind zu Hause, sie sind beide hier, wollte Ora sich einreden, sie schlafen, das kann nichts mit ihnen zu tun haben. Vielleicht haben sie im Auto das Licht angelassen, und ein Nachbar will es uns sagen, oder jemand hat in unser Auto eingebrochen – das konnte sie akzeptieren, das würde sie sofort unterschreiben –, noch ein kräftiges Klopfen, beide rührten sich nicht vom Fleck, als wollten sie verheimlichen, dass sie existierten.

Plötzlich bekam alles den merkwürdigen Anschein einer Generalprobe, einer Übung, einer Vorbereitung auf das, was immer lauerte, doch sie waren noch nicht in der Lage, ihre Rolle zu spielen. Ilan stützte sich mit einer Hand auf die Tischplatte. Sie sah, dass er in den letzten Jahren, in denen die Jungs einer nach dem anderen ihren Militärdienst leisteten, nicht nur erwachsen geworden war – er war gealtert. Das eingefallene Gesicht eines Mannes, der sich beinah geschlagen gibt. Sie las darin, was er dachte. Die süße Illusion, in der sie bisher gelebt hatten, war zerplatzt, ihre private Untergrundzelle aufgeflogen, nach zwanzig Jahren, schwebend am Rande des Abgrunds; sie hatten ihn immer gesehen, und jetzt fallen sie, fallen endlos, und das Leben wird vorbei sein. Das Leben von früher wird vorbei sein.

Sie wollte zu ihm hingehen, wie immer bei ihm Zuflucht suchen, aber sie konnte sich nicht rühren. Noch ein ohrenzerreißendes Klingeln, und für einen Augenblick machte Ora die merkwürdige Erfahrung, dass zwei völlig unterschiedliche Dimensionen der Wirklichkeit miteinander verschmolzen, in der einen schliefen Adam und Ofer friedlich in ihren Betten, in der anderen kamen die Überbringer vom Militär mit der Nachricht. Beide Wirklichkeiten waren greifbar, sie widersprachen sich auch nicht, und sie hörte Ilan murmeln, mach auf, warum machst du nicht auf? Und Ora sagte mit einer Stimme, die nicht ihre war, aber sie sind doch beide zu Hause, oder? Er zuckte hilflos und ergeben mit den Schultern, als sage er ihr, selbst wenn sie diesmal zu Hause sind, wie lange werden wir es schaffen, sie zu beschützen? Und Ora fragte sich plötzlich: aber wer von beiden? Wie eine Nadel bohrte sich in ihr dumpfes Bewusstsein die Erinnerung an die Lose, nimm eine Mütze und tu zwei Zettelchen rein, zwei gleiche, schreib die Namen drauf. Was hast du gezogen? Ora ging zur Tür, machte auf, zu ihrem Entsetzen standen da tatsächlich zwei Uniformierte, sehr jung und verlegen, von der Militärpolizei, ihr Blick raste weiter, suchte den Arzt, der die Überbringer der schlechten Nachricht immer begleitet, aber sie waren nur zu zweit. Einer hatte sehr lange Wimpern, wie eine weiche Bürste, bemerkte sie, achtete wieder auf unwichtige Details, die hatten nichts mit Überleben zu tun; um in diesem Land zu überleben, braucht man schärfere Instinkte; und der andere, dessen Gesicht voller Aknenarben war, hielt ein getipptes Dokument mit einem großen Stempel in der Hand und fragte, ob Ofer zu Hause sei.

Zwei Frauen, etwa in meinem Alter, eine klein, die andere groß. Die kleine ist Israelin, die große, eine Holländerin, kam vor dreißig Jahren hierher, hat sich in einen Israeli verliebt und ist geblieben. Ich trinke mit ihnen auf einer Wiese einen Kaffee. Sie sagen mir, sie seien engste Freundinnen.

Idith: Ich sehne mich nach meiner Vitalität, als ich jung war … Ich tanze unheimlich gern, nicht so in Reihen, nicht in Gruppen! Das ist nichts für mich. Ich tanze Tänze, die ich selbst erfinde, und es macht mich wahnsinnig, dass ich, je älter ich werde, diese Fähigkeit, beim Tanzen aufs Ganze zu gehen, ein bisschen verloren habe. Auch der Körper ist nicht mehr, was er mal war, und ich habe zu viel Selbstkritik. Ich stehe vor dem Spiegel und fühle mich von innen schön − warum zeigt der beschissene Spiegel mir dann etwas so anderes? Und ich sag zu der Friseuse bei uns, mach mir welliges Haar, wie bei den romantischen Schauspielerinnen von früher, und dann schau ich mich an und begreife – das ist vorbei, das kommt auch nicht mehr zurück, das kann ich nicht aus mir machen.

Lami: Ich denke, da ist noch etwas anderes: Früher waren die Kinder einfacher. Nicht wie heute. Kinder waren einfach.

Idith: Und ich sehne mich auch nach der Zeit, als ich in meinen Mann verliebt war. Sieben Jahre lang war ich wie auf Prozac. Ich bin zwar immer noch verrückt nach ihm, aber das kommt woanders her. Jetzt ist es mehr die Freundschaft zwischen uns, und das ist gut, das ist prima so, aber damals war es wie eine Droge. Eine richtige Droge.

Und was bereuen Sie?

Idith: Ich bereue nichts.

Lami: Unsinn, und was ist mit der Reise?

Idith (lacht): Sehn Sie, Lami kennt mich besser, als ich mich selbst … Na gut: Da gibt es ein fehlendes Glied in meinem Leben, das ich gern noch hinzufügen würde: Dass ich nach dem Militär nicht den Rucksack genommen habe und losgezogen bin, dass ich nicht das große Abenteuer meines Lebens unternommen habe. Einfach völlig frei durch die Welt zu gehn und zu sehen, was Gott geschaffen hat, nämlich die Welt. Das war's. Und jetzt bist du dran, Lami. Ich will doch mal hören, was du so bereust.

Lami: Wenn ich bereuen würde, dann würde ich ja zugeben, dass ich etwas nicht richtig gemacht habe.

Idith: Trotzdem.

Lami: Ich sage etwas, was ich nur sehr ungern selber höre: Ich bereue den Tag, an dem ich mich entschlossen habe, nach Israel zu kommen.

Idith: Wie bitte?!

Lami (erschrickt): Dann würde ich ja auf mein ganzes Hiersein, verzichten, auf all die Jahre und auf alles, was ich hier bin.

Idith: Aber Lami!

Lami: Warte, warte, schau her, auf der einen Seite erlaube ich mir nicht, das zu sagen – aber wenn ich mir mein Leben hier anschaue, die ganzen Kriege, dann sag ich mir, dass ich vor dreißig Jahren hierher gekommen bin, das hat mir so viel Schmerzen und Schweres gebracht, das Leben ist so hart.

Idith: Lami, ich bin wirklich …

Lami: Aber man lebt nur einmal, nicht wahr? Und hier bei euch ist das so schwer.

Idith: Ich … Nein, ich weiß nicht, was ich sagen soll, ich bin einfach …
Und was heißt »bei euch«?
(Ab hier habe ich nicht mehr mitgeschrieben. Es machte mich verlegen.
Lami versuchte zu mildern, was sie gesagt hat, und zählte das Positive auf,
die Menschen, die sie hier hat und die sie in Holland nie haben könnte, aber
Idith saß da und schwieg. Obwohl wir danach noch über andere Dinge geredet
haben, wurde es nicht mehr wie vorher.)

Der Mann aus dem Nachal Kedesch hatte einige Zeilen bis zum Ende
der Seite freigelassen, und Ora quetscht mit kleiner Handschrift da
hinein:
Tausende von Minuten, Stunden und Tage, Millionen Dinge, unendlich
viele Taten, Versuche, Fehler, Gespräche und Gedanken – das alles, um einen
einzigen Menschen zu bilden.
Sie liest es Avram vor. Er sagt sofort, es wird gutgehn, du wirst sehen, wir sorgen dafür, dass alles gutgeht.
Glaubst du wirklich?
Ich glaube, dass du wie immer genau weißt, was du tun musst.
Nach einer Pause sagt er, zeig mir das mal kurz. Sie gibt ihm das
Heft. Er hält es vorsichtig in der Hand, liest sich selbst leise vor: »*Tau-*
sende von Minuten, Stunden … unendlich viele Taten … Fehler … das al-
les, um einen einzigen Menschen zu bilden.«
Er legt das Heft auf die Knie und schaut Ora an, in seinen Augen
zieht eine dunkle Wolke auf.
Und schreib du noch etwas dazu, sagt sie, ohne ihn anzuschauen,
und gibt ihm den Kuli: »Einen Menschen, der so leicht zu zerstören
ist«, schreib das.
Er schreibt.

Komm, wir rechnen mit doppelten Klammern. Weißt du, wie das geht?
Man fängt mit den eckigen Klammern an und macht mit den run-
den weiter?
Sieh mal, wir machen es nach dem Beispiel da. Die machen es dir
vor.
Aber das sind so viele Zahlen … Vielleicht rechnest du das für mich,
Mama?

Wie willst du es lernen, wenn ich es für dich mache?

Hast du kein Mitleid mit einem armen Kind?

Es reicht, jetzt hör auf mit deinem schlauen Geschwätz, setz dich gerade hin, du bist ja schon fast auf den Boden gerutscht.

Ich kann das noch nicht mal lesen!

Jetzt heul nicht.

Ich heul ja gar nicht.

Glaub mir, ich hab genug anderes zu tun, als dir mehrgliedriges Rechnen beizubringen.

Sind die Artischocken schon fertig?

Warte, noch einen Moment, die brauchen noch ein bisschen.

Der Geruch macht mich ganz verrückt.

Wisch wenigstens den Tisch ab, wenn du die Hausaufgaben schon in der Küche erledigst. Du machst dir nur Flecken ins Heft. Bis wohin hast du auf?

Bis Seite 161. Das ist eine riesige Prüfung. Das schaff ich nie.

Nun komm, wir machen zuerst diese Gleichungen. Lies, jetzt starr nicht so, lies schon.

Mensch ...

Ich bin ein Mensch, nun lies schon!

»Was – verbindet – zwischen den 2x und der 3?«

Also, was verbindet? Lass bitte die Finger vom Kuchen!

Woher soll ich das wissen? Ich versteh nicht, was hier steht. Ist das überhaupt Hebräisch?

Komm, wir fangen mit den inneren Klammern an.

Aber was mach ich mit diesen scheiß 2x?

Die werden mit drei multipliziert. Jedes Glied wird hier mit drei multipliziert! Versuch das mal.

Holy Shit! Ich hab wieder 2x rausgekriegt.

Komm, wir versuchen es nochmal, aber nicht so genervt, ja? Und hör auf, von dem Kuchen zu essen! Du hast schon den halben Kuchen verdrückt!

Was kann ich machen? Ich muss mich doch ein bisschen stärken.

Und jetzt öffne deine drei minus 2x.

Meine? Gehörn die jetzt mir?

Ja, die gehören dir. Ich hab schon fertig studiert.

Dass du's nur weißt, dass mein Hirn hier verdampft, ist deine Schuld.

Ofer, hör mir mal zu. Es gibt überhaupt keinen Grund, dass du diese Übung nicht machst.

O doch.

Und der wäre?

Dass ich dumm bin.

Bist du nicht.

Mir fehlt einfach der Teil im Gehirn, wo man Rechenaufgaben löst.

Mit dir zu reden ist wie mit einem Rechtsanwalt zu reden! Das sind doch bloß ein paar Aufgaben in …

Bloß ein paar? Bis Seite 161 …

Du hast schon viel schwierigere Aufgaben gelöst. Erinnerst du dich, was wir letzte Woche hatten?

Aber zum Schluss hab ich das rausgekriegt!

Natürlich hast du das rausgekriegt. Wenn du es willst, kannst du alles, nun komm schon, jetzt machen wir das fertig, und danach machen wir die Textaufgaben.

Er reibt den Kopf an ihrer Schulter, schnurrt wie eine Katze, und sie krault ihn.

Apropos, hat heute jemand Nikotin Futter gegeben und seine Schüssel ausgewaschen?

Ja, ich hab sie richtig geschrubbt.

Jetzt mach die Übung.

Das ist der Dank?

Pass auf, du bist wieder zu schnell und schaust nicht genau hin.

Genug, Mama, ich kann nicht mehr, wo ist das Telefon?

Wozu brauchst du jetzt das Telefon?

Ich ruf den Kinderschutzbund an …

Sehr witzig. Jetzt konzentrier dich: In dem Moment, wo du den Grundsatz von der Gleichung mit den Unbekannten verstanden hast – was lachst du?

Weiß nicht, das klingt ein bisschen dreckig, ich öffne alle möglichen Klammern, und du schiebst gleich was Unbekanntes rein …

Beide prusten vor Lachen. Ofer wirft sich auf den Boden und strampelt mit den Beinen.

Genug. Jetzt fang dich wieder. So kommen wir nicht weiter. Hab doch Erbarmen, Mama, ich bin ein armes, Kind, vom Schicksal hart geschlagen, ein Findelkind.

Jetzt halt aber die Klappe!

Ist ja gut, was hab ich denn gesagt?

Ich will nichts mehr hören. Mach die Aufgaben der Reihe nach, wie sie dastehn.

Und dann krieg ich eine Artischocke?

Klar. Ich glaube, die sind schon weich.

Mit Majo-Zitronensoße?

Ja.

Und auch – oj, entschuldige, das ist mir entfahren. Ich hab einen Fehler gemacht, einen furchtbaren Fehler …

Ein Furz ist kein Fehler.

Dann ist x gleich Furz?

Ich glaub, wir beide werden ziemlich ballaballa. Komm, jetzt machen wir die Textaufgaben.

Pfeifst du da gerade?

Nein, das ist Papa im Wohnzimmer.

Ilan, sei so gut und hör auf zu pfeifen. Ich werd auch so schon …

Ja, das stört unsere Konzentration.

Also, arbeite.

Du wirst sehn, gleich kommt er rein und wird uns was vortanzen, um uns zum Lachen zu bringen …

Das hättet ihr wohl gern!

Der hat die Ohren einer Wildkatze! Weißt du, dass du eine Wildkatze geheiratet hast?

Jetzt hör auf zu quatschen. Wie gehst du an dieses Problem ran?

Mit einem Mördergesicht.

Pass auf, die ist noch heiß. Tunk sie da rein, und schieb das Buch zur Seite.

»Wenn wir eine Zahl mit vier multiplizieren und dem Ergebnis zwei hinzufügen, erhalten wir 30«. Woher soll ich wissen, wie man das löst?

Überleg mal: x mal 4 und noch 2 sind 30.

Dann weiß ich es! 30 = 2 + 4 mal x.

Und das heißt?

Dass 4x = 28 ist. Dann ist x = 7! Halleluja! Ich bin ein Genie! Ein Genie!

Prima, du musst immer dran denken, das x so zu isolieren, dass du auf einer Seite das x und auf der andern die Zahlen hast.

Jetzt macht es sogar Spaß.

Und jetzt machen wir noch diese Übung. Auch mit einer Unbekannten.

Wer diese Unbekannte wohl ist, das würd ich zu gern wissen.

Vielleicht hältst du lieber die Klappe und arbeitest?

Willst du ein Stück vom Herzen, Mama?

Willst du denn nicht das Herz? Das ist das Beste.

Nimm es, es ist ein warmes, gutes jüdisches Herz.

Genug, konzentrier dich, du hast es doch schon fast.

Hilfst du mir auch mit den Hausaufgaben in Bibel?

Die Bibel, das ist Papa.

Ja, ja, das denkt er auch von sich.

Ein paar Tage später erzählte ihr Ilan, wie er da im Wohnzimmer auf dem Sofa gelegen hatte und Zeitung las, und immer, wenn er sie aus der Küche hörte, nicht mehr auf die Buchstaben geachtet, sondern ihnen zugehört hatte. Am Anfang, erzählte er, habe er sich kaum beherrschen können, er wollte in die Küche gehen und Ofers Gejammer und diesem ganzen Zirkus ein Ende machen, natürlich habe er sich auch über Oras Nachgiebigkeit und Kompromissbereitschaft geärgert, sie habe seiner Meinung nach viel zu lange mit Ofers Verwöhntheit kollaboriert. Bei mir hätte das alles höchstens zehn Minuten gedauert, dann hätte Ofer die Aufgaben längst gelöst gehabt. Doch er habe gespürt, dass er sie mit seinem Einschreiten nur gegen sich aufbringen würde, und vielleicht habe ihn auch das Gefühl zurückgehalten, dass sie, auch wenn sie kämpften und stichelten, gar nicht unterbrochen werden wollten. Deshalb sei er liegengeblieben und habe ihnen gelauscht und innerlich diese Tausende von Dingen, von Gedanken und Momente gespürt, die Fehler und Handlungen, das geduldige Eins-zum-anderen-Fügen, und wie Ofer sich zwischen ihren schützenden Händen zu einem Menschenwesen bildete. Er habe gewusst, er selbst wäre nicht in der Lage, eine ganze Stunde mit Ofer dazusitzen und endlos dessen Frust, diese Aussichtslosigkeit und sein Lamento zu ertragen, und dies alles allmählich auf eine Lösung hin zu lenken.

Ora hörte ihm zu. Es war spät am Abend, die Jungs waren in ihrem Zimmer, Ilan und sie lagen auf dem Sofa, seine Finger spielten mit dem weichen Haar in ihrem Nacken, und sie schmiegte ihr Gesicht an seinen Hals. Sie sagte, aber du beteiligst dich doch aktiv an ihrer Erziehung, ich kenne nicht viele Väter, die so sehr ins Leben ihrer Kinder involviert sind. Und er sagte, schon, aber als ich euch in der Küche gehört habe, ich weiß auch nicht – und sie unterbrach ihn, aber ihr ganzes Denken und ihr Humor, alles, was sie wissen, und ihr Scharfsinn, das bist doch alles du. Und er sagte, kann sein, keine Ahnung, das sind sicher wir beide, das ist wohl die Mischung von uns beiden. Er tastete nach ihrer Hand, seine Finger umschlossen ihre Finger. Ich habe immer das Gefühl, dass sie das, was sie von mir bekommen, auch irgendwo anders bekommen hätten, vom Leben, von anderen Leuten, aber das, was du ihnen gibst – dann machten die Finger seiner anderen Hand eine Bewegung, die für ihn ganz untypisch war, so als kneteten sie Teig.

Avram schaut auf Oras Finger, die unwillkürlich Ilans Knetbewegung wiederholen, und er ist ihr unendlich dankbar, dass sie ihn teilhaben lässt, ihn die Wärme dieses mütterlichen Alltags miterleben lässt.

Ora umarmte Ilan und schob ihr Knie zwischen seine Beine, wie er es mochte, und so lagen sie sich eine ganze Weile in den Armen, dann lächelte Ilan über ihrem Kopf. Und trotzdem, sagte er, ich hätte diesem Zirkus viel früher ein Ende gemacht. Und Ora lächelte an seinem Hals. Da bin ich mir sicher, mein Lieber.

Er seufzte wieder, sie streckte ein Bein aus, berührte seinen Fuß leicht, zur Ermutigung und zum Trost. Seit Beginn der Nacht lagen sie wach und schweigend im Bett. Ab und zu stieß einer von ihnen einen Seufzer aus, dann zog sich das Herz des anderen zusammen. Diesmal aber erwiderte er ihre Berührung, grub seine Zehen in ihr Fußgewölbe. Sie murmelte sanft, er zog die Nase hoch, sie flüsterte eine Silbe, er räusperte sich, da begann sie das schwerfällige Unternehmen, sich mit ihrem gewaltigen Bauch um die eigene Achse zu drehen, dann robbte sie näher an ihn heran, mit den ruckartigen Bewegungen eines Seehunds auf einer Sandbank, bis sie ihren Kopf in seine Armhöhle legen konnte, und fragte, warum schläfst du nicht? Und Ilan sagte, ich kann nicht, und sie, du bist unter Druck, und er, ja, ein bisschen, du nicht?

Sie verließ ihr Nest in seinem Körper zwar nicht, war aber nicht mehr richtig dort. Sag mir, du planst nicht zufällig, nochmal abzuhauen? Nein, sagte er, wie kommst du denn darauf? Und sie, wenn du diesmal abhaust, das ist dir hoffentlich klar, gibt es kein Zurück mehr; nicht wie beim letzten Mal. Adam brabbelte nebenan im Schlaf, und Ilan dachte, früher hat ihre Stimme ihm gegenüber immer so etwas Jubelndes gehabt; niemand anders war je so strahlend auf ihn zugekommen, so freudig und arglos und voller Vertrauen wie ein Kind. Und während er über ihre frühere Zugewandtheit nachsann, hatte er das Gefühl, beinahe der zu sein, der er sein wollte, mehr noch, er glaubte, dieser Mensch nur zu sein, weil Ora glaubte, dass er dieser Mensch sein könnte. Er brummte, ich bleibe, Ora, ich geh nicht weg, wie kommst du bloß darauf? Und sie, als habe sie ihn nicht gehört, fuhr mit dieser gepressten Stimme fort, mir kannst du das nochmal antun, ich könnte das aushalten, aber Adam würde zerbrechen, der würde daran kaputtgehen, und das lass ich nicht zu.

Ilan sagte noch einmal, dass er bleibe, hörte aber auf, ihre Schulter zu streicheln, und Ora lag, ohne sich zu rühren, da und maß den Abstand ihrer Haut zu seiner Hand, die reglos über ihr hing, und Ilan dachte, streichel sie, berühr sie doch, und Ora wartete, dann nahm sie schwerfällig ihren Körper zusammen und wandte sich von ihm ab.

Als später die nächste Welle der Angst anrollte, lag sie in seinem Arm, sein Bauch drückte sich in ihren Rücken, sein Kopf grub sich in ihren Nacken. Ich habe Angst vor ihm, murmelte er in ihr Haar, verstehst du? Angst vor einem Baby, das noch gar nicht geboren ist.

Was denn, erzähl mir, rede mit mir.

Ich weiß nicht, ich habe das Gefühl, als habe er schon eine festgefügte, erwachsene Persönlichkeit.

Ja, sagte sich Ora innerlich lächelnd, das Gefühl hab ich auch.

Und dass er alles weiß.

Worüber?

Über mich, über uns, und was passiert ist.

Ihre Finger schlossen sich fester um sein Handgelenk. Du hast ihm nichts Böses getan. Avram hast du immer nur Gutes getan.

Ich habe Angst vor ihm, flüsterte Ilan und presste sich noch enger an sie, was werde ich fühlen, wenn ich ihn das erste Mal sehe, ich habe Angst, dass er ihm ähnlich sein wird.

Noch schlimmer wäre es, dachte er, wenn er irgendwie ihnen beiden ähnlich sähe. Eine Mischung von ihm und ihr. Jedes Mal, wenn ich ihn anschaue, würde ich sehen, wie ähnlich sie einander im Grunde sind.

Und sie dachte an den kleinen Adam, der weder ihr noch Ilan geähnelt hatte, und manchmal im Gesicht und in seinem Blick sogar etwas von Avram gehabt hatte.

Sag mal, flüsterte er in ihren Nacken, findest du nicht, dass wir ihm ein bisschen von seinem Papa erzählen sollten? Damit er weiß, woher er kommt?

Ich erzähle ihm die ganze Zeit.

Wie?

Wenn ich nicht einschlafen kann.

Dann redest du mit ihm?

Dann denke ich zu ihm hin.

Worüber?

Über Avram, über uns, damit er es weiß.

Seine Hände wühlten in ihrem Haar, ihr Kopf drückte sich noch fester in seine Hand. Der Geruch ihres Kopfes war in der Schwangerschaft noch stärker geworden. Ilan mochte diesen Geruch, auch wenn er ein bisschen unangenehm war, und vielleicht gerade deshalb, so herb und bäuerlich, der Geruch ihres unkomplizierten Körpers. Hier ist Zuhause, dachte er und spürte ein leichtes Beben in seiner Wurzel.

Sie lächelte vor sich hin, drückte ihm ihren Hintern entgegen: In der zehnten Klasse, glaub ich, hab ich ihm geschrieben, ich hätte das Gefühl, auch wenn wir nicht so Freunde sein würden, nicht so ein Paar, wie er es will, würden wir trotzdem das ganze Leben zusammenbleiben, egal wie, wir würden für immer zusammenbleiben. Und er schickte mir postwendend ein Telegramm, du weißt doch, seine Telepfunde – Ilan lächelte in ihrem Nacken –, er habe sich seit er diesen Brief von mir bekommen habe, eine Rose ans Revers gesteckt, und wenn man ihn frage, was er feiere, sagte er, ich habe gestern geheiratet.

Ich erinnere mich, sagte Ilan, eine rote Rose.

Sie schwiegen. Sie streichelte sanft seine Finger. Seit Avrams Rückkehr waren nicht einmal mehr Fingernägel eine Selbstverständlichkeit.

Ich will, dass wir leben, Ilan.

Ja.

Unser Leben, meine ich, deins und meins.

Natürlich, ja.

Ich möchte endlich aus diesem Grab heraus.

Ja.

Wir beide.

Ja.

Du und ich, meine ich.

Ja, klar.

Dass wir anfangen zu leben.

Ora …

Wir können doch nicht unser Leben lang für einen Moment bezahlen …

Ja.

Und für ein Verbrechen, das wir nicht begangen haben.

Ja.

Wir haben nichts verbrochen.

Stimmt.

Ist dir klar, dass wir nichts verbrochen haben?

Ja, natürlich.

Warum glaube ich dir das nicht?

Mit der Zeit wird das schon kommen, nach und nach.

Umarm mich, fest, vorsichtig ...

Sie nahm seine Hand und legte sie auf ihren enormen Bauch. Seine Hand zuckte zurück, kletterte dann, verlegen wegen dieses Zurückschreckens, den Bauch wieder hinauf und sogar höher, als sie es gemeint hatte. Ora lag da und bewegte sich nicht, Riesenbrüste waren ihr in den letzten Monaten gewachsen, so empfand sie es, gewaltige Früchte wie von einem Flusspferd, eine Karikatur dessen, was sie früher gewesen waren. Ihr war es unangenehm, dass er sie berührte. Die Haut war so gespannt, dass es weh tat. Wenn er drückte, würden sie aufplatzen. Sie nahm seine Hand weg und legte sie wieder auf den Bauch: Hier, fühl mal.

Das da?

Ja.

Das ist er, wirklich?

Seine langen Finger wanderten vorsichtig über ihren Bauch. Seit er mit ihr im Schuppen geschlafen hatte, seit er wieder bei ihr und Adam eingezogen war, hatte er nicht mehr mit ihr schlafen können, und sie hatte ihn nicht bedrängt, auch ihr war das ganz recht gewesen.

Was ist das hier?

Ein Knie, vielleicht ein Ellbogen.

Wie werde ich ihn je lieben können? dachte er verzweifelt.

Manchmal weiß ich nicht, ob ich genug Liebe für ihn haben werde, sagte sie. Adam füllt mich so aus, dass ich gar nicht weiß, wo ich in meinem Herzen noch Platz für ein weiteres Kind finden soll.

Er bewegt sich ...

Die ganze Zeit. Er lässt mich nicht schlafen.

Der ist kräftig, was?

So voller Leben.

Sie redeten behutsam. All die Monate der Schwangerschaft hatten sie sich diese einfachen Dinge nicht gesagt. Nur mit Adam sprachen sie über »das Kind im Bauch« und formulierten dann ihre Annahmen. Wenn sie allein waren, sprachen sie kaum über ihn, und der Geburtstermin war vor neun Tagen gewesen.

Im Grunde, dachte Ilan – das dachte er in der letzten Zeit täglich–, liegt jetzt ein kleiner Avram mit uns im Bett, klein, konzentriert und verdichtet, ab jetzt wird er immer mit uns zusammensein, nicht nur als Schatten, an den haben wir uns schon mehr oder weniger gewöhnt, sondern wirklich ein kleiner Avram, lebendig, mit Avrams Bewegungen, seinem Gang, vielleicht sogar mit seinem Gesicht.

Dein Vater, dachte Ora zu dem Kind, das in ihrem Bauch schwamm, und führte, ohne es zu merken, Ilans Hand in Kreisbewegungen über ihren Bauch, dein Vater hat mir mal erzählt, er habe sich mit zwölf Jahren geschworen, dass jeder Moment seines Lebens voller Spannung, Aufregung und Bedeutung sein werde, und ich habe versucht, ihm zu erklären, dass das unmöglich sei, es gebe kein Leben, das nur aus Gipfeln und Höhepunkten besteht, und er sagte: Wieso, schau, meins wird so sein.

Wir beide waren ganz verrückt nach Jazz, erinnerte sich Ilan und lächelte Oras Nacken an, wir sind in die »Barbaren-Bar« in Tel Aviv gefahren, um Aharele Kaminsky und Mamelo, den Griechen, zu hören, und im Bus zurück nach Jerusalem saßen wir immer auf der letzten Bank und haben die ganze Session in Scat-Gesang nachgeahmt und die Leute damit genervt, aber uns war das egal.

Dein Vater war schon sechzehn, als ich ihn kennengelernt habe, sann Ora nach, bald werd ich vielleicht erfahren, wie er als Kind gewesen ist.

So lagen sie eine lange Zeit aneinandergeschmiegt und redeten im Stillen zu Ofer.

Eines Tages, als er etwa fünf war – schreibt Ora in das blaue Heft –, hörte Ofer auf, uns »Papa« und »Mama« zu nennen, und fing an, Ilan und Ora zu sagen. Mich hat das nicht gestört, es hat mir sogar gefallen. Aber ich sah, dass es Ilan sehr aufbrachte. Ofer fragte: »Warum darf ich euch nicht beim

Vornamen nennen, wenn ihr das mit mir macht?« Da antwortete Ilan ihm *etwas, was ich heute noch weiß:* »*Ich habe doch nur zwei Menschen auf der Welt, die mich Papa nennen können. Weißt du, wie toll das für mich ist? Und du auch, überleg doch mal, gibt es denn so viele Leute, die du Papa nennen kannst? Da gibt es nicht viele, oder? Willst du darauf wirklich verzichten?*« *Ich sah, wie Ofer ihm zuhörte und dass ihm das gefiel. Seitdem hat er ihn nur noch* »*Papa*« *genannt.*

Was schreibst du? fragt Avram und stützt sich auf einen Ellbogen.

Hast du mich erschreckt. Ich dachte, du schläfst. Siehst du mich schon lange an?

Dreißig oder vierzig Jahre.

Tatsächlich? Das hab ich nicht gemerkt.

Also, was hast du geschrieben?

Sie liest es ihm vor. Er hört mit gesenktem Kopf zu. Dann hebt er den Blick und sagt: Ist er mir ähnlich?

Was?

Ich frage.

Ob er dir ähnlich ist?

So beschreibt sie ihm zum ersten Mal, wie Ofer aussieht, in allen Details: Das braungebrannte, große, offene Gesicht, die blauen Augen mit dem ruhigen und doch eindringlichen Blick, die Augenbrauen so hell, dass du sie kaum siehst, so wie ihre in der Jugend; die breiten, etwas sommersprossigen Wangen und das leicht ironische Lächeln, das die Strenge der gewölbten Stirn widerlegt. Die Wörter sprudeln aus ihr hervor, und Avram nimmt jedes Wort direkt von ihren Lippen auf; ab und zu bewegt er seine Lippen, und sie sieht, er wiederholt ihre Worte im Stillen, versucht, sie sich anzueignen, da kam ihr zum ersten Mal der Gedanke, dass diese Worte erst wirklich sein Eigentum würden, wenn er sie selbst geschrieben hätte.

Ihr überquellender Redefluss macht sie verlegen, aber sie kann nicht aufhören, genau das muss sie jetzt tun, spürt sie, ihn in allen Einzelheiten beschreiben, vor allem seinen Körper. Jeder Wimper und jedem Fingernagel einen Namen geben, jedem Gesichtsausdruck, jeder Mund- oder Handbewegung und auch den Schatten, die zu den verschiedenen Tageszeiten auf sein Gesicht fallen, und allen seinen Stimmungen, den vielen Arten seines Lachens, seines Zorns und seines Staunens. Das ist es, dafür hat sie Avram mitgenommen, um all dem einen Namen zu geben und ihm Ofers Lebensgeschichte zu erzählen, die Geschichte seines Körpers und seiner Seele, und alles, was ihm widerfahren ist. Moment mal, unterbricht sie sich und streckt den Zeigefinger hoch, woran erinnere ich mich da gerade? – ihre Finger klimpern in der Luft, versuchen etwas Undeutliches zu fassen –, irgendwas von dir kam mir gerade in den Sinn, was war das?

Natürlich, ruft sie, du hattest früher mal so eine Idee, du wolltest eine Geschichte schreiben, das war beim Militär, unmittelbar bevor du die Geschichte über das Ende der Welt angefangen hast, weißt du noch?

Über den Körper, sagt er erst lächelnd, dann verächtlich grinsend, macht sie sofort klein und unwichtig, wischt sie vom Tisch.

Du wolltest, Ora lässt ihn nicht so leicht entkommen, eine Autobiographie schreiben, jedes Kapitel über ein anderes Glied deines Körpers …

Ein Autobiomembrum, ja, völliger Quatsch …Und das Kapitel über deine Zunge hast du mich lesen lassen, weißt du noch?

Er macht mit beiden Händen eine abwehrende Bewegung. Lass gut sein, so ein Stuss.

Entsetzlich war das, sagt sie, eine Verleumdung war das, keine Autobiographie. Ich sag dir, Avram, wenn du mal einen Zeugen brauchst, der über deinen Charakter aussagt, dann solltest du nicht dich dazu laden.

Er lacht ein unangenehmes, unaufrichtiges Lachen, als wolle er sie beschwichtigen, ohne wirklich auf seinen Standpunkt zu verzichten. Etwas von einem Schakal zieht durch seine Augen, erinnert sie daran, wie verschroben und grausam er zu sich selbst sein konnte, wenn ein böser Geist in ihn fuhr. Und plötzlich sehnt sie sich so sehr nach ihm, unerträglich ist dieses Begehren, scharf und brennend das Verlangen, nach ihm, in seiner Vielzahl.

Und er sagt: Schau uns an, schon zwei alte Leute.

Und sie: Dass wir bloß nicht alt werden, bevor wir erwachsen sind.

Er schaut sie lange an, als lese er ihre Gedanken. Sein Blick ist fest und merkwürdig, bar jeder bösen Absicht. Im Gegenteil, sie spürt, dass er in diesem Moment nur Gutes und Weiches für sie empfindet.

Sag mal …
Was ist?
Kann ich mich dir ein bisschen anschließen?
Wobei?
Ach nichts, lass es.
Warte, warte! Du meinst …
Nein, nur wenn du …
Aber du … Warte, jetzt?
Nein?
Ihr Körper beginnt im Schlafsack zu zappeln. Du meinst, wir …
Er bejaht mit den Augen.
Bei mir oder bei dir?
Avram schält sich aus seinem Schlafsack und steht auf. Sie öffnet den Reißverschluss und breitet die Arme aus, komm, komm, sag gar nichts, komm schon, ich dachte, wir würden nie mehr im Leben. Und er kommt, der geballte alte Avram, und lässt sich neben ihr nieder, ihre Körper sind hart und stammeln, sie sind in zu viele Schichten aus Kleidern und Verlegenheit gehüllt, und ihre Hände stottern, stoßen aneinander, zucken zurück, es geht nicht, man sieht gleich, das ist es nicht, das ist ein Fehler, sie dürfen da überhaupt nicht mehr hin, und sie hat auch Angst, was passiert, wenn sie Ofer plötzlich für einen Moment vergessen würde, ob er dann ungeschützt wäre, und sie weiß genau, was Avram durch den Kopf geht − der Täter kehrt an den Tatort zurück, das denkt er gerade in seinem verschrobenen Hirn. Überleg nicht, keucht sie in sein Ohr, denk an gar nichts, sie legt ihre Hände auf seine Schläfen, Avram ist auf ihr, seine schweren Knochen, sein Fleisch, mit gewaltiger Kraft stößt er seinen Körper in sie hinein, als müsse er in sich selbst einen Weg bahnen, bevor er zu ihr durchbricht, aber auch sie ist noch nicht so weit, warte, warte, und sie nimmt ihren Mund von seinen suchenden Lippen, warte, du zerquetschst mich.

Für einen Moment sind sie wie zwei, die in ein zufälliges Gespräch geraten sind und versuchen, sich zu erinnern, nicht wer ihr Gegenüber ist, sondern wer sie selbst sind, doch hinter einem Knopf, der geöffnet, einer Schnalle, die gelöst wird, strömen ihre Gerüche langsam hervor, ihre Geschmäcker breiten sich auf den Lippen aus, im Gaumen, eine Hand schlüpft zwischen Hemd und Hose, und plötzlich Haut. Wärme.

Leben. Wie ein elektrischer Schlag, Haut auf Haut, Haut in Haut, und hier ein Mund, ihr Mund bietet sich ihm glühend und saugend an, und Avram stöhnt, ihr Mund, ihr geliebter Mund, erst dann fällt es ihm wieder ein, seine Zunge berührt ihre Lippe, prüft forschend, wundert sich, Ora liegt sofort bewegungslos da, das ist gar nichts, erinnert sie ihn im Stillen, das sind nur zwei Millimeter, und obwohl es da etwas schlaffer ist, leckt er, saugt leicht, vorsichtig, zart, da ist etwas eingeschlafen, mehr nicht, aber es ist warm, und es gehört ihr, das ist der eingeprägte Schmerz in ihr, denkt er sich, seine Heilkräfte steigen in ihm auf, das ist sie jetzt, mit allem, ganz und gar.

Die Hündin rennt um sie herum, jault, versucht, ihren Kopf zwischen sie zu schieben, schnüffelt eifrig, wird weggestoßen und legt sich in einiger Entfernung mit dem Rücken zu ihnen hin, ein leichtes beleidigtes Sträuben durchzieht ihr Fell. Avrams Hand stützt Oras Rücken und zieht sie an sich, warte, jetzt langsam, gib mir deine Hand, nun gib schon, Hand auf die Brust, die ist weich und größer als früher, ja, sie spüren es beide, sie kennt den Weg seiner Hand, »deine süßen Busen«, flüstert er ihr ins Ohr, und sie verschränkt ihre Finger mit seinen und spaziert mit ihm über ihren Körper, fühlst du das? alles ist breiter und voller, eine Frau, ja, fühl mal, wie weich, wie Samt, Orale. Komm, trink ruhig. Lange Stille, und ausgerechnet da verschlägt es jeden von ihnen an einen anderen Ort, Neta fliegt in Avrams Kopf, wo bist du, meine Netuschka, wir müssen miteinander reden, hör mal, wir haben etwas zu besprechen; und Ora ist für einen Augenblick bei Ilan, die Berührung seiner Hand, sein Handgelenk, wie sich die gebräunte Haut über den Knochen spannt, die Kraft, die in ihnen steckt. Früher war sie mit den Fingern über sein Handgelenk gefahren, es hatte sich angefühlt, als berühre sie einen schweren gusseisernen Schlüssel, ein Geheimnis seiner Männlichkeit. Doch auch dieser Typ, Eran, taucht plötzlich in ihr auf, mit seinen Lippen, die vor Begierde nach ihr blass werden, und mit seinen fieberhaften verrückten Bitten, jetzt zieh das an, und jetzt das hier, was erlaubt der sich überhaupt, sich hier reinzudrängen, und dann gleiten zu ihrem großen Erstaunen zwei markante Daumen über ihren Rücken, volle, dunkle, pflaumenartige Lippen schweben über ihr, wo kommen denn die her, und sie drückt sich rückhaltlos an Avram, komm, du, du, und Avram folgt ihrer Bitte sofort, auch er kehrt von seinem Vagabundieren zu ihr zurück, sie kennt seine Zeichen noch, diese feste Umarmung, wenn sein Kopf sich in die Kuhle an ihrem Hals gräbt, seine Hand hält sanft ihren Kopf, als wäre sie das Baby Ora, dessen Kopf man schützen muss, und seine andere Hand streichelt ihren Bauch, schmiegt sich mit durstigen Fingern an ihn. Sie lächelt, diesen Hunger auf den weichen, großen, üppigen Bauch einer Frau – immer hatte sie ihn in seinen Fingerspitzen gespürt und hätte aufgrund ihrer Bewegungen auf ihrem Bauch die Konturen der Frau, nach der er sich wirklich sehnte, ahnen, ja sogar zeichnen können –, jetzt endlich konnte sie ihm etwas davon geben, nicht nur wie damals das jungenhafte, straff gespannte Fell der Trommel, und er ist ihr so dankbar, sie spürt es sofort, denn sein ganzes Fleisch ist ein einziger Lobgesang auf ihren kleinen, lustigen Bauch, endlich ist der zu etwas nütze; sein Mund hungernd nach ihrem, auch sein Feuer, alles ist so vertraut, und sie liebt es so sehr, eine große Brandung der Sehnsucht zerschellt zwischen ihnen, *das sind wir*, schluchzt sie innerlich, die Wölfin mit vielen Eutern und Zitzen, und Avram trinkt an allen, hier sind wir, jauchzt sie, wirft sich unter ihm hin und her, so sind wir, so ist es immer gewesen, so ist es bei uns, Schenkel auf Schenkel, Arme und Beine verschlungen, und die winzigsten Stellen, auch die vergessensten, der Ellbogen, die Wade, die Kniekehle – alles aufflammende kleine Freudenfeste, und Ora flüstert ihm etwas ins Ohr, und danach rührt ihre Zungenspitze an seine, ein Tröpfchen Feuchte aus ihrem Innern, und sie entflammen noch mehr, mit Armen wie ein Schmied hebt er sie hoch, und sie ist ausgebreitet und weit offen, der Kopf nach hinten geworfen, und zusammen stoßen sie die Erde unter ihr, er an ihrem Hals, seine Zähne an der Schlagader, brummt und brüllt, und sie, hör nicht auf, hör nicht auf, er soll galoppieren und brüllen und sie mit seinen Lenden auf die Erde stoßen, er ist ganz eins und ganz mit ihr, keine andere Frau ist dabei, jetzt sind es nur er und sie, ein Mann und eine Frau, ganz in eigener Sache, so hatte er ihr früher gesagt: »Wir sind jetzt ein Mann und eine Frau, ganz in eigener Sache«, und diese merkwürdige, beinahe offizielle Formulierung stimulierte sie bis zum Wahnsinn, dieses Der-Welt-den-Rücken-Zuwenden, wie hatte er sie da auf einen Schlag von den quälenden Gedanken an Ilan befreit, ein Mann und eine Frau in eigener Sache, und auch jetzt gab es außerhalb ihrer Körper keine Welt.

Keinen Atem außer ihrem Atem, keinen Ilan, keine Neta, keinen Ofer, keinen Ofer, keinen Ofer, doch, Ofer ist da, Ofer ist da, Ofer ist da, wenn Avram und Ora so zusammen sind, gibt es Ofer, es gibt Ofer und es wird ihn geben, lass Ofer jetzt mal los, gib ihm mal einen Augenblick frei.

Langsam, wie in einem alten Keller aufbewahrt, in Einmachgläsern mit eingelegter Zeit, vergehen die Stunden. Sie schlafen ein, wachen auf, immer wieder. Legen Entfernungen zurück, durchqueren Ödland, Abwesenheiten, Kränkungen, Sehnsucht, Reue. Und wieder wird er langsamer, immer langsamer, genau in dem Moment, wo sie wollte, dass er aufhört, damit sie zusammen neue Kräfte sammeln; im Auge des Zyklons, ein stiller atmender Kreis, in den hüllen sie sich jetzt ein, und Avram ist ruhig, als wär er eingeschlafen, habe sich zurückgezogen, er zieht sich in ihr zusammen, und sie erinnert sich an sein tiefes, steiles Eintauchen, in diesem Moment ist er ein uraltes Meereswesen, ein zur Hälfte schon versteinerter Fisch, doch er dreht sich in ihr, taucht in die Tiefen, jetzt ist er da, jetzt wird er sich für einen Moment nicht bewegen, nur langsam pulsieren, er ruht zwischen den Seeanemonen ihres Fleisches, träumt in ihr, sie wartet, und er beginnt wieder, sich zu bewegen, langsam, langsam, und sie mit ihm, ihr Mund festgesaugt an seiner Schulter, ganz konzentriert, sie erinnert sich, so dick und schwerfällig, aber was für einen Tanz er da hinlegt, jetzt wird sein Geruch sich langsam ändern, sie lächelt, diesen Geruch hat nur Avram, und nur in diesen Augenblicken, er lässt sich in Worten nicht beschreiben, mit nichts vergleichen.

Irgendwann, nicht jetzt, aber irgendwann mal, murmelt sie danach und spielt mit den Locken in seinem Nacken, wirst du über unsere Wanderung schreiben.

Sie liegen nackt da, der Himmel wölbt sich über ihnen, der Wind streichelt sie mit sanften Pinselstrichen.

Wie sehr hab ich gewollt, dass du mich ausfüllst.

Die Hündin steht auf, geht auf sie zu, Ora fordert sie auf, näher zu kommen, um sie mit ihrer freien Hand zu streicheln, doch sie gibt sich nicht hin und schaut die beiden im Mondlicht rechteckigen Körper nicht direkt an. Wenn ihr Blick die beiden streift, fährt sie sich unzufrieden mit der Zunge über die Schnauze.

Was? fragt Avram, erwacht schlafgesättigt, was hast du über die Wanderung gesagt?

Ich kauf dir Blocks und Notizbücher, wie früher, was immer du brauchst, und dann schreibst du über uns.

Er lacht verlegen. Seine Finger klopfen leicht und mahnend an ihren Hals.

Über mich und über dich, sagt Ora ernst, über unsere Wanderung, über Ofer. Alles, was ich dir erzählt habe, sagt sie und nimmt seine rechte Hand und küsst nacheinander seine Fingerspitzen.

Es kann ruhig ein oder zwei Jahre dauern, von mir aus zehn, wie lang es eben braucht. Ich dräng dich nicht.

Avram denkt, es wäre ein großes Wunder, wenn er es je schaffen würde, etwas Komplizierteres als eine Bestellung im Restaurant aufzuschreiben.

Du musst dich nur an alles erinnern, was ich dir erzähle, sagt Ora, wozu hast du diesen großen Kopf? Denn ich werde es vergessen, das weiß ich, aber du wirst dich an alles erinnern, an jedes Wort, und zum Schluß, sagt sie und lacht lautlos zu den Sternen, die ihr zuzwinkern, wird daraus ein Buch geboren werden.

Weißt du, dass Ilan losgezogen ist und dich gesucht hat? murmelt sie an seiner Schulter.

Wann?

Damals.

Als es vorbei war …

Nein, als es anfing.

Ich versteh nicht, was …

Er ist bis zum Suezkanal …

Kann nicht sein …

Er ist aus *Babel* weg, ist einfach aus der Horchstation abgehauen.

Unmöglich, Ora, was erzählst du da?

Tatsachen.

Sein Rücken verspannt sich unter ihrer Hand, sie spürt es und kann ihre Dummheit nicht fassen: Sie hatte doch nur vor Lust und Wonne gemurmelt und sich völlig dem Gurren-danach hingegeben, und dabei ist es ihr einfach rausgerutscht.

Am zweiten Tag des Krieges, oder am dritten, das weiß ich nicht mehr.

Avram setzt sich mit einem Ruck auf. Sein nackter Körper ist noch weich und feucht: Nein, das kann nicht sein. Da war der Kanal nicht mehr in unserer Hand, sagt er, sucht in ihrem Gesicht nach Zeichen, und ihr schwindelt von der Süße ihres Körpers, der noch zuckt und doch schon verlassen wurde.

Die Ägypter waren schon überall, Ora, was erzählst du da?

Aber wir hatten doch noch ein paar Posten.

Ja, aber zu denen kam keiner mehr durch, die Ägypter waren schon zwanzig Kilometer tief eingedrungen. Woher hast du das?

Sie dreht sich von ihm weg und rollt sich ein, flucht über ihre sagenhafte Dummheit. Einundzwanzig Jahre hab ich damit gewartet – warum ausgerechnet jetzt?

Hey, sagt er, Ora?

Gleich.

Sie hat den Moment verspielt. Ausgerechnet diesen Moment. Welcher Teufel hat sie geritten, das kaputtzumachen? Aber miteinander zu schlafen, sagt sie sich mehrmals mit Nachdruck, das war so gut! Und auch das Beste, was wir für Ofer tun konnten. Bereu das jetzt bloß nicht, Avram. Bange dreht sie sich zu ihm um, und ihr Mut sinkt, denn er hat genau diesen Gesichtsausdruck wie nach ihrem letzten Mal, damals, als sie Ofer gemacht haben. Mit jeder Sekunde war ihm sein Gesicht mehr entglitten und leer geworden. Ich bereue es nicht, brummt er, aber du knallst mir hier plötzlich so eine Geschichte hin.

Ich … Ich hatte nicht vor, dir das zu erzählen, es ist mir rausgerutscht.

Aber was ist das für eine Geschichte?

Er ist mit dem Wasserwagen von *Babel* runtergefahren, sagt sie, am zweiten oder dritten Tag; er hat einen Marschbefehl gefälscht und ist abgehauen. Er kam bis zum Abschnittskommando in Tasa. Von da aus ist er weitergetrampt, mit einem Jeep, wenn ich mich nicht täusche, mit einem kanadischen oder australischen Fernsehteam, ein Kameramann und ein Korrespondent, zwei völlig verrückte Typen, um die sechzig, zugedröhnt, so richtige Risiko- und Katastrophenfreaks. Aber was hat er sich dabei gedacht? bohrt es unaufhörlich in Avram, und

Ora gibt ihm ein Zeichen, warte, die sind dann mit ihrem Jeep mitten in der Wüste ohne Benzin steckengeblieben, und so ist er nachts zu Fuß ohne Landkarte losgezogen, und überall um ihn herum – na, du weißt ja.

Nein, sagt Avram tonlos, erzähl mir.

Was sie von Ilan in jenem Morgengrauen vor einundzwanzig Jahren gehört hatte, erzählt sie Avram jetzt, mit allen Details, sie erinnert sich ziemlich gut und führt die Geschichte endlich ihrer Bestimmung zu. Ilan ist losgelaufen. Aus Angst vor Straßen ging er nur neben kleinen Wegen im Sand, in dem er manchmal knietief versank. Immer wenn er ein Fahrzeug sah, hat er sich in den Sand geworfen und versteckt. Die ganze Nacht lief er da allein, vorbei an ausgebrannten Jeeps und Mannschaftstransportwagen, rauchenden Panzern und zerborstenen Benzinkanistern. Zweimal fuhren ägyptische Panzerwagen an ihm vorbei. Irgendwann hörte er einen verwundeten ägyptischen Soldaten weinen und um Hilfe rufen, hatte aber Angst, dass es eine Falle wäre, und ging nicht hin. Ab und zu lag da ein verkohlter Körper mit hochstehenden schwarzen Stümpfen, den Kopf mit aufgerissenem Mund nach hinten gebogen. In einer Düne steckte ein ausgebrannter Hubschrauber ohne Propeller, ob von uns oder von denen, war nicht zu erkennen. Drinnen saßen noch ein paar Soldaten, nach vorne gebeugt, als lauschten sie. Und er ging …

Ging einfach, sagt sie, er wusste noch nicht mal, ob es die richtige Richtung war. Du fragst, was er sich dabei gedacht hat. Er hat nicht gedacht. Er ging, weil er ging, weil er wusste, dass du da irgendwo am Ende des Weges warst. Denn es war der reine Zufall, dass du dort warst und nicht er. Ich weiß nicht, aber ich glaube, ich hätte dasselbe getan. Du wahrscheinlich auch, keine Ahnung.

Und genauso geht sie jetzt hier, denkt Avram und versucht, seinen immer stärker zitternden Körper unter Kontrolle zu kriegen. Sie geht, weil sie geht, weil Ofer dort ist, am Ende des Weges. Weil sie für sich beschlossen hat, dass sie ihn so retten kann, und davon wird keiner sie abbringen. Ich hätte das nicht getan, brummt er, kapselt sich ab vor dem, was sich über ihm zusammenbraut, vor ihrer Geschichte, die ihn immer enger umschließt – wenn Ilan dort gewesen wäre, ich wäre nicht zu ihm losgelaufen, ich wäre vor Angst gestorben.

Auch du wärst zu ihm gegangen, sagt Ora, du hättest es genauso gemacht. So eine heroische Tat.

Da bin ich mir nicht sicher, sagt er mit zusammengebissenen Zähnen.

Nicht nur das, Avram. Gerade aufgrund all dessen, was er über die Jahre von dir gelernt hat, wusste er, dass man das machen kann.

Die Szenen aus jener Nacht, an die Ilan sich noch erinnerte, hatte er ihr ein einziges Mal erzählt. An jenem Morgen hatte er sie plötzlich, wie im Schlaf, von hinten umarmt, hatte sie zwischen seinen Armen und Beinen festgehalten und diese Geschichte in Krämpfen in sie entleert, wie im Schlaf. Jetzt war sie an der Reihe, dasselbe mit Avram zu tun. Sie hatte nicht vorgehabt, es ihm zu erzählen, Ilan hatte sie beschworen, ihm nie im Leben und unter keinen Umständen davon zu erzählen, aber vielleicht hatte auch Ilan, kurz bevor Ofer zur Welt kam, nicht gedacht, dass diese Geschichte jemals so aus ihm herausbrechen würde.

Aber mit den Geheimnissen ist es jetzt endlich vorbei.

Ilan ging. Es wurde hell, ab und zu musste er sich hinter kleinen Büschen oder in den schattigen Abhängen der Dünen verstecken. Seine Nase und seine Augen waren voll Sand. Seine Zähne knirschten. Ein Schreibstubenhengst von der Nachrichtendienstabteilung, sagt sie, mit einem alten S.K.S. Gewehr, ohne Munition, ohne Ausrüstungsweste, mit einer einzigen Wasserflasche.

In einem Wadi legte er sich hin, um auszuruhen, und er war wohl eingeschlafen, denn als er die Augen aufschlug, saß neben ihm ein junger Mann mit Brille und machte ihm ein Zeichen, nicht zu reden. Ein Panzersoldat der Brigade 401, dessen Panzer getroffen und dessen restliche Besatzung umgekommen war; er hatte sich tot gestellt und so überlebt, als die Ägypter den Panzer plünderten.

So liefen die beiden mit einer Wasserflasche und einer zerrissenen Karte mehrere Stunden lang aus Angst vor den ägyptischen Kommandoeinheiten geräuschlos weiter, bis sie den Kanal erreichten und eine israelische Flagge sahen, zwar zerschlissen, aber sie wehte immerhin auf dem beschädigten Dach des Postens *Chamama*.

Während sie erzählt, bewegt Avram in unglaublicher Schnelligkeit seine Finger, lässt den Daumen über die Fingerkuppen rennen, als müsse er sie immer wieder zählen. Ich glaub es nicht, nein, murmelt er vor sich hin, das kann nicht sein, was sie da quatscht.

Tatsache ist, dass es so war.

Ora, hör mal zu, spiel jetzt nicht mit mir.

Sie kocht: Hab ich je mit dir gespielt?

Chamama war einen Kilometer von meinem Posten entfernt.

Eineinhalb Kilometer, ja.

Warum hat er mir nie davon erzählt?

Hast du ihm das nie erzählt? hatte sie Ilan damals gefragt.

Wenn ich es bis zu ihm geschafft hätte, dann hätte er es gewusst. Aber ich bin nicht durchgekommen, da hab ich's ihm auch nicht erzählt.

Auch ohne Avram zu berühren, kann sie spüren, was jetzt in ihm vorgeht. Sie bedeckt ihre Nacktheit mit einem Zipfel ihres Schlafsacks.

Ich versteh das nicht, schreit er beinah, erklär das nochmal, langsam.

Wie ist das passiert?

Überleg doch, an Jom Kippur war er in *Babel.* Da wussten sie schon, dass die Posten einer nach dem andern fallen, dass es furchtbar viele Tote geben würde, es gab entsetzliche Gerüchte, und er saß auch ein bisschen auf den ägyptischen Netzen und horchte …

Was heißt das, »er saß ein bisschen«? Avram springt wütend auf: Ilan war kein Funker, er war Übersetzer! Wer hat ihm überhaupt erlaubt, auf den Netzen zu sitzen?

Ich weiß nicht, ob ihm das jemand erlaubt hat. Er hat bestimmt einen unbemannten Scanner gefunden, und zwischen seinen Schichten als Übersetzer hat er da gesessen und in den Frequenzen gespielt. Du kannst dir ja vorstellen, was für ein Chaos dort in den ersten Tagen herrschte.

Das kann einfach nicht sein, schimpft Avram in seinem schweren Kopf. Ich weiß nicht, warum du mir das erzählst.

Doch plötzlich erinnert er sich, wie Ilan als Junge auf der Skala des alten Röhrenradios in Avrams Wohnung Willis Conovers Jazzprogramm von *Voice of America* suchte; die grünen Augen zu schmalen Schlitzen verengt, der lange Finger drehte den Knopf und suchte vorsichtig die richtige Frequenz. Avram steht auf und zieht sich eilig an. Diese Nachricht kann er nicht nackt entgegennehmen.

Wieso bist du aufgestanden?

Ich muss das wissen, Ora: Hat er im Netz was gehört?

Warte, eins nach dem andern, lass mich ...

Seine aufgerissenen Augen werden immer weiter. Hat er mich gehört?

So kann ich nicht, sagt Ora, steht auf und zieht sich wütend ebenfalls an, wenn – du – mich – so – bedrängst!

Aber was hätte er dort tun können? schreit Avram, ein Bein in der Hose, das andere noch in der Luft. Für einen Moment hüpfen sie beide voreinander auf einem Bein, kämpfen mit ihren störrischen Hosen, schreien beide, und die Hündin bellt verängstigt. Was hat er da zu suchen gehabt? Dich, dich hat er da gesucht! Ist der denn verrückt, den Rambo zu spielen?

Sie setzen sich wieder hin, außer Atem.

Ich brauch einen Kaffee, schnaubt er, steht auf und sucht im Dunkeln ein bisschen Holz und Reisig. Sie machen Feuer. Die Nacht ist kalt und lebendig. Vögel schreien im Schlaf, Kröten quaken mit vollen Stimmen, Schleichkatzen kreischen, irgendwo bellen Hunde, die Hündin rennt hin und her, schaut beunruhigt übers dunkle Tal, und Ora denkt, vielleicht hört sie ihr Rudel bellen? Vielleicht bereut sie es, sich uns angeschlossen zu haben?

Hör zu, die wollten ihn nach dem Krieg dafür vor Gericht stellen, sagt sie und fügt leiser hinzu, aber die Umstände, das ganze Chaos – so haben sie ihn in Ruhe gelassen.

Er konnte doch kaum schießen, legt Avram wieder los, was hat er sich denn gedacht? Hast du ihn das nicht gefragt?

Doch.

Und, was hat er gesagt?

Na, was wohl? Dass er vor allem jemanden gesucht hat, der ihn erschießt.

Was?

Dass ihm einer diesen Gefallen tut, zitiert sie Ilan. Was schaust du so? Genau das hat er gesagt.

Um zehn Uhr früh erreichten Ilan und der Panzersoldat den Posten *Chamama* am Suezkanal, gegenüber von Ismailia. Zum ersten Mal sahen sie, wie nur ein kleines Stück weiter die Ägypter in Massen den Kanal überquerten und in die Sinaihalbinsel hineinstürmten. Sie starrten auf diese Szene und konnten es nicht glauben. Ilan hatte ihr erzählt: Irgendwie hatten wir keine Angst. Es war, als sähen wir einen Film.

Er und der Panzersoldat riefen etwas zu dem Soldaten, der sie vom Aussichtsturm am Eingang des Postens beobachtete, sie schwenkten ein weißes Unterhemd und baten, eingelassen zu werden, da wurde vom Posten eine kurze Salve auf sie abgefeuert, und sie wichen ein Stück zurück, warfen sich in den Sand, hoben im Liegen die Hände und schrien weiter. Das Tor ging einen Spalt breit auf, und ein entsetzt aussehender Offizier musterte sie mit auf sie gerichteter Uzi. Wer seid ihr? brüllte er, und Ilan und der andere schrien, sie seien Israelis. Der Offizier brüllte, keine Bewegung. Lass uns rein, bettelten sie, aber der hatte es nicht eilig. Von wo seid ihr? Sie sagten die Namen und Nummern ihrer Einheiten. Nein, woher im Land? Aus Jerusalem, sagten sie beide und schauten sich dabei überrascht an. Der Offizier überlegte, machte ihnen ein Zeichen, sich nicht von der Stelle zu rühren, und verschwand. Die Erde unter ihnen bebte. Hinter sich hörten sie die quietschenden Kettengeräusche ägyptischer Panzer. Wo hast du gelernt, zischte Ilan, ohne die Lippen zu bewegen. In *Beuer* sagte der, eine Stufe unter dir. Dann kennst du mich? fragte Ilan. Alle haben dich gekannt, grinste der Soldat, du warst immer mit diesem dicken Langhaarigen zusammen, der vom Baum gesprungen ist.

Das Tor des Postens wurde geöffnet, der Offizier gab ihnen ein Zeichen, sich auf Knien mit erhobenen Händen langsam zu nähern.

Rotäugige Geister umringten sie. Verdreckte Geister, völlig überzogen mit weißem Staub. Aus allen Ecken des Postens kamen sie und umringten die beiden, hörten schweigend zu, was sie unterwegs gesehen hatten. Der Kommandeur, müde, abgerissen und doppelt so alt wie Ilan, fragte ihn, was er überhaupt in dieser Gegend zu tun habe, und Ilan schaute ihm in die Augen und sagte, man habe ihn von *Babel* hergeschickt, um Geheimunterlagen und Ausrüstung aus *Magma* rauszuholen, und er fragte, wann er dorthin aufbrechen könne. Die um sie herumstehenden Soldaten guckten skeptisch. Der Kommandeur verzog nur den Mund und verschwand mit dem Panzersoldaten. Ein dicker Reservist mit trübem Blick ging auf Ilan zu, pflanzte sich vor ihm auf und sagte langsam: *Magma* kannst du vergessen. Für die ist schon alles gelaufen, und selbst wenn da zufällig noch einer am Leben sein sollte – die Ägypter umzingeln sie von allen Seiten. Warum gehen wir dann nicht los, ihnen zu helfen? fragte Ilan fassungslos, warum beschießt die Luftwaffe die Ägypter nicht? Die Luftwaffe? fragten die Soldaten spöttisch. Die kannst du auch vergessen, sagte der dicke Reservist, vergiss am besten alles, was du über unsere Armee weißt. Die anderen brummten zustimmend. Du hättest die Kameraden von *Chisajon* hören müssen, sagte ein blonder Soldat mit verrußtem Gesicht, wie die im Funk geweint haben, das deprimiert dich für den Rest des Lebens. Ilan flüsterte: geweint? Richtig geweint? Geheult haben sie und uns verflucht, dass wir ihnen nicht zu Hilfe kommen, sagte der Dicke in seinem zähen Tonfall, aber keine Sorge, wir heulen auch bald. Ein Soldat, dessen verbundener Arm in einem dreckigen Dreieckstuch hing, sagte, wir wissen jetzt schon, wie es geht. In allen Phasen.

Alles hört man hier, sagte ein braungebrannter kleiner Feldwebel, bis sie sich am Ende in die Hosen scheißen, und alles *live*. Das haben wir schon mit mehreren Posten erlebt, fügte ein kleiner Reservist hinzu. Sie redeten beide auf Ilan ein, unterbrachen einer den andern, ihre Stimmen hatten keinerlei Farbe. Ilan hatte den Eindruck, sie benutzten seine Anwesenheit dazu, miteinander zu reden.

Er wandte sich ab, schleppte sich in eine abgelegene Ecke, setzte sich auf den Boden, schaute sich um und rührte sich nicht. Sein Hirn war leer. Ab und zu kam jemand und wollte mit ihm reden, ihn fragen, was er über den Krieg wisse, wie es im Innern des Landes aussehe. Der Sanitäter zwang ihn, Wasser zu trinken, und befahl ihm, sich für einen Moment auf eine Trage zu legen. Er gehorchte und schlief wohl für eine Weile ein. Doch bald schreckte er auf, denn die Erde bebte, und eine Staubwolke erhob sich über ihm. Irgendwo erscholl ein Alarm, überall Gerenne, erschreckte Schreie. Jemand warf ihm einen Helm zu. Er nahm ihn, stand auf, lief in den Bunker und taumelte verwirrt von einer Wand zur andern. Um ihn herum wimmelte es wie in einem zertretenen Ameisenhaufen. Er hatte das Gefühl, sich sehr langsam in einem zu schnell abgespulten Film zu bewegen; würde er nach einem der rennenden Soldaten die Hand ausstrecken, er griffe durch dessen Körper hindurch.

Sag mal, Ora …
Was?
Wann hat er dir das alles erzählt?
Am Morgen vor Ofers Geburt.
Im Kreißsaal?
Nein, noch zu Hause. Bevor wir ins Krankenhaus gefahren sind, im Morgengrauen.
Da hat er dich einfach so geweckt und dir das erzählt?
Ihre Augen zwinkern unsicher, sie versucht zu verstehen, warum ihm diese kleinen Details so wichtig sind, und kann es kaum glauben, dass in ihm wieder, wie früher, diese seherische Gabe erwacht.
Ja, sagt sie, da hab ich diese Geschichte zum ersten und zum letzten Mal gehört.
Wie kommt es dann, dass du dich an alles erinnerst?
Diesen Morgen werde ich nie vergessen, kein einziges Wort. Mehr sagt sie nicht und wendet ihr Gesicht von ihm ab. Doch er spioniert weiter, spitz und fein, und sie weiß: Er spürt etwas. Er versteht nur noch nicht, was es ist.

Der Beschuss hörte auf. Die Leute beruhigten sich, nahmen die Stahlhelme ab, zogen die Schutzwesten aus. Jemand kochte Kaffee und gab auch Ilan einen Becher. Er stand mit mechanischen Bewegungen auf und stellte sich vor den Kommandeur des Postens und fragte, ob er jetzt zu seiner Basis in *Umm Chaschiba* zurückkehren könne. Hier und da hoben Leute die Köpfe von ihren Karten und Funkgeräten. Sie schauten ihn an, als wäre er verrückt. Sie äfften seine Frage nach. Bist du denn ganz durchgeknallt, sagten sie mit verzerrtem Grinsen, hier kommt man nur noch mit der Hälfte der Erkennungsmarke im Mund heraus. Erst da begriff er, in was für eine Situation er sich gebracht hatte.
Das hab ich nicht gewusst, sagt Avram tonlos, und Ora denkt sich, wart ab, was du noch alles nicht wusstest.
Sie drückten ihm eine Uzi in die Hand und fragten ihn, ob er damit schießen könne. Er sagte, er sei das letzte Mal vor einem halben Jahr

auf der Schießbahn gewesen. Sie lächelten spöttisch und setzten ihn an ein Gerät, ich glaube ein Nachtsichtgerät – S.L.S., murmelt Avram, das verstärkt das Sternenlicht, wir hatten in *Magma* auch so ein Ding –, und vor allem sagten sie ihm, er solle etwas schneller aus seinem Schock aufwachen, denn die Ägypter rückten an, und es sei nicht höflich, sie so zu empfangen.

Da haben die noch Witze gemacht, das muss man sich mal vorstellen.

Mit diesem Fernglas sah er nichts, er wusste wohl nicht, wie man es bedient, aber er hörte die ganze Nacht Schreie auf Arabisch, sehr nah, und das Platschen von schwerem Gerät im Wasser, und er verstand, dass die Ägypter die ganze Zeit weiter den Kanal zu uns überquerten. Ununterbrochen schlugen um sie herum Granaten ein und erschütterten den ganzen Posten. Ab und zu sagte er sich, Avram ist tot, mein Freund Avram ist tot, und seine Leiche liegt nicht weit von hier. Doch wie oft er die Worte auch wiederholte, er begriff ihre Bedeutung nicht, noch nichtmal einen einfachen Schmerz spürte er, und er wunderte sich auch nicht darüber, dass er keinen Schmerz empfand.

Sie schweigen, beiden schlägt das Herz plötzlich schneller, schlägt im Takt der Fragen, die keiner stellen wird. Was hast du dir gedacht, Ora, was hast du dir gedacht, als wir dich angerufen haben und dir gesagt haben, nimm eine Mütze und zwei Zettelchen? Hattest du wirklich keinen blassen Schimmer, was du da auslost? Und was hast du heimlich gehofft? Welchen Namen hofftest du zu ziehen? Hättest du damals gewusst, was passieren wird – nein, stell diese Frage nicht. Trotzdem, du musst sie stellen, du musst es ein für alle Mal wissen. Wenn du gewusst hättest, was passiert, welchen Namen hättest du ziehen wollen?

Um vier Uhr in der Früh kam jemand, um ihn abzulösen. Ilan rannte in den Bunker. Eine Granate flog genau über seinen Kopf, und er zuckte zurück, drückte sich in eine der Kaninchenhöhlen in der Seitenwand des Schützengrabens. »Wo gibt's hier ein Klo?«, schrie er einem bärtigen Soldaten zu, der sich ihm gegenüber duckte und am ganzen Leib zitterte. »Wo du hinscheißt, ist das Klo«, ächzte der, und Ilan, der spürte, dass sich seine Hosen gleich füllen würden, riss sie herunter und vergaß für einen langen Moment alles, den Krieg, die

Bombardierung und Avram, den er verloren hatte, und konzentrierte sich ganz auf seinen sich leerenden Darm. Danach, als er den Befehlsbunker erreichte, entsetzte ihn die Stille.

Jemand gab ihm ein Zeichen, auf den Beobachtungsturm zu klettern und nach Westen zu schauen, da sah er eine Art riesigen gelblichweißen Teppich, der sich mit ziemlicher Geschwindigkeit wellenförmig auf den Posten zubewegte, als schwebe er über der Wüste. Die sind von denen, sagte ein Soldat neben ihm kurz, das sind vielleicht zwanzig Panzer. Alle Rohre auf uns gerichtet.

Der Beschuss begann. Die Panzer schossen, auch eine Batterie von Raketenwerfern, die auf der Spitze eines entfernten Hügels auftauchte, schoss, und ein ägyptischer *Suchoj*-Jagdbomber warf seine Bomben ab. Die Luft und die Erde bebten. Alles, was Ilan sehen konnte, wackelte. Menschen, Betonwände, Tische, Funkgeräte, Waffen. Jeder Gegenstand benahm sich anders als sonst, summte, wie wahnsinnig. Abermals meldete sich sein Durchfall. Er drehte sich um und rannte zu seiner Kaninchenhöhle.

Die Welt ist gestorben, murmelte ein rothaariger Knabe in langen Militärunterhosen, der an ihm vorbeirannte, und Ilan dachte, vielleicht ist das der Zeitpunkt, Briefe zu schreiben – an seine Eltern, an Ora und an Avram, und dann begriff er, dass er Avram nie mehr schreiben würde. Keine Zettelchen mehr im Unterricht, keine Limericks mehr, keine Ideen für Tonbandaufnahmen oder Zitate von Kishon, keinen gelehrten talmudähnlichen Kommentar zu *Fanny Hill*. Keine gereimten Lieder über die Vorzüge ihrer diversen Mitschülerinnen, keine Dialoge in Zeichensprache unter den Augen der Lehrer und keine süßen Träume mehr über den ultimativen israelischen Film, den er nach Avrams Drehbuch machen würde. Keine tiefsinnigen, brünstigen Briefe mehr, von einem Camp zum andern mit bereits vorsorglich markierten Tintenkreisen für die Speicheltropfen des Zensors. Keine verschlüsselten Botschaften mit dem Dienstfernschreiber mehr, deren Code keiner knacken konnte, da er allein auf ihrer beider persönlichen Geheimnissen beruhte. Vorbei die gemeinsamen Entdeckungsreisen zu neuen Kontinenten wie Bakunin und Kropotkin, Kerouac und Burroughs, und auch Tom Jones und *Die Abenteuer des Joseph Andrews* von *Fielding* und *Das Buch der Witze und Rätsel* von Drojanow. Vorbei die Witze und Geistesblitze, der Scharfsinn, die herrlichen Schweinereien, das tiefe gegenseitige Erkennen zweier verstoßener Kinder, zweier Spione in Feindesland, vorbei all das, was sie sich zwischen zwei hysterischen, in Tränen endenden Lachanfällen gesagt hatten, das wortlose Verstehen. Es war aus, er hatte niemanden mehr, mit dem er über *Jenseits von Gut und Böse* reden konnte und über *Also sprach Zarathustra,* dessen Thesen sie einander laut und dramatisch vorgelesen hatten. Mit wem würde er noch beim nächtlichen Ausbüchsen durch ein Loch im Zaun der Ausbildungsbasis des Geheimdienstes die versteckten Akkordfolgen des Blues in den Songs der Beatles diskutieren können, wer würde mit ihm die bis zum Bauchschmerz ermüdenden Diskussionen von Naphta und Settembrini aus dem *Zauberberg* als Hörspiel inszenieren und auf dem kleinen Akai-Tonband aufnehmen? Und all die Zitate aus den von ihnen verehrten Schriften der Beatniks David Avidan und Jona Wallach, aus *Catch 22,* aus *Unter dem Milchwald* von Dylan Thomas, einem Lobgesang auf alles Menschliche, aus dem er seitenweise auswendig rezitieren konnte. Wem auf der Welt würde es noch gelingen, ihn in die Zeitungsredaktion von *Jedi'ot Acharonot* in Tel Aviv zu einem Treffen mit dem Chefredakteur mitzuschleppen, der ganz überrascht war, dass es sich bei den angekündigten Gästen um zwei Jugendliche handelte und dass die Idee, die sie ihm in ihrem Brief so geheimnisvoll angedeutet hatten – »die wir Ihnen, wenn Sie erlauben, nur im vertraulich Gespräch unter vier Augen unterbreiten können« –, lautete: einmal im Monat die gesamte Zeitung ausschließlich von Lyrikern schreiben zu lassen (»Alle Rubriken«, hatte Avram dem verblüfften Redakteur mit vollem Ernst erklärt, »von den Schlagzeilen der Titelseite über Sport bis zu den Anzeigen und sogar die Wettervorhersage«). Nur mit Avram konnte er, parallel zu ihrem normalen Leben, in den rauchigen Gefilden der Monatszeitschrift *Down Beat,* die sie jeden Monat aus der Bibliothek der Musikakademie klauten, ein geheimes, verborgenes Leben führen und allabendliche Unternehmungen genauestens planen, Besuche in der Carnegie Hall, Preservation Hall und in den Jazzhöhlen von New Orleans, oder über neue Jazzplatten und Jazzbücher phantasieren. Die waren in Israel zwar nicht zu bekommen, doch es war reizvoll, sich in endlosen Annahmen zu ergehen, was sich hinter den Worten verbarg – *Music is my mistress* von Duke

Ellington brachte sie über Monate allein aufgrund der Besprechungen, der Anzeigen und des Titels fast um den Verstand. Und wer würde mit ihm noch bei Ginzburg in der Allenby Straße nach gebrauchten Instrumenten suchen, würde ihm von dem Geld, das er nicht hat, Platten von Stan Getz und Coltrane kaufen und ihm die Ohren öffnen für den politischen Schrei im Jazz und im Blues, den er, bis Avram kam, nie bemerkt und noch nicht einmal dort vermutet hatte. Wer würde ihn noch lachend »Du Nachfahre des schwachen Samens« nennen, und wer würde ihn nach einem glanzvollen Zug beim Backgammon mit »Gut gebrüllt, Löwe« loben?

Es würde keinen wilden Wettbewerb mehr geben, wer die meisten Seiten des Arabisch-Hebräisch Lexikons von Aylon Schina'ar auswendig konnte, und deshalb würde er auch auf niemandes überraschende Frage »Was bedeutet *tadahalasa*« wie aus der Pistole geschossen antworten: »das Wandeln in den Gängen des Parlaments etc.« Und keiner würde ihm mehr in einem vollen Fahrstuhl *naheda* zuflüstern, was da heißt: »junges Mädchen mit runden vollen Brüsten«. Und auch ihr hebraisiertes Arabisch und ihr arabisiertes Hebräisch würden von der Welt verschwinden.

Er ging in dem Moment zurück in den Befehlsbunker, als israelische Panzer die ägyptischen überraschend umzingelten und zwei von ihnen in Brand schossen. Überall im Posten jubelten die Soldaten, umarmten sich, winkten den israelischen Panzern begeistert zu, begannen sich auf ihre Evakuierung vorzubereiten. Die israelischen Panzer jagten den ägyptischen, die nicht getroffen waren, nach und verschwanden wieder hinter den Dünen. Eine giftige Stille breitete sich aus. Verwirrt standen die Leute da, wussten nicht, was mit den Händen machen, die eben noch gewunken hatten.

Ein paar Minuten später kletterte aus einem der getroffenen Panzer ein ägyptischer Soldat. Flammen schlugen aus seinen Schultern. Er sprang vom Panzer, rannte mit erhobenen Händen hin und her, bis er schließlich kopfüber hinfiel, noch etwas zuckte, sich dann nicht mehr bewegte und sich merkwürdig ergeben von den Flammen verbrennen ließ. Direkt danach tauchten vier ägyptische Schützenpanzer auf. Soldaten in gefleckter Uniform stiegen aus, schauten in Richtung des Postens und berieten sich. Der Kommandeur des Postens befahl »Feuer frei«, und jeder, der eine Waffe in der Hand hielt, begann zu schießen. Auch Ilan. Sein erster Schuss, der einzige in diesem Krieg, zerknallte auf seinem Trommelfell und ließ als Narbe einen Dauerton zurück. Die ägyptischen Soldaten sprangen wieder in ihre Fahrzeuge und zogen sich zurück. Ilan holte eine Wasserflasche aus einem verwaisten Gürtel und trank sie fast leer. Seine Knie zitterten. Der Gedanke, dass er einen Menschen hätte töten können und dass er das gern getan hätte, zerriss eine Hülle, die ihn, seit er losgegangen war, Avram zu suchen, umgeben hatte.

Der Kommandeur rief ihn, sagte, es sei ihm egal, woher er ursprünglich komme, aber jetzt unterstehe er seinem Befehl, und er befahl ihm, sich bei allen Stellungen um den Nachschub zu kümmern. In den nächsten Stunden schleppte Ilan Munitionskisten, Kanister mit Trinkwasser oder rotem Militärbenzin für den Generator und auch Butterbrote, die der Sanitäter pausenlos für die Soldaten schmierte. Zusammen mit einem vollbärtigen stillen Kameraden baute er das MG des Schützenpanzers, der im Hof stand, aus und half, es am nördlichen Beobachtungsposten aufzustellen. Er sammelte interne Papiere, Formulare und Tagebücher über die Tätigkeit des Postens und verbrannte sie im Hof.

Als er da stand und pinkelte, kam ihm ein Gedanke. Er ging wieder zu dem Schützenpanzer, löste das Tarnnetz, rollte es hoch und schaute sich den Haufen elektronischer Geräte an, die da für die Evakuierung bereitlagen. Einige Momente betrachtete er sie und schreckte plötzlich auf, als hätte man ihm eine Ohrfeige gegeben, rannte los, den Sicherheitsoffizier des Postens zu suchen. Er holte ihn zu dem Schützenpanzer und erklärte ihm, was er von ihm wolle.

Der starrte ihn an, lachte erst unangenehm auf, verfluchte ihn dann und sagte, beim Stab würden sie ihn auf den Mond schießen, wenn einem der Geräte etwas passieren würde, und im selben Atemzug sagte er, in ein, zwei Stunden müssten sie sowieso alles mit Benzin übergießen und anzünden. Ilan sagte, Mensch, gib mir für eine Stunde ein Gerät, nicht länger, doch der Sicherheitsoffizier schüttelte den Kopf und verschränkte die Arme vor der Brust. Er war ein ziemlicher Brocken, größer und breiter als Ilan. Ilan sagte leise, wir sterben alle, was

geizt du dann so mit einem VCR−Funksprechgerät? Der Sicherheitsoffizier war schon dabei, das Tarnnetz wieder festzuknoten, und pfiff
vor sich hin. Als er fertig war, drehte er sich um, und Ilan stand noch
immer da. Junge, du hast hier nichts zu suchen. Bloß für eine halbe
Stunde, auf die Minute, beharrte Ilan. Der Sicherheitsoffizier lief rot
an, nuschelte, Ilan gehe ihm langsam auf die Nerven, und das Funkgerät von *Magma* sei sowieso längst kaputt, von dort würde keiner mehr
senden. Ilan meinte lächelnd: Sag mir nur eines, und seine Stimme
klang beinahe süß – du weißt ja, wie es ist, wenn Ilan etwas will, sagt
Ora, und Avram nickt –, was für Geräte benutzt man in den Posten
sonst noch? Aufgrund dieser Freundlichkeit kam der Sicherheitsoffizier
für einen Moment durcheinander und murrte, die hatten da in *Magma*
bestimmt auch ein paar Handfunksprechgeräte, solche M.K.6, aber es
gebe keine Chance, dass davon noch eins übrig sei. Ilan fragte, ob dieser
VCR-Scanner hier wohl die Frequenz eines M.K.6 reinbekommen
könne. Der Sicherheitsoffizier schob Ilans Hand von dem Scanner,
zurrte das Tarnnetz fest und brummte, wenn Ilan nicht sofort ver-
schwände, wäre das sein Ende. Ilan, mit einer Coolness, zu der er manchmal fähig ist, lächelte ihn wieder an und sagte, wenn der Sicherheitsoffizier ihm das Gerät für nur eine Stunde geben würde, das schwöre er ihm
bei seiner Ehre, dann würde er den Ägyptern, wenn sie kämen, auch
nicht erzählen, dass er der Sicherheitsoffizier des Postens sei.

Der Sicherheitsoffizier fauchte: »Wie bitte?!«, aber Ilan drückte ihn
schnell gegen den Schützenpanzer, hielt ihn fest und wiederholte Auge
in Auge sein Angebot. Der Blick des Sicherheitsoffiziers irrte hin und
her, er suchte Hilfe, doch sein Hirn arbeitete schon wie ein einfacher
Abakus. Du bist ja verrückt, spuckte er Ilan ins Ohr, du Wichser, du
Spion, das ist Verrat, was du da vorhast – aber das sagte er nur flüsternd
und verriet damit das Ergebnis, zu dem er bei seiner Rechnung gekommen war. Ilan ließ von ihm ab. Für einen Moment standen sie sich gegenüber. Wo bist du denn her, flüsterte der Sicherheitsoffizier leiser, wer
bist du überhaupt? Ilan warf ihm schweigend seinen alles überflutenden
grünen Blick zu, was reichte, um schamlos die Möglichkeit von Nägel-
ausreißen und Elektroden an den Eiern anzudeuten. Der Sicherheitsoffizier jaulte auf. Sein Mund bewegte sich stumm. Das alles dauerte
vielleicht zehn Sekunden, nicht länger. In der Seele des Sicherheitsoffi-

ziers gab es keinen Platz für eine so sonderbare Komplikation, und er gab sich geschlagen. Ohne ein Wort zu sagen, knotete er das Tarnnetz wieder ab, zog ein VCR-Gerät heraus, stellte es auf einen kleinen Holztisch vor dem Befehlsbunker und wollte gehen. Aber Ilan packte ihn am Arm und fragte noch einmal: Bist du sicher, dass dieses Ding ein M.K.6 empfangen kann? Nein, murmelte der Sicherheitsoffizier, hütete sich vor Ilans Blick wie vor dem eines Hypnotiseurs, das liegt nicht in dessen Reichweite. Dann sorg dafür, dass er den reinkriegt, sagte Ilan. Der Sicherheitsoffizier schluckte, verband das Gerät über einen Draht mit der einzigen noch funktionierenden Antenne des Postens, holte dann einen Schraubenzieher heraus, schraubte das Gehäuse des Gerätes ab, machte sich in seinem Innern zu schaffen und spreizte das Band. Als er fertig war, stand er auf und ging, ohne Ilan anzuschauen, seine Arme baumelten erschöpft, sein Hemdrücken war ein einziger Schweißfleck. Ora erzählt, und Avram zieht sich langsam zu seinem Schlafsack zurück und rollt sich nach und nach ein. Nur sein weißes Gesicht schaut noch raus. Seine Augen treten fast aus den Höhlen.

Ora?

Was …

Das hat er dir alles erzählt?

Ja.

Am Morgen, als Ofer zur Welt kam?

Wie ich es dir gesagt habe …

Was sollte das, warum hatte er vor der Geburt so einen plötzlichen Drang, dir das alles zu erzählen?

Das musst du ihn schon selber fragen.

Einfach so? Da habt ihr am Morgen beim Kaffee gesessen und geredet, und dann hat er dir das erzählt?

Avram, ich erinnere mich nicht mehr so genau an alle Details.

Du hast gesagt, von diesem Morgen hättest du nichts vergessen.

Aber wieso ist das jetzt wichtig?

Ist einfach interessant, findest du nicht?

Was?

Dass er das genau vor Ofers Geburt beschlossen hat, ist schon ein bisschen merkwürdig.

Was ist daran merkwürdig?

Ausgerechnet zu dem Zeitpunkt ...

Ja, ausgerechnet da, verstehst du das nicht?

Avrams Blick forscht in ihren Augen. Sie schaut ihn offen an, versteckt nichts vor ihm. Lässt seinen Blick zu: Sie mit Ilan, und Ofer in ihrem Bauch. Er schaut sie an und sieht.

Hallo, hallo, hallo, hallo, stieg eine Stimme völlig erschöpft aus den Tiefen auf, und Ilan fuhr von seinem Stuhl hoch, dann war das Signal auch schon weg. Wieder stellte er vorsichtig den Zeiger ein. Plötzlich zitterte sein Finger so sehr, dass er ihn nicht mehr unter Kontrolle bekam und den Knopf mit dem Knöchel drehen musste. Schon drei Stunden saß er da, rührte sich kaum, bloß sein Zeigefinger drehte den Knopf in winzigen Bewegungen immer um eine Haaresbreite weiter, seine Augen suchten das Signalfeld ab, feine grüne Stengel, die abwechselnd auf der kleinen Anzeige emporschossen und welkten. Hallo, hallo, hallo, hörte er wieder eine erschöpfte Stimme in der Ferne ... Und die Stimme zog sich zurück, mischte sich mit Störgeräuschen, Schreien auf Arabisch, die jemand aus Ismailia einem Kommandeur einer Batterie von Panzerabwehrraketen zuschrie. Ilan versuchte, sich zu beruhigen, sich einzureden, er habe sich geirrt, es sei völlig unmöglich, in diesem höllischen Gewirr eine einzelne Stimme auszumachen. Vorsichtig drehte er den Zeiger des Scanners weiter, wischte dabei über ägyptische und israelische Frequenzen, vermischte mit einer Fingerbewegung hysterische Schreie, Motorengeräusche, Granateinschläge, Befehle, Flüche auf Hebräisch und Arabisch, bis plötzlich wieder aus weiter Ferne schwach und verzweifelt dieses Hallo, hallo, drang, antwortet mir doch, ihr Wichser, und alle Haare stellten sich ihm auf.

Mit beiden Händen drückte er sich die Kopfhörer auf die Ohren und hörte Wort für Wort, wo bleibt ihr denn, ihr Sackamputierten, ihr Skorbutniks, auf dass mein Geist euch bis in den Schlaf verfolgen soll – da riss er sich die Kopfhörer vom Kopf und rannte in den Befehlsbunker, platzte in eine Lagebesprechung des Kommandeurs mit seinen Offizieren und schrie, in *Magma* ist noch einer, ich hab ihn gehört, ich hab ihn reingekriegt, er lebt.

Der Kommandeur warf ihm einen Blick zu und lief ihm nach, fragte noch nicht einmal, mit wessen Erlaubnis Ilan geheime Horchgeräte wieder aufgebaut habe, und Ilan setzte dem Kommandeur mit zitternden Händen die Kopfhörer auf, hörst du, er lebt, er lebt! Der Kommandeur stützte sich mit beiden Fäusten auf den Tisch, hörte, legte die Stirn in Falten, und sein Gesichtsausdruck wechselte, Ilan dachte sofort, vielleicht musst du ihm erklären, dass Avram immer so redet; es fehlte nicht viel und er hätte ihm gesagt, man müsse ihn trotzdem retten, obwohl er so redet.

Jahre später – das hatte Ilan Ora in jenem Morgengrauen erzählt, an dem Tag, als Ofer geboren wurde – quälte er sich noch damit, dass er sich vor dem Kommandeur für Avram so geschämt hatte. Als er ihr das sagte, verstand Ora plötzlich, dass Avram mit seinem Reden und Handeln und in all seinen Ausdrucksweisen immer ein undeutliches innerstes Geheimnis vor fremden Augen preisgegeben hatte, das alle peinlich berührte, und sie erinnerte sich an einen Ausspruch Avrams von früher: *Ich spreche immer aus, was alle anderen nicht denken.* Der Kommandeur stieß seinen angehaltenen Atem aus, richtete sich auf und sagte, okay das ist dieser Typ, den kennen wir schon, wir dachten, er ist inzwischen tot. Er nahm die Kopfhörer ab und fragte: Wer hat dir überhaupt erlaubt, hier eine Horchstation einzurichten? Ilan tat, als hätte er ihn nicht gehört; er bekam kaum noch Luft: Ihr wisst von ihm? Warum hast du mir das nicht gesagt? Der Kommandeur kniff ein Auge zusammen und fragte: Wer bist du überhaupt? Bin ich verpflichtet, dir irgendetwas zu berichten? Ilan wurde bleich, und der Kommandeur bemerkte plötzlich seine Not, änderte den Ton und sagte, hör zu, Junge, beruhige dich, setz dich erstmal wieder hin, wir können im Moment nichts für ihn tun. Ilan gehorchte und setzte sich hin, seine Glieder waren schlapp, der Schweiß lief ihm runter.

Am ersten und zweiten Tag hat er unseren Funkverkehr verrückt gemacht, sagte der Kommandeur und schaute auf die Uhr. Was hat er gemacht? wollte Ilan wissen. Ach, die ganze Zeit genervt und geschrien, wir sollen kommen und ihn da rausholen. Und er sei auch verwundet, hat einen Arm oder ein Bein verloren. Ehrlich gesagt, seine Beschreibungen waren so anschaulich, dass wir schon gar nicht mehr hingehört haben. Und dann ist er verstummt, wie alle andern auch, und wir dachten, das war's. Unglaublich, dass er bis jetzt durchgehalten hat, aber ihn da rauszuholen, das kannst du vergessen, das musst du dir aus dem Kopf schlagen. Wie bitte? flüsterte Ilan. Den da, sagte der Kommandeur und zeigte mit dem Rücken auf das Gerät, aus dem wieder Avrams Stimme drang, jetzt sang er merkwürdig heiter und trompetete Duke Ellingtons *Take the A-train*.

Der Kommandeur wollte zurück in den Bunker, doch Ilan hielt ihn am Arm und fragte, ich versteh nicht, was heißt, das geht nicht? Das ist einer von unseren Soldaten, oder? Was heißt da vergessen? Der Kommandeur warf Ilan einen drohenden Blick zu und löste sich aus seinem Griff. Sie standen sich gegenüber, und inzwischen trällerte Avram und kündigte auf Englisch einen Wettbewerb zwischen einer bestimmten russischen und einer amerikanischen Big Band an und bat seine Hörer, ihm Postkarten zu schicken, welche der beiden besser wäre.

Der Kommandeur war klein gewachsen, er wirkte traurig. Sein Gesicht war staubbedeckt. Lass es, sagte er nun sanft, ich sag dir, im Moment können wir nichts für ihn tun. Die ägyptische Armee hat ihn völlig umzingelt, und wir haben da keine Truppen mehr. Und außerdem, flüsterte er, als habe er Angst, Avram könne ihn hören, hör ihn dir doch an, der ist schon … dem ist es schon ziemlich egal, wo er gerade ist, glaub mir. Wie zur Bestätigung brach Avram in ein langes, krächzendes, entsetzlich befremdliches Jodeln aus, und der Kommandeur drehte mit einer schnellen Handbewegung den Suchzeiger weiter und vertauschte Avrams Krächzen mit gebrüllten Befehlen, Schüssen und Angaben der Funkmessbeobachtung, was Ilan auf eine gewisse Art für einen Augenblick sogar logisch erschien, wie ein gesetzmäßiger und unter diesen Umständen akzeptabler Akt.

Warte, rief Ilan und rannte dem Kommandeur hinterher, hat schon einer mit ihm geredet? Der Kommandeur nickte, ohne stehnzubleiben, am Anfang ja, am ersten Tag hatte er noch ein normales Funksprechgerät dabei, aber das funktionierte dann nicht mehr, und bei dem M.K.6 weiß er wohl nicht, wie man von Senden auf Empfangen umstellt. Das weiß er nicht? äffte Ilan den Kommandeur nach, wie kann es sein, dass er das nicht weiß, was muss man da groß machen, doch nur hören, oder? Der Kommandeur zuckte im Gehen mit den Schultern. Anscheinend hat sein Gerät einen Schaden, sagte er, oder der Typ selbst hat einen Schaden. Abrupt blieb er stehen, drehte sich zu Ilan um, schaute ihn bohrend an und fragte: Und was hast du mit dem? Kennst du ihn?

Er ist aus *Babel*, zischte Ilan kurz. Vom Nachrichtendienst? fragte der Kommandeur, und sein Blick verdüsterte sich, als er sagte, das hab ich nicht gewusst. Das ist nicht gut. Den müssen wir melden. Hör zu, sagte Ilan, froh über das erwachende Interesse, die dürfen ihn nicht kriegen, der weiß wahnsinnig viel, der weiß alles, ein phänomenales Gedächtnis hat der, wir müssen ihn rausholen, bevor die ihn kriegen …

Auf einen Schlag verstummte er, hätte sich am liebsten die Zunge abgebissen. Etwas Fremdes, Verbogenes blitzte tief in den Pupillen des Kommandeurs, und Ilan begriff, dass er vielleicht in diesem Moment Avrams Todesurteil gefällt hatte. Fassungslos, was er eben angerichtet hatte, stand er da. Vor seinem geistigen Auge sah er einen israelischen Phantomjäger sich auf den Posten stürzen, um das in den Trümmern von *Magma* verborgene Sicherheitsrisiko zu beseitigen. Da rannte er los, jagte dem Kommandeur hinterher, hüpfte um ihn herum: Versucht, ihn zu retten, flehte er ihn an, unternehmt doch was! Doch der drehte sich um, schaute ihn nun zum ersten Mal richtig zornig an: Wenn er vom Nachrichtendienst ist, warum hält er dann nicht die Klappe, dieser Idiot? Und er packte Ilan an den Schultern und schüttelte ihn, weiß er denn nicht, dass die auf den Netzen sitzen? Dass die jeden Furz in unserem Sektor ausfindig machen?

Aber du hast ihn doch gehört, flüsterte Ilan verzweifelt, er ist anscheinend nicht mehr so ganz …

Vergiss ihn! schrie der Kommandeur, und die Adern an seinem Hals schwollen an, geh von seiner Frequenz runter, pack das Gerät in den Wagen, und dann verschwinde hier! Und er lief weiter, fuchtelte wütend mit den Armen, und Ilan wusste schon nicht mehr, was er tat, überholte ihn, stellte sich ihm in den Weg und sagte: Lass mich weiter auf seiner Frequenz sitzen, dass ich wenigstens höre, was er sagt.

Nein, schnaubte der Kommandeur, erstaunt über diesen frechen Mut, du hast drei Sekunden, hier zu verschwinden …

Aber wir müssen doch wenigstens wissen, sagte Ilan mit erstickter Stimme, ob er ihnen was über *Aluka* verrät …

Was ist das?

Ilan beugte sich nahe an sein Ohr und sagte ihm etwas.

Schweigen. Der Kommandeur blinzelte verwirrt, stemmte die Arme in die Hüften und betrachtete eingehend eine Beule in dem Wellblech, das die Innenseite des Schützengrabens stützte. *Aluka*, das war ein anderes Kaliber, das war nie diskutiert oder in Frage gestellt worden.

Ich habe keine Männer zu verheizen, fauchte er schließlich feindselig.

Ich bin ja keiner von deinen Männern, erinnerte Ilan ihn. Sie standen nun etwas auf Distanz.

Verreckt doch, ihr mit eurem ganzen Nachrichtendienst und eurer *Aluka*, zischte der Kommandeur, ihr habt uns übel in die Scheiße geritten. Hattet keine Ahnung, dass die uns angreifen werden. Ihr Ahnungslosen, was habt ihr uns denn gebracht? Alle umgebracht habt ihr uns! Verschwinde, verpiss dich, mach, was du willst, ich hab nichts …

Hallo, hallo? Ist noch einer übrig? Die Stimme kam zurück, als Ilan sich die Kopfhörer wieder aufsetzte, sie waren noch warm von den Ohren des Kommandeurs, warum antwortet ihr nicht … Was spielt ihr hier für ein Spiel mit mir, kommen, kommen, kommen, murmelte Avram hoffnungslos. Verdammt nochmal, tut es dieses Gerät nun oder nicht? Wer weiß … hallo, ist hier noch irgendein Wichser im Netz? Fuck!

Anscheinend schlug Avram mit der Hand auf das Gerät. Ilan zog sich einen Stuhl heran und setzte sich mit dem Rücken zum Befehlsbunker. Er zwang sich, ruhig zu werden und logisch zu denken: Avram war in dem Posten, eineinhalb Kilometer von hier entfernt. Wahrscheinlich allein und verwundet, und auch schon ein bisschen verwirrt. Jeden Moment konnte ihn ein Horchfunker vom ägyptischen Nachrichtendienst aufspüren und seine Soldaten zu ihm schicken.

Ilan spürte, gerade wenn er versuchte, an der Logik festzuhalten, wurde er vor Angst verrückt.

Ich brauche auch sauberes Wasser und Verbandszeug, murmelte Avram müde, das hier stinkt schon, es ist sowieso nur irgendein Lumpen … Hallo? Hallo? Ich höre nichts. Warum sollt ihr dann was hören, ihr Wichser. Aber wenn ihr mich nicht hört, werdet ihr mich bald riechen, diese Wunde – garantiert Nekrose, Scheiße auch.

Halt die Klappe, flehte Ilan und presste, ohne es zu merken, seine Knie zusammen, versteck dich da und halt bloß einmal die Klappe.

Schweigen. Ilan wartete. Das Schweigen dauerte an. Er atmete auf. Das Schweigen wurde länger. Ilan beugte sich vor, seine Blicke rannten nervös über die flimmernde Anzeige. Wo bist du, murmelte er, warum bist du jetzt verschwunden?

Rose, hier spricht Pfirsich, tauchte eine neue Stimme zwischen Motorengeräuschen auf, wir wurden auf *Lexikon* getroffen, Kilometer 42. Wir haben Verwundete. Bitten um Hilfe.

Pfirsich, hier spricht Rose, verstanden, wir schicken gleich Rettung, Ende.

Rose, hier spricht Pfirsich, danke, wir warten, aber macht schnell, hier ist ziemliches Chaos.

Pfirsich, hier spricht Rose, verstanden. Ende.

Shakespeare zum Beispiel ist unsterblich, ertönte wieder das schwache Murmeln. Mozart auch. Wer noch?

Ilans Finger hüpfte. Er hatte diese spontane Reaktion, wenn er Avrams Stimme wieder reinbekam, noch nicht unter Kontrolle und verwackelte dann die Frequenz. Die Signallinie verzerrte sich, wurde vom Dickicht analogen Grünzeugs verschluckt, und Ilan verfluchte sich wütend mit den saftigen Flüchen, die er von Avram gelernt hatte.

Auch Sokrates ist unsterblich, denke ich. Den kenn ich nicht genug. Habe im Sommer angefangen, ihn zu lesen, und irgendwie nicht weitergemacht. Wer noch? Kafka? Vielleicht, und Picasso ganz bestimmt. Aber andererseits werden auch die Kakerlaken überleben.

Bortukal, hier Beobachter der 16. Division, eine fremde arabische Stimme war auf seiner Frequenz, erkenne getroffenen jüdischen Panzer bei Kilometer 42, kommen.

Hallo, hallo, jetzt antwortet schon, ihr Hurensöhne, ihr Scheißer, lasst ihr mich hier einfach sterben? Das könnt ihr doch nicht tun!

Beobachtungsposten, hier *Bortukal*: Sind unterwegs zum jüdischen Panzer, mit Allahs Hilfe sind wir in fünf …

Liebe Hörerinnen und Hörer, schmeichelte sich Avram plötzlich mit einem grotesken, verführerischen Flüstern ein, das Ilan erschaudern ließ, kommen Sie eilig, denn schon bald ist kein Avram zum Verteilen mehr übrig.

Rose, hier Pfirsich, wir sehen noch keine Rettung, und die Lage hier ist nicht gut, kommen.

Pfirsich, hier Rose, keine Sorge, alles unter Kontrolle. Die Rettung ist in wenigen Minuten bei euch, und wenn's sein muss, bestellen wir auch Blaue Vögel, kommen.

Danke, danke. Blaue Vögel wären prima, bloß macht schnell, wir haben zwei Schwerverletzte, kommen.

Hier ist euer geliebter Avram, den ihr wie euren Augapfel hütet, mischte sich seine Stimme wieder in die Frequenz, hier ist Avram, er fleht euch an, ihn eiligst zu retten, bevor er sich zu seinen Vätern versammelt, die sich unter dem Vorwand, seine Wunde sei eine Art giftiger Ausfluss, übrigens standhaft weigern, das Lager mit ihm zu teilen …

Ich hab gehört, du hörst den Typ von *Magma*, sagte ein aus dem Jemen stammender Soldat, der an Ilan vorbeiging, fängt der wieder mit seinem Quatsch an? Wir dachten, der hätte seinen Löffel schon abgegeben.

Du hast ihn auch gehört?

Der Soldat grinste, ein gnomenhafter Blitz aus seinen Augen durchbrach die Staubmaske seines Gesichts: Wer hat den nicht gehört. Total hysterisch ist der. Hat uns verflucht, gedroht, getobt. Was lachst du?

Er hat euch wirklich gedroht?

So spricht noch nicht mal Generalmajor Gorodisch mit seinem Stellvertreter. Rück mal und lass mich hören. Er beugte sich über den Tisch, klappte eine von Ilans Kopfhörermuscheln nach außen und drückte sie an sein Ohr, lauschte, nickte und lächelte. Ja, so ging das die ganze Zeit, Blablabla, Blablabla, in die Knesset sollte man den setzen.

War er von Anfang an so? fragte Ilan, obwohl er die Antwort kannte.

Nein, zuerst war der schwer in Ordnung. Eier aus Stahl, da kann man nichts sagen, vorsichtig im Funk, hat nur in Andeutungen und Codenamen gesprochen, für eine Weile hatte ich sogar den Eindruck, dass er dem Abschnittskommandeur in Tasa Nachrichten übermittelt hat.

Ilan stellte sich Avram vor, wie er sich die militärische Sprache im Nu aneignete und sie benutzte, als sei es seine Muttersprache. Er hörte ihn, wie er mit rauher, langsamer Stimme »kommen ... verstanden ... Ende« sagte, und wusste, dass er dabei auch einen gewissen Genuss empfand, wenn er an die erstaunten Blicke des Abschnittskommandeurs dachte (»Weiß jemand, wer dieser Typ ist, der in *Magma* den ganzen Laden schmeißt?«).

Aber das ist ein M.K.6, wunderte sich der Soldat, das ist wie ein Walkie-Talkie, ich versteh nicht, wieso kriegst du ihn damit überhaupt rein?

Das hat mir einer eingestellt.

Das ist nur für den internen Verkehr, innerhalb des Postens, das ist nicht für solche Reichweiten gebaut.

Du bist Funker?

Sieht man das nicht? grinste er und zeigte auf seine großen Ohren.

Wie lange kann er noch senden?

Der Funker schob die Lippen vor, erwog die Frage und sagte schließlich: Kommt drauf an.

Worauf?

Wie viele Batterien er hat und wie viel Zeit, bis bei denen der Groschen fällt, dass da noch einer von uns am Leben ist.

Avram sang eifrig im Hintergrund *Frère Jacques*, und der Funker summte mit ihm mit und nickte im Takt. Hör mal, sagte er, der glaubt, er wäre in der »Kinderstunde«.

Das Singen wurde von einem schmerzverzerrten Stöhnen abgelöst. Avram verschwand für lange Sekunden, Ilan suchte wie im Fieber, drehte den Zeiger, schlug auf den Apparat – da merkte er, dass der scharfe Pfeifton, den er die ganze Zeit hörte, nicht aus dem Scanner kam, sondern in seinem Ohr war, von diesem einzigen Schuss, den er abgegeben hatte. Und als er Avram wiederfand, war nichts mehr von dieser abstoßenden Fröhlichkeit in seiner Stimme, nur noch ein leises und demütiges Murmeln. Ich erinnere mich nicht, lass mich in Ruhe, das Hirn ist verstopft, ich wollte dir sagen, meine Liebe, was wollte ich dir sagen? Warum bin ich überhaupt hierher gekommen? Warum bin ich hier? Ich hab mit dem Ganzen hier doch gar nichts zu tun.

Der Funker und Ilan, Schulter an Schulter, Ohr an Ohr über das

Gerät gebeugt, der Funker sagte, er hat ein Mädchen im Kopf, hörst du?

Ja.

Armer Kerl, und er weiß nicht, dass er die nicht mehr wiedersehen wird.

Und es gibt nichts zu essen, schimpft Avram, nur eine Trillion Fliegen, Scheißbiester, das ganze Blut haben sie mir schon ausgesaugt. Ich hab auch Fieber, hier, fass mal an … es gibt kein Wasser und keiner kommt, hallo …

Sein Problem ist, dass er die ganze Zeit auf Sendung ist.

Avram ununterbrochen auf Sendung, dachte Ilan im Stillen, das würde ihm gefallen.

Hallo, ihr Eieramputierten, ihr weichgekochten Säcke, machte Avram weiter, doch schwang in seiner Stimme keinerlei Elan, und die Worte fielen leer und trocken aus seinem Mund. Verflucht, ihr habt mit mir gespielt, ihr habt euch schön amüsiert, ich hab's ja kapiert, aber jetzt kommt endlich, ich will nach Hause.

Was hat der nur, fragte der Funker und verzog das Gesicht, verstehst du den?

Ich verstehe ihn, sagte Ilan.

Hey, sagte Avram geheimnisvoll, vielleicht habt ihr irgendwelche Verbindungen zum ägyptischen Oberkommando?

Mein Gott, stöhnte der Funker, nicht nur, dass er sie ruft, sie sollen kommen, er macht auch noch die Beine breit.

Vielleicht hat zufällig eure Tante aus Przemyśl mit der Großmutter von Akid Chamsi, dem Knochenbrecher vom 13. Sturmregiment, gelernt?

Sag mal, Ilan macht ohne große Hoffnung einen weiteren Anlauf, kann man ihm wirklich keine Hilfe schicken, die ihn …

Der Funker drehte den Kopfhörer zurück auf Ilans Ohr, stand auf und betrachtete ihn lange. Wie heißt du nochmal?

Ilan.

Dann hör mal gut zu, was ich dir zu sagen habe, mein Lieber, nimm die Kopfhörer ab, *jetzt,* auf der Stelle, und geh von seiner Frequenz runter. Vergiss ihn, der ist geliefert, vergiss, dass es ihn je gegeben hat. Den hat es nie gegeben.

Ihn vergessen? Ilan verzog spöttisch den Mund, Avram vergessen? Es ist besser für dich, wenn du hier einen Schnitt machst. Doch plötzlich begriff er: Sag bloß, du kennst den?

Er ist mein Freund.

Ein echter Freund oder nur ein Bekannter?

Ein echter Freund.

Dann hab ich nichts gesagt, murmelte der Funker und schlich davon.

Skorpion, hier Dornbusch, ich erkenne einen Haufen Leute mit *Sager*-Raketen rechts von euch, Entfernung 500. Feuer frei, kommen; Rose, wo ist die Hilfe der Luftwaffe, die ihr versprochen habt? Ihr sagt die ganze Zeit »ihr bekommt sie«, »die sind schon unterwegs«, aber keiner kommt; die reiben uns hier auf, wir haben einen Toten und einen Verletzten, kommen, kommen; plötzlich hörte man jemanden die Jom-Kippur-Gebete singen. *Wer das Lebensziel erreicht und wer vor der Zeit umkommt, wer durch Wasser und wer durch Feuer, wer durch Schwert und wer durch wildes Tier.* Hallo! Was ist denn mit euch los? Jom Kippur ist schon zwei Tage vorbei; im Namen Allahs des Allbarmherzigen, des Gottes aller Einheiten, die 16. Division überquert weiterhin planmäßig den Kanal. Bisher kein jüdischer Widerstand, mit Gottes Hilfe gehts so weiter bis zum Sieg; Ritter, hier ist Kirsche, zu deiner Frage: Auf der ganzen Linie sind vielleicht noch fünfzig Leute am Leben, einer hier, zwei da; Rose, die überrollen uns, warum antwortet ihr nicht; *wer erwürgt und wer gesteinigt wird, wer in Ruhe leben, wer unstet irren wird, wer in friedlicher Stille und wer mit verwirrtem Sinn ...*, und wieder auf Arabisch: verwundeter jüdischer Pilot im Gebüsch bei Kilometer 253; Befehl an euch, bereitet euch vor und haltet Funkstille, so dass die Juden ihn retten kommen können, erst dann Feuer frei.

Und meine Mutter, sagte Avram schwer atmend, auch wenn ihr es nicht verdient habt, etwas über sie zu erfahren, ihr Wichser, ihr Verräter eures Bruders ...

Ilan presste die Hände auf die Seitenwände des Gerätes, bis seine Finger weiß wurden. Meine Mutter, schnarrte Avrams Stimme, die ist schon tot, die war mit einem Schlag tot, aber sie hatte immer ... Er schluckte, sie hat immer Geduld für mich gehabt, so wahr ich lebe. Er kichert »so wahr ich lebe« – was für ein sagenhafter Ausdruck »so-wahr-ich-le-be«, kapiert ihr, was das bedeutet, dass man sagen kann »so wahr ich lebe«? So-wahr-ich-le-be! Na denn Prost, »auf-dass-ich-lebe!« Wieder ein langes Schweigen, von grellem Zirpen durchbrochen. Das grüne Signal schmolz zusammen, zitterte, teilte sich dann und wurde größer: Ich bin mit ihr oft die Bezalel-Straße runtergerannt, machte Avram weiter, jetzt klingt er so schwach, dass Ilan sich mit dem ganzen Oberkörper über das Gerät beugt. Früher haben wir beim Markt in Nachlaot gewohnt, als ich klein war … Ich weiß nicht, ich erinnre mich nicht, ob ich euch das schon erzählt hab. Warum erinnre ich mich an nichts mehr? Plötzlich auch an keine Gesichter mehr, ich kann mich nicht mehr an Oras Gesicht erinnern … nur noch an ihre Augenbrauen, ihre ganze Schönheit steckte in den Augenbrauen.

Jetzt atmete er mit großer Anstrengung. Ilan konnte spüren, dass er fieberte. Dass sein Bewusstsein jetzt ziemlich schnell entwich.

Und mit Mama bin ich die Bezalel-Straße runtergerannt, ganz runter bis zum Sacherpark. Kennt den einer? Hallo?

Ilan nickte.

Sie hat mich an der Hand gehalten, ich war vielleicht fünf, und wir rannten bis runter, dann sind wir wieder hochgegangen und nochmal runtergerannt, bis ich keine Lust mehr hatte.

Er röchelte, schwieg. Für einen Moment verstummte auch der Lärm im Hintergrund. Eine merkwürdige, entsetzliche Stille herrschte im ganzen Abschnitt. Ilan hatte den Eindruck, alles auf beiden Seiten des Kanals halte für einen Moment inne und lausche Avrams Geschichte.

Ist es nicht so, wenn du ein Kind bist und ein Erwachsener mit dir etwas spielt, dann hast du immer Angst, dass er plötzlich keine Lust mehr hat? Dass er auf die Uhr guckt und etwas Wichtigeres zu tun hat?

Ja, sagte Ilan, ja.

Und Mama, Mama hatte nie von mir genug. Bei keiner Sache. Ich wusste, egal was, sie würde nie ein Spiel mit mir abbrechen.

Er schwebte in Nebeln. Seine Stimme war nackt und dünn wie die eines kleinen Kindes; Ilan kam es vor, als betrachte er ihn heimlich in seiner Nacktheit, aber er konnte nicht wegschauen.

Avram sagte: So was gibt dir Kraft fürs ganze Leben. Das macht den Menschen glücklich, nicht wahr?

Ein religiöser, hagerer, sehr erregter Soldat mit einer Kippe stieß gegen Ilans Stuhl und bat ihn, ihm zu helfen, die obligatorischen Gegenstände des Postens zusammenzupacken. Der Soldat zwinkerte heftig und zog den Mund immer wieder wie zu einem mechanischen Lachen in die Breite. Ilan erhob sich. Als er sich streckte, merkte er, wie lange er sich nicht mehr bewegt hatte. Er kniete sich neben den Soldaten und packte Gebetsbücher, Bibeln, Kippas, einen Havdalabecher, einen Chanukkaleuchter vom Militär, Packungen mit Schabbatkerzen in eine leere Munitionskiste, und sogar einen duftenden Etrog, den man rechtzeitig zum Laubhüttenfest an den Posten geschickt hatte. Der fromme Soldat nahm den Etrog, drückte ihn an sein Gesicht und roch mit einer Art wilder Begierde. Mit fast erstickter Stimme erzählte er, seine Frau habe ihm am Ausgang von Jom Kippur ein Kind geboren, der Brigadekommandeur persönlich habe ihm das durch das abhörsichere Telefon mitgeteilt, aber weil er keine Übung mit den verwürfelten Gesprächen habe, sei er sich nicht ganz sicher, was er bekommen habe, einen Jungen oder ein Mädchen, und er habe sich geniert, den Chef mit noch einer Frage zu nerven, aber mit Gottes Hilfe werde er seinen Sohn oder seine Tochter noch sehen, und wenn es ein Junge sei, werde er ihn Schmuel nennen, nach Generalmajor Gorodisch, und wenn es eine Tochter sei – Ariela, nach Generalmajor Ariel Scharon. Er redete und zwinkerte, sein Gesichtsausdruck wechselte dauernd, und Ilan hörte die ganze Zeit in seinem Kopf, wie Avram ihn rief und beschwor, und dennoch packte er weiter ein und ermunterte den Soldaten, ihm von sich zu erzählen, und verachtete sich für die Erleichterung, die er empfand, wenn er für ein paar Minuten von dem Zwang erlöst war, an dem Scanner zu sitzen und Avram zuzuhören, wie er draufging.

Ganz in der Nähe des Postens schlugen Granaten ein. Der religiöse Soldat hob die Nase in die Luft und verzerrte das Gesicht und schrie, das seien ABC-Granaten. Er zog Ilan am Arm zu einem großen Schrank, auf dem »ABC-Ausrüstung – nur im Notfall öffnen« stand. Mit dem Kolben seiner Uzi brach er das Schloss auf, die Tür sprang auf, und drinnen standen nur Stapel leerer Pappkartons. Der Soldat fing an zu schreien, er schlug sich mit den Händen auf den Kopf und trampelte wild. Ilan kehrte zu seinem Horchposten zurück und setzte wieder die Kopfhörer auf.

Was meint ihr, wie viele Minuten wird Avram noch leben, bevor sie ihm den Bauch aufstechen? Seinen behaarten weichen Bauch, den er so gern gestreichelt hat? Seinen Bauch, die große Scheune für seine reichen Ernten ...

Es reicht, sagte Ilan, hör auf damit!

Denn Avram, hört euch diesen Witz an, hatte eigentlich geplant, noch mindestens vierzig oder fünfzig Jahre auf Erden zu wandeln, bis er grau und steif würde, hier und da einen Busen oder Schenkel zu liebkosen, durch die große weite Welt zu streifen, Bedürftigen eine Niere oder ein Ohrläppchen zu spenden, sich seiner Fleischeslust hinzugeben und mindestens ein Buch zu schreiben, das so richtig auf den Regalen wackeln wird ...

Ilan nickte. Er nahm die Kopfhörer ab und stand auf. Er lief durch die Schützengräben des Postens, ging zu dem Wachturm, von dem man das alte Krankenhaus in Ismailia sehen konnte, da saßen auf den Sandsäcken zwei Reservisten mit hochgelegten Beinen wie auf dem Deck eines Vergnügungsdampfers. Beide waren schon vor sechs Jahren im Sechstagekrieg Wehrpflichtige gewesen, wirkten aber jetzt wie Greise, und er dachte gleichgültig, ihr Alter würde er wohl nicht mehr erreichen, sie waren unbekümmert und fröhlich und versicherten ihm, die sechste Flotte der Amerikaner sei unterwegs und werde in ein paar Stunden eintreffen, dann würden die Araber die Stunde bereuen, in der ihnen die Idee gekommen war, uns anzugreifen. Sie sangen ihm *Rabin wartet auf Nasser* als ohrenbetäubendes Duett vor, und Ilan roch etwas und begriff, sie waren besoffen – vermutlich hatten sie den schweren Wein für den Kiddusch getrunken. Und tatsächlich entdeckte er, als er sich umschaute, zwischen den Sandsäcken versteckt einige leere Flaschen.

Er verließ den Wachturm und blickte auf das blaue Wasser und die grünen Gärten von Ismailia. Nicht weit von ihm überquerte eine endlos lange Kolonne ägyptischer Jeeps auf einer Pontonbrücke den Kanal. Dieser gewaltige Strom von Menschen und Fahrzeugen ergoss sich ganz in der Nähe des Postens, und sie machten sich noch nicht einmal die Mühe, ihn einzunehmen. Ilan dachte an den Film *Der längste Tag*, den er mit Avram zweimal gesehen hatte. Er spürte, dass er die verschiedenen Teile der Wirklichkeit nicht mehr miteinander verbinden konnte, und hörte einfach auf, sich zu wundern.

Granaten schlugen ein, und die Metallnetze, die den Detonationsschutz zusammenhielten, begannen zu reißen. Felsstücke flogen um ihn herum. Jetzt wurden die Stellungsbauten zerrieben, die Luft war voll Asche, Ruß und Staub. Ilan stand da, nicht in der Lage, den Blick nach Süden Richtung *Magma* zu wenden, nahm aber doch an, dass der Rauch, den er im Augenwinkel sah, von dort aufstieg, wo Avram war. Er überlegte, ob es eine Möglichkeit gäbe, den Kommandeur des Postens doch dazu zu bringen, ein paar Soldaten loszuschicken, um Avram zu retten, und er wusste, keine Chance, der Kommandeur würde keinen seiner Leute zu einem solchen Kamikaze-Unternehmen beordern. Er tastete sich seinen Weg zum Befehlsbunker weiter, seine Augen waren rot und tränten, er konnte kaum atmen. Als er an seinem kleinen Tisch vorbeikam, warf er einen Blick auf den Scanner. Er war nicht in der Lage, sich nochmal dort hinzusetzen.

In der stickigen Luft des Bunkers erinnerte sich jemand an die Kurbel der Handluftpumpe, doch die sorgte kaum für Frischluft, und das Geräusch, das sie machte, wie eine Art schwaches Heulen von Schakalen, deprimierte einen nur noch mehr. Eine rauchende ägyptische MIG trudelte auf die Erde, über ihr öffnete sich wie ein Baldachin ein Fallschirm. Von den Wachtürmen war vereinzelt schwacher Jubel zu hören. Der Pilot war genau am Rand des Kanals runtergekommen und rannte humpelnd auf die Pontonbrücke zu. Ägyptische Soldaten liefen ihm entgegen, umarmten ihn, wie um ihn vor einem möglichen Beschuss aus dem Posten zu beschützen. Doch die Soldaten im Bunker und auf den Wachtürmen betrachteten diese Szene deprimiert und still: Die Stimmung, die bei den Ägyptern herrschte, weckte ihren Neid. Ilan kratzte sein verdrecktes Gesicht. In den Tausenden von Stunden, in denen er die Stimmen ägyptischer Soldaten aus den Horchgeräten im unterirdischen Bunker von *Babel* gehört, in all den Tagen und Nächten, in denen er ihre Gespräche übersetzt hatte, gleichsam ein blinder Passagier ihres militärischen Alltags geworden war, auch in den ganz kleinen Momenten, bei den Witzen, den Schweinereien und ihren verborgensten Geheimnissen, nie hatte er so deutlich gespürt wie in diesem Moment, als sie ihren Freund, den Piloten, umarmten, dass sie echte, existierende Menschen aus Fleisch und Blut waren, Menschen mit einer Seele.

Ich schon, sagte Avram zu Ora. Es war das erste Mal nach langen Minuten, dass er etwas sagte. Von allen Funkern in *Babel* hat mich dieses Horchen am meisten begeistert, mehr als die erfahrensten Horchfunker. Ich konnte es nicht fassen, dass man jeden, der nur den Mund aufmacht, einfach abhören durfte. Und dass man hören kann, was die Leute ganz intim miteinander reden. Na ja, sagt er, die militärischen Geheimnisse haben mich nicht so interessiert, das kannst du dir denken, ich hab mich für den Quatsch interessiert, für die kleinen Intrigen der Offiziere, für Sticheleien, Tratsch, winzige Andeutungen über ihr Privatleben. Da waren zwei Funker von der zweiten Armee, Fellachen aus dem Nildelta, und plötzlich hab ich kapiert, dass sie verliebt sind und ihre Andeutungen füreinander in den offiziellen Meldungen transportieren. Solche Sachen hab ich gesucht.

Die menschliche Stimme? sagt Ora.

Ein israelischer Phantom-Jagdbomber tauchte auf, drehte über dem Posten nach unten und schoss aus zwei MGs. Keiner rührte sich. Das Dröhnen des Flugzeugs erfüllte alles, auch Ilans Körper, warf ihn hin und her. Ein schwerer Aschenbecher aus Glas hüpfte auf dem Tisch, fiel zu Boden und zersprang. Im Hof des Postens stand der Panzersoldat aus Jerusalem, mit dem Ilan hierher gekommen war, und trank Kaffee. Über den Rand seines Kaffeebechers hob er die Augen überrascht gen Himmel. Seine Brillengläser blitzten, das Flugzeug neigte sich ein bisschen in seine Richtung, und Ilan sah, wie er diagonal zerschnitten wurde, von der Schulter bis zur Hüfte, und seine Hälften auseinandergeschleudert wurden. Ilan sackte vornüber und erbrach, auch andere um ihn herum übergaben sich. Einige Soldaten schwangen Fäuste gen Himmel, verfluchten die Luftwaffe und die ganze israelische Armee.

Dann überzogen die Ägypter den Himmel mit Flugabwehrfeuer, ein rot-gelber Teppich, aus dem immer wieder die Rauschschwaden von Raketen hervorbrachen. Die Phantom schlingerte zwischen ihnen, plötzlich schlug eine Flamme aus ihrem Heck, und sie trudelte in Ringen aus schwarzem Rauch nach unten. Stumm verfolgten die Soldaten ihren Absturz, bis sie auf der Erde zerschellte. Kein Fallschirm öffnete sich. Ihre Blicke mieden einander. Als Ilan wieder in den Hof schaute, sah er, jemand hatte den zerrissenen Toten bereits mit zwei Decken bedeckt.

Was ist mit deinem Freund, rief der dunkelhaarige jemenitische Funker ihm zu, hast du ihn aufgegeben?

Ilan verstand nicht, was er redete.

Der aus *Magma*. Gut, dass du das abgebrochen hast.

Ilan starrte ihn an, auf einen Schlag wurde sein Blick klar, und er rannte los.

Hallo, hallo, hört mich jemand? Hallo? Ich bin hier allein. Alle andern haben sie schon gestern oder vorgestern umgebracht, etwa zwanzig Leute. Ich hab sie nicht gekannt, ich kam erst ein paar Stunden, bevor es losging hierher. Sie haben sie einzeln rausgeholt, in den Hof gezerrt und wie Hunde erschossen. Einige haben sie auch totgeschlagen. Ich und der Funker, wir haben uns unter Dieselfässern versteckt, die auf uns gerollt sind. Wir haben uns tot gestellt.

Etwas hatte sich verändert, spürte Ilan sofort, Avram redete klar und sachlich, als sei er sich sicher, dass ihm irgendwo jemand zuhört und begierig seinen Worten lauscht.

Ich hab sie weinen hören, unsere Leute. Sie haben gefleht, dass man sie nicht erschießt. Zwei hab ich gehört, die haben gebetet und wurden mittendrin niedergemäht. Dann sind die Ägypter abgezogen und nicht mehr zurückgekehrt. Die ganze Zeit wird hier bombardiert. Jetzt kann man in den Posten, glaub ich, schon gar nicht mehr rein. Alles ist eingestürzt, ich sehe von hier aus, die Stahlträger vom Eingangstor sind total verbogen.

Ilan kniff die Augen zu, versuchte zu sehen, was Avram sah.

Bis zum Abend des ersten Tages war ich noch mit dem Funker zusammen, sagte Avram, er lag vielleicht zwei Meter von mir entfernt, schwer verletzt, mit einem Funkgerät am Körper und noch einem kleinen, tragbaren, dazu unheimlich viele Batterien, mindestens achtzig hatte er, das weiß ich, denn er hat sie die ganze Zeit gezählt, das war so ein Tick, das Batterienzählen, er war am Bein verletzt und ich an der Schulter. Ich hab den Splitter einer Granate abgekriegt, die hier beim Brand hochgegangen ist, der guckt mir halb raus, ich kann ihn anfassen. Wenn ich mich nicht bewege, blutet es nicht, tut nur weh. Wie ist das möglich, murmelte er fassungslos, da steckt ein Stück Eisen in meinem Körper. Hallo, hallo? Ja, sagte Ilan halblaut, ich höre dich. Dann eben nicht. Der Funker hat viel Blut verloren, die ganze Zeit hat er geblutet. Ich weiß nicht, wie er heißt, wir haben kaum gesprochen, damit wir nicht zu viel vom andern wissen, falls sie uns gefangen nehmen. Nach einer Weile hab ich gesehen, dass er wirklich nicht okay war, er hat gezittert. Ich hab versucht, ihm Mut zu machen, aber er hat mich nicht gehört. Irgendwann bin ich zu ihm rübergekrochen und hab ihm am Knie das Bein abgebunden. Er hat lauter Unsinn geredet. Phantasiert. Er dachte, ich wär sein Sohn, ich wär seine Frau. Das Funkgerät sendete noch, und ich sprach mit einem Offizier in Tasa, einem ziemlich hohen, denke ich. Dem hab ich erklärt, was hier los ist, hab ihm gesagt, was sie machen müssen, und er versprach mir, Hilfe sei unterwegs, die Luftwaffe würde einen Hubschrauber schicken, um mich rauszuholen. In der Nacht, ich weiß nicht, wann, ist der Funker gestorben.

Ilan merkte, dass Avrams plötzliche Nüchternheit für ihn schwerer zu ertragen war, als sein bizarres Gerede. Er hatte den Eindruck, Avram war jetzt nackt und bloß, ohne irgendetwas, das ihn vor dem schützen konnte, was ihm bevorstand.

Danach hab ich ein bisschen gegraben, bis ich in ein Loch gefallen bin, das unter mir war. Ich bin etwa einen Meter tief gefallen, auf den Rücken, auf das Gerät und alle Batterien. Hier kann ich noch nicht mal sitzen, nur mit dem Scheißgerät auf mir liegen, unmöglich, dass einer mich aus diesem Loch noch empfängt, immerhin kann ich mich auf die andere Seite drehen und mich sogar einen halben Meter weit rollen. Ich hab ein paar Sandsäcke so hingeschoben, dass ich Luft krieg, aber finster ist es hier wie beim Auszug aus Ägypten.

Er schwieg und fügte dann mit einem schnarrenden Seufzer hinzu: Finsternis wie zu Pharaos Zeiten in Ägypten.

Ilan lachte zu ihm hinüber, um ihm Mut zu machen.

Und ich hab die ganze Zeit Durchfall, keine Ahnung, was es da noch rauszuscheißen gibt. Drei Tage lang hab ich nichts gegessen und kaum was getrunken. Auch kaum geschlafen. Damit sie mich nicht im Schlaf umbringen – den Gedanken ertrage ich nicht.

Bloß nicht im Schlaf, bitte.

Jetzt geht's mit ihm wieder bergab, dachte Ilan.

Anscheinend wollen die vom ägyptischen Kommando sich hier nicht lang aufhalten, murmelte Avram, die kommen wohl später nochmal zurück und machen dann ihre Arbeit fertig. Meinst du? Keine Ahnung. Was versteh ich davon. Bestimmt bombardieren sie zuerst alles, und dann gehn sie rein und suchen. Explodieren wäre dir lieber, was? Ein Knall. So ein Scheiß. Nicht zu glauben, die ganze Zeit denk ich … Auch sein Lachen schnarrt, nein, so wahr ich lebe, was mach ich hier überhaupt? Warum ausgerechnet ich?

Ilan zuckte zusammen. Gleich würde er von den Losen erzählen.

Hey Ora, Orale, wo bist du jetzt. Nur deine Stirn berühren, dir mit dem Finger die Augenbrauen nachzeichnen, und die Lippen. Wie hast du mich verrückt gemacht.

Ilan legte die Hand vor den Mund.

Hör mal, ich denk schon eine Weile an einer Idee herum, eine saugute Idee, die hab ich dir noch nicht erzählt, auch Ilan nicht … Hallo? Gibt's hier in der Galaxie noch jemanden? Hallo? Menschheit? Ilan?

Ilan packte das Entsetzen, er sprang auf.

Sie haben den ganzen Posten abgefackelt, flüsterte Avram eilig, mit allen Leuten drin und mit der ganzen Ausrüstung, mit der Küche, mit unseren Rucksäcken; alles, was sie gesehen haben. Sie sind mit Flammenwerfern durchgegangen und haben alles in Brand gesteckt. Ich habe sie gehört. Alles stand in Flammen. Mein Gesicht und meine Hände sind von der Hitze verbrannt, ich bin ganz schwarz vom Ruß. Sie haben auch meine Hefte verbrannt. Ein ganzes Jahr Arbeit ist kaputt, das ganze letzte Jahr, die Idee, die ich hatte, alles hinüber, alles verbrannt.

Diese Wichser, jeder freie Moment, den ich hatte, im Camp, an den Wochenenden, auf den Fahrten zum Camp, du hast ja gesehen, wie ich in dem Jahr war, Orale. Sieben Hefte, so ein Scheiß, richtig dicke Notizbücher, jedes zweihundertzwanzig Seiten, alles meine Ideen …

Seine Stimme schlug um, er begann zu weinen, redete weinend weiter. Es war schwer, ihn zu verstehen. Ilan erhob sich, stand da und hörte Avram zu, wie er schluchzte. Plötzlich riss er sich die Kopfhörer runter und warf sie auf den Tisch; hör auf, hör auf, es reicht, sagte er sich, wann macht er endlich Schluss?

Die Ägypter schossen stärker und häufiger. Granaten aus 240-mm-Mörsern schlugen nacheinander ein. Die Beobachter berichteten laut und aufgeregt, Boote mit nicht erkennbarer Ausrüstung landeten im Uferbereich unterhalb des Postens. Angst wehte durch die Schützengräben und die Bunker. Die Boote spritzten dann mit Wasserkanonen. In den ersten Momenten ein Gefühl der Erleichterung: Die Wassertropfen reinigten die Luft von dem Staub überall – aus Bunkern, Kaffeebechern, Nasenhöhlen –, doch nach einer Weile begann der Boden des Postens abzusacken. Die Soldaten beschossen die Boote aus allem, was sie hatten, und bewarfen sie mit Granaten. Die Boote drehten ab, doch der ganze Komplex des Postens sank auf einer Seite ein und sah aus wie ein schiefes, bitteres Lächeln.

Der Kommandeur befahl den Soldaten, in den Befehlsbunker zu kommen. Ilan fand ein Eckchen und setzte sich auf den Boden. In seinem Kopf sägte Avrams Stimme weiter, flüsterte, phantasierte, er flehte um sein Leben. Soldaten und Offiziere kauerten an den Wänden, vermieden es, sich anzuschauen. Jetzt, wo die Wasserkanonen den dichten Staub weggespült hatten, roch man den ekelerregenden Kotgestank, den sehr konkreten Bodensatz der Angst. Ein Soldat mit glatten, zarten Wangen, der aussah, als wäre er fünfzehn, lag mit geschlossenen Augen zusammengerollt neben Ilan und murmelte schnell und mit großer Hingabe. Ilan tippte an sein Bein und bat ihn, auch für ihn zu beten. Der Knabe sagte, ohne die Augen zu öffnen, er bete nicht, er sei überhaupt nicht fromm, er memoriere nur chemische Formeln, so habe er sich vor den Abiturpüfungen erfolgreich beruhigt, und das habe bisher immer geholfen. Ilan bat ihn, auch für ihn Formeln zu sagen.

Mit gesenkten Köpfen saßen die Soldaten und Offiziere da. Draußen brüllte die Wüste, ein riesiges Tier; verletzt und geschunden bäumte sie sich bei jeder weiteren Verletzung auf. Fast die ganze Zeit meinte Ilan zu hören, wie ägyptische Soldaten das Tor zum Posten aufbrachen. Sein Hirn produzierte diese Stimmen mit größter Genauigkeit. Immer wieder schlugen die Ägypter mit ihren Gewehrkolben gegen das Tor, immer wieder gab es direkt hinter der Mauer Explosionen, und er hörte ihr Jubeln, als sie hereinstürmten, und Schreie auf Arabisch, Schüsse, Sirenen, und das Flehen auf Hebräisch wurde immer schwächer. Ein metallischer Geschmack breitete sich in seinem Mund aus, ließ die oberen Zähne und die Nase erstarren und betäubte sie. Es wird nicht weh tun, es wird nicht weh tun, murmelte der junge Soldat neben ihm, er hielt die Augen fest geschlossen, ein feuchter Fleck breitete sich auf seiner Hose aus.

Fiebrig versuchte Ilan, sich an eine Methode zu erinnern, die er als Jugendlicher entwickelt hatte, eine Methode, um glücklich zu sein. Wie funktionierte die noch? Er hatte sich in verschiedene Zonen unterteilt, und wenn es ihm an einer Stelle schlechtging, war er zu einer anderen gehüpft. Das hatte nie wirklich geklappt, ihm aber zumindest das Gefühl eines inneren Hüpfens gegeben, das dem Fliegen mit einem ganz privaten Schleudersitz glich und ihn für einige Momente über die Scheidung seiner Eltern erhob, über den endlosen Aufmarsch neuer Männer bei seiner Mutter, über die Abscheulichkeiten seines Vaters mit den Soldatinnen vor aller Augen, und auch über den aufgezwungenen Umzug von Tel Aviv nach Jerusalem, die verhasste Schule und die entsetzliche Ödnis – drei ganze Tage und Nächte jeder Woche in dem Transport-Camp, das sein Vater befehligte. Einmal, beim Wacheschieben mit Avram unter der Antenne auf der nördlichen Felsklippe von *Babel*, hatte er ihm halb lachend seine Methode gestanden und bewusst das Kind, das er damals gewesen war, lächerlich gemacht, und er hatte gespürt, wie diese Methode Avram gleichzeitig anwiderte und anzog …

Avram hatte ihn angeschaut, als offenbare sich ihm gerade besonders Finsteres, was er noch nicht kannte, nicht nur bei Ilan, sondern beim Menschen und den Möglichkeiten, die ihm offenstanden schlechthin. Er hatte ihn detailliert über diese Methode befragt, wollte alle Feinheiten des Mechanismus erfahren, wie Ilan auf die Idee gekommen war, wie sich jede Phase des Prozesses anfühlte. Und nachdem er so eifrig und erbarmungslos geforscht hatte, zogen sich seine

Augenbrauen nach oben, und er lächelte: Du weißt, was dann die nächste Phase ist, ja?

Ilan hatte ihn erschöpft angelächelt und gefragt: Nein, was ist die nächste Phase?

Nachdem du dich in Quadrate unterteilt hast, gehst du in keins der Quadrate mehr rein! und Avram fügte bewundernd, vielleicht auch etwas spöttisch hinzu: Ich kenne keine elegantere Art, sich das Leben zu nehmen! Ohne dass irgendeiner was merkt!

Dann klingelte das Feldtelefon der Stabsleitung, und die legendäre Stimme – sie stellte sich nicht vor, was auch nicht nötig war – verkündete den Soldaten, man werde mit einer ganzen Division in ihr Gebiet ausrücken, um alle in den Posten eingeschlossenen Kameraden zu retten. Die Leute schauten sich an, standen langsam auf, fingen an, sich zu strecken, stampften mit den Beinen, und das Blut begann wieder in den Gliedern zu fließen. Arik kommt, sagten die Soldaten zueinander und probierten den Geschmack dieser Worte. Von Minute zu Minute wurden ihre Bewegungen schneller, sie kehrten in ihre Stellungen zurück. Ilan erinnerte sich, dass auch er selbst sich und anderen gesagt hatte, Ariel Scharon werde kommen, Arik werde es den Ägyptern zeigen. Arik wird Avram und mich retten. Wir werden noch zusammensitzen und über das alles unsere Witze reißen.

Denn du würdest sowieso nie im Leben mir gehören, du gehörst Ilan, ertönte Avrams Stimme in dem Moment, als Ilan sich die Kopfhörer wieder aufsetzte, und ich hab mich dir so idiotisch verschrieben, schon als ich dich das erste Mal sah, und alle anderen Mädchen würden immer nur ein billiger und zufälliger Ersatz sein, das war mir von Anfang an klar, worauf warte ich also noch? Die Leute machen so ein Brimborium um ihr Leben … Was mich jetzt beunruhigt, ist nur diese thermische Unbehaglichkeit, weißt du, diese verfluchten Flammenwerfer. Und, ehrlich, Schwarma hab ich nie gemocht, Ora. Ich will nicht sterben.

Er lachte, er weinte, er redete zu Ora, beschrieb ihren Körper und wie sie sich lieben. Und natürlich war er in seiner Phantasie gewagter, als er es je mit ihr gewesen war. Ilan hatte ihm zugehört, und am Morgen vor Ofers Geburt hatte er Ora zum ersten und einzigen Mal davon erzählt. Sie hatte mit dem Rücken zu ihm gelegen und sich nicht gerührt. Er hatte sich an sie gedrückt und Avram zitiert, und sie hatte aus seinem Mund Avram gehört. Er sagte, Avram habe so halluziniert. Sie sagte kein Wort. Er hatte gewartet, aber nichts gefragt. Sie hatte geschwiegen. Ilan hatte ihr die Unterhose ausgezogen. Sie hatte sich nicht gerührt, sich auch nicht gewehrt, höchstens etwas zögernd seinen Namen gesagt. Danach war er mit seinem ganzen Nachdruck in ihr. Hätte er sie gefragt, ob das Miteinanderschlafen nur eine Halluzination von Avram gewesen sei, hätte sie ihm die Wahrheit gesagt. Aber er hatte nicht gefragt. Er war in sie eingedrungen, und zuerst hatte sie nicht reagiert. Sie nahm ihn in sich auf. Ihre Sinne waren alarmiert, warnten sie, es nicht zu tun, doch sie spürte, ihr Körper wollte ihn hereinlassen. Sie dachte, sie müsse das Kind in ihrem Bauch schützen, aber ihr Körper antwortete ihm wild, ihr Körper hungerte nach ihm. Seine Arme und seine Lenden hielten sie umschlossen. Sein Mund glühte, er biss sie in den Nacken, stieß fast durch sie hindurch, auch Jahre später hatte sie kaum glauben können, dass sie das getan hatte. Ihr Bauch warf sich vor ihr hin und her, und das Kind, das Avram in sie gepflanzt hatte, lag in ihr, ließ sich schütteln und erwartete seine Geburt, doch für ein paar Minuten waren Ilan und sie bloß ein Mann und eine Frau, ganz in eigener Sache …

Damit das Kind geboren werden konnte, so empfand sie es damals im Nebel ihrer Selbstberauschung, damit Ilan sein Vater sein konnte, damit sie und Ilan füreinander wieder Mann und Frau sein konnten.

Hallo, hallo, hier sendet *Stimme freies Magma.* Das ist die dritte Nacht. Oder schon die vierte? Ich habe jedes Zeitgefühl verloren. Vorhin bin ich aus meiner Nische gekrochen. Für ein paar Minuten war es hier ganz still, und ich bin das erste Mal, seit es angefangen hat, rausgekrochen. Ich konnte mich kaum bewegen. Ich dachte, der Einsatz ist vielleicht vorbei, und sie sind schon wieder zurück über den Kanal, aber so ist es wohl nicht. Der Einsatz dauert zumindest in meiner Gegend an, denn als ich kurz draußen war, habe ich gesehen, sie überqueren weiter den Kanal, in unglaublichen Massen, und von unseren Truppen nichts in Sicht.

Wieder sprach er völlig klar.

Ich bin ein paar Schritte rumgelaufen und habe außer dem Funker noch drei Leichen von den unseren gesehen, in Bunker zwei, völlig verbrannt, zuerst hab ich gedacht, das sind Holzstämme, ich schwör's, später hab ich's kapiert, denn wo sollen hier Bäume herkommen? Das sind die Reservisten von der Jerusalemer Brigade. Als ich hier am Abend vor Jom Kippur ankam, bin ich mit dem Notizbuch runter an den Kanal gegangen. Es war völlig still, und ich dachte, alles, womit sie uns in *Babel* Angst gemacht haben, ist *bullshit*. Ich hatte ein Fass gesehen, an das ich mich anlehnen konnte, hab mich mit dem Rücken zum Wasser hingesetzt und ein bisschen geschrieben, einfach so, um mich hier schneller einzugewöhnen, und diese drei waren auf dem Beobachtungsturm über mir und haben eine Riesensache darum gemacht, dass ich da schreibe, und als ich wieder reinkam, haben sie mir das Notizbuch aus der Hand gerissen und es allen vorgelesen, ich habe gekämpft, und wir hätten uns fast geschlagen. Nicht angenehm. So wie sie daliegen, sieht es aus, als hätten sie sie rausgeholt, um sie zusammen umzubringen. Vielleicht haben sie sie erst aneinander gefesselt und dann erschossen. Was wollte ich noch …

Hier liegt alles in Trümmern. Eisenstangen, Felsen, Metallnetze, geschmolzene, verbogene Uzis – ein einziger Horror. Ich glaube, auf dem Posten weht die ägyptische Fahne. Ich hab drei Dosen Hackfleisch gefunden, eine mit Hummus und eine mit Mais. Und vor allem zwei Flaschen Wasser. Aber das Fleisch krieg ich nicht runter. Mit Fleisch bin ich fertig, für den Rest des Lebens.

Ich hab auch Erde gesammelt, in zwei Stahlhelmen, um meine Scheiße zu bedecken. Jetzt, wo ich was zu essen hab, schießen meine Därme bestimmt mit Vollgas los, ha ha ha.

Ich bin also zurück in meinen Käfig, hab mich da wieder reingeschlängelt und mich wieder in die Stellung des Derwischs begeben, der sich selber den Schwanz leckt. Wenn mir nur einer auf diesem beschissenen Gerät antworten würde. Verflucht! Hört mich denn keiner? Hallo …

Dass es bloß bitte nicht weh tut. Wenn ich doch vorher das Bewusstsein verlieren könnte. Vorhin, als ich die drei Kameraden da liegen sah, hab ich versucht, mich zu erwürgen, mit den Händen, aber ich musste husten und hatte Angst, dass sie mich hören und kommen.

Dass sie mich nicht vorher noch foltern. Einer wie ich ist ein gefundenes Fressen für die. Ich seh die ganze Zeit Bilder. Ein beschissener Film. Ein Glück, dass sie nicht viel Zeit auf mich verschwenden können. Aber wie lang? Eine Minute? Drei Minuten? Wie lang kann das dauern? Dass sie bloß schnell machen. Kugel in den Kopf und Schluss. Nein. Nicht in den Kopf. Wohin dann? Es reicht. Sollen sie doch kommen. Jetzt kommt schon, ihr Wichser! Arrogante Ägypter, ihr könnt ja bloß im Profil laufen! Er schrie aus aller Kraft. Danach hörte Ilan zwei knallende Schläge – er nahm an, dass Avram sich selbst ohrfeigte.

Ilan, sagte Avram plötzlich so nah und so weich, als unterhielten sie sich am Telefon, du wirst Ora zum Schluss bestimmt heiraten, Prost, du Würstchen, versprich mir nur, dass ihr euer Kind Avram nennen werdet, hörst du? Aber mit »h« in der Mitte, Av-ra-ham, *Vater vieler Völker*! Und erzählt ihm von mir. Ich warne dich, Ilan, wenn ihr das nicht macht, wird mein Geist dich nachts auf deinem Lager heimsuchen, du Nachfahre des schwachen Samens.

Hör mal, lachte er plötzlich auf, einmal, noch vor dem Militär, war ich bei Oras Eltern in Haifa, und ihre Mutter verlangte, dass ich die Schuhe am Eingang ausziehe, du kennst sie ja, und meine Socken stanken furchtbar, ich hatte sie vielleicht eine Woche nicht gewechselt, und sie setzte mich ins Wohnzimmer in den Fauteuil, um mich auf Herz und Nieren zu prüfen, wer ich bin und was ich mit ihrer Tochter vorhabe, und vor lauter Sockendruck erzählte ich ihr, ich hätte mich im Alter von siebzehn Jahren entschlossen, Stoiker zu werden, danach sei ich eine Weile Epikureer gewesen und seit ein paar Monaten Skeptiker. Einen ganzen Vortrag hab ich da gehalten, bloß damit sie den Gestank nicht merkt ... Nicht wichtig, aber erzähl das Ora und auch dem Kind, dem kleinen Avraham, lacht ein bisschen über mich, warum nicht.

Genug, flehte er dann, jetzt kommt endlich, egal wer.

Sieben Notizbücher, kapierst du das, Ora? Das war eine ganz gewaltige Idee, hör zu, ich hab da eine ganze Serie geplant, nicht nur ein Hörspiel, sondern mindestens drei, jedes eine Stunde lang. Ohne Kompromisse, einmal etwas richtig Großes machen! So wie *Krieg der Welten* vom großen Orson Welles. Das Ende der Welt, dachte ich. Das ist die Idee, verstehst du? Aber nicht, weil irgendwelche Außerirdischen einfallen oder wegen einer Atombombe. Ich hab eher an einen Meteoriteneinschlag gedacht, von dem man genau weiß, wann er sich ereignen wird. Die ganze Sache ist, dass man das Datum des Endes kennt, verstehst du? Dass jeder auf der Welt genau weiß, wann …

Es bringt mich um, dass ich dir das nicht erzählen kann, sagte Avram schwer atmend. Wie soll ich etwas schreiben ohne dein Okay, ohne deine Begeisterung? Hör zu, hör zu, hör mir zu …

Wie aufgewühlt war er immer gewesen, wenn er Ora und Ilan eine seiner neuen Ideen erläuterte. Ihm wurde dann richtig heiß. Ilan versuchte, sich ihn in seiner Nische unter der Erde vorzustellen, wie er da mit Armen und Beinen gestikulierte.

Die ganze Menschheit weiß, erzählte Avram weiter, dass sie genau an dem und dem Datum vernichtet werden wird, keine Menschenseele wird überleben, kein Tier, keine Pflanze. Ohne Bonus, ohne Extrawurst, ohne Aufschub, das gesamte Leben wird verdampfen.

Sieben Notizbücher haben mir diese Wichser verbrannt, sagte er wieder, ich bin total geliefert.

Hörst du, die Uhren werden nur noch die Zeit anzeigen, die bis zum Verdunsten bleibt. Wenn jemand fragt, wie spät es ist, hat das nur eine Bedeutung: Wie viel Zeit bleibt noch …

Kapierst du? Warte, ich hab noch mehr.

Ilan fuhr sich mit der Zunge über die Lippen. Avrams Elan hatte auch ihn ergriffen. Er konnte sehen, wie Avrams inneres Leuchten ihn beinahe schön machte.

Zum Beispiel würden die Museen ihre Bilder und Skulpturen aus den Sälen und Magazinen holen, alle Kunstwerke würden auf den Straßen stehen. Stell dir das mal vor, die *Venus von Milo*, *Guernica*, lehnen am Zaun irgendeines Hauses in Tel Aviv, in Aschkelon oder in Tokio. Die Straßen wären voller Kunst, da stünde alles, was Menschen je gemalt oder geformt oder irgendwie geschaffen haben, die größten

Künstler zusammen mit den Omas aus dem Zeichenkurs im Kulturhaus von Givataim und Bilder von Nachum Gutman und Renoir und Zaritzky und Gauguin zusammen mit den Bildern von Kindergartenkindern, überall hingen Bilder, stünden Skulpturen aus Eisen, Plastilin, Ton oder Stein. Millionen von Kunstwerken aller Art aus allen Zeiten, aus dem alten Ägypten, von den Inkas, aus Indien und aus der Renaissance, alles auf den Straßen, mitten im Leben, versuch mal, dir das vorzustellen, versuch, es für mich zu sehen, auf den Plätzen, in den kleinsten Gässchen, am Strand, in den Zoos, überall Kunst, ganz egal, was, so eine umfassende Demokratie des Schönen ...

Was meinst du, vielleicht können dann auch ganz normale Leute die *Mona Lisa* für einen Abend mit nach Hause nehmen, oder *Den Kuss?* Findest du das übertrieben? Warte, warte, du Kleingläubige, ich werde dich noch überzeugen ... Avram lächelte und Ilan verkrampfte sich vor Schmerz. Er spürte, das war ein privater Witz zwischen Avram und Ora.

Ilan sah sein Gesicht, wenn er neue Ideen ausprobierte: Da konzentrierte sich sein ganzes Sein auf einen Funken Licht, einen schwebenden Glanz in der Tiefe seiner Augen, und sein Gesichtsausdruck bekam erst etwas überraschend Körperliches, Misstrauisches, Verkrampftes, so als wiege er eine zweifelhafte Ware, die ihm jemand andrehen will, in der Hand, aber dann – entzündet sich der Funke, ein Lächeln flammt auf, die Hände öffnen sich ganz von allein, die Arme breiten sich aus, komm, komm, Welt, blökte Avram dann, fick mich, aber hart.

Eine grundsätzliche Sache habe ich noch nicht ganz gelöst, brummte Avram vor sich hin, klang konzentriert und gleichzeitig zerstreut: Werden die Leute die Bindungen, in denen sie leben, aufbrechen, zum Beispiel die Familie, oder werden sie bis zum letzten Moment alles so lassen wollen, wie es war? Was meinst du?

Und wenn die Leute zum Beispiel anfangen würden, einander nur die Wahrheit zu sagen, geradeheraus ins Gesicht, weil es keine Zeit mehr gibt, verstehst du, es gibt keine Zeit mehr.

In so einer Situation, murmelt er nach einigen Sekunden Schweigen, sehen auch die trivialsten Sachen, wie das bedruckte Papier auf einer

Büchse Mais, ein Kuli oder sogar die kleine Feder eines Kugelschreibers, plötzlich wie Kunstwerke aus, meinst du nicht? Die Essenz der gesamten menschlichen Weisheit, der gesamten Kultur.

Shit, ich hab keinen Kuli hier. Jetzt könnte ich wirklich anfangen zu schreiben. Ich spür es, jetzt geht es wirklich.

Ilan stand auf, rannte in den Bunker, kramte in den Schubladen, fand ein paar Blätter, die das Militärrabbinat für Jom Kippur verteilt hatte, zweiseitig bedruckt, aber die Ränder waren breit und leer.

Ach liebste Queen Elisabeth, sang Avram ins Funkgerät. Ora, das musst du aufschreiben. Daran dichte ich schon eine ganze Weile. Und Ilan schrieb mit.

Ach liebste Queen Elisabeth, ach, könnt ich Euch bewahren/ vor diesem Unheil, das uns naht./ Denn Könige sollten mit Würde vergehn/ Elisabeth, geliebte Queen/ mit schweren Glockenschlägen/ und mit bekränzten Kutschen/ und mit zwölf stolzen Rappen.

Er sang und blies kräftig in die Sprechmuschel. Es war schwer, ihn zu verstehen. Die Melodie war eher ein konturloses Brummen, eine Art Rezitativ voller Pathos und Luft, und ohne es zu merken, überlegte Ilan sich eine musikalische Begleitung für dieses Lied.

A-ber! krächzte Avram, und Ilan hätte schwören können, dass er dabei mit der Hand fuchtelte:

Vielleicht lassen wir Euch auch eher gehn/ Elisabeth, geliebte Queen./ Ein Diener reicht Euch den Schierlingstrank/ und wir erweisen Euch letzte Ehre und Dank/ drei Tage vor uns allen./ Dann sterbt Ihr unbehelligt von unsrer Not/ von massenhaftem, namenlosem Tod./ Und unsre hehren Gedanken an Euch/ Elisabeth, geliebte Queen/ die werden uns nicht im Wege stehn/ ganz billig zu verrecken.

Avram ging die Luft aus. Er ließ die letzten Worte nachklingen, und Ilan dachte wider Willen: Gar nicht schlecht für den Anfang, na gut, vielleicht ein bisschen viel Brecht, und auch Kurt Weil ist da vorbeigeschlichen. Und Nissim Aloni ebenso.

Solche Szenen, verstehst du, meine Liebe, schnaufte Avram, Dutzende, vielleicht Hunderte hatte ich in meinen Notizbüchern. Fuck them. Wie soll ich das alles rekonstruieren …

Und hör mal, da ist noch ein Satz, den Ilan und ich so mögen, vielleicht muss man sagen gemocht haben, denn einer von uns, und das bin zu meinem großen Leidwesen ich, muss jetzt anfangen, die Vergangenheit zu üben: Ich habe gemocht, ich habe geliebt, ich habe gefickt, ich habe geschrieben – Scheiße auch.

Seine Stimme schlug wieder um, erneut begann er, leise zu weinen, er war kaum noch zu verstehen.

Das ist ein Satz des verehrten Thomas Mann aus *Der Tod in Venedig*, fuhr er nach einigen Augenblicken fort und klang hart und angestrengt – ein armseliges Echo der Stimme, mit der er früher Leute zum Lachen gebracht und seine Shows abgezogen hatte –, das ist ein wunderbarer Satz, hör dir den an, Ora: Der alte Maler dort, wie hieß er noch, Aschenbach, der litt unter *»Künstlerfurcht«*, hörst du?, unter *»dieser Besorgnis, die Uhr möchte abgelaufen sein, bevor er das Seine getan und völlig sich selbst gegeben habe«*, etwas in der Art. Ich fürchte, meine Liebe, dass mir aufgrund der Umstände meine Erinnerung nicht mehr zur Verfügung steht, und auch sonst nichts mehr. Wenn sie dich aufhängen, versprechen sie dir wenigstens eine gute Erektion, aber mit einem Flammenwerfer funktioniert das wahrscheinlich nicht …

Aber wie verfährt man kurz vor dem Ende der Welt mit Gefangenen? Sofort freilassen? Auch Mörder, Vergewaltiger und Einbrecher? Wie kann man unter solchen Umständen jemanden noch im Gefängnis behalten? Und was mach ich mit zum Tode Verurteilten?

Und Schulen? fragte er nach einem verzweifelten Schweigen, es hat doch keinen Sinn, weiter zu unterrichten oder jemanden auf die Zukunft vorzubereiten, wenn schon klar ist, dass er keine hat. Ich stell mir auch vor, dass die meisten Schüler gar nicht mehr in die Schule kommen würden, dass sie dann leben wollen, das Leben selbst leben. Vielleicht würden aber gerade die Erwachsenen zurück auf die Schulbank gehen, warum nicht? Ja, das ist doch nicht schlecht, er kicherte amüsiert: Bestimmt würden viele diese Zeit gern nochmal erleben.

Dieser Lumpen stinkt entsetzlich, murmelte er, aber wenigstens blutet es nicht mehr. Die Hand kann ich kaum noch bewegen. In den letzten Minuten wieder höllische Schmerzen. Und das Fieber steigt. Ich würd mich so gern ausziehn, aber ich will nicht nackt sein, wenn die kommen. Und sie noch auf Gedanken bringen.

Er atmete schnell, hechelte wie ein Hund. Man konnte spüren, wie er seine Geschichte überreden wollte, zu ihm zurückzukommen und ihn zu beleben.

Die Kinder werden schon mit neun oder zehn Jahren heiraten, Jungen und Mädchen, sie bekämen eine Chance, noch etwas vom Leben zu haben.

Ilan legte den Stift aus der Hand, rieb sich fest die schmerzenden Augen. Er sah Avram unter der Erde auf dem Rücken liegen wie in einer kleinen Gebärmutter, die er sich im Bauch der Erde geschaffen hatte, und um ihn herum strömte die ägyptische Armee. Der unbesiegbare Avram, dachte er.

Sie würden kleine Wohnungen bekommen, die Kinder, und selbständig leben. Abends würden sie Arm in Arm am Meer spazieren gehen. Die Erwachsenen würden sie betrachten, seufzen, sich nicht wundern.

So viele Ideen kommen mir erst jetzt.

Alles so lebendig vor meinen Augen.

Hey, jubelte Avram plötzlich, wenn mich jemand hört, dann schreibt das bitte für mich auf, diese Idee mit den Kindern! Ich habe keinen Stift, so ein Mist.

Ich schreibe, murmelte Ilan, erzähl weiter, gib nicht auf.

Vielleicht würden die Regierungen auch ihre Bürger ohne deren Wissen unter Drogen setzen, minimale Dosierung nur, etwa über die Wasserversorgung. Aber warum eigentlich? Was bringt das?

Um die Angst zu betäuben?

Das muss ich noch überlegen.

Ilan fiel ein, dass Avram immer gesagt hatte, wenn ihm eine gute Idee käme, könne er sogar in einem Betonmischer daran arbeiten.

Dieser Chinese hat also recht, sann Avram nach, nichts schärft die Gedanken so sehr, wie die Nähe eines Flammenwerfers.

Und die Leute würden vielleicht ihre Katzen und Hunde loswerden wollen.

Aber warum? Tiere sind doch eigentlich ein Trost, nein?

Nein, denk doch mal nach, in ihrem Zustand können sie niemandem mehr Liebe geben, sie haben keine Reserven mehr.

Also ein Zeitalter des puren Egoismus?

Ich weiß nicht … Würden die Leute wild werden? Straßengangs? Das absolute Böse? Der Mensch dem Menschen ein Wolf? Nein, das ist zu einfach. Das ist abgedroschen. Sie sollen ihren Lebensrahmen doch lieber bewahren, vor allem zum Ende hin. Das ist das Starke. Das wird das Starke an dieser Geschichte, dass es den Leuten doch irgendwie gelingt, ihn zu bewahren …

Er murmelte, begeisterte sich und erlosch dann wieder, und Ilan verfolgte ihn, versuchte, jedes Wort festzuhalten, und wusste, dass sich noch nie im Leben ein Mensch vor ihm so aufgerissen hatte, selbst Ora nicht, auch nicht, wenn er mit ihr schlief. Und während er schrieb, notierte er für sich die neue Einsicht, die kühle und klare Erkenntnis, dass er selbst kein wirklicher Künstler war, nicht wie Avram, nein, nicht wie er.

Und, meine Liebe, ich vergaß, dir zu sagen, sie werden ihre Babys aussetzen.

Ja, ja, Eltern werden ihre Babys aussetzen.

Warum nicht, mein Vater hat das auch gemacht, als ich fünf war.

Gott im Himmel, was für Möglichkeiten! Ein Jahr, Mensch, ein Jahr lang hab ich damit festgesessen, die ganze Zeit ging es nicht, nur stotternd, es kam mir so abwegig und trivial vor, und auf einmal …

Ilan schrieb mit, und er wusste mit einer Klarheit, mit der er nicht mehr haderte: Wenn er hier lebend rauskäme, würde er sich einen neuen Weg suchen müssen. Was er hatte werden wollen, würde er nicht mehr werden. Filme würde er nicht machen. Auch keine Musik. Er war kein Künstler.

Also angenommen, die Frauen kriegen ihre Kinder in allerlei Verstecken, ja?, in der freien Natur, auf Müllhalden, auf Parkplätzen, dann würden sie die Neugeborenen sofort sich selbst überlassen? Ja, das passt so … Eltern können den Schmerz nicht ertragen.

Aber diese Sache steht noch nicht ganz.

Ich kann mir nicht vorstellen, wie das ist, Eltern. Eltern und Kinder. Von Familien versteh ich nichts. Das ist das Schlimme, die Leute würden genug Zeit haben, die Bedeutung dessen, was auf sie zukommt, zu verstehen.

Und andererseits, oder dritt- oder vierterseits – jetzt wurde er wieder wach und lebendig –, das ist so eine Situation, in der man plötzlich alle Möglichkeiten wahrnehmen kann, alle Phantasien, es gibt keine Scham mehr, kapierst du das, Ora? Und vielleicht auch keine Schuld mehr, fügte er erleichtert hinzu und stieß ein kaum hörbares kleines Lachen aus, als könne er sich endlich eine tiefe und geheime Schuld eingestehen. Ilan legte den Kopf auf den Arm, drückte die Kopfhörer fester an die Ohren und schrieb, so schnell er konnte, jedes Wort mit.

Warum nicht, ja, warum nicht, flüsterte Avram, als streite er mit sich selbst. Bin ich jetzt zu weit gegangen? Was würde Ilan dazu sagen? Dass ich mich wieder so aufblase?

Und er lachte: Ein Glück, dass ich genug Ballons für alle seine Nadeln habe.

Auch Ilan lachte erst. Dann verzerrte sich sein Gesicht.

Niemand wird sich mehr dafür schuldig fühlen, was er ist. Und es wird eine Zeit geben, nicht lang, ein Monat würde mir schon reichen, sogar eine Woche, in der jeder Mensch das, wozu er bestimmt ist, ganz und gar verwirklichen kann, alles, was seine Seele und sein Körper für ihn bereithalten, und nicht, was andere Leute ihm übergestülpt haben. Verdammt, schnaubte er, wenn ich das doch aufschreiben könnte, was für ein Licht, mein Gott, was für ein gewaltiges Licht.

Jeder Anblick, jede Landschaft jedes Gesicht, stöhnte er nach einer Weile, oder einfach ein Mann, der gegen Abend in seinem Zimmer sitzt, oder eine Frau allein im Café, oder zwei Leute, die über eine Wiese laufen und sich unterhalten, oder ein Kind, das einen Bubblegum aufbläst. Ein solcher Liebreiz in den kleinen Dingen, Orale, den musst du immer sehn, versprich mir das.

Und ob ich schon wanderte im finstern Tal, flüsterte Avram, *fürchte ich kein Unglück,* denn meine Geschichte ist bei mir.

Ich muss noch entscheiden, ob man dann überhaupt noch Geld benutzt …

Das kannst du auf später verschieben …

Es gibt kein Später mehr, du Idiot.

Hallo, Israel, Heimat? Gibt es dich überhaupt noch?

Der Sender wurde schwächer. Vielleicht ging die Batterie zur Neige. Ilans Bein trommelte unaufhörlich.

Jetzt sollen sie endlich kommen, ächzte Avram, jetzt sollen sie endlich ihr *idbach el-jahud,* schlachtet die Juden, schreien und alles anzünden.

Er atmete schwer. Man konnte nicht mehr sagen, wann er sich über seinen Zustand im Klaren war und wann er dahindämmerte. Alles wird sterben, weinte Avram hemmungslos, alle Gedanken und Ideen, die ich nicht mehr aufschreiben werde, und meine Augen werden verbrennen, und meine Zehen auch.

Ilan, du Wichser, du elender, flüsterte er in seinem Weinen, diese Idee gehört jetzt dir. Wenn ich nicht zurückkomme, oder in einer dekorativen Urne, dann mach damit, was du willst. Mach einen Film daraus. Ich weiß doch, wie du tickst.

Wieder hörte man Störgeräusche, so als stieße jemand im Hintergrund große Gegenstände um.

Aber hör zu, eine Bedingung hab ich; das muss so anfangen: Eine Straße bei Tag, Leute laufen herum. Stille. Keine Geräusche, kein Geschrei, kein Flüstern. Keine Tonspur. Zwischen den Laufenden steht ab und zu einer auf einer Kiste – und dann zoomt die Kamera auf eine junge Frau, die, sagen wir, auf einem umgekehrten Waschbottich steht. Den hat sie von zu Hause mitgebracht, einen roten Waschbottich. Sie steht da und umarmt sich selbst. Sie lächelt traurig, sie lächelt in sich hinein …

Ilan umklammerte die Kopfhörer, er meinte im Hintergrund Stimmen zu hören.

Und sie achtet gar nicht auf die Menschen um sie herum. Sie spricht nur zu sich selbst. Und sie ist schön, Ilan, versprichst du mir das? Mit einer reinen Stirn und perfekten Augenbrauen, so wie ich das mag, und einen großen sexy Mund hat sie, vergiss das nicht. Kurz gesagt, lachte Avram, du weißt ja, wie sie aussehen muss. Vielleicht nimmst du sie sogar für diese Rolle?

Es gab keine Zweifel mehr: Die Ägypter waren in Avrams Posten, doch Avram kriegte es nicht mit.

Spielen kann sie nicht, lachte er, aber sie muss einfach sie selbst sein, und das kann sie besser als wir beide, nicht wahr? Du fotografierst ihr Gesicht, mehr musst du nicht machen, dieses fröhliche, arglose Lächeln …

Die Stimmen wurden lauter. Ilan stand auf, sein linkes Bein trommelte wie verrückt, seine Hand presste die Kopfhörer an die Schläfen. Warte einen Moment, murmelte Avram verwirrt, hier ist plötzlich so ein …

Don't shoot schrie er, *ana bila silach*! Ich bin nicht bewaffnet!

Auf einen Schlag füllten sich Ilans Ohren mit kehligem arabischen Geschrei. Ein ägyptischer Soldat, der ebenso erschrocken klang wie Avram, brüllte. Avram flehte um sein Leben. Ein Schuss. Vielleicht hat er Avram getroffen. Er schrie. Seine Stimme war nicht mehr menschlich, dann kam ein anderer Soldat und rief seinen Kollegen zu, hier ist ein jüdischer Soldat. Auf der Frequenz mischten sich Geschrei, Gerenne und Schläge. Ilan wiegte sich vor und zurück und murmelte, Avram, Avram, und die Soldaten, die an ihm vorbeigingen, wendeten den Blick von ihm. Dann hörte er sehr nah eine Gewehrsalve, eine dumpfe, trockene Abfolge von Schüssen; dann Stille, das Wegschleifen eines Körpers, wieder Flüche auf Arabisch, lautes Gelächter und noch einen Schuss, einen einzelnen, und Avrams Funkgerät verstummte.

Der Kommandeur des Postens versammelte die Soldaten im Befehlsbunker. Er sagte, es werde wohl keiner mehr zu ihrer Rettung kommen; sie müssten es jetzt auf eigene Faust versuchen. Er wollte ihre Meinung dazu hören. Man führte ein leises, freundschaftliches Gespräch: Einige sagten, sie müssten ihr Leben retten, andere fürchteten, dann würde das Militär und auch der Staat sie als Angsthasen und Verräter ansehen. Jemand erwähnte die historischen Gruppenselbstmorde in Massada und Jodfat. Ilan saß mit ihnen zusammen, er hatte keinen Körper, keine Seele mehr. Der Kommandeur fasste zusammen und sagte, er werde Arik jetzt mitteilen, dass sie heute Nacht aufbrächen. Jemand fragte, und was ist, wenn Arik nein sagt? Dann brummen sie uns dafür fünf Jahre Gefängnis auf, sagte ein anderer, aber wir werden leben.

Das Feldtelefon funktionierte nicht, der Kommandeur benutzte das Funkgerät und verlangte, mit Scharon zu sprechen. Er sagte, die Lage sei aussichtslos, er habe beschlossen, den Posten aufzugeben. Ein kurzes Schweigen am anderen Ende, dann sagte Arik, okay, geht los, wir versuchen, euch entgegenzukommen. Die Soldaten hörten das Gespräch, Arik sagte, tut alles, um durchzuhalten. Er hielt inne, man konnte hören, wie es in seinem Kopf arbeitete. Schließlich seufzte er und sagte: Gut, also dann, äh, dann Schalom und macht's gut …

Die religiösen Soldaten baten, vor dem Aufbruch das Abendgebet zu sprechen, und einige andere schlossen sich an. Danach bereiteten sich alle zum Aufbruch vor. Sie füllten Wasserflaschen, prüften, ob sie nicht glucksten, leerten die Taschen von Münzen und Schlüsseln. Jeder nahm eine Waffe. Ilan bekam zu seiner Uzi noch eine Panzerfaust. »Ein Rohr gegen Panzer«, erklärte man ihm. Er wusste nicht, wie man sie bediente, sagte aber nichts.

Um zwei Uhr nachts brachen sie auf. Bei Vollmond sah der Posten wie eine Ruine aus. Schwer zu glauben, dass diese schiefe Kiste sie in all den vergangenen Tagen geschützt hatte. Ilan hütete sich, nach links zu gucken, in die Richtung von Avrams Posten.

Sie gingen in zwei Reihen, mit ziemlichem Abstand voneinander. An der Spitze von Ilans Reihe lief der Kommandeur, an der Spitze der anderen Reihe sein Stellvertreter. Neben dem Kommandeur lief ein Soldat, der in Alexandria geboren war. Sollten sie auf ägyptische Truppen stoßen, sollte er schreien, sie seien eine ägyptische Kommandoeinheit, unterwegs, die Juden zu ficken. Der Soldat repetierte halblaut seinen Text, versuchte, sich in den Geist einer ägyptischen Kommandoeinheit zu versetzen. Ilan lief irgendwo in der Mitte der Reihe, mit hängendem Kopf.

Sie stolperten im Sand. Fielen lautlos. Fluchten nur im Stillen.

Plötzlich hörten sie nicht weit entfernt Schreie auf Arabisch. Auf einer nahe gelegenen Straße fuhr ein ägyptischer Radpanzer. Ein Scheinwerfer auf dem Dach suchte die Straßenränder ab.

Da merkten sie, dass sie auf einen ägyptischen Parkplatz geraten waren … all das hatte ihr Ilan in jenem Morgengrauen erzählt; sein Körper hatte sich schon beruhigt, doch er war noch mit ihr verschlungen, seine Hände umklammerten noch ihre Schultern. Ich bin sogar auf die Decke von jemandem getreten, der dort schlief.

Wir haben uns nicht bewegt und nicht geatmet. Der Radpanzer fuhr weiter. Bemerkte uns nicht. Mit dreiunddreißig Mann haben wir da gelegen, und die haben uns nicht gesehn. Wir sind aufgestanden und zurück in die Dünen gerannt, bloß weg von der Straße.

Wir liefen weiter nach Osten, erzählte er mit warmen Atemstößen in ihrem Nacken, die ganze Nacht über sind wir fast gerannt. Ich mit meiner Waffe und mit der Panzerfaust. Die war schwer, aber ich rannte um mein Leben. Da gab es nichts. Sie lag schockiert da, ihr Fleisch bebte noch. Sie wollte, dass er sich sofort aus ihr zurückziehe. Sie war nicht in der Lage zu sprechen. Dann ging irgendwann die Sonne auf. Wir wussten nicht, wo wir sind, ob das unser oder schon deren Gebiet war. Und wo war die israelische Armee, gab es die überhaupt noch? Ich sah Reifenspuren im Sand und erinnerte mich, dass das israelische Militär nur Schützenpanzer mit Ketten verwendet, aber ich erkannte, dass das Reifenspuren von einem ägyptischen BTR Schützenpanzerwagen aus russischer Fabrikation waren. Ich lief zum Kommandeur und sagte es ihm, und sofort haben wir die Richtung geändert.

Wir liefen und liefen, bis wir an ein kleines Wadi kamen, da haben wir uns hingesetzt, um auszuruhen. Wir waren todmüde. Auf den Hügeln um uns herum brannten Panzer. Riesige Fackeln. Wir wussten nicht, wem sie gehörten. Überall stank es nach verbranntem Fleisch, du kannst dir das nicht vorstellen, Ora.

Sie zuckte zurück, doch er klammerte sich weiter an sie. Er ließ sie kaum atmen. Sie hatte den Eindruck, das Kind in ihr pulsierte plötzlich anders, spitzer. Sie fragte sich, ob es wohl etwas von dem, was Ilan erzählte, mitbekam.

Per Funk sagten sie uns, sie könnten im Moment nicht zu uns durchkommen. Wir sollten noch ein bisschen warten. Wir warteten. Nach ein paar Stunden sollten wir versuchen, auf einen bestimmten Bergrücken zu kommen. Sie sagten uns, welche Codekarte wir benutzen sollten, und wir gingen, bis wir den Bergrücken vor uns sahen. Du musst verstehen, die Ägypter beschossen uns die ganze Zeit, von allen Hügeln, aber sie trafen nicht. Lauter Wunder. Wir liefen, und die Kugeln flogen die ganze Zeit um uns, wie im Kino. Als wir den Hügel erreichten, sahen wir, dass es da von Ägyptern nur so wimmelte. Wir dachten, jetzt ist es aus.

Ilan, ich krieg so keine Luft …

Im nächsten Moment stürmten israelische Panzer auf sie zu. Es gab ein Gefecht, da wurde geschossen, und wir sitzen auf unserm Arsch und sehn uns das an, wie im Kino. Die Feuer. Brennende Menschen springen aus Panzern. Menschen kommen um, weil sie versuchen, uns zu retten. Und wir sitzen auf unserm Arsch und schauen zu und empfinden nichts. Gar nichts.

Ilan, du erdrückst mich …

Sie haben uns über Funk aufgefordert, Signalmunition abzuschießen, damit sie sehen, wo wir sind. Haben wir gemacht, und sie haben es mitbekommen. Ein Panzer kam von dem Bergrücken zu uns runter, das ist ein wahnsinnig steiler Abhang, wie eine Wand. Er kam bis zu uns, das war ein amerikanischer M-60, da steigt ein Offizier aus dem Turm, gibt uns ein Zeichen, schnell ranzukommen, reinzukommen. Wir rufen ihm zu, was solln wir machen? Wie? Und er macht uns ein Zeichen, steigt auf, wir haben keine Zeit! Wir alle?! Aufsteigen! Aufsteigen! Was Aufsteigen? Wo? Jetzt macht schon! Und wir sind dreiunddreißig Mann, flüsterte Ilan in ihren heißen Rücken, Ora, was hast du gesagt?

Ilan!

Entschuldige, entschuldige, hab ich dir weh getan?

Geh jetzt raus, geh endlich raus.

Noch einen Moment, bitte. Nur einen Moment, ich muss dir noch erzählen …

Das ist nicht gut, Ilan …

Hör zu, gib mir noch eine Minute, bitte Ora, mehr nicht. Er redete schnell und trocken: Wir kletterten auf den Panzer, jeder packte irgendwas, die Leute drückten sich an die MGs, zehn drängten sich auf den Turm, ich kletterte von hinten auf, sprang hoch und bekam das Bein von dem über mir zu fassen, ein anderer packte mich an den Schuhen, und der Panzer fuhr los. Er fuhr nicht, er bretterte im Zickzack, um den *Sager*-Raketen zu entkommen, und wir konnten uns kaum oben halten. Ich dachte die ganze Zeit, nur nicht fallen, nicht fallen.

Dieses Kind, dachte Ora, was erfährt das alles, schon bevor es auf die Welt kommt?

Der Panzer springt wie wahnsinnig, murmelte Ilan und umschlang sie wieder wie in einem Krampf, die Knochen brechen, du kriegst kaum Luft, alles Staub, Steine fliegen, du machst einfach alle Löcher zu, nur leben, nur leben.

Staub drang in ihren Mund, in ihre Nase, gelbe Wüstenstürme. Sie schnappte nach Luft, hustete. Sie hatte den Eindruck, dass auch das Kind in ihr sich zusammenzog und versuchte, sich zu drehen und abzuwenden.

Genug, genug, ächzte sie. Hör auf, vergifte mir nicht das Kind.

Das ging ein paar Kilometer so, auf dem Panzer, an ihm klebend. Und plötzlich – war's vorbei. Wir waren außer Schussweite. Ich konnte das Bein von dem über mir zuerst gar nicht loslassen. Die Hand ging einfach nicht mehr auf.

Seine Muskeln lockerten sich. Sein Kopf sank auf ihren Nacken, schwer wie ein Stein. Seine Finger lösten sich von ihrem Körper, blieben offen vor ihrem Gesicht liegen. Sie rührte sich nicht. Er zog sich aus ihr zurück. Ein Moment verging, noch einer. Er atmete erschöpft. Sein Gesicht nahe an ihr, rollte er sich hilflos zusammen. Ein Zittern durchfuhr ihren Körper.

Ilan, murmelte sie, ihre Schläfen begannen stark zu pochen, kleine Schweißperlen bildeten sich auf ihrer Haut. Das Klopfen ihres Körpers klang wie eine Botschaft. Sie stemmte sich auf die Ellbogen und sah aus, als lausche sie.

Ilan, ich glaube …

Ora, was haben wir getan? Sie hörte ihn erschreckt flüstern, was haben wir getan?

Sie berührte ihre feuchten Schenkel und roch: Ilan, ich glaube es geht los.

Avram erkundigt sich jetzt nach den tiefen Rissen, die sich schon zu seiner Zeit in den Wänden des Hauses gezeigt haben, vor allem in der Küche, aber auch im Schlafzimmer; er fragt sich, ob das Haus im Laufe der Jahre immer schiefer geworden ist und wie sie und Ilan das Problem der Türbalken gelöst haben, die sich schon damals aus der Verankerung lösten. Er möchte wissen, ob der große Wandschrank noch in seinem Zimmer steht, und sie erzählt, solange die Familie in diesem Haus wohnte, bis zu ihrem Umzug nach Ejn Karem, habe der Schrank dort gestanden und wie ein Patriarch über das Zimmer regiert. Und auch den Schrank im Schlafzimmer hätten sie behalten, wir haben fast nichts verändert, nur in der Küche ein bisschen, das hab ich dir schon erzählt, und unten im Keller, das Nähzimmer, als die Jungs größer wurden.

Der Aufstieg ist schwer, an diesem Tag ist es schon früh furchtbar heiß, und sie merken, dass der Tabor steiler ist als alle anderen Berge, die sie bisher erklommen haben. Manchmal drehen sie sich um und gehen rückwärts weiter. So lassen wir den *quadriceps* etwas ausruhen, erklärt sie, und dafür ein bisschen seine beiden Genossen arbeiten – sie klopft sich mit beiden Händen auf den Hintern – den *gluteus maximus* und den *gluteus medius*, die können sich ruhig auch mal anstrengen.

Bei diesem umgekehrten Laufen mit Blick auf Kfar Tabor und das Jawneel-Tal geht er mit ihr durch jedes Zimmer des Hauses, fragt nach dem Flur mit der Nische in der Mitte, nach der unnötig hohen Türschwelle zum Schlafzimmer, nach den dicken Wasserrohren, die zum Teil nicht unter Putz lagen. Er erinnert sich an jeden Makel und auch an jedes schöne Eckchen in diesem Haus. Als hätte er nie aufgehört, in ihm herumzulaufen und täglich nach ihm zu sehen. Er fragt, ob die Sickergrube im Keller weiterhin jedes Mal, wenn es regnete, über ihre Ufer trat. Dafür war Ofer zuständig, sagt Ora: Er rief immer Überschwemmungsbereitschaft aus und stellte Abzieher, Eimer und Lappen bereit, und mit der Zeit wurde er trickreicher und installierte eine kleine Pumpanlage, die hättest du sehen müssen, so ein Motor mit zwei Schläuchen, und löste damit ein Problem, das offenbar schon so lange existierte wie das Haus selbst.

Er hat uns auch ein Bett gebaut, die Worte sprudeln aus ihr heraus, dabei hat sie das Gefühl, sie sollte ihm das lieber nicht erzählen, aber sie waren in guter Stimmung, und warum eigentlich nicht?

Er hat selbst ein Bett gebaut?

In der neunten Klasse oder in der zehnten, ja. Sie atmet mühsam, lehnt sich an eine schiefe Kiefer. Das ist unwichtig, aber hör zu, was mir noch eingefallen ist – klug ändert sie die Richtung, denn als Avram fragte, hatte er so eine schmerzhafte Falte in der Stimme, als biege ihm jemand die Stimme nach hinten – und sie erzählt, wie Ofer etwa mit drei Jahren zu ihr kam und ihr verkündete: Ich will dir eine Geschichte erzählen. Ich höre, hatte sie gesagt und gewartet und gewartet, und Ofer hatte lange mit feierlichem Gesicht in eine ferne Ecke des Zimmers gestarrt, dann tief Luft geholt und mit vor Aufregung heiserer Stimme gesagt: Und dann …

Und dann? fragte Avram nach einem Moment.

Das hast du nicht verstanden, sagte sie, und ihr Lachen kullert bis ans Ende des Tals.

Ah, sagt Avram verlegen, das war die ganze Geschichte?

Und dann, und dann … Das ist doch das Wichtigste bei Geschichten, oder?

Die ist sogar kürzer als meine kürzeste Geschichte, sagt Avram mit einem großen Lächeln, beugt sich vor, stützt die Arme auf die Knie, atmet heftig.

Wie ging die noch?

»Am Tag, als ich geboren wurde, hat sich mein Leben bis zur Unkenntlichkeit verändert.«

Ora seufzte und sagte: Und dann …

Dann hat er euch ein Bett gebaut.

Am Anfang wollte er eigentlich ein Bett für sich bauen, erklärt sie Avram. Sie hatte ihn nachts durch die Wohnung laufen hören, und als sie ihn ansprach, sagte er, etwas mache ihn ganz verrückt: Er wolle ein

Bett bauen, aber er könne sich nicht entscheiden, was für eins, und deshalb wache er immer wieder auf. Ora dachte, das ist eine hervorragende Idee, denn das Jugendbett, in dem er von klein auf geschlafen hatte, war schon wackelig, quietschte und brach unter dem Gewicht seines pubertierenden Körpers fast zusammen. Ich hab alle möglichen Ideen, sagte er, und kann mich nicht entscheiden, er blies sich vor Aufregung in die Handflächen, als hätte er dort eine kleine Entzündung, und wiederholte, er sei selbst erstaunt, dass er deshalb nicht schlafen könne, schon seit einer Weile wache er mitten in der Nacht mit dem Gefühl auf, dass er es einfach bauen müsse, er sehe es die ganze Zeit in Gedanken, aber eben noch nicht richtig klar, es komme und gehe.

Er lief um Ora herum, zog seine Kreise, trommelte sich mit den Fingern an den Kopf und biss sich in die Unterlippe. Plötzlich hielt er an, sein Gesicht hatte sich verändert, er durchquerte das Zimmer, überrannte sie fast, nahm ein Stück Papier und einen Stift vom Tisch, faltete sich ein Lineal zurecht und begann um drei Uhr nachts, sein Bett zu entwerfen.

Sie schaute ihm über die Schulter. Leicht und präzise flossen die Linien aus seinen Fingern, als wären sie deren Fortsetzung. Er summte vor sich hin und führte einen regen inneren Dialog mit sich selbst, und sie sah, wie ein herrschaftliches Bett mit Baldachin entstand, doch er zerknüllte wütend das Papier, das ist zu zierlich geworden, sagte er, er wollte doch ein Bauernbett, und er nahm ein neues Blatt und zeichnete weiter – was für schöne Hände er hat, dachte sie, schwer und zart zugleich, und diese drei kleinen Leberflecken, ein Dreieck, direkt auf dem Handgelenk – und erklärte ihr dabei, ich möchte, dass der Rahmen aus Bahnschwellen ist. Dabei kann ich dir helfen, sagte Ora freudig, komm, wir fahren nach Binjamina, von dort habe ich den da mitgebracht, sie zeigte auf den Balken über dem Spülstein, an dem Töpfe, Pfannen und getrocknete Paprika hingen. Fährst du mit mir da hin? Ja klar, da fahren wir zusammen hin, und danach machen wir uns noch einen schönen Tag in Sichron Jaakov. Und Eukalyptusstämme für die Beine, fuhr er fort. Ausgerechnet Eukalyptus? fragte sie, und er meinte, ja, ich mag ihre Farbe, und schien sich über ihre Frage zu wundern. Und über das Kopfende kommt ein Eisenbogen, er begann zu zeichnen, und schon erschien der Bogen.

Fast zehn Monate hat er an dem Bett gearbeitet, erzählt sie. Im Dorf Ejn Nakuba gibt es eine Schmiede; mit dem arabischen Schmied hat er sich angefreundet und dort Stunden verbracht, zugeschaut und gelernt. Manchmal, wenn ich ihn da hingefahren habe, hat er mir gezeigt, welche Fortschritte das Bett machte. Sie bückt sich, zeichnet mit dem kleinen Finger in den Sand und sagt: Das ist der Bogen, ein Eisenbogen am Kopfende. Die Krone des Ganzen.

Schön, sagt Avram und stellt sich einen Bogen über ihren Köpfen vor.

Kurz bevor sie den Gipfel des Berges erreichen, lassen sie sich zwischen Eichen und Kiefern nieder und ruhen aus. In Schibli, am Fuße des Berges, hatte ein schlichter Dorfladen ihre Lebensgeister wieder geweckt. Dort fand sich sogar ein Beutel Hundefutter, und es lief auch kein Radio. Jetzt machen sie sich über ein reichhaltiges Frühstück her, trinken frischen, starken Kaffee. Der Wind trocknet den Schweiß, die Sicht ist gut, sie freuen sich an den braun-gelb-grünen Karos der Felder in der Jesreel Ebene, und über die Weite, die sich bis zum Horizont aufbläht, die Berge des Gilead, Ramat Menasche und den Kamm des Carmel.

Schau sie dir an, sagt Ora und deutet mit den Augen auf die Hündin, die ihnen das Hinterteil zuwendet. Seit wir miteinander geschlafen haben, ist sie so.

Bist du eifersüchtig? fragt Avram die Hündin, wirft einen Tannenzapfen nahe an ihr Bein, und sie blickt demonstrativ in die andere Richtung.

Ora steht auf und geht zu ihr, drückt sie, krault sie, reibt die Nase an ihrer Schnauze: Was ist denn passiert? Was haben wir dir denn getan? Sehnst du dich ein bisschen nach deinem Freund, nach dem Schwarzen? Schon ein toller Typ, aber auch in Bejt Zajit werden wir einen für dich finden.

Die Hündin steht auf, geht noch ein paar Schritte weiter weg und setzt sich hin, mit dem Blick aufs Wadi.

Siehst du? Ora kann es kaum glauben.

Das Bett, erinnert Avram sie, besorgt über den Anflug von Kränkung auf ihrem Gesicht, komm, erzähl mir von dem Bogen.

Ofer hatte ihr erklärt: Zuerst hab ich einen Bogen aus zwei gleichen

Hälften gemacht, die wollte ich mit diesem Rahmen hier verbinden, das sah gar nicht schlecht aus, und technisch hätte es funktioniert, hat mir aber nicht gefallen, es passte nicht zu dem Bett, das ich mir vorstelle. Sie verstand zwar nicht alle Einzelheiten, aber sie hörte ihm gerne zu, wenn er ihr seine Arbeit beschrieb. Deshalb mach ich den Bogen jetzt anders, aus einem Stück, und dann schneide ich Blätter aus Stahlblech und lass sie sich um ihn ranken, das wird bestimmt nicht einfach, aber so muss es sein, verstehst du?

Ob sie das versteht?

Er desinfizierte Wurmlöcher in den Baumstämmen, versiegelte sie mit Lack und schlug danach mit einem Stemmeisen im Neunzig-Grad-Winkel große Löcher bis zur Mitte jedes Stamms, um die Seitenbalken da reinzustecken, »das ist besonders resistentes Holz«, zitiert sie ihn, aber Ofer ist stark, er hat Arme wie du – sie beklopft Avrams Muskeln mit sichtbarem Genuss – allein an diesen Stämmen hat er ein paar Wochen gearbeitet und sich schließlich entschieden, von seinem Geld eine Kreissäge zu kaufen, alles hat er alleine gemacht, er war nicht bereit, sich irgendwie helfen zu lassen, nur dorthin fahren durfte ich ihn, und mit der Kreissäge hat er das Stahlblech geschnitten und, Moment noch – sie stoppt eine Frage, die in seinem Mund schon wartet –, auch die kleinen Blätter aus Stahlblech hat er selbst gemacht, um das Kopfende zu schmücken, einundzwanzig kleine gezackte Rosenblätter.

Avram hört zu, die Augen konzentriert geschlossen, streichelt er, ohne es zu merken, seine Arme.

Und jedes Blatt hat er einzeln entworfen, bis ins kleinste Detail, du würdest dich daran freuen, wie hübsch und zart die geworden sind, und auch das Holz selbst, der Bettrahmen ist zwar aus Massivholz, aber in so fließenden, wellenförmigen Linien – ihre Hände streichen darüber, runden sich, für einen Moment spürt sie in ihrer Handfläche Ofer selbst, groß und kräftig und zart, so ein Bett habe ich noch nie gesehen.

Dieses Bett hatte etwas Lebendiges, denkt sie, sogar in seinen Eisenteilen war Bewegung.

Und als er es fertig hatte, beschloss er, es uns zu geben.

Wir haben lange mit ihm diskutiert, wollten das nicht, ein so besonderes Bett, an dem du so viel gearbeitet hast, da sollst du schon selbst drin schlafen.

Aber er ist hartnäckig, sagt Avram leise.

Ich wusste nicht, was in ihn gefahren war. Vielleicht hat er es, als es fertig war, angeschaut und ist etwas erschrocken. Es war wirklich riesig.

Sie schluckt eine Bemerkung runter, die ihr beinah rausgerutscht wäre, über das Bett und seine Größe und darüber, wie viele Leute da gut zusammen drin liegen könnten, und schüttelt den Staub von ihren Händen. Wieso hat sie ihm das plötzlich erzählt. Sie muss so schnell wie möglich wieder raus aus dieser Geschichte.

Kurz, er sagte, wenn ich mal heirate, dann bau ich mir ein neues Bett, jetzt kauft ihr mir eins im Laden, das reicht. Das ist nur so eine kleine Geschichte, einfach damit du auch die kennst, komm, lass uns weitergehen.

Sie stehen auf und gehen, umkreisen den Gipfel des Berges, meiden die Kirchen und das Kloster dort und steigen wieder hinunter, in Richtung des Beduinendorfes Schibli. Ein Bussard gleitet über ihnen am Himmel, in den Stacheln einer Mariendistel hängt die weiße Wolle eines Lämmchens. Die Hündin hört das Bellen der Hunde im Dorf und kommt wie zufällig etwas näher zu Ora, reibt sich an ihren Beinen, und Ora, die nicht einmal drei Minuten lang nachtragend sein kann, bückt sich beim Laufen und streichelt das goldene Fell. Sind wir jetzt wieder gut? Auf einmal hast du mir verziehen? Du führst dich ein bisschen wie eine Primadonna auf, hat dir das schon mal jemand gesagt?

Und so streichelt und rügt sie sie abwechselnd, und der Schwanz der Hündin ist schon wieder aufgerichtet und wedelt fast einen Kreis, sie umtanzt sie wieder, und Ora denkt an die letzte Nacht und an die kommende Nacht und schaut auf Avram, der vor ihr hermarschiert, erst gestern hatte sie entdeckt, dass seine Augenbrauen nicht so weich und samtig waren wie in ihrer Erinnerung. Oder seine fleischigen Ohrläppchen: In der Familie hatte nur Ofer solche, über seine Jumbo-Ohrläppchen konnten Ilan und Adam sich kaputtlachen, und Ofer erlaubt niemandem, noch nicht einmal ihr, sie anzufassen, aber jetzt weiß sie, wie sie sich anfühlen. Und sie denkt, erst vor fünf Jahren haben sie und Ilan das Bett eingeweiht. Sie erinnert sich, Ilan hatte Angst gehabt, das Bett würde knarren, wenn sie miteinander schliefen, und er war hinunter ins Wohnzimmer gegangen, hatte »jetzt« gerufen, und Ora war oben kreuz und quer auf dem Bett herumgehüpft und vor lauter Hüpfen und hysterischem Lachen fast ohnmächtig geworden (und unten war nicht das leiseste Geräusch zu hören).

Er gefällt mir, sagt Avram plötzlich.

Wie bitte?

Avram zuckt mit den Schultern, sein Mund verzieht sich etwas überrascht, er ist so …

Ja?

Ich weiß nicht, er ist so – seine Hände zeichnen Ofer in der Luft, formen ihn aus etwas Lebendigem, wie aus Ton, dicht, kräftig und männlich erkneten sie ihn sich in einer vorgestellten Umarmung. Selbst wenn er ihr in diesem Moment gesagt hätte, dass er sie liebt, es hätte sie nicht so erregt.

Obwohl er kein … beginnt sie und bereut es.

Kein was?

Obwohl er kein – weiß ich es denn? –, kein Künstler ist.

Kein Künstler? Avram fragt erstaunt, was hat das eine mit dem andern zu tun?

Unsinn, nur so. Warte, das hab ich dir auch noch nicht erzählt – Mensch, sie gerät in Wallung, jetzt hast du mich wirklich überrascht. Sie bleibt einen Moment stehen, legt sich seine Hand auf die Brust. Hier, fühl mal. Dass du gesagt hast, er würde dir gefallen, wo ich dir noch so vieles von ihm gar nicht erzählt habe.

Er hat eine Quelle gerettet, sagt sie, lacht, wirft den Kopf nach hinten; warum nicht, ich geb ein bisschen mit ihm an.

Avram reagiert sofort, fast ein bisschen beleidigt: Das nennst du angeben?

Was ist es dann?

Du erzählst mir von ihm.

Ihre Schritte werden schneller, sie geht vor ihm her und streckt die Arme seitlich aus, bekommt kaum noch Luft. Hör zu, sagt sie, er und Adam haben eine Quelle gefunden, sie waren unterhalb von Har Adar unterwegs, nicht weit von Bejt Neqofa, und haben eine kleine Quelle entdeckt, die so mit Schlamm und Steinen zugeschüttet war, dass nur noch ein dünnes Rinnsal rauskam, und Ofer beschloss, sie wieder freizulegen. Ein Jahr lang ist er, wenn er Urlaub vom Militär hatte, dort hingegangen, hörst du, manchmal hat Adam ihn auch begleitet, ihn hat dieses Projekt nicht wirklich begeistert, aber er hatte Angst, Ofer da alleine hinzulassen, das ist ganz nah an der Grenze, und zusammen haben die beiden ...

Avram merkt, wie sich jedes Mal, wenn sie »die beiden« sagte, eine Wärme in ihm ausbreitet.

Haben die beiden Steine und Felsbrocken weggeschafft, die das Fließen behinderten, sie haben Schlamm, angeschwemmtes Zeug und Wurzeln rausgeholt – Ora leuchtet, wenn sie redet, jeden Moment erfüllt Ofer sie mehr mit Leben, und jetzt ist ihr völlig klar, dass es gut ist, dass es gut sein wird, dass ihr verrückter Plan aufgehen kann –, und schließlich haben sie ein kleines Auffangbecken ausgehoben, etwa eineinhalb Meter tief, und auch wir waren ziemlich oft dabei, wir wollten nicht, dass sie da so viel allein sind, am Wochenende sind wir hingefahren, haben ihnen Essen gebracht, und Freunde von ihnen sind gekommen und auch Freunde von uns – ich muss dich mal dahin mitnehmen, da steht ein riesiger Maulbeerbaum über dem Bassin. Ofer war der Vorarbeiter, und wir alle haben für ihn gearbeitet.

Aber woher wusste er, wie man so was macht?

Zuerst hat er zu Hause ein kleines Modell gebaut, Ilan half ihm dabei – sie erinnert sich, was für ein Baufieber sie da gepackt hatte, überall lagen Skizzen und Berechnungen der Durchflussmenge, der Fließwinkel und des Volumens, und sie machten viele Versuche und Probeläufe und alles, was dazugehört ...

Was, fragt Avram, und er genießt seine Frage, was gehört denn dazu?

Ein Becken bauen, sagt sie und erklärt ganz ernsthaft: Seitenwände gießen und verputzen, das geht in mehreren Stufen, man braucht dazu einen besonderen Putz, eineinhalb Tonnen Putz und Sand hat Ilan in seinem Auto dahin gefahren. Du musst verstehen, für Ofer war er bereit, sogar seinen Landrover aufs Spiel zu setzen. Danach hat er noch einen kleinen Obstgarten angepflanzt, wir haben ihm dabei geholfen und zusammen einen Pflaumen-, einen Zitronen-, einen Granatapfel-

und einen Mandelbaum gepflanzt, und ein paar Olivenbäume, jetzt ist da eine richtige kleine Oase entstanden, und die Quelle lebt.

Sie streckt sich, wandert leichtfüßig: Sie hat so viel zu erzählen.

Schibli liegt schon hinter ihnen, die Markierungen führen sie auf verborgenen, wild bewachsenen und grün überschatteten Wegen zwischen Feldern und Baumplantagen hindurch: Ora bleibt ein bisschen zurück, ein Schatten hat sich auf sie gelegt, sie weiß nicht, was das ist, wie ein nicht genau zu bestimmender Schmerz, und schon ist die kleine Hoffnung von vorher verflogen und wirkt jetzt dumm und hohl.

Avram denkt an Ofer, der ist jetzt dort, er versucht, ihn sich dort vorzustellen, zwingt sich, in diese Straßen und Gassen, doch in seinem Kopf gibt es nur eine einzige wiederkehrende Szene des Krieges, die immer wieder in ihm aufsteigt, in einem völlig leeren Raum, den er niemals betritt; fünf solche Räume hat Avram, dunkel und leer, in jedem wird ein anderer Film gezeigt, wenn er sich niederlegt und wenn er aufsteht, ununterbrochen, und diese Vorstellung läuft immer, *the show must go on,* und die Stimmen aus den Filmen dringen fern und undeutlich an sein Ohr, doch er geht nicht hinein.

Mit jedem Schritt wird Ora von einer neuen Angst gepackt. Vielleicht macht sie es nicht richtig, vielleicht hat das ganze Bild sich verkehrt, vielleicht ist es gerade andersherum: Je mehr sie Avram von Ofer erzählt, umso mehr nimmt Ofers Leben ab?

In dieser bedrückenden Enge stößt sie die Worte hervor: Ich frage mich, was für ein Mensch wird er sein, wenn er von dort zurückkommt.

Ja, flüstert Avram an ihrer Seite, daran hab ich gerade auch gedacht.

Ich schaffe es nicht, mich zu zwingen und mir vorzustellen, was er dort sieht, was er da macht.

Ja, ja.

Es kann doch sein, dass er von dort als ein völlig anderer Mensch zurückkehrt.

Gebeugt laufen sie, unter einer schweren Last.

Aber vielleicht ist er auch schon immun, sagt sich Ora, nach der Sache in Hebron kann er vielleicht alles aushalten? Was weiß ich schon, was weiß ich denn wirklich von ihm? Vielleicht ist er tatsächlich besser für das Leben hier geeignet als ich.

Wenn ich bloß, denkt sie, wenn ich damals nur mein Riesenmaul gehalten hätte, dann hätte ich heute vielleicht noch eine Familie. Dabei hatten die drei, Ilan, Adam und Ofer, sie die ganze Zeit gewarnt und ihr auf tausendundeine Art angedeutet, dass es Situationen und Angelegenheiten gab, zu denen man besser schwieg, einfach nur die Klappe hielt, man musste ja nicht den ganzen Bewusstseinsstrom immer gleich senden, oder? Und erst nachdem alles bereits passiert war, hatte sie begriffen: Sie hatten sich während dieser ganzen Zeit auf jede mögliche Situation vorbereitet und von Anfang an und ohne jeden Zweifel gewusst, dass so eine »mögliche Situation« irgendwann eintreten würde, das war ja auch nicht schwer vorauszusehen, wenn Adam und Ofer dort sechs Jahre lang dienten, jeder drei Jahre, in Patrouillen, an den Checkpoints, bei Verfolgungsjagden und Hinterhalten, bei nächtlichen Fahndungen und bei Demonstrationen, die man unterdrücken musste, da war es doch ganz unmöglich, dass nicht irgendwann mal eine »Situation« eintrat. So eine Männerweisheit, die sie wahnsinnig machen konnte, brodelt es in Ora, und wie schön sie sich eingebunkert hatten, ihre drei, und nur sie lief zwischen ihnen noch ungepanzert herum, nackt, wie ein kleines Mädchen. »Du bist kein kleines Mädchen mehr«, hatte Adam ihr mal bei so einer familiären Diskussion an den Kopf geworfen. Worum ging es damals? Um die Sache mit Ofer oder um etwas anderes? Wie willst du dich daran erinnern? Bis sie überhaupt kapiert hatte, wovon er sprach und was er da andeutete, waren sie schon beim nächsten Thema, in erstaunlicher Schnelligkeit, flink wie Taschenspieler wechselten sie in dieser Zeit ihre Themen, wenn sie wieder mit ihrer Leier anfing. Interessant, was Avram dazu sagen würde.

Avram geht eilig seine Räume ab, fünf sind es, wie die Finger einer Hand. Früher waren es mehr, viel mehr, doch unter größten Anstrengungen hatte er in den letzten Jahren ihre Zahl reduziert, es überstieg seine Kräfte, sie alle gleichzeitig präsent zu halten, das ging über seine Verhältnisse. Er geht an den geschlossenen Türen vorbei, er rennt hin und her, zählt die Räume an den Fingern beider Hände ab – die zweite Hand dient nur zur Sicherung –, und er horcht einen Moment hin, er muss die Geräusche von drinnen hören, den Ton der Vorstellung, die da ununterbrochen gezeigt wird, Tag und Nacht, schon seit fünfundzwanzig Jahren, und sie verliert kein bisschen von ihrer Frische. Hier und da schnappt er einen Satz auf, manchmal genügt ihm ein Wort, um zu wissen, wo die Handlung gerade steht, und manchmal denkt er, wenn er doch nur endgültig zumachen könnte, Licht aus, auch jene fünf Filme vernichten, die noch übrig sind, doch andererseits, der Gedanke an die Stille danach ist so entsetzlich, dieser hohle Klang, das Pfeifen des Windes beim endlosen Fall in den Abgrund.

Wieder zählt er heimlich an den Fingern ab, fährt mit dem Daumen über die anderen Finger, er muss das ab und zu tun, wenigstens einmal pro Stunde, das ist Teil seiner Verpflichtungen, Teil seiner Selbsterhaltung. Es gibt den Film vom Krieg und den von der Zeit danach, mit den Operationen und Krankenhausaufenthalten, den Film der Verhöre in Israel durch die Führungsoffiziere vom Allgemeinen Sicherheitsdienst und beim militärischen Nachrichtendienst, den Film vom Leben von Ilan, Ora und ihren Kindern und natürlich den von der Gefangenschaft, von Abassija, den hätte er eigentlich zuerst nennen müssen, vor allen anderen, im ersten Raum, er hatte vergessen, dort anzufangen, das ist nicht gut, die Gedanken an Ofer haben ihn wohl verwirrt, die Gedanken an Ofer, der jetzt kämpft. Da ist nicht gut.

Wieder rennt er mit dem Daumen über seine Finger. Der erste, der zählt, der Daumen, ist natürlich der aus der Gefangenschaft, den darf man auf keinen Fall beleidigen, und natürlich muss er jetzt ein kleines Versöhnungsopfer für diesen eklatanten Fehler darbringen, für diese beschämende, beleidigende und unerhörte Verletzung, die er ihm zugefügt hat. Der zweite, das ist der Krieg; und das Krankenhaus und die Behandlungen sind der dritte. Die Verhöre hier im Land sind in Raum vier, und die Familie von Ora und Ilan ist in Raum fünf.

Um die Ordnung wieder herzustellen, steckt er die Hand in die Hosentasche und kneift sich heimlich, quetscht seinen Oberschenkel, drückt die Fingernägel tief in sein Fleisch, Daumen und Zeigefinger wie in fremdes Fleisch, wie konntest du es wagen, wie konntest du vergessen, mit der Gefangenschaft anzufangen. Und im Weitergehen fällt er auf die Knie und fleht den großen bärtigen Verhörer an, Doktor Aschraf mit den entsetzlichen sehnigen Fingern, fängt an zu erklären: Das passiert mir eigentlich nie, das wird nie wieder vorkommen. Tiefer ins Fleisch, die Haut reißt auf, schön, jetzt redest du endlich, jetzt siehst du deinen Fehler ein, und schon breitet sich die Feuchtigkeit aus, im Stoff und an den Fingerspitzen.

Ora steht ihm gegenüber, hält sein Gesicht in ihren Händen, Avram, schreit sie in ihn hinein wie in einen leeren Brunnen, Avram! Er schaut sie mit toten Augen an, er ist nicht hier, wie wahnsinnig rennt er zwischen seinen dunklen Räumen hin und her. Avram, Avram, ruft sie in ihn hinein, entsetzt, sie kämpft, sie gibt nicht auf, sie hat die Kraft dazu. Langsam kehrt er zurück, in zögernden Wellen taucht er auf, seine Pupillen füllen sich wieder, er lächelt beschämt.

In der Gegend von Kfar Schamai treffe ich zwei Jeschiwastudenten, Neu-Bekehrte. Schalomi und Eliahu-Chai. Es sieht schön aus, wie sie hier zusammen durch die Berge wandern, in so einer Zweisamkeit, meist mit dem Gebetsschal unterm Arm und einem Buch mit Psalmen in der Hand, und sie unterhalten sich mit großer Begeisterung.

Schalomi (bärtig, dünn, mit Sonnenbrille und einer großen wollenen Kippa, ein Spaßmacher, lacht viel): »Wir sehnen uns nur nach dem Heiligen, Er sei gepriesen, schreiben Sie in Klammern: nach dem Va-ter. Das ist eine Sehnsucht nach völliger Güte, eben so, wie du dich nach einem Vater sehnst, der dich verwöhnt, dir Gutes tut. Dir ist nicht heiß und nicht kalt, es ist nicht zu trocken und nicht zu feucht, alles ist gut. Alles ist genau richtig. Nach Menschen? Nach Menschen sehne ich mich überhaupt nicht. Ich war nie der Typ, der sich nach Menschen sehnt.«

Eliahu-Chai (22, ursprünglich aus Rosch HaAjin): sehnt sich danach, dass es wieder Propheten geben wird. Das wäre eine solche Vertiefung der Erkenntnis, alle würden Gott erkennen und ganz automatisch von ihren Untugenden ablassen.

Schalomi: »Nach einem sehne ich mich doch: nach dem Meer. Schreiben Sie auf: Er sehnt sich danach, zu baden, zu schwimmen und zu segeln. Sie müssen wissen, ich habe mich erst jetzt bekehrt. In meinem früheren Leben bin ich gesegelt. Mit allem, womit man irgendwie segeln kann, war ich schon unterwegs. Bis an die Enden der Welt. Bis Japan und Australien. Danach hab ich mich bekehrt, wegen dieser Sehnsucht, von der ich Ihnen schon erzählt habe: nach einem Vater.«

Eliahu-Chai: »Und schreiben Sie auch auf, dass ich den Bau des Dritten Tempels herbeisehne. Warum? Was für eine Frage! Weil dann umfassende

*Erkenntnis herrschen wird, der freie Wille wird aufgehoben sein. Sagen Sie
mir doch. Wer will sich schon die ganze Zeit entscheiden und immerzu ab-
wägen müssen? Was haben wir denn von diesem freien Willen? Wenn der
Dritte Tempel da ist, wird eine gewaltige Erkenntnis herrschen, die der Messias uns direkt in die Venen spritzen wird. Ein ganz natürlicher Vorgang von
»Zieh mich dir nach, so laufen wir« aus dem Hohelied. So eine einfache
Liebe.*

*(Hier fragte mich Schalomi, wonach ich mich denn sehne. Vielleicht hat er
mir etwas angesehen, als Eliahu-Chai seinen letzten Satz sagte. Tami, ich
habe ihnen von dir erzählt, dass wir all die Jahre geplant haben, diese Wanderung zusammen zu machen, und wie es auf einen Schlag mit allen unsren
Träumen vorbei war. Sie reagierten sogar ganz passabel und waren klug genug,
mir keine billigen frommen Mantras anzudrehen.)*

Danach fragte ich sie, was sie bereuen:

*»Was die Reue angeht (Eliahu-Chai): Ich bereue es, meine Kindheit für so
viel unnützes Zeug verschwendet zu haben, und ich bereue es sehr, dass ich in
einem säkularen Staat aufgewachsen bin, der mir keine weiteren Werte mitgegeben hat als eine grundlegende deutsche Erziehung, so nenne ich das – das
Messer in die rechte Hand, die Gabel in die linke –, aber darüber hinaus hat
er mir nichts gegeben.*

*Schalomi: »Nein, das seh ich nicht so! Schreiben Sie das auf: Mir tut es
nicht leid, dass ich in einem säkularen Staat groß geworden bin. Wenn ich in
einem richtig gottesfürchtigen Staat groß geworden wäre, der ganz nach den
religiösen Gesetzen funktioniert, wäre ich vielleicht schon vom Glauben ab-
gefallen ... Gut, dass es beides gibt. Beides zusammen ist gut. Der säkulare
Staat gibt uns schließlich Adrenalin, wir können uns über ihn aufregen und
mit ihm streiten.«*

*Ich hab mich zusammen mit Schalomi fotografieren lassen (Eliahu-Chai
wollte nicht; am Ende des Gesprächs ließ er sich von hinten fotografieren), und
wir haben uns verabschiedet.*

Etwa alle drei Wochen kam er auf Urlaub, erzählt sie weiter, und sie
überfiel ihn schon in der Tür, klammerte sich richtig an ihn, erinnerte
sich aber sofort, ihre Brust auf Abstand zu halten, sie spürte seine noch
weichen Bartstoppeln an ihren Wangen, ihre Finger zuckten zurück
vom Metall der Waffe auf seinem Rücken und suchten dort ein entmi-

litarisiertes Fleckchen, eine Stelle, die nicht dem Militär gehörte, wo sie ihre Hand hinlegen konnte.

Sie schließt die Augen, dankt, wem Dank gebührt – in diesem Moment ist sie sogar bereit, sich mit Gott zu versöhnen –, dass Ofer auch diesmal heil zurückgekommen ist, und sie wird wieder nüchtern, denn er klopft ihr nur dreimal kurz auf den Rücken, wie einem guten Kumpel, er umarmt sie und zeigt ihr mit ebendieser Bewegung die Grenze, tack-tack-tack, aber auch sie hat Erfahrung, übertönt mit ihrem Freudenjubel sofort das Flüstern der Kränkung, lass dich anschaun, braun bist du geworden, du cremst dich nicht genug ein, und wo ist dieser Kratzer her, warum schleppst du diese riesenschwere Tasche, willst du mir erzählen, dass alle mit so einem Rucksack voll nach Hause fahren? Er murmelt etwas, und sie beherrscht sich und erinnert ihn nicht daran, dass er schon zur Schule immer das ganze Haus auf dem Rücken mitgeschleppt hat, wie eine Schildkröte, schon da hätte sie ahnen können, dass er mal zur Panzerbrigade gehen wird.

Langsam nimmt er die Waffe ab, befestigt das Magazin mit einem breiten khakifarbenen Gummi an seinem Galil-Sturmgewehr. In ihren Augen ist er riesengroß. Das Haus ist ihm zu klein. Sein bis auf die Stoppeln rasierter Kopf und die gewölbte Stirn lassen ihn bedrohlich erscheinen, und für den Bruchteil einer Sekunde streckt sie ihm an irgendeinem Checkpoint ergeben ihren Personalausweis hin. Du hast sicher Hunger! jubelt sie aus trockener Kehle, warum hast du nicht Bescheid gesagt, dass du schon mittags kommst, wir haben dich erst am Nachmittag erwartet, du hättest wenigstens von unterwegs anrufen können, dann hätte ich schon ein Steak für dich aufgetaut.

Bis heute hab ich mich nicht daran gewöhnt, dass er wieder Fleisch isst, sagt sie zu Avram. Mit sechzehn ungefähr hat er das plötzlich beschlossen. Den Vegetarismus aufzugeben war für mich irgendwie viel schwerer als für ihn. Verstehst du das?

Was bedeutet Vegetariersein für dich, fragt Avram nach, ist das was Besonderes? Ein Zeichen von Charakter?

Ich weiß nicht. Vielleicht eine Art Hygiene. Ich will nicht sagen Reinheit, denn Ofer war, auch als Vegetarier – ein Moment des Zögerns, soll sie es ihm sagen? Kann sie ihm das schon sagen? Darf sie? –, er war immer so irdisch, und ich hatte den Eindruck, ein Teil seiner

Pubertät bestand darin, sich auf einen Schlag und mit Gewalt in diese Richtung zu bewegen und das Gegenteil eines Vegetariers zu werden, es war ein Aufbegehren. Sie lacht verlegen, ich weiß gar nicht, was ich da sage.

Wogegen denn?

Vielleicht muss man eher fragen, gegen wen?

Und gegen wen?

Was weiß ich – ich schätze mal, gegen die Sanftheit, die Zerbrechlichkeit.

Avram fragt: Gegen Adam?

Vielleicht ja. Als hätte er beschlossen – ich weiß es wirklich nicht –, so hart und männlich wie möglich zu werden, mit beiden Beinen fest auf dem Boden zu stehen, bewusst ein bisschen massiver und irdischer zu sein.

Der Tag wird immer heißer, beide schweigen, und es ist ihnen angenehm so. Was sie jetzt nicht erzählen, werden sie am Abend erzählen, oder morgen, oder vielleicht in ein paar Jahren. So oder so, es wird erzählt werden. Sie erklimmen den Berg Deborah und legen sich auf ein schattiges Stück Wiese, um ein bisschen auszuruhen. Erschöpft von zwei Bergen, schlafen sie fast zwei Stunden. Als sie aufwachen, sind sie von Familien umgeben, die hier zur Erholung hergekommen sind. An der Stelle, von der man auf den Tabor, den Gilboa, auf Nazareth und die Jesreel-Ebene schaut, hören sie laute arabische Musik aus den offenen Wagentüren parkender Autos, Gerüche von gebratenem Fleisch ziehen durch die Luft; flinke Frauenhände zerschneiden Fleisch und Gemüse, Babys lachen und blöken, Männer rauchen Nargileh, nicht weit von ihnen zielen ein paar Jugendliche mit Steinen auf Glasflaschen, die eine nach der anderen zersplittern, und Ora und Avram springen gleichzeitig auf, was ist das für ein Albtraum? Fassungslos, in welche Tiefen ihre Müdigkeit sie hinuntergerollt hat, als hätten sie nicht genug aufgepasst, packen sie zusammen, nehmen ihre Stöcke und gehen eilig zwischen den Feiernden durch, kein Wort wird gesprochen, sie fliehen, irgendwie beschämt, und auch die Hündin kneift den Schwanz ein. Sie folgen dem Weg, der sie hinunter ins nächste arabische Dorf führt, der Muezzin ruft und der Widerhall seines Gesangs umhüllt sie; Avram erinnert sich an den Muezzin von Abassija, mit dem er, wenn er in der engen Strafzelle saß, mitgesungen und auf dessen Melodie er hebräische Texte gedichtet hat.

Niedrig und rot schwebt die Sonne über dem Land und bringt mit einer letzten Berührung seine Farben zum Glühen. Gleich ist es dunkel, sagt Avram, wir sollten uns einen Schlafplatz suchen. Die Wegzeichen sind entweder mit Kohle übermalt, oder jemand hat absichtlich die Pfosten ausgerissen oder die Pfeile in die falsche Richtung gedreht, aber hier ist es so schön, flüstert Ora etwas verlegen, als betrachte sie ein Land, das nicht das ihre ist. Vielleicht hat man sie längst auf einen anderen Weg umgeleitet, und der windet sich, begleitet von einem kleinen Fluss, zwischen Olivenhainen und Obstbaumwiesen. In Ora erwachen mit einem stechenden Gefühl Erinnerungen. Ihre gemeinsamen Fahrten, mit Sami und Ofer zum Militär, mit Jasdi, der sich an sie geschmiegt hatte; die Frau, die ihn später stillte, die Leute, die in dem Untergrundkrankenhaus auf dem Boden saßen und sich auf einem kleinen Gasbrenner ihr Essen wärmten, der Mann, der sich hinunterbeugte und einem Verletzten, der vor ihm auf einem Stuhl saß, das Bein verband.

Dass sie nicht kapiert hatte, was Sami durchmachte, wenn er diese Verwundeten und Geschundenen da sah.

Wenn sie zurück ist, schwört sie, wird sie als Erstes ihn anrufen und sich entschuldigen. Sie wird ihm genau erklären, in was für einer Situation sie an jenem Tag war, und ihn ganz einfach zwingen, sich mit ihr zu versöhnen. Sollte er nicht dazu bereit sein, wird sie ihm auf die einfachste Weise erklären, dass sie sich aber versöhnen müssten, denn wenn sie beide schon nicht in der Lage wären, sich wieder zu versöhnen, gäbe es vielleicht wirklich keine Chance, den großen Konflikt zu lösen. Und während sie ganz versunken das Gespräch mit Sami plant und im Eifer ihre Lippen bewegt, deutet Avram mit den Augen auf die Kuppe des Hügels vor ihnen, von wo aus, halb hinter einem Felsen versteckt, ein junger Hirte sie mit seinen Blicken verfolgt. Als er sieht, dass sie ihn bemerkt haben, legt er die Hände um den Mund und ruft laut auf Arabisch einen anderen Hirten, der auf einem anderen Hügel jenseits von ihnen weidet und auf einem Pferd oder Maulesel angeritten kommt, und der ruft einen weiteren Hirten, der auf dem Kamm eines dritten Hügels auftaucht. Ora und Avram laufen schnell durch das enge Tal, und die Hirten über ihnen rufen sich Dinge zu, die Avram für sie aus dem Mundwinkel übersetzt. Wer sind die, fragt ein Hirte, weiß nicht, antwortet der andere, vielleicht Touristen? Juden, stellt der Dritte fest, schau doch die Schuhe, das sind bestimmt Juden. Was machen die hier? Keine Ahnung, vielleicht wandern sie nur einfach so, antwortet der Zweite. Juden, die einfach so wandern gehen? fragt der Hirte auf dem Pferd, seine Frage bleibt unbeantwortet, und die Hirtenhunde bellen zusammen mit den Rufen ihrer Besitzer. Die goldene Hündin knurrt und bellt, und Ora beugt sich zu ihr, drückt ihren Kopf an ihr Bein und versucht, sie zu beruhigen.

Einer der Hirten stimmt ein Lied voller Arabesken an, und die anderen singen von den anderen Hügel mit; Avram zischt, sie sollten sich beeilen. Für Ora klingt es wie Minnesang, aber vielleicht sind es auch Derbheiten, die sich auf sie beziehen, und sie laufen schweigend, rennen beinahe den schmalen Weg zwischen den beiden Hügeln entlang, die vor ihnen immer mehr zusammenrücken; schließlich versperren ihnen riesige Felsbrocken den Weg. Vor den Felsen liegen auf einer großen Matte drei Männer mit massigen Körpern und betrachten sie mit reglosen Gesichtern.

Schalom, sagt Ora und bleibt stehen, atmet schwer.

Schalom, antworten die drei, zwischen ihnen auf der Matte eine aufgeschnittene Wassermelone, ein Kupfertablett mit Mokkatassen, daneben köchelt auf einem Petroleumkocher ein langstieliges Kaffeetöpfchen.

Wir gehen hier spazieren, sagt Ora.

Sachteen, willkommen, sagt der Älteste. Sein Gesicht ist mutig und schwer, seine weißlich-gelben Lippen sind dick.

Schön ist es hier, sagt sie, als müsse sie sich entschuldigen.

Bitte schön, sagt der Mann und lädt sie und Avram ein, sich zu setzen, reicht ihnen einen Teller mit Pistazien.

Was ist das hier, fragt Ora und nimmt mehr Pistazien, als sie eigentlich wollte.

Das hier ist Ejn Mahel, sagt der Mann, da oben ist das Stadion von Nazareth. Von wo kommen Sie?

Ora erzählt es ihm. Die Männer sind überrascht und setzen sich auf: So weit sind Sie gelaufen? Sind Sie Sportler?

Ora lacht, nein, ganz und gar nicht, wir hatten das eigentlich gar nicht vor.

Einen Kaffee?

Ora schaut Avram an, der nickt.

Sie setzen ihre Rucksäcke ab. Ora holt eine Packung Kekse heraus, die sie am Morgen in Schibli gekauft hat, und ein Paket Waffeln aus der Moschawa Kinneret. Der Mann reicht ihnen die aufgeschnittene Melone.

Aber bitte, sagt Ora gleich, wir wollen nicht über die Nachrichten reden.

Gibt es einen besonderen Grund? fragt der Mann und rührt langsam in dem Kaffeetöpfchen.

Nein, nur so, wir wollen uns einfach ein bisschen davon ausruhen.

Der Mann gießt den Kaffee in die kleinen Tässchen. Der andere neben ihm, mit dicken Armen, einer weißen Kafiya und schwarzem Ring auf dem Kopf, zieht schweigend an der Nargileh und offeriert auch Avram einen Zug, und Avram nimmt an. Ein junger Mann, bestimmt einer der Hirten, die sie von den Hügeln aus beobachtet haben, kommt schnell angeritten und setzt sich zu ihnen; er ist, wie sich herausstellt, der Enkel des Ältesten. Sein Großvater küsst ihn auf die Stirn und stellt ihn den Gästen vor: Ali Chabib-Allah, er ist Sänger und hat schon den Vorentscheid für einen Wettbewerb bei euch im Fernsehen gewonnen, sagt der Großvater lachend und klopft seinem Enkel auf die Schulter. Sagen Sie, fragt Ora plötzlich so couragiert, dass es sie selbst überrascht, würden Sie mir vielleicht zwei Fragen beantworten?

Fragen? Der Großvater wendet sich ihr mit seinem ganzem Körper zu, was für Fragen?

Nur so, nichts Besonderes, sie lächelt verlegen, wir machen so eine – im Grunde haben wir noch nicht richtig begonnen, wir haben uns das bisher nur überlegt – unterwegs so eine kleine Umfrage zu machen. Sie lacht wieder unsicher, schaut Avram nicht an, wir dachten ... Ich habe gedacht, jedem, dem wir begegnen, zwei kleine Fragen zu stellen. Avram betrachtet sie verblüfft.

Was für Fragen, möchte Ali wissen, auf seinen Wangen zeigt sich ein kleines Feuer der Begeisterung.

Ist das für eine Zeitung? fragt sein Großvater und rührt weiter in dem Kaffeetöpfchen, dreht abwechselnd die Flamme darunter kleiner und wieder größer.

Nein, nein, das ist nur für uns, sagt sie und blinzelt zu Avram hinüber, zur Erinnerung an unsere Wanderung.

Ja sicher, sagt der Enkel und streckt die Beine auf der Matte von sich.

Wenn es Sie nicht stört, sagt Ora und zieht das blaue Heft heraus, schreibe ich auf, was Sie mir erzählen, sonst erinnere ich mich nachher nicht mehr. Schon hat sie einen Stift in der Hand, und ihr Blick schwenkt von dem Ältesten zu dem Jungen. Die Fragen sind kurz, schon versucht sie einen Rückzieher, will sich klein machen, den Moment des Fragens hinauszögern, spürt den metallenen Geschmack eines nahenden Fehlers, doch alle Blicke ruhen auf ihr, und sie hat keine andere Wahl: Also, die erste Frage, die lautet so: Was würden Sie am meisten …

Vielleicht lieber nicht, unterbricht sie der Großvater, lächelt breit und legt seine schwere Hand auf die Schulter des Sängers. Aber vielleicht noch ein Stückchen Melone?

Alle drei Wochen kam er für ein langes Wochenende nach Hause, beginnt Ora am nächsten Tag und nimmt den Faden wieder auf, der am Mittag des Vortags auf dem Gipfel des Deborah Berges abgerissen war. Sie erinnert sich, wie sie sich schon in der Tür mit gleichsam unstillbarem Hunger auf ihn gestürzt hatte; sein riesiger Rucksack, den er abgenommen hatte, versperrt den Eingang, und Ora versucht mit beiden Händen, ihn etwas zu verschieben, gibt es aber schnell auf: Junge, Junge, dann pack mal aus, alles gleich in die Wäsche, ich taue Fleischklopse für dich auf, das Steak machen wir dann heut Abend, und ich hab auch eine neue Bolognese gemacht, die du probieren musst, Papa ist ganz verrückt danach, vielleicht schmeckt sie dir auch, und es gibt gefüllte Paprika und gleich auch einen leckeren Salat; und heut Abend machen wir dann ein richtig großes Essen. Ilan, ruft sie, Ofer ist da!

Sie zieht sich in die Küche zurück, überwältigt von kreatürlicher Freude, wenn sie könnte, sie würde ihn auch jetzt, in seinem Alter, noch ablecken und ihm alles abklauben, was an ihm haftet, ihm den Geruch seiner Kindheit, den sie in ihren Nasenlöchern, ihrem Mund

und ihrem Speichel bewahrt hat, zurückgeben. Eine Welle der Wärme rollt von ihr zu ihm, und ohne sich überhaupt zu bewegen, geht Ofer ein bisschen auf Distanz, verschließt sich, sie spürt es nicht nur, sie hat gewusst, dass es passieren würde, diese kleine, schnelle Bewegung der Seele, die sie von Ilan und Adam, von allen ihren Männern schon kannte, wenn sie sich vor ihrer Flut abschotteten, sich ein ums andere Mal vor ihr verschlossen und sie mit ihrer Weichheit zappeln ließen, so dass sie schlagartig zu einer Karikatur wurde.

Doch sie wird diese Kränkung nicht hochkochen lassen, nicht jetzt, und da kommt auch schon Ilan aus seinem Arbeitszimmer, nimmt die Brille ab und umarmt ihn herzlich, aber mit Maßen. Er nimmt sich mit ihm in Acht. Wange berührt Wange. Jetzt hör endlich auf zu wachsen, rügt er ihn. Und Ofer stößt ein müdes, blasses Lachen aus. Ilan und sie bewegen sich in einer merkwürdigen Mischung aus Freude und Vorsicht um ihn herum. Also, wie steht's bei der Truppe? Alles okay, und zu Hause? Nicht schlecht, nach und nach wirst du alles erfahren. Wieso, ist was passiert? Nein, was kann schon passiert sein, alles beim Alten. Willst du nicht erstmal duschen? Nein, später.

Sogar von der stinkenden Uniform trennt er sich nur widerwillig, wie auch von dem Dreck, der an ihm klebt und ihn vielleicht ein bisschen schützt, nimmt sie an. Drei Wochen nicht im Camp, sondern dauernd im Einsatz: Patrouillen, Wartung des Panzers, Checkpoints, Hinterhalte. Sein Geruch ist gewaltig. Seine Finger sind rauh, mit vielen Wunden, seine Nägel schwarz, die Lippen sehen immer aus, als bluteten sie. Sein Blick ist zerstreut. Sie sieht das Haus mit seinen Augen. Die Sauberkeit, die Symmetrie der Teppiche, die Bilder an den Wänden, der schmucke Kleinkram, er kann kaum glauben, dass es irgendwo auf der Welt eine derart liebevolle Sorgfalt gibt. Die ist für ihn kaum zu ertragen. Als sie zu Ilan schaut, spürt sie plötzlich sehr genau, dass Ilan sich selbst jetzt mit Ofers Augen ansieht, wie er so ganz und gar unbekümmert als Zivilist lebt, dermaßen entmilitarisiert, dass es schon fast ein Verbrechen ist. Und Ilan verschränkt die Arme vor der Brust, reckt das Kinn vor und brummt etwas vor sich hin.

Ofer setzt sich an den Küchentisch, hält den Kopf in den Händen, die Augen fallen ihm fast zu. Langsam entspinnt sich zwischen ihnen der Anfang eines einfachen Gesprächs, noch sind es nur Satzfetzen, die nur dazu dienen, Ofer ein paar Minuten Ruhe zu gönnen, um sich einzugewöhnen und die Welt, aus der er kommt, mit dieser hier zu verbinden, oder vielleicht, denkt sie, will er sie gerade voneinander trennen?

Dabei ist ihr völlig klar, erklärt sie Avram, dass sie und Ilan die Kräfte noch nicht einmal ahnen können, die er in diesen Momenten aufbringen muss, um seine andere Welt – von der sie nicht wissen wollen – zu verdrängen oder zumindest abzuschalten und nach Hause kommen zu können, ohne bei diesem Übergang zu verglühen. Ilan scheint in diesem Moment dasselbe durch den Kopf zu gehen, beide schauen sich kurz an: Auf ihren Gesichtern liegt noch der Freudenjubel, aber irgendwo, auf dem Grund ihrer Blicke, schrecken sie voreinander zurück, als seien sie beide an dieser Grausamkeit beteiligt.

Plötzlich steht Ofer auf, kratzt sich kräftig den rasierten Schädel und läuft langsam zwischen der Küche und der Essecke auf und ab, geht hin und her. Ilan und Ora verfolgen ihn aus den Augenwinkeln: Er ist nicht hier, das ist klar, er folgt vielmehr einer anderen Route in seinem Kopf. Sie konzentrieren sich aufs Brotschneiden und Braten. Ilan wird unruhig, schaltet das Radio ein und dreht es laut, die Stimmen des Mittagsjournals überfluten den Raum, Ofer kommt sofort zu sich und setzt sich wieder an den Tisch, als wäre er gar nicht aufgestanden. Eine junge Soldatin vom Checkpoint Jalame berichtet, wie sie an diesem Morgen einen siebzehnjährigen Palästinenser, der in seiner Hose Sprengstoff schmuggeln wollte, erwischt hat, und erwähnt lachend, ausgerechnet heute sei ihr Geburtstag. Sie ist neunzehn, herzlichen Glückwunsch, sagt die Moderatorin der Sendung, danke, danke, lacht die Soldatin, hätte mir kein schöneres Geburtstagsgeschenk denken können.

Ofer hört zu. Jalame gehört heute nicht mehr zu seinem Patrouillengebiet. Er hat da vor etwa eineinhalb Jahren gedient. Auch er hätte derjenige sein können, der den Sprengstoff findet. Oder der ihn nicht findet. Denn zu genau diesem Zweck steht er ja da, dass der Terrorist mit ihm hochgeht und nicht mit Zivilisten. Ora atmet angestrengt, spürt, dass da etwas anrollt. Sie zählt im Stillen die Namen der Checkpoints und Vorposten auf, bei denen er schon im Einsatz war. Chisme, Chalchul und Jabaa, was für hässliche Namen, denkt sie, und überhaupt, denkt sie und tritt von einem Bein aufs andere, dieses ganze Arabisch mit seinen rauhen und kehligen Lauten, wovon waren Ilan und Avram früher, erst auf dem Gymnasium und später dann beim Militär, nur so begeistert? Sie heizt sich selbst weiter an, wo doch fast jedes arabische Wort irgendwie mit einem Unglück zu tun hat, ist es nicht so? Und plötzlich schiebt sie Ilan zur Seite, pass doch auf, wie du schneidest, hast du vergessen, dass er die Scheiben ganz dünn mag? Deck lieber den Tisch, sei so gut! Ilan lächelt, hebt erstaunt und ergeben die Arme, und Ora macht sich über das Gemüse für den Salat her, schnappt sich das scharfe Messer, schwingt es in der Hand, lässt es niedersausen und zerhackt wütend Abed Elkadr el-Hussejni zusammen mit Hadj Amin el-Hussejni und Schukeiri und Numeiri und Ajatolah Chomejni und Arafat und die Hamas und Mohamad Abbas und die Ghaddafis mit ihren Skud-Raketen und Izz-el-din Al-Kassam samt ihren Kassamraketen und Gamal Abdel Nasser, alle miteinander metzelt sie nieder, Katjuschas und Intifadas und die »Brigaden der Gefallenen von« und die »Heiligen von« und die »Unterdrückten von« und Abu Jihad und all die anderen Abus, und Marwan Barguti auch und Jebalja und Jebalija und Jenin. Gott allein weiß, wo genau diese Orte liegen. Wenn sie wenigstens normale Namen hätten, seufzt sie, wenn wenigstens diese Namen etwas angenehmer klängen! Und mit der scharfen Klinge des Messers zerhackt sie Chan Junis und Scheich Munis und Dir Jassin und Scheich Jassin und Saddam Hussein, nur Probleme, vom ersten Moment an gab es mit denen nur Probleme, zischt sie zwischen zusammengebissenen Zähnen, und was ist mit Sabra und Schatila, was ist mit Al-Kuds und mit dem *Nakba*, mit dem Dschihad und den Schahiden und *Allahu-Akhbar* und Chaled Maschaal und Chafes Assad und Kozo Okamoto, auf sie alle lässt sie unterschiedslos das Messer niedersausen, auf dieses ganze Otterngezücht, und als Bakschisch gibt sie noch Baruch Goldstein dazu und Jigal Amir und in einem Moment der Erleuchtung auch Golda Meir, Begin und Schamir und Scharon und Netanjahu und Barak und Rabin und Schimon Peres auch, was denn, haben die denn kein Blut an den Händen? Haben die wirklich alles getan, damit sie hier mal fünf Minuten in Ruhe leben kann? Alle, die ihr Leben ruiniert haben, die jeden Moment ihres Lebens und ihre beiden Söhne einen nach dem anderen verstaatlichen;

sie hört erst auf, als sie Ofers und Ilans Blicke bemerkt, wischt sich mit dem Handrücken den Schweiß von der Stirn und fragt wütend: Was? Ist was passiert? Als wären auch sie mit daran Schuld, doch sofort beruhigt sie sich, ist schon gut, ich hab mich bloß an etwas erinnert, was mich genervt hat, und sie gießt viel Öl an das Gemüse, streut schnell Salz und Pfeffer darüber, presst eine Zitrone aus und schiebt Ofer eine wunderschöne Schüssel Salat unter die Nase, ein Kaleidoskop aus Farben und Düften. Hier, Oferke, ein arabischer Salat, wie du ihn magst.

Ofer hebt die Augenbrauen − sein Kommentar zu ihrer sonderbaren Vorführung. Noch immer bewegt er sich langsam. Sein zerstreuter Blick fällt auf die Zeitung auf dem Tisch, wird gefangen, starrt auf eine Karikatur, versteht sie nicht, kennt den Zusammenhang nicht, er fragt, ob diese Woche etwas in den Nachrichten war, und Ilan berichtet ihm, und Ofer blättert schnell die Seiten durch. Es interessiert ihn nicht, denkt sie, das Land, das er da verteidigt, interessiert ihn nicht wirklich. Das beobachtet sie an ihm schon eine Weile: als sei in ihm der Kontakt zwischen dort, wo er sich die meiste Zeit befindet, und hier, zu Hause, unterbrochen. Wo ist der Sport, fragt er, Ilan rettet aus dem Zeitungshaufen für den Papiercontainer den Sportteil, und Ofer vertieft sich in die Seiten. Ora fragt vorsichtig, ob er dort Nachrichten höre, ob er mitverfolge, was im Land geschieht. Er zuckt müde, aber auch mit einem merkwürdigen Groll, eine Schulter: Diese ganzen Diskussionen von rechts und links, *ana aaref,* was weiß ich, wer hat noch einen Nerv dafür?

Er steht auf, lässt sich auf ein Knie hinunter, zieht den Reißverschluss des Rucksacks auf und packt aus. Sein Schädel erstaunt sie: dermaßen groß, so voller Stärke, ein komplexes Gebilde aus schweren, erwachsenen Knochen, und sie steht dabei und fragt sich, wann er sich so entwickelt hat und wie es möglich ist, dass dieser Kopf einmal aus ihr herausgekommen ist. Eine Welle von scharfem Gestank schlägt aus dem Rucksack und erfüllt den Raum. Ora und Ilan lachen verlegen. Der Gestank spricht Bände. Ora spürt, wenn sie sich auf diesen Geruch konzentrieren und ihn in seine Bestandteile zerlegen würde, wüsste sie genau, was Ofer in diesen Wochen widerfahren ist.

Als lese er ihre Gedanken, blickt er sie von unten herauf mit seinen großen, von Müdigkeit matten Augen an. Einen Moment lang ist er wieder so jung, so darauf angewiesen, dass seine Mama ihn wortlos versteht. Was ist, Oferke, fragt sie leise, erschrocken über das, was auf dem Hintergrund seiner Pupillen vorbeihuscht und gleich wieder verschwindet. Nichts ist, antwortet er, wie es ihrer beider Tradition ist, und zwingt sich zu einem müden Lächeln. Wie in dem alten Kinderspiel: *Schalom großer Herr und König,/* denkt sie, *Schalom meine lieben Söhne,/ wo seid ihr gewesen, was habt ihr gemacht?/* Wir waren in Hebron und haben/die Altstadt dort observiert/ und haben auf Kinder mit Steinen/unsre Gummikugeln geschossen./ Ich flehe dich an, hatte sie ihm vor etwa einem Jahr gesagt, noch bevor diese Sache in Hebron passiert war, vielleicht einen Monat vorher; du darfst niemals, wirklich niemals auf sie schießen. Was denn dann? hatte er sie mit einem halbschiefen Lächeln gefragt, war mit nacktem roten Oberkörper und einem dreckigen khakifarbenen Unterhemd in der Hand vor ihr herumgehüpft wie ein Matador, der vor einem Stier wegrennt, und hatte sich einige Male zu ihr heruntergebeugt und ihr einen kleinen Kuss auf die Stirn oder auf die Wange gegeben – sag mir nur, was ich mit ihnen machen soll, Mama, sie gefährden Menschen, die auf der Straße fahren und die wir bewachen!

Jag ihnen Angst ein, sagte sie so besessen, als entwickle sie in diesem Moment eine neue Kampfdoktrin, gib ihnen Ohrfeigen, box, so fest du kannst, was du willst, nur schieß nicht! Wir zielen auf die Beine, erklärte er ruhig, mit jener etwas erheiterten Überlegenheit, die sie von Adam und Ilan, den Militärkommentatoren im Fernsehen, den Ministern der Regierung und dem Generalmajor des Militärs kannte. Mama, mach dir nicht so große Sorgen um die Palästinenser, so eine Gummikugel kann höchstens eine Hand oder ein Bein brechen. Und wenn du danebenschießt und einem das Auge rausschießt? Dann wird der bestimmt keine Steine mehr schmeißen, sagte er. Zum Beispiel hat diese Woche ein Soldat von uns auf drei Jugendliche geschossen, die unsre *Pillbox* mit Steinen beworfen haben, tak-tak-tak hat er ihnen die Beine gebrochen, jedem ein Bein, sehr elegant, und glaub mir, die drei kommen nicht mehr wieder. Aber ihre Brüder werden wiederkommen, schrie sie, und auch ihre Freunde, und in ein paar Jahren auch ihre Kinder!

Dann zielst du vielleicht besser gleich so, dass sie keine Kinder mehr kriegen können, schlug Adam vor, der lautlos wie ein Schatten hinter ihnen aufgetaucht war. Die Jungs lachten etwas verlegen, Ofer warf Ora einen Blick zu, es war ihm unangenehm. Da packte sie ihn an der Hand, schleppte ihn in Ilans Arbeitszimmer und stellte sich vor ihm auf: Hier und jetzt will ich dein Versprechen, dass du nie im Leben auf einen Menschen schießen wirst. Ofer hatte sie angeschaut, in Wut zogen sich seine Pupillen zusammen: Mama, es reicht, genug jetzt, was hast du denn … Ich habe meine Anweisungen, da gibt es Befehle! Nein, schäumte sie und stampfte auf, nie im Leben, hörst du? nie im Leben wirst du auf einen Menschen schießen! Von mir aus ziel in den Himmel, auf die Erde, verfehl ihn in alle Richtungen, aber schieß auf keinen Menschen!

Und wenn er einen Molotowcocktail in der Hand hat? fragte Ofer, wenn er eine Waffe hat? Na?

Solche oder ähnliche Gespräche hatten sie schon geführt. Oder war das mit Adam gewesen, zu Beginn von dessen Wehrdienst? Sie kannte alle Argumente, Ofer auch. Sie hatte sich geschworen, zu schweigen oder sich zumindest in Acht zu nehmen, denn die ganze Zeit nagte in ihr die Angst, dass ihm im entscheidenden Moment, in einem Kampf oder wenn er plötzlich überraschend aus dem Hinterhalt angegriffen würde, ihre Worte einfallen und ihn straucheln lassen oder seine Reaktion um den Bruchteil einer Sekunde verzögern würden.

Wenn du in Lebensgefahr bis, okay, dann musst du versuchen, dich zu retten, keine Frage, aber nur dann! Ofer kreuzte die Arme über der Brust, so eine Geste von Ilan, und lächelte immer breiter, und woher soll ich bitte genau wissen, ob ich in Lebensgefahr bin? Vielleicht lass ich sie ein Formular ausfüllen, in dem sie ihre Absichten erklären? Sie verrannte sich in das verhasste Gefühl, das sie immer überkam, wenn Ofer oder jemand anderes sich über sie lustig machte und ihre bekannte Unfähigkeit bei Diskussionen und die Schwachheit ihrer Argumente ausnutzte. Wirklich, Mama, sagte Ofer, jetzt wach endlich auf! Hallo! Das dort ist Krieg! Eigentlich hab ich gedacht, dass du nicht so zu denen hältst.

Wieder ergriff sie das Feuer. Das ist doch völlig egal, was ich von ihnen denke, kreischte sie, nicht darum geht es, ich diskutier mit dir im Moment noch nicht einmal darüber, was wir in den Gebieten überhaupt verloren haben! Und von mir aus können wir da noch heute rausgehn, schrie Ofer sie an, dann sollen die ihr beschissenes Leben alleine leben und sich gegenseitig niedermetzeln, aber zu diesem Zeitpunkt, Mama, wo ich nun mal in der Scheißsituation bin und dort sein muss, was soll ich da deiner Meinung nach tun? Na? Sag schon! Mich hinlegen und die Beine breit machen?

Nie zuvor hatte er so mit ihr gesprochen. Er brannte vor Wut, und sie war deprimiert. Irgendwo musste es ein gutes Argument geben, das auf einen Schlag alle seine Argumente außer Kraft setzte. Ihre Finger spreizten sich vor seinen Augen zu einem stummen Schrei, wart mal kurz, Ofer, sie musste ihre durcheinander geratenen Gedanken sammeln – gleich wird sie wieder wissen, was genau sie ihm sagen will, und ihre Worte der Reihe nach ordnen –, hör zu, Ofer, ich bin ja nicht klüger als du (ist sie wirklich nicht) und auch nicht moralischer (dieses Wort macht ihr sowieso Angst, und in einem Winkel ihres Herzens ist ihr klar, dass sie seine Tragweite nicht wirklich versteht, im Gegensatz zu allen anderen, die dies anscheinend tun), aber ich habe – und das ist eine Tatsache! (dass sie jetzt schrie, war, zugegeben, ein bisschen billig) –, ich habe mehr Lebenserfahrung als du! (Wirklich? Plötzlich zerrinnt ihr auch dieses Argument. Bist du da so sicher? Mit allem, was er beim Militär erlebt, was er sieht, was er tut, womit er sich jeden Tag auseinandersetzen muss?), und ich weiß auch etwas, was du einfach noch nicht wissen kannst, dass nämlich …

Ja bitte, was? Sie sah einen Funken von Belustigung in seinen Augen und zwang sich, nicht darauf zu reagieren; sie würde sich auf die Hauptsache konzentrieren: ihr Kind aus den Händen dieses brutalen Schlägers zu retten, der vor ihr stand.

Dass du in fünf Jahren, was heißt in fünf? in einem Jahr! in einem Jahr, wenn du entlassen wirst, diese ganze Situation völlig anders einschätzen wirst! Du wirst sehen! Ich red jetzt gar nicht davon, ob das gerechtfertigt ist, ich rede nur davon, wie du eines Tages auf diese Zeit zurückblicken wirst …

Sein Nasehochziehen ignorierte sie heldenhaft, auch das leichte Grinsen, das sich auf seinem Gesicht breitmachte. Du wirst dich bei mir noch bedanken, sagte sie hartnäckig – sie steckte ein bisschen fest, das merkten sie beide, sie steckte fest und suchte verzweifelt nach dem goldenen Argument, das ihr entglitten war –, du wirst sehen, du wirst dich noch bei mir bedanken!

Wenn ich dann noch am Leben bin, um dir zu danken.

So sprichst du nicht mit mir! kreischte sie mit rotem Kopf, ich vertrag diese Witze nicht, das weißt du ganz genau!

Es waren Papas Witze, das wussten sie beide.

Tränen der Wut stiegen ihr in die Augen. Sie hatte geglaubt, die entscheidende logische Antwort gefunden zu haben, doch wie immer hatte sie den Faden verloren und alle Maschen waren ihr von der Nadel gerutscht, und so streckte sie nur die Hand nach ihm aus, hielt flehend seinen Arm und schaute zu ihm hoch, wie ein letztes Argument, im Grunde eine Bitte um Erbarmen, wenn nicht gar um Almosen: Versprich mir das, Ofer, dass du nicht versuchen wirst, jemanden mit Absicht zu erschießen. Und er schüttelte den Kopf, lächelte, zuckte mit den Schultern. Sorry, Mama, das ist Krieg.

Sie hatten einander angeschaut, diese Fremdheit erschreckte sie. In ihr blitzte eine Erinnerung auf. Dasselbe kalte Brennen von Schrecken und Versagen wie vor fast dreißig Jahren, als sie ihr Avram wegnahmen, als sie ihr eigenes Leben enteigneten. Es war die alte Geschichte: Dieser Staat hatte seinen schweren Militärstiefel wieder einmal brutal da hingesetzt, wo er nichts zu suchen hatte.

Mensch Mama, was ist denn in dich gefahren, nimm es doch nicht so schwer, lass gut sein. Er streckte den Arm aus, um sie an sich zu ziehen, und sie ließ sich verlocken, wie hätte sie sich eine Umarmung entgehen lassen können, die zudem noch von ihm ausging, und er zog sie sogar ganz an sich, bis sie auf dem Rücken sein Zeichen spürte, tack-tack-tack.

Bei dieser ganzen Diskussion, erzählt sie Avram ohne ihn anzuschauen, hatte sie ein schlagendes Argument gehabt, das sie Ofer natürlich nicht sagte, weil sie es niemals würde verwenden dürfen. Was sie wirklich umtrieb, waren nicht, bei allem Respekt, die Augen oder Beine eines kleinen Palästinensers, sondern ihr klares Wissen, dass es nicht passieren durfte, dass Ofer einem Menschen etwas antat. Denn wenn das geschähe – selbst wenn er tausend gute Gründe dafür hätte, selbst wenn einer mit einem entsicherten Sprengsatz vor ihm stünde –, würde Ofers Leben danach kein Leben mehr sein. So einfach war das, da gab es nichts zu diskutieren, er würde kein Leben mehr haben.

Aber als sie sich ein bisschen von ihm entfernt hatte, ihn anschaute und seinen gewaltigen Körper mit diesem Schädel sah, da war sie sich nicht mehr so sicher gewesen.

In der Küche erzählt Ofer, er habe eine Woche keine Kleider zum Wechseln gehabt und auch nicht duschen können. Er redet abgehackt, bewegt kaum die Lippen. Ora und Ilan müssen sich sehr anstrengen, um auch nur einen Teil dessen, was er sagt, zu verstehen. Ora sieht, dass Ilan sich heimlich in Richtung Balkon entfernt, um ein Fenster zu öffnen, eine Tür zu schließen oder einfach nur einen Moment allein zu sein. Sie beugt sich über den feuchten, speckigen Haufen, der aus dem Rucksack quillt, und sortiert Uniformhosen und Hemden, starre Socken, einen Uniformgürtel, Unterhemden, Unterhosen. Sie nimmt den Wäscheklumpen auf den Arm, Sandkörner rieseln aus den Hosentaschen, eine verirrte Gewehrkugel, eine zerknitterte Streifenkarte für den Bus, sie stopft den Haufen in die Maschine und stellt ein aggressives Waschprogramm ein. Als sie das Geräusch der Maschine hört, als die Trommel sich zu drehen beginnt, spürt sie zum ersten Mal eine Erleichterung, als habe sie nun endlich den Prozess der Domestizierung dieses Fremden in Gang gesetzt …

Der wieder an dem für ihn gedeckten Tisch sitzt. Die Nase tief in der Zeitung, ohne Kraft zu reden. Über dreißig Stunden habe er nicht geschlafen, sie hätten diese Woche mehrere Einsätze gehabt, später würde er davon erzählen. Sie stimmen ihm sofort zu. Ja, natürlich, Hauptsache, du bist zu Hause. Wir sind schier umgekommen. Mama steht schon den ganzen Morgen in der Küche und kocht für dich. Jetzt übertreibst du aber, sagt sie lachend, Papa übertreibt mal wieder, ich hab gar nicht so viel geschafft. Ein Glück, dass ich die Brownies gestern schon gebacken habe. Also wirklich, seufzt Ilan. Den ganzen Nachmittag gestern hat sie eingekauft, den Gemüseladen und die Metzgerei leergeräumt, apropos, sag mal, wie ist jetzt das Essen bei euch? Besser, wir haben einen neuen Koch, und im Speisesaal laufen keine Ratten mehr rum. Haben alle deine Kameraden diesen Schabbat freigekriegt?

Komm schon, Papa, lass uns später reden, ich bin jetzt total erschossen. Alles, was du willst, nur bitte nicht erschossen.

Plötzlich ein merkwürdiges Schweigen. Ilan presst Orangen aus, Ora wärmt Fleischklopse auf, ein fremder junger Mann mit fremdem Geruch sitzt am Küchentisch. Lange Fäden binden ihn an einen Ort, den man kaum sehen kann und über den nachzudenken keiner die Kraft hat. Ilan erzählt etwas von einem Geschäft, an dem er schon zwei Jahre lang arbeitet, zwischen einem kanadischen Risikofinanzierer und zwei jungen Typen aus Beer Schewa, die eine Methode entwickeln, um das Autofahren in betrunkenem Zustand zu verhindern, alles war schon fertig und musste nur noch unterzeichnet werden, fast ganz fertig, und beim letzten Treffen, als alle die Federhalter zückten ...

Die Worte dringen nicht zu ihr durch. Sie ist jetzt nicht in der Lage, ihre Rolle in diesem Stück zu übernehmen, bei dem die Schauspieler sich selbst spielen und der Text mehr oder weniger bekannt ist. Doch der Raum, in dem es aufgeführt wird, Ofers müdes, niedergeschlagenes Schweigen, macht es unmöglich, macht alles lächerlich, und zum Schluss verstummt auch Ilan.

Über der Spüle schließt sie heimlich für einen Moment die Augen, konzentriert sich, spricht ihr übliches Gebet, nicht zu einem erhabenen Gott, im Gegenteil; im Innersten heidnisch, begnügt sie sich mit kleinen Göttern, mit Erscheinungen des Alltags, kleinen Wundern. Wenn sie drei Kreuzungen hintereinander grün hat, wenn sie es schafft, die Wäsche auf der Leine vor dem Regen reinzuholen, wenn man bei der chemischen Reinigung nicht die vergessenen hundert Schekel in ihrem Jackett entdeckt, und natürlich ihre üblichen Geschäfte mit dem Schicksal: Ein Kratzer an der Stoßstange? Macht nichts! Ofer erhält dafür eine Woche Immunität; ein Patient bleibt ihr 2000 Schekel schuldig? Sei's drum, dafür werden Ofer irgendwo zweitausend Pluspunkte gutgeschrieben.

Das Gebet hat wohl geholfen. Aus der unangenehmen Stille entspinnt sich wieder das häusliche Gemurmel. Wo ist der Rest der Zwiebel, die ich für den Salat gehackt habe? Brauchst du die? Ich wollte sie anbraten, zu den Fleischklopsen. Und viel schwarzen Pfeffer, er mag schwarzen Pfeffer, nicht wahr, Ofer? Ja, aber nicht zu viel. Unser Koch ist Marokkaner und sein *Schakschuka* das reine Feuer. Dann esst ihr

Schakschuka? Dreimal am Tag. Unversehens verdichten sich die Gesprächsfäden, Adam ruft an, sagt, er sei gleich zu Hause, er gehe nur noch schnell eine Zeitung und was zum Knabbern kaufen, sie sollen mit dem Essen auf ihn warten, und alle drei lächeln sich an, Adam lenkt uns mal wieder per Fernbedienung. Ilan und Ora berichten von Dingen, die sich in den Wochen von Ofers Abwesenheit zugetragen haben. Immer war er zu Hause sehr involviert gewesen, erzählt Ora Avram auf einem Weg mit Blick auf Zippori über eine große Wiese hinweg, auf der Tausende braun-orangefarbener Bärenspinnerraupen in einheitlichen Bewegungen den Kopf nach hier, den Schwanz nach dort bewegen; es sieht aus, als tanze das ganze Feld; er musste informiert sein, wenn wir ein Möbelstück anschaffen wollten, welches Haushaltsgerät gerade kaputtgegangen war, wieviel die Reparatur gekostet und ob der Handwerker gut gearbeitet hatte, und er beschwor uns, ja kein kaputtes Gerät wegzuwerfen, auch keine Ersatzteile, bis er sie begutachtet habe; am Anfang seines Wehrdienstes hat er sogar noch darum gebeten, dass wir die kleinen Reparaturen, Wackelkontakte, Wasserhähne, Abflüsse, klemmende Rollläden und natürlich die Gartenarbeit, für ihn aufhöben, wenn er ein langes Wochenende freibekam, doch irgendwann merkte sie, dass er es ein bisschen über hatte, dass der häusliche Alltag, all die Reparaturen ihn langweilten und schon nicht mehr berührten.

Der Tisch ist gedeckt, das Essen fertig, Ilan sagt etwas, was bei Ofer den Anflug eines ersten Lächelns bewirkt, beide stürzen sich darauf wie auf ein Stück Glut, das man anfachen und zum Leben erwecken muss, und Ofer erzählt, sie hätten in der *Pillbox* eine Katze mit zwei Jungen, und er habe sich gerade die Mutter zur Adoption ausgesucht, und er errötet leicht und lacht verlegen: Ich dachte, dann hab ich da so etwas Mütterliches. Ora bewegt sich schwebend, da kommt endlich auch Adam, alles ist schon kalt, beschwert sie sich, aber alles ist noch heiß und dampft, die Umarmung der Jungs, der Klang ihrer sich verflechtenden Stimmen und ihres gemeinsamen Lachens ist mit nichts zu vergleichen. Manchmal, hier auf unserem Weg, erklärt sie Avram, träume ich davon, dieses gemeinsame Lachen der beiden zu hören. Ofers Augen leuchten, als er Adam sieht, seine Blicke verfolgen ihn auf Schritt und Tritt, als begreife er erst jetzt, dass er zu Hause ist, als erwache er aus seinem dreiwöchigen Schlaf. Und wenn Ofer erwacht, werden alle vier zum Leben erweckt, sogar die Küche schließt sich summend und klappernd wie eine gute alte Maschine der Auferstehung an. Achte auf den Ton, denkt sie, vertrau dem Ton; das Brodeln der Töpfe, das Summen des Kühlschranks, das Klappern der Löffel in den Tellern, der laufende Wasserhahn, eine blöde Radiowerbung, deine eigene Stimme und die von Ilan, das Brabbeln deiner Kinder, ihr Lachen, das macht die Melodie, und sie verkrampft sich sofort, mein Gott, mein Gott, mach, dass das nie aufhört. Aus der Speisekammer dringt das rhythmische Schlagen der Wäschetrommel, zu dem sich nun noch das Scheppern von Metall gesellt, vermutlich die Schnalle seines Uniformgürtels oder eine Schraube aus einer Tasche, hoffentlich nicht noch eine vergessene Gewehrkugel, denkt Ora, die uns dann im dritten Akt plötzlich um die Ohren fliegt.

Eines Tages, vor etwa einem Jahr, hatte Ora die Sekretärin in der Praxis, in der sie arbeitete, gebeten, dem nächsten Patienten abzusagen, sie habe einen schweren Tag gehabt und die ganze Nacht kaum ein Auge zugetan – da hatten die Probleme zu Hause schon begonnen, murmelt sie, und Avram bemerkt die Anspannung in ihrer Stimme –, sie hatte gedacht, sie würde schnell in die Emek Refa'im Straße gehen, sich eine Kleinigkeit kaufen, einen Schal oder eine Sonnenbrille, um ihre Deprimiertheit zu verbergen. Sie ging die Jaffastraße entlang zu dem Parkplatz, auf dem sie jeden Tag ihr Auto abstellte, und auf der Straße herrschte, anders als sonst, eine merkwürdig Stille, die sie beunruhigte. Schon wollte sie umkehren, zurück in die Praxis gehen, aber sie lief trotzdem weiter und merkte, dass die Leute auf der Straße schnell gingen und einander kaum in die Augen schauten, und im nächsten Moment ging auch sie selbst so, mit gesenktem Kopf, und mied die Blicke der Entgegenkommenden, musterte sie nur kurz, schaute vor allem, ob sie etwas bei sich trugen, ein Paket oder eine große Tasche. Ob sie verdächtig nervös aussahen, und fast alle wirkten auf sie irgendwie verdächtig, und sie dachte, vielleicht wirke ich genauso, vielleicht muss ich irgendwie signalisieren, dass von mir keine Gefahr ausgeht, dass man bei meinem Anblick ruhig bleiben und sich ein paar ängstliche Herzschläge sparen kann, aber andererseits sollte man eine solche Information nicht so leichtsinnig weitergeben.

Sie streckte sich, zwang sich, aufrechter zu gehen und die Entgegenkommenden anzuschauen, und entdeckte dabei in jedem Gesicht einen schwer fassbaren Zug, der eine dort verborgene Möglichkeit andeutete: die Möglichkeit, Mörder oder Opfer zu sein; meist war es beides zugleich.

Wann hatte sie genug Zeit gehabt, diese Bewegungen und Blicke zu studieren? Das ewige nervöse Sich-Umschauen und diese Schritte, die vorsichtig den Weg prüfen und selbst entscheiden, wohin sie gehen. Sie entdeckte bei sich Symptome einer Krankheit, die sie soeben entwickelte. Sie hatte den Eindruck, dass sie und auch alle anderen um sie herum, sogar die Kinder, nach eigenen Trillerpfeifen hüpften, die allein ihre Körper hören konnten, während ihr Bewusstsein taub dafür war. Sie lief schneller, ihr Atem wurde kürzer. Sie dachte, wie entkommt man dem, wie kommt man hier raus, und als sie eine Bushaltestelle sah, setzte sie sich für einen Augenblick auf einen der Plastiksitze, seit Jahren hatte sie an keiner Bushaltestelle mehr gesessen, und schon das Sitzen auf diesem gelben glatten Schalensitz war das Eingeständnis einer Niederlage. Sie setzte sich aufrecht, fand langsam ihren Atem wieder. Gleich würde sie aufstehen und weitergehen. Sie erinnerte sich, wie Ilan mit Ofer in der ersten Zeit der Selbstmordanschläge – Adam war schon beim Militär – durch die Stadt gelaufen war, um eine sichere Route von seiner Schule im Stadtzentrum zur Bushaltestelle nach Ejn Karem zu suchen. Doch die eine Route führte zu nah an der Stelle vorbei, wo sich ein Terrorist im 18er-Bus mit zwanzig Fahrgästen in die Luft gejagt hatte, und als Ilan vorschlug, Ofer solle die Fußgängerzone Ben Jehuda hinaufgehen, erinnerte Ofer ihn an den dreifachen Anschlag dort, bei dem fünf Menschen getötet und hundertundsiebzig verletzt worden waren, und Ilan versuchte, eine etwas längere Route zu finden, die das Zentrum umgehen und an der Gegend des Marktes vorbeiführen sollte, doch Ofer sagte, genau hier habe ein doppelter Anschlag stattgefunden, fünfzehn Tote und siebzehn Verletzte, und sowieso führen alle Busse vom Stadtzentrum nach Ejn Karem am Busbahnhof vorbei, an dem es auch schon einen Anschlag gegeben hatte, wieder auf den 18er-Bus, mit fünfundzwanzig Toten und dreiundvierzig Verletzten.

Und so liefen sie von einer Straße zur nächsten, erzählt sie Avram –

und während sie erzählt, erschaudert sie bei dem Gedanken, dass Ofer vielleicht noch immer irgendwo seinen kleinen Block hat, in den er die Zahl der Ermordeten und der Verletzten einträgt. Die Straßen und Gassen, in denen bisher noch nichts passiert war, erschienen Ilan so einladend für Anschläge, dass er sich regelrecht wunderte, dass hier noch nichts passiert war. Schließlich gab er auf. Er blieb mitten auf einer Straße stehen und sagte, weißt du, Oferiko, geh einfach, so schnell du kannst. Renn am besten.

Den Blick, den Ofer ihm da zuwarf – hatte er Ora später erzählt –, den werde er nicht mehr vergessen.

Während sie noch darüber nachsann, hielt ein Bus an der Haltestelle, und als die Tür aufging, stand Ora gehorsam auf und stieg ein; erst da wurde ihr klar, dass sie gar nicht wusste, was eine Fahrt heutzutage kostete, und auch nicht, welche Linie hier fuhr. Zögernd streckte sie dem Fahrer einen Fünfzigschekelschein hin. Und er polterte los, ob sie es nicht kleiner habe, und sie kramte in ihrem Geldbeutel, fand aber nichts, und er zischte irgendeine Beschimpfung, gab ihr das Wechselgeld aus lauter Münzen und trieb sie zur Eile, schnell nach hinten durchzugehen. Da stand sie und betrachtete die Fahrgäste, die meisten waren älter und hatten müde, traurige Gesichter, einige kamen wohl vom Markt, hielten vollgepackte Taschen zwischen den Beinen. Auch einige Gymnasiasten in Einheitskleidung, sonderbar still, Ora schaute sich diese und jene verwundert und mit merkwürdigem Mitleid an, sie wollte sich schon umdrehen und aussteigen, sie hatte ja gar nicht mit dem Bus fahren wollen, sagt sie zu Avram, doch eine Frau, die nach ihr eingestiegen war, schob sie weiter in den Bus, und Ora tappte noch ein paar Schritte weiter, bis sie stehenblieb; da keine Sitzplätze frei waren, hielt sie sich an der oberen Stange fest und lehnte ihre Wange an den Oberarm, schaute auf die Stadt hinter dem Fenster und fragte sich, was mach ich hier überhaupt? Ich muss doch gar nicht hier sein. Der Bus fuhr an den eng aneinandergedrängten schmalen Läden der Jaffastraße vorbei, vorbei an der *Sbarro*-Pizzeria und danach am Zionsplatz, auf dem 1975 in einem Kühlschrank eine Bombe explodiert war; unter den vielen Toten damals war auch ein junger Mann gewesen, den sie bei ihrem Militärdienst kennengelernt hatte, Itsche, der Sohn des Malers Naftali Bezem, und Ora fragte sich, ob Bezem es wohl nach dem

Tod seines Sohnes irgendwann geschafft habe, wieder zu malen. An der Bushaltestelle vor dem YMCA wurden ein paar Plätze frei, sie setzte sich und sagte sich, an der nächsten Haltestelle steige ich aus, doch sie fuhr weiter, am Glockenpark vorbei, die Emek Refa'im Straße entlang, und als der Bus am Café Hillel vorbeifuhr, sagte sie halblaut, jetzt steigst du aus und trinkst da einen Kaffee, doch sie fuhr weiter.

Sie wunderte sich, wie still die Fahrgäste waren, die meisten sahen, genau wie sie, aus den Fenstern, als wagten sie es nicht, die anderen Mitfahrenden anzuschauen, und jedes Mal, wenn der Bus an einer Haltestelle hielt, richteten sich alle ein bisschen auf und musterten die Einsteigenden, und auch die beäugten die schon Sitzenden mit Argwohn. Diese Blickwechsel dauerten nur den Bruchteil eines Lidschlags, aber welch ein erstaunlich hochentwickelter Prozess der Kategorisierung, Katalogisierung und des Schlüsseziehens lief in dieser Schnelligkeit ab, und Ora strich sich mit den Händen über das Gesicht und die Stirn und dachte wieder, sie müsse sofort aussteigen und ein Taxi zurück zu ihrem Auto nehmen, doch sie fuhr weiter bis zum Einkaufszentrum in Malcha, zur Endstation dieser Linie, und der Fahrer schaute sie im Rückspiegel an, gute Frau, hier ist Endstation, und Ora fragte, ob es einen Bus zurück in die Stadt gebe. Der da, sagte der Fahrer, zeigte auf einen anderen 18er, aber da müssen Sie rennen, der fährt gleich, ich hupe, damit er auf Sie wartet.

Sie stieg in den völlig leeren Bus, und für einen Augenblick mischten sich vor ihren Augen Bilder von Splittern und blutüberströmten Fetzen, sie überlegte, welches der sicherste Platz sei, und wäre es ihr nicht peinlich gewesen, hätte sie den Fahrer gefragt. Sie versuchte, sich an die vielen Berichte über Anschläge auf Linienbusse zu erinnern, konnte aber nicht sagen, ob die meisten sich ereignet hatten, als der Terrorist in den Bus stieg, denn dann geschah die Explosion natürlich im vorderen Teil, oder ob er durch den Bus gegangen war und erst in der Mitte, umgeben von den meisten Menschen, *Allahu-Akbar* geschrien und den Sprengsatz gezündet hatte. Sie beschloss, sich auf die hinterste Bank zu setzen, und verdrängte den Gedanken, dass die Splitter und Metallkugeln auf dem Weg dorthin schon von irgendwem aufgehalten und gestoppt würden. Doch bald fühlte sie sich so weit hinten zu einsam und setzte sich eine Reihe nach vorn. Sie fragte sich, ob diese winzige Bewegung womöglich in ein paar Minuten ihr Schicksal entscheiden würde; im Rückspiegel begegnete sie dem prüfenden Blick des Fahrers und kam plötzlich auf die Idee, er könne noch denken, sie sei die Selbstmörderin.

Nach einer Stunde Fahrt, sagt sie zu Avram, war sie erschöpft, hatte Angst, ihre Wachsamkeit könnte nachlassen, und tatsächlich fielen ihr die Augen zu, und sie musste mit aller Macht gegen den Drang kämpfen, den Kopf ans Fenster zu lehnen und einzunicken. In den letzten Tagen war sie sich wie ein Mädchen vorgekommen, das viel zu schnell und nicht zu seinem Guten die Geheimnisse der Erwachsenen entdeckt: Eine Woche zuvor, erzählt sie ihm, hatte sie morgens im *Café Moment* gesessen, das zu dieser Zeit weder leer noch besonders voll war, da war eine dicke kleine Frau in einem schweren Mantel und mit einem in Decken gewickelten Baby auf dem Arm reingekommen. Sie war nicht mehr so jung, vielleicht fünfundvierzig, und wahrscheinlich weckte genau das den Verdacht, denn plötzlich erhob sich ein Geflüster, »das ist kein Baby«, und im Nu war der Ort wie ausgewechselt, die Leute sprangen auf, stießen im Rennen Stühle um, warfen Tassen und Teller zu Boden, stießen andere auf der Flucht nach draußen zur Seite, und die Frau in dem dicken Mantel schaute sich die ganze Aufregung an und schien gar nicht zu verstehen, dass sie das alles ausgelöst hatte. Danach setzte sie sich an einen der Tische und legte sich das Baby auf den Schoß. Ora war nicht in der Lage, sich vom Fleck zu rühren, und verfolgte wie hypnotisiert ihre Bewegungen. Die Frau schlug die Decke zurück, knöpfte ein violettes Mäntelchen auf und lächelte zu dem schlafenden runden Gesicht, das da herausschaute, und sagte *dadada dadada.*

Am nächsten Nachmittag, erzählt Ora weiter – sie laufen auf einem Weg zum Aussichtspunkt Resch Laqisch, laufen in den Fußspuren der Tannaiten und der Amoräer, der Tag ist heiß, die Luft glänzt, hier ist der Weg eben, führt zwischen Johannesbrotbäumen, Eichen und Kühen mit prallen Eutern hindurch –, am nächsten Nachmittag bat sie die Sekretärin in der Praxis noch einmal, dem nächsten Patienten abzusagen, ging zur Haltestelle des 18er und fuhr bis zur Endstation, und da sie danach einen freien Nachmittag hatte und nicht allein zu Hause sein wollte, fuhr sie wieder zurück bis zum Anfang der Linie, am Ende des Viertels Kirijat HaJovel, dort wechselte sie den Bus und fuhr zurück ins Stadtzentrum, stieg aus, ging etwas spazieren, betrachtete in den Schaufenstern die Spiegelungen der Straße hinter sich, die Passanten, und versuchte, sich langsam zu bewegen.

Am nächsten Morgen, noch vor ihrem ersten Patienten, schnappte sie sich am Busbahnhof den 18er, setzte sich diesmal in den vorderen Teil, und alle drei oder vier Stationen stieg sie aus, nahm den nächsten Bus, ab und zu überquerte sie auch die Straße, fuhr in die andere Richtung, und jedes Mal versuchte sie, sich auf einen anderen Platz zu setzen, als sei ihr Körper eine Figur in einem imaginären Schachspiel. Als sie merkte, dass sie bereits zwei Patienten verpasst hatte und zu ihrer dritten Behandlung auch schon zu spät kommen würde, erschrak sie und dachte an die beiden Leiter der Praxis, die sie wieder zu einem klärenden Gespräch zitieren würden, doch diesen Gedanken verschob sie auf später, wenn sie die Kraft dazu haben würde. In diesen Tagen war sie dermaßen müde, dass sie, wenn sie sich nur hinsetzte, den Kopf sinken ließ und manchmal für mehrere Minuten einschlief. Aus dem Halbschlaf hob sie ab und zu die Lider und betrachtete die Leute im Bus wie durch eine Scheibe. Stimmen drangen zu ihr, Unterhaltungen, die sich zwischen fremden Menschen entspannen, Telefongespräche der Mitfahrenden. Wenn an einer Haltestelle niemand einstieg, machte sich im Bus eine Erleichterung breit, und die Leute begannen miteinander zu reden. Ein schwerfälliger alter Mann, geschmückt mit allerlei Auszeichnungen der Roten Armee, der eine Zeitlang neben ihr saß, zog aus seiner Einkaufstüte einen großen braunen Umschlag mit einer Röntgenaufnahme seiner Niere und zeigte ihr mit dem Finger, wo der Tumor saß. Durch das ans Fenster gehaltene Röntgenbild sah Ora zwei äthiopische Grenzpolizistinnen, die die Papiere eines jungen Mannes überprüften – vielleicht ein Araber, vielleicht auch nicht. Er tippte die ganze Zeit mit einem Fuß auf den Bürgersteig.

Sie bleiben stehen, verschnaufen etwas, stemmen die Hände in die Hüften. Warum rennen wir plötzlich so? fragen sie einander mit Blicken, aber etwas sticht in den Fersen, krabbelt wie Ameisen in der Seele, und sie würdigen das schöne Netofa-Tal nur mit einem kurzen Blick und kehren schnell auf den Ziegenpfad zurück, in einen Wald von Pistazienbäumen, Eichen und Birken. Ora schweigt. Sie schaut auf den Weg, Avram wirft ihr vorsichtige Blicke zu, sein Gesicht verschließt sich und wird von Schritt zu Schritt schmaler. Schau mal, sagt sie und zeigt auf den Weg zu ihren Füßen: Feine Striche in alle Richtungen ergeben plötzlich eine dichte Hieroglyphenschrift, die zu einer Traube kleiner Schneckenhäuser um den Zweig eines Busches führt.

In der zweiten Woche kannten einige Busfahrer sie schon, doch da nichts an ihr Verdacht erregte, strichen sie sie gleich aus ihrem Bewusstsein, um sich aufs Wesentliche zu konzentrieren. Auch sie erkannte einige Fahrgäste, wusste, wo sie ein- und wieder aussteigen würden, ob sie sich eher am Handy oder mit den Leuten auf dem Nachbarsitz unterhielten, sie wusste auch schon etwas über ihre Krankheiten und ihre Familien und was sie über die Regierung dachten. Ein altes Paar fiel ihr auf: Der Mann war hochgewachsen und dünn, die Frau sehr klein, verhutzelt, fast durchsichtig. Wenn sie saß, reichten ihre Beine nicht auf den Boden und baumelten in der Luft. Die Frau hustete ununterbrochen hart und feucht, und der Mann nahm ihr regelmäßig das Taschentuch aus der Hand, prüfte besorgt dessen Inhalt und gab ihr ein neues. Wenn die beiden an der Haltestelle beim Markt einstiegen, wurde Ora für ein paar Augenblicke etwas wacher. Auch sie fuhren bis zur Endstation, nahmen dann zu ihrer Überraschung auch fast immer den Bus zurück und stiegen an der Stelle, wo sie vorher eingestiegen waren, auf der anderen Straßenseite wieder aus. Es gelang ihr nicht, die Bedeutung dieser Route zu verstehen.

Drei oder vier Wochen lang fuhr Ora täglich wenigstens einmal mit dem 18er und verbrachte mindestens eine Stunde busfahrend in der Stadt. Sie entdeckte, dass quälende Vorstellungen sie während der Fahrt in Ruhe ließen, dass sie kaum einen Gedanken zu Ende dachte und nur ihren Körper gewissermaßen von einer Haltestelle zur nächsten transportieren ließ. An das Rütteln hatte sie sich längst gewöhnt, an das Kreischen der Bremsen, an die Schlaglöcher und die frommen Radiostationen, die lauthals ihre Botschaft verkündeten. Sie sah auch, dass sie das, was sie über weite Strecken des Tages tat, vor Ilan geheimhalten konnte. Manchmal, wenn sie sich beim Abendessen gegenübersaßen, starrte sie ihn an, und ihre Augen schrien, warum spürst du nicht, wo ich gewesen bin und was ich mache. Warum lässt du mich einfach so ...

Genau zu dieser Zeit passierte die Sache mit Ofer, sagt sie kaum hörbar zu Avram, der die ganze Zeit geschwiegen hat. Wir hatten einen verrückten Monat, dauernd gab es Verhöre und Ermittlungen innerhalb des Regiments und in der Brigade, frag nicht. Sie seufzt und schluckt, jetzt ist der Moment gekommen, wo sie es ihm einfach erzählen muss, damit er es weiß, dann soll er selbst urteilen.

In jenen Tagen hatte Ora das Gefühl, dass jedes ihrer Worte und sogar jeder ihrer Blicke von Ofer, Ilan und Adam als Provokation und Vorwand für einen Streit genommen wurde, und bei diesen Busfahrten erholte sie sich ein bisschen von ihnen, aber auch von sich selbst und ihren zänkischen Fragen, die sich nur noch im Kreis drehten und sie, zugegeben, schon selbst verrückt machten. Wenn es ihr zufällig in den Sinn kam, wenn sie den Erkennungston vor den Nachrichten hörte oder an Ofer auch nur dachte, brachen diese Fragen wie ein saures Aufstoßen aus ihr heraus. Es war, als könne sie ohne das nicht mehr an ihn denken.

Aber was war denn da, fragt Avram, was ist denn da passiert?

Sie horcht in sich hinein. Als erwarte sie von dort letztlich auch die Antwort für sich selbst. Avram hält mit beiden Händen die Gurte des Rucksacks, hält sich daran fest.

Eines Tages war Ora aus der Praxis gekommen, hatte sich bei einem Mann und einer Frau, die im Wartezimmer saßen, für ihre Zerstreutheit entschuldigt und war für eine kurze Rundfahrt in den 18er gestiegen, und als sie gerade die Augen geschlossen hatte, hörte sie in einiger Entfernung eine starke Explosion. Danach kam ein Augenblick abgrundtiefer Stille. Die Gesichter der Menschen im Bus brachen langsam auseinander, wurden zu Teig. Scharfer Kotgeruch breitete sich aus, Ora war schweißgebadet. Die Leute begannen zu schreien, zu fluchen, zu weinen, zu betteln, der Fahrer möge anhalten und sie aussteigen lassen. Der Fahrer hielt den Bus mitten auf der Straße an und machte die Türen auf, die Fahrgäste strömten hinaus; sie schlugen und traten um sich, um schneller rauszukommen. Der Fahrer schaute in den Rückspiegel und fragte: Sie bleiben drin? Ora drehte sich um und sah, mit wem er sonst noch sprach, da saß ihr altes Paar, sie umarmten einander, der kleine, beinahe kahle Kopf der Frau drückte sich fest an den Mann, er beugte sich über sie, streichelte ihre Schulter, und auf ihren beiden Gesichtern lag ein Ausdruck, den man nur schwer mit Worten wiedergeben konnte, eine Mischung aus Erschütterung und Angst und gleichzeitig eine furchtbare Enttäuschung. Im Radio begann bereits die Routine der Unglücksberichterstattung – »zuerst möchte ich mein Beileid bekunden, den Verletzten rasche Genesung wünschen und meine Anteilnahme am Schmerz der Familien ausdrücken«, sagten Minister und Sicherheitsspezialisten einer nach dem anderen – es stellte sich heraus, dass die Explosion in einem Bus in der Gegenrichtung stattgefunden hatte, nahe dem *Davidka*-Denkmal, an einer Stelle, an der Oras Bus nur einige Sekunden vorher vorbeigefahren war. Die Rettungswagen rasten schon zu den Krankenhäusern.

Am nächsten Morgen, am Tag nach dem Anschlag, hatte man an allen Bushaltestellen Soldaten und Polizisten postiert; bei den wenigen Fahrgästen lagen die Nerven blank, sie waren gereizt und noch misstrauischer. Immer wieder Wutausbrüche, wenn jemand drängelte, jemanden anstieß oder ihm auf den Fuß trat, die Leute schrien geradezu in ihre Mobiltelefone, Ora hatte das Gefühl, sie benutzten sie als Atemwege. Als der Bus an der Stelle des Anschlags vorbeifuhr, herrschte völlige Stille. Durchs Fenster sah sie einen Jeschiwastudenten aus dem Trupp für die Identifizierung von Terroropfern in der Krone eines verstaubten Baumes stehen, er klaubte mit Pinzette und einem Taschentuch etwas von den Zweigen und tat es in ein Plastiktütchen. In Bejt HaKerem stieg eine Gruppe Kindergartenkinder in den Bus, einige hielten bunte Ballons, sie plapperten fröhlich, rannten hin und her, und die anderen Leute starrten wie hypnotisiert auf ihre Ballons. Als es schließlich passierte und einer der Ballons platzte, obwohl alle sahen, dass es sich nur um einen Luftballon handelte, stieß der gesamte Bus einen Entsetzensschrei aus, einige Kinder fingen an zu weinen, und die erschöpften Fahrgäste mieden beschämt die Blicke der anderen.

Ab und zu dachte Ora bei diesen Rundfahrten, dass sie, wenn sie im Bus zufällig jemanden treffe, den sie kannte, nicht in der Lage wäre zu sagen, was sie hier tue und wohin sie fahre. Manchmal dachte sie, was ist das für ein Unsinn, überleg doch nur, was Ilan, Ofer und Adam

durchmachen würden, wenn dir hier etwas passiert. Ofer würde, Gott
behüte, denken, das sei dir seinetwegen passiert oder dass du seinetwegen wolltest, dass dir das passiert. Aber dennoch kam drei, vier Wochen lang jeden Tag irgendwann der Augenblick, in dem sie das Haus
oder die Praxis verlassen musste und mit gesenktem Kopf konfus und
ergeben bis zur nächsten Haltestelle ging, sich in einer gewissen Entfernung zu den bereits Wartenden hinstellte, die auch alle versuchten,
auf Abstand zu den anderen zu gehen, und wenn der Bus kam, stieg sie
ein, heftete die Augen auf den einen leeren Platz, der auf sie gewartet
hatte, suchte und fand meist auch das greise Paar, das sie anscheinend
schon erwartete und ihr zunickte, als seien sie traurige Verbündete.
Und sie setzte sich, lehnte den Kopf ans Fenster und nickte ein, und
vielleicht nickte sie auch nicht ein, fuhr einige Haltestellen weit oder
eine ganze Runde, sie wusste nie im Voraus, wie viel Zeit sie im Bus
verbringen musste, und war nicht in der Lage auszusteigen, bevor dieser Moment kam, in dem sie – ohne erkennbaren Grund – eine Erleichterung verspürte, als löse sich etwas in ihr, so als lasse die Wirkung
eines Stoffes nach, den man ihr gespritzt hatte, und erst dann konnte
sie aufstehen und aussteigen und sich wieder ihren täglichen Verpflichtungen widmen.

Und noch etwas hatte sich verändert: Je länger sie das tat, umso besser konnte sie sich den alten Araber vorstellen, als er, nackt wie am Tag
seiner Geburt, getanzt und gelacht hatte und vor den Soldaten rumge-
hüpft war, die ihn schließlich aus dem Kühlraum in diesem Keller in
Hebron befreiten. Dieses Haus gehörte einem reichen Fleischer, erklärt sie Avram, der noch immer nichts versteht, doch sein Atem geht
schon schneller und seine Blicke laufen hin und her. Die Soldaten,
erinnert sie sich – wie verlegen sie von seinem nackten Tanz erzählt
hatten, als wäre der das Schlimmste und Unerträglichste bei diesem
ganzen Zwischenfall gewesen: Er hat den totalen Idioten gemimt,
hatte ihr ein Soldat erzählt, der vor einem der Verhöre bei ihnen über-
nachtet hatte. Dvir hieß er, ein Kibbuznik aus Kfar Szold, zwei Meter
groß, leicht stotternd, war unbeholfen und kindlich. Ora hatte ihn und
Ofer zum Stab der Brigade gefahren.

Moment mal, Ora, sagt Avram und sein Gesicht wird bleich, jetzt
komm ich nicht mehr mit. Wer ist dieser Alte?

Die Armee hat diesen Zwischenfall ziemlich ernst genommen, sagt sie nach einigen Augenblicken des Schweigens, nachdem sie sich, plötzlich erschöpft an den Rand eines großen Wasserbassins gesetzt haben, auf dem gelbe Seerosen blühen. Die Hündin springt immer wieder ins Wasser, schüttelt sich, fordert sie mit Blicken auf, es ihr gleichzutun, doch die beiden sehen sie nicht, sie sitzen in sich versunken nebeneinander.

Obwohl Ofer sie mehrmals angefleht hatte, nicht mehr, und schon gar nicht in der Öffentlichkeit, davon zu reden, hatte Ora auch Dvir fragen müssen: Wie konntet ihr ihn dort bloß vergessen? Und Dvir hatte mit den Schultern gezuckt und gesagt, ich weiß auch nicht, vielleicht dachte jeder, dass ein anderer ihn schon rausgelassen hat, und Ofer zog wütend die Nase hoch, und Ora zwang sich, jetzt den Mund zu halten, die ganze Sache nicht noch einmal auszupacken, was auch komme, und sie fuhr weiter, die Stirn in Falten gelegt und die Schultern fast bis zu den Ohren hochgezogen. Aber wie konntet ihr einen Menschen vergessen! rutschte es ihr ein paar Minuten später doch wieder heraus. Erklär mir bloß, wie man zwei Tage lang einen Menschen in einem Kühlraum vergessen kann!

Avram stößt vor Schmerz und Überraschung ein unkontrolliertes Stöhnen aus. Das Geräusch eines Körpers, der, aus großer Höhe geworfen, auf der Erde aufschlägt.

Dvir schaute Ofer hilfesuchend an, doch der schwieg; nur seine Augen wurden immer dunkler, das sah Ora im Rückspiegel, konnte aber nicht mehr zurück. Dvir sagte, was soll ich Ihnen sagen, Mutter von Ofer, klar war das nicht in Ordnung, dafür kriegen wir's jetzt auch alle ab, aber Sie müssen bedenken, jeder hatte da seine Aufgaben, und dieser verrückte Rhythmus von acht Stunden Wachdienst, acht Stunden Schlafen, acht Stunden Wachdienst, wo einem das Hirn vertrocknet, und dass sie uns plötzlich zu einer Sache gerufen haben, für die wir überhaupt nicht ausgebildet sind, und dass wir bei uns in der Wohnung dort mehrere Familien in einem Zimmer festhalten mussten, mit einem Klo, mit Kindern und Alten und ihrem ganzen Geheul und Geschrei und ihren Beschwerden, schon allein davon wirst du verrückt im Kopf, und in derselben Zeit musst du noch die Straße und das Schussfeld beobachten und diesen Primadonnen von Scharfschützen

Feuerschutz geben und aufpassen, dass die von der Hamas uns nicht inzwischen unten die Türen verminen, so ist das dann allen irgendwie durch die Lappen gegangen und keiner hat's gemerkt, und Ora biss sich auf die Lippen und sagte mit der ganzen Beherrschung, derer sie fähig war, trotzdem, Dvir, ich versteh nicht, wie eure Leute – da schrie Ofer: Mama! Sein Schrei war wie ein Messerschnitt; den Rest des Weges schwiegen sie, und als sie zum Stab kamen, verbot ihr Ofer, auf ihn zu warten, um die Ergebnisse der Vernehmung zu hören, wie es ausgemacht gewesen war. Du fährst jetzt nach Hause, befahl er ihr, und Ora schaute ihn flehend an, ihr kräftiges Kind mit dem kahlen Schädel und dem klaren Blick; ihr kamen die Tränen, und wieder wäre die Frage fast aus ihr herausgeplatzt. Ofer sagte mit eiskalter Ruhe, Mama, hör mir gut zu, ich sag das jetzt zum letzten Mal: Hör auf! Lass es! Seine Augen waren graues Metall, seine Lippen ein Eisendraht, sein rasierter Schädel eine Kugel aus kaltem Feuer, Ora zuckte zurück, vor seiner Stärke, vor seiner Härte, noch mehr vor seiner Fremdheit, und er wandte sich um und ging, ließ sich noch nichtmal einen Kuss geben. So fuhr sie alleine zurück, wahnsinnig vor Schmerz, sie sah kaum die Straße, und zu allem Überfluss begann es auch noch zu regnen, ein staubiger Regen, ausgerechnet jetzt, wo ein Scheibenwischer ihres Fiat Punto nicht funktionierte, und dann rief auch noch Ilan an, und sie war nicht in der Lage, mehr als zwei Sätze mit ihm zu reden, ohne diese Frage hinauszuschreien, und natürlich riss auch ihm die Geduld, es war sowieso ein Wunder, dass er es so lange ausgehalten hatte, und er sagte ihr unumwunden, er habe allmählich genug von ihrer Scheinheiligkeit und Heuchelei, sie müsse endlich kapieren, dass Ofer seine Mutter jetzt brauche, dass er jetzt ihrer vollen Unterstützung bedürfe, und Ora brüllte, Unterstützung wofür, Unterstützung wobei, und im Grunde wollte sie schreien, Unterstützung für wen?, denn sie war sich wirklich nicht mehr sicher, und Ilans Stimme wurde für einen Moment etwas weicher, als er sagte, Unterstützung für deinen Sohn, hör zu, du bist doch seine Mutter, ja? du bist die einzige Mutter, die er hat, er braucht dich jetzt ohne Wenn und Aber, verstehst du? Du bist seine Mutter und nicht eine von diesen *Women against the occupation* an den Checkpoints, ja? Ora konnte es nicht fassen und schwieg, wieso kam er plötzlich damit? Was hatte sie mit diesen Frauen zu schaffen, sie gehörte nicht zu denen, hatte auch keinerlei Sympathie für sie, deren provokatives Auftreten sie nervte, deren ganzer Ansatz dermaßen unfair war, einfach anzukommen und die Soldaten bei der Arbeit zu stören, denn was können die Soldaten dafür, dass man sie für drei Jahre zu so einem Checkpoint beordert? Stattdessen sollten sie lieber vor dem Hauptquartier der Armee in Tel Aviv demonstrieren oder ihre Parolen vor der Knesset schreien, immer kam sie sich ihnen gegenüber unterlegen vor, angesichts dieser übertriebenen angelsächsischen Selbstsicherheit, die sie an den Tag legten, ohne jeglichen Respekt, wenn sie an den Checkpoints den Offizieren gegenüberstanden oder im Fernsehen den höchsten Befehlshabern der Armee. Wenn sie diesen Respekt schon nicht empfinden, dachte sie, sollten sie wenigstens ein klein bisschen Dankbarkeit zeigen gegenüber denen, die die Drecksarbeit machen und für uns die ganze Scheiße der Besatzung auslöffeln, um dennoch unsere Sicherheit zu garantieren. Während sie noch verstört in sich selbst hin und her irrte, redete Ilan weiter sanft auf sie ein, es war eine dumme Panne, ja, das ist wirklich ganz furchtbar, das seh ich genau wie du, aber Ofer ist nicht schuld daran, krieg das doch endlich in deinen Kopf rein, in dem Gebäude saßen zwanzig Soldaten, und drum herum noch zwanzig weitere, du kannst nicht einfach ihm die ganze Sache anhängen, er war dort nicht der Kompaniechef, er ist noch nicht mal Offizier, warum, glaubst du, muss er heiliger als alle anderen sein? Du hast ja recht, murmelte Ora, du hast hundertmal recht, aber wieder riss sich diese Frage aus ihr los, das ging schon ein paar Wochen so, sie hatte keine Kontrolle darüber, als produziere ihr Körper selbst diese giftige Mischung, die ihr in regelmäßigen Abständen aufstieß. Ilan hatte sich noch in der Gewalt, erstaunlich, wie alle um sie herum Ruhe bewahrten, während sie immer mehr auseinanderbrach – manchmal hegte sie sogar den Verdacht, dass die drei sich gerade deshalb in der Gewalt hatten, weil sie, Ora, die Gewalt über sich verlor, und dass sie auf irgendeine merkwürdige Art, aufgrund einer verborgenen, höchst komplizierten familiären Konstellation, diesen peinlichen und beschämenden Kontrollverlust an ihrer Statt und vielleicht sogar um ihretwillen erlebte – und Ilan erklärte ihr zum soundsovielten Mal, dass Ofer schon am Donnerstagmorgen, etwa um halb fünf, neun Stunden nachdem der Alte in diesen Raum gebracht worden war (»*gebracht worden*«, sagte er, sie hatte den Eindruck, dass alle drei plötzlich in anonymem Passiv darüber redeten, er war gebracht, dortgelassen, vergessen worden), dass Ofer seinen Kompaniechef ja gefragt hatte, was aus dem Alten im Keller geworden sei, und man ihm gesagt hatte, dass Chen, der Bataillonskommandeur, bestimmt schon jemanden runtergeschickt hatte, um ihn rauszuholen, und er habe ja um sechs Uhr abends noch einmal Tom, den Einsatzleiter, gefragt und über Funk die Antwort bekommen, es sei völlig undenkbar, dass ihn bis jetzt noch keiner da rausgeholt habe. Und danach hat er nicht mehr gefragt, dachte Ora bei sich, und auch Ilan schwieg. Ofer selbst hatte gesagt, er habe es irgendwie vergessen, andere Sachen im Kopf gehabt, und Ora dachte, dass es vermutlich auch einen Moment gibt, in dem man die Frage nicht mehr stellen kann, weil man sich vor der Antwort fürchtet, und Avram hört ihr zu, versinkt immer tiefer zwischen seinen Schultern, seine Augen sind nicht mehr zu sehen.

Ilan holte tief Luft und sagte, was willst du, Ora. Bisher hat das Militär bei allen Untersuchungen sogar Chen und Tom für sauber erklärt, weil drum herum so ein Chaos war, und Ora sagte, gar nichts will ich, ich hoffe wirklich, dass sie da alle sauber rauskommen, aber trotzdem, erklär mir, wie Ofer zwei Tage lang nicht auf den Gedanken kam, selbst runterzugehen und nachzusehen ...

Wie oft hatte sie im letzten Monat diese Diskussion geführt, immer wieder hatte sie, mit stetig wachsender Verzweiflung, ihren Text aufgesagt, und nun schrie Ilan, jetzt reicht's aber wirklich, hörst du dich überhaupt noch? Was ist denn mit dir los? Du bist ja richtig übergeschnappt! Er hatte den Hörer auf die Gabel geknallt und nach ein paar Minuten wieder angerufen und sich entschuldigt, nie hatten sie Telefongespräche abgebrochen, nie war er so auf sie losgegangen, aber du nervst jetzt wirklich damit, sagte er dann müde, und sie hörte in seiner Stimme den Wunsch, sich wieder zu versöhnen, und wusste, dass er recht hatte, sie mussten zusammenhalten, um das, was auf sie zukam, gemeinsam durchzustehen. Wenn man diesen Vorfall jetzt nicht mit kühlem Kopf in die richtigen Bahnen lenkte, würde Ofer noch vor dem Militärgericht landen, falls es nicht bei einer internen Untersuchung des Regiments und der Brigade bliebe; von dort sei es nur noch ein kleiner Sprung bis zur Presse, hatte Ilan ihr mehrmals in Erinnerung gerufen, und diese Geier stürzen sich doch auf jede Gelegenheit, alles schlechtzumachen, wenn sie erst einmal Blut riechen. Ora sagte sich zum soundsovielten Mal im Stillen Ilans Argumente vor, man müsse doch bedenken, dabei sei ja keiner umgekommen oder verletzt worden, in diesem Kühlraum, und es ist auch keiner verhungert, denn da hingen Rinder, Schafe und Ziegen an den Haken, und dem alten Palästinenser war es irgendwann gelungen, den Knebel, den man ihm verpasst hatte, damit er nicht schrie, abzunehmen, und dank der vielen Stromausfälle, die das Militär in der Gegend initiierte, war er auch nicht erfroren, manchmal war ihm sogar ziemlich heiß geworden, das heißt, manchmal haben sie ihn tiefgefroren und dann wieder aufgetaut, so hatten es Ofers Kameraden aus der Einheit erzählt. Nackt, stinkend und mit Tierblut verschmiert, habe er sich auf dem Boden gewälzt, als sie schließlich die Tür des Kühlraums öffneten – Ofer war um diese Zeit überhaupt längst zu Hause gewesen, sie hatten ihn an diesem Freitag doch um sechs plötzlich heimfahren lassen, murmelt sie zu Avram, verstehst du? Er war noch nichmal dabei –, und nachdem sie den Alten da rausgeholt hatten, hat er auf dem Gehweg gelegen und geschlottert und rumgezappelt, als vollführe er zu Füßen der Soldaten einen merkwürdigen Tanz; er hat seinen Kopf auf den Gehweg geschlagen und röchelnd und lachend mit dem Finger abwechselnd auf sich selbst und auf die Soldaten gezeigt, als hätte er in den zwei Tagen, in denen er da eingesperrt gewesen war, einen einzigen grandiosen Witz gehört, gleich würde er sich einkriegen und ihn dann auch zum Besten geben. Sie befahlen ihm aufzustehen, doch er weigerte sich, vielleicht konnte er sich auch nicht mehr auf den Beinen halten, er zappelte und wand sich zu ihren Füßen auf dem Gehweg, schlug den Kopf auf den Boden und stieß sein verrücktes krächzendes Lachen aus, und Ora riss sich zusammen, als sie das hörte, und sagte weder zu Ofers Freunden noch zu Ilan und Adam und vor allem nicht zu Ofer, was ihr damals auf der Zunge gelegen hatte: dass man heutzutage als Palästinenser wahnsinnig werden muss, damit man von den Checkpoints und den ganzen Erniedrigungen nichts mitkriegt. Doch auch dieser Gedanke war ihr fremd, auch den hatte ihr Hirn gegen ihren Willen produziert, und für einen Moment überlegte sie, was wäre, wenn ihr jetzt immer häufiger solche Sachen rausrutschen würden, solche Anfälle von linkem Gerede, wie ein Tourette-Syndrom – schleunigst rief sie sich zur Ordnung: Sollte sie Ilan nicht dankbar sein, dass er sich für Ofer so einsetzte, er hatte den Fall in allen Einzelheiten studiert und zusammen mit Ofer diese beiden Tage minutiös rekonstruiert, hatte Ofer hervorragend auf alle Befragungen und Verhöre vorbereitet, hatte außerdem mit zwei, drei Leuten, die er beim Militär und außerhalb kannte, telefoniert und vorsichtig an ein paar Fäden gezogen, damit die Sache schnellstmöglich über die Bühne ging – mit einer zwar ernsthaften und umfassenden Konsequenz, aber doch im Rahmen einer internen Untersuchung. Ora schwor sich, ab jetzt ihr großes Maul zu halten, noch war nicht alles verloren, und jetzt, nachdem sie ihre Meinung verkündet hatte, hätte sie eigentlich an ihren natürlichen Platz in der Familie zurückkehren und endlich wieder die große Bärenmutter sein können, die ihr Junges verteidigt. Ihr war völlig klar, sie durfte diesen Streit keinen Tag länger anheizen. Plötzlich tauchten überall Risse auf, wurden tiefer und breiter, auch in den innersten Geweben, und als sie in diesen Tagen Ilan anschaute, wusste sie, dass er genauso entsetzt war und nicht weniger gelähmt als sie angesichts dessen, was ihnen da widerfuhr.

Sie erzählt, und Avram hört ihr zu, er hat die Arme fest um sich geschlungen und meint, mitten in dem hellen Nachal Zippori hole der Frost ihn ein: die Kälte eines dunklen Strafbunkers, eine Stirn, die auf den Stein knallt. Ora erzählt mit blutleeren Lippen weiter, wie Ilan und sie mitten in der Nacht aufwachten, wie sie schweigend nebeneinanderlagen und spürten, dass die Familie um sie herum zerfiel, und zwar in einem unglaublichen Tempo und mit einer zerstörerischen Kraft, die anscheinend all die Jahre gewartet hatte, um sich nun mit unbegreiflichem Eifer, ja, einer Art Rachsucht auf sie zu stürzen, und Avram verzerrt das Gesicht vor Schmerz, wiegt den Kopf hin und her, nein, nein, nein.

Diesen Zerfall hätte sie mit ein bisschen mehr Selbstbeherrschung und Geduld wohl aufhalten können, dachte sie, als sie durch den Regen fuhr und Ilans sanfte und versöhnliche Stimme hörte, alles hing jetzt von ihr ab, von guten Worten ihrerseits, davon, dass sie das Gift abwehrte, das in ihr immer wieder hochkochen und auch sie umbringen wollte, doch plötzlich schlug sie mit beiden Händen aufs Steuer und schrie aus tiefster Seele ins Telefon, wie hat er das bloß vergessen können, sag mir das. Einen Menschen in einem Kühlraum! und sie schlug im Rhythmus ihrer Sätze mit beiden Händen aufs Lenkrad, und Avram zuckte zusammen, als schlage sie auf ihn ein – eine Nacht, einen Tag und noch eine ganze Nacht und noch einen ganzen Tag hat er sich nicht an ihn erinnert? Wo er sich doch sonst alles merkt, was getan werden muss? Jeden tropfenden Wasserhahn, jede Türklinke, er ist der gewissenhafteste Junge auf der ganzen Welt, und dann vergisst er einen Menschen, für eine Nacht und einen Tag und eine Nacht …

Aber was willst du ausgerechnet von ihm? seufzte Ilan verzweifelt, und sie hatte den Eindruck, als sei gerade dieser Schrei, der ihr da entfahren war, durch seine Panzerung gedrungen, und Ilan murmelte vor sich hin, hat denn er das alles initiiert? hat denn er gewollt, dass das passiert? war es seine Idee, den Alten da einzuschließen? Erst jetzt bemerkte Ora zwei Streifenwagen mit Blaulicht hinter ihr und links von ihr, die ihr mit den Scheinwerfern signalisierten, rechts ranzufahren, und in ihrer plötzlichen Angst gab sie Gas, wer weiß, wogegen sie jetzt schon wieder verstoßen hatte, erst vor zwei Monaten hatte sie den Führerschein zurückbekommen, nachdem sie ein halbes Jahr lang nicht hatte fahren dürfen. Ich erinnere dich noch einmal daran, dass das ein riesiger Einsatz war, sagte Ilan, sie haben nach Terroristen gefahndet, es gab Schießereien, Ofer hatte achtundvierzig Stunden nicht geschlafen, es war der reine Zufall, dass gerade er und seine Kumpel zu einer Aufgabe beordert wurden, für die sie weder bestimmt noch trainiert waren. Worüber streiten wir hier überhaupt?

Aber er war in diesem Gebäude, bloß drei Stockwerke weiter oben, hat da gegessen und getrunken und ist die drei Stockwerke hoch und runter gegangen, sagte Ora, fuhr auf den schlammigen Randstreifen, weiter mit Vollgas, hoffte, die Streifenwagen irgendwie abzuhängen, und erst als sie sah, dass sie keine Chance hatte und umzingelt war, hielt sie an, mit Chen und Tom hat er in diesen zwei Tagen mindestens zwanzigmal über Funk gesprochen, er hat zwanzig Möglichkeiten gehabt, zu fragen, ob sie den Alten rausgeholt haben, und was hat er getan? Ilan schwieg. Sag mir, Ilan, was hat unser Sohn getan? hauchte Ora, nun schon stimmlos. Sie hörte, wie Ilan sich Mühe gab, nicht wieder loszupoltern. Drei Polizisten stiegen aus den Streifenwagen und kamen an ihren Wagen. Einer sprach in sein Funkgerät. Ilan sagte, du weißt, er hat vorgehabt, selbst runterzugehen und nachzuschauen. Vorgehabt, ja, ein ihr unbekannter, ekelhafter Spott mischte sich in ihr Lachen, zwei Tage lang hat er es immer wieder vorgehabt, und als er es am meisten vorhatte, da haben sie ihm gesagt, nach Jerusalem sei noch ein Platz frei, nicht wahr? Und dann sind wir mit ihnen essen gegangen, nicht wahr? Und er hat es vergessen, nicht wahr? Sie packte ihren Kopf mit beiden Händen, als würde ihr in diesem Moment überhaupt erst die Tragweite klar: Und an diesem Abend im Restaurant, fast drei Stunden lang, hat er sich nicht erinnert! Ach, Tschuldigung, das muss ich irgendwie verpennt haben! Macht dich das nicht wahnsinnig? brüllte Ora, ihre Halsschlagadern blähten sich auf, sag mir, Ilan, muss man da nicht in die Luft gehen? Jetzt wirst du verrückt, stellte Ilan fest und verbarrikadierte sich hinter einem nüchternen Tonfall, als studiere er sie mit gelassenem Staunen, wie er es bei ihren Streitigkeiten zu tun pflegte, damit sie sich allein in all der Bitterkeit und dem Dreck, die aus ihr hervorbrachen, suhlen sollte. Pass nur bitte auf, wie du in diesem Zustand Auto fährst, fuhr er im beratenden Ton eines Rechtsanwalts fort. Ora verriegelte die Türen ihres Punto von innen, ignorierte das Klopfen der Polizisten und ihre Gesichter, die sich an der Schreibe plattdrückten, einer von ihnen fuhr mit mahnendem Zeigefinger über die halbe Frontscheibe, die vom schlammigen Regen verschmiert und beinah undurchsichtig war; sie legte den Kopf aufs Steuer und murmelte, aber das ist Ofer, kapierst du das nicht, Ilan? Das ist *uns* passiert, das ist *unser* Ofer, wie kann es sein, dass Ofer so dermaßen …

Um halb sechs in der Früh, am Fuße des Carmel, lösen Ora und Avram sich voneinander: Er faltet die Zelte und Schlafsäcke zusammen, packt die Rucksäcke, und sie macht sich fertig, um in den nächsten Minimarkt einkaufen zu gehen.

Wir haben uns schon lange nicht mehr getrennt, sagt sie, kehrt um und umarmt ihn.

Soll ich mitkommen?

Nein, bleib du bei den Rucksäcken. Ich brauch nicht lang.

Ich werde warten.

Und ich werde zurückkommen, fügt sie hinzu, als sei sie sich dessen nicht so sicher.

Keine Ahnung, wovor ich plötzlich Angst habe, murmelt sie in seiner Umarmung.

Vielleicht davor, dass die Zivilisation dich behalten wird, wenn du zu ihr zurückkehrst?

Sie ist unruhig. Ein unerklärliches hartnäckiges Gerinsel zieht durch ihren Körper, wie unverdaute Traumreste. Sie streckt die Arme aus, schiebt Avram ein bisschen von sich weg und betrachtet ihn, als wolle sie ihn sich einprägen: Jetzt seh ich, dass ich beim Haareschneiden geschludert habe, diesen Zipfel da, den mach ich dir heut noch weg.

Er betastet die störrische Strähne.

Vielleicht darf ich dich dann auch rasieren?

Willst du das?

Ich weiß nicht, es nervt mich, dich so mit Bart zu sehen.

In Ordnung.

Vielleicht nur die Spitzen, mal sehn. Wir bringen dich ein bisschen in Form.

Bin ich nicht mehr genug in Form?

Sie schauen sich an. In den Augen der Funke eines Lächelns.

Bring auch Salz und Pfeffer mit, und das Öl ist fast alle.

Batterien für die Taschenlampe brauchen wir auch, oder?

Und Schokolade. Ich hab Lust auf was Süßes.

Noch was, mein Lieber?

Beide spüren diese Zartheit. Avram zuckt mit den Schultern. Ich hab mich an dich gewöhnt.

Pass auf, du könntest abhängig werden.

Wohin wird uns das führen, Ora?

Sie legt ihren Finger auf seine Lippen: Erst gehn wir den Weg zu Ende, und dann sehn wir, ja, was für uns gut ist. Sie küsst ihn einmal aufs linke, einmal aufs rechte Auge und wendet sich zum Gehen. Die Hündin schaut von einem zum andern, zögert, ob sie sich Ora anschließen oder bei Avram bleiben soll.

Einen Moment noch, Ora, warte.

Sie bleibt stehen.

Es geht mir gut mit dir, sagt er schnell und senkt den Blick auf die Hände, ich will, dass du das weißt.

Dann sag es. Sprich es aus. Ich brauche das.

Dass ich mit dir zusammen sein darf, und mit Ofer und mit euch allen. Sein Blick wird warm. Du weißt gar nicht, was du mir da gibst, Ora.

Ich gebe dir nur zurück, was dir ohnehin gehört.

Wieder drücken sie sich aneinander, und plötzlich muss sie daran denken, wie in den Jahren, in denen Avram bereit war, sich mit ihr zu treffen, Ofer immer schon vorher gespürt hatte, wenn sie nach Tel Aviv fahren wollte, wie er unruhig und traurig wurde und manchmal sogar plötzlich hohes Fieber bekam, als wolle er ihr Treffen unbedingt verhindern. Und wenn sie zurückkam, wich er stundenlang nicht von ihrer Seite, beschnupperte sie wie ein Tier, wusste genau, was sie gemacht hatte, und prüfte auch immer geschickt, ob Ilan wusste, wo sie gewesen war.

Er zieht sie fest an sich, hält ihren Hintern mit beiden Händen und murmelt, keine Frau habe einen so schönen *gluteus maximus* und *gluteus medius* wie sie. Pass gut auf dich auf in dem Laden, murmelt er in ihr Haar, und beide hören, was er nicht ausspricht: Red nicht zu viel mit den Leuten. Wenn ein Radio läuft, bitte sie darum, es auszuschalten. Und ja keinen Blick auf eine Zeitung. Vor allem vor den Überschriften nimm dich in Acht.

Sie geht los, bleibt ab und zu stehen, dreht sich um, winkt ihm mit ausladenden Bewegungen wie eine Filmschauspielerin und wirft ihm Küsse zu. Die Hände in die Hüften gestemmt, lächelt er, die weiße Pumphose flattert um seine Beine, die Hündin sitzt aufrecht neben ihm. Gut sieht er aus, denkt Ora, die neue Frisur und Ofers Klamotten tun ihm gut; wie er so dasteht, strahlt er Frische und Offenheit aus. Und sein Lächeln! Er kehrt ins Leben zurück, sagt sie vor sich hin, dieses Wandern bringt ihn zurück ins Leben. Was bedeutet das für mich? Welchen Platz werde ich in seinem Leben haben, wenn die Wanderung zu Ende ist? Werde ich überhaupt einen haben?

Moment, sorgt sie sich plötzlich, warum ist die Hündin nicht mitgekommen?

Noch bevor sie den Gedanken zu Ende gedacht hat, beugt Avram sich schon zu der Hündin, gibt ihr einen Klaps, damit sie zu ihr hinläuft.

Eine Stunde später packt sie schweigend die Lebensmittel aus den Plastiktüten des Minimarktes in Kfar Chassidim – »glatt koscher unter rabbinischer Aufsicht der bedeutendsten Autoritäten« – und verteilt Kekse, Cracker, Konservendosen und Tütensuppen auf die Rucksäcke. Ihre Bewegungen sind schnell und kantig.

Ist was passiert, Orale?

Nein, was soll passiert sein.

Du bist so …

Ich bin ganz okay.

Avram leckt sich die Oberlippe, na gut, in Ordnung.

Und einen Augenblick später: Sag mal, Orale …

Was gibt's?

Hast du Radio gehört? Eine Zeitung gesehen?

Ein Radio gibt's da nicht, und die Zeitung hab ich mir nicht angeschaut. Komm, lass uns weitergehen. Ich hab genug von dem Ort hier.

Sie schultern die Rucksäcke, laufen am Spielplatz des Kibbuz Jagur vorbei, wählen erst den rot markierten Weg, wechseln dann auf den blau markierten ins Nachal Nachasch und beginnen, den Berg zu erklimmen. Der Tag schmiegt sich noch in Morgennebel und ist zu träge, um aufzuklaren. Binnen weniger Minuten geht es steil nach oben, sie beide und auch die Hündin zwischen ihnen atmen angestrengt.

Warte doch mal kurz, ruft er ihr nach, haben die dir was erzählt?

Keiner hat mir irgendwas erzählt.

Sie rennt geradezu gegen den Abhang an. Steine spritzen unter ihren Absätzen weg. Avram gibt sich geschlagen, bleibt stehen, wischt sich den Schweiß ab. Im selben Moment, ohne ihn anzuschauen, hält auch Ora an, bleibt wie ein schiefes Fragezeichen auf einer Felsstufe über ihm stehen. Hinter den Eichen und den milchigen Morgennebeln sieht man das Tal Sebulun und die erwachende Jagur-Kreuzung. Aus den beiden Schornsteinen in der Bucht von Haifa kringelt sich weißer Rauch und vermischt sich mit Nebelschwaden. Avram möchte ihr etwas Gutes tun und die plötzlich in ihr aufsteigende Wut lindern; wenn er nur wüsste, was. Auf den Straßen, die auf die Kreuzung zuströmen, schießen die Autos vorbei. In der Ferne schlängelt sich das rhythmisch aufblitzende Metall einer Eisenbahn. Aber hier auf dem Berg ist es still, nur selten hört man die Hupe eines Lasters oder die hartnäckig jaulende Sirene eines Krankenwagens.

So lebe ich, sagt er schließlich leise, vielleicht ganz ehrlich, oder er unternimmt einen kleinen Bestechungsversuch.

Wie – so? ihre Stimme knarzt, kratzt.

So: Ich schaue zu.

Dann ist es jetzt vielleicht an der Zeit, dass du mitmachst, zischt sie und setzt den Aufstieg fort.

Was? Warte …

Hör zu, Ofer ist okay, sagt sie scharf, und Avram wird unruhig, rennt hinter ihr her: Wirklich? Woher weißt du das?

Ich hab von dem Minimarkt aus zu Hause angerufen und meine Nachrichten abgehört.

Kann man das?

Ja klar, sagt sie und murmelt vor sich hin, man kann noch viel mehr.

Und, hat er Nachrichten hinterlassen?

Zwölf Stück.

Wieder drängt es sie weiter. Feine morgendliche Spinnweben legen sich auf ihr Gesicht, und sie wischt sie ärgerlich weg. Durch ihre Bewegungen hindurch ahnt man die Züge eines zornigen pubertierenden Mädchens.

Zumindest bis gestern Abend war er okay, berichtet sie, die letzte Nachricht ist von gestern um Viertel nach elf. Avram prüft, wie hoch die Sonne steht. Beide wissen: Viertel nach elf, das ist gut, aber bereits so bedeutungslos wie die Zeitung von gestern, war doch, gleich nachdem er die Nachricht hinterlassen hatte, irgendwo dort die Sanduhr wieder umgedreht worden; das Zählen hatte von neuem begonnen, bei Null, und abermals hatte die Hoffnung keinen Vorsprung vor der Angst.

Warte, warum hast du ihn nicht direkt angerufen, auf seinem Handy?

Ihn? Direkt? Sie schüttelt heftig den Kopf, nein, nein, wie kommst du denn darauf.

Sie wendet ihm den Kopf halb zu, wie eine Gazelle einem Maler, und ihr Blick fragt, verstehst du wirklich gar nichts, hast du noch nicht begriffen, dass ich das nicht darf, bis er zurück ist?

Der Weg wird immer beschwerlicher; in Avram tobt es: Plötzlich ist Ofer so nah, seine Stimme hallt noch in Oras Ohr, sogar seine Kleider, die Avram trägt, rascheln, als umwehe ihn sein Geist.

Aber was hat er gesagt?

Alles Mögliche, geschäkert hat er, Ofer eben.

Ja, lächelt Avram vor sich hin.

Wie kannst du »ja« sagen, faucht sie giftig, was weißt du überhaupt von ihm?

Alles, was du mir erzählt hast, sagt Avram erschrocken.

Ha, Geschichten. Geschichten gibt es viele.

Er verkriecht sich. Irgendetwas ist passiert, das ist völlig klar, etwas Schlimmes.

So weit das Auge sieht, recken sich die Zepter der Salbeibüsche weiß-violett in die Höhe, rosafarbene Lichtnelken und Ranunkeln lösen die rote Zeit der Anemonen ab, die schon verblüht sind. Die Kiefernnadeln sind vom Tau getigert. Irgendwo klingeln Glöckchen: Nicht weit von ihnen zieht eine Herde zitternder Lämmer auf dünnen Beinchen vorbei, und die schwankenden trächtigen Bäuche der Schafe schleifen fast auf der Erde; Ora schaut wütend auf Avram, der die Zitzen und die dicken Bäuche anstarrt, und für einen Moment ist er verlegen, als habe man ihn bei etwas ertappt.

Sie gehen weiter, stöhnen und ächzen den Berg hoch. Avram ist besorgt und verwirrt, nach einer ganzen Nacht voller Liebe gestern war es endlich so weit, ihre Körper glaubten ihnen wieder und vertrauten, dass sie sich nicht noch einmal für viele Jahre trennen würden. Die ganze Nacht hatten sie zusammengelegen, waren eingeschlafen, hatten geredet, waren eingedämmert, hatten miteinander geschlafen, gelacht und wieder miteinander geschlafen. Neta war zu ihm gekommen und wieder gegangen, hatte sich an ihn geschmiegt und dann zurückgezogen, mit seinem Körper hatte er Ora von ihr erzählt, und eine seltene, allumfassende Gelassenheit umfing ihn dabei; er hatte sich vorgestellt, dass die beiden ihn wie im Traum zwischen sich hin und her wiegen. Als er danach neben Ora lag, hatte er gespürt, wie das Glück langsam pochend in ihn zurückströmte, wie Blut in eine eingeschlafene Hand.

Eins weiß ich heute, das hab ich mir früher nicht vorstellen können, hatte er in einer der Stunden gesagt, in denen ihr Kopf auf seiner Brust ruhte,

Hmm?

Dass man ein Leben lang ohne irgendeinen Sinn leben kann.

Ist das so? sie stützte sich auf ihre Ellbogen und schaute ihn an: Wirklich ohne jeden Sinn?

Wenn du mir früher, als es den Avram seligen Angedenkens noch gab, wenn du mir da gesagt hättest, dass mir ein ganzes solches Leben bevorsteht, ich hätte auf der Stelle Schluss gemacht. Heute weiß ich, so schlimm ist das gar nicht. Es ist durchaus möglich. Du siehst ja.

Aber erklär mir das, was bedeutet ein Leben ohne Sinn?

Er überlegte: Dass nichts wirklich weh tut und nichts wirklich Freude macht. Man lebt, weil man eben lebt. Weil man zufällig nicht stirbt.

Es gelang ihr, sich zu beherrschen und nicht zu fragen, was er empfinden würde, wenn Ofer etwas zustoßen sollte.

Alles spielt sich am anderen Ufer ab, sagte er, und zwar schon lange.

Alles?

Es gibt keine Leidenschaft, sagte er.

Und wenn du so mit mir zusammenbist, fragte sie und bewegte das Becken in seiner Richtung.

Gut, er lächelte, es gibt schon Momente …

Sie legte sich auf ihn. Wieder bewegten sie sich langsam, sie öffnete sich, doch er kam nicht zu ihr, er fühlte sich auch so gut, und er wollte reden.

Ich dachte immer …

Sofort hielt sie in ihren Bewegungen inne, da war etwas in seinem Gesicht, in seiner Stimme.

Wenn du, sagen wir, murmelte er schnell, ein Kind hast, dann ist das der Sinn des Lebens, oder? Das ist etwas, wofür es sich lohnt, morgens aufzustehen?

Hmm. Ja, in der Regel schon, ja.

In der Regel? Nicht immer?

Ora erinnerte sich an einige ganz bestimmte Morgenstunden im letzten Jahr: Nein, nicht immer.

Ach ja? Avram staunte, und ich dachte …

Wieder schwiegen sie, bewegten sich vorsichtig einer um den Körper des andern, sein Fußgewölbe legte sich um ihren Schenkel, seine Hand streichelte ihren Nacken.

Soll ich dir was Merkwürdiges erzählen, Ora?

Erzähl mir was Merkwürdiges, brummelte sie und drückte sich der Länge nach an ihn.

Als ich von dort zurückkam, ja?, als ich anfing zu begreifen, was mir passiert ist, du weißt schon, all das − er machte eine wegwerfende Bewegung mit der Hand −, da hab ich plötzlich kapiert, dass ich auch in Zeiten, in denen ich diese Leidenschaft und diesen Sinn des Lebens noch besaß, irgendwo immer wusste, dass sie nur geliehen sind, nur für eine begrenzte Zeit. Er grinste kurz: Nur bis die Wahrheit rauskommt.

Was ist die Wahrheit, fragte sie und dachte: Die beiden Reihen beim Spießrutenlauf. Die Grausamkeit des Schicksals.

Dass sie nicht wirklich mir gehören, sagte Avram angestrengt und hart, und aus irgendeinem Grund stützte er die Arme auf, schaute sie durchdringend an, und wie einer, der am Ende eines harmlosen Verhörs plötzlich beschließt, auch noch ein furchtbares Verbrechen zu gestehen, fügte er eilig hinzu: dass sie mir überhaupt nicht zustehen.

Ihr kam der Gedanke: Und wenn er ein Kind haben würde?

Was ist los, fragte Avram.

Umarm mich.

Wenn er ein Kind haben würde, dachte sie fiebernd, ein eigenes Kind, das bei ihm groß wird. Wie kommt es, dass ich nie an die Möglichkeit gedacht habe, dass er mal richtig Vater sein könnte …

Ora, was ist los?

Halt mich fest, lass mich nicht los, sie atmete heftig an seinem Hals, du kommst mit mir bis nach Hause, ja?

Aber natürlich, sagte Avram erstaunt, wir gehen zusammen, was hast du denn …

Und wir werden immer, immer zusammenbleiben? Sie warf ihm diese Frage hin, an die sie sich plötzlich erinnerte, ein Versprechen, das er per Telegramm zu ihrem zwanzigsten Geburtstag geschickt hatte.

Bis dass der Tod uns bindet, vervollständigte er ohne Nachdenken seinen Satz von damals.

Und in genau diesem Moment spürte Avram, dass Ofer in Gefahr war. Nie zuvor hatte er so etwas empfunden: Etwas Dunkles, Kaltes schnitt in sein Herz. Ein unerträglicher Schmerz. Er zog Ora fest an sich. Sie erstarrten.

Hast du das gespürt? flüsterte sie ihm entsetzt ins Ohr, du hast das auch gespürt, nicht wahr?

Avram atmete stumm in ihr Haar, kalter Schweiß brach ihm aus.

Denk an ihn, flüsterte sie, schmiegte sich ganz an ihn und nahm ihn in sich auf, denk an ihn, wenn du in mir bist.

Sie bewegten sich langsam, aneinander geklammert wie in einem großen Sturm.

Denk an ihn, denk an ihn! hatte sie geschrien.

Hör zu, sagt sie wütend einige Stunden danach, auf dem Weg, der von Jagur auf den Carmel hochführt: Ofer hat mir gestern eine Nachricht hinterlassen: »Ich bin okay, die Bösen weniger.«

Hat er nicht gefragt, wo du bist, wohin du verschwunden bist, was mit dir los ist?

Doch, natürlich, immer wieder. Von uns allen macht er sich die meisten Sorgen; er muss auch immer Bescheid wissen – sie hat keine Lust, Avram jetzt irgendwas zu erzählen, aber sie spuckt es aus, damit er auch das weiß, damit er sich erinnern wird –, Ofer hat manchmal so einen Drang, uns alle zusammenzuhalten, dass ihm ja keiner für zu lange Zeit verschwindet ...

Sie bricht ab, erinnert sich, wie Ofer als Kind jedes Mal erschrak, wenn auch nur der kleinste Streit zwischen ihr und Ilan ausbrach, wie er dann sofort um sie herumrannte, sie aufeinander zuschob und zwang, sich nah zu sein. Wie war es bloß gekommen, dass die Familie ausgerechnet seinetwegen auseinanderbrach? Wieder rennt sie los, reckt ihre Stirn in die Luft, und Avram denkt sich, vielleicht hat auch Ilan ihr eine Nachricht hinterlassen, oder Adam hat ihr etwas auf Band gesprochen, was sie verletzt hat.

Die Hündin reibt sich an ihm, als wolle sie ihn stärken oder als suche sie Schutz vor Oras Wut; ihr Schwanz hängt schlaff, sie schaut verlegen.

So hat er gesagt? »Ich bin okay, aber die Bösen ...«

Die Bösen weniger.

Avram wiederholt die Worte, bewegt die Lippen lautlos, schmeckt den jugendlichen Hochmut und denkt – doch Ora spricht schon schimpfend aus, was er denkt: »Bei uns in Pruschkov hat man nicht so geredet.«

Avram hebt die Hand, gegen dich kommt man einfach nicht an, alles kennst du, er schmeichelt sich bei ihr ein, doch sie reckt unversöhnlich den Kopf und marschiert weiter. Als Arabisch-Übersetzer in der Horchstation *Babel* hatte er alle Vorkommnisse seiner Schicht im Diensttagebuch unter dem Titel *Unser Städtchen Pruschkov* regelmäßig im zittrigen, verärgerten und misstrauischen Tonfall von Zeschka, Chomek und Fischl-Parech kommentiert. So schmückte er etwa die Verlegung einer Flugstaffel von MIG 21 vom ägyptischen Luftwaffenstützpunkt in Sakasik nach Luxor, das Startverbot für eine *Topolev* wegen Problemen mit der Steuerung oder die Lieferung von Essensrationen an eine Kommandoeinheit mit den bitteren, defätistischen, kleinkrämerischen Bemerkungen der drei greisen Pruschkover aus, die er erfunden hatte und deren Charaktere er ständig weiterentwickelte, bis der Kommandeur der Basis dahinterkam und ihn zu einer Woche Wacheschieben am Flaggenmast auf dem Appellplatz verurteilte, um seine vaterländische Gesinnung zu stärken.

Schnell benutzt er diese süße Erinnerung, um ihr Herz für ihn zu erweichen: Sag mal …

Was denn? Er hört Tränen in ihrer Stimme. Sie schaut ihn noch nichtmal an. Zittern ihre Schultern oder sieht es nur so aus?

Gab es sonst noch Nachrichten?

Nur unwichtige.

Auch von Ilan?

Ja, deinem Freund ist es auch eingefallen, mal anzurufen. Endlich hat er irgendwo erfahren, was hier los ist, und plötzlich ist er furchtbar besorgt über die Lage im Land und auch darüber, dass ich verschwunden bin.

Woher weiß er denn, dass du …

Ofer hat es ihm gesagt.

Avram wartet. Er spürt, da ist noch etwas.

Er kommt mit Adam zurück, aber das dauert noch ein paar Tage, er weiß nicht, wann sie einen Flug kriegen. Sie sind gerade in Bolivien, in irgendeiner Salzwüste, sagt sie und zieht wütend die Nase hoch, da ist genug Salz für alle meine Wunden.

Und Adam?

Was ist mit Adam?

Hat er dir auch was aufs Band gesprochen?

Sie stockt und staunt: Unglaublich …

Ora?

Denn erst jetzt, erst wo er sie fragt, fällt ihr ein, dass Ilan ihr auch Grüße von Adam ausgerichtet hatte; sie war so mit sich selbst beschäftigt, mit dem, was sie da getan hat, dass sie es fast vergessen hat. Er hat ausdrücklich gesagt: und Grüße von Adam. Und das hat sie vergessen. Adam hat schon recht, sie ist einfach keine richtige Mutter.

Ora, was ist los?

Ist schon gut. Wieder rennt sie beinah. Bei mir gab es sonst keine wichtigen Nachrichten.

Bei dir?

Lass mich in Ruh, okay? Was soll dieses Verhör? Lass mich einfach in Ruh!

Ich lass dich in Ruh, murmelt er. In seinem Magen meldet sich ein ungutes Gefühl.

Ein Mückenschwarm begleitet sie, sie müssen durch die Nase atmen und eine ganze Weile schweigen. Avram bemerkt freiliegende Baumwurzeln und drum herum kleine Haufen aufgeworfener Erde: Hier waren in der Nacht Wildschweine.

Später, am Wegrand, ein großer dunkler Felsen mit der Inschrift »Nadav«, und auf dem Stein daneben: »Wäldchen zum Gedenken an Nadav Klein. Er fiel im Zermürbungskrieg im Jordantal am 12.7.1969.« Gegenüber, zwischen Kiefernnadeln und Eukalyptusbäumen, eine Gedenktafel mit der Aufschrift: »Im Gedenken an Stabsfeldwebel Menachem Holländer, Sohn von Hanna und Mosche, Haifa, Kfar Chassidim. Gefallen im Jom-Kippur-Krieg in der Schlacht um Taos, am 9.10.1973, mit 23 Jahren.«

Etwas weiter ein riesiges Betonrelief des Suezkanals von 1973, dort eingetragen »unsere Stellungen« – hier, ganz klein, auch *Magma* –, und zwischen Kaktushecken mit langen gezahnten Sprossen entdecken sie Skulpturen: eine hockende vergoldete Hirschkuh, einen ebenfalls vergoldeten Löwen und ein Denkmal mit den Namen von acht Soldaten, die im Kampf am Ufer des Suezkanals am 23.5.1970 gefallen sind, und Ora prüft aus dem Augenwinkel, wie Avram diese Hürden der Erinnerung meistert, doch der macht sich im Moment wohl nur ihretwegen Sorgen, und sie überlegt, wie soll sie es ihm sagen, wo soll sie anfangen, wie soll sie es ihm erklären?

Sie rennt weiter. Man kann sie nicht einholen. Die Hündin bleibt ab und zu stehen, ihre Rippen heben und senken sich schnell, sie schaut Avram fragend an, er zuckt mit den Schultern: Auch er versteht sie nicht. Von der Hauptstraße des arabischen Dorfes Ussfije biegt ihr Weg vor dem Obst- und Gemüseladen *Suq Josef* ab und führt sie in ein schütteres Kiefernwäldchen: Überall liegen Müllhaufen, alte Reifen, Möbel, Sperrmüll, zerschlagene Fernsehgeräte, Dutzende leere Plastikkanister.

Mit Absicht schmeißen die das alles hierhin, schimpft sie, ich sag dir, das ist deren verschrobene Rache an uns.

712

Von wem?

Na, von denen, sagt sie und macht eine ausladende Handbewegung, du weißt schon.

Aber sie werfen sich den Dreck doch vor die eigene Tür, sagt Avram verwundert, das ist doch ihr Dorf.

Nein, nein. Bei denen im Haus ist alles picobello, alles blitzblank, ich kenne das, aber alles, was draußen ist, gehört quasi schon dem Staat, den Juden, und dann ist es ja beinah eine gute Tat, es verdrecken zu lassen, das ist bestimmt auch ein Teil von ihrem Dschihad, sieh mal hier, komm mal her! Sie tritt mit voller Wucht gegen eine leere Flasche, verfehlt sie und fällt selbst fast hin. Avram erinnert sie, dass Ussfije ein Dorf von Drusen ist, die sich nicht dem Dschihad verschrieben haben. Außerdem haben wir beim Abstieg vom Arbel, am See Genezareth und im Nachal Amud auch genug Abfallhaufen gesehen, und die waren rein jüdischer Herkunft. Ora erwidert, nein, das ist deren Protest, kapierst du das nicht? Denn offen zu revoltieren trauen sie sich ja nicht; weißt du, ich hätte mehr Achtung vor ihnen, wenn sie sich offen gegen uns auflehnen würden.

Es geht ihr richtig schlecht, spürt Avram, deshalb wettert sie so, er schaut sie an und sieht, wie ihr Gesicht hässlich wird.

Hast du denn keine Wut auf sie? zischt sie, empfindest du keinen Zorn, keinen Hass, bei allem, was sie dir getan haben?

Avram überlegt. Das Bild des Alten aus dem Kühlraum steigt in ihm auf, wie er nackt auf dem Gehweg liegt, den Kopf auf dem Boden schlägt und vor den Soldaten zappelt.

Worüber musst du so lange nachdenken? Wenn man mir nur ein Viertel von dem angetan hätte, was sie mit dir gemacht haben, ich würde sie bis ans Ende der Welt verfolgen, ich würde Mörder anheuern, damit sie Rache üben, sogar jetzt noch.

Nein, sagt er, und läßt seine Folterer vor sich antreten, den Leiter der Verhöre, Oberstleutnant Doktor Aschraf mit den kleinen listigen Augen, einem ekelhaft blumigen Hebräisch, mit diesen Händen, die ihn aufgerissen haben; die Gefängniswärter in Abassija, die ihn bei jeder Gelegenheit schlugen und ihre Freude daran hatten, ihn länger als die anderen zu quälen, als mache etwas an ihm sie jedes Mal von Neuem wahnsinnig. Und die zwei, die ihn lebendig begruben, und der, der sich über ihn gebeugt und ihn fotografiert hatte, und die beiden von auswärts – Aschraf hatte ihm erzählt, er habe sie extra für ihn kommen lassen, zwei zum Tode verurteilte Vergewaltiger aus einem Gefängnis in Alexandria –, sogar die hasst er nicht mehr; er empfindet nur eine schale Verzweiflung, wenn er an sie denkt, und manchmal auch Trauer, einfach schiere Trauer, dass es das Schicksal so gewollt hatte, dass er dort war und all das gesehen hat.

Der Weg führt scharf nach links hinunter und rettet sich in das trockene Flusstal des Nachal Chejk, und es sieht aus, als ginge es steil in die Tiefe, direkt in den Bauch der Erde; sie müssen aufpassen, wohin sie treten, denn die Felsen sind feucht vom Tau, sehnige Baumwurzeln kreuzen ihren Weg, und die ganze Zeit tanzt die Sonne durch die Blätter wie durch ein Gewirr zarter Scherenschnitte.

Warum richtet Adam mir plötzlich Grüße aus, wundert sie sich, was ist mit ihm los, was empfindet der denn?

Eichen, Pistazienbäume und Kiefern, die wie Großeltern wirken, neigen sich von beiden Seiten des Wadis über sie, Efeu hängt von ihren Ästen, hier und da ein Erdbeerbaum, und hier, quer über den Weg, eine riesige gefällte Kiefer, ihre Zapfen sind tot, ihr Stamm wird schon weiß, Avram und Ora wenden im selben Moment den Blick ab.

Bei einem trockenen Wassersammelbecken mit hohem, vertrocknetem Schilf kommen ihnen zwei hochgewachsene Jugendliche entgegen, der eine mit dichten dunklen Rastas, der andere mit wilden goldenen Locken, beide tragen winzige Kippas, sie haben freundliche Gesichter und schleppen riesige Rucksäcke mit darübergebundenen Schlafsäcken. Ora und Avram haben Erfahrung mit solchen Begegnungen, fast immer sagen sie kurz *Schalom*, treten mit gesenktem Blick zur Seite und lassen die anderen Wanderer vorbeigehen; doch diesmal begrüßt Ora die Jugendlichen mit einem breiten *Schalom* und nimmt ihren Rucksack ab. Woher seid ihr? fragt sie, und die beiden tauschen etwas überrascht Blicke, doch Oras Lächeln ist warm und herzlich.

Habt ihr Lust auf eine Kaffeepause? Ich habe vorhin frische Waffeln gekauft. Koschere, fügt sie angesichts ihrer Kippas hinzu und plappert und lacht mit ihnen, sprudelt vor mütterlicher Wärme, scheint aber auch ein bisschen zu flirten, und die beiden nehmen die Einladung an, obwohl sie erst vor einer Stunde einen Kaffee getrunken haben, mit einem Jerusalemer Arzt, der ihnen alle möglichen seltsamen Fragen gestellt und auch ihre Antworten aufgeschrieben hat, auf so einen Block. Ora spannt sich an.

Auf ihre Bitte erzählen sie nach einem Moment des Zögerns, was sie von ihm erfahren haben, als sie mit ihm Kaffee tranken – der macht richtig guten Kaffee, betont der Dunkelhaarige –, und so kommt heraus, dass er und seine Frau vor Jahren eine Wanderung entlang dem Israelweg geplant hatten, vom äußersten Norden bis nach Taba, fast tausend Kilometer, aber dann ist seine Frau krank geworden und gestorben, vor drei Jahren – jetzt unterbrechen sich die beiden gegenseitig, begeistert von der Geschichte und vielleicht auch von Oras hypnotisiertem Blick –, und bevor sie starb, habe seine Frau ihn gebeten, ihre gemeinsame Wanderung auf jeden Fall zu machen, auch allein, und sie habe etwas Zusätzliches gesucht, was er unterwegs außerdem noch machen könne, der mit den goldenen Locken lacht, und schließlich war sie auf diese Idee gekommen, nun reißt der Dunkle die Geschichte an sich, dass er jedem, den er trifft, zwei Fragen stellt. Die beiden erzählen zusammen, es sieht aus, als ginge ihnen erst jetzt, wo sie davon erzählen, die Bedeutung der Geschichte richtig auf. Ora lächelt, hört kaum noch zu, versucht vielmehr, sich die Frau vorzustellen, die bestimmt sehr hübsch gewesen ist, Ora sieht sie als eine reife, leuchtende Schönheit, gleichzeitig zart und irdisch, mit wallendem honigfarbenen Haar …

Für einen Moment vergisst sie ihre Not und fühlt sich zu dieser fremden Frau hingezogen – »*Tami, Tamari, Tamjuscha*« hat er sie genannt –, die auf dem Sterbebett für ihren Mann »etwas Zusätzliches« suchte.

Oder jemand Zusätzlichen, denkt sie, lächelt anerkennend und wohlwollend beim Gedanken an die Frau, die ihren Mann wohl gut kannte und ihm diese zwei Fragen mitgegeben hatte, vor denen keine Frau bestehen kann.

Die beiden Jugendlichen sammeln schon Zweige und Reisig, machen Feuer, stellen einen verrauchten Wassertopf auf und bieten ihre Kräuter an, Ora holt immer mehr Lebensmittel aus ihrem Rucksack. Wie aus einem Zauberhut, lacht sie, freut sich an den großzügigen Bewegungen ihrer Hände. Alles, was sie heute früh aus dem Minimarkt mitgebracht hat, breitet sie vor ihnen aus, bemerkt Avram besorgt, Hummus, Ziegenkäse, gute grüne Oliven, auch ein paar Fladenbrote, die sogar noch warm und weich sind, sie verführt sie regelrecht, alles zu probieren, und sie lassen sich gerne verführen, schon lange haben sie keine solche Mahlzeit mehr gegessen, sagen sie mit vollem Mund und prahlen ein bisschen mit ihrer Sparsamkeit auf der Reise, wie geschickt sie ihren kleinen Etat einteilen, und Ora betrachtet sie freundlich, während sie so selbstbewusst reden und kräftig zulangen, und nur Avram sitzt etwas verloren dabei und findet seinen Platz zwischen ihnen nicht.

Das Gespräch kommt auf die lange Strecke, die beide, die aus dem Süden und die aus dem Norden Kommenden, bereits zurückgelegt haben, Ratschläge, brauchbare Information über Hindernisse und Überraschungen, die einen auf dem Weg erwarten, werden weitergegeben, und Ora denkt: Gut, dass sie auf den Zettel mit ihrer Entschuldigung, die sie ihm anstelle ihres Notizbuchs hinterließ, ihre Telefonnummer notiert hatte. Sollte er anrufen, könnte sie ihm seine Seiten aus ihrem Heft zukommen lassen. Auf welchem Weg auch immer.

Schließlich taut auch Avram auf, der Weg ist irgendwie doch auch sein Zuhause geworden, er spürt zu seiner Überraschung in sich etwas von dieser Wanderer-Kameradschaft, ein Gefühl der Verbundenheit mit Weggenossen, das er nie zuvor gekannt hat. Vielleicht erfreut auch ihn der gesunde Appetit der beiden Jugendlichen, dass sie quasi an seinem Tisch essen und ihnen das völlig normal vorkommt. War nicht ebendies der Lauf der Welt, dass mittellose junge Leute, die notgedrungen sparsam und spartanisch leben, sich ab und zu an der Großzügigkeit wohlhabender Erwachsener erfreuen, in diesem Fall eines netten, freundlichen Paares, das trotz Avrams weißer, flatternder Pumphose und seinem von einem Gummiband zusammengehaltenen Pferdeschwanz recht zivilisiert aussah – ein Mann und eine Frau, nicht mehr jung, aber auch noch nicht alt, sie hatten bestimmt schon große Kinder, vielleicht sogar Enkel, und sie nahmen sich eine Auszeit und erlebten ein kleines Abenteuer. Avram erzählt ihnen begeistert von dem steilen Aufstieg zum Tabor, den Stufen im Felsen, den Eisengeländern beim Aufstieg zum Arbel, er hat auch ein paar Ratschläge und Warnungen parat, doch wenn er etwas sagen will, kommt Ora ihm meistens zuvor und besteht darauf, die Geschichte selbst und sogar mit kleinen Übertreibungen zu erzählen, und plötzlich hat er den Eindruck, sie will ihm um jeden Preis zeigen, wie gut sie mit Jugendlichen umgehen kann, und er verlischt und betrachtet sie, wie sie sich ihnen gleichsam mit einem plump-vertraulichen Rippenstoß anbiedert, ihr ganzes Verhalten erscheint ihm so fremd und unpassend, bis ihm der Gedanke kommt, dass es sich vielleicht gegen ihn richtet, dass sie ihm noch immer böse ist, ohne dass er weiß, weshalb, und dass sie ihn merkwürdig provozierend aus diesem kleinen Kreis hinausdrängt, den sie um sich selbst und die Jugendlichen gezogen hat.

Und so zieht er sich in sein Inneres zurück, löscht das Licht und sitzt jetzt in sich selbst im Dunkeln.

Doch die Jugendlichen aus Tekoa bemerken gar nicht, welche Schlacht hier vor ihren Augen im Stillen geführt wird, und erzählen begeistert, was sie auf dem Israelweg bei Eilat alles gesehen haben, vom Sonnenuntergang im Nachal Zin und den Narzissen auf den Hügeln des Nachal Aschkelon bis zu den Hirschen in Ejn Avdat, und Ora erklärt ihnen, sie und Avram wollten den Weg erstmal nur bis Jerusalem machen; vielleicht machen wir später auch den südlichen Teil bis Eilat und Taba, und ihr Blick irrt irgendwo in die Ferne. Die Jugendlichen beklagen sich über die militärischen Feuerzonen im Negev, deretwegen der Weg statt durch Wadis und über Berge an Verkehrsstraßen entlangführt, und sie warnen Ora und Avram vor den Saluki-Hunden der Beduinen, »die haben Unmengen Hunde, passt da bloß gut auf euren auf«, und so plätschert das Gespräch, beginnt sich zu wiederholen, und plötzlich spürt Avram, dass etwas vor seinem Gesicht vorbeizieht, und als er den Kopf hebt, sieht er, es ist Ora, sie hat so einen gequälten, ziellosen Blick, ist überhaupt nicht hier, als bemerke sie in ihm plötzlich etwas Neues, was ihr sehr weh tut, und er hebt unwillkürlich die Hand, um sich einen Krümel oder irgendeinen Makel abzuwischen.

Bei dem Gespräch wird ihnen klar, dass Jerusalem noch etwa zehn Tagesstrecken entfernt ist, »Sie werden vielleicht ein bisschen länger brauchen«, vermuten die Jugendlichen und sind sofort bereit, es genau auszurechnen: Etwa zwei Tage von hier bis zum Meer, nach Jasser

A-Sarka; dann geht ihr zwei, allerhöchstens drei Tage am Strand entlang, bis Tel Aviv, wo der Jarkon ins Meer mündet, okay? Von da aus habt ihr vielleicht einen, eineinhalb Tage am Jarkon entlang, nicht besonders toll, es gibt ein paar schöne Stellen, ansonsten stinkt es da ziemlich, dann drei Tage ganz gemütlich von Rosch HaAjin bis Latrun und Schaar HaGai, und von dort seid ihr in einem Tag in Jerusalem. Zuletzt geht es sehr schnell, lacht der Gelockte, bei Schaar HaGai werdet ihr das Zuhause wie einen Magnet spüren. Ora und Avram schauen sich erschreckt an. Nur zehn Tage? Und was dann? Und was danach?

Ora, warte, du rennst wieder so.

So geh ich eben.

Schon ein paar Stunden geht sie so. Sie hat einen wilden, knurrenden Gang. Avram und die Hündin laufen hinter ihr, wagen es nicht, sich ihr zu nähern. Sie bleibt nur stehen, wenn sie nicht mehr kann, wenn ihre Füsse sie nicht mehr tragen.

Das Alon-Tal, Affodill, Zyklamen, erster Mohn; dann zeigt sich plötzlich das Meer. Seit Beginn der Wanderung hat Ora auf diesen Moment gewartet, und jetzt hält sie noch nicht einmal an, weist noch nicht einmal mit der Hand auf ihr geliebtes Meer, geht einfach zähneknirschend weiter, ächzt angestrengt, und Avram immer hinter ihr. Das Wandern fällt ihnen auf dem Carmel schwerer als in den Bergen Galiläas. Hier sind die Wege felsiger, von dornigen Sträuchern überwuchert, und immer wieder muss man über umgestürzte Bäume steigen. Kohlmeisen und Eichelhäher kreisen über ihnen, schreien einander aufgeregt etwas zu, begleiten sie ein Stück Wegs, bis sie sie an die Nächsten übergeben. Gegen Abend, zum Sonnenuntergang, bleiben beide vor einem riesengroßen Kiefernzapfen stehen, er liegt geöffnet mitten auf dem Weg, von westlichen Sonnenstrahlen überflutet, und ein sonderbarer purpurner Glanz schimmert zwischen seinen Schuppen.

Sie stehen da und schauen ihn an: eine glühende Kohle, aus der das Licht gleichsam hervorbricht.

Doch sofort reißen sie sich los. Weiter. Avram merkt, auch er wird nun unruhig, wenn sie irgendwo nur für einen Moment verweilen. Auch ihn quält jetzt eine neue Angst. Er denkt, wenn wir an eine Straße kommen, nehmen wir vielleicht den Bus. Oder sogar ein Taxi.

Beim Abstieg zwischen großen Felsen halten sie sich an Wurzeln und Felsspalten fest. Immer wieder muss Avram zurückklettern und die Hündin tragen, wenn sie angesichts der tief eingeschnittenen Schluchten zu jaulen beginnt. Auch als es dunkel wird, gehen sie noch weiter, solange sie den Weg und die Wegmarkierungen erkennen können. Danach schlafen sie für kurze Zeit, erwachen aber mitten in der Nacht unruhig, ganz wie in den ersten Nächten ihrer Wanderung, weil die Erde brummt und beständig unter ihnen murmelt. Sie sitzen vor dem Feuer, das Avram angezündet hat, und trinken den von ihm gekochten Tee. Furchtbar ist die Stille und das, was sie erfüllt. Ora schließt die Augen und sieht die kleine Straße, die zu ihrem Haus in Bejt Zajit führt, sie sieht das Gartentor, die Stufen zur Haustür. Wieder hört sie Ilan sagen, dass Adam ihr Grüße ausrichte; in Ilans Stimme kann sie Adams Besorgnis hören, sein Mitleid. Warum macht er sich plötzlich Sorgen? Warum bemitleidet er sie? Sie springt auf, packt das Geschirr ein, stopft alles in den Rucksack.

Im Mondlicht gehen sie weiter, bis es heller wird. Schon ein paar Stunden lang haben sie kein Wort mehr miteinander gesprochen. Avram spürt, sie rennen, um rechtzeitig bei Ofer zu sein, wie einer rennt, um jemanden aus Trümmern zu bergen, wenn jede Sekunde zählt. Es ist nicht gut, dass sie schweigt, denkt er, dass sie nicht über Ofer redet, gerade jetzt müssen wir über ihn reden. Sie muss über ihn reden.

So beginnt er, mit sich selbst zu reden. Im Stillen erzählt er Dinge von Ofer, die er von ihr gehört hat, Kleinigkeiten, kleine Begebenheiten, Wort für Wort.

Sag mir nur, dass er okay ist, brummt er später, als die Sonne schon blendet. Er hat sich plötzlich vor sie gestellt und ihr den Weg versperrt: Sag mir, dass ihm nichts passiert ist, dass du mir nichts verheimlichst. Schau mich an! Er schreit. Beide ringen nach Luft.

Ich weiß nur, was bis gestern Nacht geschehen ist. Bis dahin war er in Ordnung. Ihr Gesicht hat seine Konturen verloren. Er spürt, dass ihr in der letzten Stunde, zwischen dem Teetrinken und dem Sonnenaufgang, etwas passiert ist. Sie sieht elend und heruntergekommen aus, als habe sie einen lang andauernden Kampf plötzlich verloren.

Was ist dann nicht in Ordnung? Wieso bist du seit gestern so? Was hab ich dir getan?

Deine Freundin, sagt Ora und kriegt die Worte nur schwer über die Lippen.

Neta? Auf einen Schlag flieht das Blut aus seinem Gesicht. Was ist mit Neta?

Ora schaut ihn lange und verzweifelt an.

Ist sie in Ordnung? Er fleht sie an, was ist ihr passiert?

Sie ist okay, sie ist ganz in Ordnung, deine Freundin.

Was ist dann mit ihr?

Sie klang sogar sehr nett, witzig.

Hast du mit ihr gesprochen?

Nein.

Was dann?

Schwerfällig biegt Ora vom Weg ab, in ein dichtes Wäldchen. Sie schleppt sich durch Dornen und Büsche, stolpert, kommt wieder auf die Beine, und Avram hinter ihr her. Sie klettert auf eine kleine Klippe von hohen grauen Felsen, und er hinter ihr her. Plötzlich befinden sie sich in einem kleinen schattigen Krater, in dem das Licht gedämpft ist, als nähme die Sonne ihre Strahlen dort weg.

Ora sinkt auf den Boden, setzt sich auf eine Stufe im Fels und verbirgt ihr Gesicht in den Händen: Hör zu, ich hab etwas getan … Das ist nicht in Ordnung, ich weiß, aber ich hab in deiner Wohnung angerufen und deine Nachrichten abgehört.

Bei mir zu Hause? Er richtet sich auf. Das kann man?

Ja.

Wie?

Es gibt so einen Code, einen allgemeinen, wenn man keinen eigenen eingibt, das ist wirklich nicht kompliziert.

Aber warum?

Frag mich nicht

Ich versteh nicht. Warte …

Avram, ich hab das gemacht, und so ist es nun mal. Ich konnte mich nicht beherrschen. Erst hab ich bei mir angerufen, und dann sind die Finger von allein weitergehüpft.

Die Hündin drängt sich zwischen sie, bietet Ora ihren warmen

Körper als Polster an, Ora legt die Arme auf sie, ich weiß nicht, was mich da geritten hat. Hör zu, ich … Ich schäme mich dafür.

Aber was ist passiert? Was hat sie getan? Hat sie sich was getan?

Ich wollte nur Netas Stimme hören, verstehen, wer sie ist. Ich habe gar nicht daran gedacht …

Ora – er schluchzt ihren Namen fast –, was hat sie gesagt?

Du hast mehrere Nachrichten. Zehn. Neun sind von ihr. Und eine von deinem Chef im Restaurant. Sie sind in einer Woche mit dem Umbau fertig, er möchte, dass du wieder bei ihm arbeitest. Er mag dich sehr gern, Avram, das hört man an seiner Stimme. Und sie machen auch eine Einweihungsfeier.

Aber Neta, was ist mit Neta?

Setz dich hin. Ich kann nicht, wenn du so über mir stehst.

Avram hat sie anscheinend nicht gehört, er starrt auf die grauen Felsen, die um sie herum aufragen. Er spürt, sie bedrängen ihn.

Ora legt ihre Wange auf den Körper der Hündin; vor ungefähr eineinhalb Wochen hat sie angerufen, vielleicht ist es auch länger her, und gebeten, du sollst sofort zurückrufen. Danach hat sie es noch ein paarmal probiert, nur deinen Namen gesagt, »Avram, Avram? Bist du da?« »Avram, nimm mal ab«, solche Sachen.

Avram kniet sich ihr gegenüber hin. Der Kopf ist ihm plötzlich zu schwer. Die Hündin, mit der Ora schmust, wendet sich ihm zu, ihr Blick ist dunkel und weich.

Und danach kam eine Nachricht von ihr, wo sie sagt – Ora schluckt, ihr Gesicht bekommt auf einmal den Ausdruck eines erschreckten Mädchens –, sie müsse dir etwas Wichtiges erzählen, und danach, warte, lass mich überlegen, ja, die letzte Nachricht ist von vorgestern Abend. Ora stößt einen eiskalten Lacher aus: Siehst du, dieselbe Zeit, zu der Ofer seine letzte Nachricht hinterlassen hat.

Avram hockt in sich zusammengesunken da, erwartet den Schlag. Ihn wird man nicht überraschen.

Avram, hier ist Neta, sagt Ora mit hohler Stimme, ihr Blick hängt irgendwo in weiter Ferne, ich bin in Nueba, und du bist schon unheimlich lange nicht zu Hause und rufst nicht die zurück, die dich lieben …

Avram nickt, als erkenne er Neta hinter Oras Stimme.

Ich hatte jetzt eine Zeit, da dachte ich, ich wär vielleicht schwanger – fügt Ora hinzu, bewegt die Lippen kaum, als spräche ein Bauchredner aus ihr –, ich hatte nicht den Mut, dir das zu sagen, und so bin ich hierhergefahren, um zu überlegen, was ich mache, mich selber zu organisieren, aber zum Schluss war es dann doch nichts, wie immer bei mir, falscher Alarm, also musst du dir keine Sorge machen, mein Geliebter.

Und dann kam das Pfeifen, sagt Ora.

Er starrt sie an: Was? Ich versteh nicht. Was hast du gesagt?

Was gibt's da zu verstehen? Ora kommt wieder zu sich und wird gleich wieder scharf: Was genau hast du nicht verstanden? Ist da ein fremdes Wort? »Schwangerschaft«, verstehst du? »Falscher Alarm«, verstehst du? »Geliebter«, verstehst du?

Sein Gesicht erstarrt in einem Ausdruck endlosen Staunens.

In einer kantigen Bewegung entfernt sich Ora von ihm und von der Hündin, wendet ihnen den Rücken zu. Sie umarmt ihren Körper, wiegt sich schnell vor und zurück. Hör auf damit, befiehlt sie sich, was greifst du ihn an, was schuldet er dir? Aber sie kann sich nicht stoppen, vor und zurück, vor und zurück wiegt sie sich, genießt es, den glühenden Faden ihrer Wut immer weiter aus ihrem Innern herauszuziehen und sich rundum so lange aufzuribbeln, bis sie ganz verschwunden sein wird, das wäre das Beste. Die arme Neta, »aber zum Schluss war es dann doch nichts, wie immer bei mir, falscher Alarm«, plötzlich weiß Ora, wie Avram und Neta sich anhören, wenn sie miteinander reden, sie kennt ihre gemeinsame Melodie, die feinen Bewegungen ihres Spiels. Genauso, wie er früher mit Ilan gefochten hat, genauso, wie Ilan bis heute mit den Jungs ficht, mit diesem Witz und einer Blitzesschnelle, zu der Ora nicht mehr in der Lage ist und zu der sie im Grunde niemals fähig war. »Doch nichts«, hatte Neta gekichert, »falscher Alarm«, ob er überhaupt kapiert, wie sehr sie ihn liebt und wie sie leidet?

Er brummt: Ich versteh noch nicht, warum du so sauer bist.

Sauer? Sie wirft den Kopf zurück, und ein giftiges Grinsen breitet sich aus, wieso denn sauer? Worüber sollte ich sauer sein? Im Gegenteil, ich sollte mich freuen, nicht wahr?

Worüber?

Über die theoretische Möglichkeit, erklärt sie mit ernstem Gesicht und einer unpassenden Sachlichkeit: dass du vielleicht einmal ein Kind haben wirst, das ganz bei dir ist.

Ich habe kein Kind, sagt er völlig ernst, außer Ofer habe ich kein Kind.

Aber vielleicht kriegst du noch eins, warum nicht, ihr Männer könnt ja länger. Sie verstummt, für einen Moment scheint sie ihre Gefühle wiederzufinden und will sich in seine Arme werfen, um sich für den Wahnsinn, der sie gepackt hat, zu entschuldigen, für die Missgunst, die Enge ihrer Seele, für ihr dummes Gekränktsein. Denn mehr als alles andere will sie ihm sagen, wie gut es wäre, wenn er ein Kind hätte, was für einen wunderbaren Vater es haben würde, aber dann spürt sie noch einen Schmerz, die Glut eines zweischneidigen Schwertes, und sie springt auf und stellt sich über ihn, selbst völlig überrascht: Vielleicht würde es ja ein Mädchen, Avram, du könntest ein Mädchen bekommen.

Aber wovon redest du? Er erhebt sich und steht ihr gegenüber: Neta hat doch gesagt, dass nicht, dass sie das nur gedacht hat. Er streckt die Arme aus, um Ora an sich zu ziehen, doch sie zerrinnt zwischen seinen Händen und sammelt sich in einer großen Kuhle im Fels und bleibt in sich zusammengerollt liegen. Sie presst sich die Hände auf den Mund, als müsste sie einen Schrei ersticken.

Komm, lass uns weitergehen. Er hockt neben ihr, sein Sprechen ist artikuliert und sicher: Wir gehen bis zu dir nach Hause, bis dahin, wo du mich bei dir haben willst. Nichts hat sich verändert, Ora, komm, steh schon auf.

Wozu, fragt sie hilflos.

Was wozu?

Sie schaut ihn mit aufgerissenen Augen an: Aber du wirst ein Mädchen haben.

Es gibt kein Mädchen, sagt er verärgert, was ist denn mit dir los?

Ich kapiere plötzlich, es ist auf einmal so greifbar.

Ich habe nur Ofer, wiederholt Avram hartnäckig, hör zu: Du und ich, wir beide haben Ofer.

Wie kannst du denn Ofer haben, lächelt sie in ihre Handflächen, und ihre Augen irren durch die Luft, du kennst ihn nicht, du hast ihn noch nichtmal sehen wollen, wer ist Ofer denn für dich? Ofer, das sind für dich nur Wörter.

Nein, nein! In seiner Not schüttelt er sie, und ihr Kopf fällt vor und zurück. Du weißt, das ist nicht mehr so.

Aber ich hab dir doch nur Wörter gesagt.

Sag mal, hast du nicht zufällig …

Was?

Ein Bild von ihm hier?

Sie schaut ihn einen langen Moment an, als verstehe sie die Bedeutung seiner Worte nicht. Danach dreht sie sich zu ihrem Rucksack, kramt und zieht einen kleinen braunen Geldbeutel heraus. Sie macht ihn auf, ohne hinzuschauen, und streckt ihn Avram hin. In einem Plastiktäschchen das Bild von zwei jungen Männern, die sich umarmen. Aufgenommen an dem Morgen, als Adam eingezogen wurde. Beide langhaarig, Ofer, jung und schmal, schmiegt sich an seinen großen Bruder, umarmt ihn mit Armen und Blicken. Avram betrachtet sie. Ora hat den Eindruck, dass seine Gesichtszüge aus den Fugen geraten.

Avram, sagt sie leise und legt ihre Hand auf seine Hand, die das Bild hält, gibt ihm Halt.

So ein schöner Junge, flüstert Avram.

Ora schließt die Augen. Auf beiden Seiten der Straße, die zu ihrem Haus führt, sieht sie jetzt Menschen stehen. Einige haben den Hof betreten, andere stehen schon auf den Treppen zur Tür. Sie erwarten sie schweigend mit gesenktem Blick. Warten, dass sie zwischen ihnen hindurchgeht und ihr Haus betritt.

Damit man anfangen kann, diese Worte gehen ihr durch den Kopf.

Sprich zu mir, murmelt sie, erzähl mir von ihm.

Was soll ich dir sagen?

Was ist er für dich?

Sie nimmt den Geldbeutel aus seiner Hand und legt ihn zurück in den Rucksack. Aus irgendeinem Grund kann sie es nicht ertragen, dass das Bild so offen dem Licht ausgesetzt ist. Er wagt es nicht, ihr zu widersprechen, obwohl er es gern noch lange anschauen würde.

Ora …

Sag mir, was er für dich ist.

Avram spürt, er muss jetzt aufstehen und aus dem Schatten dieses merkwürdigen kleinen Kraters weggehen, weg von diesen kahlen grauen Steinen. Ihnen gegenüber liegt zwischen zwei gezackten Felsen ein Stückchen sonnenüberfluteter grüner Berg, aber sie beide sind im Schatten, zu sehr im Schatten.

Ich hör dich nicht, flüstert sie.

Erstmal, sagt Avram, erstmal ist er dein Kind. Das ist das Erste, was ich über ihn weiß, und das Erste, was ich von ihm denke.

Ja, flüstert sie.

So denke ich immer von ihm: dass er von dir ist, mit deinem Licht und deiner Güte, mit dem, was du ihm immer gegeben hast, dem ganzen Leben, so wie du es zu geben weißt, mit der Fülle, dem Überschwang deiner Liebe und deiner Großzügigkeit – immer –, und das wird ihn überall bewahren, auch dort.

Ja?

Ja. Ja. Avram nimmt seinen Blick von ihr und zieht ihren kraftlosen Körper an sich, er spürt, sie ist kalt, sie atmet kaum.

Sprich weiter, ich brauche das.

Und du lässt mich ihn zusammen mit dir halten, sagt er, das ist es, das ist es, was ich sehe, ja.

Ihr Gesicht entfernt sich immer mehr und wird schwächer, sie sieht aus, als schlafe sie in seinen Armen mit offenen Augen ein, und er möchte sie wecken und wiederbeleben, ihr Odem einhauchen, doch etwas in ihr, in ihrem plötzlich leeren Blick, ihrem aufgerissenen Mund … Das ist so, sagt Avram angestrengt, du versuchst, ihn mit dir zu einem Ort zu nehmen, ganz allein, aber er ist dir zu schwer, nicht wahr? Und er schläft auch die ganze Zeit, nicht wahr?

Ora nickt, versteht und versteht nicht, ihre Finger bewegen sich schwach und blind auf seinem Unterarm, reiben, ohne es zu merken, den Ärmel seines Hemds.

Er ist ein bisschen wie betäubt, murmelt Avram, ich weiß nicht, warum, ich versteh das nicht ganz, und dann kommst du zu mir und bittest mich, dir zu helfen.

Ja, flüstert sie.

Wir beide müssen ihn an einen Ort bringen, sagt Avram, ich weiß nicht, wohin, ich verstehe auch nicht, warum. Wir halten ihn zwischen uns, die ganze Zeit. Als ob er es braucht, dass wir ihn beide dorthin bringen, das ist es.

Ja.

Nur wir beide können ihn dorthin bringen.

Wohin?

Ich weiß nicht.

Was ist dieses Dort?

Ich weiß nicht.

Ist es dort gut? fragt Ora verzweifelt, ist es dort gut?

Das weiß ich nicht.

Was ist das? Was erzählst du mir da? Ist das dein Traum? Hast du von ihm geträumt?

Das ist, was ich sehe, sagt Avram hilflos.

Aber was ist das?

Wir beide halten ihn.

Ja?

Er geht zwischen uns.

Ja, das ist gut.

Aber er schläft, seine Augen sind geschlossen, einen Arm hat er um dich gelegt, den andern um mich.

Ich versteh nicht.

Plötzlich schreckt Avram auf: Komm, Ora, wir müssen hier weg.

Das ist nicht gut, ächzt sie, er muss wach sein, die ganze Zeit. Warum schläft er?

Nein, er schläft, sein Kopf liegt auf deiner Schulter.

Aber warum schläft er? schreit Ora und ihre Stimme überschlägt sich.

Avram schließt die Augen, um das Bild loszuwerden. Als er sie wieder öffnet, starrt Ora ihn entsetzt an: Vielleicht haben wir es überhaupt falsch gemacht, sagt sie, vielleicht haben wir gar nichts begriffen, von Anfang an nicht. Das ganze Wandern, dieser ganze Weg, den wir gemacht haben …

Das stimmt nicht, sagt Avram erschrocken, sag so was nicht, wir gehen und reden über ihn …

Vielleicht ist alles gerade andersrum, als ich dachte, sagt sie fassungslos.

Andersrum?

Ihre Hände öffnen sich langsam. Ich dachte, wenn wir beide über ihn reden, wenn wir die ganze Zeit über ihn reden, dann beschützen wir ihn damit, zusammen, nicht wahr?

Ja, so ist es, Ora, du wirst sehen, dass ...

Aber vielleicht ist es gerade umgekehrt?

Was, flüstert er, was heißt umgekehrt?

Ihr Körper flattert auf ihn zu, sie klammert sich fest an seinen Arm: Ich will, dass du mir vesprichst ...

Was du willst.

Dass du dich an alles erinnern wirst ...

Ja, das weißt du doch.

Von Anfang an, von da an, wo wir uns kennengelernt haben, als Kinder, und an den Krieg damals, als wir uns auf der Isolierstation getroffen haben, und an den zweiten Krieg, und was dir da passiert ist, und an Ilan und mich, an alles, was war, ja?

Ja. Ja.

Und an Adam und Ofer, versprich mir das, schau mir in die Augen.

Sie hält sein Gesicht mit beiden Händen: Du wirst dich erinnern, ja?

An alles.

Und wenn Ofer, flüstert sie, und ihr Blick verschwimmt vor seinen Augen, eine neue Falte kerbt sich waagerecht, tief und schwarz plötzlich zwischen ihren Augen ein: Wenn er ...

Avram packt sie an den Schultern, schüttelt sie wie von Sinnen: Nein, das darfst du noch nichtmal denken! Sie redet weiter, doch er hört nichts, er drückt sie an sich, küsst ihr Gesicht, aber sie gibt sich seinen Küssen nicht hin. Sie überlässt ihm nur die Hülle ihres Gesichts.

Du wirst dich erinnern, murmelt sie, während er sie schüttelt, an Ofer wirst du dich erinnern, an sein Leben. Sein *ganzes* Leben, ja?

Noch lange Minuten saßen sie im Versteck des winzigen Kraters. Klammerten sich aneinander wie Flüchtlinge eines Sturms. Langsam kehrten die Geräusche zurück, das Summen einer Biene, das dünne Zwitschern eines Vogels, Geräusche von Bauarbeitern, die irgendwo im Tal ein Haus bauten.

Dann löste sich Ora von seinem Körper und legte sich auf die Seite. Sie zog die Knie an den Bauch und legte ihre Wange in ihre Hand. Ihre Augen waren weit offen, aber sie sah nichts. Avram saß bei ihr, seine Finger schwebten über ihr Gesicht, berührten sie leicht. Ein leiser Wind wehte. Gerüche von Zaatar und dornigem Becherstrauch und ein warmer Hauch von Heckenkirsche erfüllten die Luft. Unter ihrem Körper der kalte Stein, der ganze Fels, so gewaltig, kompakt und unendlich. Sie dachte, wie dünn ist die Kruste der Erde.

Dezember 2007

Im Mai 2003 begann ich, dieses Buch zu schreiben, ein halbes Jahr bevor mein erstgeborener Sohn, Jonathan, seinen Militärdienst beendete und ein halbes Jahr bevor sein jüngerer Bruder Uri einberufen wurde. Beide dienten beim Panzerkorps. Uri kannte die Handlung des Buchs und die Personen gut. Wenn wir telefonierten, und vor allem, wenn er frei hatte und für ein langes Wochenende nach Hause kam, fragte er, was inzwischen in der Geschichte und im Leben ihrer Helden passiert war (»Was hast du ihnen diese Woche wieder angetan?«, sagte er). Die meiste Zeit seines Wehrdienstes verbrachte er in den besetzten Gebieten, bei Patrouillen, auf Beobachtungsposten, in Hinterhalten und an Checkpoints, und manchmal erzählte er mir, was er da erlebte.

Ich hatte damals das Gefühl – oder genauer gesagt, die Hoffnung –, dass das Buch, das ich schreibe, ihn schützen wird.

Am 12. August 2006, in den letzten Stunden des zweiten Libanonkrieges, wurde Uri im Südlibanon getötet. Bei dem Versuch, die Besatzung eines anderen getroffenen Panzers zu retten, wurde sein Panzer von einer Rakete getroffen. Mit Uri kam die gesamte Besatzung des Panzers ums Leben: Benaja Rein, Adam Goren und Alex Bonimovitsch.

Nach der Trauerwoche kehrte ich zu dem Roman zurück. Der größte Teil war bereits geschrieben. Mehr als alles andere hat sich der Resonanzraum der Wirklichkeit verändert, in dem die letzte Version entstand.

David Grossman

Dank

Die Übersetzerin dankt dem Deutschen Übersetzerfonds für die Förderung ihrer Arbeit und Rachel Bar-Haim (Jerusalem), Renate Birkenhauer (Straelen), Patricia Reimann (München), Heinrich Bauermeister (Hamburg), Irmela Brender (Sindelfingen) und Gershon Molad (Tel Aviv) für ihre hilfreiche kritische Begleitung.

Romane von David Grossman

Das Lächeln des Lammes
Roman
Aus dem Hebräischen von Judith Brüll
1988. 376 Seiten.

»Schon mit 28 Jahren hat David Grossman einen Roman geschrieben,
bei dessen Reichtum an zeitübergreifenden Fabeln und poetisch illu-
minierter Historie einer Landschaft man einem jungen Gabriel García
Márquez des Nahen Ostens zu begegnen meint.«
Peter von Becker, *Die Zeit*

»Dieser erste Roman des David Grossman ist ein erstaunliches Buch.
Das Lächeln des Lammes erinnert an die Sprache der Psalmen, an die Dra-
maturgie aus 1001 Nacht und ist doch von provozierender Aktualität.«
Hans Stempel, *Frankfurter Rundschau*

»Solch ein Buch, Appell für Versöhnung und Frieden, hat es wohl in
Israel bisher nicht gegeben. Und dort ist es zum Bestseller geworden,
ein Buch, das sich wie ein Läuterungsprozess offenbart, dem alle Figuren immer stärker unterworfen werden. Mit Sehnsucht nach Liebe
und Frieden, nie sentimental, doch immer ungeheuer poetisch.«
Stefan Jaedich, *Welt am Sonntag*

Stichwort Liebe
Roman
Aus dem Hebräischen von Judith Brüll
1991. 616 Seiten.

»Lesen Sie dieses Buch! Es ist weit mehr als ein Buch über die Shoah, es ist ein Roman über das Leben, die Liebe, die Hoffnung, ein wunderbarer Roman, in dem die Toten wieder zum Leben erweckt werden. David Grossman ist es gelungen, gegen die reale Vernichtung ein Werk der Wiederauferstehung zu schreiben.«

Liz Wieskerstrauch, *Frankfurter Hefte*

»Was Grossman in seinem großen Wurf anpeilt, was er in phantastischen Visionen skizziert, ist in der Tat eine neue Welt-Anschauung und Welt-Erfahrung, für die das Stichwort ›Liebe‹ stellvertretend steht. Man mag dieses überbordende Buch barock, überladen oder orientalisch nennen: Sicher gehört es jener genialischen Epoche an, die der Dichter Bruno Schulz, der Prophet aus Polen, vor einem halben Jahrhundert am Horizont aufsteigen sah.« Werner Ross, *FAZ*

»Der Leser sei gewarnt: Wer sich auf Momik einlässt, diesen neunjährigen Israeli, dem in der Welt der Erwachsenen so vieles fremd ist, der wie ein Detektiv die Verschwörung des Schweigens aufzudecken versucht, hinter dem sich die Älteren verschanzen, der wird sich unversehens in einem Labyrinth aus Geschichten wiederfinden, wo es keinen Ariadnefaden gibt.« Hans Stempel, *Frankfurter Rundschau*

Der Kindheitserfinder
Roman
Aus dem Hebräischen von Judith Brüll
1994. 504 Seiten.

»*Der Kindheitsfinder* setzt die psychologische Tiefenexpedition fort.
Wieder ist Grossmans psychologische Finesse, wieder sein Gespür für
Gruppenverstrickungen und wieder seine Kombination von jüdischer
Geschichte und jüdischer Innerlichkeit zu bewundern.«
Andreas Isenschmid, *Die Zeit*

»*Der Kindheitsfinder*, von Judith Brüll einfühlsam übersetzt, ist nicht
nur ein großer epischer Erziehungsroman, sondern auch David Grossmans erzählerisch beeindruckender Versuch, den eigenen Schmerz zu
überschreiben.« Thomas Feibel, *Frankfurter Rundschau*

»Unter den Schriftstellern der mittleren Generation ist David Grossman der feinfühligste Kinder- und Familienporträtist. Keiner kann so
ambivalent wie er die Liebe der Familienbande als umgestülpten Hass
beschreiben und den Hass als gewendete Liebe.« *Sigrid Löffler*

Sei du mir das Messer
Roman
Aus dem Hebräischen von Vera Loos
und Naomi Nir-Bleimling
1999. 408 Seiten.

»David Grossmans *Sei du mir das Messer* ist erregend wie sonst nur eine Berührung, und es zeigt, wie schwer es ist, dass Mann und Frau sich wirklich verstehen. Jetzt, da ich es lese, ist es mir ein teures, ein kostbares, ein Lieblingsbuch.«   *Elke Heidenreich*

»Grossman schenkt dem Leser einige paradiesische Nachmittage.«
                         Jörg Plath, *Frankfurter Rundschau*

»Eins jener Bücher, die geschrieben werden mussten.«
                         Klara Obermüller, *Die Weltwoche*

»Eine vehemente, sich in immer neuen Spracheskapaden feiernde Imagination und ein fast lautloser Realismus.«
                         Meike Fessmann, *Süddeutsche Zeitung*

Das Gedächtnis der Haut
Aus dem Hebräischen von Vera Loos
und Naomi Nir-Bleimling
2004. 320 Seiten.

»Grossmans Bücher bilden eine Mischung aus Zivilisation und Wildnis, aus Entgrenzung und Selbsterhellung, aus Schmerz und Leichtigkeit.« Kurt Kreiler, *Neue Zürcher Zeitung*

»Grossmans Imaginationskraft verschlägt dem Leser die Sprache ... Nur wenigen Autoren gelingt es, ihren Figuren mit einer solchen Empathie auf den Leib zu rücken.« Elke Nicolini, *Hamburger Abendblatt*

»Mit der schöpferischen Vielfalt seiner dichterischen Melodie zieht Grossman den Leser von den ersten Sätzen an in seinen Bann ... Eine Lektüre, die wieder einmal zeigt, dass ein Leben mit Lesen einfach lohnender ist.« Jürg Altwegg, *Frankfurter Allgemeine Zeitung*

»Dieses Buch bietet stupende Einsichten in die menschliche Psyche.« Jörg Plath, *Der Tagesspiegel*

Politische Bücher von David Grossman

Diesen Krieg kann keiner gewinnen
Chronik eines angekündigten Friedens
Aus dem Hebräischen von Vera Loos, Naomi Nir-Bleimling,
Ruth Achlama und Beate Esther von Schwarze
2003. 200 Seiten.

Seit Jahren begleitet David Grossman den israelisch-palästinensischen Konflikt mit kritischen Kommentaren. *Diesen Krieg kann keiner gewinnen* ist seine persönliche Chronik der politischen Ereignisse vom Osloer Abkommen bis zum Gipfel von Akaba.

»Verstreute Lichtblicke, erhellende Kommentare, scharf formuliert, emotional, doch unsentimental.«

Carsten Hueck, *Frankfurter Rundschau*

Die Kraft zur Korrektur
Über Politik und Literatur
Aus dem Hebräischen von Vera Loos
und Naomi Nir-Bleimling
2008. 152 Seiten

»Texte von atemberaubender Klarheit. Wer eine authentische Stimme sucht, die von der Zerrissenheit erzählt, Israeli zu sein, der hat sie in David Grossman gefunden. Ähnlich Eindringliches bekommt man selten zu lesen.«

Anne Haeming, *Das Parlament*